2026

전면개정 브랜드 만족 1위

7·9급 공무원 시험대비

박문각 공무원

기본서

합격까지 함께
교육학 만점 기본서

방대한 교육학 이론을 체계적으로 정리

최신 출제 경향 및 개정 법령 반영

오현준 편저

동영상 강의 www.pmg.co.kr

오현준
정통교육학 #1

PREFACE 이 책의 머리말

집필 동기

"흔들리면서 피지 않는 꽃이 어디 있으랴."라고 노래했던 어느 시인의 말처럼 오랜 시련을 딛고 새 책 하나를 세상에 내어놓습니다.

이 책을 통해 교육의 장(場)에서 저마다의 꿈을 꾸고 그 꿈을 실현하려는 이 땅의 많은 수험생들과 삶과 교육, 인간, 그리고 희망을 이야기하고 싶습니다.

책과의 만남은 거듭될수록 맛이 새로워지는 만남이기에 '맛남'이라고 합니다. 꿈을 꿈으로만 묶어 두지 않고 현실화하려는 수험생 여러분들에게 이 책이 좋은 발판(scaffolding)이 되었으면 합니다. 읽고 또 읽으십시오. 맛(의미)이 거듭 새로워질 것입니다.

본서의 구성

「정통교육학」 2026년도 판은 기존의 정통교육학의 기본 틀을 유지하면서도 새로운 변화를 주려고 노력했습니다.

하나. 본서는 유·초·중등 교원임용, 9급 국가·지방직과 7급 국가직 교육행정직 그리고 5급 교육사무관 승진을 준비하는 수험생을 위하여 쓰였습니다.

둘. 내용 구성은 학교교육의 장(場)을 중심으로 제1장 '교육의 이해'에서부터 제7장 '교수-학습이론'까지를 1권으로, 제8장 '교육공학'부터 제14장 '교육사회학'까지를 2권으로 나누어 교육학의 하위 영역들을 기초이론부터 심화 이론까지 체계적으로 정리하였습니다.

본서의 공부법

하나. "숲을 보고 나무를 본다."라는 말이 있습니다. 각 단원별 전체 내용(숲)의 흐름을 먼저 파악하고 나서 단원의 세부 사항과 이론(나무)을 정리합니다. 즉 전체에서 부분으로, 숲에서 나무로 연역적으로 공부합니다.

둘. "가장 훌륭한 교재는 세상이다."라는 말이 있습니다. 교육학은 우리의 교육 현실의 문제에서부터 출발하여 다시 현실로 돌아오는 여행길입니다. 지금 우리의 학교와 사회(지역 사회 포함)에서 일어나고 있는 일 중에서 교육과 관련된 것이 무엇이 있는가를 깨어 있는 관심으로 찾아보고, 그와 관련된 이론들을 찾아봅니다.

셋. "역사는 되풀이된다."라는 말이 있습니다. 시험에는 기출문제가 다시 나올 확률이 가장 높습니다. 교육행정직 시험은 물론 임용, 사무관 승진 시험 등 기출문제를 중심으로 그와 관련된 이론들을 하나도 놓치지 말고 확실하게 내면화합니다.

넷. "개념에 대한 확인으로부터 출발하여 원리 이해로" 나아갑니다. 기본적 개념에 대해 정확히 확인하여 암기합니다. 그런 다음 중요 원리를 이해하고 그것이 어떻게 현실에 적용되는가를 생각해 봅니다.

작지만 소중한 희망

이 책을 공부하는 모든 수험생들의 합격을 기원합니다.
교육학(教育學)은 인간학(人間學)입니다. 교육은 인간과 세상을 바꾸는 아름다운 노동입니다.
그리고 교육학을 공부하는 모든 수험생 여러분은 우리 교육 현장에 작은 희망을 심는 아름다운 사람입니다.
고맙습니다. 정상에서 만납시다.

한 분 한 분 제 머릿속에 지금도 명멸(明滅)하는 소중한 분들
이 책이 나오기까지 도움을 주셔서 고맙습니다.

오현준 드림

GUIDE 출제경향 살펴보기

영역		2025 국가직 9급		2025 지방직 9급
01 교육의 이해	2	• 「평생교육법」제2조(용어) - 평생교육, 문해교육, 평생교육사업, 평생교육이용권 • 평생교육제도 - 학점은행제	2	• 평생교육의 특징 • 「평생교육법」의 평생교육사 - 제24조(평생교육사), 제24조의2(자격취소)
02 한국교육사	1	• 고려시대 관학 - 국자감, 5부학당	2	• 고려시대 교육기관(국자감) • 1995년 5·31 교육개혁 이후 교육조치 - 교원정년단축(1999.1.1.), 교원노조합법화(1999.7.1.), 교육복지투자우선지역 사업 시행(2003)
03 서양교육사	1	• 고대 그리스 교육사상가 - 아리스토텔레스(Aristoteles)	1	• 플라톤(Platon)의 교육사상
04 교육철학	1	• 20세기 현대 교육철학 - 항존주의	1	• 진보주의 교육철학
05 교육과정	1	• 교육과정 유형 - 잠재적 교육과정	1	• 학문중심 교육과정(지식의 구조, 나선형 교육과정) 주창자 - 브루너(Bruner)
06 교육심리학	2	• 인지발달이론 - 피아제(Piaget)의 용어(조절), 발달단계 특성 • 성격발달이론 - 에릭슨(Erikson)의 심리사회적 이론 제4단계(근면성 대 열등감)	2	• 지능이론과 검사 - 가드너(H. Gardner), 카우프만ABC검사, 웩슬러(D. Wechsler)지능검사, 스탠포드-비네 지능검사 • 강화계획(고정간격강화계획)
07 교수-학습이론	2	• 교수체제설계 - 딕과 캐리(Dick & Carey) • 교수이론 - 가네(Gagné)의 목표별 수업이론	1	• 가네(Gagné)의 교수사태 9단계 순서
08 교육공학	1	• 온라인 활용 수업형태 - 플립러닝(flipped learning)	1	• 교수매체 선정 및 활용 모형(ASSURE) - 제5단계(R)
09 생활지도와 상담	1	• 위(Wee) 프로젝트 - Wee 센터(2차 안전망)	1	• 생활지도의 과정(추수활동)
10 교육평가	–	–	1	• 교육평가 유형(규준지향평가, 준거지향평가, 형성평가, 총합평가)
11 교육통계	1	• 표준점수 개념 - Z점수, T점수, C점수(스테나인점수)	–	–
12 교육연구	–	–	–	–
13 교육행정학	5	• 교육행정의 기본 원리 - 기회균등, 자주성, 효율성, 전문성, 안정성, 민주성 • 교육행정이론 - 인간관계이론 • 교육비 유형 - 공교육비 • 인사행정 - 승진, 전직, 전보 • 교육관계법 - 「초중등교육법」의 규정 내용	4	• 지도성 이론 - 번즈와 배스(Burns & Bass)의 변혁적 지도성 • 「지방교육자치에 관한 법률」제34조 교육지원청 관련 사항 • 교내장학의 유형(일상장학) • 「초·중등교육법」제20조 교직원의 임무
14 교육사회학	2	• 구교육사회학 이론 - 기능이론적 교육관 • 기능이론의 유형 - 인간자본론	2	• 갈등론적 관점 학자(보울스와 진티스, 부르디외, 애플) • 해석적 접근 개요
계	20		20	

영역		2024 국가직 9급		2024 지방직 9급
01 교육의 이해	2	• 「헌법」의 교육관련 조항(제31조) • 학교의 평생교육(「평생교육법」 제29조)	3	• 「평생교육법」(제2조) - 평생교육 용어 정의 • 평생교육 참여의 장애요인 - 크로스(Cross)의 분류 • 다문화교육 - 뱅크스(J. Banks)의 다문화 교육과정 접근법 4단계
02 한국교육사	1	• 조선 후기 실학자가 편찬한 한자 학습용 교재 - 정약용의 「아학편(兒學編)」	1	• 한국교육사 개관(삼국시대~근대)
03 서양교육사	-	-	-	-
04 교육철학	1	• 실존주의 교육사상가 - 부버(M. Buber)	1	• 포스트모더니즘(post-modernism) 교육론의 특징
05 교육과정	2	• 타일러(Tyler)의 교육과정 조직 원리 - 계속성, 계열성, 통합성 • 2022 개정 교육과정 - 교육과정 구성 중점	3	• 보비트(Bobbitt)의 교육과정 개발 • 타일러(Tyler)의 교육과정 개발 절차 • 「초·중등교육법 시행령」(제48조의2) 자유학기 수업운영방법
06 교육심리학	4	• 카텔(Cattell)과 혼(Horn)의 지능이론 - 유동지능 • 바이너(Weiner)의 귀인이론 - 일시적 노력(내적-불안정적-통제가능) • 켈러(Keller)의 학습동기 유발요소 - ARCS • 마르샤(Marcia)의 정체성 지위이론 - 정체성 유예	2	• 학습동기 - 목표지향성 이론(숙달목표, 수행목표) • 학습이론 - 형태주의 심리학의 관점
07 교수-학습이론	-	-	1	• 교수설계 모형 - 딕과 캐리(Dick & Carey)의 체제적 모형
08 교육공학	1	• 슐만(Schulman)의 TPACK - 내용지식, 교수방법지식, 테크놀로지 지식	-	-
09 생활지도와 상담	1	• 생활지도의 원리 - 균등성, 적극성, 통합성	1	• 개인상담 대화기법 - 경청, 공감반영, 질문
10 교육평가	1	• 검사(도구)의 양호도 - 타당도, 신뢰도	1	• 검사도구의 양호도 - 공인타당도
11 교육통계	-	-	1	• 측정치(척도)의 종류 - 명명척도
12 교육연구	-	-	-	-
13 교육행정학	4	• 의사소통이론 - 조하리(Johari)의 창[은폐(hidden) 영역] • 학교조직의 운영 원리 - 적도집권, 분업, 조정, 계층의 원리 • 조직의 유형 - 참모조직과 계선조직 • 교육비의 종류 - 표준교육비	5	• 교육행정의 기본원리 - 효율성의 원리 • 교육정책 의사결정 관점 - 합리적 관점 • 서지오바니(Sergiovanni)의 학교 유형 - 정략적 학교 • 학교 컨설팅 장학의 원리 - 자문성의 원리 • 교육비의 종류 - 간접교육비
14 교육사회학	3	• 번스타인(Bernstein)의 코드이론 - 제한된 언어, 정교한 언어 • 부르디외(Bourdieu)의 문화재생산이론 - 아비투스(habitus) • 교육격차 이론 - 문화실조론	1	• 갈등이론 - 애니온(J. Anyon)의 교육과정 연구
계	20		20	

GUIDE 출제경향 살펴보기

영역	2023 국가직 9급		2023 지방직 9급	
01 교육의 이해	–	–	4	• 피터스(Peters)의 교육개념의 성립 기준 – 인지적 기준 • 평생교육 접근방법 – 일리치(I. Illich)의 학습망 • 성인학습의 특징(Lindeman) • 「독학에 의한 학위취득에 관한 법률」 내용
02 한국교육사	–	–	1	• 갑오개혁 시기(1894~1896)의 학교교육 관제
03 서양교육사	2	• 17C 실학주의 교육 – 코메니우스(Comenius)의 교육사상 • 19C 계발주의 교육 – 페스탈로치(Pestalozzi)의 교육사상	1	• 신인문주의 교육사상 – 헤르바르트(Herbart)
04 교육철학	1	• 현대 교육사조(20세기 전반) – 항존주의 교육철학	–	–
05 교육과정	1	• 블룸(Bloom)의 교육목표 분류 범주 – 인지적 영역 중 분석력	2	• 아이즈너(Eisner)의 교육과정 이론 • 교육과정 유형 – 학문중심 교육과정
06 교육심리학	2	• 비고츠키(Vygotsky)의 사회문화이론 용어 – 근접 발달영역(ZPD) • 콜버그(Kohlberg)의 도덕성 발달이론	2	• 행동주의 학습이론 용어(강화, 사회학습이론, 조작적 조건화) • 학습전이 이론 – 동일요소설
07 교수-학습이론	2	• 출발점 행동 진단의 의미 • 캐롤(Carroll)의 학교학습모형	1	• 교수설계 일반모형(ADDIE)
08 교육공학	1	• 가상현실(VR) 기술 활용 교육	–	–
09 생활지도와 상담	3	• 생활지도의 활동과 적응사례 – 조사활동, 정보제공 활동, 배치활동, 추수활동 • 상담이론 – 정신분석상담의 상담기법 • 청소년 비행발생이론 – 머튼(Merton)의 아노미 이론	2	• 상담이론과 상담기법 – 현실치료 • 청소년 비행발생이론 – 사회통제이론
10 교육평가	1	• 교육평가 유형 – 속도검사, 준거지향평가, 형성평가, 표준화검사	2	• 교육평가 유형 – 성장참조평가 • 문항분석 – 고전검사이론
11 교육통계	–	–	–	–
12 교육연구	–	–	–	–
13 교육행정학	5	• 교육행정 과정 – 기획(planning) • 지도성이론 – 분산적 지도성 • 동기이론 – 허즈버그(Herzberg)의 위생요인, 맥그리거(McGregor)의 Y이론 • 「초·중등교육법」상 학교운영위원회의 심의사항 • 「학교폭력예방 및 대책에 관한 법률」상 학교폭력의 예방 및 대책	4	• 의사결정이론 – 교육정책 형성 관점(참여적 관점) • 동기이론 – 허즈버그(Herzberg)의 동기·위생이론(동기요인) • 교육재정의 구조와 배분 – 교육기회비용 • 「사립학교법」의 내용 – 기간제교원의 임용기간
14 교육사회학	2	• 신교육사회학 – 애플(Apple)의 문화적 헤게모니이론 • 콜만(Coleman)의 사회자본 개념	1	• 신교육사회학 이론 – 문화재생산이론
계	20		20	

영 역		2024 국가직 7급		2023 국가직 7급
01 교육의 이해	3	•「교육기본법」의 내용 •평생교육 제도 –「평생교육법」의 내용 •매클래건(P. McLagan)의 인적자원 수레바퀴 모형 – 인적자원개발(HRD) 영역	2	•피터스(Peters)의 교육 개념 준거 •평생교육제도 – 독학학위제
02 한국교육사	1	•조선시대 교육기관 – 관학의 종류	1	•조선시대 교육기관 – 서당(書堂)
03 서양교육사	1	•현대 교육사상가 – 니일(A. S. Neill)	1	•소크라테스(Socrates)의 교육사상(회상설)
04 교육철학	1	•현대 교육철학 사조 – 본질주의 교육사상	–	–
05 교육과정	4	•공식적 교육과정 유형 – 학문중심 교육과정 •아이즈너(Eisner)의 예술적 교육과정 •2022 개정 교육과정 – ①교육과정 구성 중점(총론), ②고교학점제	1	•잠재적 교육과정의 개념과 특징
06 교육심리학	3	•도덕성 발달단계이론 – 콜버그(Kohlberg)의 6단계 •지능이론 – ①가드너(H. Gardner)의 다중지능 개요, ②스턴버그(R. Sternberg)의 삼원지능 구성요소	2	•동기이론 – 자기효능감(self-efficacy)의 개념 •학습이론 – 쏜다이크(Thorndike)의 자극-반응 연합설
07 교수-학습이론	1	•교수설계 모형 – ADDIE모형의 분석단계	4	•발견학습의 개념과 특징 •가네(Gagné)의 교수·학습이론 •구성주의 관점에서의 학습 •구성주의 교수·학습방법 – 문제중심 학습(problem-based learning)
08 교육공학	–	–	–	–
09 생활지도와 상담	1	•상담이론 – 엘리스(A. Ellis)의 합리적·정서행동 치료(REBT)	2	•집단상담의 기법 – 명료화(clarification) •인지상담이론 – 합리적 정서 치료 이론(RET)
10 교육평가	1	•검사도구의 양호도 – 구인타당도	2	•교육평가 모형 – 스터플빔(Stufflebeam)의 의사결정 모형 •검사도구의 양호도 – 내용타당도, 반분신뢰도, 재검사신뢰도, 동형검사신뢰
11 교육통계	1	•규준점수 산출(Z, T, C점수, 백분위점수)	–	–
12 교육연구	–	–	–	–
13 교육행정학	6	•교육행정 이론 – 인간관계론 •의사결정 모형 – 쓰레기통모형 •「지방교육자치에 관한 법률」상 교육감의 관장사무 •학급경영의 영역 •학교회계 등 교육재정 •교육공무원 승진제도	8	•과학적 관리론이 적용된 교육행정의 내용 •교육정책 결정 모형 – 최적 모형(optimal model) •지도성 이론 – 변혁적 지도성 •동기이론 – 아담스(Adams)의 공정성이론 •조직화된 무질서 조직(Organized Anarchy)으로서의 학교조직의 특성 •「지방교육자치에 관한 법률」상 교육감 관련 규정 •장학의 유형 – 임상장학 •「학교폭력예방 및 대책에 관한 법률」내용
14 교육사회학	2	•신교육사회학 – 윌리스(P. Willis)의 저항이론 •교육평등관과 그 예시	2	•기능주의 관점에서의 학교교육 •부르디외(P. Bourdieu)의 문화자본론
계	25		25	

CONTENTS 이 책의 차례

#1권

Chapter 01 교육의 이해

01 교육의 개념
1. 교육의 어원 — 18
2. 교육개념에 대한 비유적 정의 — 19
3. 교육개념의 정의 — 21
4. 교육사상가들의 교육에 대한 정의방식 — 26
5. 교육활동의 성립조건 — 27
6. 교육학 — 27

02 교육의 목적
1. 교육목적의 개념 — 29
2. 교육목적의 위계와 유형 — 29
3. 우리나라의 교육목적 — 31

03 교육의 유형(형태)
1. 평생교육 — 34
2. 영재교육 — 61
3. 특수교육 — 63
4. 대안교육 — 67
5. 다문화교육 — 71

04 교육제도
1. 교육제도의 개요 — 74
2. 학교제도의 종류 — 74
3. 우리나라의 학교제도 — 76

05 교사론
1. 교직관의 유형 — 79
2. 교권과 학습권 — 81

Chapter 02 한국교육사

01 한국교육사 개관
1. 교육사 — 86
2. 교육기관의 변천 과정 및 전통교육의 흐름 — 86

02 삼국시대의 교육
1. 고구려의 교육 — 87
2. 백제의 교육 — 88
3. 신라의 교육 — 89

03 남북국시대의 교육
1. 통일신라의 교육 — 91
2. 발해의 교육 — 93

04 고려시대의 교육
1. 개관 — 93
2. 학교제도 — 93
3. 과거제도 — 97
4. 고려의 교육사상가 — 99

05 조선시대의 교육(I) : 조선 전기의 교육
1. 교육이념 — 99
2. 학교제도 — 100
3. 과거제도 — 107
4. 교육법규 — 110
5. 교육사상가 — 111

06 조선시대의 교육(II) : 조선 후기의 교육
1. 등장배경 — 117
2. 교육원리 — 117
3. 교육사상가 — 119
4. 교육사적 의의와 한계 — 125

07 근대교육 : 개항~한일합방 이전
1. 개관 125
2. 근대학교의 성립 127

08 일제하 교육
1. 일제 교육의 기본방향과 특징 132
2. 을사늑약 이후의 교육정책 132
3. 식민지 시기의 교육정책 133
4. 민족교육운동 전개 134
5. 일제 식민지 교육의 영향 138
6. 교육사상가 138

09 해방 이후(현대)의 교육
1. 미 군정기 141
2. 정부수립기 이후 142

Chapter 03 서양교육사

01 서양교육사 개관 146

02 고대의 교육
1. 그리스의 교육 147
2. 로마의 교육 153

03 중세시대의 교육
1. 개관 154
2. 전기의 교육 155
3. 후기의 교육 156

04 근대의 교육(I) : 르네상스기의 인문주의
1. 개관 159
2. 유형 159
3. 한계점 161

05 근대의 교육(II) : 종교개혁기의 교육
1. 개관 162
2. 신교의 교육 162
3. 구교의 교육 164

06 근대의 교육(III) : 실학주의 교육
1. 개관 165
2. 유형 166

07 근대의 교육(IV) : 계몽주의 교육
1. 개관 171
2. 유형 172

08 근대의 교육(V) : 신인문주의 교육
1. 개관 178
2. 유형 179

09 현대의 교육(20C) : 신교육운동
1. 개관 186
2. 교육사상가 186

CONTENTS 이 책의 차례

Chapter 04 교육철학

01 교육철학의 개관
1. 교육철학의 개념 — 190
2. 교육철학의 연구영역 — 190
3. 교육철학의 기능 — 192

02 지식과 교육
1. 지식의 종류 — 194
2. '지식을 가르친다'는 것의 의미 — 195

03 전통철학과 교육
1. 이상주의와 교육 — 196
2. 실재주의와 교육 — 197
3. 자연주의와 교육 — 198
4. 프래그머티즘 — 200

04 현대의 교육철학
1. 현대의 교육철학(I) — 203
2. 현대의 교육철학(II) — 212

05 동양철학과 교육
1. 도가사상 — 233
2. 유가사상 — 235

Chapter 05 교육과정

01 교육과정의 기초
1. 교육과정의 어원 — 242
2. 교육과정의 의미 — 244
3. 아이즈너의 교육과정 개념 모형 — 245

02 교육과정 개발모형
1. 타일러의 합리적 모형 — 245
2. 타바의 확장 모형 — 252
3. 스킬벡의 모형 — 253
4. 브루너의 내용 중심 모형 — 255
5. 워커의 실제적 개발 모형 — 255
6. 아이즈너의 예술적 접근 모형 — 257
7. 위긴스와 맥타이의 후진 설계 모형 — 259

03 교육과정연구에 대한 이론적 접근방법
1. 전통주의 — 260
2. 개념—경험주의 — 261
3. 재개념주의 — 261

04 교육과정의 개발절차
1. 구성요소와 절차 — 262
2. 교육목표의 분류 — 262

05 교육과정의 유형(I) : 공식적 학교 교육 과정의 유형
1. 공식적 교육과정 — 265
2. 교과 중심 교육과정 — 266
3. 경험 중심 교육과정 — 267
4. 학문 중심 교육과정 — 269
5. 인간 중심 교육과정 — 273
6. 통합 교육과정 — 274
7. 교육과정 결정요소와 교육과정 유형 — 276

06 교육과정의 유형(II) : 학교 교육과정을 비판하는 교육과정 유형
1. 잠재적 교육과정 — 278
2. 영 교육과정 — 281

07 우리나라의 교육과정
1. 교육과정의 결정 — 282
2. 우리나라 교육과정의 역사 — 283
3. 2015 개정 교육과정 — 290
4. 2022 개정 교육과정 — 297

Chapter 06 교육심리학

01 교육심리학의 개요
1. 개관 326
2. 교육심리학의 기초이론 326

02 발달이론의 개관
1. 발달의 개념 329
2. 발달의 주요 원리 329
3. 발달연구의 최근 동향 331
4. 발달단계이론 333

03 발달이론의 유형
1. 인지발달이론 335
2. 성격발달이론 350
3. 도덕성 발달이론 357
4. 사회성 발달이론 363
5. 발달과업이론 365

04 발달과 개인차(I) : 인지적 특성과 교육
1. 지능 366
2. 창의력 383
3. 인지양식 390

05 발달과 개인차(II) : 정의적 특성과 교육
1. 동기 394
2. 성취동기 403
3. 자아개념 405
4. 자아정체감 406
5. 불안 408

06 학습이론
1. 행동주의 학습이론 410
2. 인지주의 학습이론I - 형태주의 학습이론 428
3. 인지주의 학습이론II - 정보처리이론 435
4. 사회학습이론 449
5. 인본주의 학습이론 453

07 학습의 개인차
1. 전이 455
2. 부적응 457
3. 적응기제 459

Chapter 07 교수-학습이론

01 교수-학습이론의 기초
1. 교수와 수업, 학습 466
2. 학습지도의 원리 468
3. 수업효과에 영향을 주는 변인 469

02 수업설계
1. 개관 470
2. 수업목표의 설정과 진술 472
3. 학습과제의 분석 474
4. 출발점행동의 진단 475
5. 수업전략의 결정 476
6. 수업매체의 선정 476

03 교수설계모형
1. 수업과정모형 477
2. 체제적 교수설계모형 478
3. 메릴의 구인전시이론 480
4. 라이겔루스의 정교화이론 483

04 교수-학습의 방법
1. 강의법 485
2. 토의법 486
3. 구안법 493
4. 협동학습 494
5. 개별화 수업 499

05 교수이론
1. 완전학습모형 504
2. 브루너의 발견학습모형 506
3. 오수벨의 유의미 수용학습이론 508
4. 가네의 목표별 수업이론 512
5. 구성주의 학습모형 517
6. 자기주도적 학습 528
7. 자기조절학습 529

■ Index 531

CONTENTS 이 책의 차례

#2권

Chapter 08 교육공학

01 교육공학의 기초
1. 개념 562
2. 교수-학습방법에 대한 교육공학적 접근의 특징 563

02 교육공학의 이론
1. 역사 565
2. 시각교육 565
3. 시청각교육 566
4. 시청각통신 568

03 교수(수업)매체
1. 개념 570
2. 교수매체의 특성 570
3. 교수매체 연구 571
4. 교수매체의 선정 및 활용 572
5. 교수매체의 종류 573

04 컴퓨터를 활용한 교육
1. 컴퓨터 활용수업 577
2. 컴퓨터의 교육적 활용방안 578

05 뉴미디어와 원격교육
1. 개관 583
2. 원격교육 583
3. 인터넷 588
4. 멀티미디어 594
5. 하이퍼미디어 596
6. 자원기반학습 597

06 우리나라의 교육정보화
1. ICT 활용수업 600
2. NEIS 601

Chapter 09 생활지도와 상담

01 생활지도의 기초
1. 개관 606
2. 생활지도의 원리 607
3. 생활지도의 과정 608
4. 생활지도의 새로운 흐름 610

02 상담활동
1. 상담 611
2. 생활지도, 상담, 심리치료의 개념적 비교 611
3. 상담의 기본조건 612
4. 상담의 대화기술 614

03 상담이론
1. 상담이론의 분류 618
2. 인지적 영역의 상담이론 620
3. 정의적 영역의 상담이론 628
4. 행동적 영역의 상담이론 649
5. 기타 상담이론 650

04 생활지도의 실제
1. 비행이론 655
2. 진로교육 660

Chapter 10 교육평가

01 교육평가의 기초
1. 개관 — 674
2. 교육평가에 관한 3가지 관점 — 675
3. 교육관과 평가관 — 675

02 교육평가의 모형
1. 가치중립모형 — 677
2. 가치판단모형 — 678
3. 의사결정모형 — 680

03 교육평가의 유형
1. 평가기준에 따른 교육평가 유형 — 683
2. 수행평가 — 688
3. 평가시기·목적·기능에 따른 교육평가 유형 — 695
4. 기타 평가 유형 — 697

04 교육평가의 절차
1. 일반적 절차 — 698
2. 정의적 영역의 교육평가 — 700
3. 평가의 오류 — 701

05 평가도구
1. 타당도 — 703
2. 신뢰도 — 708
3. 객관도 — 714
4. 실용도 — 715

06 검사문항의 제작
1. 검사문항 제작의 기초 — 716
2. 객관식 검사와 주관식 검사 — 716
3. 객관식 선다형 검사문항 — 718
4. 주관식 서술형 검사문항 — 721
5. 표준화검사 — 723

07 문항의 통계적 분석
1. 문항분석 — 724
2. 문항난이도 — 726
3. 문항변별도 — 727
4. 문항반응분포 — 729
5. 문항특성곡선 — 729

Chapter 11 교육통계

01 교육통계의 기초
1. 교육통계의 이해 — 736
2. 변인 — 737
3. 측정치 — 737

02 집중경향치
1. 개관 — 740
2. 최빈치 — 740
3. 중앙치 — 741
4. 평균치 — 742
5. 평균치, 중앙치, 최빈치 간 비교 — 743

03 변산도
1. 개관 — 743
2. 범위 — 744
3. 사분편차 — 745
4. 평균편차 — 746
5. 표준편차 — 746
6. 변산도 간 비교 — 749

04 상관도
1. 개관 — 750
2. 상관관계도 — 753
3. 상관관계분석과 회귀분석 — 754

05 원점수와 규준점수
1. 원점수 — 755
2. 규준점수 — 756

CONTENTS 이 책의 차례

Chapter 12 교육연구

01 교육연구의 기초
1. 교육연구의 개관 … 762
2. 교육연구의 분류 … 763
3. 양적 연구와 질적 연구 … 763
4. 교육연구의 절차 … 765

02 표집방법
1. 표본조사 … 768
2. 표집방법 … 769

03 자료수집방법
1. 관찰법 … 772
2. 질문지법 … 775
3. 면접법 … 776
4. 사회성 측정법 … 777
5. 투사법 … 779
6. 척도법 … 784
7. 의미분석법 … 785
8. Q 방법론 … 786

04 교육연구의 방법
1. 기술적 연구 … 787
2. 실험연구 … 790
3. 현장연구 … 794
4. 문화기술적 연구 … 795

05 가설의 검증
1. 개관 … 796
2. 가설의 검증 … 797

Chapter 13 교육행정

01 교육행정의 기초
1. 교육행정의 개념 … 804
2. 교육행정의 성격 … 806
3. 교육행정의 기본원리 … 809
4. 교육행정가의 자질 … 810

02 교육행정의 이론
1. 과학적 관리론 … 812
2. 인간관계론 … 817
3. 행동과학론 … 820
4. 체제이론 … 821
5. 사회과정이론 … 825
6. 체제이론의 대안적 관점 … 828
7. 의사결정이론 … 830
8. 지도성 이론 … 836
9. 동기이론 … 854
10. 의사소통이론 … 868

03 교육행정 조직
1. 조직의 기초 … 871
2. 학교의 재구조화 … 884
3. 교육자치제 … 886
4. 학교조직풍토론 … 895
5. 조직문화론 … 899

04 교육기획
1. 개관 … 902
2. 교육기획의 접근방법 … 904

05 교육정책
1. 개관 … 906
2. 교육정책 결정의 원칙과 결정 과정 … 907

06 장학론
1. 개관 … 911
2. 장학의 유형 분류 … 914

07 교육제도
1. 개관 — 923
2. 교육이념과 교육제도 — 924
3. 교육제도의 원리 — 926

08 학교경영 및 학급경영
1. 학교경영 — 927
2. 학급경영 — 930

09 교육재정론
1. 개관 — 931
2. 교육비 — 933
3. 교육수입 — 941
4. 교육예산 — 946
5. 교육예산제도 — 946

10 교육인사행정론 및 학교실무
1. 개관 — 950
2. 채용 — 951
3. 교원의 능력계발 — 959
4. 교원의 근무조건과 사기 — 966
5. 교육법 — 977
6. 교원노조 — 979
7. 학교실무 — 982

Chapter 14 교육사회학

01 교육사회학의 기초
1. 교육사회학의 학문적 기초 — 998
2. 교육사회학의 연구 — 1000

02 교육사회학의 이론
1. 구교육사회학 — 1000
2. 신교육사회학 — 1013

03 사회와 교육
1. 사회화 — 1029
2. 사회변동과 교육 — 1032
3. 사회계층과 교육 — 1033
4. 사회이동과 교육 — 1035
5. 사회집단과 교육 — 1038

04 문화와 교육
1. 문화의 개념 — 1040
2. 문화변동과 교육 — 1040
3. 문화기대와 교육 — 1041

05 교육의 기회균등
1. 학교교육과 사회평등 — 1042
2. 교육평등의 원리 — 1046
3. 교육평등관의 유형 — 1047
4. 교육기회 분배의 측정 — 1052
5. 교육격차의 인과론 — 1053

06 학력상승이론
1. 학습욕구이론 — 1058
2. 기술·기능이론 — 1059
3. 신마르크스이론 — 1060
4. 지위경쟁이론 — 1060
5. 국민통합론 — 1061
6. 근대 공교육제도의 형성 및 팽창이론 — 1063

- Index — 1064
- 참고 도서 — 1070

오현준 정통교육학

핵심 체크 노트

1. **교육의 개념**
   ① 비유적 정의: 주형, 성장, 만남
   ② 개념적 정의: 조작적 정의, 기술적 정의, 규범적 정의, 약정적 정의
   ★ ③ 피터스(Peters)의 규범적 정의: 성년식, 교육개념 성립 준거, 교육받은 인간(자유인)

2. **교육목적의 위계와 유형**
   ① 위계: 교육이념(교육기본법 제2조), 교육목적, 교육목표
   ② 유형: 내재적 목적, 외재적 목적

3. **「헌법」제31조의 교육관련 규정**

4. **교육의 형태**
   ★ ① 평생교육
   ② 특수교육
   ③ 영재교육
   ④ 대안교육: 대안학교
   ⑤ 다문화 교육: 뱅크스(Banks)의 다문화 교육의 차원

5. **교육제도**
   ★ ① 학교제도: 복선형 학제, 분기형 학제(통일학교운동), 단선형 학제
   ② 우리나라의 학교제도: 보통학제, 특별학제

6. **교직관의 유형:** 성직관, 노동직관, 전문직관, 공직관

CHAPTER 01

교육의 이해

01 교육의 개념
02 교육의 목적
03 교육의 유형(형태)
04 교육제도
05 교사론

CHAPTER 01 교육의 이해

> **학습 포인트**
> 1. 교육의 개념: 조작적 정의, 서술적 정의, 규범적 정의, 약정적 정의
> 2. 교육의 목적: 내재적 목적, 외재적 목적
> 3. 교육의 형태: 평생교육, 영재교육, 특수교육, 대안교육, 다문화 교육
> 4. 교육제도: 학교제도 유형(단선형, 분기형, 복선형 학제), 우리나라 학교제도

제1절 교육의 개념 13. 국가직

1 교육의 어원(語源)

교육개념	어원	
교육(教育)	『맹자(孟子)』의 '진심장(盡心章) 상편(上篇)' ⇨ 군자의 세 번째 즐거움(君子有三樂, '得天下英才 而教育之 三樂也')	
	• 교(教)=효(爻)+자(子)+복(支) ⇨ '윗사람이 베풀고 아랫사람은 본받는다.' • 성숙한 인간이 지도와 모범을 통하여 미성숙자를 외적인 가치들로 이끄는 것	• 육(育)=자(子)+육(肉) ⇨ '자녀를 길러 착하게 만든다.', '자녀를 착하게 살도록 기른다.' • 격려와 관심을 통하여 미성숙자의 능력과 잠재되어 있는 가능성들이 발현되도록 하는 과정
가르치다	가르다(言)+치다(値, 用)	
기르다		크게 하는 일, 자라나게 하는 일
pedagogy	paidas(아동)+agogos(이끌다) ⇨ 교복(教僕) *⑤ Pädagogik(페다고긱)	
education	㉑ educare(에듀카레, bring up) ⇨ education from without	㉑ educere(에듀세레, draw out) ⇨ education from within *⑤ Erziehung(에어지훙)
관련 비유	주형(鑄型)	성장(成長)
의미	성숙자의 의도대로 미성숙자를 이끄는 일	미성숙자의 잠재성이 발현되도록 돕는 일
특징	• 교사 중심 정의 • 아동은 수동적 존재 • 교사와 아동 간 수직적 관계를 전제	• 아동 중심 정의 • 아동은 능동적 존재 • 교사와 아동 간 수평적 관계를 전제

✎ 오늘날 주로 pedagogy는 학문으로서의 '교육학'을, education은 활동으로서의 '교육'을 의미하는 말로 쓰인다.

> **더 알아보기**
>
> **군자삼락(君子三樂)**
> 천명(天命)을 받은 왕이 인의(仁義)를 통한 왕도정치(王道政治)를 통해 가정윤리(仁)와 사회질서(義)를 확립해야 함을 강조
> 1. 부모가 모두 생존해 계시며 형제가 무고한 것: 천명(天命) 사상
> 2. 위로는 하늘에 부끄럽지 않으며 아래로는 사람들에게 창피하지 않은 것: 도덕적 존재로서 인간의 기준인 성선설(性善說)에 토대를 둔 수신(修身)의 자세로 입명(立命)의 실천 강조
> 3. 천하의 영재를 얻어 교육(敎育)하는 것: 도덕적 이념인 인의(仁義)를 통해 사회적 혼란을 극복 ⇨ 인(仁)은 측은지심의 발현, 내면적 도덕성 + 의(義)는 수오지심의 발현, 사회적 도덕성

2 교육개념에 대한 비유적 정의 22. 국가직 7급

> 실존주의 교육사상가 볼노브(Bollnow)는 교육을 만들다(machen, 주형), 기르다(wachsen, 성장), 만나다(begegen, 만남)의 관점에서 비유적으로 설명하고 있다.

1. 주형(鑄型) - 교사 중심의 전통적인 교육관, 고전주의 교육관

(1) 교육을 '장인이나 제작자'(교사)가 '쇳물이나 진흙'(아동)을 일정한 모양의 틀에 부어 어떤 모양을 만들어 내는 일로 이해하는 방식

(2) 교사는 교육과정의 주도적 역할을 담당하는 불변의 존재, 학생은 일방적으로 변화되어야 할 존재

(3) **로크(Locke)의 형식도야설, 행동주의자, 주입의 비유, 도야의 비유가 해당**

로크(Locke)	아동의 마음은 백지(tabula rasa)와 같아서 아동이 어떤 경험을 하고 교사가 어떤 형태의 감각자료를 제공해 주느냐에 따라 달라질 수 있다. ⇨ 수동적 백지설
왓슨(Watson)	"나에게 12명의 아동을 다오. 건강한 신체를 가진 아이와 적절한 장소를 주기만 하면 자신이 원하는 어떤 전문가든지 만들어 낼 수 있다. 의사나 교사 등 원하는 대로 만들어 주겠다." ⇨ 교육만능설
주입(注入)	항아리에 물을 부어 넣듯 교육은 인간의 마음속에 지식이나 규범을 집어넣는 것이다.
도야(陶冶)	운동을 통해 근육을 단련하듯 교과를 통해 몇 가지 마음의 능력(心筋)인 지각, 기억, 상상, 추리, 감정, 의지를 단련해야 한다. ⇨ 능력심리학, 형식도야이론

(4) 상식적인 교육관을 반영

(5) **문제점**
① 교사와 학생의 관계에 대한 오해: 교사는 일방적으로 가르치는 존재로, 학생은 일방적으로 받아들이는 수동적 존재로 이해될 수 있다.
② 실제 교육상황에서 잘못된 권위주의나 도덕적 문제를 유발할 수 있다.

2. 성장(成長) - 아동 중심의 낭만주의적 교육관

(1) 교육은 아동이 가진 잠재 가능성을 자연스럽게 실현해 나가는 과정 ⇨ 교육은 식물의 성장 과정에 해당

(2) 학습자가 교육과정의 주도적 역할을 담당, 교사는 학습자가 잘 성장할 수 있도록 환경을 조성하거나 도와주는 역할

(3) **루소, 진보주의, 아동 중심 교육이 해당**

루소(Rousseau)	'자연에 따라서(according to nature)' ⇨ 교육은 사회의 나쁜 영향으로부터 아동을 보호하고 아동의 자연적 성장을 격려하는 것
진보주의	아동의 내면적 성장과 자율성을 존중하는 아동 중심 교육 표방 ⇨ "우리는 교과를 가르치는 것이 아니라 아동을 가르친다(We teach children, not subjects)."

(4) **교육사적 의의**
 ① 아동의 요구나 흥미, 잠재능력 그리고 심리적 발달단계에 관심
 ② 교육의 강조점을 기존의 '무엇을 가르칠 것인가'에서 '누구를 가르칠 것인가'로 전환

(5) **문제점**
 ① 교과와 가르치는 교사의 역할을 과소평가하는 경향이 있다.
 ② 교육은 아동 마음대로 하는 것이 아니라 적절한 권위를 가진 교사에 의해 지도되어야 한다는 사실을 간과하고 있다.

3. 만남 - 주형, 성장에 대한 대안적 비유 ⇨ 실존주의와 인본주의 교육관에서 중시함.

(1) **주형, 성장의 비유가 지닌 문제점**
 교육의 과정을 점진적이고 지속적인 과정으로만 이해 ⇨ 단속적이고 비약적으로 이루어지는 교육의 측면을 간과하고 있음.

(2) 교육은 교사나 학생 간의 만남을 통해 갑자기 또는 비약적으로 변하는 측면이 있을 수 있음을 전제 ⇨ 교육은 인격적인 만남을 통해 이루어지는 단속적이고 비약적인 성장 과정

(3) **교육적 의의**: 교육의 외연을 확장

(4) **문제점**
 ① 교육의 일반적인 모습으로 보기 어렵다.
 ② 비약적이고 갑작스러운 변화를 기대하다 보면 요행주의로 흐를 위험성이 있다.
 ③ 공식적 교육활동을 평가 절하하는 경향이 있다.

③ 교육개념의 정의(定意) – 현상적 정의

> 분석철학자 쉐플러(Scheffler)는 교육 개념의 현상적 정의를 조작적 정의(operational definition)와 규범적 정의(normative definition), 약정적 정의(stipulative definition), 기술적 정의(discriptive definition)로 구분하였다.

1. 교육개념의 현상적 의미 비교 13. 지방직

교육개념	관련 예	특징
조작적 정의	• "교육은 인간행동의 계획적 변화이다(정범모)." • 과학적 정의	• 개념을 과학적으로 정의하는 방식 • 관찰(측정)할 수 없는 것을 관찰(측정) 가능한 반복적 조작에 의해 객관적으로 정의 ⇨ 가치중립적 정의 • 교육개념의 추상성을 제거하고 교육활동을 명백히 규정하려 할 때 사용
약정적 정의	"교육을 훈련이라고 하자."	• 의사소통을 위해 복잡한 현상을 무엇이라고 부르자고 약속하는 정의 방식 • 교육에 관한 여러 시각들을 조정하거나 보편적 정의방식에서 벗어나 새로운 방식으로 한시적으로 정의할 때 사용 ⇨ 언어의 경제성과 논의의 편리성 도모
기술적 정의	• "교육은 학교에서 하는 일이다." • "교육은 가르치고 배우는 일이다." • 서술적 정의, 가치중립적 정의, 사전적 정의, 관행적 정의, 보고적 정의, 객관적 정의	• 하나의 개념을 이미 알고 있는 다른 말로 설명함으로써 그 개념이 무엇인지를 알려주는 정의 • 누가 어떤 맥락에 사용하는가에 관계없이 일반적으로 통용되는 의미를 규정하려는 것 ⇨ 가치중립적 정의 – 외재적 가치가 개입될 가능성이 있음. 조작적 정의를 포함함. • 교육개념을 전혀 모르거나 생소한 사람에게 교육의 개념을 설명하거나 교육현상을 객관적으로 정확하게 묘사할 때 사용 ⇨ 교육과학자들이 선호하는 방식
규범적 정의	• "교육은 성년식이다(Peters)." • 강령적 정의, 목적적 정의, 가치지향적 정의	• 하나의 정의 속에 '어떻게 해야 하는가, 어떻게 하는 것이 옳은가'와 같은 규범 내지 강령이 들어 있는 정의 ⇨ 교육의 가치 지향성 중시 • 가치의 맥락에서 교육적 의미를 밝힐 때, 내재적 가치를 강조할 때 사용

2. 정범모의 교육개념

> "교육은 인간행동의 계획적 변화이다." — 「교육과 교육학」(1968)

(1) **교육을 관찰자적 관점에서 조작적으로 정의**: 바깥으로 드러나는 '행동의 변화'에 관심을 가지고 정의

(2) **교육개념의 중핵 개념 내지 개념적 준거**: 인간행동, 변화, 계획적

① 인간행동
  ㉠ 교육의 관심사는 '인간'이며, 그중에서도 '인간행동'이다.
  ㉡ 여기서 '행동'은 과학적 혹은 심리학적 개념으로서, 바깥으로 드러나는 외현적·표출적 행동(overt behavior)뿐만 아니라 지식, 사고력, 태도, 가치관, 동기, 성격 특성, 자아개념 등과 같은 내면적·불가시적 행동(covert behavior)이나 특성을 포함한다.
  cf. '행동주의(behaviorism)'에서 사용하는 행동(자극에 대한 신체적인 반응으로서의 행동)이 아니다.

② 변화
  ㉠ 교육은 인간행동의 '변화'에 관심을 두는 활동이다.
  ㉡ '변화'는 인간행동을 어떻게 하는가에 대한 답변이며 또한 교육학과 다른 학문(예 정치학, 사회학, 경제학, 심리학 등)을 구분하는 핵심 준거를 제공해 준다.
  ㉢ '변화'는 '육성, 조성, 함양, 계발, 교정, 개선, 성숙, 발달, 증대' 등을 포함하는 포괄적인 개념이다.
  ㉣ 인간의 변화가 선천적으로 결정되어 있지 않다는 것을 전제하는 것이며, 교육이 참된 의미를 지니려면 인간행동의 변화를 실지로 일으켜야 하는 힘, 즉 '교육력'을 지녀야 한다.

③ 계획적
  ㉠ 교육에서 가정하는 인간행동의 변화는 '계획적으로' 일어난 변화여야 한다.
  ✎ '교육'과 '교육이 아닌 것(예 학습, 성숙)'을 구분하는 결정적인 기준은 행동의 변화가 '계획에 의한 것인가'의 여부이다.
  ㉡ 세 가지 기준, 즉 목표의식(교육목표), 교육이론, 교육 프로그램(교육과정)을 만족시키는 변화만이 '계획적'인 변화이다.
  ㉢ '계획적'이라는 준거는 교육과 교육 아닌 것을 구분하는 결정적 준거일 뿐만 아니라 교육이 본래의 임무를 다할 수 있기 위한 가장 중요한 조건이기도 하다.

3. 피터스(Peters)의 교육개념

「윤리학과 교육」(1966) ⇨ 분석철학적인 방식으로 윤리학과 사회철학을 교육문제에 적용

> 피터스(R. S. Peters)는 교육의 정의를 한마디로 정의하는 것을 거부하고 다음과 같이 몇 가지 기준을 제시하였다. 피터스(Peters)는 교육의 개념을 ① 기준으로서의 교육, ② 입문(성년식)으로서의 교육, ③ 교육받은 사람으로 구분하여 제시하였다.

(1) **교육을 행위자의 관점에서 규범적으로 정의**
　① "교육은 교육의 개념 안에 붙박여 있는 가치를 도덕적으로 온당한 방식에 의해 의도적으로 전달하는 행위이다."
　② 가치활동에의 입문, 공적 전통에의 입문, 문화유산에의 입문
　③ 교육의 개념 안에 붙박여 있는 세 가지 준거(규범적 준거, 인지적 준거, 과정적 준거)를 모두 충족시키는 방향으로 가치 있는 활동 또는 사고와 행동의 양식으로 사람들을 입문시키는 성년식
　④ 모종의 가치 있는 것이 도덕적으로 온당한 방식에 의해 의도적으로 전달되거나 전달된 상태

(2) **교육의 개념 속에 붙박여 있는 내재적 가치 실현과 관련된 '마음의 획득 혹은 계발'로 교육을 규정**
　⇨ 교육의 실제적 효과와 관련된 수단적 혹은 외재적 가치 지향성을 비판

(3) **교육개념의 세 가지 성립 준거** 18. 국가직, 07. 서울, 05. 전남

규범적 준거	교육에 헌신하려는 사람에게 가치 있는 것의 전달 과정 ⇨ 내재적 가치 • 교육이 추구하려는 내재적 가치는 교육의 개념 속에 들어 있는 가치(예) 바람직성, 규범성, 가치성, 좋음 등)를 의미 • 외재적 가치를 추구하는 것은 교육이 아니다. 💬 외재적 가치를 추구할 때의 문제: 정당화의 문제, 대안의 문제, 도덕의 문제가 수반 　1. 정당화의 문제: 외재적 가치는 '필요(need)'를 수반하는데, 이 경우 '무엇을 위한 필요인가?'라는 의문이 제기됨. ⇨ '필요'는 '무엇'의 가치에 의해 결정되므로 '무엇'이 어떤 점에서 가치 있는가를 규명해야 할 필요가 있다. 　2. 대안의 문제: '그 필요를 충족시키는 수단이 꼭 교육이어야만 하는가?' 하는 문제 　　예) 국가발전을 기업투자로 할 수 있지 않은가? 　3. 도덕의 문제: 국가발전이 가치 있는 일이고(정당화), 그것이 교육을 통해서밖에 할 수 없다고 하더라도(대안), '국가발전을 위해서 피교육자를 조형해도 좋은가'라는 도덕적 문제는 여전히 남아 있음. ⇨ 인간은 어떤 경우에도 인간으로서 존중받아야 하기 때문이다.
인지적 준거 23. 지방직	내재적 가치가 내용 면에서 구체화된 것 ⇨ 지식, 이해, 인지적 안목(지식의 형식) • 지식과 정보 등이 유리되어 있는 것이 아니라 사물 전체를 조망할 수 있는 포괄적이고 통합된 안목이 형성된 상태(계명, 啓明)를 의미 • 교육은 신념체계를 변화시키는 전인적 교육 ⇨ 제한된 기술이나 사고방식을 길러 주는 전문화된 훈련(training)과는 구별
과정적 준거	규범적 준거(내재적 가치)가 제시되는 방법상의 원리를 제시한 것 • 교육은 교육내용을 도덕적으로 온당한 방법, 즉 학습자의 의식과 자발성에 토대하여 전수되어야 한다. • 학습자의 의식과 자발성을 유도하기 위해서는 아동에게 흥미(interest)가 있어야 한다. ⇨ 흥미는 심리적 의미(하고 싶어 하는 것, Dewey)가 아니라 규범적 의미(유익한 것)를 지닌 것 　예) 아동의 흥미를 존중한다는 것은 아동으로 하여금 내재적으로 가치 있는 것에 접하게 함으로써 그 내재적인 가치를 추구하도록 이끌되, 그 과정에서 현재 그의 흥미를 존중해야 한다는 의미로 이해되어야 한다. • 조건화(conditioning)나 세뇌(brain-washing)의 방식과는 다르다.

(4) 입문(入門, initiation)으로서의 교육
① 입문이란 성년식(成年式)을 말하며, 사회구성원이 되는 관문에 들어섰다는 것을 의미한다. 이는 공적 전통(public tradition)에 입문하는 것을 말하며, 공적 전통이란 '삶의 형식(form of life)' 또는 '지식의 형식(form of knowledge)'이며, 인류가 오랫동안 공동의 노력으로 이룩한 전통이다.
② 교육은 경험 있는 사람이 경험 없는 사람들의 눈을 개인의 사적 감정과 관계없는 객관적인 세계로 돌리게 하는 일이다. 결국 교육을 입문, 성년식에 비유한 것은 아주 냉혹한 객관적인 세계의 관문에 들어서게 한다는 데서 비롯된다.

(5) 교육받은 사람(educated man)
① 교육의 목적에 대한 논의는 필요 없다. 왜냐하면 교육의 개념 속에 교육의 목적에 해당하는 부분이 들어 있기 때문이다. 그러나 교육의 목적을 꼭 해명해야 한다면 교육의 개념 속에서 추론될 수 있으며 그것은 바로 '교육받은 사람(educated man)'을 만들고자 한다는 것이다.
② 교육의 개념 속에 내재적 목적이 포함되어 있기에 교육받은 사람 역시 내재적 가치에 목적을 두고 있는 사람이다. 즉 교육이 가치 있는 것이라면 교육받은 사람도 당연히 가치 있는 일에 헌신하는 사람이어야 한다. ⇨ 자유인(교양인)
③ 피터스(Peters)가 교육받은 사람에 대해 특히 강조한 것은 그가 '무엇을 하는가?'에 따라서기보다는 그가 '무엇을 보는가?' 또는 '무엇을 파악하는가?'에 달려 있다는 뜻이다. 즉, 전체적인 안목과 인지적 안목에 큰 비중을 두었다. 이것은 교육을 통해 새로운 눈을 가질 뿐만 아니라 삶을 바라보는 안목이 다양해진다는 것이다.

(6) 피터스(Peters)와 오크쇼트(M. Oakeshott)의 교육개념 비교
① **항존주의에 토대를 둔 견해**: 문학적 감수성과 전통에 대한 깊은 이해에 토대를 둔 오크쇼트의 교육개념은, 현대의 교육개념에 주도적 위치를 차지하고 있는 피터스(R. S. Peters)의 교육개념 형성에 가장 큰 영향을 미쳤다.
② 교육개념을 문명의 입문으로서의 교육, 초월 과정으로서의 교육, 대화로서의 교육으로 나누어 설명하고 있다. 이 각각은 상호배타적인 개념이 아니라 밀접한 관련을 맺고 있다. 문명의 입문은 초월의 과정 없이는 불가능하며, 대화도 문명의 전승 과정에서 불가피하게 요청되는 활동으로 간주된다. 초월의 과정과 대화 없이는 문명에 입문시킬 수 없기 때문이다.
  ㉠ 교육은 새로운 세대들을 인류가 성취한 (비물질적) 문명에 입문시키는 활동이다. ⇨ 문명 전수의 역할을 담당하는 교사는 존중되어야 하며, 학교는 아름다운 추억과 감사의 장소로 간주되어야 한다.
  ㉡ 교육은 '일상적인 생활(실제적 필요나 욕구, 외재적 가치)'을 초월하는 곳에서 일어나며, 필연적으로 교양적(liberal)이다. ⇨ 즉시적인(현재적인, 도구적인) 것으로부터의 해방, 영원하고 보편적인 것들(내재적 가치)에 대한 탐구로서의 교육 중시

ⓒ 교육은 교사와 학생의 교류인 '대화'를 통해 이루어진다. 대화는 '서로 다른 방식의 사고와 말이 구성하는 다양성'이며, 대등한 관계에서 상대방의 사고 과정과 결실을 음미하는 관념의 모험을 강행하는 활동이고, 그 자체가 목적이다. 이러한 의미에서 대화는 즐겁고 신나는 경험이 된다. ⇨ 과학기술시대에 살고 있는 현대인들이 대화를 회복시키기 위해서는 사람들에게 풍성한 상상력과 미적 경험을 제공할 수 있는 '시(詩)의 목소리'를 가져야 함을 강조

(7) 피터스(Peters)와 정범모의 교육개념 비교

구분		피터스(Peters)	정범모
기본 관점		• 행위자의 관점에서 정의 • 분석철학적 · 규범적 관점	• 관찰자의 관점에서 정의 • 행동과학적 · 공학적 접근
교육개념의 정의		마음의 획득 혹은 계발, 공적 전통에 입문하는 성년식	인간행동의 계획적 변화
교육개념의 준거		• 규범적 준거: 내재적 가치 • 인지적 준거: 지식의 형식(지식, 이해, 안목) • 과정적 준거: 규범적 흥미, 학습자의 자발성	• 인간행동: 내면적 및 외면적인 모든 행동 • 변화: 인간행동의 육성, 교정, 개조에 의한 변화 • 계획적: 교육목표, 교육이론, 교육과정을 만족시키는 변화
교육 개념의 평가	개념적 측면	• 교육의 세 가지 준거의 타당성의 문제: 과정적 준거는 인지적 준거에 포함됨. • '교육'의 개념과 '교육받은 사람'의 관계의 동일성의 문제: 교육은 '교육받은 인간'과 동일시하기보다는 아동의 양육 과정을 일컫는 포괄적인 의미로 이해되어야 함. • 내재적 가치와 외재적 가치를 명백히 구분할 수 있는가의 문제: 실제적 가치와 내재적 가치를 동시 추구도 가능함.	• '바람직하지 않은 인간행동의 변화'도 교육인가? ⇨ 유능한 소매치기를 양성하기 • '가치중립적' 혹은 '바람직한' 인간행동의 계획적 변화 중 교육이라고 볼 수 없는 경우도 있음. ⇨ 선전(propaganda), 치료(therapy)
	결과적 측면	표면상 주지주의 교육을 띨 수밖에 없기 때문에 교육의 모든 측면을 포괄하기 어렵다는 점(정의적 측면의 중요성 간과), 실제 삶과 유리된다는 점, 현학적인 엘리트 교육을 대변한다는 점에서 비판을 받음.	• 교육을 잘 받았다는 것이 어떤 것인지 분명하지 않다는 문제가 남음. ⇨ 교육이 성공적으로 일어났다고 하더라도 그것이 정말 중요한지에 대한 문제는 남아 있음. • 평가가 교육의 목적을 지배하는 결과를 초래함.
	전제적 측면	분석철학적 전제가 지닌 한계로 인해 교육의 가치문제나 교육실천의 문제를 적극적으로 다루거나 제시하지 못함.	교육의 과학화, 체계화라는 미명하에 가치중립적인 행동과학으로 교육을 대체시킴으로써 교육의 본말을 전도시킴.

4 교육사상가들의 교육에 대한 정의방식

1. 도덕성 중시 ⇨ 인격주의 교육사상의 관점

교육은 자연적 인간을 도덕적 인간으로 완성시키는 활동이다.

칸트 (Kant, 1724~1804)	교육은 인간을 인간답게 하는 작용이다. 교육을 통해 인간은 sein적(현실적) 존재에서 sollen적(당위적) 존재로 변화한다. ⇨ 교육 가능설, 보편설, 인격설
헤르바르트 (Herbart, 1776~1841)	교육은 도덕적 품성(5도념 예, 내면적 자유, 완전성, 호의, 정의, 보상)을 도야하는 과정이다. ⇨ pedagogy(교육학: 아동교육학의 아버지, 윤리학+표상심리학)
피터스 (Peters, 1919~2011)	교육은 미성숙한 아동을 인간다운 삶의 형식 안으로 입문시키는 성년식이다. 06. 부산

2. 자연성 중시 ⇨ 자연주의 교육사상의 관점

교육은 인간이 지닌 잠재 가능성이 자율적으로 실현될 수 있도록 돕는 과정이다(인간에 대한 인위적·외부적 영향 배제).

루소 (Rousseau, 1712~1778)	교육은 인간의 자연적 발전을 위한 모든 조성적 활동이다. 사람은 교육에 의해 인간이 된다. ⇨ 교육 가능설, 주관적·심리적 자연주의, 정원사로서의 교사
엘렌 케이 (Ellen Key, 1849~1926)	20세기는 아동의 세기이다. 교육의 비결은 교육하지 않는 데 있으며, 주지주의 교육은 정신적 살인이다. ⇨ 자유주의 교육

3. 문화성 중시 ⇨ 문화주의 교육사상의 관점

교육은 인류가 축적한 문화유산을 다음 세대에 전달하는 과정이다(문화교육학).

스프랑거 (Spranger, 1882~1969)	교육의 본질은 문화의 번식(전파)에 있다. ⇨ 문화전승, 문화전계, 문화화
딜타이 (Dilthey, 1833~1911)	인간은 자연(문화적 환경)의 학생이고 지구는 인류의 학교이다. ⇨ 무의도적 교육 강조
파울젠 (Paulsen, 1846~1908)	교육은 문화의 전달이다.

4. 종교성 중시 ⇨ 종교주의 교육사상의 관점

교육은 신(神)의 의지를 실현하는 과정이다.

코메니우스 (Comenius, 1592~1670)	교육은 천국 생활을 준비하는 과정이다(천국준비설). cf. Spencer: 교육은 지상에서 완전한 생활을 준비하는 데 있다(생활준비설).
프뢰벨 (Fröbel, 1782~1852)	인간에게 내재된 신성(神性, 창조성과 활동성)을 계발하는 것이 교육의 목적이다. ⇨ 신성(종교적) 계발주의

5. 사회성 중시 ⇨ 사회적 교육사상의 관점

교육은 자연적 인간을 사회적 인간으로 변화시키는 과정이다.

페스탈로치 (Pestalozzi, 1746~1827)	교육은 사회개혁의 수단이다. 민중을 깨우쳐서 인간성을 개혁하면 이는 곧 사회개혁이 된다. ⇨ 아래로부터의 교육 - 민중교육 cf. Platon : 위로부터의 교육(귀족교육, 엘리트교육)
뒤르켐 (Durkheim, 1858~1917)	교육의 본질은 곧 사회화이다. ⇨ 보편적 사회화, 특수적 사회화 07. 경남
나토르프 (Natorp, 1854~1924)	인간은 사회를 만들고 사회는 인간을 만든다. ⇨ 사회적 교육학, Social education(성인교육학 : 윤리학, 심리학+논리학, 미학)
듀이 (Dewey, 1859~1952)	교육은 생활이다. 교육은 사회적 과정이다. ⇨ 진보주의
브라멜드 (Brameld, 1904~1987)	교육은 사회적 자아실현이다. ⇨ 재건주의 cf. 정약용 : 수기위천하인

5 교육활동의 성립조건 08. 충남·충북, 05. 경기

1. 의도성

교육은 분명한 목적의식을 지닌 활동이어야 한다. ⇨ 형식적 교육과 비형식적 교육의 구분 기준

2. 계획성

목적 실현을 위한 구체적인 내용과 방법이 있어야 한다.

3. 가치지향성 ⇨ 가장 핵심적 조건

교육은 바람직한 가치를 지향하고 포함하는 활동이어야 한다.

4. 전인성

교육은 인간의 제반 능력을 육성하는 활동이어야 한다.

6 교육학

1. 성립

(1) **전통적(사변적) 교육학** : 헤르바르트(Herbart) ⇨ 철학(윤리학)+심리학(표상심리학)

(2) **객관적(실증적) 교육학** : 뒤르켐(Durkheim) ⇨ 교육사회학의 성립

(3) **교육학 강좌 개설** : 칸트(Kant)

2. 교육학의 학문적 성격

(1) 경험과학으로 보는 입장
① 오코너(O'Connor), 뒤르켐(Durkheim)
  ㉠ 가치중립적 입장으로, 경험적 학문으로서의 교육학을 주장
  ㉡ 가치판단의 기준을 객관적으로 밝힐 수 없다면 교육이론에 포함시킬 수 없다.
② 정범모: 규범적 요소를 제외한 과학적 교육학의 정립을 강조하였다. ⇨ 행동과학에 토대를 둔 교육학의 체계 확립 주장

(2) 규범과학으로 보는 입장
① 피터스(Peters)와 허스트(Hirst)
  ㉠ 가치 지향적 입장으로, 규범적 학문으로서의 교육학을 주장
  ㉡ 가치판단의 기준을 과학적 인식의 대상으로 삼는 데 한계가 있어도 가치판단의 문제를 교육이론에서 배제해서는 안 된다.
  ㉢ 교육학은 '실제적 이론'이라는 점에서 과학이론에 비해 종속되거나 열등한 것은 아니다.
    ⓐ 사회적 실제에의 입문으로서의 교육학(education as initiation as into social practices, 실제적 교육철학): 교육학은 실제적 질문(예 교육평가 문제, 교원성과급 문제, 교육평등과 학교선택 문제, 외국어교육 문제, 성교육 문제, 국가교육 문제 등)에 판단을 내리고 교육 실제를 합리적으로 정당화하는 일을 하는 학문이다(Hirst). 21. 국가직
    ⓑ 실제적 교육(철)학의 사상적 토대는 포스트모더니즘(postmodernism)과 마르크스주의(Marxism)이다.
② 이규호: 해석학적 교육학
  ㉠ 교육학의 경험과학적·실증주의적 측면을 비판하고, 교육학이 과학적 성격과 규범적 성격을 포괄하는 해석학적 성격을 띤 학문임을 강조
  ㉡ 삶 전체의 의미 구조를 교육적 측면에서 해석해 내는 교육학을 주장

더 알아보기

오코너(O'Connor)와 허스트(Hirst)의 논쟁 16. 국가직 7급

1. **오코너**: "교육이론의 전형은 자연과학이며, 자연과학 이론은 어떤 현상을 관찰, 기술, 설명, 일반화, 예언하는 가설 연역 체계를 갖추고 있다. 그런데 교육학은 엄밀한 의미에서 이러한 이론적 체계를 갖추고 있지 못하며, 이 점에서 교육이론은 기껏해야 '예우상의 칭호'에 불과하다. 교육학이 가치판단의 기준을 객관적으로 밝힐 수 없다면 교육을 과학적 이론에 포함시키는 것은 잘못이다." ⇨ 과학적 이론 모형
2. **허스트**: "교육이론은 과학적 지식이나 방법뿐만 아니라 형이상학적 신념, 도덕, 종교 등의 가치판단을 포함하고 있다. 그러므로 가치판단의 기준을 과학적 인식의 대상으로 삼는 데 한계가 있다 하더라도, 가치판단의 문제를 교육이론에서 배제해서는 안 된다." ⇨ 실제적 이론 모형

제2절 교육의 목적

1 교육목적의 개념

1. 교육을 통해 달성하고자 하는 바람직한 상태, 이상적 인간상
2. 교육이 지향하는 기본적 방향
3. 학습자가 도달해야 할 미래의 바람직한 상태(도착점행동)

2 교육목적의 위계와 유형 05. 경기

1. 위계 – 교육이념(국가 수준) > 교육목적(사회 수준) > 교육목표(개인 수준)

교육이념(ideology)	교육목적(aims)	교육목표(objectives)
• 가장 높은 수준 • 가치적·철학적·이론적 준거 • 국가 수준 • 홍익인간, 민주주의	• 중간 수준 • 매개적 준거: 이념과 목표의 조정 • 사회 수준 • 생활인, 인격인, 과학인	• 가장 낮은 수준 • 현실적·기술적 준거 • 개인 수준(도착점행동) • 책임감, 협동성, 준법성

2. 유형 15. 지방직

   (1) **내재적(본질적, intrinsic) 목적**

   ① 교육이 다른 것의 수단이 아닌 교육의 개념 혹은 교육의 활동 그 자체가 가지고 있는 목적, 교육의 개념이나 활동 속에 붙박여 있는 목적

   예 합리성의 발달, 지식의 형식 추구, 자율성 신장 등 ⇨ 교육의 목적을 '합리적인 마음의 계발'이라고 할 때, 교육과 '합리적인 마음의 계발' 사이에는 개념적 혹은 논리적 관계가 성립한다. 즉 합리적인 마음의 계발은 교육 '개념'의 한 부분을 이루고 있고 교육활동 '안'에 들어 있기 때문에 '내재적 목적'이라고 한다.

   ② 피터스(Peters)가 중시한 교육의 목적: 교육의 목적은 교육의 세 가지 개념적 준거, 즉 규범적·인지적·과정적 준거를 실현하는 일이다. 교육받은 인간인 자유인(free man)은 교육의 준거를 충족시킨 사람이며, 자유인을 기르는 자유교육은 그런 준거를 충족시키는 교육이다.

   ③ 교육활동에 있어서 내려온 오랫동안의 공적 전통을 수용하는 것과 관련된 목적

   ㉠ 인간을 이성적 존재로 보고 그 특성을 계발하는 것을 중시하는 서양교육의 지적 전통으로부터 유래

   ㉡ '그 자체가 목적인 활동(학문을 위한 학문)'을 중시한 아리스토텔레스(Aristoteles)의 자유교육의 개념으로부터 '지식교육을 통한 합리적인 마음의 계발'을 강조한 피터스(Peters)에 이르기까지 중시된 목적

   ④ 교사의 역할은 현재 가르치고 있는 교육내용을 그 의미가 충분히 살아나도록 가르치는 일이다.

(2) **외재적(수단적, extrinsic) 목적**

① 교육이 다른 활동의 목적을 위한 수단으로 사용되는 것 ⇨ 교육의 바깥에 있는 목적

　　예 국가발전, 경제성장, 사회통합, 직업 준비, 생계유지, 출세 등

② 교육은 수단 - 목적의 관계로 연결되어 있거나 다른 무엇을 위한 필요 때문에 행해진다.
　　⇨ 교육과 다른 활동은 개념적·논리적으로(conceptually or logically) 별개의 것이며, 경험적·사실적으로(empirically or factually) 관계를 맺는다.

　　예 교육의 목적이 국가발전이라고 할 때, '교육'과 '국가발전'의 개념 간에는 의미상 아무런 관련이 없으며, 교육개념을 아무리 분석해도 '국가발전'이라는 뜻이 들어 있지 않다. 그러나 교육과 국가발전은 경험적·사실적으로 관련되어 있어서 교육을 잘하게 되면 사실상 국가발전에 도움이 되는 것이다.

③ 교육이 사회의 현실과 필요를 적극적으로 수용해야 한다는 주장과 관련된 목적

내재적 목적과 외재적 목적의 비교 11. 부산

내재적(본질적) 목적	외재적(수단적) 목적
교육과정이나 교육개념 속에 존재하는 목적	교육활동 외부에 존재하는 목적
교육활동 그 자체가 목적	교육활동은 목적 달성을 위한 수단(도구)
교육과 목적이 개념적·논리적으로(conceptually or logically) 관계를 형성	교육과 목적이 경험적·사실적으로(empirically or factually) 관계를 형성
합리성의 발달, 지식의 형식 추구, 비판적 사고의 발달, 자율성 신장, 도덕적 탁월성, 미적 경험의 발달, 자아실현, 인격 완성 등	국가발전, 경제성장, 사회통합, 직업 준비, 생계유지, 출세, 입시 수단 등
현실 그 자체를 중시	미래생활 대비를 중시
교육의 가치 지향적 입장 중시	교육의 가치중립적 입장 중시
위기지학(爲己之學: 자기성찰과 내면의 인격완성을 위한 공부) 강조	위인지학(爲人之學: 입신출세, 처세술, 사회적 성공을 위한 공부), 경세지학(經世之學: 사회변혁) 강조
• 소크라테스(Socrates) - "너 자신을 알라." • 듀이(Dewey) - 현재 교육활동 그 자체가 목적 • 피터스(Peters) - 성년식 • 로저스(Rogers) - 자아실현, 전인형성을 위한 공부	• 소피스트(Sophist) - 처세술을 위한 공부 • 스펜서(Spencer) - 지상에서의 행복(생활준비설) • 그린(Green) - 교육은 도구 • 랭포드(Langford) - 교육은 주어진 목표 달성 수단

3. **교육의 정당화(justification)**: 교육받아야 할 이유

　(1) **정당화의 개념**: 어떤 사람의 행동이나 판단이 옳다는 것을 입증하는 것 ⇨ 합리성과 공적 근거를 전제

　(2) **교육의 정당화**

　　① 수단적 정당화(도구적 정당화): 교육받아야 할 이유를 외부에서 찾음.

　　② 비도구적 정당화(내재적 정당화): 교육받아야 할 이유를 지적 활동 안에서 찾음. ⇨ 선험적 정당화, 윤리적 정당화

선험적 정당화 (Peters)	'경험을 초월함'을 뜻하는 것으로, 개인의 의식적인 사고에 의하여 받아들여지는가, 아닌가와 무관하게 성립하는 정당화 ① 권태의 결여: 지적 활동은 매력적이고 신비한 것이어서 학습자를 몰입하게 만들어 권태로부터 벗어나게 해 줌. ② 이성의 가치: 지적 활동은 이성적 삶을 향유하도록 해 줌.
윤리적 정당화	인간 존중의 차원에 따른 정당화로 자기 자신의 윤리적 의무를 다하고 타인과 공동체의 발달을 위해 교육이 필요함. ① 자기 자신을 위한 교육: 자신의 마음 계발을 위한 교육 ② 타인을 위한 교육: 타인과 공동체 존중을 위한 교육 ③ 화이트(J. P. White): 피터스의 자유교육 개념을 확장 ⇨ 내재적 가치 추구를 넘어서 집단이나 전체의 위협에서 '개인이 자유롭고, 자율적인 선택'을 할 수 있게 하는 개인의 자율성(personal autonomy, 자기결정성 + 비판적 숙고능력) 함양이나 개인의 좋은 삶, 곧 웰빙(well-being)에 두어야 한다고 강조
공리주의적 정당화	쾌락과 유용성을 위해 교육이 필요함. ⇨ ②만이 도구적 정당화에 해당 ① 쾌락: 비수단적인 것으로 쾌락(몰입) 그 자체를 추구함. ② 유용성: 수단적인 가치와 관련 ⇨ 교육을 통해 획득한 지식은 장기적으로 개인과 공동체에 큰 이익을 가져다 줌. ③ 화이트헤드(Whitehead): 유용성(utility)을 일상적(실용적) 의미가 아닌 지적 탐구를 가능하게 하기 위한 유용성(삶의 지혜를 획득하기 위한 지식의 활용법)의 의미로 중시

③ 우리나라의 교육목적 06. 대구·전북

1. **헌법(제31조)상의 교육 조항** – 교육이념에 대한 언급이 없다. 24. 국가직, 19. 지방직, 19. 국가직

> 「헌법」 제31조
> 1. 모든 국민은 능력에 따라 균등하게 교육을 받을 권리를 가진다.
> 2. 모든 국민은 그 보호하는 자녀에게 적어도 초등교육과 법률이 정하는 교육을 받게 할 의무를 진다.
> 3. 의무교육은 무상으로 한다.
> 4. 교육의 자주성·전문성·정치적 중립성 및 대학의 자율성은 법률이 정하는 바에 의하여 보장된다.
> 5. 국가는 평생교육을 진흥하여야 한다.
> 6. 학교교육 및 평생교육을 포함한 교육제도와 그 운영, 교육재정 및 교원의 지위에 관한 기본적인 사항은 법률로 정한다.

(1) **기회균등**(제1항): 국민의 교육권(학습권) 보장 ⇨ 교육기회의 허용적 평등

(2) **의무교육**(제2항): 취학의 의무[만 6세, 학령아동의 법적 보호자 ⇨ 초 1년부터 중 3년까지(9년), 시작(초등 - 1950년, 중등 - 1985년 도서·벽지 지역, 2002년부터 전국 시행 & 2004년 완성)]
   ◇「교육기본법」제8조(의무교육) 의무교육은 6년의 초등교육과 3년의 중등교육으로 한다.

(3) **무상 의무교육**(제3항): 2002년부터 2004년까지 중학교 무상 의무화 달성 ⇨ 교육기회의 보장적 평등(입학금, 수업료, 학교운영지원비, 교과용 도서 구입비만 무상)
   ◇ 무상의 범위(「초·중등교육법」 제10조의2): 입학금, 수업료, 학교운영지원비, 교과용 도서 구입비 ⇨ 고등학교 무상교육 전면 시행(2021학년도 이후)

(4) **교육의 자주성·전문성·정치적 중립성 및 대학의 자율성**(제4항)

(5) **평생교육 진흥**(제5항)

(6) **교육에 관한 법률 제정 조항**(제6항): 교육제도, 교육재정, 교원의 지위

2. **일반적 교육목적**(「교육기본법」 제2조) 12·11·08. 경기, 07. 국가직

   홍익인간(弘益人間 ≒ 이타인)의 이념 ⇨ 채택은 미 군정기, 명문화는 「교육법」 제정(1949. 12. 31.)

   (1) **직접적 목적**: 인격 도야(인격교육, 개성교육), 자주적 생활능력(생활교육), 민주시민으로서의 자질(민주시민 교육)

   (2) **간접적 목적**: 인간다운 삶의 영위, 민주국가의 발전, 인류공영의 이상 실현

   (3) **홍익인간의 인간상**: 평화적 인간, 생산적 인간, 과학적 인간, 자주적 인간

더 알아보기

「교육기본법」 10. 부산, 09. 국가직 7급, 05. 인천

1. **편성 체계**
   - **제1장【총칙(제1조~제11조)】** 목적, 교육이념, 학습권, 교육의 기회균등, 교육의 자주성, 교육의 중립성, 교육재정, 의무교육, 학교교육, 평생교육, 학교 등의 설립
   - **제2장【교육 당사자(제12조~제17조)】** 학습자, 보호자, 교원, 교원단체, 학교 등의 설립자·경영자, 국가 및 지방자치단체
   - **제3장【교육의 진흥(제17조의2~제29조)】** 양성평등 의식의 증진, 학습윤리의 확립, 생명존중의식 함양, 안전사고 예방, 평화적 통일 지향, 특수교육, 영재교육, 유아교육, 직업교육, 과학기술교육, 기후변화 환경교육, 진로교육, 학교체육, 교육의 정보화, 학교 및 교육행정기관 업무의 전자화, 학생정보의 보호 원칙, 학술문화의 진흥, 사립학교의 육성, 평가 및 인증제도, 교육 관련 정보의 공개, 교육 관련 통계조사, 보건 및 복지의 증진, 장학제도, 국제교육

2. **주요 내용** 24. 국가직 7급
   - **제1조【목적】** 이 법은 교육에 관한 국민의 권리·의무 및 국가·지방자치단체의 책임을 정하고 교육제도와 그 운영에 관한 기본적 사항을 규정함을 목적으로 한다.
   - **제2조【교육이념】** 교육은 홍익인간의 이념 아래 모든 국민으로 하여금 인격을 도야하고 자주적 생활능력과 민주시민으로서 필요한 자질을 갖추게 하여 인간다운 삶을 영위하게 하고 민주국가의 발전과 인류공영의 이상을 실현하는 데 이바지하게 함을 목적으로 한다.
   - **제3조【학습권】** 모든 국민은 평생에 걸쳐 학습하고, 능력과 적성에 따라 교육받을 권리를 가진다.
   - **제4조【교육의 기회균등】** ① 모든 국민은 성별, 종교, 신념, 인종, 사회적 신분, 경제적 지위 또는 신체적 조건 등을 이유로 교육에서 차별을 받지 아니한다.
   ② 국가와 지방자치단체는 학습자가 평등하게 교육을 받을 수 있도록 지역 간의 교원 수급 등 교육여건 격차를 최소화하는 시책을 마련하여 시행하여야 한다.
   ③ 국가는 교육여건 개선을 위한 학급당 적정 학생 수를 정하고 지방자치단체와 이를 실현하기 위한 시책을 수립·실시하여야 한다.

- 제5조 【교육의 자주성 등】 ① 국가와 지방자치단체는 교육의 자주성과 전문성을 보장하여야 하며, 국가는 지방자치단체의 교육에 관한 자율성을 존중하여야 한다.
  ② 국가와 지방자치단체는 관할하는 학교와 소관 사무에 대하여 지역 실정에 맞는 교육을 실시하기 위한 시책을 수립·실시하여야 한다.
  ③ 국가와 지방자치단체는 학교운영의 자율성을 존중하여야 하며, 교직원·학생·학부모 및 지역주민 등이 법령으로 정하는 바에 따라 학교운영에 참여할 수 있도록 보장하여야 한다.
- 제6조 【교육의 중립성】 22. 지방직 ① 교육은 교육 본래의 목적에 따라 그 기능을 다하도록 운영되어야 하며, 어떠한 정치적·파당적 또는 개인적 편견의 전파를 위한 방편으로 이용되어서는 아니 된다.
  ② 국가 및 지방자치단체가 설립한 학교에서는 특정한 종교를 위한 종교교육을 하여서는 아니 된다.
- 제7조 【교육재정】 ① 국가와 지방자치단체는 교육재정을 안정적으로 확보하기 위하여 필요한 시책을 수립·실시하여야 한다.
  ② 교육재정을 안정적으로 확보하기 위하여 지방교육재정교부금 등에 관하여 필요한 사항은 따로 법률로 정한다.
- 제8조 【의무교육】 ① 의무교육은 6년의 초등교육과 3년의 중등교육으로 한다.
  ② 모든 국민은 제1항에 따른 의무교육을 받을 권리를 가진다.
- 제9조 【학교교육】 ① 유아교육·초등교육·중등교육 및 고등교육을 하기 위하여 학교를 둔다.
  ② 학교는 공공성을 가지며, 학생의 교육 외에 학술 및 문화적 전통의 유지·발전과 주민의 평생교육을 위하여 노력하여야 한다.
  ③ 학교교육은 학생의 창의력 계발 및 인성 함양을 포함한 전인적 교육을 중시하여 이루어져야 한다.
  ④ 학교의 종류와 학교의 설립·경영 등 학교교육에 관한 기본적인 사항은 따로 법률로 정한다.
- 제10조 【평생교육】 ① 전 국민을 대상으로 하는 모든 형태의 평생교육은 장려되어야 한다.
  ② 평생교육의 이수(履修)는 법령으로 정하는 바에 따라 그에 상응하는 학교교육의 이수로 인정될 수 있다.
  ③ 평생교육 시설의 종류와 설립·경영 등 평생교육에 관한 기본적인 사항은 따로 법률로 정한다.
- 제11조 【학교 등의 설립】 ① 국가와 지방자치단체는 학교와 평생교육시설을 설립·경영한다.
  ② 법인이나 사인은 법률로 정하는 바에 따라 학교와 평생교육시설을 설립·경영할 수 있다.

3. 각급 학교의 교육목적(「유아교육법」, 「초·중등교육법」)

학교급별	교육목적	관련 조항
유치원	「교육기본법」 제9조(학교교육)에 따라 유아교육에 관한 사항을 정함을 목적으로 한다. 🔑 유아란 만 3세부터 초등학교 취학 전까지의 어린이를 말한다.	「유아교육법」 제1조
초등학교	국민생활에 필요한 기초적인 초등교육 실시	「초·중등교육법」 제38조
중학교	초등학교에서 받은 교육의 기초 위에 중등교육 실시	「초·중등교육법」 제41조
고등학교	중학교에서 받은 교육의 기초 위에 중등교육 및 기초적인 전문교육 실시	「초·중등교육법」 제45조
특수학교	신체적·정신적·지적 장애 등으로 인하여 특수교육이 필요한 사람에게 초등학교·중학교 또는 고등학교에 준하는 교육과 실생활에 필요한 지식·기능 및 사회 적응 교육 실시	「초·중등교육법」 제55조

제3절 교육의 유형(형태)

1 평생교육(life-long education)

1. 평생교육의 개념 11. 울산, 10. 인천·국가직, 08. 충남·충북, 07. 국가직

(1) 전 생애(요람에서 무덤까지)를 통한 교육

(2) 학교의 사회화 & 사회의 학교화 ⇨ 학습사회(the learning society ⇨ Hutchins) 구현

(3) **랭그랑(Lengrand)이 처음 사용**: UNESCO 성인교육위원회(1965), 인간의 일생을 통해서 행해지는 교육의 과정을 보장하는 활동원리로서 평생교육 구상을 제시 ⇨ '앎과 삶의 통합' 강조

① 수직적 차원의 통합(전 생애성): 교육기회의 통합, 생활주기(시간)에 있어 연계 통합
  ⇨ 인생의 모든 단계에 교육기회를 균등하게 재분배 18. 국가직

② 수평적 차원의 통합(전 사회성): 교육자원의 통합, 생활공간(장소)에 있어 연계 통합
  ⇨ 가정, 학교, 사회 교육에 관한 등가치적(等價値的) 인식

> • "인간은 태어나 죽을 때까지 평생을 통해 교육 받을 권리가 보장되어야 한다. 그리고 이것 – 삶과 앎의 통합 – 을 위해 새로운 교육제도들이 만들어져야 한다. 이제 파편화되고 분절되어 있는 교육제도들은 인간의 종합적 발달이라는 축을 중심으로 해체되고 재구성되어야 하며, 이것은 가히 교육의 혁명을 의미하는 것이다."
>
> • "평생교육은 인지적 과정뿐만 아니라 정서적·심미적·직업적·정치적·신체적인 면을 모두 포괄하는 전일적(holistic)인 것이어야 한다. 이러한 통합 속에서 교육은 비로소 삶과 통합될 수 있다. 이처럼 평생교육은 앎과 삶이 통합된 교육이다."
> — 랭그랑(Lengrand), 「평생교육」(1965)

■ 현행교육 체제와 평생교육 체제 비교(Lengrand) 13. 국가직

구분	현행교육 체제	평생교육 체제
교육시기	청소년기에 한정	전 생애에 걸친 교육
교육영역	교육 지식의 습득(인지적 영역)에 중점	인지적, 정서적, 신체적, 심미적, 직업적, 정치적인 면을 모두 포괄하는 전일적(holistic)인 것 ⇨ 지식(앎)과 삶을 통합하는 것
교육형태	교육형태의 구분 예 직업교육과 일반교육, 형식교육과 비형식교육, 학교교육과 학교 외 교육 등	교육형태의 유기적 통합
교육개념	문화유산의 전달 수단	자기발전의 끊임없는 과정, 성장의 수단
교육장소	학교교육에 한정	학교·가정·직장·친구관계 등 실제 사회 전 영역으로 확대
교육주체	교사 중심으로 교육기회 부여	사회 전체가 교육기회 부여
교육운영	교육자(교사) 중심	수요자(학습자) 중심

(4) **「평생교육법」상의 개념** 25 · 15. 국가직, 24. 지방직 : 학교의 정규 교육과정을 제외한 학력보완교육, 성인 문해교육, 직업능력 향상 교육, 성인 진로개발역량 향상교육(성인 진로교육), 인문교양교육, 문화예술교육, 시민참여교육 등을 포함하는 모든 형태의 조직적인 교육활동을 말한다(제2조).

① 성인 문해교육
   ㉠ 성인 문해교육은 한글을 읽고 쓸 수 있도록 문해 능력을 키우고 생활 속에서 직면한 문제를 주어진 과업을 수행하여 해결할 수 있는 문해활용 능력을 개발하며 초등학력 또한 인증받을 수 있도록 지원하는 평생교육이다.
   ㉡ 문해(文解)는 단순히 글을 읽고 쓰는 능력만을 의미하는 것이 아니라 변화하는 상황에 대응할 수 있는 문제해결력, 새로운 지식과 정보를 창출할 수 있는 능력 등을 포함하는 것이다.

   > 문해교육이란 일상생활을 영위하는 데 필요한 문자해득(文字解得)능력을 포함한 사회적·문화적으로 요청되는 기초생활능력 등을 갖출 수 있도록 하는 조직화된 교육프로그램을 말한다.
   > — 「평생교육법」 제2조

   ㉢ 현행 「평생교육법」에 따라 시·도 교육감이 설치·지정한 문해교육 프로그램을 이수한 학습자들은 학력을 인정받을 수 있다.

② 학력보완교육
   ㉠ 「초·중등교육법」과 「고등교육법」에 따라 학력인정을 받기 위해 필요한 이수단위 및 학점 취득과 관련된 평생교육을 의미한다.
   ㉡ 학력보완교육은 우리나라 학교교육 단계에 맞춰 초등, 중등, 고등단계의 프로그램으로 나눌 수 있다.
   ㉢ 학력보완교육에는 중입, 고입, 대입 검정고시 강좌를 비롯해 독학사 강좌, 학점은행제 강좌, 시간제 등록제 강화, 대학의 비학점 강좌 등이 포함된다.

③ 직업능력교육
   ㉠ 직업 준비 및 직무역량 개발을 목적으로 하는 교육이다. 즉, 직업생활에 필요한 자격과 조건을 체계적으로 준비하고 주어진 직무와 역할을 효과적으로 수행할 수 있도록 지원하는 평생교육을 말한다.
   ㉡ 직업능력교육은 직업준비 프로그램, 자격인증 프로그램, 현직 직무역량 프로그램으로 분류된다.

④ 성인 진로개발역량 향상교육
   ㉠ '성인 진로교육'이라고도 한다.
   ㉡ 성인이 자신에게 적합한 직업을 찾고 진로를 인식·탐색·준비·결정 및 관리할 수 있도록 진로수업·진로심리검사·진로상담·진로정보·진로체험 및 취업지원 등을 제공하는 활동을 말한다.
   ㉢ 이희수(2024)는 성인 진로개발역량을 ⓐ 자기이해 및 관리 역량(자기인식, 감성 지능, 자기주도성), ⓑ 진로탐색 및 정보 활용 역량(직업세계 이해, 학습 및 진로기회 탐색, 디지털 리터러시, 사회적 네트워킹), ⓒ 진로 설계 및 관리 역량(진로 목표 설정, 의사 결정

및 문제 해결, 진로 계획 수립 및 실행, 변화 관리 및 적응력), ⓓ 일과 삶의 균형 및 지속 가능성 역량(일과 삶의 균형 유지, 스트레스 관리 및 웰빙 추구, 사회적 책임 및 참여, 평생학습 추구) 등 4가지로 구분하여 제시하고 있다.

⑤ 문화예술교육
  ㉠ 상상력과 창의력을 촉진하고 창작 활동에 필요한 기능을 익힐 수 있도록 지원하거나, 생활 속에서 문화예술을 향유할 수 있는 능력을 개발하는 평생교육이다.
  ㉡ 문화예술교육에는 레저생활 스포츠 프로그램, 생활문화예술 프로그램, 문화예술향상 프로그램이 있다.

⑥ 인문교양교육 20. 지방직
  ㉠ 인문교육과 교양교육을 결합한 용어로, 전문적인 능력보다는 전인적인 성품과 소양을 계발하고 배움 자체를 즐길 수 있는 신체적·정신적 건강을 겸비하는 것을 지원하는 평생교육을 의미한다.
  ㉡ 인문교양교육에는 건강심성 프로그램, 기능적 소양 프로그램, 인문학적 교양 프로그램이 있다.

⑦ 시민참여교육
  ㉠ 사회적 책무성과 공익성 활용을 목적으로 민주시민으로서 갖추어야 할 자질과 역량을 개발하며, 사회통합 및 공동체 형성과 관련된 시민들의 참여를 촉진하고 지원하는 평생교육을 말한다.
  ㉡ 시민참여교육 프로그램으로는 시민책무성 프로그램, 시민리더역량 프로그램, 시민참여 활동 프로그램이 있다.

(5) 유사 개념 14. 국가직 7급

① 사회교육(social education): (광의) 학교교육을 제외한 모든 형태의 조직적 교육활동, (협의) 학교교육을 제외한 청소년 및 성인에 대한 모든 형태의 조직적 교육활동 ⇨ '성인교육(adult education, 1967년 UNESCO 회의에서 처음 사용)'
② 계속교육(continuing education): 일정 단계의 학교교육을 마친 성인을 대상으로 한 단기간에 걸친 보충교육 또는 직업훈련 ⇨ 미국, 성인 대상으로 형식적인 학교교육 형태 제공
③ 추가교육(연장교육, further education): 의무교육을 마친 연령층을 대상으로 한 비교적 장기간에 걸친 학교 외의 조직적인 교육활동 ⇨ 영국(1944, 교육법)
④ 순환교육(recurrent education): 정규교육을 마친 성인을 대상으로 정규 교육기관에 재입학 시켜 재교육의 기회 제공
  예 군 위탁교육, 산업체 위탁교육 ⇨ OECD(1973)에서 처음 사용
⑤ 생애교육(진로교육, career education): 평생에 걸친 학교 및 학교 외의 직업교육 ⇨ 1970년대 미국 교육 혁신 프로그램, 일본에서는 평생교육의 의미로 사용
⑥ 비형식적 교육(비정규적 교육, nonformal education): 학교(형식적 체제) 바깥에서 행해지는 보다 조직적인 교육활동
  예 제3세계의 농촌확장교육, 성인 문해교육, 직업 기술훈련 등 ⇨ 쿰즈(Coombs)가 사용
⑦ 기초교육(fundamental education): 비문해자를 대상으로 실시되는 문해교육 ⇨ 개발도상국

(6) 평생교육 개념 모형

① 다베(Dave)
　㉠ 평생교육이라는 개념에 관계되는 세 가지 기본 용어는 삶(life)과 평생(lifelong), 그리고 교육(education)이다.
　㉡ 평생교육은 성인교육에 국한된 것이 아니다. 학령 전, 초등, 중등교육의 모든 단계를 망라하고 통합한다.
　㉢ 평생교육은 형식교육, 비형식교육과 무형식교육을 포함한다.
　㉣ 평생교육의 궁극적인 목적은 삶의 질을 개선하고 유지하는 것이다.
　㉤ 평생교육 실현을 위한 세 가지 전제조건은 기회(opportunity), 동기(motivation), 교육 가능성(educability)이다.

② 스폴딩(S. Spaulding): 수평적으로 유형화 ⇨ 횡적 확장모형
　㉠ 평생교육의 유형을 형식성의 정도에 따라 6개의 하위요소로 구분: 평생교육은 형식적, 비형식적, 무형식적 교육을 하나의 우산 아래 모두 포괄하고 있다.
　㉡ 무형식적 교육의 특성: 개방, 자기선택, 비경쟁, 비형식적 교육내용, 직접적 유용성, 자기만족, 참여자의 관심과 동기
　㉢ 형식적 교육의 특성: 폐쇄, 엄격한 선발, 경쟁, 형식적 교육내용, 장기적 목적, 자격 인정, 당국의 기준 설정 및 통제

형식적 교육		비형식적 교육 22. 국가직		무형식적 교육	
전통적 학교 및 대학	혁신적 학교 및 대학	학교와 대학의 평생교육 및 비형식적 교육	지역사회개발 및 사회운동	클럽 및 자원단체	대중매체 및 정보 제공 시설
예 초, 중, 고, 대학교	예 대안학교, 실험학교, 종합고교	예 방송통신교육, 지역사회센터	예 보건교육, 농촌교육, 소비자교육	예 종교단체, 청소년단체, 노동조합	예 TV, 신문, 잡지, 도서관, 서점

더 알아보기

평생교육의 유형
1. **형식적 교육**(formal education): 국가가 학력이나 학위를 공식적으로 인증하는 단계적 교육 ⇨ 교육의 3요소 구비
2. **비형식적 교육**(nonformal education): 교육의 3요소를 갖추고 있지만 국가의 인증을 받지 못하는 교육
3. **무형식적 교육**(informal education): 교육의 3요소 구비 ×
　① 활동의 주목적이 교육은 아니지만 그 안에서 많은 가르침이나 배움이 일어나는 교육
　　예 인쇄매체를 활용한 학습, 컴퓨터나 인터넷을 활용한 정보나 사실 학습, 학습을 목적으로 텔레비전·라디오·비디오 활용, 가족·친구·동료·상사의 도움이나 조언을 통한 학습
　② 교육자의 의도에 대한 수동적 반응이 아니라 학습자의 의도에 의해 선택되고 계획된 학습
　　예 특정한 종류의 책 등 인쇄매체를 지속적으로 활용하거나 학습을 목적으로 도서관을 정기적으로 방문하는 등 외부기관에 의해 조직되지 않은 학습활동을 학습자가 주도적으로 기획할 수 있다. ⇨ 학습자도 모르게 습득되는 사회학습이론에서의 우연적 학습과는 구별됨.

③ 파킨(Parkyn): 수직적(생애주기별) 교육지원 시스템으로 구조화 ⇨ 종적 확장모형
  ㉠ 교육의 5단계, 즉 영유아교육, 초등교육, 중등교육, 고등교육 및 이후의 성인사회교육을 중심으로 논의하였다. ⇨ 국가와 공공사회가 책임을 지는 공공교육기관의 중요성을 강조하는 평생교육 조직 모형을 제시
  ㉡ 영유아 교육체제를 처음으로 강조하였다는 점과 성인사회교육의 영역을 기업 및 산업체 교육시설(industries), 자원단체(voluntary organization), 지역사회대학(community college), 성인 교육센터(adult education centers), 학교 및 문화시설(schools, culture centers) 등 5개 영역으로 구별하여 제시한 점이 특징이다.
④ 크로플리(Cropley): 평생학습(비제도화된 교육작용)과 평생교육(제도화된 교육작용)을 통합
  ㉠ 평생교육이라는 개념 앞에 평생학습(lifelong learning)이라는 개념을 위치시킴으로써 평생교육에 있어서의 학습자의 주도성을 강조하였다.
  ㉡ 평생교육이 일종의 제도화된 학습지원 촉진 시스템이라면, 평생학습은 비조직적이면서 일상적인 것을 포함하는 것으로, 일생을 통하여 계속되며(lifelong, 전 생애성), 동시에 전체 일생을 통해서 받는 모든 작용과 관계되는(lifewide, 전 사회성) 것이다.

■ 평생교육과 평생학습의 비교

평생교육	평생학습
UNESCO(국제연합교육과학문화기구)가 주로 사용 ⇨ 랭그랑(P. Lengrand)이 「평생교육(1965)」에서 처음 사용	OECD(경제협력개발기구)의 보고서, 「순환교육: 평생학습을 위한 전략」(1973) 이후 사용
전인적 자아실현 중시	경제발전 및 평생고용 가능성 중시
교육자 중심 모형	학습자 중심 모형
의도적, 조직적, 구조적	우발적, 무형식적
가치판단을 필연적으로 요구	가치판단을 전제하지 않음.
강제적 강요	필요에 따라 자기에게 적합한 수단과 방법을 선택
학습자의 학습에 대한 환경조성과 다양한 지원활동	학습자의 자발적·자립적인 학습활동

2. **평생교육의 접근모형** 08. 국가직

  (1) **학습사회론적 접근** 11. 울산: 교육기회가 다양화되고, 학습자가 자기주도적으로 학습할 수 있는 학습사회 건설을 통해서 모든 이에게 실질적인 교육권을 보장하는 것이 평생교육의 궁극적 목표이다.

  > **더 알아보기**
  >
  > **평생학습사회의 의미**: 평생학습사회는 평생교육의 배경이자 목적 10. 국가직
  > 1. 사회 자체가 변화에 대해 총체적이고 장기간에 걸친 자기혁신을 통해 새로운 생존방식을 추구하는 일련의 작동기제이다.
  > 2. 학습에 대한 결정이 주로 학습자들에게 위임되고, 모든 종류의 조직적·비조직적 사회활동 속에서 일어나는 학습혁명의 사회이다.
  > 3. 학습의 총량이 증대됨에 따라 해당 사회가 정체되지 않고 스스로 자기주도적 성장을 도모할 수 있는 여건을 조성하는 사회이다.
  > 4. 평생학습이 일상화되고 사회 곳곳에 편재된 사회이다.

① 허친스(Hutchins): 「학습사회(The learning society)」(1968) ⇨ 학습사회라는 용어를 처음으로 제시
  ㉠ 교육의 목적은 인간의 정신적 계발을 통하여 인간을 계발하는 것, 즉 인적 자원(manpower)이 아니라 인간(manhood)이 되게 하는 것이다. 따라서 교육은 민주주의자를 만드는 일이나 한국인을 만드는 일 등과 같은 '현재'의 일(socialization)로부터 일정한 거리를 두고 노동으로부터 분리된 여가를 통하여 미래의 인격을 형성하는 자유교육(liberal education)이어야 한다.
  ㉡ 학습사회는 이처럼 전통적 의미에서의 자유교양교육이 사회 곳곳에 편재된 사회이다.
② 포르(Faure): 「존재를 위한 학습(learning to be)」(1972)
  ㉠ 미래 사회가 지향해야 할 교육형태는 평생교육이며, 이를 실천하는 구체적 방향으로 자유교양교육을 중시하는 학습사회의 형성을 강조하고 있다.
  ㉡ 자유교양교육의 실천방향으로 기능적 교육과 함께 정치적·사회적·문화적 대중계몽교육을 강조하고 있으며, 학습의 목표를 '완전한 인간(complete man)'의 육성에 두었다.
③ 카네기 고등교육위원회: 「학습사회를 지향하여(Toward a Learning Society)」(1973) ⇨ 노동과 직업교육을 중심에 두는 학습사회화를 주장하였다.
  ㉠ 중등 이후 교육개혁을 주장하는 보고서로, 개인이 노동과 교육, 봉사를 희망에 따라 자유롭게 선택할 수 있는 시스템 도입을 주장하였다.
  ㉡ 자유교양교육을 중시한 허친스(Hutchins)와 포르(Faure)의 주장과는 달리, 생활의 중심을 노동에 두고 직업교육을 포함하는 광의의 입장에서 학습사회론을 전개하였다.

> **더 알아보기**
>
> **평생학습도시(lifelong learning city)**
> 1. **개념**: 학습 공동체 건설을 위한 총체적 도시 재구조화 운동(「평생교육법」 제15조) ⇨ 시·군 및 자치구를 대상으로 국가가 지정 및 지원 11. 국가직
> 2. **역사**
>   ① 세계: 1979년 일본의 가케가와시(掛川市)가 최초로 평생학습도시를 선언함.
>   ② 우리나라: 1999년 경기도 광명시가 최초로 선언 ⇨ 2001년 국가 단위의 학습도시사업 선언 후 2001년 경기도 광명시·대전 유성구·전북 진안구 등 3개 지역이 선정되었고, 2023년 3월 기준 199개의 학습도시가 선정됨.
> 3. **유형**
>
> | 경제발전 중심 | 산업혁신형 | 기업체가 주도, 산업복합단지의 혁신 목적 |
> |---|---|---|
> | | 학습 파트너형 | 교육 제공자와 학습자를 위한 협력 체계 구축 |
> | 시민사회 중심 | 지역사회 재생형 | 지역사회의 재생 및 혁신 전략 구현 |
> | | 이웃 공동체 건설형 | 이웃을 위한 교육 제공을 통해 시민정신 고양 |

> **4. 관련 규정:「평생교육법」**
> - 제15조【평생학습도시】 21. 지방직 ① 국가는 지역사회의 평생교육 활성화를 위하여 특별자치시, 시·군 및 자치구를 대상으로 평생학습도시를 지정 및 지원할 수 있다. 이 경우 이미 지정된 평생학습도시에 대하여 평가를 거쳐 재지정 여부를 결정할 수 있다.
>   ② 제1항에 따른 평생학습도시 간의 연계·협력 및 정보교류의 증진을 위하여 전국 평생학습도시 협의회를 둘 수 있다.
>   ③ 제2항에 따른 전국 평생학습도시 협의회의 구성·운영에 필요한 사항은 대통령령으로 정한다.
>   ④ 제1항에 따른 평생학습도시의 지정 및 지원에 필요한 사항은 교육부 장관이 정한다.
> - 제15조의2【장애인 평생학습도시】 ① 국가는 장애인의 평생교육 활성화를 위하여 특별자치시, 시·군 및 자치구를 대상으로 장애인 평생학습도시를 지정 및 지원할 수 있다.

④ 들로어(J. Delors):「학습: 내재된 보물(Learning: The Treasure Within)」(1996) ⇨ 유네스코(UNESCO) 21세기 세계교육위원회 종합보고서 16. 국가직, 06. 경기

> - 21세기 교육의 핵심은 '생활을 통한 학습(learning throughout life)'이다.
> - 그 실천을 위한 교육적 원리로 '네 개의 기둥(4 pillars)'을 제시하였다.

㉠ 알기 위한 학습(learning to know): 지식교육 ⇨ 교양교육, 전문교육, 학습하는 방법의 학습
  ⓐ 광범위한 일반지식과 특정 주제에 대한 심화학습을 통해 '학습하는 방법' 자체를 배우는 학습
  ⓑ 전 생애 학습의 기초가 되며, 교양교육과 전문교육을 아우르는 핵심 기반
㉡ 행동하기 위한 학습(learning to do): 직업교육을 포함한 실천역량 ⇨ 체험활동
  ⓐ 직업기술을 포함한 다양한 기술과 실제 삶에서 능동적으로 행동할 수 있는 실천적 역량을 함양하는 학습 ⇨ 직무 관련 기술, 현실의 문제 해결 능력, 사회와 직업 환경의 변화에 유연하게 대응하는 능력, 새로운 기술과 도구에 적응하는 능력 등을 학습
  ⓑ 공식적·비공식적인 사회경험과 직무경험을 통해 획득되며, 학교의 지식이 사회의 작업장으로 전이되는 과정으로, 앎으로서의 학습에서 행동으로 옮기는 실천의 학습
㉢ 존재하기 위한 학습(learning to be): 가장 궁극적인 목적
  ⓐ 개인의 잠재력을 최대한 개발하고, 자율성·판단력·책임감을 가지고 행동할 수 있는 독립된 인격체로 성장하기 위한 학습
  ⓑ 육체적, 지적, 정서적, 윤리적, 미학적 측면에서 균형 잡힌 성장을 도모하는 전인 형성과 자기실현을 이루고 주체적인 삶을 살아가도록 돕는 본질적 교육목적 달성을 위한 학습
㉣ 함께 살기 위한 학습(learning to live together)
  ⓐ 다양한 배경을 가진 개인과 집단이 평화롭고 조화롭게 살아가는 법을 배우는 학습
  ⓑ 다원주의·상호이해·평화존중의 정신을 바탕으로 타인의 문화·가치관·신념을 이해하고, 갈등을 평화적으로 해결하며, 상호협력을 통한 공동목표달성 능력 함양에 초점

> **더 알아보기**

**사흘레-워크 주드(Sahle-Work, Jude) : 유네스코 미래교육 2050 보고서
「함께 그려보는 우리의 미래-교육을 위한 새로운 사회계약」(2021)**

1. "인류의 미래는 지구의 미래에 달려있고 이 둘은 지금 위험에 처해 있으므로, 그 경로를 바꾸기 위해 시급한 행동이 필요하다." ⇨ 교육을 위한 '새로운 사회계약' 제안 & 우리가 서로와, 지구와, 그리고 기술과의 관계 재구축 요청
   * 인권에 근간을 두고 차별금지와 사회정의, 생명 존중, 인간 존중 및 문화 다양성에 기초해야 함. 또한 돌봄의 윤리, 호혜주의, 연대를 포괄해야 하며, 공동의 사회적 노력(shared societal endeavours)이자 공동재(common good)로서 교육을 강화해야 함.

2. **핵심 내용**
   ① **새로운 사회계약 필요성** : 교육은 현재의 위기와 불평등을 해결하고, 평화롭고 지속 가능한 미래를 구축하기 위해 새롭게 재구성되어야 함.
   ② **주요 원칙**
      ㉠ 평생교육의 권리 보장 : 모든 연령과 삶의 모든 단계에서 양질의 교육기회를 제공
      ㉡ 공공의 노력(public endeavor)과 교육의 공동재(a common good) 역할 : 교육을 사회적 발전과 공동의 목표 달성을 위한 도구로 강화
   ③ **교육 혁신 방향**
      ㉠ 학교교육의 변혁 : 학교 역할 재정립(포용성과 공정성을 지원하는 공간으로 재구성, 디지털 기술은 학교의 대체재가 아닌 학교변화를 지원하는 도구로 사용, 학교의 지속 가능한 발전과 탄소중립 지향하는 공간으로 재구성, 인권과 공정성 보장하는 미래의 모델), 교사는 지식 생산자이자 사회 변혁의 주체로서 자율성과 전문성을 강화 ⇨ 학교의 지속 가능성 모델
      ㉡ 평생교육 강화 : 전 생애에 걸친 양질의 교육권 보장, 다양한 문화·사회적 공간에서 학습기회 확대와 글로벌 연대와 협력 촉구(전 세계적인 협력과 연구를 통해 교육 혁신 촉진 및 정의롭고 지속 가능한 미래를 위해 교육을 새롭게 재구성)

3. **교육의 재구성과 혁신**
   ① **계속해야 할 것** : ㉠ 전 생애에 걸친 양질의 교육 보장, ㉡ 교육의 공공적 목적과 공동재로서의 역할 유지, ㉢ 협력과 연대에 기반한 교육 접근
   ② **중단해야 할 것** : ㉠ 불평등과 배제적 교육 방식, ㉡ 편견과 편향을 강화하는 교육, ㉢ 기존의 학교 중심의 고정된 구조(전통적인 학교 모델과 평가 방식 고수)
   ③ **새롭게 만들어내야 할 것** : ㉠ 혁신적이고 포용적인 교육 모델(생태적, 다문화적, 다학제적 학습과 디지털 문해력을 강화하는 교육과정 개발), ㉡ 교사의 역할 재정립(지식 생산자, 사회 변혁의 주체, 자율성과 전문성 강화, 공동 작업을 통한 교수법 개선), ㉢ 학교와 학습 공간의 재설계(학교를 포용과 공정성을 지원하는 공간으로 재구성, 디지털 기술을 활용한 다양한 학습 환경 마련), ㉣ 글로벌 연대와 협력 강화(교육을 위한 새로운 사회계약을 지지하는 국제적 협력과 공동 작업 촉구)

(2) **순환교육론적 접근** : 비가역적 생애주기에 충실한 교육체제에서 탈피하여 가역적 생애주기를 충족시킬 수 있는 교육정책 모델 21·19. 지방직, 08. 국가직

① OECD(경제협력개발기구)가 제안(「순환교육 : 평생학습을 위한 전략」, 1973) : 초기에는 노동자에게 기술혁신, 직업구조 변화에 대응하게 하는 훈련을 중시하였으나, 오늘날에는 가정생활, 여가시간, 노후생활 등을 위한 교육으로 그 개념이 확대
② 직업-교육, 일-여가를 반복(가역적 생애주기)하는 교육정책

> **OECD가 제시한 순환교육의 원리**
>
> 1. 의무교육 최종 학년에 진로 선택을 위한 교육과정이 설정되어야 한다.
> 2. 의무교육 이후에 각자의 생활 적기에 따라서 가장 적절한 시기에 교육의 기회를 부여해 준다.
> 3. 모든 사람이 필요한 장소와 시간에 교육받을 수 있는 적절한 시설이 골고루 분포되도록 한다.
> 4. 일과 사회적 경험이 입학 규정이나 교육과정 작성 시 주로 고려되어야 한다.
> 5. 학업과 직업을 교대할 수 있는 계속적 방법으로 생애 과정을 구성하도록 한다.
> 6. 의무교육 이후 각 개인은 적절한 직업 준비와 사회적 안정을 얻을 수 있는 준비 과정으로 일정한 학습 휴가를 가질 권리가 있다.
> 7. 교육에서 학습자의 특성을 고려한다.
> 8. 학위나 증서보다 평생교육의 과정 지도와 인격발달을 중시한다.

③ OECD가 제시한 미래학교 6가지 시나리오(2001)

미래학교 유형	가상 시나리오	특징
1. 현 체제 유지 (학교의 유지)	① 관료제적 학교체제의 유지	변화의 거부와 기존 학교체제의 획일성 지속
	② 시장 모델의 확대	시장 기제에 따라 다양한 교육기회가 제공되나 불평등이 심화됨.
2. 학교의 재편 (학교의 재구조화)	③ 핵심적 사회센터로서의 학교	핵심적 사회통합기관으로 학교 기능의 확대 **예** 공공재로서 학교에 대한 지원 증가, 지식 전달을 넘어 시민성 함양, 덜 관료적이고 다양한 학교조직, 취약지역에 대한 국가지원 확대, 교사역할의 다양화
	④ 집중된 학습조직으로서의 학교	평생학습의 다양한 기능 수행 ⇨ 핵심 학습조직으로 학교 재구조화(양질의 학습기회와 전문화된 교육과정 제공, 교육과정과 평가의 혁신 확산, 교원의 전문성 강화)
3. 학교의 해체	⑤ 학습자 네트워크와 네트워크 사회	학교의 독점이 없어지고 다양한 학습망과 사회화망 등장
	⑥ 교사들의 탈출로 학교 붕괴	교사들이 교직을 떠나 교사 수의 부족으로 인해 발생

④ OECD, 「만인을 위한 평생학습(Lifelong Learning for All, 1996)」
  ㉠ 배경: 지식기반경제의 도래, 정보통신기술의 활용 및 영향 확대, 인구의 노령화 등 다양한 사회경제적 변화 발생
  ㉡ 논리적 근거: 경제적 필요 및 사회적 목표와 결합시킴. ⇨ "평생학습은 심화되는 글로벌 지식경제와 사회 시스템에 의하여 제기된 도전에 대한 응전, 민주적 전통 증진, 사회적 결속을 저해하는 위협에 대한 대응, 개인의 인성적 발달을 조성함으로써 OECD 사회의 미래를 형성하는 수단이다."
  ㉢ 목적: 개인의 (잠재력) 발달, 사회적 양극화를 차단하는 사회적 결속, 경제 성장과 일자리 창출 제고

(3) **대안교육론적 접근**: 제3세계를 중심으로 인간해방을 추구하는 평생교육론
  ① 일리치(Illich): 학습망(learning network)을 통한 학습 ⇨ 교육자료에 대한 참고자료망, 기술교환망, 동료연결망, 교육자에 대한 참고자료망을 제시 23. 지방직

> **더 알아보기**
>
> **일리치(Illich)의 학습망의 구축** — 「탈학교사회(Deschooling Society)」(1970) 21. 국가직 7급
>
> 일리치는 학교 제도에 의해서 나타나는 반교육적 현상을 비판하고, 교육이 본연의 모습과 기능을 되찾기 위해서는 현재와 같은 학교제도가 폐지되어야 한다고 주장하였다. 이러한 관점에서 일리치는 훌륭한 교육제도가 되기 위해서는 다음과 같은 세 가지의 목적을 지녀야 한다고 주장하였다.
> 첫째, 누구든지 학습을 원한다면 연령에 관계없이 필요한 수단이나 교재를 이용할 수 있게 해야 한다. 둘째, 자기가 알고 있는 것을 다른 사람과 나누어 가지려는 어떠한 사람에 대해서도 그 사람으로부터 그 지식을 배우려는 다른 사람을 연결시켜 주어야 한다. 셋째, 일반 대중에 대해서 문제를 제기하려는 모든 사람들에게 그 기회를 제공해 주어야 한다. 이러한 세 가지의 목적을 달성하기 위하여 일리치는 '기회의 망(網, opportunity web)'이라는 네 가지의 네트워크를 제안한다. 즉, 교육적 자료검색을 위한 참고 업무, 기능교환, 동료의 선택, 넓은 의미에서의 교육자를 위한 참고업무이다.
> 여기서 일리치가 주장하는 것은 다음과 같다. 즉, 보통의 경우에 있어서는 교육의 목표와 교육을 위한 자원이 교육자의 커리큘럼 목표에 따라 결정되고 분류되지만, 그가 주장하는 학습사회에서는 학습자 자신이 자기의 목표를 명확하게 설정하고, 또 그 목표달성을 위한 교육자원까지도 학습자 스스로 자유롭게 이용할 수 있게 된다는 것이다.

② **겔피(Gelpi)**: '모든 이를 위한 교육(education for all)' 구상
③ **프레이리(Freire)**: 비판적 문해교육(문제제기식 교육)을 통한 인간해방 ⇨ 「페다고지」(1968)

(4) **영속교육(Permanent education)적 접근**: 유럽의회(EC)가 제안
① Schwartz가 쓴 보고서 「영속교육」에서 비롯(1974)
② 모든 사람의 능력과 연관되어 교육적·문화적 열망을 충족시키기 위해 설계된 종합적이고 일관되며 통합적 교육체제 ⇨ 순환교육은 영속교육의 구현방안
③ **기본원칙**: 직업과 교육 간의 순환성(recurrency)이 가능한 유연한 제도
④ **교육목적**
   ㉠ **사회**: 보다 확대되고 통합된 사회, 다양화된 사회, 평등한 사회
   ㉡ **인간**: 육체적·지적으로 충분한 자질을 가진 사람, 독립적·창의적·사회적으로 잘 융화되는 사람

3. **평생교육의 필요성** 07. 경남

(1) **교육 내적 필요성**
① 학교교육의 한계 보완: 학교교육의 경직성과 폐쇄성 보완, 인간교육의 필요성 강조
② 개인의 평생학습권 보장

(2) **교육 외적 필요성**
① 지식과 정보의 폭발적 증가에 대처
② 기술혁신과 직업사회의 변화
③ 가치관 및 생활양식의 변화
④ 소외집단(예 근로청소년, 저소득층, 노인 등)의 증대
⑤ 고령화 사회로의 진입

⑥ 지식의 생성과 소멸 주기의 단축
⑦ 고도 산업화에 따른 환경문제의 대두: 재난 대처요령 등 학습

> **랭그랑(Lengrand)이 제시한 평생교육의 9가지 필요성**: 「평생교육에 대한 입문(1970)」 20. 국가직
>
> 1. 인간의 이상, 관습, 개념의 가속적 변화
> 2. 인구의 증가와 평균수명의 연장
> 3. 과학기술의 진보와 산업 및 직업구조의 변화
> 4. 정치의 변동
> 5. 매스미디어의 발달과 정보처리능력의 필요성 증대
> 6. 여가의 증대와 활용
> 7. 생활양식과 인간관계의 위기
> 8. 현대인의 정신과 육체의 부조화
> 9. 이데올로기의 위기에 있어서 정체성 혼란

✎ 「평생교육에 대한 입문(1970)」 – 평생교육의 대두 배경을 제시한 평생교육 입문서, 평생교육 개념 확산에 기여
⇨ UNESCO는 1970년을 '국제교육의 해'로 지정

4. 평생교육의 궁극적 목적

개인적 차원 및 사회적 차원에서 인간의 삶의 질(quality of life) 향상

(1) **개인적 차원**: 인간의 잠재능력을 최대한으로 발전시키는 자아실현의 측면

(2) **사회적 차원**
① 가족생활 및 사회생활에서의 인간관계가 보다 원숙한 상태로 맺어질 수 있는 측면
② 가정 및 직업생활에서 합리적인 경제활동이 영위되어야 하는 측면
③ 시민 및 국민의 한 사람으로서의 공민적 책임을 완수하는 측면

(3) **「평생교육법」상의 목적**(제1조)

> **제1조 【목적】** 이 법은 「헌법」과 「교육기본법」에 규정된 평생교육의 진흥에 대한 국가 및 지방자치단체의 책임과 평생교육제도와 그 운영에 관한 기본적인 사항을 정하고, 모든 국민이 평생에 걸쳐 학습하고 교육받을 수 있는 권리를 보장함으로써 모든 국민의 삶의 질 향상 및 행복 추구에 이바지함을 목적으로 한다.

5. 평생교육의 이념 12. 경기

(1) **다베(R. H. Dave)와 스캐거(Skager)**: 「평생교육과 학교 교육과정(1973)」

> • 평생교육이라는 개념에 관계되는 세 가지 기본 용어는 삶(life)과 평생(lifelong), 그리고 교육(education)이다. ⇨ 전체성, 통합성, 융통성, 민주성 등 평생교육의 개념적 특성을 20가지로 제시
> • 평생교육의 궁극적인 목적은 삶의 질을 개선하고 유지하는 것이다.
> • 평생교육 실현을 위한 세 가지 전제조건은 기회(opportunity), 동기(motivation), 교육 가능성(educability)이다.

① **전체성(총체성, totality)**: 학교교육과 학교 외 교육(예 가정, 학원, 사회교육 등)에 중요성과 정통성을 부여한다.
② **통합성(integration)**: 다양한 교육활동의 유기적·협조적 관련성을 중시한다. ⇨ 수직적 교육 + 수평적 교육

수직적 교육	요람에서 무덤까지, 태내·유아·노인교육 ⇨ 교육기회의 통합
수평적 교육	모든 기관(학교, 직장, 대중매체, 도서관 등)과 모든 장소(가정, 학교, 사회, 직장 등)에서의 교육 ⇨ 교육자원의 통합, 학교 본위의 교육관 지양

③ **융통성(유연성, flexibility)**: 어떤 환경과 처지에서도 학습이 가능하도록 다양한 여건과 제도를 조성한다. 예 원격교육, E-learning, U-learning, M-learning
④ **민주성(democratization)**: 학습자가 원하는 종류와 양의 교육을 자유롭게 받을 수 있도록 뷔페(buffet) 식의 다양한 교육과정을 제공한다. ⇨ 학습자(수요자) 중심 교육, '모두를 위한 교육'
⑤ **기회와 동기의 부여(opportunity and motivation)**: 각 개인의 호기심과 탐구력에 기초한 학습의 기회를 충분히 제공하되 필요할 경우 동기도 자극함을 의미한다. 11. 국가직
⑥ **교육 가능성(교육력, educability)**: 학습이 효율적으로 전개되도록 학습방법, 체험의 기회, 평가방법 등의 개선에 주목하고 자기주도적 학습을 도모한다.
⑦ **다양한 전개양식(modes of operation)**: 사람들의 생활양식은 전 생애에 걸쳐서 대단히 다양하므로 교육과 학습의 형태와 방법도 이에 상응하여 다양해야 한다.
⑧ **삶의 질과 학습(Quality of life and learning)**: 평생교육의 궁극적 목적은 인간의 삶의 질을 향상시키는 데에 있으므로 이를 위한 능력의 계발에 교육적인 도움을 주어야 한다.

◇ **평생교육의 개념적 특성 - 보편성(universality)** 성, 계급, 종교, 연령, 학력에 관계없이 누구나 자신의 삶의 질을 향상시키기 위하여 지속적으로 교육받을 수 있는 체제를 수립한다는 것이다.

(2) **「평생교육법」상의 이념(제4조)** 10. 경북: 기회균등, 자율성, 중립성, 상응한 사회적 대우
① 모든 국민은 평생교육의 기회를 균등하게 보장받는다(능력에 따라 ×).
② 평생교육은 학습자의 자유로운 참여와 자발적인 학습을 기초로 이루어져야 한다.
③ 평생교육은 정치적·개인적 편견의 선전을 위한 방편으로 이용되어서는 아니 된다.
④ 일정한 평생교육 과정을 이수한 자에게는 그에 상응하는 자격 및 학력인정 등 사회적 대우를 부여하여야 한다.

6. 평생교육제도의 모형

(1) **통제모형**: 국가가 교육 전반을 독점적으로 운영하는 시스템 ⇨ 국가가 교육의 내용과 형식을 통제하지만 비용은 학습자 스스로 부담하게 하는 형태

(2) **사회주의 모형**: 국가가 교육목적과 내용에 대한 통제를 담당할 뿐만 아니라 그 비용까지 국가가 부담하는 형태

(3) **복지모형**: 국가가 교육의 비용을 부담하고 교육의 목적도 국가주의를 지향하지 않고 각 개인의 자아실현에 중점을 두는 형태 ⇨ 교육을 일종의 공공재(public good)로 인식, 교육과정도 지방과 학교 자율로 결정, 교육의 최종 책임을 국가 및 공공영역에 둠.

(4) **시장모형**: 교육이 상품으로 인식되어, 교육기관은 공급자로 학습자는 수요자로 규정되는 형태 ⇨ 교육을 사유재(private good)로 인식, 교육의 공급과 수요가 자유화되어 시장원리에 의해 지배, 개인이 선택과 비용을 부담, 우리나라의 평생교육 모형

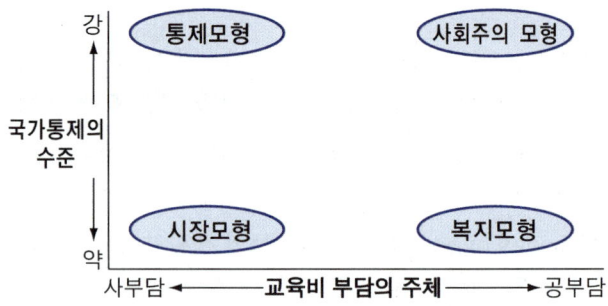

7. 평생교육의 특징 25. 지방직, 10. 충북·경기·경남, 09. 대전, 07·06. 국가직

(1) **개인 차원 및 사회 공동체 차원에서 삶의 질을 높이는 것이 평생교육의 목적**: 삶의 질이라는 개념은 자아실현의 측면, 가족생활 및 사회생활에서의 측면, 가정 및 직업생활에서의 측면, 시민 및 국민의 측면에서 살펴볼 수 있다.

(2) **태아에서부터 무덤에 이르기까지 한 개인의 생존기간 전체에 걸쳐서 이루어지는 교육을 수직적으로 통합**

① 인간의 생존기간을 요람에서 무덤까지로 보고 평생교육을 출생 이후부터의 교육이라고 생각하는 경향이 있으나 교육학적인 사고에서 태교의 중요성을 인정한다면 평생교육 개념 속에 태교를 포함시켜야 할 중요성이 있다.

② 수직적 통합이라는 개념은 예를 들면 유아교육과 노인교육 간의 교육상의 공통점과 차이점을 인정하고 공통점에 대한 체계를 분명히 세우는 동시에 차이점의 특징을 충분히 나타내도록 함을 의미한다.

(3) **모든 기관**(학교, 직장, 대중매체, 도서관, 자원단체 등)**과 모든 장소**(학교, 가정, 사회, 직장 등)**에서 이루어지는 교육을 수평적으로 통합**
    ① 수평적 통합에는 기능적 통합과 제도적 통합의 두 가지 개념이 내포되어 있다.
    ② 기능적 통합은 교육의 각 기관에서 고유한 목적 달성을 위하여 교육이 이루어지되 상호 모순과 갈등(예. 학교에서는 협동을 중시하는 데 비해 대중매체에서는 철저한 경쟁을 강조함.)이 있어서는 안 된다는 뜻이다.
    ③ 제도적 통합이란 평생교육의 각 기관들이 상호 밀접하게 연결되는 제도적 장치가 필요하다는 뜻이다. 이 연결은 형식적 및 비형식적 교육의 차원에서 공고히 이루어짐으로써 평생을 통하여 쉽게 교육받을 수 있는 기회가 마련되어야 함을 의미하고 있다.

(4) **일반교육과 전문교육의 조화와 균형 유지**
    ① 교육내용은 크게 일반교양교육과 전문교육으로 구분되며, 이 양자는 비록 서로 다른 내용을 전제로 하고 있으나 사실상 밀접히 관련되어 있다고 할 수 있다.
    ② 인생의 발달단계에 따라 강조되는 시기의 차이가 있으나(예. 청년기와 중년기는 직업교육, 직업사회 전이나 후는 자아실현, 국민적 자질 함양 등 일반교양교육 강조), 평생에 걸쳐서 서로 조화와 균형을 이루어야 한다.

(5) **계획적 학습과 우발적 학습을 모두 포함**: 의도적 교육과정과 잠재적 교육과정 중시
    ① 언어 학습의 경우처럼 인간의 지식, 기능, 태도의 대부분은 계획되고 의도된 상황에서보다는 계획되지 않고 의도되지 않은 상황에서 더 많이 학습된다.
    ② 평생교육의 목적을 달성하기 위해서는 교육의 긍정적인 측면만을 추구하여 진행되는 계획적 학습(의도적 교육과정)은 물론 의도치 않게 부정적 측면이 표출될 수 있는 우발적 학습(잠재적 교육과정)도 감안해야 한다. 이를 위해 개인을 둘러싸고 있는 환경의 교육화가 무엇보다 필요하다.

(6) **발달과업(developmental tasks)에 따른 계속적 학습 중시**
    ① 발달과업은 해비거스트(R. J. Havighurst)에 의해 발전된 개념으로, 인생의 각 발달단계에서 반드시 학습해야 할 과업으로서 이 학습에 성공하면 장래 생활의 행복 및 후기 발달과업의 성취를 기약하며, 이에 실패하면 개인의 불행, 사회적 부적응, 후기 발달과업 학습에 곤란을 가져온다.
    ② 이와 같은 발달과업은 평생교육의 교육과정 구성에 있어서 중요한 내용이 될 수 있다.

(7) **자기주도적 학습·문제해결학습 강조**: 평생교육은 학습자의 자기주도적 학습과 문제해결학습을 강조한다.

(8) **국민 전체의 평생에 걸친 교육기회의 균등화 및 확대에 노력**
    ① 종래 교육의 기회균등이라 함은 학교교육의 기회균등만을 의미했다. 그러나 평생교육은 평생 동안에 걸친 교육의 기회균등을 문제 삼는다.

② 교육의 기회균등을 교육의 양적인 면에서 고찰한다면 각 개인들이 평생 동안에 받은 교육의 총시간 수가 균등해야 함을 의미한다. 그러므로 상대적으로 학교교육을 덜 받은 사람에 대한 학교 밖 교육기회의 확대가 정책적인 차원에서 고려되어야 한다.

(9) **개인과 사회의 필요에 적극 대처하고 누구나 쉽게 접근 가능**: 방송통신학교의 출현
① 오늘날의 평생교육 체제에서 가장 문제되는 것이 학교교육과 학교교육 밖 교육 간에 그어진 뛰어넘을 수 없는 구획선이다. 이 구획선은 평생교육의 이념이 보급됨에 따라 점차로 퇴색되어 가는 경향이 있는데, 방송통신학교 등 각종 원격교육기관이 그 한 예이다.
② 평생교육은 교육의 형태, 내용, 방법을 다양화하고 융통성을 부여함으로써 개인 및 사회의 필요에 대처하는 동시에 누구나 쉽게 접근할 수 있게 한다.

(10) **학교교육을 평생교육의 관점에서 재해석**: 학교의 교육 독점 방식에서 탈피 25. 지방직
① 지식 기술의 폭발적 증가와 사회의 급진적 변화는 시간 및 공간적 유한성을 지닌 학교가 교육을 전담하는 것을 어렵게 만들고 있다.
② 현대 사회에서는 교육을 학교에서 독점할 수 없게 되었기에, 학교는 어디까지나 평생교육의 일환으로 취급되어야 하고 해석되어야 한다. 학교교육은 평생에 걸친 개인의 잠재능력의 신장과 사회적 발전에 참여할 수 있는 바탕을 얼마나 튼튼하게 조성해 주느냐에 따라 평가되어야 한다.

(11) **사회를 교육적 환경으로 만들기 위해 노력**: '학습사회화'
① 인간의 학습은 우발적인 학습에 의해서도 이루어지며, 우발적인 학습은 교육의 순기능으로도 작용하지만 역기능으로도 작용한다.
② 대중매체에 의한 학습의 경우처럼 우발적 학습의 상당한 부분이 비교육적이며 현대 사회가 지향하는 가치체계에 역행하는 수가 있는 것이다. 그러기에 사회를 교육적 환경으로 만들기 위해 노력해야 한다.

(12) **아동 중심 교육(pedagogy)에서 성인 중심 교육(andragogy)으로의 변화**
① 성인교육, 즉 안드라고지(andragogy) 개념의 등장
㉠ 1833년 독일의 문법학자 카프(Kapp)가 플라톤(Platon)의 교육철학을 설명하면서 처음 사용
㉡ 1970년 노울즈(M. S. Knowles)가 「The modern practice of adult education : Pedagogy versus andragogy」라는 저서를 출판하면서 대중화됨. ⇨ 페다고지와 대립되는 용어
㉢ 1980년 판에서 부제를 'From pedagogy to andragogy'로 바꿨는데, 이는 안드라고지를 페다고지를 포함하는 개념으로 전환함을 의미
㉣ 안드라고지는 아동을 대상으로 하는 페다고지와는 다른 성인과 관련된 교육학을 의미

② 페다고지와 안드라고지의 비교 : 노울즈(M. S. Knowles)

기본 가정	페다고지	안드라고지
학습자	• 학습자는 의존적 존재 • 교사가 학습내용, 시기, 방법을 전적으로 결정	• 인간은 점차 자기주도적으로 성숙 • 교사들은 이러한 변화를 자극시키고 지도할 책임을 짐. • 상황에 따라 의존적일 수 있지만 자기주도적이고자 하는 강한 욕구 소유
학습자 경험 및 학습방법	• 학습자 경험을 중요시하지 않음. • 학습방법은 강의, 읽기, 과제부과, 시청각 자료 제시 같은 전달식 방법	• 인간의 경험은 자신뿐만 아니라 다른 사람에게도 학습자원으로 활용 가능 • 학습방법에는 실험, 토의, 문제해결, 모의게임, 현장 학습 등 활용
학습 준비도	• 사회가 학습해야 한다고 요구하는 것을 학습 • 같은 연령이면 동일한 내용을 학습 • 같은 연령의 학습자들이 단계적으로 학습해 나갈 수 있도록 교육과정을 표준화	• 실제 생활에 관련된 문제를 대처해 나갈 필요성을 느낄 때 학습 • 학습프로그램은 실제 생활에의 적용을 중심으로 조직되고 학습자의 학습준비도에 따라 계열화
교육과 학습에 대한 관점	• 교육은 교과내용을 습득하는 과정 • 교과 과정은 여러 가지 교과가 논리적으로 체계 있게 조직된 것 • 교과목 중심의 학습	• 교육은 학습자가 자신의 잠재력을 계발하는 과정 • 학습경험은 능력개발 중심으로 조직

③ 성인교육의 기본가정 23. 지방직
   ㉠ 성인들의 학습동기는 그들의 경험에 의한 요구와 이해에 의해 유발된다. 즉 학습동기가 성인학습 활동을 조직하는 출발점이다.
   ㉡ 성인들의 학습은 삶(상황 중심)에 초점을 두어야 한다. 그러므로 성인학습의 적절한 단위는 주제 중심이 아니라 상황 중심이어야 한다.
   ㉢ 경험은 성인들의 학습에 가장 중요한 자원이다. 그러므로 성인교육의 핵심은 경험의 분석이 되어야 한다.
   ㉣ 성인들은 자기주도성에 대한 강한 욕구를 가지고 있다. 그러므로 교사는 성인 학습자들에게 자신의 지식을 전수하려는 노력보다 성인학습자들과의 상호작용을 통해 교사의 역할을 수행해 나가야 한다.
   ㉤ 사람들 간의 개인차는 나이에 따라 점점 증가한다. 그러므로 성인교육에서는 학습양식, 시간, 장소, 학습속도 등의 차이에 대해 적절하게 대비하여야 한다.

④ 성인학습자의 특징 21. 국가직 7급
   ㉠ 성인들은 학습을 시작하기 전에 왜 배우려고 하는지 알고 있다.
   ㉡ 성인들은 자신의 삶을 책임져야 한다는 것을 알고 있기에 자기 스스로 학습하고자 하는 심리적 욕구를 가지고 있다.
   ㉢ 성인들은 아동기 때의 다양하고 많은 경험을 바탕으로 학습에 임한다.
   ㉣ 성인들은 자신들이 알고 싶은 것을 배우려고 준비가 되어 있고, 배운 것을 자신들의 실제 생활에 효율적으로 적용시킨다.
   ㉤ 아동기의 교과서 중심적인 학습과 달리 성인학습은 실제 생활 중심의 학습으로 이루어진다.

ⓗ 성인들은 외적 동기에 따라 학습하기도 하지만, 내적 동기를 충족시키기 위해 학습에 참여하는 경향이 강하다.

⑤ **성인학습자의 평생교육 참여 요인: 참여동기 유형화**
   ㉠ 훌(C. O. Houle, 1961): 성인학습자의 평생교육 참여 동기를 '목표지향성', '활동지향성', '학습지향성'으로 유형화

목표지향적 (the goal-oriented)	교육을 목적 달성을 위한 수단으로 이용하는 학습자 ⇨ 특별한 목적을 달성하기 위해 학습활동에 참여
활동지향적 (the activity-oriented)	활동 그 자체를 위해 참가 예 새로운 사람을 만나기 위해, 외로움에서 벗어나기 위해)
학습지향적 (the learning-oriented)	순수하게 학습 자체를 추구하며 학습을 통해서 알고 성장하려는 욕구를 가진 경우 ⇨ 평생 지속적인 경향을 보임.

   ㉡ 블로드코프스키(R. J. Wlodkowski, 1999): 성인학습자의 학습프로그램에 대한 참여를 '성공＋의지(success+volition)'의 유형, '성공＋의지＋가치(success+volition+value)'의 유형, '성공＋의지＋가치＋즐거움(success+volition+value+enjoyment)'의 유형으로 구분하여 제시

성공＋의지 (success+volition)의 유형	성인학습자는 자율 의지에 따라 학습하고 학습활동에서 성취감을 경험함. ⇨ 성인학습자의 긍정적 학습동기를 유지하기 위한 가장 기초적 조건
성공＋의지＋가치(success +volition+value)의 유형	성인학습자는 자신이 학습하고 싶은 것을 성공적으로 학습할 뿐만 아니라 자신이 학습하고 있는 것에서 가치와 의미를 발견함.
성공＋의지＋가치＋즐거움 (success+volition+value +enjoyment)의 유형	성인학습자는 자신이 가치 있게 생각하고, 배우고 싶은 것을 배우기 위해 자발적으로 학습에 참여하며 즐거운 감정을 가지고 몰입함.

⑥ **성인학습자의 평생교육 참여 장애요인**
   ㉠ 존스톤과 리베라(Johnstone & Rivera, 1965): 상황적 장애요인과 기질(성향)적 장애요인으로 구분
   ㉡ 크로스(Cross, 1981) 24. 지방직: 상황적 장애요인, 기질적 장애요인, 제도적 장애요인으로 구분

상황적 장애요인 (Situational Barriers)	한 개인의 특정 시점에 처한 상황이나 생활환경으로 인해 발생하는 장애요인 예 시간 부족, 경제문제, 가사일, 자녀양육, 회사업무, 가족의 비협조
기질적(성향적) 장애요인 (Dispositional Barriers)	자아와 학습에 대한 학습자의 태도나 신념 등 내부적 요인으로 인한 장애요인 예 성공에 대한 자신감 부족, 학습에 대한 걱정이나 망설임, 학습연령이 지났다는 자기인식
제도적 장애요인 (Institutional Barriers)	교육 기관의 정책과 관행과 관련된 장애요인 예 비싼 수업료, 수업시간과 업무시간의 충돌

ⓒ 다켄왈드와 메리엄(Darkenwald & Merriam, 1982): 크로스(Cross)의 3가지 요인 외에 정보적 장애요인(informational barriers)을 추가 제시
  ⓐ 평생교육 기관이 학습기회에 관한 정보를 제대로 제공하지 못하거나 성인들이 사용 가능한 학습경험에 대한 정보에 쉽게 접근하지 못할 때 발생하는 장애요인 ⇨ 학습자들의 교육 참여 의지 감소 초래 예 교육 프로그램이나 자원에 대한 정보 부족, 정보제공에 대한 난해성 등
  ⓑ 교육 기관이나 프로그램 설계자들은 접근하기 쉽고 명확한 정보를 제공해야 함을 시사함.
ⓔ 로저스(Rogers, 1998): 평생학습의 참여 저해요인으로 선재지식과 불안, 자아방어기제, 태도 변화의 어려움을 제시

선재지식 (Pre-existing knowledge)	학습자가 이미 가지고 있는 지식 ⇨ 자신이 구축한 지식에 대한 확신이 새로운 학습 정보에 저항
불안 (Anxiety)	학습에 참여함으로써 발생할 수 있는 불안이나 두려움 예 새로운 환경, 요구사항
자아방어기제 (Ego-defense mechanisms)	학습자의 자기 능력에 대한 방어적 태도나 실패에 대한 두려움 예 비양심적인 왜곡, 핑계, 자기 속임
태도변화의 어려움 (Difficulty in changing attitudes)	학습 참여를 통해 필요한 태도 변화를 이루는 것의 어려움, 즉 당연하다고 믿어 왔던 부분에 대해서 반대되는 태도를 요구하는 것에 대한 저항

8. **구현방안**(「평생교육법」, 「평생교육법 시행령」) 05. 인천, 04. 국가직

(1) **평생교육 추진 체계** 24. 국가직 7급

구분	행정기구	심의·협의기구	전담·지원기구
국가 수준	교육부 장관 ⇨ ① 매 5년마다 (평생교육 진흥에 관한) 기본계획 수립 ② 평생교육사업에 대한 조사·분석	평생교육진흥위원회 (20인 이내)	• 국가 평생교육진흥원 • 국가 장애인 평생교육지원센터
광역 수준	시장·도지사 ⇨ 매년 (평생교육 진흥을 위한) 시행계획 수립	시·도 평생교육협의 (20인 이내)	시·도 평생교육진흥원
기초 수준	시장, 군수, 구청장	시·군·자치구 평생교육협의회 (12인 이내)	• 시·군·자치구 평생학습관(시·도 교육감 & 시장·군수·구청장이 설치 또는 지정·운영) • 읍·면·동 평생학습센터(시장·군수·구청장이 설치 또는 지정·운영)

✐ **평생교육사업(제2조)** 국가 및 지방자치단체가 국민과 주민의 평생교육을 위하여 예산 또는 기금으로 조직적인 교육활동을 직·간접적으로 지원하는 사업 25. 국가직

✐ **노인평생교육시설(제20조의3)** 국가·지방자치단체 및 시·도 교육감이 설치 또는 지정·운영 가능 ⇨ 관할 구역 안의 노인을 대상으로 평생교육프로그램 운영과 평생교육 기회 제공 목적

✐ **자발적 학습모임(제21조의4)** 지역사회 주민이 평생학습을 주된 목적으로 자발적으로 참여하는 모임 ⇨ 지방자치단체가 지원 가능

> **제5조【국가 및 지방자치단체의 임무】** ① 국가 및 지방자치단체는 모든 국민에게 평생교육 기회가 부여될 수 있도록 평생교육진흥정책과 평생교육사업을 수립·추진하여야 한다.
> ⑤ 국가 및 지방자치단체는 모든 국민이 여건과 수요에 적합한 평생교육을 선택하고 참여할 수 있도록 관련 정보를 제공하고 상담 등 지원 활동을 하여야 한다.

(2) 학위 취득기회 확대

① 중요 무형유산의 보유자 및 그 문하생 학력인정제도
② 중·고교 학력인정학교, 학교형태 평생교육시설
③ 사내대학, 원격대학
④ 학점은행제, 독학학위제
⑤ 직업능력인증제, 민간자격인증제
⑥ 재택학습(home schooling): 우리나라에서는 아직 인정하지 않음.

> **제41조【학점, 학력 등의 인정】** ① 이 법(「평생교육법」)에 따라 학력이 인정되는 평생교육 과정 외에 이 법 또는 다른 법령의 규정에 따른 평생교육 과정을 이수한 사람은 「학점인정 등에 관한 법률」로 정하는 바에 따라 학점 또는 학력을 인정받을 수 있다.
> ② 다음 각 호의 어느 하나에 해당하는 사람은 「학점인정 등에 관한 법률」로 정하는 바에 따라 그에 상응하는 학점 또는 학력을 인정받을 수 있다.
> 1. 각급 학교 또는 평생교육 시설에서 각종 교양과정 또는 자격취득에 필요한 과정을 이수한 사람
> 2. 산업체 등에서 일정한 교육을 받은 후 사내 인정자격을 취득한 사람
> 3. 국가·지방자치단체·각급 학교·산업체 또는 민간단체 등이 실시하는 능력 측정검사를 통하여 자격을 인정받은 사람
> 4. 「무형유산의 보전 및 진흥에 관한 법률」에 따라 인정된 국가무형유산의 보유자와 그 전수교육을 받은 사람
> 5. 대통령령으로 정하는 시험에 합격한 사람
> ③ 각급 학교 및 평생교육 시설의 장은 학습자가 제31조에 따라 국내외의 각급 학교·평생교육 시설 및 평생교육기관으로부터 취득한 학점·학력 및 학위를 상호 인정할 수 있다.

(3) 다양한 학습지원제도 12. 국가직

① 유·무급 학습휴가 실시: '순환교육'의 한 형태
② 공공학습비(도서비·교육비·연구비) 지원: 학습자에게 직접 지원함(voucher system)이 원칙

> **제8조【학습휴가 및 학습비 지원】** 국가·지방자치단체와 공공기관의 장 또는 각종 사업의 경영자는 소속직원의 평생학습 기회를 확대하기 위하여 유급 또는 무급의 학습휴가를 실시하거나 도서비·교육비·연구비 등 학습비를 지원할 수 있다. 22·18. 지방직

③ 평생교육이용권: 평생교육프로그램을 이용할 수 있도록 금액이 기재(전자적 또는 자기적 방법에 따른 기록을 포함한다)된 증표를 말한다(「평생교육법」 제2조). 25. 국가직, 22. 지방직

> **제16조의2【평생교육이용권의 발급 등】** ① 국가 및 지방자치단체는 모든 국민에게 평생교육의 기회를 제공할 수 있도록 신청을 받아 평생교육이용권을 발급할 수 있다.

> ② 교육부장관은 평생교육 소외계층에게 우선적으로 평생교육이용권을 발급할 수 있도록 대통령령으로 신청자의 요건을 정할 수 있다.
> ③ 국가 및 지방자치단체는 평생교육이용권의 수급자 선정 및 수급자격 유지에 관한 사항을 확인하기 위하여 가족관계 증명·국세 및 지방세 등에 관한 자료 등 대통령령으로 정하는 자료의 제공을 당사자의 동의를 받아 관계 중앙행정기관의 장 또는 지방자치단체의 장에게 요청할 수 있다. 이 경우 요청을 받은 자는 특별한 사유가 없으면 이에 따라야 한다.
> ④ 국가 및 지방자치단체는 제3항에 따른 자료의 확인을 위하여 「사회보장기본법」 제37조에 따른 사회보장 정보시스템을 연계하여 사용할 수 있다.
> ⑤ 지방자치단체는 평생교육이용권의 발급, 정보시스템의 구축·운영 등 평생교육이용권 업무의 효율적 수행을 위하여 대통령령으로 정하는 바에 따라 전담기관을 지정할 수 있다.
> ⑥ 그 밖에 평생교육이용권 발급에 필요한 사항은 대통령령으로 정한다.

◬ **국민내일배움카드제** 고용노동부가 실업, 재직, 자영업 여부에 관계없이 직업훈련을 원하는 국민(공무원, 사학연금대상자, 재학생 제외)에게 내일배움카드를 발급하고, 일정 금액의 훈련비(5년간, 300~500만원)를 지원해 줌으로써 직업능력 개발훈련에 참여할 수 있도록 지원해 주는 제도 ⇨ 직업능력 (개발) 계좌제를 통합, 평생교육 복지제도에 해당

④ 전문인력 정보은행제(강사 정보은행제)
   ㉠ 강사에 관한 인적 정보를 수집하여 제공·관리하는 제도

> **제22조【정보화 관련 평생교육의 진흥】** ② 국가 및 지방자치단체는 각급 학교·평생교육기관 등이 필요한 인적 자원을 활용할 수 있도록 하기 위하여 대통령령으로 정하는 바에 따라 강사에 관한 정보를 수집·제공하는 제도를 운영할 수 있다.

   ㉡ 정보의 수집, 제공 및 관리는 본인의 동의가 있는 경우에만 할 수 있으며, 교육부 장관 및 지방자치단체의 장은 전문인력 정보은행제의 운영업무를 진흥원 및 시·도 진흥원에 위탁할 수 있다(「평생교육법 시행령」 제13조).
⑤ **학습계좌(제)**: 국민의 개인적 학습경험을 종합적으로 집중·관리하는 제도로 인적 자원의 개발 관리가 목적 ⇨ 성인용 학습기록부 22. 지방직, 21. 국가직

> **제23조【학습계좌】** ① 교육부장관은 국민의 평생교육을 촉진하고 인적 자원의 개발·관리를 위하여 학습계좌(국민의 개인적 학습경험을 종합적으로 집중 관리하는 제도를 말한다.)를 도입·운영할 수 있도록 노력하여야 한다.
> ② 교육부장관은 제1항의 학습계좌에서 관리할 학습과정을 대통령령으로 정하는 바에 따라 평가인정할 수 있다.
> ③ 교육부장관은 제2항에 따라 평가인정을 받은 학습과정의 이수결과를 학점이나 학력 또는 자격으로 인정할 수 있다. 이 경우 그 인정 절차 및 방식 등에 필요한 사항은 대통령령으로 정한다.
> ④ 교육부장관은 제2항에 따라 평가인정을 받은 학습과정을 설치·운영하는 평생교육기관이 다음 각 호의 어느 하나에 해당하면 그 평가인정을 취소할 수 있다. 다만, 제1호에 해당하는 경우에는 평가인정을 취소하여야 한다.
> 1. 거짓이나 그 밖의 부정한 방법으로 평가인정을 받은 경우
> 2. 제2항에 따라 평가인정 받은 내용을 위반하여 학습과정을 운영한 경우
> 3. 제2항에 따른 평가인정의 기준에 이르지 못하게 된 경우
> ⑤ 교육부장관은 제4항 제2호 및 제3호에 따라 평가인정을 취소하고자 할 경우에는 대통령령으로 정하는 기간과 절차에 따라 평생교육기관의 장에게 시정을 명하여야 한다.

⑥ 교육부장관은 제5항에 따라 시정명령을 하는 경우에는 평생교육기관의 장에게 시정명령을 받은 사실을 공표할 것을 명할 수 있다.
⑦ 교육부장관 및 지방자치단체의 장은 제16조의2에 따른 평생교육이용권으로 수강한 교육이력을 학습계좌를 통해 관리할 수 있다.
⑧ 교육부장관은 학습계좌의 운영을 위하여 필요한 경우에는 관계 행정기관등의 장에게 필요한 자료의 제공을 요청할 수 있다. 이 경우 자료의 제공을 요청받은 관계 행정기관등의 장은 특별한 사유가 없으면 이에 따라야 한다.

「**평생교육법 시행령」 제14조 【학습계좌의 운영】** ① 교육부장관은 법 제23조 제1항에 따른 학습계좌를 운영할 수 있다.
② 제1항에 따른 학습계좌의 개설은 본인 또는 본인의 위임을 받은 자가 신청한 경우에만 할 수 있다.
③ 제1항에 따른 학습계좌에 수록된 정보를 열람하거나 증명서를 발급받으려는 자는 교육부 장관에게 신청할 수 있다. 이 경우 정보의 열람 또는 발급 신청은 본인 또는 본인의 위임을 받은 자만 할 수 있다.
④ 교육부장관은 학습계좌의 운영업무를 진흥원에 위탁할 수 있다.
⑤ 제1항에 따른 학습계좌에 수록되는 정보의 범위 등에 필요한 사항은 교육부령으로 정한다.
⑥ 교육부장관(제4항에 따라 학습계좌의 운영업무를 위탁받은 자를 포함한다)은 학습계좌에 수록된 정보의 열람 및 증명서 발급 사무를 수행하기 위하여 불가피한 경우 「개인정보 보호법 시행령」 제19조 제1호에 따른 주민등록번호가 포함된 자료를 처리할 수 있다.

✎ **인적자원개발**(Human Resources Development, HRD) **24. 국가직 7급** 조직 및 개인의 목표 달성을 위하여 사람들의 직무관련 능력을 조직적으로 확충하는 수단이며, 행동변화를 목적으로 특정 기간 내에 실시하는 일련의 조직적 활동을 말한다. 이는 개인, 집단 및 조직의 효율성 향상을 위한 훈련과 개발, 조직개발 및 경력개발을 통합한 의도적인 학습활동으로, 개인의 성장과 개발, 조직의 성과향상, 지역사회의 개발과 발전, 국가의 발전과 국민복지의 향상을 달성하기 위한 조직화된 활동 또는 시스템이다.

⑥ **평생교육사**: 평생교육 담당 전문인력 ⇨ 교육부 장관이 자격 부여(1급·2급·3급 / 1·2급은 승급 과정, 2·3급은 양성 과정), 필요사항은 대통령령으로 정한다.
  ㉠ **자격 요건**: 대학에서 평생교육 관련 과목을 일정 학점 이상 이수한 자, 평생교육사 양성기관에서 필요한 과정을 이수한 자, 기타 대통령령으로 정하는 자격요건을 갖춘 자
  ㉡ **역할**: 평생교육의 기획·진행·분석·평가 및 교수업무를 수행
  ㉢ **직무범위**(「평생교육법 시행령」 제17조) **09. 국가직 7급**
    ⓐ 평생교육 프로그램의 요구 분석·개발·운영·평가·컨설팅
    ⓑ 학습자에 대한 학습정보 제공, 생애 능력개발 상담·교수
    ⓒ 그 밖에 평생교육 진흥 관련 사업계획 등 관련업무

제24조 【평생교육사】 ① 교육부 장관은 평생교육 전문인력을 양성하기 위하여 다음 각 호의 어느 하나에 해당하는 사람에게 평생교육사의 자격을 부여하며, 자격을 부여받은 사람에게는 자격증을 발급하여야 한다. **21. 국가직**
1. 「고등교육법」 제2조에 따른 학교(이하 "대학"이라 한다.) 또는 이와 동등 이상의 학력이 있다고 인정되는 기관에서 교육부령으로 정하는 평생교육 관련 교과목을 일정 학점 이상 이수하고 학위를 취득한 사람
2. 「학점인정 등에 관한 법률」 제3조 제1항에 따라 평가인정을 받은 학습과정을 운영하는 교육훈련기관(이하 "학점은행기관"이라 한다.)에서 교육부령으로 정하는 평생교육 관련 교과목을 일정 학점 이상 이수하고 학위를 취득한 사람

3. 대학을 졸업한 자 또는 이와 동등 이상의 학력이 있다고 인정되는 자로서 대학 또는 이와 동등 이상의 학력이 있다고 인정되는 기관, 제25조에 따른 평생교육사 양성기관, 학점은행기관에서 교육부령으로 정하는 평생교육 관련 교과목을 일정 학점 이상 이수한 사람
4. 그 밖에 대통령령으로 정하는 자격요건을 갖춘 사람

② 평생교육사는 평생교육의 기획·진행·분석·평가 및 교수업무를 수행한다.
③ 다음 각 호의 어느 하나에 해당하는 사람은 평생교육사가 될 수 없다.
1. 제24조의2에 따라 자격이 취소된 후 그 자격이 취소된 날부터 3년이 지나지 아니한 사람(제28조 제2항 제1호에 해당하여 자격이 취소된 경우는 제외한다.) 25. 지방직
2. 제28조 제2항 제1호부터 제5호까지의 어느 하나에 해당하는 사람

④ 평생교육사의 등급, 직무범위, 이수과정, 연수 및 자격증의 교부절차 등에 필요한 사항은 대통령령으로 정한다.
⑤ 제1항에 따라 발급받은 자격증은 다른 사람에게 빌려주거나 빌려서는 아니 되며, 이를 알선하여서도 아니 된다.
⑥ 교육부 장관은 제1항에 따른 평생교육사의 자격증을 교부 또는 재교부 받으려는 사람에게 교육부령으로 정하는 바에 따라 수수료를 받을 수 있다.

제24조의2 【평생교육사의 자격취소】 교육부장관은 평생교육사가 다음 각 호의 어느 하나에 해당하는 경우에는 그 자격을 취소하여야 한다.
1. 거짓이나 그 밖의 부정한 방법으로 평생교육사의 자격을 취득한 경우
2. 다른 사람에게 평생교육사의 명의를 사용하게 한 경우
3. 제24조 제3항 제2호의 결격사유에 해당하게 된 경우
4. 제24조 제5항을 위반하여 자격증을 빌려준 경우

📖 **평생교육사의 등급별 자격요건**(「평생교육법 시행령」 제15조 및 제16조 제2항 관련)

등급	자격기준
평생교육사 1급	평생교육사 2급 자격증을 취득한 후, 교육부장관이 정하는 평생교육과 관련된 업무에 5년 이상 종사한 경력이 있는 자로서 진흥원이 운영하는 평생교육사 1급 승급과정을 이수한 자
평생교육사 2급	1. 「고등교육법」 제29조 및 제30조에 따른 대학원에서 교육부령으로 정하는 평생교육과 관련된 과목(이하 "관련과목"이라 한다) 중 필수과목을 15학점 이상 이수하고 석사 또는 박사학위를 취득한 자. 다만, 「고등교육법」 제2조에 따른 학교(이하 "대학"이라 한다)에서 필수과목을 이수한 경우에는 선택과목으로 필수과목 학점을 대체할 수 있다. 2. 대학 또는 이와 같은 수준 이상의 학력을 인정할 수 있는 기관, 「학점인정 등에 관한 법률」에 따라 평가인정을 받은 학습과정을 운영하는 교육훈련기관에서 관련과목을 30학점 이상 이수하고 학위를 취득한 자 3. 대학을 졸업한 자 또는 이와 같은 수준 이상의 학력이 있다고 인정되는 자로서 다음 각 목의 어느 하나에 해당하는 기관에서 관련과목을 30학점 이상 이수한 자 　가. 대학 또는 이와 같은 수준 이상의 학력을 인정할 수 있는 기관 　나. 법 제25조제1항에 따른 평생교육사 양성기관 　다. 학점은행기관 4. 평생교육사 3급 자격증을 보유하고 관련업무에 3년 이상 종사한 경력이 있는 자로서 진흥원이나 지정양성기관이 운영하는 평생교육사 2급 승급과정을 이수한 자

평생교육사 3급	1. 대학 또는 이와 같은 수준 이상의 학력을 인정할 수 있는 기관, 학점은행 기관에서 관련과목을 21학점 이상 이수하고 학위를 취득한 자
	2. 대학을 졸업한 자 또는 이와 같은 수준 이상의 학력이 있다고 인정되는 자로서 다음 각 목의 어느 하나에 해당하는 기관에서 관련과목을 21학점 이상 이수한 자
	  가. 대학 또는 이와 같은 수준 이상의 학력을 인정할 수 있는 기관
	  나. 지정양성기관
	  다. 학점은행기관
	3. 관련업무에 2년 이상 종사한 경력이 있는 자로서 진흥원이나 지정양성기관이 운영하는 평생교육사 3급 양성과정을 이수한 자
	4. 관련업무에 1년 이상 종사한 경력이 있는 공무원 및 「초·중등교육법」 제2조 제1호부터 제5호까지의 학교 또는 학력인정 평생교육시설의 교원으로서 진흥원이나 지정양성기관이 운영하는 평생교육사 3급 양성과정을 이수한 자

ㄹ) 양성기관: 교육부 장관이 대통령령으로 정하는 바에 따라 지정

> **제25조【평생교육사 양성기관】** ① 교육부 장관은 평생교육사의 양성과 연수에 필요한 시설·교육과정·교원 등을 고려하여 대통령령으로 정하는 바에 따라 평생교육기관을 평생교육사 양성기관으로 지정할 수 있다.

ㅁ) 배치 및 채용

> **제26조【평생교육사의 배치 및 채용】** ① 평생교육기관에는 제24조 제1항에 따른 평생교육사를 배치하여야 한다.
> ② 「유아교육법」, 「초·중등교육법」 및 「고등교육법」에 따른 유치원 및 학교의 장은 평생교육 프로그램 운영에 필요한 때에는 평생교육사를 채용할 수 있다.
> ③ 제20조에 따른 시·도 평생교육진흥원, 제20조의2에 따른 장애인평생교육시설 및 제21조에 따른 시·군·구 평생학습관에 평생교육사를 배치하여야 한다.
> ④ 제1항부터 제3항까지의 규정에 따른 평생교육사의 배치대상기관 및 배치기준은 대통령령으로 정한다.

📖 평생교육사 배치대상기관 및 배치기준(제26조 관련)

배치대상	배치기준
1. 국가 평생교육진흥원, 시·도 평생교육진흥원	1급 평생교육사 1명 이상을 포함한 5명 이상
2. 장애인 평생교육시설	평생교육사 1명 이상
3. 시·군·구 평생학습관	• 정규직원 20명 이상: 1급 또는 2급 평생교육사 1명을 포함한 2명 이상 • 정규직원 20명 미만: 1급 또는 2급 평생교육사 1명 이상

4. 법 제30조에서 제38조까지의 규정에 따른 평생교육 시설(학력인정 평생교육 시설은 제외한다), 「학점인정 등에 관한 법률」 제3조 제1항에 따라 평가인정을 받은 학습 과정을 운영하는 교육훈련기관 및 법 제2조 제2호 다목의 시설·법인 또는 단체	평생교육사 1명 이상

제27조【평생교육사의 채용에 대한 경비 보조】 국가 및 지방자치단체는 제26조 제2항에 따른 평생교육 프로그램 운영 및 평생교육사 채용에 사용되는 경비 등을 보조할 수 있다.

(4) **다양한 평생교육기관 운영** 14. 국가직 7급, 11. 경기

구분	교육부 장관	교육감	관할청
인가	• 사내대학(종업원 수 200명 이상, 고용주가 부담) • 원격대학(방송대학, 방송통신대학, 사이버대학)		
등록		학교형태 평생교육시설(매 학년도를 3학기로 나누어 운영 가능)	
신고		• 사업장 부설(종업원 수 100명 이상) • 시민사회단체 부설(회원수 300명 이상) • 언론기관 부설 • 지식·인력개발 사업 관련 평생교육시설 • 원격교육 형태 시설(10명 이상, 30시간 이상 교수)	
보고			학교부설 평생교육시설

① **학교의 평생교육**: 교육과정과 방법을 수요자 관점으로 개발·시행 ⇨ 직접 또는 위탁 교육 가능, 각급 학교의 시설(예, 교실, 도서관, 체육관 등) 활용 24. 국가직, 06. 국가직

제29조【학교의 평생교육】 ① 「초·중등교육법」 및 「고등교육법」에 따른 각급 학교의 장은 평생교육을 실시하는 경우 평생교육의 이념에 따라 교육과정과 방법을 수요자 관점으로 개발·시행하도록 하며, 학교를 중심으로 공동체 및 지역문화 개발에 노력하여야 한다.
② 각급 학교의 장은 해당 학교의 교육여건을 고려하여 학생·학부모와 지역주민의 요구에 부합하는 평생교육을 직접 실시하거나 지방자치단체 또는 민간에 위탁하여 실시할 수 있다. 다만, 영리를 목적으로 하는 법인 및 단체는 제외한다.
③ 제2항에 따른 학교의 평생교육을 실시하기 위하여 각급 학교의 교실·도서관·체육관, 그 밖의 시설을 활용하여야 한다.
④ 제2항 및 제3항에 따라 학교의 장이 학교를 개방할 경우 개방시간 동안의 해당 시설의 관리·운영에 필요한 사항은 해당 지방자치단체의 조례로 정한다.

제7조【공공시설의 이용】 ① 평생교육을 실시하는 자는 평생교육을 위하여 공공시설을 그 본래의 용도에 지장이 없는 범위 안에서 관련 법령으로 정하는 바에 따라 이용할 수 있다.
② 제1항의 경우 공공시설의 관리자는 특별한 사유가 없으면 그 이용을 허용하여야 한다.

② 학교 부설 평생교육 시설: 각급 학교의 장 ⇨ 관할청에 보고

> **제30조【학교 부설 평생교육 시설】** ① 각급 학교의 장은 학생·학부모와 지역주민을 대상으로 교양의 증진 또는 직업교육을 위한 평생교육 시설을 설치·운영할 수 있다. 평생교육 시설을 설치하는 경우 각급 학교의 장은 관할청에 보고하여야 한다.
> ② 대학의 장은 대학생 또는 대학생 외의 사람을 대상으로 자격취득을 위한 직업교육과정 등 다양한 평생교육과정을 운영할 수 있다.
> ③ 각급 학교의 시설은 다양한 평생교육을 실시하기에 편리한 형태의 구조와 설비를 갖추어야 한다.

9. 평생학습사회를 위한 실현방안 17·12. 국가직, 12·11. 국가직 7급

(1) **학습계좌(제)**: 성인들이 개별적으로 취득한 다양한 교육과 학습경험을 누적 기록·관리하고 이를 객관적으로 인증하기 위한 제도 ⇨ 국민의 개인적 학습경험을 종합적으로 집중·관리하는 제도

(2) **독학학위제** 23·22. 지방직, 23. 국가직 7급, 18·15. 국가직

① 「독학에 의한 학위취득에 관한 법률」(1990)에 의거, 고교 졸업자 중 국가가 시행하는 단계별 시험에 합격하면 학사학위를 취득할 수 있는 제도: 국어국문학, 영어영문학, 경영학, 법학, 행정학, 유아교육학, 컴퓨터과학, 가정학, 간호학 등 9개 전공영역의 학위를 수여

② 교양과정 인정시험(1단계) ⇨ 전공기초과정 인정시험(2단계) ⇨ 전공심화과정 인정시험(3단계) ⇨ 학위취득 종합시험(4단계)으로 진행: 4단계는 반드시 응시해야 하지만, 1단계~3단계 시험의 경우 자격요건에 따라 시험과목의 전부 또는 일부를 면제받을 수 있다.

(3) **학점은행제** 22. 국가직, 20. 국가직 7급, 12. 서울

① 「학점인정 등에 관한 법률」(1997)에 따라 학교 및 학교 밖에서 이루어지는 다양한 형태의 학습경험 및 자격을 학점으로 인정하고, 학점이 누적되어 일정한 기준(전문학사 80학점 이상, 학사 140학점, 기술사 45학점, 기능장 39학점 이상)이 충족되면 학위취득도 가능하게 한 제도 ⇨ 1995년 5·31 교육개혁의 일환으로 도입

② 학점으로 인정받을 수 있는 학습경험과 결과는 정규학교에서의 학습과 다양한 평생교육기관에서의 학습 결과임.

구분	주관부서	학위수여자	학위의 종류	학위취득 과정
독학사	평생교육진흥원	교육부 장관	학사	1~4단계 시험
학점은행제	평생교육진흥원	교육부 장관	전문학사, 학사	평가인정기관, 시간제 등록, 자격증, 독학사 과목 합격

(4) **직업능력 인증제**: 직업인으로서 갖추어야 할 기초 직업능력(직무 기초 소양 및 직업 수행능력)을 분야별·수준별로 기준(국가직무능력표준: NCS)을 설정하여, 객관성·타당성·신뢰성이 보장되는 측정을 통하여 해당 능력의 소지 여부를 공식적으로 인증해 주는 제도 ⇨ 학력 중심 사회 극복, 취업과 승진의 근거로 활용

✐ 국가직무능력표준(NCS) 산업현장에서 직무를 수행하기 위하여 요구되는 지식·기술·소양 등의 내용을 국가가 산업부문별·수준별로 체계화한 것(「자격기본법」 제2조)

(5) **민간자격 인증제**: 「자격기본법」(1997)에 따라 국가 외의 법인·단체 또는 개인이 운영하는 민간자격 중에서 사회적 수요에 부응하는 우수한 민간자격을 국가에서 공인해 주는 제도

(6) **문하생 학력인정제**: 「무형유산의 보전 및 진흥에 관한 법률(약칭 무형유산법)」에 따라 인정된 중요 무형유산의 보유자와 그 문하생으로서 일정한 전수교육을 받은 자에 대한 학점 및 학력인정제도 예 전통예술학사, 전통예술전문학사

　◇ **평생학습 인증시스템 – 평생학습 결과 인정** 13·09. 국가직 개인이 학교교육 이외에 평생학습을 통해 습득한 성취 결과를 객관적이고 공식적인 절차를 통해 평가·인정하는 시스템
　　예 학점은행제, 문하생 학력인정제, 직업능력 인증제, 민간자격 인증제, 독학학위제, 사내대학, 원격대학

(7) **대학 시간 등록제**: 전일제 학생 외에 추가적으로 학생들을 모집하여(대학의 입학자격이 있는 사람을 대상으로) 대학교육을 제공 ⇨ 성인들에 대한 교육기회 확대 14. 국가직

(8) **평생학습중심대학**
　① 평생학습중심대학은 대학의 평생교육 기여를 비형식교육 프로그램 제공 중심에서 학위 수여로 확대해 나가려는 정부정책이다.
　② 현재 성인들은 학점은행제, 독학학위제, 한국방송통신대학교, 사내대학 등을 통해 대학 학위를 받을 수 있다. 하지만 그뿐 아니라 기존의 정규 대학들의 문호 또한 성인들에게 더 개방해 대학을 평생교육기관으로 변모시키려는 정책이다.
　③ 교육부는 2008년도부터 대학 전체의 체제를 성인친화적으로 바꾸거나 대학이 운영해 온 평생교육원의 체제를 성인을 위한 학부나 단과대학으로 개편하는 평생학습중심대학 정책을 추진해 오고 있다.

10. 평생학습 방법론

(1) **평생학습의 강조점**
　① **적응적 학습(adaptive learning)**: 변화하는 환경에 반응하거나 대처하는 학습 ⇨ 경험과 반성을 통한 학습
　② **예견적 학습(anticipatory learning)**: 미래의 부정적 결과를 예견하고 예방 ⇨ 학습에 대한 비전 – 성찰 – 실천의 방법
　③ **메타학습(meta learning)**: ①과 ②의 도구성을 넘어 그것이 가지는 가치와 전제들에 대하여 비판적으로 성찰함으로써 학습하는 과정을 학습
　④ **실천학습(action learning)**: 실제 업무 중에 발생한 문제해결학습 ⇨ 해결책을 찾아 실행

(2) **평생학습 방법의 원리**
　① **자기주도성**: 남의 도움을 받지 않고 각 개인이 학습의 전 과정을 관리한다. ⇨ 자기주도적 학습(Knowles)
　② **상호성**: 자기주도적 학습의 전제로서 학습자와 교사의 상호 대등한 상호작용적 활동이 이루어진다. ⇨ 계약학습
　③ **다양성**: 평생교육의 대상은 다양하고 그에 따라 다양한 교육과정과 학습방법이 요구된다.

④ 원격성 : 정보통신기술의 발전에 힘입어 원격교육의 기술적 지원이 가능해짐에 따라 기존 교육체제에 비해 시간과 공간의 제약에서 자유롭다.

(3) 평생학습 방법의 유형

① 콜브(Kolb)의 경험학습(experiential learning)
   ㉠ 듀이(Dewey)의 경험과 반성을 중심으로 한 학습의 순환모형(경험 ⇨ 관찰 ⇨ 반성 ⇨ 행위)을 토대로 성인학습을 위한 이론을 전개
   ㉡ 경험학습의 순환(cycle)은 구체적 경험, 반성적 관찰, 추상적 개념화, 능동적 실험 등의 4단계를 거쳐 진행
   ㉢ 경험학습의 4가지 양식(학습유형)을 정보지각방식(perception)과 정보처리방식(processing)에 따라 수렴형, 확산형(분산형), 동화형(융합형), 적응형(조절형)을 제시

구분		정보지각방식	
		구체적 경험	추상적 개념화
정보처리 방식	반성적 관찰	분산자(Diverger, 확산자) : 구체적인 경험을 통해 지각하고 반성적으로 관찰하며 정보를 처리하는 형	융합자(Assimilator, 동화자) : 추상적으로 개념화하여 지각하고, 반성적으로 관찰하며 정보를 처리하는 형
	활동적 경험	적응자(Accomodator) : 구체적인 경험을 통해 지각하고 활동적인 상황을 통해 정보를 처리하는 형	수렴자(Converger) : 추상적으로 개념화하여 지각하고, 활동적으로 실험하면서 정보를 처리하는 형

② 메지로우(Mezirow)의 관점전환학습(transformative learning)
   ㉠ 미드(Mead)의 상징적 상호작용이론(역할실행, 인성이론)과 듀이(Dewey)의 경험이론에 토대하여 이론을 전개
   ㉡ 표피적 행태(예 우리가 말하는 문장)인 의미 도식(meaning schemes)과 표피적 행태를 유발하는 원리 혹은 관점(예 문장을 지배하는 문법)인 의미 관점(meaning perspectives)을 구별 ⇨ 학습이란 하나하나의 표피 도식인 의미 도식을 바꾸는 일이 아니라 그 전체를 지배하는 의미 관점을 바꾸는 일

③ 노울즈(Knowles)의 자기주도적 학습(self-directed learning)
   ㉠ 노울즈(Knowles)가 성인학습의 한 형태로 주장 : 안드라고지(andragogy)는 성인교육을 이해하는 개념틀, 자기주도적 학습은 안드라고지를 실현하는 구체적인 도구에 해당
   ㉡ 학습의 전 과정을 학습자가 주도권을 가지고 스스로 진행하는 학습 ⇨ 메타인지 중시
      ✎ 학습의 전 과정 학습 project 설정 ⇨ 학습목표 설정 ⇨ 학습전략 수립 ⇨ 학습 진행 ⇨ 성취 평가
   ㉢ 학습자의 주도적 역할, 학습자 스스로 학습하는 능력이 핵심 : 독학(獨學)이든 전통적인 수업이든 어떤 경우에도 학습의 통제권(locus of control)은 학습자 자신에게 있어야 하며 그가 주도권을 행사하는 학습이어야 한다.

④ 레반즈(Revans)의 실천학습(action learning)
   ㉠ 다양한 기술과 경험을 갖춘 일련의 팀을 통해 실제 업무상의 문제를 분석하고 실천 계획을 개발하는 학습 과정

ⓒ 개인 및 조직의 발전을 위해 팀 활동을 하면서 중요한 조직의 이슈 또는 문제들을 인식하고 변화를 시도하는 과정에서 학습
ⓒ 경험적 학습(experiential learning), 창조적인 복잡한 문제해결, 관련된 지식의 획득, 공동학습 그룹 지원 등의 활동들로 구성
ⓔ 특징: 실천을 통한 학습의 강조, 팀 내 실천, 조직의 이슈 발견, 참가자는 문제해결자로서의 역할 수행, 팀 결정이 요구됨, 발표로 공식화함 등
⑤ 아지리스와 쇤(Argyris & Schön)의 이중고리학습(double-loop learning)
  ㉠ 듀이(Dewey)의 학습 사이클과 콜브(Kolb)의 경험학습 과정을 보다 개념화
  ㉡ 경험은 주어진 조건과 상황을 그대로 답습하는 경험의 차원(단일고리학습, single-loop learning)과 그러한 경험을 위에서 내려다보며 반성적으로 그 가정과 전제들을 의심해 보는 경험의 차원(이중고리학습, double-loop learning)이 동시에 진행된다고 파악
⑥ 로마클럽 6차 보고서(「한계 없는 학습; No Limits To Learning, 1979」)의 혁신학습(innovative learning)
  ㉠ '사회화' 혹은 '훈련'이 현재의 사회상에 인간을 적응시키는 일(유지형 학습, maintenance learning)인 데 비해, 교육은 인간의 미래를 위한 혁신적 학습을 촉진하는 일이며, 미래상을 위해 인간의 경험을 성장시켜 나가는 과정(혁신형 학습)이다.
  ㉡ 미래사회의 복잡계(complex system)적 특성과 인식론적 불확정 시대로서의 포스트모더니즘 상황 및 지구화(globalization)의 확장 등과 같은 불연속적인 시대를 준비하는 과정
  ㉢ 선견형 학습(anticipatory learning)과 참여를 통한 학습 중시
    ⓐ 선견(先見)은 새롭고 전례가 없는 상황에 대처하는 능력으로, 의도하지 않았던 부수적 효과나 뜻밖의 효과를 계산할 수 있는 능력을 말한다. ⇨ '학습의 시간적 통합'으로 과거, 현재, 미래의 삶을 통합하는 학습의 원리이다.
    ⓑ 참여는 '학습의 공간적 통합의 원리'로, 개인은 사회와의 상호작용에 참여함으로써 학습을 하게 된다.

2 영재교육 06. 서울

교육의 질적 수월성 확보와 고급인력 양성(≠교육 기회균등 정신 위배)
⇨ 「영재교육진흥법」

1. **영재의 정의(개념)** 10. 서울

  (1) **렌줄리**(Renzulli): 지적 능력(지능)+창의력+과제집착력(동기요인) 등이 평균 이상인 자 ⇨ 3개의 고리모델(three ring model, 회전문 모형) 21. 지방직, 14. 국가직, 06. 대구

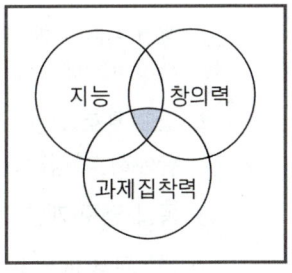

▲ 렌줄리의 영재 개념

① **지적 능력**: 일반 능력과 특수 능력으로 구성됨.
　㉠ **일반 능력**: 추상적 사고, 언어 및 수 추리력, 공간 관계 지각력, 기억력, 어휘력, 언어 유창성 등 외부환경에 대한 적응력, 새로운 환경의 조성 능력, 그리고 정보처리의 자동화 능력의 범주로 구성됨.
　㉡ **특수 능력**: 전문 영역의 지식을 활용하는 능력, 특수한 영역에 필요한 전략이나 기법을 습득하고 적용하는 능력, 적합한 정보를 가려내는 능력을 포함함.
② **창의성**: 사고의 유창성, 융통성, 독창성, 경험의 개방성, 새로움에 대한 포용력 등의 하위 요소를 포함함.
③ **과제집착력**: 과제를 해결하려는 의지 또는 과제수행에 들이는 인내와 노력 등을 포함함. ⇨ 영재성의 정의적(동기적) 요인에 해당함.

(2) 「**영재교육진흥법**」(제2조): 재능이 뛰어난 사람으로서 타고난 잠재력을 계발하기 위해 특별한 교육이 필요한 사람

◇ **영재교육** 영재를 대상으로 각 개인의 능력과 소질에 맞는 내용과 방법으로 실시하는 교육
◇ **영재교육기관** 영재학교(고등학교 교육과정 이하의 학교), 영재학급 및 영재교육원(대학에 설치)

> **제5조【영재교육 대상자의 선정】** ① 영재교육기관의 장은 다음 각 호의 어느 하나의 사항에 대하여 뛰어나거나 잠재력이 우수한 사람 중 해당 교육기관의 교육영역 및 목적 등에 적합하다고 인정하는 사람을 영재교육 대상자로 선발한다.
> 1. 일반 지능　　　　2. 특수 학문 적성　　　　3. 창의적 사고능력
> 4. 예술적 재능　　　5. 신체적 재능　　　　　 6. 그 밖의 특별한 재능
> ② 영재교육기관의 장은 제1항에 따른 영재교육 대상자를 선발할 때 저소득층 자녀, 사회적 취약 지역 거주자 등 사회적·경제적 이유로 잠재력이 충분히 발현되지 못한 영재를 선발하기 위하여 별도의 선발절차를 마련하는 등의 조치를 할 수 있다.
> ③ 제1항 및 제2항에 따른 영재교육 대상자의 선발기준 및 선발절차 등 필요한 사항은 대통령령으로 정한다.

2. 영재교육의 방법

(1) **풍부화**(다양화, enrichment): 정규 교육과정 이외의 다양한 자기지시적(self-directed)이거나 독립적인 교육경험을 첨가하여 제공 ⇨ 심화학습 프로그램

① **사사 프로그램(mentor program)**: 학생이 전문가를 직접 찾아가 배우거나 전문가를 초빙해 수강 ⇨ 배움에 동기가 강한 학생의 잠재적 능력과 내적 체험을 촉진
② **토요 프로그램(saturday program)**: 영재아들끼리 동일한 집단을 편성하여 일상적인 학교생활에서 파생되는 스트레스와 문제를 해소하는 방법
③ **독립 연구(개별 탐구학습, independent study)**: 문헌조사 연구와 과학실험 연구
④ **현장교육(field trips)**: 현장에 직접 가 봄으로써 보다 산교육을 체험 ⇨ 장래의 자기 진로를 결정하는 중요한 경험 제공
⑤ **특수학교 설립**: 영재학교, 영재학급(일반학교 내 설치), 영재교육원(대학 등에 설치) 등 신설

⑥ 렌줄리(Renzulli)의 영재학습 모형(심화학습 3단계 모형): 1단계와 2단계는 영재뿐만 아니라 모든 학생들을 대상으로 하며, 3단계는 영재만을 위한 활동이다.
　㉠ 일회적이고, 단선적인 판별 지양과 영재 선정의 범위를 확대한 삼부 심화학습 모형 제시
　　⇨ 영재 판별도구이자 영재교육 프로그램임.
　㉡ 주로 초등학생에게 실시되었으나 중학생에게도 효과적으로 사용될 수 있는 모형

제1단계(전체 학생 중 20% 선정)	일반적인 탐구활동 **예** 주제 발견하기 ⇨ 인식의 지평을 확대해 주는 내용 중심 탐구활동
제2단계	소집단 단위의 학습활동(집단훈련활동) **예** 창의성과 문제해결력 향상하기 ⇨ 학습방법 중심의 활동
제3단계(핵심)	개인 또는 소집단 단위의 실제적인 문제해결 및 연구활동 ⇨ 연구를 위한 기술이나 영재의 잠재력 계발

(2) **가속화**(속진, acceleration): 정규 학습 과정을 일반 학생보다 빠르게 학습하는 방법 ⇨ 교육과정 압축(curriculum compacting, 학습 촉진 프로그램) 강조
　① 월반제도(grade skipping), 상급학교 조기입학제도(early entrance to school / college), 대학과정 조기이수제도(college courses in high school)
　② '교육과정 압축'은 이질적 교실에 있는 우수한 학생들을 위해 이미 숙달한 학습자료의 반복을 피하도록 교육과정을 변환하는 것으로, 일종의 교육과정 재구성 혹은 핵심화 과정을 말함.

❸ 특수교육 12·06. 경기·국가직, 05. 경북

1. **개념**(「장애인 등에 대한 특수교육법」 제2조)
　(1) 특수교육 대상자의 교육적 요구를 충족시키기 위하여 특성에 적합한 교육과정 및 특수교육 관련 서비스 제공을 통하여 이루어지는 교육을 말한다.
　(2) **특수교육 대상자**(제15조): 시각장애, 청각장애, 지적 장애, 지체장애, 정서·행동장애, 자폐성 장애, 의사소통장애, 학습장애, 건강장애, 발달지체, 그 밖에 두 가지 이상의 장애가 있는 경우 등 대통령령으로 정하는 장애가 있는 사람 중 특수교육을 필요로 하는 사람으로 진단·평가된 사람
　　① 영재도 개념상으로는 특수교육 대상자에 해당하나 「장애인 등에 대한 특수교육법」상 정의에는 포함되지 않는다.
　　② 학습부진아, 학습지진아, 신체장애, 심신장애, 정신장애는 법령상 정의에 포함되지 않는다.

▣ **학업에 어려움을 겪는 학생(학습부진아)에 대한 교육**(「초·중등교육법」 제28조)

> 제28조 【학업에 어려움을 겪는 학생에 대한 교육】 ① 국가와 지방자치단체는 다음 각 호의 구분에 따른 학생들을 위하여 대통령령으로 정하는 바에 따라 수업일수와 교육과정을 신축적으로 운영하는 등 교육상 필요한 시책을 마련하여야 한다.
> 1. 성격장애나 정서·행동 문제, 지적(知的) 기능의 저하 등으로 인하여 학습에 제약을 받는 학생 중 「장애인 등에 대한 특수교육법」 제15조에 따른 학습장애를 지닌 특수교육대상자로 선정되지 아니한 학생
> 2. 학업 중단 학생
> 3. 학업 중단의 징후가 발견되거나 학업 중단의 의사를 밝힌 학생 등 학업 중단 위기에 있는 학생

② 국가 및 지방자치단체는 학업에 어려움을 겪는 학생에 대한 교육의 체계적 실시를 위하여 매년 실태조사를 하여야 한다.
③ 국가 및 지방자치단체는 제2항에 따른 실태조사를 기초로 학업에 어려움을 겪는 학생의 현황 및 교육상황에 대한 데이터베이스를 구축·운용할 수 있다.
④ 국가와 지방자치단체는 학업에 어려움을 겪는 학생에게 균등한 교육기회를 보장하기 위하여 필요한 예산을 지원한다.
⑤ 교육부장관 및 교육감은 학업에 어려움을 겪는 학생을 위하여 필요한 교재와 프로그램을 개발·보급하여야 한다.
⑥ 교원은 대통령령으로 정하는 바에 따라 학업에 어려움을 겪는 학생의 학습능력 향상을 위한 관련 연수를 이수하여야 하고, 교육감은 이를 지도·감독 및 지원하여야 한다.
⑦ 학교의 장은 제1항 제3호에 해당하는 학업에 어려움을 겪는 학생에게 학업 중단에 대하여 충분히 생각할 기회를 주어야 한다[**학업중단숙려제**]. 이 경우 학교의 장은 그 기간을 출석으로 인정할 수 있다.
⑧ 제1항 제3호에 해당하는 학업에 어려움을 겪는 학생에 대한 판단기준 및 제7항에 따른 충분히 생각할 기간과 그 기간 동안의 출석일수 인정 범위 등에 필요한 사항은 교육감이 정한다.
⑨ 교육부장관 및 교육감은 제7항 및 제8항에 따른 기간 동안 학생이 교육과 치유를 위한 다양한 활동을 할 수 있도록 지원하여야 한다.
⑩ 제3항에 따른 데이터베이스의 구축 및 운용에 필요한 정보 수집 범위, 방법, 절차, 보존기간 등은 대통령령으로 정한다.

2. 특수교육 용어

(1) **지적 장애**(mental retardation)

① 개념적·사회적 그리고 실제적 적응 기술들로 표현되는 적응행동 및 지적 기능에 있어서의 심각한 제한을 특징으로 하는 장애
② 과거 IQ 중심 분류에서 최근에는 필요로 하는 지원의 정도에 따라 4가지 수준으로 지적 장애의 수준을 분류

과거	경도(IQ 50~70), 중도(IQ 35~50), 최중도(IQ 35 이하)	
현대	간헐적 지원 수준	필요한 경우에만 지원을 함. ⇨ 일시적 상황에서의 지원, 항상 지원이 필요한 것이 아니라 인생에서 단기간(예 실업 또는 심각한 질병상황)의 지원만을 필요로 함.
	제한적 지원 수준	일정한 시간에 걸쳐 지속적인 지원이 필요함. ⇨ 시간이 제한되어 있지만 일시적인 상황은 아님. 더 강한 수준의 지원에 비해 많은 요원이 필요치 않으며 비용이 적게 듦.
	확장적 지원 수준	학교나 직장같이 적어도 몇몇 환경에서 정기적(매일)으로 지원이 요구됨. ⇨ 시간이 제한되어 있지 않음.
	전반적 지원 수준	전반적인 환경에서 일관성이 있게 고강도의 지원이 필요함. ⇨ 가능한 한 전 생활환경에서 지원, 많은 요원이나 중재가 요구됨.

(2) **학습장애**(learning disabilities) 18. 국가직, 10. 국가직 7급

① 지능수준이 낮지 않으면서도(겉으로는 지극히 정상적인 모습을 보이면서도) 듣기, 말하기, 쓰기, 읽기, 셈하기 등 특정 학습에서 어려움을 나타내는 장애 ⇨ 중추신경계의 문제로 인해 발생한다고 믿어지고 있음.

② 일반적 특성
  ㉠ 주의력 결핍, 목적 없는 행동 및 산만한 경향
  ㉡ 하나의 일을 지속적으로 하지 못하여 과제를 끝까지 수행해 내지 못함.
  ㉢ 불균등한 수행 예 한 영역에서는 잘 수행하는 반면, 다른 영역에서는 극단적으로 낮은 수행을 보임.
  ㉣ 몸의 균형과 신체기관 간 협응의 결여
③ 학문적 수행에서의 학습장애의 예

읽기	• 제대로 읽지 못함. • 단어를 거꾸로 읽음. • 읽던 곳을 자주 잊고 혼동함.
쓰기	• 맞춤법을 자주 틀림. • 글씨를 줄에 맞춰 제대로 쓰지 못함. • 쓰기를 마치는 데 오랜 시간이 소요됨. • 칠판에 판서한 내용을 보고 쓰는 데 어려움을 느낌.
셈하기	• 계산에서 자릿수를 혼동함. • 수학적인 개별 지식의 암기를 못함. • 서술 형식의 문제 이해를 매우 힘들어 함.

④ 학습장애 학생 발견 전략: 차이 모델(discrepancy model) ⇨ 지능검사와 성취도검사 점수의 차이, 지능검사와 학급 내 성취도의 차이, 지능검사 혹은 성취도검사의 하위검사 점수들 간의 차이가 크면 학습장애 가능성이 높다.
⑤ 학습장애 아동의 요구에 맞는 적응적 교수법(adaptive instruction)과 교사 지원을 필요로 한다.
⑥ 주의력결핍 과잉행동장애(ADHD)
  ㉠ 집중할 수 있는 능력의 제한으로 주의를 유지하기 어려운 특성을 갖는 일종의 학습문제로, 학습장애와 연관된 장애유형
  ㉡ 부주의(inattention), 충동성(impulsivity), 과잉행동(hyperactivity)의 행동 특성을 보임.
    ⇨ 과잉행동, 주의력 부족, 쉽게 다른 곳으로 관심을 돌림, 집중하는 데 어려워함, 과제를 끝마치는 데 실패함, 충동성(예 생각하기 전에 행동하기, 차례를 기다리기 어려움, 수업 중 빈번하게 큰 소리로 떠듦), 잘 잊어버림, 감독의 필요성이 과도하게 높음 등의 특성으로 나타남.
  ㉢ 약물치료와 행동치료를 많이 활용하여 치료

(3) **정서 및 행동장애**(emotion & behavior disorder)
  ① 사회적 갈등, 개인적 불행, 그리고 학교에서의 실패와 연관된 심각하고 지속적이며 나이에 맞지 않는 행동
  ② 외현화(예 과잉행동, 반항, 호전성, 잔인성 등의 공격적 행동) 또는 내현화(예 사회적 철회, 죄의식, 우울, 불안 등) 형태로 나타난다.
  ③ 긍정적인 행동을 강화하고 부정적인 행동을 제거하기 위한 응용행동분석(applied behavior analysis)을 사용한다.

(4) 자폐성 장애(autism spectrum disorder, 자폐 스펙트럼 장애)
① 사회적 상호작용과 의사소통에 결함이 있고, 제한적이고 반복적인 관심과 활동을 보임으로써 교육적 성취 및 일상생활 적응에 도움이 필요한 장애 ⇨ 3세 이전에 나타남.
② 아스퍼거 증후군(비정상적인 사회적 상호작용과 제한되고 반복적인 행동 문제), 레트장애(여아에게서 발견되는 발달적 퇴행 장애), 소아기붕괴성 장애, 기타 전반적 발달장애 등 다양하고 폭넓은 범주로 나타남.

(5) 의사소통장애(communication disorders)
① 다른 사람으로부터 정보를 이해하고, 자신의 생각을 표현하는 능력에 심각한 제한을 가지고 있는 상태
② 말하기 장애(표현장애)와 언어장애(수용장애) 등 두 가지 형태가 있다.

3. 실천 방법

(1) 특수교육 관련 용어(「장애인 등에 대한 특수교육법」 제2조)
① 특수교육 관련서비스: 특수교육대상자의 교육을 효율적으로 실시하기 위하여 필요한 인적·물적 자원을 제공하는 서비스로서 상담지원·가족지원·치료지원·보조인력지원·보조공학기기지원·학습보조기기지원·통학지원 및 정보접근지원 등을 말한다.
② 통합교육: 특수교육 대상자가 일반학교에서 장애 유형·장애 정도에 따라 차별을 받지 아니하고 또래와 함께 개개인의 교육적 요구에 적합한 교육을 받는 것을 말한다.
③ 개별화교육: 각급학교의 장이 특수교육대상자 개인의 능력을 계발하기 위하여 장애유형 및 장애특성에 적합한 교육목표·교육방법·교육내용·특수교육 관련서비스 등이 포함된 계획을 수립하여 실시하는 교육을 말한다.
④ 순회교육: 특수교육교원 및 특수교육 관련서비스 담당 인력이 각급학교나 의료기관, 가정 또는 복지시설(장애인복지시설, 아동복지시설 등) 등에 있는 특수교육대상자를 직접 방문하여 실시하는 교육을 말한다.
⑤ 진로 및 직업교육: 특수교육대상자의 학교에서 사회 등으로의 원활한 이동을 위하여 관련 기관의 협력을 통하여 직업재활훈련·자립생활훈련 등을 실시하는 것을 말한다.

(2) 특수학급(제2조, 제27조)
① 개념(제2조): 특수교육대상자의 통합교육을 실시하기 위하여 일반학교 내에 설치된 학급
② 설치(제27조): 유치원 과정은 4인 이하, 초등학교·중학교 과정은 6인 이하, 고등학교 과정은 7인 이하인 경우 1학급 설치
  ✎ "통합학급"이란 특수교육대상자와 또래 일반학생이 함께 편성된 학급을 말한다.

(3) 특수교육제도(제3조) 의무교육 및 무상교육 비용은 국가 및 지방자치단체가 부담한다.
① 의무교육: 유치원·초등학교·중학교 및 고등학교 과정(만 3세~만 17세)
② 무상교육: 전공과(고등학교 졸업 이후의 진로 및 직업과정, 1년 이상)와 만 3세 미만의 장애영아교육

(4) 차별의 금지(제4조)

① 각급학교의 장 또는 대학의 장은 특수교육대상자가 그 학교에 입학하고자 하는 경우에는 그가 지닌 장애를 이유로 입학의 지원을 거부하거나 입학전형 합격자의 입학을 거부하는 등 교육기회의 부여에 있어서 차별을 하여서는 아니 된다.

② 국가, 지방자치단체, 각급학교의 장 또는 대학의 장은 다음 각 호의 사항에 관하여 장애인의 특성을 고려한 교육시행을 목적으로 함이 명백한 경우 외에는 특수교육대상자 및 보호자를 차별하여서는 아니 된다.

> 1. 제28조에 따른 특수교육 관련서비스 제공에서의 차별
> 2. 수업, 학생자치활동, 그 밖의 교내외 활동에 대한 참여 배제
> 3. 개별화교육지원팀에의 참여 등 보호자 참여에서의 차별
> 4. 대학의 입학전형절차에서 장애로 인하여 필요한 수험편의의 내용을 조사·확인하기 위한 경우 외에 별도의 면접이나 신체검사를 요구하는 등 입학전형 과정에서의 차별
> 5. 입학·전학 및 기숙사 입소 과정에서 비장애학생에게 요구하지 아니하는 보증인 또는 서약서 제출을 요구
> 6. 학생 생활지도에서의 「장애인차별금지 및 권리구제 등에 관한 법률」 제4조의 차별

4 대안교육(Alternative education) 11. 광주, 08. 경기, 05. 전남

1. 개념

(1) **등장배경**: 학교교육의 한계와 역기능(예, 지식의 주입, 경쟁 위주)의 대안으로 주창

(2) 지식 위주의 학교교육의 한계를 극복하고 새로운 교육이념을 추구하는 교육

(3) **대안교육 이념**: 공동체 가치, 노작교육, 생명 존중과 사회적 협동

2. 유형

추구하는 이념에 따른 대안학교 유형

고유이념 추구형	① 발도르프 학교(독일), ② 풀무원 농업기술학교
자유학교형	① 서머힐(영국), ② 자유대안학교(독일)
재적응학교형	성지학교(학교부적응아 대상)
생태학교형	① 작은 학교(영국), ② 간디 청소년 학교

(1) **외국의 경우**

① 발도르프 학교(1919, 독일, 슈타이너 학교): 슈타이너(R. Steiner)에 의해 슈투트가르트에 있는 발도르프 아스토리아 담배공장의 노동자 자녀들을 위해 세워진 최초의 학교

㉠ **슈타이너의 교육관**: 인지학(성장하고 진화하는 인간 본성에 대한 바른 인식을 바탕으로 인간과 세계를 이해하는 하나의 방식)을 토대로 한 자아의 참된 인식에 이르는 과정

> "오늘날 우리에게 가장 중요한 것은 학교는 온전히 자유로운 정신의 삶에 근거해야 한다는 것이다. 가르치고 교육되어야 하는 것은 오로지 성장 과정 중에 있는 인간에 대한 인식과 각 개개인의 소질에 대한 인식으로부터 출발해야 하며 가르침과 수업의 기본 바탕은 참된 인간학을 근거로 해야 한다. 기존의 사회질서를 위하여 인간은 무엇을 알아야 하며 무엇을 할 수 있어야 하는가를 묻지 말고 그 인간에게 어떤 소질이 있으며 무엇이 그 속에서 개발될 수 있을 것인가를 물어야 한다."

㉡ **슈타이너 학교의 교육**: 교육의 기본원리는 사랑, 전인교육 추구, '창조적인 예술활동'과 같은 교육활동

설립 조건	• 학교는 모든 어린이들에게 열려 있어야 한다는 것(종합학교) • 남녀 합반이어야 한다는 것(남녀평등 교육) • 12년의 일관된 교육이어야 한다는 것(보통교육) • 어린이들과 직접 관련을 가질 수 있는 교사들이 학교 운영에 있어서 중심적 역할을 맡고 행정이나 재계에서의 영향을 최소한도로 자제할 것(자율적 운영)
특징	• 12년으로 운영(8년간의 담임교사 제도 + 4년간 교과담임제) • 초·중·고의 구별이 없음. • 유급이 없음(요구수준에 미달된다 할지라도 하나의 과도기적 현상으로 이해). • 성적표가 없음(평가 ×, 아이들의 발달특성을 기술한 증명서를 발급). • 주기 집중 수업(Epoche 수업, 특정 과목을 매일 오전에 2시간 정도씩 집중적으로 3~5주간 수업 후 다른 과목으로 이동) • 조기 외국어 교육의 실시(언어교육을 통한 세계관 이해 및 폭넓은 사고력 배양, 인종과 국가주의적 편향 극복을 위해 2개의 외국어 교육) • 자율적인 행정과 재정적인 독립성을 지닌 학교 운영(교장, 교감이 없음.) • 자체적인 교사 양성 교육, 학생들에게 등록금을 받음(무상교육 ×, 가정의 경제적 배경을 고려하여 차등적으로 수준이 결정). • 컴퓨터, TV, 시청각매체가 없음. ⇨ 상상력과 창의성, 감성 신장에 방해 • 오이리트미(Eurhythmie): 동작예술, 신체동작을 통해 언어와 음악을 표현 • 노작교육 • 예술교육: 포르멘(Formen) ⇨ 선과 형태로 표현하기를 통해 정신집중력(몰입의 힘)을 배양

② **서머힐(Summerhill, 1921, 영국)**: 자유방임형 자율학교 ⇨ 닐(A. S. Neill) 24. 국가직 7급
  ㉠ '어린이를 학교에 맞추는 대신 어린이들에게 맞추는 학교'로서 완전한 자유의 원칙에 입각하여 운영 ⇨ 인본주의 심리학에 근거한 학교
  ㉡ 규칙 위반에 대한 처벌을 포함하여 공동체 전반에 관련된 모든 일을 토론 및 투표방식으로 처리 ⇨ 정해진 규칙은 위험 방지를 위한 것과 남의 자유를 방해하지 않기 위한 최소한의 제약으로 구성
  ㉢ 남에게 방해가 되지 않는 한 아동이 하고 싶은 일을 마음대로 하고, 학과 수업에 출석하지 않아도 된다.

③ 프레네 학교(프랑스): 셀레스펭 프레네(C. Freinet)가 설립
  ㉠ **시민교육론**: 시민교육을 위한 교육개혁 운동 실천 ⇨ 공립학교의 개혁운동
    ⓐ '우리는 미래의 시민을 어떻게 준비시킬 것인가?'라는 질문에 프레네는 제도에 대한 지식이나 시민적 덕목에 대한 이론적인 습득 대신, 학생들의 자율과 책임, 협력, 형제애와 연대성을 경험하게 하는 다양한 일의 도구들과 기술들(프레네 기술들)을 통해 가능하다고 본다.
    ⓑ **교육원리**: 양식(良識)에 바탕을 둔 교육, 아이가 중심을 이루는 교육, 협력에 토대를 둔 교육, '실험하기'를 기초로 한 교육과 '자연스러운 방법(비지시적인 학습방법)', 민중을 위한 교육, 일(프레네 기술들)을 통한 교육을 기초로 하였다.
  ㉡ 시민교육의 목적
    ⓐ **교육의 목적**: 아이가 자신이 봉사하고, 자신을 섬기는 합리적인 공동체의 품속에서 자신의 인격을 최대한으로 발전시키는 것
    ⓑ **시민교육의 목적**: 합리적인 공동체의 품속에서 자신의 인격을 최대한으로 발전시키고, 내일의 시민이 갖추어야 할 자질인 자율과 책임, 협력, 형제애와 연대의 정신을 경험하고 연마시키고자 하는 것
  ㉢ **시민교육의 방법**: 프레네 기술들(Techniques Freinet)

> "반 세기 이래로 아동학에 대한 진보가 많이 이루어지기는 했지만, 아직까지 아이의 심리적이고 정신적인 본능, 아이의 성향과 가능성, 자질, 약동(躍動)을 충분히 아는 것은 더욱 어렵다. 그러므로 아이의 의도에 맞도록 그의 형성을 돕고, 아이의 적성과 기호, 욕구에 따라 자신이 나아갈 도정(道程)으로 그를 준비시킬 수 있는 시설과 기술을 제공하는 것에 만족해야 한다."

자기책임 아래 배우도록 하는 도구들과 기술들	협력과 교류에 토대를 둔 도구들과 기술들
아이들이 자신의 일을 선택하고 참여함을 통해 주어진 시간을 자율적·능동적으로 운영하는 방법	공동체의 일원인 아이들에게 최대한의 자발성을 보장하면서 공동생활에 필요한 능력을 기르는 방법
• 학급용 학습카드나 책자들, 편집된 학습총서(學習總書), 스스로 점검할 수 있는 학습카드나 책자들 • 일(학습) 계획: 연간 계획, 월간 계획, 주간 계획	• 자유로운 글쓰기, 학급 인쇄작업, 학급신문 만들기, 학교 간 통신의 순환 • 학급나들이 • 대자보와 집회(集會)

(2) 우리나라의 경우 07. 서울

① 정규 학교형 **예** 간디학교, 부천실업학교, 영산성지학교

② 비정규 학교형
  ㉠ 계절 프로그램형 **예** 민들레학교, 두밀리 자연학교 등
  ㉡ 방과 후 프로그램형 **예** 지역 공부방, 여럿이 함께 만드는 학교, 공동육아 어린이집 등

3. 자율학교 07. 서울

(1) 법적 근거

① 「초·중등교육법」 제61조 【학교 및 교육과정 운영의 특례】: 학교교육제도를 포함한 교육제도의 개선과 발전을 위하여 특히 필요하다고 인정되는 경우에는 대통령령으로 정하는 바에 따라 제21조 제1항(교장, 교감 등 교원의 자격)·제24조 제1항(학년도)·제26조 제1항(학년제)·제29조 제1항(교과용 도서의 사용)·제31조(학교운영위원회의 설치)·제39조·제42조 및 제46조(수업연한)의 규정을 한시적으로 적용하지 아니하는 학교 또는 교육과정을 운영할 수 있다.

② 「초·중등교육법 시행령」 제105조 【학교 및 교육과정 운영의 특례】: 자율학교

(2) 개념

① 국립·공립·사립의 초등학교·중학교·고등학교 및 특수학교를 대상으로 학교 또는 교육과정을 자율적으로 운영할 수 있는 학교

② 교육감이 지정·운영하되, 다만, 국립학교를 자율학교로 지정하려는 경우에는 미리 교육부장관과 협의하여야 한다.

(3) 유형(「초·중등교육법 시행령」 제105조) 10. 국가직

① 학업에 어려움을 겪는 학생에 대한 교육을 실시하는 학교

② 개별 학생의 적성·능력 개발을 위한 다양하고 특성화된 교육과정을 운영하는 학교

③ 학생의 창의력 계발 또는 인성 함양 등을 목적으로 특별한 교육과정을 운영하는 학교

④ 특성화 중학교: 교육과정의 운영 등을 특성화하기 위한 중학교(「초·중등교육법 시행령」 제76조) ⇨ (2023년 기준) 국제중학교 5, 대안중학교 21, 예술중학교 6, 체육중학교 13개교 등 총 45개교 운영

⑤ 산업수요 맞춤형 고등학교 및 특성화 고등학교 12. 서울
　㉠ 산업수요 맞춤형 고등학교: (마이스터고) 특수목적 고등학교(「초·중등교육법 시행령」 제90조) 중 산업계의 수요에 직접 연계된 맞춤형 교육과정을 운영하는 고등학교
　㉡ 특성화 고등학교(「초·중등교육법 시행령」 제91조): 소질과 적성 및 능력이 유사한 학생을 대상으로 특정 분야의 인재 양성을 목적으로 하는 교육 또는 자연현장실습 등 체험 위주의 교육을 전문적으로 실시하는 고등학교
　　　예 로봇 고교, 애니메이션 고교, 조리 고교, 인터넷 고교 ⇨ 자석학교(Magnet school) 11. 국가직

⑥ 「농어업인 삶의 질 향상 및 농어촌지역 개발촉진에 관한 특별법」 제3조 제4호에 따른 농어촌학교: 「초·중등교육법」 제2조에 따른 학교 중 농어촌에 있는 학교

⑦ 그 밖에 교육감이 특히 필요하다고 인정하는 학교

(4) 운영

① 자율학교를 운영하려는 학교의 장은 '학교운영에 관한 계획, 교육과정 운영에 관한 계획, 입학전형 실시에 관한 계획, 교원배치에 관한 계획, 그 밖에 자율학교 운영 등에 관하여 교육감이 정하여 고시하는 사항'이 포함된 신청서를 작성하여 교육감에게 제출하여야 한다.

② 교육감은 학생의 학력향상 등을 위하여 특히 필요하다고 인정되는 공립학교를 직권으로 자율학교로 지정할 수 있다.

③ 자율학교는 5년 이내로 지정·운영하되, 교육감이 정하는 바에 따라 연장 운영할 수 있다.
④ 교육부 장관 또는 교육감은 자율학교의 운영에 필요한 지원을 하여야 한다.
⑤ 기타 자율학교의 지정 및 운영에 필요한 사항은 교육감이 정하여 고시한다.
⑥ (자율학교 지정·운영위원회) 교육감의 자문에 응하여 자율학교의 지정·운영에 관한 다음 각 호의 사항(자율학교의 지정·운영계획에 관한 사항, 자율학교의 기간 연장 및 지정 취소에 관한 사항, 자율학교의 운영평가에 관한 사항, 그 밖에 자율학교의 운영 등에 관하여 교육감이 정하는 사항)을 심의하기 위하여 교육감 소속으로 자율학교 지정·운영위원회를 둔다. 자율학교 지정·운영위원회의 구성 및 운영에 필요한 사항은 시·도 교육규칙으로 정한다.

5 다문화 교육(multi-cultural education) 10. 인천

1. 다문화 교육의 개요

(1) 다문화 교육의 의미와 등장배경

① 다양한 인종(race), 민족(ethnicity), 성(gender), 사회계층(status), 문화(culture) 집단의 학생들이 균등한 교육적 기회를 보장받고, 긍정적인 문화교류적인 태도와 인식, 그리고 행동을 발달시키도록 돕는 것을 목표로 하는 교육을 말한다.
② 1960년대 미국에서의 사회적 불평등에 대한 시민권운동의 산물로 등장했으며, 인종, 민족, 계층, 성, 이념 등으로 인해 점차 다양해지는 학생 구성뿐만 아니라 모든 집단들의 늘어가는 형평성 요구에 대한 하나의 반응이다. ⇨ 모든 학생들의 교육적 형평성 증진을 위해 고안된 연구 분야

(2) 다문화 교육의 목표(J. Banks, 2006)

① 다문화 교육은 자기 이해의 심화를 추구한다: 이해와 지식을 통해 존경이 나올 수 있다고 가정하는 다문화 교육은 개인들로 하여금 다른 문화의 관점을 통해 자신의 문화를 바라보게 함으로써 자기 이해를 증진시키고자 한다.
② 다문화 교육은 주류 교육과정에 대안을 제시하는 것을 목표로 한다: 주류와 소수의 교육과정과 학교문화 간 차이를 줄이고자 노력한다.
③ 다문화 교육은 모든 학생들이 다문화 사회에서 요구되는 지식과 기능, 태도를 습득하는 것을 목표로 한다: 예를 들어 미국의 경우 주류 백인 학생들은 흑인 영어의 독특함과 풍부함을 배우고, 흑인 학생들은 표준영어를 말하고 쓸 수 있어야 한다.
④ 다문화 교육은 다문화 가정 자녀들이 인종적·신체적·문화적 특성 때문에 겪는 고통과 차별을 감소시키는 것을 목표로 한다.
⑤ 다문화 교육의 목표는 학생들이 전지구적인 테크놀로지 세계에서 살아가는 데 필요한 읽기, 쓰기, 그리고 수리적 능력을 습득하도록 돕는 것이다: 다문화적 자료와 정보는 학생들에게 의미 있고 학습의욕을 고취시킬 뿐만 아니라 이를 통해 습득한 기능은 성인으로서 직업을 구하고 살아가는 데 실질적인 도움을 준다.
⑥ 다문화 교육은 학생들이 자신의 공동체에서 제구실을 하는 데 필요한 지식, 태도, 기능을 다양한 집단의 학생들이 습득하도록 도와주는 것이다.

(3) 다문화 교육의 차원: 뱅크스(J. Banks) 14. 국가직

영역	내용	
내용 통합 (Content Integration) 24. 지방직	교사들이 자신의 교과나 학문 영역에 등장하는 주요 개념, 원칙, 일반화, 이론을 설명하기 위해서 다양한 문화 및 집단에서 온 사례, 사료, 정보를 가져와 활용하는 정도를 지칭한다. ⇨ 교육과정 재구성	
	기여적(contribution) 접근법	영웅, 명절, 특별한 문화적 요소에 강조를 두는 것 예 중국, 베트남 등 명절 공부하기
	부가적(additive) 접근법	교육과정의 기본 구조 변경 없이 민족적 내용, 주제, 관점을 교육과정에 첨가하는 것 예 단원
	전환적(transformation) 접근법	교육과정의 구조를 바꾸어 학생들이 다양한 민족적 문화적 진단의 과정에서 개념, 문제, 사건, 주제를 볼 수 있게 하는 방법
	사회적 활동(social action) 접근법	학생들은 중요한 사회적 문제를 결정하고 그것을 해결하기 위해 행동을 취하는 것
지식 구성 과정 (Knowledge Construction Progress)	특정 학문 영역의 암묵적인 문화적 가정, 준거틀, 관점, 편견 등이 해당 학문 영역에서 지식이 형성되는 과정에 어떠한 영향을 미치는지를 의미한다.	
편견 감소 (Prejudice Reduction)	학생들의 인종적 태도의 특징들을 구별하고 그것이 교수법이나 교재에 의해 어떻게 변화될 수 있는가에 중점을 둔다. ⇨ 학생들 간 긍정적 태도와 상호존중 증진	
공평한 교수법 (Equity Pedagogy)	교사가 다양한 인종, 민족, 사회계층 집단에서 온 학생들의 학업성취를 향상시키기 위하여 학생들의 학습양식에 맞춰 수업을 수정하는 것을 말한다. ⇨ 학생 맞춤형 수업 실천	
학생의 역량을 강화하는 학교문화와 조직 (Empowering School Culture and Social Structure)	모든 집단의 학생들을 유능하게 하는 학교문화를 만들기 위해 집단구분과 낙인의 관행, 스포츠 참여, 성취의 불균형, 인종과 민족 경계를 넘나드는 교직원과 학생의 상호작용 등을 검토하는 것을 말한다.	

2. 다문화 학생

(1) **다문화 학생의 유형**
  ① 국제결혼가정 자녀: 국내출생 자녀, 중도입국 자녀 ⇨ 친부모 중 한 명만 외국 국적인 경우
  ② 외국인 가정 자녀: 친부모 둘 다 외국 국적인 경우
  ③ 새터민(북한 이탈 주민) 가정 자녀

(2) **다문화 학생이 보이는 문제**: 학습부진 문제, 정서적 적응 문제(따돌림, 정체성의 혼란 등)

3. 다문화 교육의 방향
   (1) **타문화에 대한 이중적 잣대를 버리고 이해의 관점을 가져야 한다.**
      ① 외면적으로는 외국문화를 싫어하면서 내면적으로는 선진국의 물질문명을 맹신적으로 모방하는 태도를 탈피해야 한다.
      ② 인종에 있어 미국이나 유럽의 백인에게는 우호적이나 유색인종은 멸시하는 인종차별의 이중적 논리를 탈피해야 한다.
      ③ 여러 인종과 민족이 활발히 교류하는 국제시대의 일원이므로 다른 나라 사람들의 문화나 종교, 정치 등에 대해서 이중적 잣대를 버려야 한다.
   (2) **다문화 교육의 궁극적 대상은 외국인이 아니라 미래사회의 주인공이 될 우리 사회의 청소년이다.**
      ① 다양한 문화를 이해하고 수용할 줄 아는 힘을 길러주고 다른 문화와 공존할 수 있는 방법을 체득할 수 있도록 해야 한다.
      ② 타문화를 자기 문화로 편입시키거나 동화시키는 교육이 되어서는 안 되고, 다양한 문화가 공존하는 교육의 장으로 나아가야 한다.
   (3) **다문화 교육은 공교육의 한계를 극복하고 새로운 교육의 방식을 실험하는 개혁운동이다.**
      ① 학생 개개인의 다양한 문화적 환경을 인정하고 문화적 접촉 기회를 제공하면서 타문화에 대해 유연하고 통합적인 사고방식을 강조한다.
      ② 사고의 변화는 학교를 넘어서 사회의 여러 기관과의 연계를 통해 확산된다. 특히 교육의 범위나 대상은 학교에 한정되어서는 안 된다.
   (4) **지역사회의 여러 단체들과의 문화기관들이 협력하여 다문화교육의 이해와 체험이 가능한 프로그램을 구상해야 한다.**
      ① 다문화 교육에 활용할 수 있는 교재의 개발과 미디어 개발이 가장 시급하다.
      ② 범국가적 차원에서 다문화교육에 필요한 교재와 자료를 개발하고 후원하는 지원체제가 요구된다.

   ▣ **다문화학생 등에 대한 교육 지원**(「초·중등교육법」 제28조의2)

   > ① 국가와 지방자치단체는 다음 각 호의 구분에 따른 아동 또는 학생(이하 "다문화학생등"이라 한다)의 동등한 교육기회 보장 등을 위해 교육상 필요한 시책을 마련하여야 한다.
   > 1. 「다문화가족지원법」 제2조 제1호에 따른 다문화가족의 구성원인 아동 또는 학생
   > 2. 국내에 거주하는 외국인이면서 제2조 각 호의 학교에 입학 예정이거나 재학 중인 아동 또는 학생
   > ② 교육부장관은 제1항에 따른 시책을 수립·시행하기 위하여 다문화교육 실태조사를 실시할 수 있다. 이 경우 다문화교육 실태조사의 범위와 방법 등에 필요한 사항은 대통령령으로 정한다.
   > ③ 학교의 장은 다문화학생등의 동등한 교육기회를 보장하고 모든 학교 구성원이 다양성을 존중하며 조화롭게 생활하는 학교 환경을 조성하기 위하여 노력하여야 한다.
   > ④ 교육감은 다문화학생등의 한국어교육 등을 위하여 필요한 경우 특별학급을 설치·운영할 수 있다. 이 경우 교육부장관과 교육감은 특별학급의 운영에 필요한 경비와 인력 등을 지원할 수 있다.
   > ⑤ 교육부장관과 교육감은 다문화학생등의 교육지원을 위하여 대통령령으로 정하는 바에 따라 다문화교육지원센터를 설치·운영하거나 지정하여 그 업무를 위탁할 수 있다.

제4절 교육제도

1 교육제도의 개요

1. 개념

국가 교육정책을 실현하기 위한 기구, 법적 기제 일체 ⇨ 교육정책이 법규에 의해 구체화된 것
  예 의무교육제도, 학교제도, 대학입시제도

2. 원리

(1) **공교육의 원리**
  ① 국가가 모든 국민이 교육을 받을 수 있는 기회를 공적으로 보장해 준다.
  ② 의무성, 무상성(無償性), 중립성을 전제로 한다.

의무성	국민을 가정이나 직장으로부터 자유롭게 교육기관에 접근시키는 의무이다.
무상성	교육에 필요한 경비를 모두 공비(公費)로 처리함으로써 경제적인 문제에서 벗어나 자유롭게 교육기관에 접근할 수 있음을 의미한다.
중립성	정치적(파당적)·종교적(종파적) 또는 개인적 가치관 등의 문제가 교육기관에의 접근을 방해해서는 안 된다.

(2) **기회균등의 원리**: 어떠한 조건에 구애됨이 없이 모든 사람에게 교육을 받을 기회를 제공해 주어야 한다.

(3) **의무교육의 원리**: 모든 부모는 자녀에게 취학시킬 의무가 있으며, 국가와 지방자치단체는 학교를 설립할 의무가 있다.

2 학교제도의 종류

1. 개념

(1) 각종(학교 종류별)·각급(학교급별) 학교의 전체적 조직을 말한다.

(2) 학교란 근대 이후의 공교육 실현을 위해 마련된 교육기관을 말한다.

(3) 국가의 목표를 실현하는 제도적 장치로서의 학교교육을 단계별로 구분하고, 각 단계의 교육목적과 교육기관, 교육내용을 설정한다.

2. 유형

학교제도의 유형은 계통성을 중심으로 하는 복선형과 단계성을 중심으로 하는 단선형으로 나눌 수 있으며, 복선형과 단선형의 중간적 형태로서 분기형(分岐形)이 있다. 역사적으로 볼 때 학교제도는 '복선형 ⇨ 분기형 ⇨ 단선형'의 형태로 발달하여 왔는데, 이는 교육의 기회균등 원칙의 발달과 밀접한 관련이 있다.

(1) **구분기준**: 수직적 '계통성'과 수평적 '단계성'에 따라 구분
   ① **계통성**: 어떤 교육을 하고 있는가, 어떤 계층의 취학자(성별·능력)를 대상으로 하고 있는가를 나타낸다. ⇨ 복선형(계급형, 비민주적 복선형) 학제
   ② **단계성**: 어떤 연령층을 대상으로 하고 있는가, 어느 정도의 교육단계인가를 나타낸다. ⇨ 단선형(계제형, 민주적 단선형) 학제

(2) **복선형 학제**(cast system): 상호 관련이 없는 두 가지 이상의 학교 계통이 병존하면서 상호 간의 이행을 인정하지 않는 학제, 사회계급(계층)이나 신분에 따라 분리된 학제
   ① 유럽에서 발달, 학교 계통 간에는 원칙적으로 이동이 불가능하다.
   ② 후원적 이동과 관련(Turner)
   ③ 장점: 학교교육을 통한 사회계층에 대한 계획적 통제가 용이하다.
   ④ 단점: 계층사회의 고정화로 인한 사회 분열 야기, 학교 간 이동 불가

(3) **단선형 학제**(ladder system): 학교 계통이 하나밖에 없는 학제, 신분이나 계층에 구애됨이 없이 개인의 능력을 중시한 학제, 모든 국민이 단일 체계의 학교교육을 제공받을 수 있는 학제
   ① 미국을 중심으로 발전, 우리나라의 학제 예 초등학교 – 중학교 – 고등학교 – 대학교
   ② 경쟁적 이동과 관련(Turner)
   ③ 장점: 민주주의의 기회균등의 이념 구현
   ④ 단점: 학교교육을 통한 사회계층에 대한 계획적 통제 어려움.

▣ **복선형 학제와 단선형 학제의 비교** 10. 경남

구분	복선형 학제(dual system)	단선형 학제(single system)
교육관	능력주의 교육관	평등주의 교육관
강조점	계통성(계급, 신분) ⇨ 계급형 학제(cast system), 비민주적 복선형	단계성(연령, 발달단계) ⇨ 계제형 학제(ladder system), 민주적 단선형
역사	유럽형 학제 예 영국, 프랑스	미국형 학제 예 미국, 한국, 일본
사회이동	후원적 이동	경쟁적 이동
장점	사회계층에 대한 교육의 계획적 통제가 가능, 사회기능에 부합되는 인간 양성	교육의 기회균등 보장 ⇨ 민주주의 교육이념 구현, 일관된 교육정책 시행, 수평적 학교이동(전학)이 용이
단점	전학이 불가, 계급의식 조장, 사회분열 조장, 교육적 차별 인정(기회균등 이념 구현이 어려움), 비민주적인 제도	사회계층에 대한 교육의 계획적 통제가 불가능, 기술혁신적인 메카니즘에 적응하는 인간양성이 어려움.

(4) **통일학교 운동**: 초등에서 고등학교까지 모든 국민은 같은 종류의 학교에 다니자는 교육 민주화 운동 ⇨ 독일의 바이마르 헌법(1919), 프랑스의 꽁파뇽 협회(1937)

(5) **분기형 학제**(Hiker, 민주적 복선형): 기초교육은 단선형, 중등교육 이상은 복선형(능력 중시)

3. 구비조건

(1) **교육이념의 구현**: 교육본질의 추구, 교육기회의 평등성, 교육체제의 다양화, 교육체제의 개방화
(2) 인지(認知) 발달과의 적합성

(3) 사회 발전에 기여
(4) **교육체제의 효율성**: 학제가 교육 투자의 효과를 제대로 가져오는가의 문제 ⇨ 내적 효율성(교육의 본래 목적 달성), 외적 효율성(학교교육을 통해 배출된 인력으로 인한 사회 발전 기여도)

③ 우리나라의 학교제도 11. 국가직 7급·경기, 10. 경남

1. 단선형 학제(단계성 중시)
6-3-3-4제 ⇨ 실제상으로는 분기형 학제의 성격이 강하다.

2. 학교제도 15. 국가직

(1) **보통학제**: 기간학제 또는 정규학제
① **유치원**: 만 3세부터 초등학교 취학 전까지의 유아 대상
② **초등학교**: 수업연한 6년
③ **중학교**: 수업연한 3년 ⇨ 중학교, 특성화 중학교
④ **고등학교**(「초·중등교육법 시행령」 제76조의3): 수업연한 3년 ⇨ 교육과정 운영과 학교의 자율성을 기준으로 일반고등학교, 특수목적 고등학교, 특성화 고등학교, 자율고등학교(자율형 사립고등학교, 자율형 공립고등학교)로 구분한다. 13. 국가직 7급

일반고등학교 (「초·중등교육법 시행령」 제76조의3)	특정분야가 아닌 다양한 분야에 걸쳐 일반적인 교육을 실시하는 고등학교 ⇨ 특수목적고등학교, 특성화고등학교, 자율고등학교(자율형 사립고등학교 및 자율형 공립고등학교)에 해당하지 않는 고등학교
특수목적 고등학교 (「초·중등교육법 시행령」 제90조)	1. 특수 분야의 전문적인 교육을 목적으로 하는 고교 ⇨ 교육감이 지정·운영 2. ① 과학 인재 양성을 위한 과학 계열의 고등학교, ② 외국어에 능숙한 국제적인 인재양성을 위한 외국어·국제계열의 고등학교, ③ 예술인 양성을 위한 예술 계열의 고등학교와 체육인 양성을 위한 체육 계열의 고등학교, ④ 산업계의 수요에 직접 연계된 맞춤형 교육과정을 운영하는 고등학교(산업수요 맞춤형 고등학교 ⇨ 국립 고등학교는 교육부장관이 지정·고시)
특성화 고등학교 (「초·중등교육법 시행령」 제91조)	소질과 적성 및 능력이 유사한 학생을 대상으로 특정 분야의 인재 양성을 목적으로 하는 교육 또는 자연현장실습 등 체험 위주의 교육을 전문적으로 실시하는 고등학교
자율고등학교 (「초·중등교육법 시행령」 제91조의3, 4)	학교 또는 교육과정을 자율적으로 운영할 수 있는 고등학교 ① **자율형 사립고등학교**: 교육감이 지정·고시할 경우 미리 교육부장관의 동의를 받아야 한다. ⇨ (요건) ㉠ 국가 또는 지방자치단체로부터 「지방교육재정교부금법 시행령」에 따른 교직원 인건비 및 학교·교육과정운영비를 지급받지 아니할 것, ㉡ 교육부령으로 정하는 법인전입금기준 및 교육과정운영 기준을 충족할 것, ㉢ 입학정원의 20퍼센트 이상을 「국민기초생활보장법」에 따른 수급권자 또는 그 자녀, 차상위계층으로서 교육감이 정하는 사람 또는 그 자녀, 「국가보훈기본법」의 국가보훈대상자 또는 그 자녀를 선발할 것 ② **자율형 공립고등학교**: 교육감이 지정·고시 ⇨ 5년 이내로 지정·운영하되, 시·도의 교육규칙에 따라 5년의 범위에서 연장 가능

⑤ 대학교 : 4년 ⇨ 대학(4~6년), 교육대학(4년), 종합교원양성대학(4년), 전문대학(2~3년)
  ㉠ 대학 : 대학은 인격을 도야하고, 국가와 인류사회의 발전에 필요한 심오한 학술 이론과 그 응용방법을 가르치고 연구하며, 국가와 인류사회에 이바지함을 목적으로 한다(「고등교육법」 제28조). 수업연한은 4년 내지 6년이며, 수업일수는 매 학년도 30주 이상이다. 대학원은 독립적인 교육기관이 아니고 대학을 구성하는 기관으로서의 성격을 지니고 있다.
  ㉡ 교육대학 : 교육대학은 초등학교 교원 양성을 목적으로 하며, 사범대학은 중등학교의 교원 양성을 목적으로 한다(「고등교육법」 제41조). 사범대학은 교육대학과 달리 독립적으로 설치되어 있는 경우는 없으며, 종합대학 내에 설치되어 있다. 교육대학은 국가나 지방자치단체가 설립하도록 되어 있다. 수업연한은 4년이다.
  ㉢ 종합 교원 양성 대학 : 국가와 지방자치단체가 설립한 교육대학 및 사범대학의 목적을 동시에 수행할 수 있는 대학을 말한다(「고등교육법」 제43조).
  ㉣ 전문대학 : 전문대학은 사회 각 분야에 관한 전문적인 지식과 이론을 가르치고 연구하며 재능을 연마하여 국가사회의 발전에 필요한 전문직업인을 양성함을 목적으로 한다(「고등교육법」 제47조). 수업연한은 2년 이상 3년 이하이며, 전문대학 졸업자는 대학에 편입학할 수 있다.

(2) **특별학제** : 방계학제 ⇨ 기간학제의 보완적 기능을 수행, 정규학교의 교육과정에 준하는 교육을 실시, 사회교육의 성격을 지님.
  ① 초등학교 과정(공민학교) : 3년 과정, 초등교육을 받지 못하고 취학연령을 초과한 자에 대해 국민생활에 필요한 교육을 함이 목적(「초·중등교육법」 제40조), 수업일수 170일 이상
    ⚠ 근거 법률 개정(「초·중등교육법」 제40조 조항 삭제, 2019.12.3.)으로 공식적으로 폐지됨.
  ② 중학교 과정
    ㉠ 고등공민학교 : 1년 이상 3년 이하 과정 ⇨ 중학교 과정의 교육을 받지 못하고 취학연령을 초과한 자 또는 일반 성인에게 국민생활에 필요한 중등교육 및 직업교육을 하는 것이 목적(「초·중등교육법」 제44조), 수업일수 170일 이상
    ㉡ 근로청소년을 위한 특별학급 등 : 산업체에 근무하는 청소년에 대한 중학교 과정의 교육을 위하여 산업체에 인접한 중학교에 야간수업을 위주로 하는 특별학급을 둘 수 있다(「초·중등교육법」 제52조).
  ③ 고등학교 과정
    ㉠ 고등기술학교 : 1년 이상 3년 이하 과정 ⇨ 국민생활에 직접 필요한 직업 기술교육을 하는 것이 목적(「초·중등교육법」 제54조), 수업일수 220일 이상
    ㉡ 근로청소년을 위한 특별학급 등 : 산업체에 근무하는 청소년이 고등학교 과정의 교육 받을 수 있도록 산업체에 인접한 고등학교에 야간수업을 위주로 하는 특별학급을 둘 수 있다(「초·중등교육법」 제52조).
    ㉢ 방송통신고등학교(「초·중등교육법」 제51조) : 3년 과정(방송통신고등학교 설치 기준령 제4조), 소정의 평가를 통해 고등학교 졸업자격 부여, 1974년 발족

④ 고등교육기관 ^{20. 국가직 7급}
  ㉠ 산업대학: 산업사회에서 필요로 하는 학술 또는 전문적인 지식이나 기술의 연구와 연마를 위한 교육을 계속하여 받으려는 사람에게 고등교육의 기회를 제공하여 국가와 사회의 발전에 이바지할 산업인력을 양성함이 목적(「고등교육법」 제37조), 수업연한과 재학연한에 대한 제한은 없음.
  ㉡ 원격대학: 국민에게 정보통신매체를 통한 원격교육으로 고등교육을 받을 기회를 제공하여 국가와 사회가 필요로 하는 인재를 양성함과 동시에 열린 학습사회를 구현함으로써 평생교육의 발전에 이바지함이 목적(「고등교육법」 제52조), 전문학사 과정 2년, 학사 과정 4년
    ✎ 원격대학 방송대학·통신대학·방송통신대학 및 사이버대학을 총칭한다(「고등교육법」 제2조).
  ㉢ 기술대학: 산업체 근로자가 산업현장에서 전문적인 지식·기술의 연구·연마를 위한 교육을 계속하여 받을 수 있도록 함으로써 이론과 실무능력을 고루 갖춘 전문인력을 양성함이 목적(「고등교육법」 제55조), 전문학사 과정 2년, 학사 과정 2년

⑤ 특수학교: 신체적·정신적·지적 장애 등으로 인하여 특수교육을 필요로 하는 자에게 초등학교·중학교 또는 고등학교에 준하는 교육과 실생활에 필요한 지식·기능 및 사회 적응 교육을 하는 것이 목적(「초·중등교육법」 제55조)

⑥ 각종 학교(「초·중등교육법」 제60조)
  ㉠ 초등학교, 중학교, 고등학교, 특수학교, 대학교와 유사한 교육기관: 초등학교, 중학교, 고등학교, 특수학교 및 대학교의 명칭을 사용할 수 없는 학교(다만, 관계 법령에 따라 학력이 인정되는 각종학교-외국인학교와 대안학교 포함-는 그러하지 아니하다.)
  ㉡ 외국인학교: 국내에 체류 중인 외국인의 자녀와 외국에서 일정 기간 거주하고 귀국한 내국인 중 대통령령이 정하는 자에 대한 교육을 위하여 설립된 학교
  ㉢ 대안학교: 「초·중등교육법」 제60조의3에 추가

> **더 알아보기**
>
> **대안학교 관련 규정(「초·중등교육법」 제60조의3)**
> 1. 학업을 중단하거나 개인적 특성에 맞는 교육을 받고자 하는 학생을 대상으로 현장실습 등 체험 위주의 교육, 인성 위주의 교육 또는 개인의 소질·적성 개발 위주의 교육 등 다양한 교육을 실시하는 학교이다(단, 교장 및 교감의 자격, 교육과정, 교과, 수업·학기·수업일수, 학년제, 교과용 도서 사용, 교육정보 시스템 구축·운영 등의 규정을 적용하지 아니한다).
> 2. 대안학교는 초등학교·중학교·고등학교의 과정을 통합하여 운영할 수 있다.
> 3. 대안학교의 설립기준·교육과정·수업연한·학력인정, 그 밖에 설립·운영에 관하여 필요한 사항은 대통령령으로 정한다. ⇨ 대안학교의 수업일수는 매 학년 180일 이상으로 함.
>   ✎ 대안학교는 학교운영위원회를 설치하지 않아도 된다.

3. 학교 외 제도

(1) 기본학제와 특별학제 외에 교육법규에서 규정하지 않은 교육부 이외의 부처 산하의 학교·훈련원·훈련소 등의 교육제도

(2) 정부 각 부처가 주관·지원하는 각종 교육과정·훈련과정·연수과정

(3) **재택교육**(Home schooling) : 자녀를 학교에 보내지 않고 부모가 직접 교육자가 되어 가정에서 아이들을 가르치는 것. 학교를 다니지 않고 부모와 아이가 함께 자신들에게 적합한 방식으로 가르침과 배움을 전개하는 활동

4. 학교제도와 학교 외 제도 비교

구분	학교제도		학교 외 제도
개념	교육부 산하의 학교		교육부 이외의 부처가 관장하는 학교 • 국방대학교, 삼군사관학교 (국방부) • 기능대학 (폴리텍대학, 고용노동부) • 경찰대학(경찰청) • 사법연수원(법무부) • 중앙공무원교육원(행정안전부)
학제	**보통(기간, 정규)학제**	**특별(방계)학제**	
	유치원		
	초등학교(6년)		
	중학교(3년)	고등공민학교(1~3년)	
	고등학교(3년)	• 고등기술학교(1~3년) • 방송통신고교	
	• 대학교(4년) - 대학, 교육대학 • 전문대학(2년)	• 방송통신대학 • 산업대학 • 기술대학	
		특수학교	
	자율학교	각종 학교(대안학교)	

✎ 근거 법률 개정(「초·중등교육법」 제40조 조항 삭제, 2019.12.3.)으로 '공민학교' 명칭은 공식적으로 폐지됨.

제5절 교사론

1 교직관의 유형 - 성직관, 노동직관, 전문직관, 공직관

1. 성직관(聖職觀) : 교사의 종교성·윤리성·인격성 강조

서양 중세로부터 시작된 교직관의 유형, 성인군자적인 교사가 이상적인 교사

(1) 인간의 인격 형성을 돕는 고도의 정신적 봉사활동이 교직이다. ⇨ 교직에 대한 소명의식(calling) 강조, 교직 기술 경시, 성직자다운 자세 중시

　예 군사부일체, 스승의 그림자는 밟지도 않는다. 교직은 천직(天職)이다.

(2) 교사는 오직 사랑과 봉사 정신에 입각하여 학생을 교육해야 한다.

(3) 물질적 처우 개선, 승진, 전보, 지나친 자기주장과 집단행동, 정책 참여에의 요구 등은 세속적인 것으로 취급 ⇨ 교사의 정치성, 노동자성을 부정

2. 노동직관(勞動職觀) : 교사의 경제성·정치성·노동자성 강조

마르크스주의적 계급관에 기초한 교직관

(1) 교직은 정신적 노동을 주로 수행하는 직업이다.
   예 교원의 노동조합 설립 및 운영 등에 관한 법률(1999)

(2) 노동에 대한 정당한 보수와 처우 개선, 근무조건의 향상 등을 위해 노동 3권(단결권, 단체교섭 및 협약체결권, 단체행동권)이 보장되어야 하며, 이의 관철을 위해 경영자와 맞서서 투쟁해야 한다고 주장한다. ⇨ 교사의 정치성을 중시, 교직의 경제적 측면을 강조

(3) 교사의 소명의식(calling)·헌신·사랑·희생 등의 규범은 절대적인 것이 아니다.

3. 전문직관(專門職觀) : 교사의 전문성·자율성 강조

성직관과 노동직관의 장점을 변증법적으로 통합하려는 교직관

(1) 교직은 미성숙자를 대상으로 고도의 지적 훈련을 요하며 자율성(학문의 자유)과 윤리의식이 필요하고 계속적인 연찬(研鑽)과 봉사지향성을 필수적으로 구비해야 하기 때문에 전문직이다. ⇨ 교직 기술(교수 - 학습방법)을 중시

(2) 오늘날 가장 널리 수용되고 있는 견해이다.

(3) 유네스코(UNESCO)와 국제노동기구(ILO)는 '교원의 지위에 관한 권고(1966)'에서 "교직은 전문직으로 간주되어야 한다(Teaching should be regarded as a profession)."고 규정하고 있다.

(4) **전문직의 특성** : 리버만(Lieberman) 10. 대전, 06. 대전·충남·충북
   ① 심오한 이론적 배경(예 진보주의, 실존주의)을 가지고 있다.
   ② 고도의 지성을 요구하는 정신적 활동을 위주로 한다.
   ③ 장기적인 훈련 기간이 필요하다.
   ④ 엄격한 자격기준(예 교사 자격증 제도)이 있다.
      ⌀ 교사 자격증 제도는 교직관의 관점에서는 '전문직관'에 해당하나, 교육행정 조직의 관점에서는 전문적 조직이 아닌 '관료제적 조직'의 특성에 해당한다.
   ⑤ 표준 이상의 능력 신장을 위하여 계속적인 이론 규명(예 현직교육)이 있어야 한다.
   ⑥ 사회봉사적 기능이 강하며, 자체의 행동을 규율하는 윤리강령(예 사도헌장, 사도강령, 교원윤리강령)을 가지고 있다.
   ⑦ 자신들의 전문성 제고(예 교원 전문직 단체)와 사회적·경제적 지위 향상(예 교원노조)을 위한 전문적 단체(예 교직단체)를 가지고 있다.

4. 공직관(公職觀) : 교직의 공공성 강조

국가공무원 신분에 근거한 것으로, 공립학교 교원 및 그에 준하는 사립학교 교원에게도 요구되는 관점

(1) 교직을 인간으로서의 존엄이라는 사회의 공동선(共同善)을 실현시키는 데 필수불가결한 활동의 하나로 보기 때문에 이를 공적으로 시행해야 한다는 관점으로 국민의 기본권으로서 교육권이 보장되어야 한다는 것이다.

(2) 교직이 공직인 이유는 개인의 자아실현을 통한 사회의 공동선의 추구라는 공교육 이념 아래 국민의 교육기본권을 보장하기 위한 보상책으로서 공직 제도의 일부를 구성하는 것을 의미하는 것이다. 이것은 교사와 학생의 관계 자체가 공적인 것에서 비롯되는 것이라기보다는 교육목적 달성을 위한 수단 내지 방법적 원리로서 공공성이 요구되기 때문에 공직으로 자리매김되는 것이다.

교직관에 따른 교원 지위의 특성 비교

교직관	성직관	노동직관	전문직관	공직관
교직의 본질	인격성(윤리성)	근로성(노동성)	전문성(자율성)	공공성
지위 유형	인격자로서의 지위	근로자로서의 지위	전문가로서의 지위	공직자로서의 지위
지위 명칭	스승(선생)	교육근로자(교육노동자)	교육자(교사)	교원(교육공무원)
지위 기능	본질적 지위	수단적 지위	전문적 지위	공공적 지위
역할 기대	바람직한 교사상의 의미	근로자로서의 기본권 보장과 사회경제적 지위	교육활동의 특수성을 반영한 직업적 기대	법제화를 통한 공공성의 기대

2 교권과 학습권

1. 교권(敎權) 06. 경기

(1) **광의의 교권**: 교육을 할 권리와 교육을 받을 권리(학습권)를 모두 포함하는 개념 ⇨ 교육권

① **수익권으로서의 교육권(학습자의 권리)**: 모든 국민이 능력에 따라 교육의 기회를 균등하게 받을 수 있는 권리 ⇨ 「헌법」 제31조 제1항

② **친권으로서의 교육권(학부모의 권리)**: 어버이가 자녀에 대하여 교육을 할 수 있는 권리 ⇨ 자연법적 권리

③ **위탁권으로서의 교육권(교사의 권리)**: 공공기관 및 어버이로부터 위탁받아 교사가 학생을 자유로이 교육할 수 있는 권리

④ **교육의 독립권(제4권으로서의 교육권)**: 국가나 지방자치단체가 행하는 교육행정 기능의 정치적 중립 보장, 부당한 외부로부터의 지배 혹은 간섭의 배제, 일반행정에 대한 교육의 우위성 보장

(2) **협의의 교권**(교사의 권리)
  ① 일반 행정당국으로부터 교육당국(학교)의 독립: 학교가 상부의 부당한 간섭으로부터 보호받아야 한다.
  ② 교육활동의 자유 보장
  ③ 교육과정의 제정 및 운영 과정에의 참여 보장
  ④ 부당한 지배로부터의 보장: 단위학교 내에서의 교사권리가 보장 예 신분보장권
  ⑤ 교육학 연구에의 학문적 자유 보장
  ⑥ 자주적인 단체 결성의 자유 보장

2. 교원의 권위

(1) **권위의 유형**(M. Weber)
  ① 전통적 권위: 오랜 사회의 전통과 관습에 의하여 당연한 것으로 인정된 권위
  ② 카리스마적 권위: 신(神)으로부터 부여받은 어떤 초능력적인 힘을 지녔다고 보는 권위 ⇨ 신수적(神授的) 권위
  ③ 합리적(합법적) 권위: 정당한 법적·제도적 근거에 의하여 인정되는 합법적 권위
    ㉠ 현대 사회에서 가장 요청되는 권위
    ㉡ "교사는 법령에서 정하는 바에 따라 학생을 교육한다."(「초·중등교육법」 제20조 제3항)

(2) **교원 권위의 구성요인**: 합리적 권위의 근거
  ① 내적 권위(전문적 권위): 교사 자신에게 내재한 능력과 자질 ⇨ 교사 스스로가 갖추어야 할 조건
    ㉠ 지적 권위: 교과지식의 탐구 및 지적 판단 능력을 소유한 것으로 인정되는 권위
      예 학문적 지식, 학문 탐구의 능력, 진·선·미에 대한 가치판단 능력
    ㉡ 기술적 권위: 교육방법에 유능한 것으로 인정되는 권위 ⇨ 전문가로서의 권위
  ② 외적 권위(통제적 권위): 제도적 권위 ⇨ 교사들 외부(예 교육제도, 교육정책, 사회문화적 관습)에서 작용하는 권위
    ㉠ 교사가 학교생활을 통제할 수 있도록 법에 의해서 부여받은 권위
    ㉡ 제도적 권위와 관련된 교사 유형: 전제적 교사, 민주적 교사, 자유방임적 교사
  cf. 도덕적 권위: 체벌이나 훈육과 같이 학생의 잘못을 바로잡으려는 교사의 노력과 관련된 권위
    예 사랑의 매, 페스탈로치(Pestalozzi)의 조건부 체벌 허용론 09. 국가직

3. 학습권

(1) **개념**: 교육을 받을 권리 예 학습자가 교육을 받을 권리, 교육과정과 프로그램을 선택할 권리

(2) **법적 근거**
  ① 「헌법」 제31조 제1항: "모든 국민은 능력에 따라 균등하게 교육받을 권리를 갖는다."
  ② 「교육기본법」 제3조: "모든 국민은 평생에 걸쳐 학습하고, 능력과 적성에 따라 교육을 받을 권리를 가진다."

MEMO

오현준 정통교육학

핵심 체크 노트

1. **삼국시대의 교육:** 태학, 경당(고구려), 신라(화랑도)
2. **통일신라시대의 교육:** 국학, 독서삼품과
3. **고려시대의 교육**
   ① 교육제도: 국자감, 과거제도, 12공도, 향교, 예종의 관학 진흥책(문무7재, 양현고)
   ② 교육사상가: 이색, 지눌, 최충, 안향
★ 4. **조선시대(전기)의 교육**
   ① 교육제도: 성균관, 사학, 잡학, 향교, 서원, 서당, 과거제도, 교육관련 법규(학령, 권학사목, 학교모범, 학교사목)
   ② 교육사상가: 권근, 이황, 이이
★ 5. **조선시대(후기)의 교육**
   ① 실학교육의 등장배경과 특징
   ② 실학교육사상가: 유형원, 이덕무, 이익, 정약용, 최한기
6. **근대(개화기)의 교육**
★ ① 학무아문고시, 교육입국조서
   ② 근대교육의 전개: 관학(육영공원), 민족사학(원산학사), 선교계 사학(배재학당)
7. **일제 강점기의 교육**
   ① 조선통감부의 교육정책: 보통학교령, 사립학교령
   ② 조선총독부의 교육정책: 조선교육령(제1차~제4차)
   ③ 민족교육운동의 전개
   ④ 교육사상가: 안창호, 이승훈

CHAPTER 02

한국교육사

01 한국교육사 개관
02 삼국시대의 교육
03 남북국시대의 교육
04 고려시대의 교육
05 조선시대의 교육(Ⅰ): 조선 전기의 교육
06 조선시대의 교육(Ⅱ): 조선 후기의 교육
07 근대교육: 개항~한일합방 이전
08 일제하 교육
09 해방 이후(현대)의 교육

CHAPTER 02 한국교육사

> **학습 포인트**
> 1. 조선 전기의 교육: 성리학교육(성균관, 사학, 향교, 서원, 서당)
> 2. 조선 후기의 교육: 실학교육(유형원, 이익, 이덕무, 정약용, 최한기)
> 3. 근대의 교육: 근대교육의 전개 과정(학무아문고시, 교육입국조서), 학교교육(육영공원, 원산학사, 배재학당)
> 4. 일제 강점기하의 교육: 조선교육령의 변화 과정, 민족교육운동의 전개

제1절 한국교육사 개관

1 교육사(History of education)

1. 교육사의 개념

(1) 교육의 발생과 전개, 즉 교육이념, 목적, 내용, 방법, 정책, 제도, 운영 등 교육이론과 실제의 변화 과정에 대한 서술

(2) 교육학의 전 분야에 관한 역사적 고찰

   ✎ 카(E. H. Carr) "역사는 과거와 현재가 나누는 끊임없는 대화이다."

2. 교육사 공부의 필요성

(1) 교육 현안 해결을 위한 교육적 지혜를 얻기 위해서

(2) 교육 현실에 대한 본질적 이해를 돕기 위해서

(3) 현대 문화의 비판 및 미래 사회 발전을 위한 방향과 지침을 얻기 위해서

2 교육기관의 변천 과정(삼국~조선) 및 전통교육의 흐름 24. 지방직, 12. 국가직, 11. 인천, 08. 국가직 7급, 05. 전남

설립 주체		관학			사학		
설립 수준		초등	중등(중앙: 지방)	고등	초등	중등	고등
삼국시대	고구려			태학	← ----	경당	---- →
	백제	기록이 없고 명칭만 전함(박사, 사도부, 내법좌평, 도당유학).					
	신라	화랑도(비형식적 교육, 사설 단체, 국가가 보호 육성)					
남북국시대	발해			주자감			
	신라			국학			
고려 25. 국가직			학당(동서학당 ⇨ 5부학당)	향교	국자감	서당(경관, 서사)		12공도
조선 24. 국가직 7급			사부학당(사학), 종학, 잡학	향교	성균관	서당	서원	---- →

※ ▢ 의 교육기관은 문묘를 설치한 기관을 나타낸다.

제2절 삼국시대의 교육

> **삼국시대 교육의 특징**
> 1. **관리선발 교육**: 왕권 강화 목적, 고등교육과 엘리트 교육 중시 ⇨ 민중교육 외면
> 2. **유교경전 중심의 교육**: 주입식, 암기식 교육
> 3. **중국식 학제의 모방 교육**: 경당, 화랑도는 우리 고유의 교육적 전통 유지
> 4. **문무 일치 교육**: 경당, 화랑도

1 고구려의 교육

1. 태학

최초의 관학 & 고등교육기관 ⇨ 학교교육의 효시(소수림왕 2년, 372년 - 『삼국사기』)

(1) **입학자격**: 상층 계급의 귀족 자제 ⇨ 15세 입학, 9년간 수학

(2) **교육목적**: 유교교육에 의한 관리 양성

(3) **교육내용**: 오경(시경, 서경, 예기, 춘추, 주역), 삼사(사기, 한서, 후한서), 삼국지, 진춘추(晋春秋), 옥편(玉篇), 자통(字統), 자림(字林), 문선(文選) ⇨ 경당이나 중국 태학의 기록에서 오경(五經) 등의 유학 경전이 주가된 것으로 추측

(4) **편제**: 조의두(皁衣頭, 태학의 책임자), 태학박사(교사), 조의선인(皁衣仙人, 학생)

(5) **성격**: 중국 고전(유교) 중심 교육, 전통 유지, 인격교육 중시

> **더 알아보기**
>
> **유교(儒敎)**: 중국 춘추시대 공자의 사상을 중심으로 형성
> 1. **춘추시대 제자백가(諸子百家) 사상 중 유가(儒家) 사상**: 현실적이면서도 개혁적인 이상을 추구하는 학파, 춘추시기 이전 서주(西周)시대의 정치질서를 이상화하는 입장 ⇨ 군주 중심의 도덕적 정치로의 회복 추구
> 2. 당시의 하극상적 혼란을 극복하기 위한 방법으로 각자의 사회적 지위에 따른 역할을 바르게 할 것을 주장
>   ① 정명론(正名論) **예** 군군신신부부자자(君君臣臣父父子子)
>   ② 인륜의 기본적 가치(가족윤리)인 효(孝)와 자(慈)를 사회적으로 확대
> 3. **인간관계의 기본적 가치**: 인(仁)
>   ① 인(仁)은, 곧 충서(忠恕)를 강조 ⇨ 인을 이룩한 인물이 군자
>   ② 수기치인(修己治人) 중시: 개인의 학문적 완성은 가정, 사회, 국가적 윤리로 확대
>   **예** 수신제가치국평천하(修身齊家治國平天下)
> 4. 유교적 이념은 국가의 지배적 이념으로 채택되기 쉬운 조건(치자의 학문+국왕을 정점으로 한 봉건적 통치체제를 정당화)으로 인해 왕권 강화를 위한 이데올로기적 기반으로 기능
> 5. **유교적 국가의 특징**: 인재 선발 장치로 과거제도 실시+인재 양성을 위한 국가 교육기관인 관학(官學) 설립 ⇨ 왕권 강화가 주된 목적

> 6. **유교적 교육공간의 의미**: 강학(講學)공간＋제향(祭享)공간
>   ① **강학공간**: 교수·학습 실시
>   ② **제향공간**: 선현(先賢) 공경 ⇨ 동양적 스승관과 상통하는 의미
> 7. **유교적 학습의 원리**
>   ① 자발성이 가장 중요하여 억지로 자라게 하는 조장(助長)을 하지 않음을 중시
>   ② **하학상달(下學上達)의 학습원리를 중시**: 구체적이고 일상적인 공부에서 시작하여 추상적이고 개념적인 공부로 나아감. ⇨ 소학(小學)을 먼저 학습. 경전의 학습순서는 '문자(文字) - 경(經) - 사(史) - 시부(詩賦)'로 전개, 선행학습 철저 후 새로운 내용으로 나아감[온고지신(溫故知新)].

2. 경당 22. 국가직, 03. 경북

최초의 사학, 지방에 설립 ⇨ 우리 고유의 학교 전통(장수왕, 5C)

(1) **입학자격**: 일반인의 미혼 자제

(2) **교육내용**: 통경(通經, 경서 읽기)과 습사(習射, 활쏘기) ⇨ 문무 일치 교육(신라 화랑도와 유사)

(3) **의의**: 서당의 전신(초등교육 담당), 중세 수도원 학교와 유사(초등~고등교육 담당)

> 일반 민중이 독서를 좋아하여 가난한 서민들까지도 각기 네거리마다 큰 집(扃堂)을 짓고 …… 미혼 자제들이 밤낮으로 여기 모여 글읽기와 활쏘기를 익힌다(俗愛讀書 至於衡門廝養之家 各於家衢造大屋 …… 子弟未婚之前 晝夜於比讀書習射). 그들이 읽은 책에는 오경(시경, 서경, 예기, 춘추, 주역), 삼사(사기, 한서, 후한서), 삼국지, 진춘추(晋春秋), 옥편(玉篇), 자통(字統), 자림(字林), 문선(文選) 등이 있었는데, 특히「문선(文選)」을 중시하였다.　　　　　　　　　　　　　－『구당서』동이 고려조(舊唐書 東夷 高麗條)

❷ 백제의 교육 − 학교에 관한 직접적인 기록이 없고 명칭만 전승

1. 박사제도

교육의 책임(敎學之任)을 맡은 관직(벼슬)의 이름, 유학에 정통한 학자들

(1) 고이왕 25년(8대, 285)에 박사 왕인(王仁)으로 하여금 일본에 『논어』와 『천자문』을 전했다(일본의「서기(書記)」).

　✐ 전래 시기에 관해서는 ① 근초고왕(13대, 346~375년 재위), ② 근구수왕(14대, 375~384 재위), ③ 아신왕 14년(17대, 404년) 등 다양한 학설이 존재함.

(2) 근초고왕 29년(364)에 고흥(高興)을 박사로 삼아『서기(書記)』를 짓게 하였다.

(3) 성왕 1년(523)에 양나라에 사신을 보내어 모시(毛詩, 시경)박사를 청해 왔다.

2. 내법좌평(內法佐平): 6좌평의 중앙관제 중 의례(儀禮)를 관장하는 관직 ⇨ 지금의 교육부 장관에 해당

3. **사도부**(司徒部): 중앙관청 부서(내관 12부, 외관 10부)의 하나로 학문과 교육을 담당하는 행정기관
   ⇨ 지금의 교육부에 해당

4. **도당유학**(渡唐留學): 인재를 당나라에 유학 보냈다는 기록이 있다.

③ 신라의 교육

1. **화랑도** 15. 지방직

   (1) **설립**: 상고시대 소도 제단의 무사[仙]에서 유래. 원화(源花), 국선(國仙), 풍류도(風流徒), 선랑(仙郞), 부루교단 등으로 불림. ⇨ 진흥왕 37년(576)에 조직화, 화랑도로 개편

   (2) **조직**: 국선화랑(國仙花郞, 총단장, 귀족 출신 1명) ⇨ 화랑(花郞, 각급 단장, 귀족 출신 3~8명) ⇨ 문호(門戶, 단부) ⇨ 낭도(郞徒, 단원, 평민 자제 참여 가능)

   (3) **성격**: 비형식적 사설 교육기관 ⇨ 국가 보조

   (4) **교육이념**: 신라의 고유사상(풍류사상 ⇨ 유오산수 무원부지)+외래사상(유·불·선)

   (5) **교육대상**: 14~18세의 상류층(왕족 또는 귀족) 자제 및 평민 자제들

   (6) **교육목적**: 문무(文武)를 겸비한 인재 양성 ⇨ 세속오계(世俗五戒)에 충실한 용감한 무인(武人)과 종교적·도덕적 실천인 양성

   (7) **교육과정**: 생활(경험) 중심 교육과정 ⇨ 『삼국사기』

   > "진흥왕 37년(576) 봄, 비로소 원화(源花)를 받들게 되었다. 처음에 군신이 인재를 알지 못함을 유감으로 여기어 사람들을 끼리끼리 모으고 떼 지어 놀게 하면서 그 행실을 보아 거용(擧用)하려 하여 드디어 미녀 2인을 가리었다. 하나는 남모(南毛)라 하고 하나는 준정(俊貞)이라 하며 도중(徒衆)을 300여 인이나 모았다. 두 여자가 서로 어여쁨을 다투고 시기하여, 결국 준정이 남모를 자기 집으로 유인해서 억지로 술을 권하여 취하게 한 후 끌어다 강물에 던져 죽여 버렸다. 준정도 사형에 처해지고 무리들은 화목을 잃게 되었다. 그 후 나라에서 다시 아름다운 남자를 뽑아 곱게 단장하여 이름을 화랑(花郞)이라 하여 받들게 하니 따르는 무리가 구름같이 모여들었다. 그들은 서로 도의(道義)를 닦기도 하고(相磨以道義, 지적 도야), 가락(歌樂)으로 즐거이 놀며(相悅以歌樂, 정서 도야) 명산과 대천을 돌아다니어 멀리 가보지 않은 것이 없었다(遊娛山水 無遠不至, 신체 도야). 이에 그들 중에서 나쁘고 나쁘지 않은 자를 알게 되니, 그중의 착한 자를 가리어 조정에 천거하였다."   - 『삼국사기』
   >
   > • 상마이도의(相磨以道義): 도의(道義 예 세속5계)로써 서로 닦는다. ⇨ 이성·인격 도야
   > • 상열이가락(相悅以歌樂): 시와 음악(예 향가)으로써 서로 즐긴다. ⇨ 정서 도야
   > • 유오산수 무원부지(遊娛山水 無遠不至): 명산(名山)과 대천(大川)을 찾아다니며 즐기고 멀리 가보지 아니한 곳이 없다. ⇨ 풍류사상, 심신 단련(국토순례), 직관교육, 비형식적 생활 교육

(8) 교육적 의의
① 전인교육 실시: 이성 도야(知)＋정서 도야(情)＋심신 단련(體)
② 경험(생활) 중심 교육과정: 실생활을 통한 교육, 비형식적 교육, 직관교육 중시
⇨ 생활윤리로서 '삼이(三異) 정신'[예 겸손, 검소, 순후(淳厚)] 강조
③ 서양 중세의 기사도, 신교육 운동기(19C 말~20C)의 후조(候鳥, Wandervogel, 국토애국 청년도보단)운동, 보이스카웃(Boy Scouts), 고구려 경당(扃堂)과 유사

2. 원효(617~686)

중도인(中道人 ⇨ 주체적 의식인, 물질과 허무에 집착치 않는 도덕인) 양성

(1) 교육사상
① 일심(一心)사상: 유심연기(唯心緣起)사상
㉠ 일심(一心)은 존재의 근본으로, 중생심(衆生心)을 의미한다.
㉡ 교육의 목적은 일심(一心)을 깨닫게 하는 것이며, 스스로의 수행이나 선지식의 도움과 영향을 받아 존재의 본질을 볼 수 없는 안정되지 못한 생멸심(生滅心)에서 진여심(眞如心)으로 나아가게 하는 것이다.
② 화쟁(和諍)사상: 평화애호사상(협동과 봉사의 동포주의 교육) ⇨ 『십문화쟁론』(여러 종파의 융합 시도. '통불교', '원융불교')
㉠ 어느 한 종파나 사상에 치우침 없이 전체의 입장에서 조화를 취하는 것을 말한다.
㉡ 통일과 평화, 화합의 사상으로 이어져 통불교적 전통 수립의 바탕이 되었다.
③ 무애(無碍)사상
㉠ 걸림과 차별이 없다는 것으로 사상적으로는 화쟁사상에서 드러나며, 실천적으로는 성속(聖俗)의 차별적 대립을 타파하려는 것이다.
㉡ "일체의 걸림이 없는 사람은 단번에 생사를 벗어난다."는 표현처럼, 화쟁사상의 결과로 도출되는 대자유의 실천을 말한다.
㉢ 불교의 대중화 노력: 시민(대중)교육, 교양교육의 선구 ⇨ 「무애가(無碍歌)」를 지어 포교, 불교의 생활화

(2) 교육방법
① 자학자습(自學自習)에 의한 내적 자각(자율학습) 강조: 잠심자득(潛心自得, 이황), 자기주도적 학습(Knowles), 비연속적 교육(Bollnow), A-ha 현상(통찰, Köhler)
② 훈습(薰習, working through): 『대승기신론소』
㉠ '배어듦', 즉 향 냄새가 옷에 밸 정도로 습관을 들인다는 뜻
㉡ 교육적 함의: 교사와 학습자가 상호작용하여 서로를 변화시키는 교육적 관계 ⇨ 교사의 올바른 교육적 행위가 학습자에게 물들게 하는 것으로써의 교육적 영향력, 감화력을 의미[교사의 올바른 행위를 보고 듣기만 해도 학생들에게 착한 마음씨인 '진여(眞如)'가 형성된다.]

③ **방편설(方便說)**: 수기설, 대기설법, 차제설법
　㉠ 상대방의 지식과 이해력의 정도에 맞춰 교육하는 것으로 개인차에 맞는 교수법을 말한다.
　㉡ 환자에 따라 병에 적합한 약을 주는 것을 비유해 응병여약(應病與藥)이라고도 한다.
　㉢ 중생의 이해 및 인식의 수준(根氣)에 맞추어 그들이 이해할 만한 내용들을 방편으로 계열화하여 가르치는 것이다.
　　예 근기가 낮은 중생들에게는 '나무아미타불'의 6자 염불 방법을 널리 전파하였다.
④ **무애가(無碍歌)**: 시청각적 교육방법의 효시 ⇨ 민중교화의 원리
⑤ **실천궁행(實踐躬行)**: 옳다고 믿는 바는 어떤 비난과 고난을 겪더라도 실천에 옮긴다.

3. 설총(655~?)

(1) **군왕교육 중시**: 「화왕계(花王戒)」 ⇨ 비유적 방법을 사용, '꽃'을 의인화하여 쓴 가전체(假傳體) 작품

(2) 군왕의 자질로 유덕선정(有德善政)의 이념을, 신하의 자질로 정직인(正直人)을 제시

4. 최치원(857~?)

유교·불교·도교 종합 수용 ⇨ 화랑도 사상(낭가사상) 계승

신라의 교육사상가

사상가	인간상	이념	방법
원광	문무겸비(文武兼備)의 화랑	충·효·신·용(勇)·관(寬) ⇨ 세속 5계	심신 단련
원효	중도인(中道人) - 주체적 의식인	화쟁(和諍)사상	시청각 방법(무애가)
설총	정직인(正直人)	유덕선정(有德善政) ⇨ 군왕(君王)교육	비유적 교육(화왕계)

제3절 | 남북국시대의 교육

1 통일신라의 교육

1. 국학(國學) – 국립 고등교육기관, 국내의 역사 기록에서 운영규정을 확인할 수 있는 최초의 대학

(1) **개요**: 국립 유교대학(신문왕 2년) 19. 지방직
　① 문묘(文廟)를 설치한 최초의 학교: 성덕왕 16년(717)에 당으로부터 김수충(金守忠)이 공자, 십철(十哲), 72제자의 화상(畵像)을 모셔 와 안치하고 처음으로 예를 행함.
　② 당(唐)의 국자감 제도 모방

(2) **설립**: 신문왕 2년(682) ⇨ 예부(禮部)에서 관리
(3) **목적**: 국가의 인재 양성(관리 양성)과 유교이념의 보급(문묘 향배)
(4) **입학자격 및 수업연한**
   ① 15~30세까지의 귀족 자제 입학: 무위자(無位者, 관직에 오르지 않은 자)로부터 대사(大舍, 12등급)까지의 귀족 자제들
   ② 수업연한은 9년으로서 실력이 저능(低能)한 자는 퇴학
   ③ 장학금(녹읍, 祿邑) 및 당(唐) 유학(10년 기간) 혜택, 졸업 시 성적에 따라 관직(10~12등급) 부여
(5) **직제**: 경(총장 또는 학장), 박사(교수), 조교(교수 보조), 대사와 사(행정 보조)
(6) **교육내용**: 『논어(論語)』와 『효경(孝經)』은 필수교과, 3분과제 운영, 최초로 기술과 교육 실시

유학과	교양과목	『논어』, 『효경』 ⇨ 필수
	전공과목	제1분과(『예기』, 『주역』), 제2분과(『춘추좌씨전』, 『모시』), 제3분과(『상서』, 『문선』)
기술과(잡과)		『논어』, 『효경』 + 의학, 율학, 산학, 천문학

> **더 알아보기**
>
> 『논어(論語)』와 『효경(孝經)』 21. 지방직
> 1. 『논어(論語)』: 유가(儒家)의 성전(聖典)으로 사서(四書) 중의 하나, 중국 최초의 어록(語錄) ⇨ 공자와 그 제자와의 문답(問答)을 주로 하고 공자의 언행(言行)을 모아 만든 책
> 2. 『효경(孝經)』: 공자와 증자(曾子)가 효도에 관하여 문답한 것을 기록한 책 ⇨ 부모에 대한 효도를 바탕으로 집안의 질서를 세우는 일이 치국(治國)의 근본임을 강조

2. **독서삼품과**(독서출신과) ⇨ 원성왕 4년(788)에 설치
   (1) **국학의 졸업시험, 문관 등용 방법**: 최초의 평가제도 ⇨ 과거제도의 예비
   (2) 중국 한대(漢代)의 향거이선법(鄕擧里選法), 위진 남북조시대의 9품중정제(九品中正制)와 유사
   (3) **유학의 독서능력**(유학지식의 고·하)**에 따라 상·중·하품으로 구분**
      ① **특품**: 『오경』, 『삼사』, 『제자백가서』에 모두 능통한 자는 각 단계를 뛰어넘어 발탁('초탁'이라고 함.)
      ② **상품**: 『춘추좌씨전』이나 『예기』, 『문선』을 읽고 그 뜻에 능통하고 『논어』·『효경』에 밝은 이
      ③ **중품**: 『곡예(예기)』·『논어』·『효경』을 읽은 사람
      ④ **하품**: 『곡예』·『효경』을 읽은 사람
   (4) **교육사적 의의**
      ① 인재 등용방식의 변화: 인물 본위에서 실력·시험 본위로의 변화
      ② 신라사회의 권력 교체: 골품제도의 붕괴 ⇨ 정치의 문무 교체로 인한 봉건화

2 발해의 교육

1. **중앙 정치조직인 3성 6부 중 '의부'에서 교육 담당**
2. **주자감**(胄子監): 관학, 고등교육기관, 당나라의 영향 ⇨ 귀족 자제 대상, 유교경전 교육
3. **여사**(女師)**제도**
   (1) 모(姆), 여부(女傅) 등과 함께 중국 고대 궁중의 여자 스승을 일컫는 말
   (2) 발해 왕족의 여성교육을 담당했던 여자 스승을 지칭

   > "(공주는) 어려서부터 여 스승(女師)의 가르침을 받아 능히 문왕의 어머니인 태임(太任)과 비견될 수 있었다. 또 항상 여학자인 반소(班昭)의 풍모를 흠모하여 「시」를 독실하게 익혔고, 「예」 공부를 즐거워했다."
   > — 문왕의 넷째 딸 정효(貞孝)공주의 묘비

제4절 고려시대의 교육

1 개관

1. **유관불심**(儒冠佛心)**의 시대**: 유교는 통치윤리, 불교는 민간신앙
2. **신라와 당나라의 교육제도 답습·모방**
3. **문치주의**(文治主義): 무과(武科)교육은 거의 실시하지 않음.
4. **과거제도를 통한 관리 양성이 교육목적**
5. **사립학교 설립 활성화**: 12공도, 서당 ⇨ 공교육 활성화 방안(관학진흥책) 추진
6. **외국(송)과의 학문 교류 활발**: 유학생 파견 ⇨ 주자학 도입

2 학교제도 14. 국가직 7급, 08. 국가직

1. **관학** 25. 국가직

   국자감 이전의 교육제도

   - **학원**: 6부의 관리 양성, 서경에 설치, 재원은 학보(學寶)
   - **유경습업**(留京習業): 지방 인재 육성 방법 ⇨ 기인제도
   - **권학관**: 전국 12목에 박사를 파견, 지방 자제 교육 담당
   - **수서원**(修書院)·**비서원**(秘書院): 성종 때 서경에 설치한 도서관 cf. 조선(존경각)

(1) **국자감**(國子監) : 국립종합대학 및 국학향사(國學享祀)의 효시 예 최치원, 설총을 문묘에 배상하여 제사 지냄.) ⇨ 인재 양성이 목적 25. 지방직, 11. 국가직

✐ 국자감은 과거제도 실시(4대 광종 9년, 958) 이후인 성종 11년(6대, 992)에 창립되었고, 16대 예종과 17대 인종에 이르러서 새로운 발전의 전기를 이루게 된다.

① 철저한 문치주의 원칙과 신분에 따라 입학자격을 엄격히 제한
② 조직 : 문묘(文廟), 돈화당(강학), 재(齋, 기숙사)
③ 직제
   ㉠ 관리직 : 판사(최고책임자, 예종 때 대사성으로 개칭), 제주(실질적 관리 책임), 사업(司業, 학문연구 총괄)
   ㉡ 교수직 : 박사, 조교
④ 교육내용 : 경사 6학(신분에 따른 구분) ⇨ 초기에는 유학과 위주, 후기에 잡학과 설치

국자감의 교육과정

구분	학교명	입학자격	교육내용	교사	정원	수업연한
유학과 (경학)	국자학	문무관 3품 이상 자손	• 공통 필수 : 『논어』, 『효경』 21. 지방직 • 전공과목 : 『주역』, 『상서』, 『주례』, 『예기』, 『의례』 등 9경	• 박사 • 조교	각 300명 (시대에 따라 증감)	9년
	태학	문무관 5품 이상 자손				
	사문학	문무관 7품 이상 자손				
잡학과 (기술과)	율학	문무관 8품 이하 자손, 서민 자제, 문무관 7품 이상 자손 중 원하는 자	율령(律令) : 법률 집행	박사	율학 40명, 서·산학 각 15명	6년
	서학		팔서(八書) : 문서 정리			
	산학		산수(算數) : 회계 관리			

✐ **교육과정의 변화**(고려~조선) 경사 6학(고려 초) ⇨ 문무 7재(예종) ⇨ 9재(공민왕) ⇨ 9재지법(조선 성균관)

⑤ 국자감(관학) 진흥책
   ㉠ 성종(6대) : 도서관(수서원, 비서원) 설치 ⇨ 학술 진흥
   ㉡ 숙종(15대) : 출판 전담기관인 서적포 설치
   ㉢ 예종(16대) : 문무 7재(유학 6재+무학 1재), 양현고(장학재단), 학문연구소(청연각, 보문각)
      ⓐ **문무 7재 운영**(교육내용에 따른 구분) : 유학 6재와 무학 1재로 구성된 교과별 전문 강좌인 문무 7재(七齋)를 운영하여 문무 일치 교육을 도모하였다.

구분	재(전문강좌)명과 강의 분야	인원
유학(6재)	여택재(주역 또는 역경), 대빙재(상서 또는 서경), 경덕재(모시 또는 시경) 구인재(주례), 복응재(대례 또는 예기), 양정재(춘추)	70명
무학(1재)	강예재 ⇨ 북방민족인 여진족 침입 대비로 개설	8명

      ⓑ **양현고 설치** : 장학재단인 양현고를 설치하여 교육 재정을 확충하였다.
      ⓒ **국자감의 위상 강화** : 국자감의 위상을 재정립하기 위해 지금까지 아무런 제약이 없었던 과거 응시자격을 국자감 3년 의무수학으로 바꾸어 놓았다. ⇨ 공교육의 정상화

ⓓ 삼사(三舍)제도 실시: 국자감의 편제를 외사(外舍)·내사(內舍)·상사(上舍)로 구분하고 교육의 성과에 따라 승급하는 삼사(三舍)제도를 실시하였다.

ⓔ 교육연구기관(학문연구소)인 청연각(궁궐 안)과 보문각(궁궐 밖) 설치

ⓒ 인종(17대): 식목도감(拭目都監)을 설치하고 '학식(學式)'을 상정하여 국자감의 구체적인 학규(學規)를 제정 ⇨ 경사육학(京師六學) 체제 확립

ⓓ 공민왕(31대): 9재 설치

(2) **학당**(學堂): 문묘 없음(순수 교육기관), 동서학당(24대 원종 2년) ⇨ 5부학당(34대 공양왕 3년, 정몽주의 건의로 개경의 동·서·남·북·중앙의 5개 지역에 설치, 북부는 설치되지 못함.) 08. 충남·충북

(3) **향교**(鄕校): 공립학교의 시초, 문묘 있음, 서인에게 입학 허용 ⇨ 불교이념의 전파 차단이 목적
① 설립: 그 설립 연대는 확실치 않으나 일반적으로 인종 때로 보는 것이 유력하다.
㉠ 성종: "승지(勝地)를 얻어 서재(書齋)를 널리 운영하였다."(성종 11년), 「고려사(高麗史)」
⇨ 유경습업제도, 권학관 제도 등을 실시하여 지방교육의 기틀을 마련
㉡ 예종: 수령(守令)의 임무 중 '수명학교(修明學校)'라는 학교(사) 관리조항을 신설하여 지방교육 진흥을 위해 노력하도록 촉구
㉢ 인종: "여러 주에 학교를 세워 널리 백성을 교도하라."(인종 5년, 1127)
② 성격: 지방에 설립된 중등수준의 관학(官學) ⇨ 공립학교의 시초
③ 교육목적: 유학의 전파(교육기능)와 지방민의 교화(봉사기능) ⇨ 문묘(文廟)를 설치하여 불교 이념의 전파를 차단하고 유교이념을 전파. 교육기관이자 제사기관임.
④ 입학자격: 문무관 8품 이상의 자녀와 서인에게 입학 허용
⑤ 구성: 공자를 향사(享祀)하는 문묘(文廟)와 강학(講學)을 하는 명륜당(明倫堂)으로 구성

(4) **십학**(十學): 기술학 교육 담당
① 등장배경: 국자감이 유학 전문기관인 성균관으로 변경되면서, 국자감의 율·서·산학이 해당 관서로 이관되어 십학으로 통합(공양왕 원년)
② 교육내용: 예학(禮學), 악학(樂學), 병학(兵學), 율학(律學/전법사), 자학(字學), 의학(醫學/태의감, 전의시), 풍수음양학(風水陰陽學/태사국, 서운관), 이학(吏學), 역학(譯學/통문관), 산학(算學/판도사)

2. **사학**

(1) **12공도**(十二公徒)

① 개요
㉠ 고려시대 개경에 있었던 12개의 사립 고등교육기관(사립대학)으로, 그 최초는 최충이 설립한 9재학당(문헌공도)이며, 나중에 설립된 11도를 합하여 통칭하는 말이다.
㉡ 등장 배경은 계속된 전쟁으로 인한 국자감의 부진과 과거에 치중한 사회풍조, 향학(鄕學)의 불비(不備) 등의 사회적 배경과 사학(私學)의 조직적인 운영방식을 들 수 있다.
㉢ 하나의 학풍과 학벌을 형성하면서, 관학인 국자감이 부진하고 향교와 학당이 수립되기 전의 고려 문화와 유교 교육에 큰 공헌을 하였다.

ㄹ. 예종의 국학부흥정책으로 인해 교육적 기능이 중등 수준으로 약화되었고, 고려의 마지막 왕인 공양왕 3년(1391)에 폐지되었다.

도명(徒名)	설립자	최종 관직	도명(徒名)	설립자	최종 관직
문헌공도	최충	대사중서령	문충공도	은정	시중
홍문공도(웅천도)	정배걸	시중	양신공도	김의진, 박명보	평장사
광헌공도	노단	참정	충평공도	류감	시랑
남산도	김상빈	좨주(祭酒)	정헌공도	문정	시랑
정경공도	황영	평장사	서시랑도	서석	시랑
서원도	김무체	복사(僕射)	귀산도	?	?

② 최충의 9재학당(문헌공도)
　㉠ 11대 문종 7년(1053) 최충이 설립 : 거란과 수차에 걸친 전쟁으로 국가에서 교육에 관심을 기울일 여유가 없자 최충은 교육적 문제를 해결하기 위해 사학을 개설하였다.
　㉡ 9재학당은 최충이 학반(學班)을 9재로 나눈 데서 비롯된 것으로, 유학 경전을 단위로 하여 악성(樂聖), 대중(大中), 성명(誠明), 경업(敬業), 조도(造道), 솔성(率性), 진덕(進德), 대화(大和), 대빙(待聘)으로 구분하였다.
　㉢ 교육목적은 인의(仁義)와 인륜도덕이었다.
　㉣ 교육방법은 하과(夏課, 하계강습회), 각촉부시(刻燭賦詩, 모의과거시험), 조교제도 등을 들 수 있다.

③ 설립과 감독
　㉠ 12도는 개인에 의해 설립되었으나 국가에서 교육을 감독했다.
　㉡ 인종 11년(1133)에는 각 도(徒)의 학생이 소속된 문도에서 이탈하여 다른 문도로 옮기면 동당감시(東堂監試)에 응시할 자격을 박탈하여, 함부로 다른 문도로 전학할 수 없게 하였다.

④ 교육목적 : 인격 완성과 과거 준비 ⇨ 일종의 과거시험 준비 교육기관 내지는 관리 양성소의 기능을 담당

⑤ 교육내용 : 9경(九經)과 삼사(三史) 및 제술(製述) 등을 주로 하고, 시부(詩賦)와 사장(詞章)도 가르쳤다.
　△ 9경과 3사　9경은 5경(시경, 서경, 역경, 예기, 춘추좌씨전)에 4경(의례, 주례, 춘추공양전, 춘추곡량전)을 합한 것이며, 3사는 사기, 한서, 후한서인 것으로 보고 있다.

(2) 서당(書堂)
① 일반 민중의 교육기관, 사설 초등교육기관, 전국에 산재 ⇨ 향선생(鄕先生)이 지도
② 서당(書堂)의 명칭은 기록에 보이지 않으며, 경관(經館)과 서사(書舍) 등으로 불리었을 것이라고 추측된다.

> "마을의 거리에 경관(經館)과 서사(書社)가 두셋씩 서로 마주보고 있어, 백성들의 미혼 자제가 무리를 지어 머물며 스승을 모시고 경(經)을 배운다. (중략) 또한 어린 아이들도 향선생(鄕先生)에게 가서 배운다. 아아, 성(盛)하도다!"
> ―『고려도경』(서긍, 1124)

(3) 서재(書齋)

① **성격**: 사대부의 개인 독서실, 가내(家內)에 한정된 폐쇄적 형태의 가학(家學) ⇨ 고려 후기에는 외부인에게 개방·확대된 교육기관의 성격을 지닌 사학 교육기관으로 변화
② **유형**: 교화형 서재(유학의 기본교육이나 유교 도덕교육 실시), 과업형 서재(문과시험 준비), 위학형 서재(성리학의 이론 탐구)
③ **의의**: 여말 관학교육 기능이 약화된 향촌사회의 유학교육 보강, 과업(科業)교육의 수행에 주도적 역할 담당, 성리학의 발달에 공헌

3 과거제도

광종 때(958) 후주의 귀화인 한림학사 쌍기의 건의로 실시 ⇨ 능력 본위의 관리등용제도

1. 과목

(1) 문과(명경과, 제술과)·승과·잡과만 실시 ⇨ 명경보다 제술 중시(경학보다 문학을 숭상)

(2) **무과 없음**: 숭문천무사상(崇文淺武思想)의 결과

과거 구분		목적	과목의 종류와 학교교육
문과	제술과 (진사과)	문관 등용	시(詩), 부(賦), 송(誦), 책(策), 논(論) 등의 문예시험 ⇨ 논술시험(written test) / 국자학, 태학, 사문학
	명경과 (생원과)	문관 등용	서경(書經), 역경(易經), 시경(詩經), 춘추(春秋), 예기(禮記) 등의 유교 경전 시험 ⇨ 구술시험(oral test) / 향학
잡과(의복과)		기술관 등용	명법업(明法業, 율학), 명서업(明書業, 서학), 명산업(名算業, 산학), 주금업(呪禁業, 향학), 의업(醫業, 의학), 지리업(地理業, 복학)
승과		승려 선발	교종시와 선종시

2. 방법

(1) **초기**: 단층제(1차 시험)

(2) **후기**: 3층제 실시(공민왕 때 이색의 주장) ⇨ 원나라의 제도 모방
① 과거체제의 일원화: 향시(鄕試, 지방) ⇨ 감시(監試) 또는 회시(會試, 서울) ⇨ 전시(殿試, 국자감)의 3단계로 실시
② 시·문장(문학) 중심의 사장학(詞章學)보다 유교경전 중심의 경학(經學)을 중시
③ 전시(殿試)가 정규화되어 왕권의 영향력이 강화됨.

3. 특징

(1) **좌주문생제도**: 지공거(은문)와 문생(門生, 급제자)이 부자(父子)의 예(禮)를 갖춤. ⇨ 문벌 형성의 배경

(2) **과거제도와 학교교육은 밀접하게 관련**: 학교의 학과목과 과거의 시험과목은 동일 ⇨ 학교는 과거시험 준비기관으로 전락

(3) **별칭**: 동당감시(東堂監試) ⇨ '동당'은 예부(과거 관장), '감'은 국자감으로 예부(禮部)의 주관하에 국자감의 넓은 뜰에서 실시한 데서 유래된 말

(4) **삼장연권법**(三場連卷法): 초장에 불합격하면 중장, 중장에 불합격하면 종장에 응시할 수 없게 하는 제도

(5) **과거제도의 예외** 09. 경기

구분	내용
음서제도 (蔭敍制度)	• 조상의 음덕(蔭德)으로 그 자손이 관리가 될 수 있게 한 제도 ⇨ 문벌(文閥) 형성의 배경 • 부(父)나 조부(祖父)가 관직생활을 했거나 국가에 공훈(功勳)을 세웠을 경우에 그 자손을 관리가 될 수 있게 한 제도: 5품 이상인 관리의 자제들에게 과거 없이 관직에 등용하게 한 제도
천거제도 (薦擧制度)	학식과 재능, 덕행이 뛰어났으면서도 가세(家勢) 등이 미약하여 벼슬에 오르지 못하고 있는 인물을 추천에 의해 특별히 등용하는 제도
성중애마 (成衆愛馬)	내시(內侍)와 숙위(宿衛) 등 왕을 가까이 모시는 특수 직책을 이용해 고위관직으로 진출할 수 있게 하는 보선(補選)제도
남반(南班)· 잡로(雜路)	하급관리가 고위직으로 진출할 수 있게 한 제도 ⇨ 고려 후기의 신분제 동요에 따른 상황을 반영한 제도

4. 응시자격

(1) **양민**(良民)**이면 누구나 응시 가능**: 평민에게는 10번, 관리에게는 5번의 응시 기회 부여

   cf. 부모의 상중(喪中)에 있는 사람은 상(喪)이 끝날 때까지 응시 불가

(2) 승려는 승과만 응시 가능

5. 영향

(1) **긍정적 의의**: 능력 본위의 관리등용이 가능해짐.

(2) **부정적 의의**

   ① 학교가 과거시험 준비기관으로 전락
   ② 유교경전을 암기하는 주입식 교육풍토 조성
   ③ 사대주의(事大主義) 및 상고주의(尙古主義) 경향의 심화
   ④ 과도한 경쟁으로 부정부패 조성
   ⑤ 시험과목의 제한으로 인한 폭넓은 사상의 발전 저해

4 고려의 교육사상가

사상가	교육목표	교육사상
최충 03. 전북	성신(聖臣), 양신(良臣), 충신(忠臣), 지신(智臣), 정신(貞臣), 직신(直臣)의 6정 신상 ⇨ 신하의 올바른 태도	• 해동공자(海東孔子)라 불림. ⇨ 9재학당(문헌공도) 설립 • 각촉부시(刻燭賦詩): 속작시(速作詩), 흥미유발 방법, 모의과거 • 조교제도 • 하과(夏課): 계절에 따른 절기 수업, 승방(僧房)에서 실시
안향 05. 강원	극치성경인 양성	• 흥학양현(興學良賢): 국학 부흥+장학 ⇨ 주자학(『주자전서』) 도입, 섬학전(양현고 기금 확충) 제도 • 지행합일설: 수행의 핵심을 실천의 도에 둔 실천적 윤리 강조
이색 07. 서울	문무겸비인 양성	• 불심유성동일사상(佛心儒性同一思想) • 과거에 무과(武科) 설치 주장 • 5단계 교수법: 본문 강의 ⇨ 의문 논란 ⇨ 이동(異同)의 분석과 판별 ⇨ 이치(理致) 절충 ⇨ 주지(主旨)에 합치
정몽주	충군신의인 양성	• 『중용』과 『대학』 중시 • 박학심문: 해박한 지식을 바탕으로 논리적으로 교수
지눌	진심인 양성 ⇨ 공부는 마음을 닦아 진심(眞心)을 찾는 과정[반조(返照)의 논리]	• 돈오(頓悟, 비연속적 교육)+점수(漸修, 연속적 교육) • 정혜쌍수(定慧雙修): 정(定)과 혜(慧)의 공부 과정을 함께 중시 ⇨ 선(禪, 실천문)을 닦는 선정(禪定)과 교(敎, 지식・이론문)를 공부하는 혜학(慧學)은 병행되어야 한다. ≒ 학사병용(學思竝用) - 공자

✎ **반조(返照)의 논리** 인간은 누구나 지우선악(智愚善惡)을 막론하고 '마음'을 가지고 있어, 회광반조(廻光返照)에 의하여 자신의 마음이 곧 부처임을 문득 깨닫는 것을 의미한다.

제5절 조선시대의 교육(Ⅰ): 조선 전기의 교육

1 교육이념 - 성리학(性理學)

1. 개념

우주의 근원(이기론)과 인간의 심성 문제(심성론, 4단7정론)를 형이상학적으로 해명하려는 철학

2. 유사 개념

이학(理學), 주자학(朱子學), 송학(宋學), 도학(道學)

3. 궁극적 목표

성인(聖人)이 되는 것 ⇨ 현실적으로는 군자(君子)

4. 실천 방법

(1) **존심양성(存心養性)**: 항상 선한 마음을 가지고 천부의 본성을 기름(性卽理).

(2) **궁리(窮理)**: 거경궁리(居敬窮理) ⇨ 경(敬)의 자세로 지식을 확실히 함.

5. 교육내용: 사서오경 ⇨ 오경(五經)보다 사서(四書)를 중시

✎ 「대학」(예기 42장)과 「중용」(예기 31장) 5경의 하나인 「예기(禮記)」(총 49장으로 구성)의 일부를 주희(朱熹)가 별개의 책으로 편찬한 것이다. 특히 「대학」은 「소학」에 대응한 대학 교육의 목적과 방법을 분명히 한 책으로, 강령(綱領)과 조목(條目)이 뚜렷이 제시되어 있고 체계가 엄밀하여 의론체(議論體)인 「논어」와 「맹자」와 차별화된다. 교육의 목적인 3강령[명명덕(明明德), 신민(新民), 지어지선(止於至善)]과 그 달성하는 방법인 8조목[격물(格物), 치지(致知), 성의(誠意), 정심(正心), 수신(修身), 제가(齊家), 치국(治國), 평천하(平天下)]을 제시하면서 「시경」과 「서경」 등의 말을 인용하여 해설하고 있다.

(1) 『**대학(大學)**』: 철학서 ⇨ 유학의 입문서, 수기치인(修己治人)의 원리 규명

(2) 『**논어(論語)**』: 도덕론 ⇨ 유교사상의 뿌리

(3) 『**맹자(孟子)**』: 정치론 ⇨ 유교사상의 발현, 왕도정치(王道政治)의 이상

(4) 『**중용(中庸)**』: 철학서 ⇨ 유학의 결론

> **예** "하늘이 명(命)한 것을 성(性, 성품)이라 하고, 성품에 따르는 것을 도(道)라 하고, 도를 닦는 것을 교(敎)라고 한다."

2 학교제도 13. 국가직 7급, 10. 충북·부산

1. 관학 24. 국가직 7급

(1) **성균관**: 국립 고등교육기관 ⇨ 인재 및 고급관리 양성, 유교이념의 보급 16·13. 국가직, 12. 경기, 10. 경남, 06. 부산

> **더 알아보기**
>
> 성균관의 명칭: 태조 7년(1398), 지금의 성균관 자리에 건립
> 1. **명칭의 의미**: 인재를 양성하고, 풍속(風俗)을 고르게 하는 곳
> 2. **명칭 변화 과정**: 경학(고려 태조) ⇨ 국자감(성종) ⇨ 국학(예종) ⇨ 성균관(충렬왕, 최초로 사용) ⇨ 국자감(공민왕) ⇨ 성균관(공민왕 11년, 1362)
> 3. **유사 명칭**: 태학(太學, 최고의 학교), 국학(國學, 국가의 학교), 반궁(泮宮, 제후지역의 학교), 수선지지(首善之地, 선을 행하는 최고의 터), 현관(賢關, 현명한 인물을 양성하는 기관), 근궁(芹宮, 학교)

① 입학자격

생원과 진사 (정식 입학)	소과 합격자, 200명 정원 ⇨ 상재생(上齋生)
승보생(陞補生)	사학(四學) 성적 우수자, 음서제도(공신 자손, 2품 이상 관리의 자제) ⇨ 하재생(下齋生)

② **학습순서**: 구재지법(단계적 학습: 대학 – 논어 – 맹자 – 중용 – 예기 – 춘추 – 시경 – 서경 – 역경)

   [cf.] 이익: 맹자 – 대학 – 논어 – 중용(∵ 맹자가 시기적으로 가깝고 증거가 명백하며 현저한 사실에서 출발하기 때문)

③ **교육내용**: 강독(講讀), 제술(製述), 서체(書體)

강독(講讀)	• 교재는 사서오경 • 노장(老莊), 불서(佛書), 백가자집(百家子集)은 잡서(雜書)로 인정하여 독서 금지
제술(製述)	초순에는 의(疑)·의(義)·논(論)을 짓고, 중순에는 부(賦)·표(表)·송(頌)을 지으며, 하순에는 대책(對策)·기(記)를 지음.
서체(書體)	해서(楷書)만을 사용

④ **평가**: 일고(日考, 매일 추첨하여 유생이 읽는 글을 장부에 기록), 순고(旬考, 10일에 한번, 즉 초순, 중순, 종순에 실시), 월고(月考, 매월 1회 실시), 연고(年考, 3월 3일과 9월 9일에 시행하는 것이 원칙) ⇨ 대통(大通), 통(通), 약통(略通), 조통(粗通) 등 4단계로 평가하고 조통 이하는 벌함(불통). 10. 서울

대통(大通)	끊어읽기가 분명하고 뜻풀이가 정통하여 여러 책을 넘나들며 막힘이 없음.
통(通)	끊어읽기가 능하고 한 경전에서 뜻풀이가 자세함.
약통(略通)	끊어읽기가 능하고 한 경전의 한 장의 뜻이 통함.
조통(粗通)	끊어읽기가 능하고 한 장(章)의 대충의 뜻도 통했지만 자세히 알지 못함.

⑤ **자치활동 인정** 06. 서울

재회(齋會)	유생들의 모임(학생회) ⇨ 대표는 장의(掌議)
정치적 의사표현	유소(儒疏)제도 ⇨ 소두(疏頭)가 지휘
단체행동	권당(단식투쟁, 시험거부), 공재(空齋, 수업거부 또는 기숙사에서 나와 철야농성), 공관(자퇴결의, 동맹휴학)

⑥ **교관**: 대사성(최고 책임자), 학정(유생의 품행 지도)

⑦ **특징**: 소학 – 대학계제론, 강제시비[강경(구술, 면접시험)+제술(논술시험), 제술이 우세], 오경 < 사서

⑧ **교육 관련 법규** 10 · 07. 경남, 05. 충북

   ㉠ 「**학령(學令)**」: 성균관의 학칙, 유생의 일과, 상벌, 퇴학규정 ⇨ 조선 최초의 학교법규 18 · 14. 지방직

> • 매달 초하룻날, 의관을 갖추고 문묘에 가서 알성(謁聖)하고 사배례(四拜禮)를 행한다.
> • 책을 읽을 때는 먼저 글의 대의(大義)를 파악하고 그것을 응용할 줄 알아야 하지 글귀 자체에 얽매여서는 안 된다. 항상 사서오경과 역사서만을 읽어야 하며, 노장(老莊), 불서(佛書), 백가자집(百家子集) 등을 가까이하는 자는 벌한다.
> • 문체는 간결하고 정확하여야 하고, 기괴하거나 편벽되어서는 안 된다. 문체가 경박하고 야비함을 드러내는 자는 퇴학시킨다. 또 해서(楷書)로 쓰지 않으면 벌한다.

> - 고담이론(高談異論)을 좋아하는 자, 조정을 비방하는 자, 스승을 모독하는 자, 권세에 아부하는 자, 주색(酒色)을 말하는 자는 벌한다.
> - 오륜을 범하는 자, 절개를 굽히는 자, 교언영색(巧言令色)하는 자, 사치한 자는 퇴교시킨다.
> - 매월 초 8일과 23일은 옷을 세탁하는 날로 허락한다. 이 날은 예전에 배운 것을 복습해야지, 활쏘기·장기·바둑·사냥·낚시로 유희해서는 안 된다. 어기면 벌한다.
> - 조행(操行)이 단정하여 모범이 되고 시무(時務)에 통달한 자 한두 사람을 서로 의논하여 뽑아 학관에게 알리고 예조에 보고하여 관리로 등용하게 한다.

✐ 「학령」의 미비점을 보완하여 율곡 이이는 「학교모범(學校模範)」을 저술하였다.

ⓒ 원점절목: 성적평가 규정, 300점 이상이면 대과 응시 가능 ⇨ 출석제도(到記), 학교교육의 정상화 방안 19. 국가직

ⓒ 구재학규: 학습순서 ⇨ 오늘날의 '교육과정(curriculum)'에 해당

ⓔ 제강절목: 학생정원 규정, 200명

⑨ 부속시설

ㄱ) 명륜당(강의실)

ㄴ) 동재·서재(상재·하재, 기숙사)

ㄷ) 존경각(도서관)

ㄹ) 양현고(교육재정 비축 & 후생복지시설)

ㅁ) 비천당(과거시험장소)

ㅂ) 육일각(대사례 실시, 예절교육)

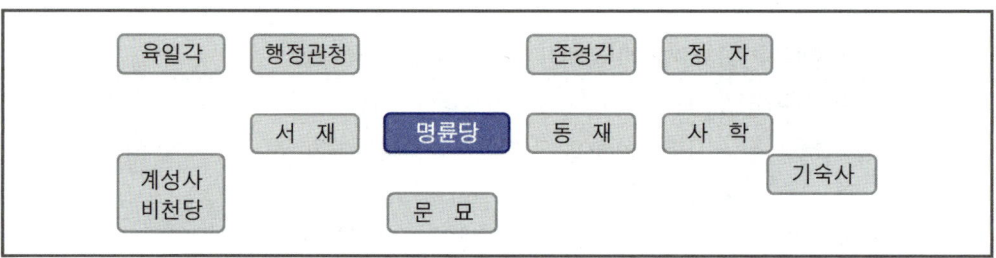

(2) **사학(四學)**: 성균관 부속 중등교육기관, 관급(官給), 전원 기숙사 생활 11. 서울, 09. 국가직

① 『소학』* 필수, 양반과 서민자제 입학, 100명 정원 ⇨ 성균관 진학(소과) 준비

> "소학은 인륜지도에 지극히 필요한 책이니 다른 어떤 책보다도 먼저 배워 익히며, 완전히 익힌 다음에 다른 책을 읽히도록 하며, 생원 시험에 지원하는 사람은 누구나 이 책을 통달하였는지의 여부를 확인하고서 응시하게 하여야 한다."
> — 『권학사목』(권근)

✐ 「소학(小學)」 중국 송대 주자의 제자 유자징이 편찬한 유학입문서. 내편 4편[입교(立敎), 명륜(明倫), 경신(敬身), 계고(稽古)]과 외편 2편[가언(嘉言), 선행(善行)] 총 6편 19장으로 구성 ⇨ 「소학」에 상응하는 유학입문서로는 추적의 「명심보감(明心寶鑑)」, 율곡 이이의 「격몽요결(擊蒙要訣)」, 이덕무의 「사소절(士小節)」, 안정복의 「하학지남(下學指南)」이 있다. 소학은 사학의 승보시(陞補試), 생원시와 진사시의 복시 단계에서의 학례강(學禮講), 문과 복시 단계에서의 전례강(典禮講), 무과의 전시(殿試), 잡학의 취재(取才)의 시험과목이었다.

② 교관의 구임법(久任法, 근속법) ⇨ 30개월간 장기근속(교육의 계속성 확보)

> "학교의 사표(師表)가 그 적임에 오래 있어야 학자가 성취할 수 있다. 이제 4학은 사람을 제대로 고르지 못하여 함부로 갈리니 작성(作聖)의 효과가 있기 어렵다. 지금부터는 경명(經明)·행수(行修)한 사람을 골라 교관을 시키고 30개월 근속법(勤續法)을 세워 전업(專業)케 하라."
> — 성종(成宗)의 교서

③ 문묘 없음: 강학(講學)만 담당 ⇨ 순수 교육기관
④ 승급제도

사학합제 (四學合製)	유생들 대상으로 실시한 소과 초시에 해당하는 시험 ⇨ 제술(製述) 16명, 고강(考講) 8명을 선발, 소과 복시 응시자격 부여
승보시 (陞補試)	15세 이상의 유생 중 소학의 공을 성취한 사람에게 성균관 입학 자격을 주는 시험 ⇨ 합격시 소과 복시 응시자격 부여

(3) **향교** 21. 국가직, 11. 부산, 10. 인천, 08. 국가직, 06·05. 경기: 성균관과는 독립된 중등교육기관(성균관 축소형 학교), 교궁·제관으로 불림.
① **성격**: 지방재원으로 설립(공립학교), 서울을 제외한 전국(부·목·군·현)에 설립
  ㉠ 중등교육기관, 유학교육기관, 공교육기관, 교육과 교화 수행
  ㉡ 교육행정 체계상 예조의 행정 소관(1차적 책임은 지방의 수령이 담당)
② **입학대상**: 양반과 향리, 양인(良人)의 자제 입학(신분에 대한 법적 규제가 없었음.) ⇨ 16세 이상 40세 이하(『경국대전』)
③ **기능**: 교육, 종교교육(문묘 있음), 향풍순화(향음례, 향사례, 양노례), 실업교육(농업, 양잠업)
  ㉠ **향음례(鄕飮禮)**: 장유유서(長幼有序) 교육
  ㉡ **향사례(鄕射禮)**: 친목도모 행사·효제충신(孝悌忠信)의 예절교육
  ㉢ **양노례(養老禮)**: 경로효친 교육
④ **국가의 재정 지원**: 학전(學田) ⇨ 관찰사 또는 수령이 감독 ⇨ 수령칠사(지방관의 7가지 직무) 중 수명학교(修明學敎, 일종의 '장학')를 두어 향교 감독
⑤ **구성**: 교관 + 교생
  ㉠ **국가에서 교관 파견**: 교수관, 훈도관, 교도는 중앙에서 파견, 학장은 지방에서 자체적으로 확보

유자격 교관	교수관(6품 이상, 정교사), 훈도관(7품 이하, 부교사)
유자격 교관 미확보 시	교도(教導, 대과에 합격하지 못한 생원과 진사), 학장(學長, 임시교사)

  ✎ **제독관**(교양관) 장학관에 해당(교관이 아님), 학장을 감독
  ㉡ **교생**: 무상교육 및 군역 면제의 특권 ⇨ 향교 교생고강제(校生考講制, 군역 면제 목적의 불법적 향교입학 통제정책, 소학과 사서 등 기본 경전 시험) 실시

⑥ **정기시험**: 공도회(公都會) ⇨ 매년 6월 유생들의 면학(勉學)을 장려하기 위해 실시된 일종의 강습회(講習會), 우등자에게 생원·진사의 복시에 응시할 기회 부여

⑦ **쇠퇴**: 조선 중기 이후 쇠퇴 ⇨ 교육기능은 쇠퇴하고 종교기능만 수행, 제궁(祭宮)이라 불림.
⇨ '양사재' 또는 '흥사재'라는 별도의 교육기구 운영

(4) **종학(宗學)**
① 세종 10년(1428)에 설립, 15세 이상의 왕실 종친 자제의 교육을 담당하는 중등교육기관
② 종부시(왕실의 족보관리관청)가 관할 ⇨ 서양 중세의 '궁정학교'와 유사
③ **교육목적**: 왕손 자제들의 행실 교정 및 순화
④ 조선조 말 광무 3년(1899)에 왕족교육기관으로 설치된 종인학교(宗人學校)로 계승 ⇨ 융희 1년(1907)에 폐지

(5) **잡학**: 해당 관청에서 주관, 중인계급 대상 ⇨ 중등교육기관 11. 국가직 7급
① 10학: 4학만 과거 실시

과목	목표	담당관청	비고(과거)	과목	목표	담당관청	비고
의학	의원 양성	전의감, 혜민서	의과	도학	노장사상 연구	소격서	천민 입학 허용
율학	법률 집행 관리	형조	율과	악학	악사(樂士)	장악원	천민 입학 허용
음양학	천문, 지리	관상감	음양과	화학	화공 양성	도화서	천민 입학 허용
역학	통역관	사역원	역과	유학	하급관리	예조	양반층 업무
산학	회계관리	호조		무학	무인	병조	양반층 업무
이학(吏學)	외교문서 작성	승문원	태종 이후 폐지	자학	문서 정리, 교정	교서관	태종 이후 폐지

② **공장교육**: 경공업 대상자를 위한 기술교육, 과거 미실시

2. **사학(私學)** 06. 경기, 05. 서울, 04. 국가직

(1) **서원**: 사립 중등교육기관, 중국식 교육제도의 모방 22. 국가직 7급
① **성격**: 전학후묘(前學後墓) ⇨ 선현(先賢) 추모 및 후학 양성, 국가 보조

강학소(講學所)	교육 담당 ⇨ 서사(書舍), 서재(書齋), 정사(精舍, 유학자가 제자들을 상대로 강학)
사묘(祠廟)	명유공신(名儒功臣)에 대한 제향(祭享) ⇨ 사우(祠宇)

```
        사우(祠宇)
        법성현(法聖賢)

            강당(講堂)
            강의(講義) – 격물치지(格物致知)

    서재(西齋)              동재(東齋)
    주일무적(主一無適)       독서궁리(讀書窮理)

            정자(亭子)
            우유함영(優遊涵泳)
```

> **더 알아보기**
>
> 서원 공간배치의 교육적 의의(이황) : 거경궁리(居敬窮理) ⇨ 서원교육의 핵심
>
> 1. **거경(居敬)의 방법** : 주일무적(主一無適)과 우유함영(優遊涵泳)
>   ① **주일무적(主一無適)** : 고요한 방에 홀로 앉아 명상하는 방법 ⇨ 동재와 서재
>   ② **우유함영(優遊涵泳)** : 자연을 소요하면서 유유자적하는 방법 ⇨ 정자(亭子)
> 2. **궁리(窮理)의 방법** : 독서궁리(讀書窮理)와 격물치지(格物致知)
>   ① **독서궁리(讀書窮理)** : 책을 읽으면서 그 의미를 심사숙고하는 방법 ⇨ 동재와 서재
>   ② **격물치지(格物致知)** : 일이나 사물에 대해 그 원리나 시시비비를 가리는 방법 ⇨ 강당

② 설립 : 관학(향교)의 부진에 따른 지방교육의 필요성을 자각한 사림(士林)이 주도

  예. 백운동 서원 : 주세붕이 설립, 최초의 서원&사액서원(명종 때 이황의 건의로 국가적 공인)

③ 교육내용 : 소학, 가례(家禮), 4서 5경, 근사록 ⇨ 경학(經學) 중시

④ 교육방법 : 강(講, 문답법), 능력별 학습, 평가(대통, 통, 약통, 조통)

⑤ 영향 : 향교 쇠퇴의 원인, 군역 도피처, 면세·면역의 특전, 붕당의 근거지

> **향교(鄕校)의 쇠퇴와 서원(書院)의 등장 배경**
>
> 제가 현재 국학(國學 : 성균관)을 살펴보니, 진실로 어진 선비들의 관문(關門)입니다. 그러나 지방 군·현(郡·縣)에 설치되어 있는 교육기관의 경우는 한낱 허울에 불과합니다. 그 교육이 크게 무너져 선비들이 향교(鄕校)에 머물며 공부하는 것을 수치로 여기니, 시들고 피폐함이 매우 심합니다. 어떤 방법으로도 고칠 수 없으니 한심하다 하겠습니다. 오직 서원(書院)에서의 교육이 지금부터 활발하게 일어난다면 아마도 학정(學政)의 부족한 부분을 채울 수 있고, 배우는 사람들이 돌아와 의탁할 곳이 있게 될 것입니다.   -『퇴계선생문집(退溪先生文集)』중 풍기군수로 재직 시 경상도 관찰사에게 보낸 글의 일부

(2) **서당** 23. 국가직 7급, 10. 전북, 08. 서울, 05. 인천: 법계급적 사설 초등교육기관
⇨ 글방, 서재, 서방(書房), 책방이라고 불림. 기원은 고구려 경당에서 비롯, 고려시대에는 '경관'과 '서사'로 불림.

▲ 김홍도의 '서당풍속도'

① 구성: 훈장 − 접장 − 학도, 접장제도[보조교사제 ⇨ 영국 산업혁명기 때 벨(Bell)과 랭카스터(Lancaster)의 조교제도와 유사]
② 설립: 개인 서당에서 공동체 서당으로 발전
  ㉠ 개인 서당: 유지자영 서당(동냥공부 허용), 훈장독영 서당
  ㉡ 공동체 서당: 유지조합 서당, 향촌공영 서당, 동족조합 서당, 관립 서당 ⇨ 원산학사 설립(1883)에 영향
  ㉢ 개화기에 개화사상과 민족정신 함양을 담당한 개량서당으로 변모하였고, 일제 강점기에는 민족교육운동을 전개함.
③ 입학자격: 신분상의 제한 없이 누구나 입학 가능 ⇨ 원래는 남아(男兒)를 위한 것이었으나 양반 가문에서는 여아(女兒)를 위해 별당에 가숙(家塾) 형태의 서당을 만들기도 함.
④ 교육목적: 사학과 향교 입학준비, 서민 대중의 문자교육 및 도덕교육
⑤ 교육내용: 강독(講讀), 제술(製述), 습자(習字)

강독(講讀)	『천자문』 ⇨ 『동몽선습』 ⇨ 『명심보감』 ⇨ 『소학』, 4서 3경(시경, 서경, 역경), 사기
제술(製述)	5언 절구, 7언 절구
습자(習字)	해서 ⇨ 행서 ⇨ 초서

⑥ 주요 교재
  ㉠ 『천자문』과 대체 학습서
    ⓐ 『천자문』: 남북조 시대의 양나라 사람 주흥사 저술, 문자 학습서
      ⇨ 『천자문』에 대한 정약용의 비판: 아동들의 이해수준에 맞지 않음. 문자 배열이 비체계적(같은 종류로 배치하지 않음, 배열이 대비적이지 않음), 아동의 발달단계 고려 ✕

> "천지(天地)자를 배우면 일월성신(日月星辰) 산천구릉(山川邱陵)에까지 이르러 그 족(族)을 다하지 않고 이를 버려둔 채, 가로되 '잠깐 너의 배운 바를 버려두라.' 하고 오색(五色)을 배우니 이는 무슨 법인가. '현황(玄黃)'자를 배우고 청(靑), 적(赤), 흑(黑), 백(白), 록(綠), 치(緇)에까지 이르러 그 차이를 구별하지 않고 '우주(宇宙)'자를 배우니 이는 무슨 법인가?"
> ─ 『여유당전서』(정약용)

    ⓑ 『유합』: 가장 먼저 편찬, 작자 미상(서거정 說) ⇨ 총 1,523자로 구성
    ⓒ 『신증유합』: 유합을 보완·편찬(유희춘 著)
    ⓓ 『훈몽자회』: 최세진 著 ⇨ 총 3,360자, 문자를 구체적 사물(예 천문, 지리, 수목, 과실, 곤충, 신체 등)과 관련시켜 제시, 한자(漢字)에 한글 독음(讀音)을 기록
    ⓔ 『아학편』: 정약용이 편찬 ⇨ 2,000자문, 4글자의 상대적인 문구로 배열 24·22·17. 국가직

> **『아학편』의 특징**
>
> 1. 유형자(有形字)에서 무형자(無形字)순으로 학습
> 2. 구체적인 명사에서 추상명사 및 대명사, 형용사, 동사순으로 학습
> 3. 유(類)별 분류체계에 따라 학습
> 4. 사물이 가진 음양 대립적 형식에 따라 문자 배열 예 천지부모, 군신부부, 형제남녀

- ㉡ 『동몽선습』: 박세무 著 ⇨ 유학 내용과 우리나라 국사 포함 20. 국가직
- ㉢ 『아희원람(兒戲原覽)』: 중인 출신 장혼(張渾)이 저술(1803) ⇨ '18세기 서당설'의 근거
    - ⓐ 기존 양반 중심의 유학교육 내용에서 탈피하여 설화, 민담, 민속놀이, 관혼상제 등 서민들의 일상생활과 관련된 내용을 포함한 백과사전적 저서 ⇨ 기존의 아동교육서와 체제를 달리하여 편성
    - ⓑ 아동들이 알아야 할 여러 분야(예 철학, 역사, 사회, 과학, 도덕, 수학교육)의 기초 상식을 제공함으로써 아동교육의 내용을 다원화하고 질적 향상을 도모함.
    - ⓒ 아동들의 발달단계의 특성을 고려하여 내용을 선정
    - ⓓ 우리나라의 역사와 지리, 풍속에 관한 내용을 기술함으로써 민족주체성을 고양시킴.
- ⑦ 교육방법: 주입식·암기식 교육, 개별 학습, 수준별 교육(≒무학년제), 전인교육, 체벌사용(교사 중심 교육), 계절에 따라 교육내용이 다름(여름 ⇨ 시 읽고 짓기 / 봄·가을 ⇨ 사기와 고문 / 겨울 ⇨ 경서 읽기).
- ⑧ 서당교육 진흥책
    - ㉠ 『향학지규(鄕學之規)』: 효종 때 송준길이 지은 서당교육 진흥책
        예 훈장 사기앙양책, 우수학도 표창, 훈장 자격규정
    - ㉡ 『아규(兒規)』[또는 『동규(童規)』]: 이덕무의 「사소절」에 실린 글로서 서당교육을 포함 아동교육 일반에 관해 서술 예 교수법, 훈육법, 교훈, 성행(性行) 등

3 과거제도

학교교육과 과거제도는 긴밀한 관계를 유지하였다.

> 과거(科擧)는 조선시대의 인재, 즉 선비를 선발하는 절차였다. 선비를 양성하는 성균관의 입학자격인 생원이나 진사는 모두 소과(小科) 복시에 합격한 인물이었다. 그중 생원은 경전(명경과)에 대한 이해를 평가하여 합격한 인물이고 진사는 문장(제술과)을 통해 합격한 인물로서, 조선시대 이상적 인간상에 비추어 보면 당연히 경전 공부를 많이 한 생원을 높이 평가해야 하나 세속에서는 진사가 더 높은 평가를 받았다.

1. 시험의 종류: 문과, 무과, 잡과 실시 21. 국가직 7급

종류	구분		내용	성격
문과	소과 (생진과)	생원시	• 유교경전(예 4서 5경)을 외는 명경(明經)시험 • 시험과목: 오경의(五經義)와 사서의(四書疑) 2편	• 성균관 입학시험 (오늘날 대입수능시험) • 초시 − 복시 2단계 • 백패(白牌) 수여
		진사시	• 문장[예 부(賦), 고시(古詩), 명(銘), 잠(箴)]을 짓는 제술(製述)시험 • 시험과목: 부(賦) 1편+고시(古詩), 명(銘), 잠(箴) 등 다양한 문장 형식 중 1편	
	대과(문과)		• 원점 300점을 취득한 유생들을 대상으로 실시 • 초시 − 복시(회시) − 전시의 3단계 / 홍패(紅牌) 수여	• 성균관 졸업시험 • 문관 선발시험
무과	단일과		초시 − 복시 − 전시의 3단계 / 홍패(紅牌) 수여	무관 선발시험
잡과	단일과		초시(해당 관아 주관) − 복시(해당 관아 & 예조)의 2단계	기술관 선발시험

◇ 『경국대전(經國大典)』과 『대전회통(大典會通)』은 문과·무과·잡과와 문과의 예비시험인 생원시와 진사시만을 규정하고 있으며, '대과'와 '소과'라는 용어 자체가 없다.

◇ 초시 − 복시 − 전시는 시험단계를, 초장·중장·종장은 시험과목에 따른 구분을 말한다.

더 알아보기

과거 시험과목과 시험방식

생원시와 대과(문과) 복시 초장을 제외하고는 모두 제술시험임.

1. **생원시**: 주어진 경전의 구절에 대해 주희(朱熹)의 주석에 기초하여 답하고, 마지막에 자신의 견해를 300자 이상으로 첨언함. ⇨ 강경(講經)시험(oral test)
   ① 의(義): 경전의 대의(大義)를 답하는 방식 예 오경의(五經義)
   ② 의(疑): 경전의 의심나는 곳을 답하는 시험방식 예 사서의(四書疑)
2. **진사시**: 제술(製述)시험(written test)
   ① 부(賦): 시(詩)와 마찬가지로 운율과 대구(對句)가 조화를 이루는 표현방식
   ② 고시(古詩): 시경(詩經) 이후에 등장한 글자 수나 압운(押韻)이 비교적 자유로운 형식의 시
   ③ 명(銘): 금석(金石)이나 기물(器物)에 새겨 사물의 내력이나 공적을 찬양, 경계하는 글
   ④ 잠(箴): 훈계의 뜻을 담은 문장형식
3. **대과(문과) 초시와 복시**: 초장, 중장, 종장의 3단계로 나누어 실시
   ① 초시[초장의 시험방식을 둘러 싼 논쟁을 강제시비(講製是非)라고 함.]
      • 초장: 5경과 4서의 의의(疑義) 혹은 논(論) 중에서 2편 ⇨ 논(論)은 사물에 대해 논술하는 문체, 의의(疑義)는 문장으로 답을 해야 함.
      • 중장: 부(賦), 송(頌), 명(銘), 잠(箴), 기(記) 중에서 1편과, 표(表), 전(箋) 중에서 1편
         ─ 송(頌): 공덕(功德)을 찬양하는 문체
         ─ 기(記): 서사문이나 기사문의 문체
         ─ 표(表): 윗사람에게 심중(心中)에 있는 말을 올리는 문체
         ─ 전(箋): 국가의 흉사(凶事)나 길사(吉事)에 왕에게 올리는 4, 6체의 문체
      • 종장: 어떤 문제에 대해 응시자의 의견을 묻는 대책(對策) 1편
   ② 복시: 중장과 종장은 초시와 같고, 초장은 4서와 3경을 경전에 대한 강독(講讀)으로 시험

③ 전시: 대책, 표, 전, 잠, 송, 제(制), 조(詔) 중에서 1편
- 제(制): 임금이 명령을 내릴 때 사용하는 문체
- 조(詔): 임금이 백성들에게 고할 때 사용하는 문체

✎ **홍패(紅牌)와 백패(白牌)** 과거를 치른 최종 합격자에게 내어주던 증서를 말한다. 홍패는 문과와 무과(武科)의 전시(殿試) 합격자에게만 주었으며, 소과 합격생에게는 백패(白牌)를 수여하였다. 홍패에는 합격자의 이름과 성적의 등급, 연대(年代), 시관(試官) 등을 기록하였다.

2. **실시 시기** 14. 국가직

  (1) **식년시**: 정기시험, 매 3년(子·卯·午·酉年)마다, 문과·무과·잡과 모두 실시

  (2) **특별시**: 부정기시험 ⇨ 국가에 경사가 있을 때나 특별한 필요 발생 시 실시

증광시(增廣試)	국가의 대경사가 있을 때
별시(別試)	보통 경사가 있을 때
알성시(謁聖試)	국왕이 성균관의 석전제(釋奠祭) 참석 시, 시학(視學)의 일환으로 성균관 방문 시 ⇨ 1414년(태종 14)에 처음 실시, 친림과(親臨科)의 하나로 단 한번으로 급락이 결정(卽日放榜)
춘당시(春堂試)	국왕이 춘당대(창경궁) 방문 후 실시, 문과·무과 모두 시행 ⇨ 1572년(선조 5)부터 실시, 친림과(親臨科)
황감과(黃柑科)	12월에 제주 목사가 특산물로 진상한 귤을 성균관·사학 유생에게 나누어 줄 때 실시 ⇨ 1564년(명종 19)에 처음 실시(원점 20 이상을 딴 유생에게 응시자격 부여), 황감제(黃柑製)라고도 함.
도기과(到記科)	원점과(圓點科), 일정한 출석점수(초기 원점 50점, 후기 원점 30점 이상)를 취득한 성균관·사학 유생들을 대상으로 실시 ⇨ 1533년(중종 28) 처음 실시, 강경과 제술 중 택일, 합격자는 전시(殿試) 응시자격 부여
절일시(節日試)	입일제(1월 7일), 삼일제(3월 3일), 칠석제(7월 7일), 구일제(9월 9일) 등 절일에 실시
정시(庭試)	매년 봄·가을에 국왕이 성균관 유생을 대상으로 실시

3. **주무기관**

   문과는 예조, 무과는 병조, 잡과는 4과만 해당관청(초시)과 해당관청·예조(복시)에서 실시

4. **과거제도의 예외 인정**

  (1) **음서제도(문음제도)**: 문무관 2품 이상의 자제에게 과거 면제 혜택 부여

  (2) **취재제도**: 하급관리 임용시험 예 이조취재, 병조취재, 예조취재

  (3) **천거제도**: 3품 이상의 고관이 재능 있는 인재를 추천 예 조광조의 '현량과'

5. 고려시대와 조선시대의 과거제도 비교 13. 지방직

구분	고려시대	조선시대
종류	문과, 잡과, 승과(무과 ×)	문과, 무과, 잡과(승과는 부분적 실시 후 폐지)

	• 문과: 제술과(문예시험), 명경과(경전시험) ⇨ 명경보다 제술 중시
	• 잡과: 기술관 시험 ⇨ 예부 관리
		• 문과: 3차시
		  ┌ 소과: 성균관 입학시험, 생원(명경업), 진사(제술업) ⇨ 명경 중시
		  └ 대과: 관리임용시험 ⇨ 제술 중시
		• 무과: 소과·대과 구분 ×, 3차시
		• 잡과: 기술관시험, 4학만 실시, 전시 ×
		  ⇨ 해당관청(초시), 해당관청·예조(복시)

실시 방법	단층제 ⇨ 3층제(향시, 회시, 전시)	3층제(초시, 복시, 전시)
응시자격	평민(양민)이면 누구나 가능	양민(단, 상공인, 승려, 서얼 제외)
실시 시기	매년 ⇨ 3년에 한번(식년시, 성종) ⇨ 격년(현종) ⇨ 매년 또는 격년	• 정기시험: 식년시 • 부정기시험: 특별시
예외 제도	음서제(5품 이상 자제)	음서제(2품 이상 자제)
특징	• 좌주문생제도 • 동당감시(東堂監試)라고도 불림.	취재(取才): 시취(試取), 특정직(서리, 군사, 기술관)의 임용 또는 승진시험

4 교육법규

1. 권근

(1) **권학사목**: 『소학』을 필수교과로 권장 ⇨ 『소학』을 먼저 강의하는[先講] 원칙 제시

(2) **향학사목** 09. 서울: 관학(官學)과 사학(私學)의 차별 철폐 ⇨ 사학교원을 관학의 훈도나 교수로의 전출 금지, 사학 학생을 강제로 향교로 전학 금지

2. 이이

(1) **학교모범**: 16개항의 청소년 훈육 규칙 ⇨ 조선시대 교육헌장 '학령'의 미비점 보완, 관학의 교육풍토 개선 목적 ⇨ 학문의 본질[立志]과 학문과 독서교육의 과정, 학생의 자세, 교사의 자질에 대해 언급 06. 전북

(2) **학교사목**: 교사 채용·승진·대우 등 임용 규정(제1~5항), 학생 선발 및 정원·장학 규정(제6~10항)

3. 명종

경외학교절목 ⇨ 교육 기회균등 사상 강조(아동교육은 신분의 고하를 가리지 않는다.)

조선시대의 학규(學規) 비교 10. 경북

학규명(學規名)	제정 시기 및 제정자	내용
학령(學令)	세종 19년(1437) ⇨ 권근 등 참여	성균관 최초의 학칙, 유생의 일과 및 상벌·퇴학 등 학교생활 규정
구재학규(九齋學規)	세조 9년(1463)	성균관 교육과정(4서 5경)의 학습 순서
제강절목(制講節目)	영조 18년(1742)	성균관(관학) 유생의 정원 규정
원점절목(圓點節目)	정조	성균관 출석 점수, 300점 이상 시 문과 대과에 응시
학교절목(學校節目)	인조 7년(1629) / 조익	성균관·4학·향교 유생들의 면학(勉學)에 관한 규정
경외학교절목(京外學校節目)	명종 원년(1546) / 예조	전국 학교에 적용 ⇨ 교육의 기회균등 사상, 학교의 교원임용, 독서일수, 성적평가, 상벌 등 규정
진학절목(進學節目)	성종 원년(1470) / 예조	교원(성균관, 4학)의 임용·전출, 유생의 근면·출결
흥학절목(興學節目)	조헌령	향교 중심의 관학진흥책, 총 14조
권학사목(勸學事目)	태종 代 / 권근	『소학(小學)』선강(先講)의 원칙 제시
향학사목(鄕學事目)	태종 代 / 권근	관학(官學)과 사학(私學)의 차별 철폐
학교사목(學校事目)	선조 15년(1582) / 이이	총 10항 ⇨ 교사와 학생에 관한 학규
학교모범(學校模範)	선조 15년(1582) / 이이	총 16항 ⇨ 학생훈육과 학생수양을 위한 규칙, 『학령(學令)』의 미비점 보완한 '조선시대 교육헌장'
권학조례(勸學條例)	중종 3년(1537) / 김안로	과거제의 쇄신을 통한 학교교육의 진작
학제조건(學制條件)	선조 17년(1584) / 김우현	학생에 관한 인사문제 ⇨ 이이의 『학교사목』과 유사
향학지규(鄕學之規)	효종 10년(1656) / 송준길	서당교육 진흥책 ⇨ 훈장 사기 앙양, 우수학도 표창
사소절(士小節)의 '동규(童規)'	이덕무	서당교육을 포함 아동교육 일반에 관해 서술 ⇨ 교육기회균등, 보통교육, 초등교육과정 제시

5 교육사상가

1. **권근**(1352~1409) 10. 서울

   (1) **교육목적**: 인재양성 ⇨ 인간의 행동규범을 밝히는 명인륜(明人倫)과 공(公, 정직)·근(勤, 충실)·관(寬, 인후)·신(信, 성의)의 수양지침을 중시하였다.

   (2) **교육내용**
   ① 『소학(小學)』을 필수교과로 중시하였고, 지방유관에게도 서재를 설치하여 학업에 힘쓰도록 하여 사학(私學)교육을 권장하였다.
   ② 교육의 요결(要訣)로서 근소(近小)를 먼저하고 원대(遠大)를 나중에 하도록 하였다.

   (3) **교육방법**: 시청각적 교수법, 직관의 원리 ⇨ 『입학도설』(대학, 중용 등 성리학 입문서, 天人心性 합일지도 등 40여 종의 교수용 도표 사용 ≒ Comenius 『세계도회』)

(4) **주요 저서**: 『수창궁재상서』(군왕교육), 『권학사목』('소학' 선강의 원칙), 『향학사목』(사학의 중요성 강조)

2. **이황**(1501~1570): 동방의 주자, 호는 퇴계 10. 대전, 09. 국가직 7급, 05. 경북

   (1) **사상**

   ① **우주론**: 이기이원론적 주리론[理貴氣賤, 理 > 氣, ≒ Platon 사상]

   | 이(理) | 세계의 참모습(불변) | 정신, 관념 | 내적 수양 | 사단(四端), 마음 |
   | 기(氣) | 현실의 모습(가변) | 감각, 경험 | 외적 실천 | 칠정(七情), 감정 |

   ② **심성론**: 이기호발설(理氣互發說 – 이는 이대로, 기는 기대로 발한다.)
   ⇨ 사단(四端, 인·의·예·지)은 이(理)의 작용, 칠정(七情)은 기(氣)의 작용

   ③ **교육 가능설**: 기질 변화설(氣質變化說), 기의 인간(기질지성) ⇨ 이의 인간(본연지성)

   ④ **경(敬)사상**: 퇴계 철학의 근본 원리 ⇨ 스프랑거(Spranger)의 도야와 유사
   ㉠ 지적 행위와 실천 행위의 통일 원리, 인(仁)에 이르는 방법
   ㉡ 경(敬)의 구체적 방법으로 정제엄숙(整齊嚴肅)을 중시: 몸가짐을 단정하게 하고 진실된 마음을 가지는 것

   > "사람은 생각이 없을 수 없다. 다만 실(實)없는 생각을 버려야 하는 것이다. 그러기 위해서는 경(敬)만 한 것이 없으니, 경(敬)하면 마음이 곧 한결같고, 마음이 한결같으면 생각이 곧 고요해질 것이다."

   ⑤ **지행병진(知行並進)**: 지행(知行)은 다르지만 마치 수레의 두 바퀴나 새의 양 날개의 관계처럼 함께 가는 것이다.
   ㉠ 지행을 통일하는 원리가 경(敬)이며, 경(敬)을 통해 인(仁)을 체득할 수 있다.
   ㉡ 지행의 관계도

   | 지(知) | 궁리(窮理) | 지적 행위 | 이론 철학 | 치지(致知) | 인식론 | 경(敬) ⇨ 인仁) |
   | 행(行) | 거경(居敬) | 실천 행위 | 실천 철학 | 역행(力行) | 실천론 | |

   ⑥ **위기지학(爲己之學)**: 자기성찰 ⇨ 내적 인격 수양 중시, 내재적 목적 중시

   ⑦ **발달단계에 따른 교육 강조**: 태교 ⇨ 유아기(효경, 가례) ⇨ 소년기(소학, 대학) ⇨ 청년기(심경, 주자서절요)

   (2) **교육관**: 입지(立志)가 학문의 근본, 거경(居敬), 궁리(窮理), 잠심자득(潛心自得, 지성의 탐구 과정 중시), 궁행(躬行) ⇨ 작성(作聖)이 교육목적

(3) **주요 저서 및 영향**: 『성학십도』(군왕교육), 『천명도설서』(권근의 『입학도설』에 영향), 『주자대전』(교육내용으로 중시), 도산서원을 설립하여 후학 교육에 몰두 ⇨ 일본 메이지 유신시대 교육이념 형성에 영향

3. **이이**(1536~1584): 호는 율곡 10. 대전, 05. 경북

   (1) **사상**

   ① 우주론: 이기일원론적 주기론(≒ Aristoteles 사상)

   ▲ 이이

   　㉠ **이기지묘**(理氣之妙): 이와 기는 하나면서 둘이고, 둘이면서 하나인 묘합(妙合)관계이다.

   　㉡ **이통기국**(理通氣局): 이는 형상이 없어 언제 어디서나 두루 통하지만 기는 시·공간의 제약을 받는다. 이(理)는 그릇에 담긴 내용물, 기(氣)는 그릇

   ② 심성론: 기발이승일도설(氣發理乘一途說: 기가 활동·작용하고 이가 그 위에 올라탄다. 결국은 하나다.)

   ③ 성(誠)사상: 진리를 보는 눈, 입지의 방법, 모든 학문의 기초, 인간의 계속적인 성장의 원동력

   ④ 지행합일(知行合一)의 원리: "지와 행은 비록 선후(先後)로 나누었으나 실은 동시에 진행된다." ⇨ 인식과 실천의 합일 중시

   ⑤ 위인지학(爲人之學): 사회적 실천 지향 ⇨ 성리학과 실학의 가교(架橋) 역할

   (2) **교육관**: 입지(立志)가 학문의 근본 ⇨ 작성(作聖)이 교육목적

   ① 명지(明知)·역행[力行, 사회경장(更張)론, 양민론 ⇨ 민본주의 개혁]

   ② 독서교육 중시: 정독(精讀), 독서 순서(소학 > 대학·근사록 > 논어 > 맹자 > 중용 > 5경 > 역사서·성리학서) ⇨ 「격몽요결(擊蒙要訣)」, 「학교모범(學校模範)」 20. 국가직 7급

   > "글 읽는 순서는 「소학」을 먼저 배워 그 근본을 배양하고, 다음에는 「대학」과 「근사록」으로써 그 규모를 정하고, 그 다음에 「논어」, 「맹자」, 「중용」 및 오경(五經)을 읽고, 「사기(史記)」와 선현의 성리서(性理書)를 간간이 읽어 뜻을 넓히고 식견을 정밀하게 할 것이다. 성인이 짓지 않은 글은 읽지 말고, 이롭지 않은 글은 보지 말아야 한다. 글 읽는 여가에는 때로 거문고 타기, 활쏘기, 투호 등의 놀이도 좋으나 모두 각자의 법도(法度)가 있으니 때가 아니거든 놀지 말고, 장기·바둑 등 잡기에 눈을 돌려서 실제의 공부에 방해되어서는 아니 된다." －「격몽요결」

   ③ 향약 사회교육운동: 「서원향약」과 「해주향약」 ⇨ 문맹퇴치운동을 통한 교육기회의 확대, 민중교육 및 사회교육을 통한 사회개조사상

(3) **주요 저서**
① 『성학집요』: 군주(君主)의 도덕정치를 강조한 군왕교육서 ⇨ "교육의 성패(成敗)는 군왕의 자질에 달려 있다. 교육 성공의 길은 군왕학(君王學)에 있다."
② 『소아수지』: 아동교육의 방향 제시, 17조로 제정
③ 『학교모범』: 학생훈육규칙(학교 규범), 청소년을 위한 교육지침이자 생활지침서 ⇨ 조선시대 교육헌장(국민교육), 총 16조로 구성, 학문의 본질(立志)·독서교육과정·학생의 자세 등을 강조

> 1. 입지(立志, 뜻을 세우기)
> 2. 검신(檢身, 몸가짐을 바르게 하기)
> 3. 독서(讀書, 학문 익히기)
> 4. 신언(愼言, 언행을 삼가기)
> 5. 존심(存心, 마음을 바로하기)
> 6. 사친(事親, 어버이 섬기기)
> 7. 사사(事師, 스승 섬기기)
> 8. 택우(擇友, 친구 사귀기)
> 9. 거가(居家, 가정생활의 윤리 지키기)
> 10. 접인(接人, 남에게 예의 지키기)
> 11. 응거(應擧, 과거에 응시하기)
> 12. 수의(守義, 의리 지키기)
> 13. 상충(尙忠, 충직함을 숭상하기)
> 14. 독경(篤敬, 경을 돈독히 하기)
> 15. 거학(居學, 학교 규칙 지키기)
> 16. 독법(讀法, 독서와 강학에 힘쓰기)

④ 「학교사목」: 교사와 학생에 관한 학규(學規), 총 10항 ⇨ 교사의 채용·승진·대우 등의 임용규정, 학생의 입학·정원·선발·대우·장학 등의 규정
⑤ 『격몽요결』: 총 10장으로 구성, 일반 대중을 위한 수양 및 생활지침서 ⇨ 국민교본 또는 국민필독서, 『소학』에 상응하는 유학입문서

> 1. **입지(立志)**: 학문에 뜻을 둔 모든 사람은 성인(聖人)이 되기를 목표로 해야 한다.
> 2. **혁구습(革舊習)**: 학문 성취를 위해 나쁜 버릇(舊習)은 버려야 한다.
> 3. **지신(持身)**: 몸을 경솔히 하지 않도록 함으로써 뜻을 어지럽히지 말고 학문의 기초를 세워야 한다.
> 4. **독서(讀書)**: 단정한 자세로 정독(精讀)을 해야 한다.
> 5. **사친(事親)**: 부모에게 효도하여야 한다.
> 6. **상제(喪祭)**: (주희의 『가례』에 따라) 상례(喪禮)를 잘 지내야 한다.
> 7. **제례(祭禮)**: 제사를 잘 지내야 한다.
> 8. **거가(居家)**: 예법을 지켜서 아내와 가족들을 잘 다스려야 한다.
> 9. **접인(接人)**: 좋은 친구들과 사귀어야 한다. ⇨ 사회생활의 윤리
> 10. **처세(處世)**: 과거를 거쳐 벼슬에 오르기 위해 학문을 하되, 벼슬생활에서도 도(道)를 행하여야 한다.

⑥ 『자경문』: 평생교육사상 ⇨ "수양 공부는 늦추지 말고 급히 하지도 말고 죽은 뒤에 그만둘 것이다."

(4) 이황과 이이의 사상 비교

구분	이황	이이
세계관(이기론)	• 이기이원론적 주리론(이상 중시) • 이귀기천(이>기)	• 이기일원론적 주기론(현실 중시) • 이기지묘, 이통기국(이늑기)
인간관(심성론)	이기호발설(理氣互發說)	기발이승일도설(氣發理乘一途說)
핵심 사상	경(敬) 사상	성(誠) 사상
교육관	• 입지 ⇨ 작성(作聖) • 거경, 궁리, 잠심자득(潛心自得) • 궁행(躬行, 개인적 실천) • 위기지학: 내적 인격 수양 • 지행병진(지행호진) • 발달단계에 따른 교육: 태교 ⇨ 유아기(효경, 가례) ⇨ 소년기(소학, 대학) ⇨ 청년기(심경, 주자서절요)	• 입지 ⇨ 작성(作聖) • 거경, 명지(궁리) • 역행(力行): 사회경장(社會更張) 사상 ⇨ 진보주의의 생활 중심 교육 • 위인지학: 외적 실천 • 지행일치(지행합일) • 독서교육 중시: 소학 – 대학·근사록 – 논어 – 맹자 – 중용 – 5경 – 역사서·성리학서
군왕 교육	성학십도	성학집요
향약(鄕約)	예안향약: 향리(鄕里)교화와 협동정신	서원향약, 해주향약
영향	위정척사, 의병 운동	실학, 개화사상

4. 조식(曺植, 1501∼1572)

(1) 교육사상

① 공경(敬)과 성실(誠)을 수학(修學)의 기본으로 하고 국가가 위기에 처하면 견위수명(見危授命; 위험한 고비에서 서슴없이 목숨을 바침)하는 절의(節義)를 강조하였다.

② 박문(博文)으로서 주자학자의 설(說)을 모아 도표를 만들고 실천에 힘썼다. 그는 경전을 널리 구하고 백가(百家)에 통달하였으며, 심지어 불교의 궁극적 취지는 유교와 일반이라 하고 음양, 지리, 의약, 노장학 서적까지 두루 살펴보지 않은 것이 없었다.

③ 약례(約禮)를 실행했는데 번잡한 것은 버리고 간략한 것을 실천에 힘씀으로써 예(禮)로 돌아왔으며 학문을 하는 데 있어서도 사소한 것을 버리고 자신의 체험을 중시하였다. 예법도 대개(大槪)만 취하고 번거롭고 복잡한 것은 버렸다.

④ 교육 방법으로 스스로가 자해자득(自解自得)에 힘쓰게 하고 강의나 설명 위주의 주입식 교육을 반대했으며, 또 질의에 대한 의문도 철저하게 추구해서 학도(學徒)가 명확히 이해하도 하였고, 과오(過誤)를 교정하는 데는 선심(善心)과 간략한 말도 하였다.

⑤ 조선의 선비정신을 대표하는 전형적인 산림처사(山林處士)의 상을 확립하였다. 그는 심오한 경학과 실천사상을 많은 헌책(獻策)으로, 국가 현실 문제에 대한 적극적인 언로(言路)로, 자신의 경륜을 밝혔으나 평생 산림처사로서 자족하며 사색과 교육으로 일관했다.

(2) **교육방법의 원리**
① **자해자득(自解自得)의 교육방법**
㉠ 스스로 공부하여 터득함을 강조 ⇨ 실제적 문제(예 왜적의 횡포에 어떻게 대책할 것인가?)를 선정하여 토론을 통해 문제해결 방안을 탐구하게 하고, 제생(諸生)의 중론(衆論)을 모으는 대화식 방법으로 수업 진행

> "학문하는 가장 중요한 방법은 마음으로 깨달아 터득하는 것보다 더 존귀한 것이 없다고 한다. 마음으로부터 얻게 되면 찬하의 이치를 궁구하여 사물의 변화에 대응할 수 있기 때문에 만상의 변화의 기미를 총람하게 되어 스스로 매사에 무사하게 된다고 하며, 한갓 책만 가지고 의리를 강명해도 진실로 얻음이 없으면 비록 오경이라도 또한 빈말이 될 뿐이라고 하였다. 그리하여 학자는 단지 그 혼미한 것을 깨우쳐 주면 되는 것이다. 눈을 뜨면 자신이 천지일월을 볼 수 있기 때문이라고 하여, 제자들을 위해 글 가르치는 것을 논한 적이 없고 단지 자신이 스스로 체득하도록 하였다."
> ―「남명선생별집」, 2권 「언행총록」 중

㉡ 현대 교수·학습 방법의 자기주도적 학습과 유사 ⇨ 자기 자신의 수양을 위한 경(敬)의 자세를 강조
② **개성과 자질(資質)에 따른 교육방법**: 학습자의 개인차를 중시한 교육방법 ⇨ 수준별 수업과 유사
③ **하학상달(下學上達)의 교육방법**: 하학(下學; 인간의 기본 도리 – 경(敬)과 의(義) – 를 실천하는 공부)의 실천을 먼저 하고 상달(上達)로 나아가는 방법 ⇨ 학문의 순서이며, 동시에 하학을 외면한 채 상달을 우선시하는 당시의 학문적 풍토를 비판·극복하려는 노력 ⇨ 듀이(J. Dewey)의 프래그머티즘적 경험관과 유사
④ **도설(圖說) 활용 교육방법**: 성리학의 추상적이고 심오하며 복잡한 내용을 학습자가 이해하기 쉽도록 그림을 통해서 시각적으로 교수 ⇨ 직관교수 중시 예 「학기도(學記圖)」, 「신명사도(神明舍圖)」
⑤ **명문(銘文) 활용 교육방법**: 다양한 명(銘; 자신의 공부와 삶에 교훈이 될 만한 구절을 글씨로 쓰거나 사물에 새겨서 가까이 두고 그 내용을 항상 생각하고 자신의 삶을 환시시키는 글)을 통해 삶의 지향점과 가치관, 그가 교육하고자 하는 핵심내용, 공부하는 적극적인 자세, 신중한 언어생활 등을 표현함으로써 스스로의 각성과 다짐을 유도

(3) **교육적 의의**
① 실천교육가, 교육철학의 사변적·규범적·통합적 기능을 종합한 교육사상가 ⇨ 실천유학의 정립, 엄격한 '출처(出處)'의 윤리[처사(處士)로서의 지조(志操)를 중시]에 기초한 선비정신의 표상
② 배우는 자의 일상생활은 '평범하고 쉬운 것에서부터 실천을 쌓아 나가면서(下學上達)' 성현(聖賢)의 경지에 도달하는 것을 교육목적으로 강조 ⇨ 성리학적 이학(理學)에 기초하면서 그 실천과정에서 성(誠)·경(敬)·의(義)를 배우고 실천함을 중시

> "경(敬)과 의(義)를 아울러 가지면 아무리 써도 다하지 않는다. 내 집에 이 두 글자가 있음이 마치 하늘에 해와 달이 있는 것과 같다. 만고에 걸쳐 바뀌지 않을 것이며, 성현의 천 가지 만 가지 말씀도 그 귀착하는 요점은 여기에서 벗어나지 않는다."
> ―「남명선생별집」, 2권 「언행총록」 중

③ 민본주의(民本主義)에 의한 위민(爲民)정치의 강조, 강직한 상소(上疏)를 통한 사림(士林)의 언로(言路) 개척, 교육을 통한 인재 양성 중시

제6절 조선시대의 교육(II) : 조선 후기의 교육

1 등장배경

전쟁으로 피폐해진 조선의 실정, 성리학(유학) 중심의 세계관에 대한 비판, 양명학(知行合一)과 고증학(문헌비평학)의 유입, 중국으로부터 서양 문물과 서학(西學)의 유입

성리학	양반 중심	중국 중심	비실용성 (사변윤리)	유교경전 암송	전근대성	주관적 자연관
실학	서민 지향	민족 주체성 중시	실용성(실천윤리)	과학적 사고	근대성	객관적 자연관

✎ 실학(≒ 신유학 ○, 탈유학 ×)

> **18세기는 새로운 지식의 발견의 시대**
>
> 18세기의 변화를 불러온 것은 중국을 통해 들어온 서구의 과학문명의 도래, 즉 정보화와 물적 토대의 변화였다. 경제력을 갖춘 새로운 지식인들에 의해 유교적 한계에서 벗어나려는 지적 운동이 활발하게 전개되었고, 이는 무언가에 미쳤다거나 바보 같다는 벽(癖)과 치(痴) 예찬론으로 이어진다. 일종의 매니아(mania) 예찬론이다. 가짜 나를 버리고 참 나를 찾겠다는 새 지식인들의 요구는 근대성의 출발이었지만 이들은 여전히 소수였고, 기득권을 쥔 계층의 폭력적 억압은 여전히 강한 힘을 발휘하고 있었다. 이 시기 지식인들의 담론에서 유난히 우정의 문제가 강조되는 것은 이 때문이다.

2 교육원리

교육기회균등, 개인차를 고려한 능력별 교육, 공교육 중시, 단계적 학제, 민족 주체성 확립 ⇨ 성실인, 근로인, 유용인, 자주인 양성

1. 교육기회 개방확대론

신분적 차별윤리(계급편파 교육, 지방편파 교육)의 유교적 질서를 철폐하고 교육기회균등을 강조, 개인차를 고려한 능력별 교육

(1) **유형원**: 반상(班常)의 차별 철폐와 신분을 초월하여 학생은 학생으로 동등해야 함을 강조

> • "지금 지방의 향교에서 양반은 동재(東齋)에 거처하고 서민은 서재(西齋)에 거처하게 된다. 그래서 비록 서재가 비어 있어도 양반은 들어가기를 꺼려하고, 동재가 비록 비어 있어도 서민은 그곳에 들어갈 수 없으니 심히 무리한 일이다. 마땅히 한 가지로 하여 편의에 따라서 들어가 거처하게 하고, 등급을 정하여 차별하게 해서는 안 된다."
> • "국속(國俗)에 양반, 서얼, 서족은 각각 그 품류(品類)를 구분하여 나이로 차례를 정함은 어찌된 까닭입니까?"라고 묻는다면, "예에, 천하(天下)에 나면서부터 귀한 자가 없다고 하였고 천자(天子)의 아들도 입학하면 나이로 차례를 정하였는데, 하물며 사대부(士大夫)의 아들에 있어서야 ……."
> — 『반계수록』

(2) **이익**: 지역 차별이 교육기회나 관리등용에 미치는 폐해를 지적

> "인재가 나는 것은 사방이 모두 같다. 멀고 가까움이 무슨 관계가 있겠는가. 그런데 먼 곳 사람들이 진출하지 못하는 것은 국가에서 특히 인재를 지역으로써 택하고 인재로써 택하지 않기 때문이다."
> ―『곽우록』

(3) **홍대용**: 교육기회나 관리등용에 있어 신분, 가문, 적서(嫡庶), 지역 간의 차이에서 오는 일체의 사회적 차별을 철폐하고 능력의 차이만을 인정할 것을 주장

> "재능과 학식만 있으면 비록 농상(農商)의 자식이 낭묘(廊廟, '궁전')에 들어가 일하여도 방자할 것이 없으며, 재능과 학식이 없으면 공경(公卿)의 자식이 하인이 되어도 한탄할 것이 없다."
> ―『임하경륜』

2. 학제개혁론

과거제 비판의 대안으로 공교육 중시의 단계적 학제개혁론을 전개

(1) **유형원**: 교육의 합리화, 공교육의 강화, 초등교육의 강조 ⇨ 중앙과 지방의 이원적인 4단계 학제안을 제시

(2) **홍대용**: 관주도의 의무교육과 선발적 교육관에 근거한 단계적 학제안 제시

3. 민족지향적 교육의식

(1) **새로운 자아의식의 각성을 통한 민족 주체성 확립을 중시**: 자연과학적 세계관을 바탕으로 '명분론적 화이관(華夷觀)'의 허실을 비판하고 '화이일야(華夷一也)'라는 수평적 세계관을 새롭게 확립

(2) **민족적 자주의식은 사회적 각성과 국학 연구에 대한 관심으로 발전**: 자문화의식에 따른 국사교육의 중요성을 강조
  ① 유득공: 「이십일도회고시(二十一都懷古詩)」를 지어 노래로 우리 역사를 공부
  ② 정약용: 국사를 과거시험 과목에 포함 ⇨ 매 식년(式年)마다 시행

4. 무실론(務實論)적 실학교육론

성리학적 학문체계를 공리공담(空理空談), 고담준론(高談峻論)의 허학(虛學)으로 규정·배격하고, 생산과 실리실용에 직결되는 실용주의 교육을 중시

(1) **정약용**: "문예(文藝)는 우리가 행하는 도(道)에 있어서 좀이다."

(2) **박지원**: "독서를 하고서도 실용을 모른다면 학문한 것이 아니며, 학문하는 것을 귀하게 생각하는 까닭은 그것이 실용을 위한 것이기 때문이다."

(3) **안정복**: "학문하는 요체는 무실(務實)의 두 글자를 행하는 것에 불과하다."

③ 교육사상가

1. 유형원(1622~1673) 10. 국가직, 07. 경남, 06. 서울

덕행인·능력인(utility) 양성 ⇨ 교육기회균등(신분제 타파)

> "천하(天下)에 나면서부터 귀(貴)한 자가 없다고 하였고 천자(天子)의 아들도 입학하면 나이로 차례를 정하였는데, 하물며 사대부(士大夫)의 아들에 있어서야 ……."
> ─『반계수록』

(1) **4단계 학제개혁안**: 서울과 지방으로 학교제도 이원화(중앙독점 방지, 지방인재 육성), 초등교육은 국민보통교육(양반과 서민 구분 폐지), 중등교육 이후는 능력주의(양반 자제만 입학)

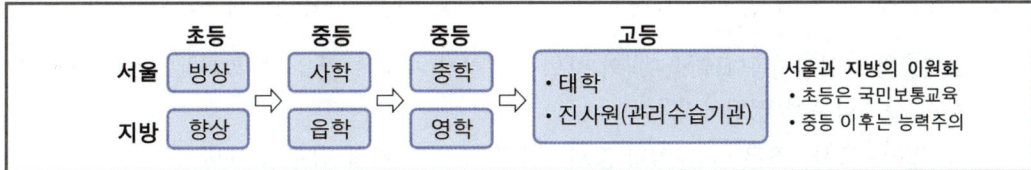

> "중앙에는 최고 교육기관으로 태학(太學)을 세우고 중등교육기관의 성격을 가진 중학(中學)과 사학(四學)을 설치한다. 제도(諸道)의 감영(監營)에는 역시 중등교육기관의 성격을 가진 영학(營學)을, 지방의 각 주와 현에는 읍학(邑學)을 설치한다. 그리고 중앙의 각 방(坊)에는 방상(坊庠)을, 각 향(鄕)에는 향상(鄕庠)을 설치하여 사(士)의 자제들만 교육하는 것이 아니라 천하의 민(民)을 교육시킨다."
> ─『반계수록』

(2) **공거제**: 과거제 대안, 학교교육과 관리선발을 일원화 ⇨ 학교교육은 취재(取才) 과정

✏ 실학자(유형원), 학무아문고시, 교육입국조서, 기독교사학, 루터(Luther) 교육의 공통점은 교육의 기회균등사상이다.

① 추천과 시험을 병행하여 관리를 등용하는 제도
② 학교교육은 취재(取才)의 과정: 학교교육과 관리선발을 일원화(연계) ⇨ 태학(太學)과 연계된 관리수습기관으로 진사원(進士院)을 설치
③ 절차: 태학에서 1년 이상 수학한 우수한 학생을 학교의 추천과 진사원의 시험에 의하여 선발, 진사원 입학 ⇨ 진사원에서 1년간 관리 수습 교육 ⇨ 능력과 인격에 따라 차등을 두어 관직에 임명

(3) **향약(사회교육)과 학교교육의 분리**: 서원교육의 폐단을 지적 ⇨ 지방자치적 사회조직인 향약(鄕約)의 전국적 시행을 통한 사회교육 주장

(4) **노비제도의 폐지**

2. 이익(1681~1763) 10. 경북

(1) **인간관**: 인간은 동물과는 달리 예의(禮義)를 숭상하는 존재

> "무릇 천하를 옳게 하는 것은 모두 예(禮)가 있기 때문이다. 오늘날에 있어서 사람만 못한 것을 금수(禽獸)라고 하는 것은 예(禮) 때문이다."
> ―『곽우록』

(2) **교육이념**
① 인간평등사상을 전제로 한 숭례(崇禮), 근검(勤儉), 남녀유별(男女有別)의 교육이념
② 여성교육에는 소극적: 여성은 학문보다 가사를 충실히 할 것을 강조

(3) **교육목적**: 국가에 필요한 인재 양성, 즉 양사(養士) ⇨ 주체성 있는 역사의식인

(4) **교육방법**: '일신전공(日新全功)'의 방법 ⇨ "항상 새로운 것을 생각하여 자기수양에 힘쓰고 집중적으로 학문에 정진하라."
 ① 일신·득사·호문·서독질의 중시: 참된 교육은 지적 탐구심 계발
  ㉠ 일신(日新): 매일 새로워진다. ⇨ 항시 새로운 것을 생각하는 자기수양의 방법
  ㉡ 득사(得師): 스승을 구한다.
  ㉢ 호문(好問): 질문을 즐겨한다. ⇨ 가장 중요시
  ㉣ 서독질의(書牘質疑): 의문이 생긴 것을 글로 써서 질문함.
  ㉤ 발견적 탐구태도와 적극적 질문법 강조 ⇨ 소크라테스의 산파법(産婆法)과 유사

> "무릇 구두질의(口頭質疑)는 발설하기는 쉬우나 후에 남는 것이 없다. 서면질의(書面質疑)는 자연 생각을 신중히 하고 사고를 깊게 할 수 있다. 서로 만나는 기회가 적고 서로 떨어져 있는 시간은 많다. 의문이 생길 때 나날이 적어 두었다가 문자로 표현하여 몇 번이고 고쳐 써보고 함으로써 근실(勤實)하지 못한 데서 오는 근심을 면할 수 있다."

 ② 집중주의와 점진주의, 실천주의를 중시: 치지(致知)와 함양(涵養) 중시 ⇨ 왕양명의 지행합일(知行合一)을 긍정적으로 수용한 계속주의 학습방법

(5) **교육개혁안**
 ① 4단계 학제개혁안(『곽우록』의 학교조): 서민과 사대부로 이원화
  ㉠ 서민: 향학(鄕學) ⇨ 태학 ⇨ 전강(殿講, 과거시험) ⇨ 사제(賜第, 급제를 줌, 관리선발)
  ㉡ 사대부: 사학(四學) ⇨ 태학 ⇨ 전강(殿講) ⇨ 사제(賜第)

학자별 교육개혁안

실학자	학교제도									특징
이익	사대부	사학	⇨	태학	⇨	전강	⇨	사제		
	서민	향학								
홍대용		면(재)	⇨	사	⇨	현	⇨	군	⇨	도	각 행정구역에 학교 설치 (8세 이상 '재'에 의무교육)
정약용		취	⇨	방	⇨	수					행정구역과 교육 단위 일치

② 교육과정의 개혁
  ㉠ 북학론(北學論) 주장: 선진문화 수용
  ㉡ 주체적인 역사인식 중시: 중국의 경전 위주의 독서에서 탈피하여 한국인의 자국문화 습득 중시
    예 안정복의 『동사강목』(단군조선, 기자조선, 마한을 정통으로 규정), 이황의 『퇴계집』 강조
③ 교육의 평등 주장: 단, 여성교육엔 소극적 ⇨ 여성교육의 불필요성 주장
④ 가정교육 중시

> "유성(幼性)은 천성(天性)과 같고 습관은 자연과 같다. 부모의 가르침은 어릴 때에 있고 스승과 벗의 이로움은 장성한 뒤에 있다. 어릴 때 배움을 잃으면 스승과 벗에 대해 배울 때 보충할 수가 없다."

(6) **도시교육의 폐해 지적**

> "경사(京師, 서울)는 이욕시장(利慾市場)이 되어 경배(京輩) 귀유(貴遊)들의 미아(美雅)는 좋으나 본질은 숨기고 있어 이런 데서는 고매한 그릇을 양성할 수 없다."

(7) **과거제 비판**: '과천합일(科薦合一)' 주장
  ① 과거제 개혁: 매 5년마다 식년시(정기시험) 실시, 특별시는 폐지 ⇨ 과거제 일부를 수용
  ② 천거제 병행: 해당 지방관리가 학생 관찰 후 추천하는 방식[향거이선제(鄕擧里選制)]과 향약을 기반으로 향장(鄕長)이 합석하여 서로 의논한 후 추천하는 방식[공거제(貢擧制)]을 병용 실시

(8) **사회개혁**: 6좀(국가 빈곤과 농촌 피폐의 원인 ⇨ 노비, 과거, 양반문벌, 사치와 미신, 게으름, 승려) 시정 요구

(9) **군왕(君王)의 도덕교육 중시**: 『곽우록』 저술 ⇨ 군왕이 정치를 할 때 유념해야 할 내용 제시
  예 경연, 육재, 학교, 숭례, 식년시, 입사, 공거사의, 과거폐지 등의 교육내용

(10) **교육적 의의**
  ① 민본사상과 사농합일(士農合一)의 생활관 강조
  ② 학문의 궁극적 목적: 실생활과 국가부흥에 기여
  ③ 주체성 있는 역사학을 강조하여 한국학을 본궤도에 올려놓음.
  ④ 정약용, 박지원 등의 실학자들에게 영향을 줌.

3. **이덕무**(1741~1793)

- 자호(自號)는 간서치(看書痴, '책만 보는 바보')
- 교육목적은 내행수결(內行修潔)의 인간
- 『사소절』('사람답게 사는 즐거움') 저술: 『소학(小學)』을 한국 실정에 맞게 저술, 사전(士典)·부의(婦儀)·동규(童規)로 구성, 국민독본 ⇨ '조선시대 도덕 교과서'에 해당함.

(1) **사전(士典)**: 5권, 선비들의 윤리와 행실 ⇨ 성인교육

(2) **부의(婦儀)**: 2권, 부녀자들의 도리 ⇨ 여성교육

(3) **동규(童規)**: 1권, 아동교육 방법
    ① 교육의 기회균등 강조: 특권 계급의 자녀들뿐만 아니라 일반 서민의 자녀들도 일상생활에 필요한 초등교육을 받을 수 있어야 한다.
    ② 직업에 관계없는 보통교육 강조: 현장의 생산자에게도 교육기회 확대 ⇨ 일상생활에 실용적인 것을 교수
    ③ 초등교육과정 제시: 『훈몽자회』(최세진, 문자교육)와 『기년아람』(이만운, 역사교육) ⇨ 연간 수업일수 300일(150일은 경전교육, 150일은 역사교육 제시)
    ④ 내용: 행동거지(行動擧止), 가르쳐 익힘(敎習), 어른 공경(敬長), 이런 일 저런 일(事物) ⇨ 아동의 능력에 따라 학습내용과 진도 설정, 아동의 심리를 파악한 훈육, 성행(性行)을 토대로 미래 계획, 아동위생과 안전교육 중시

    > **동규(아규)의 내용**
    > 1. 어릴 때에 어질고 착한 버릇을 길러 놓아야 후에 군자를 만들 수 있다.
    > 2. 말을 빨리하고 걸음이 급한 것을 보면 어른들은 바르게 고쳐 주어야 한다.
    > 3. 책을 읽을 때는, 밖에서 퉁소나 북소리가 들려도 급히 일어나 달려나가선 안 된다.
    > 4. 사치하지 않고 검소한 버릇을 들이기 위해 거칠고 소박한 의복을 입게 한다.
    > 5. 문을 드나들 때 잘 닫아야 하고 계단이나 뜰을 오르내릴 때 뛰어다니면 안 된다.
    > 6. 어려서부터 아홉 가지 몸가짐(九容: 발은 무겁게, 손은 공손하게, 눈은 바르게, 입은 신중하게, 음성은 고요하게, 머리는 똑바르게, 숨소리는 고르게, 설 때는 의젓하게, 낯빛은 단정하게)을 지닐 수 있도록 가르쳐야 한다.

4. **홍대용(1731~1783)**

    (1) **교육목적**: 실심(實心)·실사(實事)·실지(實地)의 체계에 입각한 무실역행의 교육을 통해 도덕적이면서 실용을 지향하는 실천인 ⇨ 이용후생, 실사구시, 민족주체사상

    (2) **교육내용**: 실용교육(인간생활에의 실천적 이용 중시)과 과학기술교육 ⇨ 기철학(형이하학적인 것, 현실의식)을 바탕으로 실용적이고 실증적인 실제성을 중시

    (3) **교육방법**: 실증적 방법과 실천적 방법

    (4) **교육제도 개혁**: 기(氣)철학적 인간평등론을 바탕으로 한 신분차별 철폐와 의무교육제도의 실시 주장 ⇨ 「임하경륜(林下經綸)」
        ① 사회병폐의 원인인 세습적인 신분제도를 해체하고 능력에 따라 적재적소에 사람들을 배치하는 새로운 신분제도를 구상
        ② 교육기회의 균등한 제공과 올바른 인재 양성을 위한 교육제도 제안
        ③ 행정구역을 구분하고 모든 행정구역에 학교를 설치 ⇨ 전국을 도(道)로 나누고, 도는 9개의 군(郡)으로 나누며, 군은 9개의 현(顯)으로, 현은 9개의 사(司)로, 사는 9개의 면으로 나눈다.

④ **관(官) 주도의 의무교육제도 주장**: 8세 이상의 아동은 신분을 가리지 않고 초등교육기관(면 단위 소재)인 재(齋)에 입학하게 한다.

(5) **주요 저서**: 『주해수용(籌解需用)』 ⇨ 서양의 수학(數學)을 처음으로 소개

5. **정약용**(1762~1836) 08. 국가직 7급, 03. 서울

수기위천하인(修己爲天下人 ≒ Brameld의 사회적 자아실현인) 양성 ⇨ 실학을 집대성

(1) **학문의 근본으로 성의(誠意)와 신독(愼獨) 강조**: 지식교육보다 사람만들기 교육(정의교육, 인격교육) 중시 ⇨ EQ 후에 IQ 교육 예 공자, 루소

(2) **교육적 강조점**: 덕행(德行)을 제일 중시
① **덕행(德行)**: 인간됨의 근거 ⇨ 효(孝, 임금을 섬기게 하는 소이), 제(悌, 어른을 섬기게 하는 소이), 자(慈, 대중을 부리게 하는 소이)
② **경술(經術)**: 10경(4서 5경+주례)의 지식을 국가 관리에 활용
③ **문예(文藝)**: 6예 중 서(書)와 수(數)를 강조
④ **기예(技藝)**: 과학과 기술교육 강조 ⇨ 국가 부강

▲ 정약용

(3) **국학(國學)과 『아학편』 중시**
① **국학(國學)**: 국사와 우리나라 선현의 글
예 『고려사』, 『반계수록』, 『서애집』, 『성호사설』, 『퇴계집』, 『율곡집』, 『이충무공전서』, 『연려실기술』
② **『아학편』** 24. 국가직 : 『천자문』을 대체한 아동문자 학습서, 2,000자문, 발달단계를 고려 주제별 구성, 이해 위주 ⇨ 상권 1,000자(일상생활의 구체적 명사), 하권 1,000자(추상명사, 대명사, 형용사, 동사)

(4) **오학론**: 당시 학문적 경향 비판

성리학	공리공론(空理空論)의 이기설(理氣說)에 너무 편중되어 있다.
훈고학	경전(經典)의 자의(字意)와 훈독(訓讀)에 너무 치중되어 있다.
문장학	문자적 유희나 미사여구(美辭麗句)에 치중되어 있다.
과거학	실생활을 외면하고 사변적인 일에만 허송하게 하고 있다. 과거시험방식, 시험과목, 시험실시시기 등 모든 면에서 개혁이 필요하다.
술수학	도선의 비결(秘訣)이나 정감록 등의 사설(邪說)이 백성을 미혹(迷惑)케 한다.

(5) **불가독설(不可讀說)**: 『천자문』, 『사략』, 『통감절요』의 독서 금지

천자문	문자가 체계적으로 배열 ×, 암기 위주의 학습, 아동들의 이해수준 고려 ×
사략(史略)	중국 역사의 요약본으로 허구적 내용(예 천황의 존재) 포함
통감절요	강용이 편찬한 역사서로 중국에서도 인정하지 않음.

(6) **주요 저서**: 『목민심서』(지방관의 도리와 자질), 『흠흠신서』(법과 형옥의 개혁), 『경세유표』(국가기구 개혁), 「원론」(군왕교육), 「전론」(토지 및 경제 개혁)

6. **최한기**(1803~1877): 호는 혜강 08. 국가직 7급

   (1) **사상**: 기일원론적 기학(氣學), 추측(감각적 경험을 분별하고 헤아리는 추리작용) 중시, 통기(通氣: 기로써 객관적 대상물을 접촉하여 인식하는 것) 중시 ⇨ 기(氣) 우위론

기(氣)	우주의 궁극적 실재(本體)로, 활동·변화하는 작용 측면의 기(氣)는 운화기(運化氣), 그 작용으로 이루어지는 형질 측면의 기는 형질기(形質氣)이다.
이(理)	기(氣)에 철저하게 예속된 것으로, 객관적 자연법칙인 유행지리(流行之理)와 인간의 사유(思惟) 활동인 추측지리(推測之理)로 구성되어 있다. 추측지리는 공부의 기본원리로서 사물에 대한 지각을 의미하는 추측 기능을 한다.

   (2) **인간관**
   ① 후천적 노력에 의해 발전하는 존재
   ② 인간평등과 존엄: 누구나 평등 ⇨ 기를 바탕으로 대상물을 인식, 추리 능력이 있어 동물보다 우수
   ③ 염습론(染習論): 경험은 지식과 사고의 근간, 유아기의 경험과 습관은 '흰 비단에 물을 들이는 것과 같다.' ⇨ 로크(Locke)의 백지설과 흡사, 선행후지(先行後知)를 강조

   (3) **교육관**
   ① 교육목적: 인도(人道)의 구현 ⇨ 교양인과 실용인의 조화
   ② 교육내용: 경험 중심 교육 ⇨ 경험을 통해 지식이 생긴다(행을 통해 지가 생김).
   ③ 교육방법: 경험을 통한 학습, 추측을 통한 사고력 증진, 개인차 존중
   ④ 학습과정: 감각 ⇨ 기억 ⇨ 추리

   (4) **특징**
   ① 아동교육의 중시(염습론)
   ② 생활 중심 교육
   ③ 문자교육과 수학교육(수학은 만물의 근원적 출발이 되는 교과) 중시
   ④ 교육단계론과 동기유발에 의한 교육 강조
   ⑤ 정부에 의한 교육의 기회균등과 법 제정의 평등성(平等性)·시의성(時宜性) 강조

   (5) **의의**: 기철학을 집대성한 인물 ⇨ 실학사상(전통)과 개화사상(근대)을 이어주는 가교 역할을 담당한 '한국의 베이컨(F. Bacon)'

7. **박지원**(1737~1805): 호는 연암
   (1) **사상**: 이용후생(利用厚生) 및 법고창신(法古創新) ⇨ 상공업의 발달과 농업기술 혁신 강조
   (2) **교육적 인간상**: 높은 도덕적 의식을 지닌 경제인
   (3) **교육내용**: 『천자문』, 『사략』, 『통감절요』 등 불가독설 ⇨ 민족주체성 주장
   (4) **주요 저서**: 양반계급사회 풍자(「허생전」, 「양반전」), 신문물 서술 및 실학 소개(『열하일기』)

4 교육사적 의의와 한계

1. 의의

통치자들이 교육이라는 명목하에 행해 왔던 교화(敎化)와는 구별되는 교육다운 교육을 민중의 입장에서 처음으로 생각했다.

(1) 새로운 학문과 교육철학으로 사회구조와 지배 질서를 개편하려 하였다. 그것은 집권자들이 부여한 과거 중심의 학문 경향과 농·공·상의 천시 등을 배격한 것이다.

(2) 교육제도의 쇄신과 새로운 사회 윤리의 확립이다. 실학자들은 당시 교육의 병폐를 시정하기 위하여 과거제도의 개선, 그릇된 교육관을 타파코자 하였다.

(3) 평등사상과 신학문의 수용이다. 사회적 병폐를 구제하기 위한 실학자들의 노력은 위정자들에 의해 배제되었다. 따라서 그들은 학문 연구와 저술에 힘썼으며, 이들의 저술과 연구 업적이 후일 학문 연구에 중요한 계기가 되었다는 점에서 교육적 의미가 크다. 실학자들의 사상과 개혁안이 실현된 것은 아니었으나, 그들이 주창했던 민족주체사상, 평등사상, 근대지향의식, 민권의식, 진취성, 과학성, 자주성, 개방성 등은 현대교육의 기반이 되었다는 점에서 그 의의가 크다고 할 수 있다.

2. 한계

교육개혁에 대한 주장이 실학자들 내부의 논의에만 그침으로서 보다 사회적인 힘으로 작용하지 못했다.

제7절 근대교육 : 개항~한일합방 이전 04. 서울

1 개관

1. 특징

(1) **구교육(경전 중심, 관리양성) 지양**

(2) **근대학교 성립(관학, 기독교 사학과 민족사학)** : 민족사학(중등학교)이 대부분을 차지

(3) **교육기회균등 강조** : 남녀평등교육 실현, 특수교육의 발달 ⇨ 기독교 사학의 공헌점

 ✐ 근대교육의 준거 교육기회의 보편화, 교육의 세속화(교육의 국가 주도화), 민족주의 교육

2. 전개 과정 : 갑오개혁(1894) 이후의 교육개혁

규정	내용
학무아문고시(1894. 7.)	교육개혁에 대한 대내적 선포 • 소학교와 사범학교 설립 • 영재교육 • 대학교, 전문학교 설립 취지 • 교육의 기회균등원칙

전고국조례(1894. 8.)	과거제 폐지
홍범 14조(1895. 1.)	교육개혁에 대한 대외적 선포: 준자제 선발 해외 파견
교육입국조서(1895. 2.) 18. 국가직, 11. 대전, 10. 경기, 07. 경북·국가직, 06. 대구	① 구교육과 신교육의 분기점: 법제화를 통한 근대적 학제 확립에 기여 • 전인교육(덕·체·지 3육론) • 교육의 기회균등(교육 의무화 계몽) • 자주적·근대적 교육과정(국사, 국문, 실용지식 보급) • 교육구국운동(충군애국인 양성) 기치 • 중도 퇴학생 발생을 법적으로 규제(학비환입조규) ② 의의: 민주주의 교육이념 구현, 교육의 사회적 기능, 국민교육 중시

더 알아보기

학무아문고시와 홍범 14조

1. **학무아문고시(1894. 7.)**: 돌이켜보건대 시국은 크게 바뀌었다. 모든 제도가 다 함께 새로워야 하지만 영재의 교육은 무엇보다도 시급한 일이다. 그러므로 나라에서 소학교와 사범학교를 먼저 세워 서울에 행하려 하니, 위로 공경대부(公卿大夫)의 아들로부터 아래로 서민의 자제에 이르기까지 다 이 학교에 들어와 배워 아침에 외고 저녁에 익히라. 그리하여 장차 힘을 길러 시대를 구하고 내수(內修)와 외교에 각각 크게 쓰고자 하나니 진실로 좋은 기회다. 앞으로 대학교와 전문학교도 차례로 세우려 한다. 무릇 뜻있는 자는 일심(一心)으로 가르치고 받들어 성세(盛世)를 이루려는 대지(大志)를 버리지 말라.

2. **홍범 14조(1895. 1.)**: "국중(國中)의 총명한 자제(子弟)를 널리 파견하여 외국의 학문과 기예(技藝)를 전습(傳習)시킨다."(제11조)

더 알아보기

고종의 교육입국조서(1895. 2.)

"… 너희들 신민(臣民)은 짐(朕)의 마음을 본받을지어다. 너희들 신민의 조선은 곧 우리 조종이 보유한 어진 신민이었고, 너희들 신민은 또한 조선의 충애(忠愛)를 잘 이었으니 곧 짐이 보유하는 어진 신민이로다. 짐과 너희들 신민이 힘을 같이하여 조종의 큰 터를 힘쓰지 아니하면 나라가 공고하기를 바라기 심히 어렵도다. 우내(宇內)의 형세를 살펴보건대 부강하여 독립하여 웅시(雄視)하는 모든 나라는 모두 다 그 인민의 지식이 개명하였도다. 이 지식의 개명은 곧 교육의 선미(善美)로 이룩된 것이니, 교육은 실로 국가를 보존하는 근본이라 하리로다.

그러므로 짐은 군사(君師)의 자리에 있어 교육의 책임을 지노라. 또 교육은 그 길이 있는 것이니 헛된 이름과 실제 소용을 먼저 분별하여야 하리로다. 독서나 습자로 옛 사람의 찌꺼기를 줍기에 몰두하여 시세의 대국(大局)에 눈 어둔 자는 비록 그 문장이 고금을 능가할지라도 쓸데없는 서생(書生)에 지나지 못하리로다. 이제 짐이 교육의 강령을 보이노니 헛이름을 물리치고 실용을 취할지어다.

곧 덕을 기를지니, 오륜의 행실을 닦아 속강(俗綱)을 문란하게 하지 말고, 풍교를 세워 인세(人世)의 질서를 유지하며, 사회의 향복(享福)을 증진시킬지어다. 다음은 몸을 기를지니, 근로와 역행을 주로 하며, 게으름과 평안함을 탐하지 말고, 괴롭고 어려운 일을 피하지 말며, 너희의 근육을 굳게 하고 뼈를 튼튼히 하여 강장하고 병 없는 낙을 누려 받을지어다.

다음은 지(知)를 기를지니 사물의 이치를 끝까지 추궁함으로써 지를 닦고 성(性)을 이룩하고, 아름답고 미운 것과 옳고 그른 것, 길고 짧은 데서 나와 남의 구역을 세우지 말고, 정밀히 연구하고 널리 통하기를 힘쓸지어다. 그리고 한 몸의 사(私)를 꾀하지 말고 공중의 이익을 도모할지어다. 이 세 가지는 교육의 강기(綱紀)이니라. 짐은 정부에 명하여 학교를 널리 세우고 인재를 양성하여 너희들 신민의 학식으로써

> 국가중흥의 대공을 세우게 하려 하노니, 너희들 신민은 충군하고 위국하는 마음으로 너희의 덕과 몸과 지를 기를지어다. 왕실의 안전이 너희들 신민의 교육에 있고, 국가의 부강도 또한 신민의 교육에 있도다. 너희들 신민이 선미한 경지에 다다르지 못하면 어찌 짐의 다스림을 이루었다 할 수 있으며, 정부가 어찌 감히 그 책임을 다하였다 할 수 있고, 또한 너희들 신민이 어찌 교육의 길에 마음을 다하고 힘을 다하였다 하리요. 아비는 이것으로써 그 아들을 고무하고, 형은 이것으로써 아우를 권면하며, 벗은 이것으로써 벗의 도움의 도를 행하고 분발하여 멎지 말지어다. 나라의 분한(憤恨)을 대적할 이 오직 너희들 신민이요, 국가의 모욕을 막을 이 오직 너희들 신민이니, 이것은 다 너희들 신민의 본분이로다. 학식의 등급으로 그 공효(功效)의 고하를 아뢰되, 이러한 일로 상을 좇다가 사소한 결단(缺端)이 있더라도 너희들 신민은 또한 이것이 너희들의 교육이 밝지 못한 탓이라고 말할지어다. 상하가 마음을 같이 하기를 힘쓸지어다. 너희들 신민의 마음이 곧 짐의 마음이니 힘쓸지어다. 진실로 이와 같을진대 짐은 조종의 덕광(德光)을 사방에 날릴 것이요, 너희들 신민 또한 너희들 선조의 어진 자식과 착한 손자가 될 것이니, 힘쓸지어다."

❷ 근대학교의 성립

1. 근대학교의 전신(前身) 21. 지방직

(1) **베론(성 요셉)신학당**(1856): 최초의 서구식 학교, 마이스트레(Maistre) 신부가 충북 제천에 설립 ⇨ 가톨릭 사제 양성

(2) **동문학**(1883): 통변학교(School for Training Interpreters), 묄렌도르프(Möllendorf)가 설립 ⇨ 최초의 외국어학교, 영어통역관 양성이 목적
   ① 특권층 자제들만 입학 허용 ⇨ 영어 연수, 서적 간행, 신문 발행
   ② 영국인 핼리팩스(T. E. Hallifax)가 주무교사(主務敎師)가 되어 교육을 담당
   ③ 체계적인 교육 미실시 ⇨ 외아문(전신인 '통리기무아문') 소속의 학교 외 제도에 해당
   ④ 통역과 세관 관계의 실무자를 많이 배출하였고, 1886년 육영공원의 설립 이후 폐교되었으나, 동문학에서 영어를 배운 학생들이 육영공원의 교습 조교로 참가하였다.

(3) **광혜원**(1885): 후에 제중원으로 개칭 - 의학 교육기관
   ① 알렌(Allen)이 설립한 최초의 국립 의료기관(최초의 근대적 병원)
   ② 1886년 3월에 조수 양성을 위해 학생 16명을 뽑아 의학 실습 교육을 실시한 것이 우리나라 의학교육의 시작. 화학과 물리학 등도 교수

(4) **연무공원**(鍊武公院, 1887) - 군사교육기관
   ① 군비 강화를 위해 군사기술을 도입하여 군관(초급 장교)을 기르고자 1887년 10월 연무공원을 설립했다.
   ② 1895년 5월 20일 훈련대 사관양성소 관제(3개월 훈련을 통한 사관 양성) 공포로 사관학교로 발전하였고, 그 후 1896년 1월 무관학교 관제가 공포되면서 무관학교로 개편되어 대한제국의 군관양성기관으로 정착되었다.

(5) **경학원**(經學院, 1887): 고종 24년(1887) 성균관을 개칭 - 유교교육기관

2. 근대학교의 성립에 관한 논쟁

(1) 근대교육은 서구교육의 이식이라는 주장
① 배재학당설(오천석): 교육사상적 측면에서 남을 위한 봉사 이념 제시, 교육 운영방침 측면에서 근대적(학기 구분, 일과를 시간으로 규정, 입학과 퇴학절차, 돈으로 수업료 징수)
② 원산학사설(신용하): 서구식 실용지식을 교육내용으로 채택
③ 식민지 교육설(식민사학자들): 식민지 교육에 의한 근대화

(2) 근대교육은 자생적인 근대교육의 형성이라는 주장: 18세기 서당설(정순우)
① 교육주체의 변화: 일반 서민이 서당 설립
② 계층별 교육의 실시와 교육내용의 변화: 현실생활에 밀접한 내용을 교육 ⇨ 장혼(張混)이 저술한 「아희원람」이 교재
③ 훈장의 변화: 몰락양반과 유랑지식인이 교육 담당 ⇨ 사회체제에 대한 비판 & 서민들의 자의식을 고양·각성

3. 근대학교의 성립

시대 구분	관학			사학		
	초등	중등	고등	초등	중등	고등
개항 이전 (~1876)						베론신학당 (1856)
개항~갑오개혁 (1876~1894)			• 성균관 • 육영공원 (1886)	원산학사 (1883)	배재학당 (1885)	
교육입국조서~ (1895. 2.)	소학교 (1895. 7.)	• 한성중학교 (1900) • 한성고등학교(1906)	한성사범학교 (1895. 4.)			

※ ▨ 는 최초로 설립된 교육기관임.

(1) 근대적 신학제의 수립 23. 지방직: 교육입국조서 공포 이후~1905년

학교관제	제정·공포일	학교관제	제정·공포일
한성사범학교 관제	1895. 4. 16.	보조공립소학교 규칙	1896. 2. 20.
외국어학교 관제	1895. 5. 10.	의학교 관제	1899. 3. 24.
성균관 관제	1895. 7. 2.	중학교 관제	1899. 4. 4.
소학교령	1895. 7. 19.	상공학교 관제	1899. 6. 24.
한성사범학교 규칙	1895. 7. 23.	외국어학교 규칙	1900. 6. 27.
성균관 경학과 규칙	1895. 8. 9.	농상공학교 관제	1904. 6. 8.
소학교 규칙 대강	1895. 8. 12.		

(2) 관학
① 교육 중점 : 외국어교육, 사범교육, 실업교육
② 육영공원(1886, Royal English School) : 최초의 근대적 관학 11. 경북, 10. 국가직 7급
  ㉠ 설립 목적 : 영어교수
  ㉡ 입학 대상 : 양반고관의 자제 또는 고관들이 추천한 사람
    예. 좌원(연소한 문무관리 – 과거급제자, 10명 정원)+우원(양반가문의 자제–과거 미급제자, 20명 정원) ⇨ 일반 평민은 제외
  ㉢ 설립 경위 : 보빙대사 민영익의 건의(1884) ⇨ 3명의 미국인 교사 초빙, 개교(1886) ⇨ '영어학교'로 개명(Hutchison이 인수, 1893) ⇨ 폐교(1894)

  > 학생은 국왕이 선택한 귀족 가정의 자제들이었다. 처음에 우리 반에는 35명이 있었는데, 아무도 영어에 대한 지식이 없었으므로 우리는 알파벳부터 시작해야 했다. 통역 세 사람이 있어 우리 선생 3인[뉴욕 유니온 신학교 학생인 길모어(Gilmore), 벙커(Bunker), 헐버트(Hulbert)]에게 한 명씩 배정되었다. …… 이 학교의 목적에 대하여 언급할 필요가 있다. 당시 조선에는 두 당파가 있었는데, 보수파와 진보파라고 할 수 있었다. 국왕은 마음속으로는 진보파였다. 그러나 그는 중국적인 독단사상과 보수주의에 골똘한 사람들에게 둘러싸여 있었다. 그리하여 국왕은 자신의 진보적 정책을 지지해 줄 사람이 절실히 필요했다. 우리 학교는 바로 이러한 일을 할 것으로 기대되었다. – 『한국신교육사』(오천석)

  ㉣ 학칙 : 「육영공원 설학절목」 ⇨ 최초의 신식 학제, 18개 조목, 서구식 교육제도에 근거한 구미식 학교 운영의 기본 준칙과 지침 마련
  ㉤ 교육과정 : 수업연한 3년, 2학기제로 운영, 영어교육 위주로 기초지식(예. 독서, 습자)부터 수학, 자연과학, 역사, 정치학, 경제학 교육
  ㉥ 특징 : 동문학에서 수학한 이들을 통역관으로 채용, 영어로 된 교과서 사용, 졸업시험은 대고(大考)
  ㉦ 교육사적 의의 : 관학으로서 최초로 서양의 교육과정에 준하는 교육 실시, 구교육에서 신교육으로 넘어가는 교량적 역할 담당
③ 한성사범학교(1895. 4.) : 최초의 사범학교(소학교 교원 양성) ⇨ 「한성사범학교관제」(1895. 4, 최초의 근대적 학교관제)에 의거 21. 국가직 7급
④ 소학교(1895. 7.) : 「소학교령(1895)」과 「학부령」 제3호에 의거, 국민교육 담당
  ㉠ 「소학교령(제4장 제29조)」 : 소학교 목적·종류·경비, 편제 및 남녀 아동의 취학, 학교의 설치 및 감독, 직원 등으로 구성

학령	만 8세에서 만 15세까지(8개년)
설립유형	관립·공립·사립 소학교 ⇨ 관립 – 국가, 공립 – 부·군, 사립 – 설립자(국가 보조)가 경비 부담
설립 목적	아동 신체의 발달 고려, 국민교육의 기초와 그 생활상 필요한 보통지식과 기능을 전수
설치 과정(수업연한)	심상과(3년), 고등과(2~3년)
교육과정	• 심상과 : 수신, 독서, 작문, 습자, 산술, 체조, 본국지리, 본국역사, 도화, 외국어, 재봉 • 고등과 : 수신, 독서, 작문, 습자, 산술, 본국지리, 본국역사, 외국지리, 외국역사, 이과, 도화, 체조, 재봉(여)
교직원	교장, 교원

ⓒ 관립소학교: 한성 내 11개교 설립, 학부가 직접 관리(학부의 참서관이 교장 겸직, 단 '경교소학교'는 제외)
　　　ⓒ 공립소학교: 전국적으로 설립, 관료와 주민들(지역공동체)이 자금을 모아 설립, 교장은 해당 지역 군수가 겸직, 학부에서 교원을 파견, 교원의 봉급은 국가가 지원하고, 운영은 해당 지방에서 담당, 복식학급과 개별화 수업
　　　ⓔ 「보조공립소학교규칙(補助公立小學校規則, 1896. 2. 25.)」 공포: 공립소학교에 대한 국고보조금을 법적으로 강화 ⇨ 초등교육 발전 도모
　　⑤ 한성중학교(1900): 「중학교관제(1899. 4. 4.)」에 근거 ⇨ 심상과 4년, 고등과 3년 등 7년제, 실업교육은 공통 필수, 「고등학교령」에 의하여 1906년 관립한성고등학교로 개칭
　　⑥ 한성고등여학교(1908): 본과와 예과로 구분
　　⑦ 성균관의 개편: 「성균관 관제(1895. 7. 2.)」와 「성균관 경학과 규칙(1895. 8. 9.)」에 의거 ⇨ 성균관 경학과(經學科)를 설치하여 전적으로 교육기능만을 수행, 3년 과정으로 4서 3경과 역사, 지리, 산술 등의 근대적인 교과목을 교수
　　⑧ 관립외국어학교: 「외국어학교 관제(1895. 5. 10.)」와 「외국어학교 규칙(1900. 6. 27.)」에 근거, 일어학교, 영어, 한어, 아어, 덕어, 법어학교 등 6개교 ⇨ 어학, 수학, 지리, 상업총론(실무교육), 체육 등 교수, 4년~5년 과정
　　⑨ 의학교: 중학교 졸업자 이상 입학, 3년제
　　⑩ 법관 양성소: 6개월 과정, 민법·형법·소송법·명률·대전회통 등 교수
　　⑪ 실업 교육기관: 상공학교, 광무학교, 잠업양성소, 전무학당, 우무학당

(3) **민족사학**
　　① 교육 중점: 민족지도자 양성, 민족의식 고취, 항일애국사상 함양 ⇨ 당시 대부분을 차지, 중등학교가 대부분, 실학사상을 계승, 민족주의적 성격이 강함.
　　② 원산학사(1883): 최초의 근대적 학교   20. 지방직, 06. 국가직
　　　⊙ 설립 동기: 신지식을 신세대에 교육, 외국의 도전(일본상인의 침투)에 대항 목적
　　　ⓒ 설립 경위: 주민(덕원읍민들의 자발적 헌금)과 개화파 관료(정현석)가 협동하여 설립, 개량서당을 확대, 정부의 설립 인가를 받음.
　　　ⓒ 교육과정: 문예반＋무예반, 초등~중학교
　　　ⓔ 학칙: 「학사절목(學舍節目)」

편제와 정원	문예반 50명, 무예반 200명
입학자격	연소(年少)하고 우수 총민(聰敏)한 덕원읍민의 자제, 타지역인으로서 입학금을 내는 자, 무예반은 무제한
교과목	산수, 격치, 기계, 농업, 양잠, 채광, 외국어(일어), 법률, 만국공법, 지리(문무공통), 경서(문예반), 병서와 무예(무예반)
직원	교수 1명, 장의(掌議) 2명, 장재유사(掌財有司) 2명

　　　ⓜ 의의: 전통적 서당개량 ⇨ 민족전통(실학) 계승, 외국의 모방 ×
　　　ⓗ 변화: 갑신정변 실패 후 원산소학교로 개칭 ⇨ 무예반 폐지, 중학교 기능 상실

③ 흥화학교(1895): 민영환 설립 ⇨ 교육입국조서 이후 최초, 영어와 일어 교수
④ 점진학교(1899): 안창호 설립, 남녀공학의 소학교
⑤ 양정의숙(1905): 엄주익 설립
⑥ 보성학교(1905): 이용익 설립, 최초의 사립 전문학교
⑦ 현산학교(1906, 중등), 모곡학교(1919, 초등): 남궁억 설립
⑧ 대성학교(1907): 안창호 설립 ⇨ 이상촌 건설 운동
⑨ 오산학교(1907): 이승훈(한국의 '페스탈로치') 설립 ⇨ 이상촌 운동, 성(誠)·애(愛)·경(敬)을 실천하는 애국인 양성
⑩ 서우사범학교(1907): 서우학회(박은식, 주시경 등 평안도와 황해도 출신 지식인들의 모임) 설립 ⇨ 1년 과정의 사범 속성학교와 야학교로 구성

(4) **기독교**(선교계) **사학**
① 교육 중점: 교육의 기회균등(여성교육, 특수교육), 근로·노작교육, 특별활동(운동회, 토론회, 봉사활동)
② 배재학당(1885): 감리교 선교사 아펜젤러 설립 ⇨ 최초의 근대적 선교 사학, 근대식 남학교의 효시
   ㉠ 설립 목적: "우리는 통역관을 양성하거나 우리 학교의 일꾼을 기르려는 것이 아니라 자유의 교육을 받은 사람을 내보내려는 것이다."(아펜젤러)
   ㉡ 학당훈: 욕위대자(欲爲大者) 당위인역(當爲人役) ⇨ 기독교의 진리를 실천하며 교회와 국가에 봉사할 수 있는 지도자를 양성하는 것
   ㉢ 교육과정
      ⓐ 공식적: 영어 강습+경서 강학
      ⓑ 비공식: 학내외 정치(독립)운동/교양과목(유학 경전, 한문)
   ㉣ 특징
      ⓐ 정부와 '관비 영어 위탁교육 계약' 체결 & 관비 위탁생 대상 교육
      ⓑ 학교 교육사상 최초로 과외교육(예 연설, 토론회 등) 실시
③ 이화학당(1886): 감리교 선교사 스크랜튼 설립 ⇨ 최초의 근대적 여성교육기관, 영어 및 한글, 역사, 글쓰기, 창가, 산술, 한문을 교수
④ 경신학교(1886): 장로교 선교사 언더우드 설립, 전문학교 ⇨ 고아원을 개칭하여 학교 교육 실시, 의복과 숙식비 및 교육비 일체는 선교부에서 부담
⑤ 정신여학교(1887): 장로교 선교사 엘러스 설립, 기독교적 조선 여성 육성이 목적 ⇨ 조선의 상류계급에서 쓰는 예의범절과 말씨, 몸가짐을 교육
⑥ 전개: 1910년 전국적으로 823개교가 설립 ⇨ 사학(私學)의 대부분을 차지
⑦ 의의
   ㉠ 서양식 교육제도를 처음으로 소개하고 신학문을 수립하는 일에 개척자적 소임 완수
   ㉡ 서양인의 문물과 사상 및 사고방식을 한국에 소개·전달
   ㉢ 계급 타파 및 여성의 지위 고양(교육의 기회균등 확대)
   ㉣ 근로의 자립정신을 교수

ⓜ 정규과목 외에 연설회, 토론회, 운동회와 같은 특별활동을 장려함으로써 근대적 교육활동 전개
⑧ 문제점: 문화식민지 교육의 한계를 탈피하지 못함.

제8절 일제하 교육 11. 울산, 05. 서울

1 일제 교육의 기본방향과 특징

1. 기본방향

(1) **관학 육성과 사학의 탄압**: 교육에 대한 중앙집권적 통제 강화 정책

(2) **초등교육의 확대와 고등교육 기회의 제한**: 조선인의 우민화(愚民化) 정책

(3) **일본어교육 강화**: 일본어와 일본의 문화·역사를 강제 주입 ⇨ 한국혼 말살 정책

(4) **저급한 실업교육 실시**: 우민화 정책, 경제적 침탈 ⇨ 교양교육 실시 ×

2. 특징

우민화(실업교육 중시), 친일교육 강화(1911, 조선교육령), 민족사학 탄압(1908, 사립학교령), 교과서 검인정제, 대학교육 불허(1911, 성균관 폐교), 복선형 학제

2 을사늑약(乙巳勒約) 이후(1905~1910, 조선통감부)의 교육정책

1. 보통학교령(1906) 제정·반포

'소학교'를 '보통학교'로 개칭, 심상과와 고등과 통합, 수학연한 단축(6년 ⇨ 4년), 도덕교육과 지식·기능 배양 교육 표방 ⇨ 저급한 수준의 보통교육 추진

△ **초등학교 명칭 변화 과정** 소학교(1895, 소학교령) ⇨ 보통학교(1906, 보통학교령) ⇨ 심상소학교(1938, 3차 조선교육 개정령) ⇨ 국민학교(1941, 국민학교령) ⇨ 초등학교(1996)

2. 사립학교령(1908) 제정·반포 – 민족사학 탄압 목적

(1) 사립학교의 설립 기준, 인가 방법(학부대신의 인가), 학부대신의 검인정을 받은 교과서 사용, 사립학교 폐쇄 기준 등 규정

(2) **모범교육 실시**: 사립학교 교육에 참된 학교교육을 시범한다는 명목으로 일본인 교원 배치를 통해 실질적인 민족사학 탄압 목적

3. 학회령(1908) 제정·반포 – 애국계몽운동을 주도하는 학회 탄압 목적

4. 교과용 도서 검정규정(1908) – 한국민의 민족의식과 주체의식 고취 내용 배제

5. 실업학교령(1909) 제정·반포

저급한 실업교육의 실시 ⇨ 우민화를 위한 하급관리나 기술인 양성 목적

③ 식민지 시기(1910~1945, 조선총독부)의 교육정책

1. 조선교육령의 제정·반포(1911) 05. 국가직, 04. 부산

(1) **제정 목적**: 조선인의 일본인화 ⇨ 조선의 일본 식민지화

(2) **내용**: 전문 30조

① **강령**: 식민지 교육의 기본 방침 제시 ⇨ 충량(忠良)한 일본 신민(臣民)의 양성, 시세(時勢)와 민도(民度)에 맞도록 교육, 일본어 보급을 통한 제국신민의 교육

② **교육과정**: 보통교육, 실업교육, 전문교육 중시

  ㉠ 보통교육: 보통의 지식과 기능을 교수하여 국민될 성격 함양, 일본어 보급을 목적
  ㉡ 실업교육: 농업·상업·공업에 관한 지식과 기능의 보급을 목적
  ㉢ 전문교육: 고등의 학술, 기예 교수를 목적

▲ 학교에서의 신사참배

③ **교육정책**

  ㉠ 학교제도 개편: 보통학교, 고등보통학교, 여자고등보통학교, 실업학교, 전문학교
  ㉡ 복선형 학제(3단계): 일본인의 학교와 조선인의 학교를 병립 ⇨ 실제 추진은 제2차 조선교육령 시기부터였음.

일본인 학교	소학교(6년) ⇨ 중학교(5년) ⇨ 고등여학교(5년)
조선인 학교	보통학교(3~4년) ⇨ 고등보통학교(4년), 여자고등보통학교(3년) ⇨ 실업학교(2~3년), 전문학교(3~4년)

  ㉢ 한성사범학교 폐지: 관립고등보통학교에 교원양성과정을 설치 ⇨ 한국인 교원에서 일본인 교원으로 대치
  ㉣ 일본어와 일본 문화 중심의 교육과정 개편: 보통학교와 고등보통학교에서 한국의 역사와 지리 과목 폐지, 일본어교육 강화

④ **민족교육의 탄압**

  ㉠ 외국어학교 폐지: 한민족의 해외 진출 및 교류 억제
  ㉡ 성균관 폐쇄: '부령 제73호, 경학원 규정(1911. 6.)'에 의거, 성균관을 경학원(經學院)으로 대체
  ㉢ 민족사학의 설립과 운영 탄압: '사립학교규칙(1911. 10.)' 제정·공포 ⇨ 학교 설립·교원의 채용·교과과정·교과서를 비롯한 수업내용 등 교육 전반에 걸친 통제와 감독 강화
  ㉣ 한국인의 사학 교원 진출 억제: 사립학교 교원으로의 임용 기회 제한 ⇨ 사립학교 교원 시험에 합격한 자와 일본 문부성 및 부현에서 발행한 교원 면허자격증 소유자로 제한
  ㉤ 도서의 압수 및 분서(焚書): 민족정신이나 일제에 대한 저항의식을 고취할 만한 책(예. 동국사략, 이순신전, 월남망국사 등)을 압수·판매 금지·분서

2. 교육정책의 변화 - 「조선교육령」의 변화과정 21. 국가직 7급

구분	식민지 정책	교육정책
제1차 조선교육령 (1911. 8.)	무단통치기	• 식민지 교육의 기본방침 제시: 충량(忠良)한 일본신민의 양성, 시세(時勢)와 민도(民度)에 맞는 교육, 일본어 보급 • 성균관의 폐쇄(1911): 「경학원 규정」에 의거 • 「사립학교규칙」 공포(1911) 및 개정(1915): 민족사학 탄압 강화 ⇨ 학교 설립·교원 채용·교과과정 등 교육 전반에 걸친 통제와 감독 강화 • 한성사범학교 폐지 • 「서당규칙」 공포(1918): 서당 개설 인가제, 총독부 편찬 교재 사용 • 보통학교: 6면 1교주의 정책에서 3면 1교주의 정책으로 변화(1918) ⇨ 1910년대 보통학교는 학생 수에 있어 서당이나 사립학교에 비해 열세였음. 1915년에 사립학교 학생 수를 능가했고, 1923년에 이르러서 서당의 학생 수를 능가함.
제2차 조선교육령 (1922) 21·15. 국가직	문화정책기	• 민족차별교육 실시(실질적): 복선형 학제 실시 ⇨ 소학교('국어를 상용하는 자', 즉 일본인만 취학)와 보통학교('국어를 상용하지 않는 자', 즉 한국인만 취학)를 병행 • 조선인과 일본인의 공학(共學)을 원칙으로 함(형식상). • 교육기간의 연장: 보통학교(4년 ⇨ 6년), 고등보통학교(4년 ⇨ 5년), 여자고등보통학교(3년 ⇨ 4년), 실업학교(2·3년 ⇨ 3·4년) ⇨ 일본과 동일하게 운영 • 조선어(국어)와 조선역사(국사)를 필수과목으로 지정 • 보통학교의 확대: '3면 1교주의' 정책에서 '1면 1교주의' 정책으로 변화(1929), 보통학교가 양적으로 팽창 • 간이학교제 도입: 한국인의 교육열 증가로 보통학교 증설 운동의 확산에 대한 일제의 대응 방안 ⇨ 수업연한 2년, 80명 정도의 1개 학급만 설치한 학교, 교육 시설이나 교재 미흡, 교육과정의 1/3은 직업훈련 • (일제)사범학교 신설: 남자 6년제, 여자 5년제 • 대학 설치 규정 신설: 경성제국대학 설립(1924) ⇨ 민립대학 설립 운동 봉쇄 정책의 일환
제3차 조선교육령 (1938)	황국신민화 정책기 (국체명징, 내선일체, 인고단련 등 3대 교육방침)	• 민족정신 말살 정책: 조선어와 조선 역사 사실상 폐지(심상과 ⇨ 수의과), 신사참배, 창씨개명, 궁성요배 강요 • 내선일체(內鮮一體): 보통학교를 심상소학교로 개칭(1938), '고등보통학교'를 '중학교'로, '여자고등보통학교'를 '고등여학교'로 개칭 • 보통학교(심상소학교): 1면 1교주의 • 복선형학제 폐지: 일본과 동일한 학제 적용 ⇨ 민족차별교육 형식상 폐지 • 역사·지리 과목의 강화(소학교): 철저한 황민화 교육 • 사립중학교 설립 불허 • '국민학교'로 개칭(「국민학교령」, 1941): 황국신민 양성 목적
제4차 조선교육령 (1943)	황국신민화 정책기 (대륙침략기)	• 군사목적에 합치된 교육: 수업연한의 단축(중학교, 고등여학교, 실업학교를 모두 4년으로), 대학 및 전문학교 전시체제 개편 • 사범학교 교육의 확장: 황국신민 양성 목적 실현 ⇨ 1944년경에 전국에 16개의 관립사범학교가 설립됨으로써 본격적인 초등교원 양성 체제가 자리를 잡게 됨. • 조선어와 조선 역사 교육 금지

❹ 민족교육운동 전개

1. 노동자와 도시빈민을 위한 노동 야학운동 전개

(1) 일제의 '1면 1교주의' 정책으로 인한 기초교육의 어려움

(2) **노동자, 농민, 도시빈민의 자제들 중 공립보통학교에 취학하지 못한 학령아동을 대상으로 한 교육 실시**
① 기본과목(조선어, 한문, 산술 등)과 실용과목(농업, 양잠, 노동독본 등) 교수
② 민족자주의식과 반일의식 고취: 조선역사·지리·창가, 시사, 토론 등 교수

2. 문맹퇴치 및 문자보급운동 전개

언론기관, 조선어학회, 신간회 등이 주도 ⇨ 일제의 문화말살정책에 대한 반동, 문자보급을 통해 민족문화 보존을 위한 계몽운동 전개

(1) **언론기관**
① 조선일보의 문자보급운동: "아는 것이 힘, 배워야 산다."
② 동아일보의 브나로드(Vnarod)운동: '민중(노동자 또는 농민) 속으로' 들어가 문맹자들에게 글을 가르치면서 미신타파, 금주 운동, 축첩제 폐지 등 생활개선 및 문화생활을 계몽하고자 한 운동

(2) **조선어학회**: 최현배, 이윤재 등이 설립(1921) ⇨ 기관지 「한글」을 발간하여 국어보급운동, '한글 맞춤법 통일안' 제정, 한글날 제정, 조선어 교재 발간, 한글 강습회 전국 순회 개최 등 한글을 통한 민족운동 전개

(3) **신간회**: 비타협적인 민족주의자와 사회주의자들이 연합 결성한 절대독립 지향의 민족적 결사 운동 단체 ⇨ 이상재, 신채호, 권동진, 안재홍 등이 주도
① 비정규적인 사회교육활동 전개
② 식민지 교육 철폐 운동 전개: 조선인 위주의 교육, 관공립·사립학교에 대한 경찰 간섭의 배제, 조선인 아동의 의무교육제 실시, 야학 허가, 간이문고의 설치 요구
③ 민족해방을 위한 의식화 교육 전개: 지방강연회 개최, 사회과학 연구의 보급, 야학의 설치, 노동자·농민·학생들이 주도하는 항일 비밀결사 조직 결성 등
④ 문자보급운동 전개: 조선어학회와 함께 일제의 민족말살정책에 저항

(4) **근우회(槿友會)**: 민족주의와 사회주의 진영이 연합 결성한 여성단체 ⇨ 남녀평등과 여성의 자유 및 해방 주장, 부인계몽 강좌와 여성계몽을 위한 대토론회 개최, 문맹여성을 위한 야학의 설립과 한글교육

(5) **천도교의 민중교육운동**
① 교육사업과 출판사업 전개
  ㉠ 교육사업: 동덕여학교, 양덕여학교, 보성학교 등 10여 개의 민족사학을 설립 및 인수하여 경영
  ㉡ 출판사업: 인쇄소인 '개벽사'를 설립, 민중계몽운동 전개
② '천도교 청년당'을 중심으로 조직적인 민중계몽운동과 교육운동 전개
  ㉠ 성별, 연령별, 직업별 부문 운동 전개: 여성부, 소년부, 청년부, 학생부, 노동부, 농민부, 상민부 등 7개부 조직

ⓒ 소년부 운동: 천도교 소년회 조직, 「어린이」 잡지 발간, 어린이날 제정 ⇨ 방정환을 중심으로 아동교육운동 전개
ⓒ 여성부 운동: 여성전용 잡지(「부인」, 「신여성」) 발간, 사립여학교에 대한 보조, 부인 야학운동 ⇨ 여성지위 향상 및 여성계몽운동 전개
ⓔ 농민부 운동: 조선농민사 설립 ⇨ 「조선농민」 발간, 농민 야학 설치, 순회강연 등 농민의 의식계몽운동 전개

3. 조선민립대학 설립운동 추진

(1) **이상재 · 한용운 · 이승훈 등이 '조선민립대학 기성회' 조직**(1922. 11.)
① 한민족의 지식욕을 충족할 만한 대학 건설 추진
② 한민족 1인당 1원씩 1천만 원 갹출 운동 전개
③ 일제의 방해 공작과 기금 모금 부진 등의 이유로 실패

(2) **조선교육회 설립**(1923. 6.): '한민족의 교육은 한민족의 손으로 이루어야 한다.'는 취지 아래 한규설, 이상재, 윤치소 등이 조직
① 조선민립대학 설립운동 전개
② 교육기회균등을 위한 학교 증설, 한국인 교육의 차별대우 폐지, 한국어 교육용어 사용, 한국사 학과목 개설 등을 일제에 요구

(3) 일제는 경성제국대학 설립(1924)으로 조선민립대학 설립운동을 원천봉쇄

4. 조선 본위의 교육, 아동 중심의 교육, 인간 본위의 교육운동 전개

(1) **조선 본위의 교육운동**: 조선교육회(1927)의 문맹타파운동, 최현배의 「조선민족 갱생의 도」(1926)

(2) **아동 중심의 교육운동**: 소파 방정환 '천도교 소년회' 창설 ⇨ 어린이날 제정, 「어린이」 창간

(3) **인간 본위의 교육운동**: 미국 선교사 Fisher 「한국의 민주주의와 선교교육」 저술 ⇨ 개성존중, 능력존중의 인본주의 교육운동 전개

5. 과학 대중화운동 전개

(1) 하급기술인력 양성에만 주력한 일제 정책에 대한 저항

(2) 한국인을 위한 고등과학교육과 과학의 일상화 운동 전개

(3) **과학진흥단체 설립**: 발명학회 및 과학문명 보급회, 과학지식 보급회 등 설립
① 발명학회(1924): 「과학조선」(과학 종합잡지) 창간, '과학의 날' 제정
② 과학문명 보급회(1924): 동경 유학생들 중심으로 조직 ⇨ 방학 중 전국 순회 강연회 개최
③ 과학지식 보급회 설립(1934): 김용관이 중심 ⇨ 생활의 과학화, 과학의 대중화 주창(과학도서 편찬, 강연회, 과학영화 제작, 과학의 노래 만들기 사업 전개)

(4) 1930년대 말 일제 강요로 일제가 만든 과학단체에 강제 흡수

6. 국어와 국사를 중심으로 한 국학진흥운동 전개

(1) **한국의 역사 및 문화의 자주성과 우수성에 대한 재발견 운동**: 조선어학회와 민족주의 사학자들을 중심으로 국어와 국사에 대한 연구 활동을 활발히 전개

(2) **조선어학회**: 한글을 통한 민족운동 전개

(3) **민족주의 사학**: 국사(國史)연구운동 활발히 전개
  ① 신채호
    ㉠ 고대사 연구(「조선상고사」)에 주력 ⇨ 독립정신 고취 목적
    ㉡ 국수(國粹)사상, 즉 국민정신과 애국심 강조
  ② 박은식
    ㉠ 독립운동사에 대한 저술(『한국통사』, 『한국독립운동지혈사』 등) 활동 ⇨ 민족운동의 발자취에 대한 주체적 이해 도모
    ㉡ 국백(國魄 예 물질, 국토)은 빼앗겼어도 국혼(國魂 예 정신, 문화)은 지킬 것을 강조
  ③ 정인보: '얼'을 중시 ⇨ 『조선사연구』 저술
  ④ 최남선: '조선광문회'를 조직 ⇨ 고전의 출판보급운동을 통해 민족의식 고취, 고대문화연구를 통해 민족문화의 유구성(悠久性) 강조
  ⑤ 문일평: 호암전집(湖岩全集, 전 3권)을 통해 민족주체성 강조

(4) **진단학회(1934) 활동**
  ① 이병도, 손진태 등을 중심으로 조직, 「진단학보」 발간
  ② 실증사관을 기초로 한국사의 발전 과정을 경제사적 관점에서 설명 ⇨ 민족사관의 편협성과 국수성, 식민사관의 오류를 극복

7. 교사와 학생이 주도한 비밀결사운동 전개

(1) **교사 운동**: 사회주의 교사들이 주도 ⇨ 조선의 독립과 제국주의 교육 타도가 목적
  ① 학생들에게 독립의식과 사회주의 사상을 고취
  ② 각종 농민 운동과 노동 운동을 배후에서 지원 ⇨ 농촌 청소년과 노동자들을 대상으로 항일의식 고취 및 사회주의 이론 교수
  ③ 의무교육 실시, 교육에 있어 민족적 차별 철폐, 수업료 철폐, 강제적 일본어교육 철폐 등을 위한 운동 전개

(2) **학생 운동**: 학교별 독서회를 중심으로 비밀결사를 조직하여 민족운동 전개

8. 서당 및 국외에서 전개된 민족교육운동

(1) **서당의 민족교육운동**
  ① 개화기의 의병투쟁운동에 참가했던 양반과 유생들, 그리고 민족주의자들을 중심으로 서당을 개설 ⇨ 문맹퇴치운동 및 민중교화를 통한 민족의식 고취

② 일제는 '서당규칙'을 제정·공포(1918) ⇨ 서당의 개설 시 도지사 인가제, 총독부가 편찬한 교과서의 사용 등을 통해 서당교육 탄압

(2) **국외에서 전개된 민족교육운동**: 사립학교를 설립하여 신학문 교수와 민족교육 실시

간도 지역	개황: 1916년 161개 학교, 학생 수 4,094명 수학
	명동서숙(1908)	간도지역의 대표적 민족교육기관, 1909년 명동학교로 개편, 1910년 중학교 병설
	신흥무관학교(1911)	신민회의 이동녕, 이시영 등이 설립, 무관 양성교육 실시
	서전서숙(1906)	이상설이 설립, 신학문을 통한 철저한 반일 민족교육 실시
연해주 지역	개황: 1925년 180여 개 학교, 8,000명 수학
	계동학교(1907)	7~13세 아동 대상으로 한문, 한글, 습자, 한국지리 등 교육

5 일제 식민지 교육의 영향

1. 문제점

(1) **관료주의적 교육행정**: 교육보다 행정을 우선하는 중앙집권적·관료 편의주의적 행정

(2) **전체주의적 훈육**: 개인의 자유와 존엄보다 집단의 도덕과 가치를 강제

(3) **도구주의적 교육관**: 교육이 다른 목적을 위한 도구로 전락

(4) 식민지배의 이데올로기적 성격으로 인해 왜곡적인 교육이 진행

2. 교육적 의의

(1) 전통적 교육기관에서 근대적 학교로 학생층이 이동

(2) 한국민의 교육열에 의한 보통학교교육의 확대

6 교육사상가

1. 남궁억[한서(翰西), 1863~1939]

(1) **교육관**: 교육입국론(敎育立國論) ⇨ 교육은 국가와 민족 발전의 중핵적 요소

(2) **교육목적**: 애국·애족하는 자주적 인간(사회인), 진실하고 경건한 도덕적 인간(도덕인), 근면 성실한 경제적 인간(산업인) 양성

(3) **교육내용**: 역사교육, 예능교육, 언어교육, 실업교육 중시

(4) **교육방법**

① 실천궁행(實踐躬行)의 교육: 주지주의적·이론 위주의 교육 배격, 지행합일(知行合一)하는 행동인 육성

② 비형식적 사회교육: 학교교육 이외에 사회단체, 언론, 종교를 통한 교육 강조

③ 노작활동을 통한 실업교육: 실과와 실험실습 강조

(5) **이상적 교사상**: 민주적 교사상 ⇨ 강요와 억압 배격, 이해와 설득, 솔선수범

(6) **민족교육활동**
① 『황성신문』 발간(1898): 국민교육과 계몽 목적
② 학교 설립: 현산학교(1906, 중등), 모곡학교(1919, 초등) ⇨ 국권 갱생의 일꾼 양성 목표
　✎ 강원도 홍천 모곡리에 모곡학교를 설립하여 정기적인 토론회, 웅변대회(변론술) 등을 통해 교수함.
③ 「교육월보」 발간(1908): 순한글로 간행된 잡지, 학교에 다니지 못하는 청소년들을 위한 통신강의록 ⇨ 사회교육활동 전개
④ 실업교육 실천: 학생과 함께 노작활동(예 풀베기, 나무심기, 꽃가꾸기, 묘목기르기 등), 지역사회개발운동(예 교량건설, 위생 계몽 등) 실천
⑤ 나라꽃 '무궁화 동산' 건설 운동(1931): 강원도 홍천을 중심으로 한 애국정신 계몽운동

(7) **주요 저서**: 우리말 교과서(『조선이야기』, 『조선어법』), 국사서(『동사략』)

2. 안창호[도산(島山), 1878~1938] 12. 서울

(1) **교육이념**: 자아혁신·무실역행(務實力行)·점진공부(漸進工夫) ⇨ 민족 개조('힘을 기르소서')

자아혁신	국민 한 사람 한 사람이 인격자가 되는 것 ⇨ 인격혁명
무실역행	자아혁신의 방법, 건전한 인격의 4대 정신(무실, 역행, 충의, 용감)
점진공부	학문하는 자세, 생활신조 ⇨ 점진적으로 자기 생활의 향상 도모

(2) **교육목적**: 건전한 인격 양성 ⇨ 튼튼한 몸, 일인일기(一人一技, 직업교육), 인간다운 도덕적 품성(4대 정신) 도야

(3) **교육방법**: 성실성(誠實性), 점진성(漸進性)

(4) **특징**
① 4대 정신: 무실·역행·충의·용감
② 3대 자본: 경제적 자본, 도덕적 자본, 정신적 자본
③ 대공주의(大公主義): 사(私)보다 공(公)을 위주로 하고 무슨 일에나 공명정대하고 공평무사(公平無私)하기를 힘쓰는 것 ⇨ 민족을 위하는 것이 곧 대공(大公)
④ 소크라테스식 문답법, 미소운동(빙그레운동 ⇨ 정서교육 강조), 주인정신(주체정신, 책임정신, 독립정신↔나그네정신, 손님정신), 지력(知力)주의 강조

(5) **민족교육활동**
① 학교 설립: 점진학교(1899, 최초의 남녀공학의 소학교), 대성학교(1907, 중등학교 ⇨ 민족운동가 양성), 동명학원(1924, 해외유학 준비 교육)
② 흥사단 운동: 덕(德)·체(體)·지(知)의 3육(三育), 주인정신, 자력주의(自力主義)·양력주의(養力主義)·대력주의(大力主義) ⇨ 민족 부흥을 위한 민족의 힘 배양
③ 이상촌 건설 계획: 환경이 인격 형성에 지대한 영향 ⇨ 한 마을을 이상촌으로 건설 ⇨ 한 국가를 이상국가로 건설

3. 방정환[소파(小波), 1899~1931] 04. 부산

(1) **사상적 배경**: 천도교의 인내천(人乃天) 사상

(2) **교육활동**: 어린이날 제정, 아동문화운동(잡지 「어린이」 창간) ⇨ 아동 존중 교육

> **더 알아보기**
>
> **소파 방정환의 아동 존중 사상**
>
> 1. **어린이 예찬**: 새와 같이 꽃과 같이 앵두같이 어린 입술로 천진난만하게 부르는 노래, 그것은 그대로 자연의 소리이며 그대로 하늘의 소리입니다. 비둘기와 같이 토끼와 같이 부드러운 머리를 바람에 날리면서 뛰노는 모양, 그대로가 자연의 자태이고 그대로가 하늘의 그림자입니다. 거기에는 어른들과 같은 욕심도 있지 아니하고 짐승스런 계획도 있지 아니합니다. 죄없고 허물없는 평화롭고 자유로운 하늘나라, 그것은 우리 어린이의 나라입니다.
> 2. **아동관**: 성리학의 천인합일설(天人合一說), 맹자의 적자관(赤子觀) ⇨ 아동 존중 사상(아동이 목적이자 궁극적 지향점) **예** 아동 중심 사상: 루소, 페스탈로치, 듀이

4. 이승훈[남강(南岡), 1864~1930] ⇨ '한국의 페스탈로치' 11. 경기

(1) **기본 사상**: 겸허하고 맑은 서민정신 ⇨ "민족을 위해 학교를 세웠고 학교를 위해 일생을 바쳤으며 주검마저 학교에 기증하였다."

(2) **교육이념**: 오산정신(五山精神) ⇨ 참과 헌신의 정신

(3) **교육적 인간상**: 민족독립을 위한 애국인 양성 ⇨ 성(誠)·애(愛)·경(敬)의 실천 중시

(4) **교육활동**
  ① '강명의숙' 설립: 초등학교 ⇨ 신식 교육 시작
  ② '오산학교' 설립: 민족정신 고취와 민족성 개조가 목적 ⇨ 민족교육에 전념, 이상적인 학교 공동체(이상촌)

> "지금 우리나라 형편은 날로 기울어져 가는데 우리가 그저 남아 있을 수는 없다. 우리 선조들이 살던 땅, 우리가 자란 고향, 이것을 원수의 일인(日人)에게 내어 맡긴다는 것이야 차마 할 수 있을 것인가. 총을 드는 사람, 칼을 드는 사람도 있어야 할 것이다. 그러나 그보다 더 중한 것은 무엇이냐. 우리가 세상 일이 어떻게 돌아가는지를 모르고 있으니 그 사람들을 깨우치는 것이 제일 급선무다. …… 내가 오늘날 이 학교(오산학교)를 세운 것도 후진을 가르쳐 만분의 일이라도 나라에 도움이 될까 하여 설립한 것이다. 오늘 이 자리에 일곱 명의 학생밖에 없는 것이 유감된 일이나, 이것이 차츰 자라나 칠십 명 내지 칠백 명에 이르도록 왕성할 날이 머지않아 올 줄로 믿는 바이니 여러분은 일심 협력하여 주기를 바란다."

  ③ 대이상향(大理想鄕) 설계
    ㉠ 오산(五山) 지역에 유치원에서부터 농과대학에 이르는 체계적인 교육기관을 설립하여, 오산을 모범적 교육지역으로 조성하려는 계획
    ㉡ 씨족 모범촌 조성(1단계) ⇨ 오산 용동 마을 모범촌 조성(2단계) ⇨ 전 국가 모범촌 조성(3단계)

제9절 해방 이후(현대)의 교육

1 미 군정기(1945. 8.~1948)

1. 교육심의회(教育審議會) 발족(1945. 11.)

(1) 구성

① 일제의 '학무국'을 인수, '미 군정 학무국(문교부)'으로 개칭
  ㉠ 학무국 산하 자문기구로 '(조선)교육심의회'(교육정책 심의)와 '(조선)교육위원회'(인사문제)를 설치
  ㉡ 미 군정 초대 학무국장인 로카드(Lockard) 대위가 주축이 되어, 충분히 준비되지 않은 채 졸속으로 교육개혁을 진행
② '교육심의회'를 중심으로 한국 교육에 관한 장기적 전망에서 본격적인 계획 수립을 위해 10개 분과를 구성 ⇨ 교육이념, 교육제도, 교육내용 등 교육 전반에 걸친 심의 추진

- 제1분과: 교육이념
- 제2분과: 교육제도
- 제3분과: 교육행정
- 제4분과: 초등교육
- 제5분과: 중등교육
- 제6분과: 직업교육
- 제7분과: 사범교육
- 제8분과: 고등교육
- 제9분과: 교과서
- 제10분과: 의학교육

(2) 주요 추진 사업

① 홍익인간(弘益人間, Maximum Service to Humanity)의 교육이념 설정(1946. 3. 7.)
  ㉠ 우리 민족의 건국 설화를 담은 단군신화에서 유래: 법으로 명문화된 것은 「교육법」 제정(1949) 이후 ⇨ 민주교육의 기틀 마련
  ㉡ 『일본서기(日本書紀)』에 나오는 팔굉일우(八紘一宇, '전 세계가 하나, 곧 천황의 집'이란 뜻)와 유사하다는 반대론 대두
② 교수 용어로 '한국어'를 사용
③ 민주교육의 이념 보급: 일본식 잔재 청산 목적 ⇨ 교원강습회 개최
④ 교육제도의 민주화: 미국식 단선형학제(6-3-3-4제) 실시 ⇨ 여건상의 어려움으로 6-6-4제를 주로 하고 6-3-3-4제를 병행 실시
⑤ 교육과정의 민주화 정책: '새교육운동(진보주의)' 전개 ⇨ 아동 중심 교육, 경험(생활) 중심 교육 중시

> "(새교육운동은) 종래의 교사 중심의 수업방식을 아동 중심의 수업방식으로 전환시키고, 재래의 서적 중심의 수업을 생활 중심의 수업으로 옮아가는 일로 시작되었다. …… 그리하여 소수의 초등학교에서는 한 학급을 소집단으로 나누어 개인 지도에 편리케 하였고, 종래의 교사의 강의를 대신하여 어린이에 의한 토의가 학습 과정의 중심이 되었다." -『한국신교육사』(오천석, 1964)

⑥ 초등학교 교과서 편찬사업 및 보급에 주력: 「한글 첫걸음」을 비롯, 「국어독본」, 「공민」, 「국사」 등
⑦ 문맹퇴치를 위하여 전국적으로 성인교육(사회교육) 실시: '성인교육위원회(사회교육국)' 신설

⑧ 초등학교의 의무교육제도 법제화 추진: '의무교육 실시 요강안' 작성 ⇨ 예산상의 이유로 의무교육을 시행하지는 못함(1950년부터 6년의 의무교육 실시).

2. '국립 서울대 설치령'을 둘러싼 논쟁 전개 – 민족주의 진영과 사회주의 진영 간의 대립 격화

❷ 정부수립기 이후(1948. 8. 15. ~)

1. 교육 관련 사건 전개 과정

   (1) **교육법 공포**(1949. 12. 31.): 홍익인간 이념 명문화

   (2) **초등의무교육 실시**(1950. 6. 1.~1959)

   (3) **교육자치제 실시**(1952): 기초자치

   (4) **중학교 무시험 추첨 배정 실시**(1969)

   (5) **고교 평준화 정책 실시**(1974): 교육 여건의 평등

   (6) **7. 30. 교육 개혁 조치 발표**(1980): 과외 전면 금지, 대입 본고사 폐지, 대학졸업정원제 실시

   (7) **시·도 교육자치제 부활**(1991): 광역자치

   (8) **중학교 의무교육 실시**(1985. 특수학교 전 학년 및 도서벽지 중1학년 적용 / 1992. 읍면지역 중학교까지 확대 실시 규정 마련 / 1994. 읍면지역까지 확대)

   (9) **대입수능시험 실시**(1994)

   (10) **5. 31. 교육개혁안 발표**(1995)

   (11) **제7차 교육과정 실시**(2000~2004)

   (12) **중학교 무상의무교육 실시**(2002~2004)

   (13) **2015 개정 교육과정 실시**(2017~)

2. 공화국별 교육정책의 변화 과정 06. 부산

공화국 시기	주요 교육정책
제1공화국 (1948~1960) ⇨ 진보주의의 영향	• 교육법의 제정·공포(1949. 12. 31.): 홍익인간(弘益人間)의 교육이념 명문화 • 초등의무교육 실시 및 완성(1950. 6. 1.~1959): 의무교육 6년 계획 추진 • 교육자치제 실시(1952): 시·군 단위의 기초자치제 ⇨ 교육행정의 민주화 도모 • 기간학제 완비(1952): 6-3-3-4학제 • 국·공립 대학의 설립(1952): 1도 1교의 국·공립 대학 설립 • 제1차 교육과정의 제정(1954): 교과활동과 특별활동으로 편성 • 종합고등학교 제도 도입(1956): 동일 교내에 인문계 과정과 실업계 과정을 함께 설치
제2공화국 (1960~1961)	• '초등학교의 시설기준에 관한 규정'(1960) 제정: 의무교육의 질적 향상 도모 • 교육의 민주화 추진(1960): 학원 민주화, 지방분권적 체제로의 전환 • 대여장학금법 제정(1961. 4.): 대학과 실업계 고교 재학생에게 장학금 대여

제3공화국 (1961~1972) ⇨ 행동주의(발전교육론)의 영향	• 교육대학의 설립(1961) • 교육자치제 폐지(1962): 교육행정을 내무행정에 예속 • 사립학교법 제정(1963) • 국민교육헌장 제정·공포(1968): 반공 이데올로기 확산 • 중학교 무시험 입학제도 실시(1969): 추첨을 통해 학군별로 중학교 배정 • 대학예비고사 실시(1969)
제4공화국 (1972~1980)	• 국사교육의 강화(1972): 독립교과 편성(초중고), 교양필수과목 채택(대학) • 방송통신교육체제 도입(1972): 방송통신대학과 방송통신고등학교 개설 • 실험대학 도입(1973): 대학교육의 질 향상 노력 • 고교평준화 정책 실시(1974): 고교별 입시 폐지 ⇨ 교육 여건의 평등 • 대학교수 재임용 제도(1975)
제5공화국 (1980~1988)	• 7. 30. 교육개혁 실시(1980): 교육 정상화 및 과열 과외 해소 방안 ⇨ 대학본고사 폐지, 대학 입학정원 확대 및 졸업정원제 실시, 과외 금지, 교육대학 수업연한 연장 • 과학고등학교 설립(1983): 과학 영재교육 실시 • 중학교 의무교육 부분 실시(1985): 특수학교 전 학년 및 경제적 사정이 어려운 도서벽지 중학교 1학년 학생을 대상으로 실시
제6공화국 (1988~)	• 지방교육자치제의 실시(1991): 광역시·도 이상 실시(광역자치) ⇨ 「지방교육자치에 관한 법률」(시행 1991. 6. 20. / 1991. 3. 8. 제정) • 중학교 의무교육 전면 실시(1992~1994): 읍면지역 중학교까지 확대 실시 규정 마련(1992), 읍면지역 중학교까지 확대 실시(1994) • 대입수능시험 실시(1994) • 5. 31. 교육개혁(1995): 대통령 직속의 '교육개혁위원회' 설치(1994) ⇨ 고등학교 생활기록부 도입, 학교운영위원회 설치, 교장 및 교사 초빙제 실시, 교육과정 평가원 신설 25. 지방직 • 교원정년 단축(1999. 1. 1.): 65세 ⇨ 62세 • 교원노조 합법화(1999): 「교원노동조합 설립 및 운영 등에 관한 법률」(시행 1999. 7. 1. / 1999. 1. 29. 제정) • 제7차 교육과정 실시(2000~2004) • 중학교 무상의무교육 실시(2002~2004) • 교육복지투자우선지역 사업 시행(2003~2004): 교육결과의 평등(보상적 평등) 정책, 시범사업 실시 ⇨ 2006년부터 '교육복지우선지원 사업'으로 명칭 변경 • 2009 개정 교육과정 실시(2011): 미래형 교육과정 • 중학교 자유학기제 실시(2016) • 2015 개정 교육과정 실시(2017 도입, 2020 전면 시행) • 고등학교 무상교육 실시(2021 전면 시행) • 2022 개정 교육과정 실시(2021 도입, 2024 시행)

3. 교육과정 변화 과정

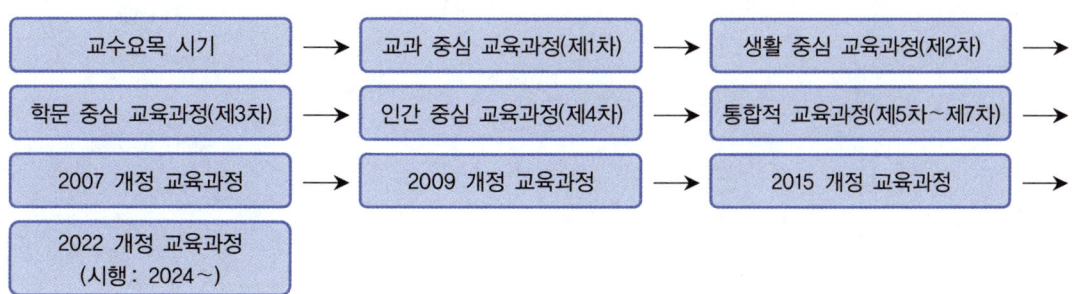

오현준 정통교육학

핵심 체크 노트

★ 1. **그리스시대의 교육**
① 아테네와 스파르타 교육의 비교
② 소피스트(이소크라테스), 소크라테스, 플라톤, 아리스토텔레스

2. **로마시대의 교육**
① 제정시대의 학교교육: 루두스, 문법학교, 수사학교
② 교육사상가: 퀸틸리아누스

3. **중세시대의 교육**
① 교육사상: 교부 철학과 스콜라 철학
② 교육제도: 전기 – 기독교 교육(전기) / 후기 – 비형식적 교육(도제교육, 기사도교육), 형식적 교육(시민학교, 대학)

4. **르네상스 시대의 교육(14C~15C):** 개인적인문주의(비토리노), 사회적인문주의(에라스무스), 키케로주의

5. **종교개혁기의 교육(16C):** 루터, 칼뱅

★ 6. **실학주의 교육(17C):** 인문적 실학주의, 사회적 실학주의(로크), 감각적 실학주의(코메니우스)

★ 7. **계몽주의 시대의 교육(18C):** 자연주의(루소), 범애주의(바제도우)

8. **낭만주의 시대의 교육(19C):** 신인문주의 교육
★ ① 계발주의: 페스탈로치, 헤르바르트, 프뢰벨
② 국가주의: 피히테
③ 과학적 실리주의: 스펜서

9. **새교육운동:** 몬테소리, 엘렌 케이

CHAPTER 03

서양교육사

01 서양교육사 개관
02 고대의 교육
03 중세시대의 교육
04 근대의 교육(Ⅰ): 르네상스기의 인문주의
05 근대의 교육(Ⅱ): 종교개혁기의 교육
06 근대의 교육(Ⅲ): 실학주의 교육
07 근대의 교육(Ⅳ): 계몽주의 교육
08 근대의 교육(Ⅴ): 신인문주의 교육
09 현대의 교육(20C): 신교육운동

CHAPTER 03 서양교육사

> **학습 포인트**
> 1. 서양교육 사상의 흐름: 고대 - 중세 - 근대(인문주의 - 실학주의 - 자연주의 - 신인문주의)
> 2. 고대 그리스 교육사상: 소피스트, 소크라테스, 플라톤, 아리스토텔레스
> 3. 17세기 실학주의 교육: 코메니우스
> 4. 18세기 자연주의 교육: 루소
> 5. 19세기 계발주의 교육: 페스탈로치, 헤르바르트, 프뢰벨

제1절 서양교육사 개관 10. 충북, 05. 강원

	시대 구분	교육(교육사상)	교육사상가
고대	그리스시대(B.C. 10C)	• 스파르타 • 아테네	• 소피스트 • 소크라테스 • 플라톤 • 아리스토텔레스
	로마시대 (B.C. 7C~A.D. 5C)	• 왕정 • 공화정(가정교육이 중심) • 제정(학교교육이 중심)	• 카토 • 키케로 • 세네카 • 퀸틸리아누스
중세	중세(5~14C) • 교부 철학(전기) • 스콜라 철학(후기)	• 전기: 기독교 교육 • 후기: 세속교육 　- 도제교육, 기사도교육 　- 시민교육, 대학교육	• 아우구스티누스 • 토마스 아퀴나스
근대	르네상스(14~15C)	(구)인문주의(Humanism) • 개인적 인문주의 • 사회적 인문주의 • 키케로주의	• 비토리노 • 에라스무스
	종교개혁(16C)	• 신교(Protestant) • 구교(Catholic)	• 루터, 칼뱅 • 로욜라, 라살
	과학혁명(17C)	실학주의(Realism) • 인문적 실학주의 • 사회적 실학주의 • 감각적(과학적) 실학주의	• 라블레, 밀턴, 비베스 • 몽테뉴, 로크 • 코메니우스
	계몽주의(18C)	• 자연주의 • 범애주의 • 합리주의	• 루소 • 바제도우, 잘쯔만 • 칸트, 볼테르
	낭만주의, 실증주의(19C)	(신)인문주의 • 계발주의 • 국가주의 • 과학적 실리주의(실증주의)	• 페스탈로치, 헤르바르트, 프뢰벨 • 피히테, 크리크, 슐라이어마허 • 스펜서

현대	프래그머티즘(20C)	새교육운동 • 진보주의 • 본질주의 • 항존주의 • (문화)재건주의	• 듀이, 킬패트릭, 올센 • 배글리, 브리그스, 브리드 • 허친스, 아들러, 커닝햄, 마리땡 • 브라멜드

제2절 고대의 교육

1 그리스의 교육 10. 경북

1. 사회·문화적 배경

(1) **사회적 특징**

① 독립적인 도시국가(polis)들로 구성: 정치적·경제적·종교적 공동체 형성
② 자유민과 노예와의 엄격한 계급적 차별
  ㉠ 노예: 생산·노동 계통에 종사
  ㉡ 자유민: 정치 참여, 인격적 도야와 교양 발달에 전념 ⇨ 민주주의 발달에 영향

(2) **문화적 특징**

① 유럽 문명의 출발점 ⇨ 이후 로마, 중세, 르네상스, 신인문주의에 영향
② 그리스인의 성격이 뚜렷이 반영
  ㉠ 현세적인 인간생활 존중
  ㉡ 뛰어난 상상력과 구성력
  ㉢ 심미감(審美感) - 미적 감각
  ㉣ 투철한 자유와 독립정신
  ㉤ 체육과 무술 중시

2. 교육적 특징

(1) **인문주의(humanism) 교육**

① 다방면적인 교육, 인격의 조화로운 발달 도모를 중시
② 장식적(裝飾的) 교육 강조: 일반교양교육 중시 ⇨ 실생활 준비를 목적으로 하는 직업교육이나 생활준비교육은 아님.

(2) **자유교육(liberal education)**: 자유민을 위한 교육(노예, 여성은 제외), 도덕적 무지나 자연적 속박으로부터의 자유 추구 ⇨ 이성(理性)의 도야를 통한 도덕적 품성(善)의 도야
  예. 덕(德)은 가르칠 수 있다(Socrates).

(3) **개성 존중의 교육**

(4) **심미주의**(審美主義) : 아름다움과 진리 추구

3. **스파르타(Sparta)와 아테네(Athene) 교육의 비교**

   (1) **공통점**

   ① 교육목적 : 국가에 필요한 애국적인 시민(자유민) 양성
   ② 자유민을 위한 교육 : 노예는 교육대상에서 제외
   ③ 교육내용 : 체육(체조와 무용)·음악·3R's 등을 중시

   (2) **차이점**

구분	스파르타(도리아족)	아테네(이오니아족)
근거	리쿠르구스(Lycurgus) 법전	솔론(Solon) 헌법
목적	애국적이고 용감한 군인 양성	심신(心身)이 조화로운 자유민 양성
내용	체육(체조·무용), 군사훈련, 3R's(reading, writing, arithmetic), 호머의 시와 군대음악	지식 중심의 3R's(reading, writing, arithmetic), 체조, 음악, 시
방법	국가 중심, 통제 위주의 엄격한 군사훈련	개성 중심, 심미적·도덕적 자유주의 교육

특징	• 보수적, 상무(尙武)적, 통제적(전체주의) 교육
	• 여성교육 중시
	  ⇨ 건강한 남아 출산·육성
	• Lechse(렉제, 국가신체검사장)
	  ⇨ 신생아의 양육 여부 국가 심사, 불합격하면 산속 동굴에 버림.
		• 진보적, 인문적(人文的), 자유주의적 교육
		• 여성교육 소홀
		  ⇨ 현모양처 양성, 지적 교육 회피
		• 초등교육 교사 : paidagogos(教奴, 教僕)
		• 고등(중등)교육 교사 : 소피스트

   ① **스파르타의 교육**

가정교육기 (어머니의 아들 시기 : 출생~6세)	남아는 국가시험장(Lechse)에서 건강진단 ⇨ 합격 시 가정교육
국가교육기 (나라의 아들 시기 : 7~30세)	소년기(7~17세, 신체적 기초훈련) ⇨ 본격적 군사훈련(18~20세) ⇨ 현역 복무(20~30세) ⇨ 시민권 획득(30세), 병역의무는 50세까지 이행

   ② **아테네의 교육**

전기	• 심신이 조화로운 국가적 시민(자유민) 육성 ⇨ 교양교육 • 교육단계 : 가정교육(출생~7세) ⇨ 교복 교육기(7~16세, 체육과 음악 중심) ⇨ 자유교육(16~18세, 소피스트가 담당) ⇨ 군사교육(18~20세)
후기	• 개인적 발전을 위한 입신양명이 주된 교육목적 ⇨ 개인주의로 전환 • 교육사상가 : 소피스트, 소크라테스

4. 교육사상가 06. 국가직

(1) 소피스트(Sophist) 11 · 04. 국가직

① 최초의 직업 교사들(보수 받음, 중등교육 담당), 아테네 바깥에서 아테네로 온 외국인들, 거리의 철학자 ⇨ '지혜로운(to live well) 자(智者)'

② 기본 사상
  ㉠ 주관적·상대적·쾌락주의적 진리관: 보편타당한 진리 부정, 가치판단의 기준은 개인의 감각적 경험과 유용성(utility) ⇨ '욕망의 자기 주장'
  ㉡ 개인주의: "인간(I)은 만물의 척도"(Protagoras)
  ㉢ 실용주의: 지식은 개인의 출세를 위한 도구

③ 교육관: 처세술을 위한 교육, 교육내용으로 수사학 및 웅변술 중시, 정치적 수단으로서의 교육, 주입식·암기식 교육

④ 대표적 사상가
  ㉠ 프로타고라스(Protagoras): 최초의 소피스트, "인간(個人)은 만물의 척도이다."
    ⇨ 상대적 진리관, 출세 지향적·실용주의적 교육 실시
  ㉡ 고르기아스(Gorgias): "진리란 없다. 있다 할지라도 알 수 없다. 안다 할지라도 전할 수 없다." ⇨ 불가지론(不可知論), 회의주의(懷疑主義)
  ㉢ 히피아스(Hippias): "법률은 만인의 폭군이다." ⇨ 민중적·민주적 사고 중시
  ㉣ 이소크라테스(Isocrates): 아테네 출신의 소피스트, 소크라테스의 제자
    ⓐ 특징: 수사학교 설립(체계적·연속적 교육), 교양 있는 웅변가 양성을 위한 교육, '강의 - 시범 - 연습'의 3단계 교육

    > "말의 힘 때문에 우리는 악인을 논파하고 선인을 극찬한다. 이 힘으로 우리는 무지한 사람을 교육시키고 현명한 사람을 평가한다. 왜냐하면 말을 잘한다는 것은 건전한 지성의 가장 확실한 지표로 받아들여지고 있고, 참되고 합법적이며 공정한 이야기는 훌륭하고 성실한 외적 이미지이기 때문이다."
    > ⇨ 말(언어)은 인격의 표현이며, 대중을 직접 만나는 지도자의 자질로 도덕적 웅변을 강조

    ⓑ 교육사적 의의
      • 소피스트 교육의 가장 성공적인 모델이 됨.
      • 헬레니즘시대와 그 이후 시대의 고등교육에 영향을 줌.
      • 수사학이 중요교과가 되도록 하는 데 기초가 됨.
      • 이소크라테스의 웅변교육론은 플라톤의 철학교육과 더불어 그리스 고대 교육의 두 유형으로 확립
      • 로마시대의 키케로(Cicero)와 퀸틸리아누스(Quintilianus)에게 영향을 줌.

⑤ 영향: 경험론, 프래그머티즘에 영향

플라톤과 이소크라테스의 비교

구분	플라톤(Platon)	이소크라테스(Isocrates)
개관	이상주의 교육사상, 철학적 전통을 대표	현실주의 교육사상, 수사학적 전통을 대표
교육적 인간상	철학자 ⇨ 사고의 영웅·엘리트, 이데아(진리)를 알 수 있는 사람, 현실보다는 이상세계의 인간, 끊임없는 사색으로 진리를 추구하는 사람	웅변가 ⇨ 아테네의 지성인(평균인), 말(언어)의 미덕을 갖춘 사람, 훈련과 교육으로 다져진 현실의 평범한 인간, 도덕적 인품을 바탕으로 합리적 지식과 아이디어로 대중을 설득하여 아이디어를 실천에 옮기는 사람
교육 내용	초등교육의 토대 위에 수학, 철학(변증법) 중시 ⇨ 철학을 가장 중시	초등교육의 토대 위에 문법, 수사학 중시 ⇨ 수사학 교육의 중요성 강조(말은 인간의 지성을 가늠하는 척도이자 선한 영혼의 외적 표현)

(2) **소크라테스**(Socrates): 최초의 아테네 출신 소피스트, 거리의 교사 23. 국가직 7급, 15. 지방직

① 진리관

㉠ 가치판단의 기준으로 영혼(이성) 중시: 인간은 태어날 때부터 보편적 진리를 인식할 수 있는 싹(영혼)을 소유하고 있다. ⇨ 이성적 존재

㉡ 보편적·객관적·절대적 진리관: 사회 혼란(예 정치 갈등, 윤리도덕의 문란)의 원인을 주관적·상대적 인식론에서 찾음. ⇨ 개별적 행위 이면에 내재된 본질적인 진리(선의 본질) 습득과 실천을 통한 진리(윤리)의 보편적 기초 정립을 위해 노력

② 교육관 09. 서울, 08. 국가직

㉠ 교육목적: 지덕복 합일(知德福 合一)의 도덕적 인간 양성

㉡ 교육방법: 대화법·문답법("너 자신을 알라.") ⇨ 보편적 진리 획득

단계	교육방법	내용	비고
1(파괴)	반어법(反語法)-소극적 대화	무의식적 무지 ⇨ 의식적 무지	대화법(문답법) 명제: '너 자신을 알라'
2(생산)	산파법(産婆法)-적극적 대화	의식적 무지 ⇨ 합리적 진리	

반어법과 산파법

예컨대, 학생들에게 '정의'라는 관념을 가르칠 때 소크라테스는 "정의란 무엇인가?"라고 묻는다. 학생이 대답하면, 그는 학생의 대답이 들어맞지 않는 몇 가지 사례들을 제시하면서 다시 정의가 무엇인지를 묻는다. 이렇게 몇 번을 되풀이하면 학생은 자신이 가지고 있던 '정의'라는 관념이 진리가 아님을 깨닫게 된다. 이를 '무지의 자각'이라고 한다. 여기까지의 소크라테스의 질문은 학생이 가지고 있는 고정관념을 깨뜨리기 위한 것으로 '반어법(반문법)'이라 한다. 일단 자신의 무지를 자각하는 순간 학생은 "참된 정의란 무엇인가?"라는 강한 의문을 가지게 된다. '정의'의 참된 의미를 알고자 하는 이 욕구야말로 학생으로 하여금 어려움을 이기면서 진리를 추구하게 하는 원동력이 된다. 소크라테스는 다시 적절한 질문을 함으로써 학생이 스스로 진리에 도달하도록 유도한다. 이렇게 진리에 이르게 하는 질문의 과정을 '산파술(산파법)'이라고 한다.

㉢ 덕(德)은 지식, 악행은 무지(無知)의 결과: 덕(德, 선한 행위)은 선(善)의 본질에 대한 지식에서 비롯되기에 덕은 곧 지식이며, 지식이기에 가르칠 수 있다. ⇨ 누구나 진리인 선을 알게 되면 선을 행할 수 있다(지행합일).

㉣ 계발주의 교육: 교육은 지식의 주입이 아닌 사고력의 계발 과정(output)

- ⑩ 진리의 산파(産婆)이자 동반자적 존재로서의 교사
  - ⓐ 학습자로 하여금 반성과 성찰을 통해 자신이 지닌 주관적 지식의 한계를 인식하여 객관적 진리를 인식할 수 있도록 안내하는 산파(産婆) 역할
  - ⓑ 일방적인 지식의 전달자가 아니라 대화와 공동의 사색을 통해 진리를 함께 추구하는 동반자적 존재
- ⑪ 질문법, 토의법, 발견학습, 탐구학습의 원리에 영향

(3) **플라톤**(Platon)**과 아리스토텔레스**(Aristoteles) 10. 대전, 05. 전남

① 공통점
  - ㉠ 국가주의 교육(공교육) 중시: 교육에 대한 국가 통제를 강조
  - ㉡ 귀족주의 교육 강조: 지배계급(통치계급, 귀족, elite)을 대상으로 한 교육 ⇨ 노예(서민)는 교육대상에서 제외

② 차이점

▲ Platon & Aristoteles

구분	플라톤(Platon) 25·18. 지방직	아리스토텔레스(Aristoteles) 25. 국가직, 20. 지방직
사상	이원론(Idea-현실), 이상주의, 관념론 • 현상계: 가변적·일시적·불완전한 세계, 현상, 이데아의 모상(模像) ⇨ 감각적 경험을 통해 인식 • 이데아계: 영구불변·절대적·완전한 세계, 본질, 진선미의 세계 ⇨ 이성을 통해 인식(회상설)	일원론(이상은 현실 속에 내재), 현실주의, 실재론, 경험론 • "영원불변의 세계는 존재하지 않는다." • "사물의 본질은 개개의 사물에 내재한다." ⇨ 감각적으로 경험되는 현실 속에 참된 실재가 존재
교육목적	• 이데아의 실현 ⇨ 진선미의 절대적 가치 추구 • 훌륭한 시민 양성: 심신 조화, 선미한 인간 • 국가 정의(철인, 군인, 평민의 조화)와 개인 정의(지혜, 용기, 절제의 조화)의 실현 ⇨ 개인의 완성=사회의 완성 • 4주덕: 지혜(이성), 용기(격정), 절제(욕망), 정의	• 행복의 실현(Eudaimonia) ⇨ 인생 목적 • 이성(理性)의 훈련을 바탕으로 중용(中庸)의 덕(arete)을 갖춘 자유인의 양성 • arete(덕)=the best(최선)=excellence(탁월) • 교육의 3요소: 자연적 요소(본성, nature), 습관(habit), 이성(reason) • 자아실현(self-realization): 가능태(matter, 질료 예 대리석)가 '운동(또는 발달)'에 의해 현실태(form, 형상 예 조각상)로 변화되는 과정
내용	자유교양교육, 도덕교육	교양교육, 자유교육(liberal education)
방법	• 주관적·내성적·연역적 방법 • 대화법(회상설, 상기설)에 의한 교육 • 4단계 교육: 음악과 체육 ⇨ 산수·음악·기하학·과학(천문학) ⇨ 철학(형이상학)과 변증법	• 과학적·객관적·논리적(귀납적)·변증법적 방법 • 3단계 교육: 신체적 발육 ⇨ 도덕적 습관 형성 ⇨ 이성 도야
특징	• 아카데미(Academy) 대학 설립 ⇨ 무보수로 교육 • 여성교육 중시: 최초의 여성교육 옹호자 • 계급에 따른 차별교육: 서민교육 부정, 교육의 기회균등 무시 ⇨ 귀족(엘리트)교육, 철인 정치론	• 리케이온(Lykeion) 대학 설립 ⇨ 소요학파(逍遙學派, 산보하며 수업) • 여성교육 부정, 교육대상에서 노예 제외
저서	「국가론」, 「향연」, 「소크라테스의 변명」	「니코마코스 윤리학」, 「변증론(Topica)」, 「정치학」
영향	중세 교부(教父) 철학, 신인문주의 교육(19C)에 영향	중세 스콜라 철학과 실학주의(17C), 항존주의(20C)에 영향

더 알아보기

플라톤(Platon)의 동굴의 비유와 분선이론(선분이론, line theory) 10. 충북

1. 플라톤(Platon)은 '동굴의 비유'를 통해 '참된 인식에 이르는 과정을 분선이론(line theory)'으로 제시하였다. 그에 따르면 참된 인식의 과정(밑줄 친 ㉠~㉣에 해당)이란 현상계에서 이데아계로 향하는 '험하고 가파른 오르막길' 같은 것이다.

> 사람들이 어릴 적부터 사지와 목이 결박당한 채로 지하의 동굴 속에 살고 있다. 그들은 ㉠ <u>동굴의 벽면에 비치는 그림자들만을 보면서 살아왔기 때문에</u> ㉡ <u>그것들을 실물이라고 생각한다</u>. 그런데 그들 중 하나가 결박에서 풀려나서 뒤쪽에서 타고 있는 모닥불을 바라보도록 강요받자, 그는 눈이 부셔서 고통스러워하며 보다 진실한 것을 제대로 보지 못한다. 또한 누군가가 그를 험하고 가파른 오르막길을 통해서 동굴 밖으로 억지로 끌고 나가자, 그는 더욱 고통스러워한다. 처음에는 눈이 부셔서 어느 하나도 제대로 볼 수 없지만, ㉢ <u>익숙해지면서 차츰 실물들을 보게 된다</u>. 마지막으로 그는 하늘의 태양을 보고 나서, ㉣ <u>그것이 계절을 가져다주며 모든 것의 원인이 된다는 것을 알게 된다</u>. 더불어 그는 자신이 살던 곳의 동료들을 떠올리면서 자신은 그 모든 변화로 인해서 행복하지만, 그들은 불쌍하다고 생각하게 된다. 그래서 그는 동굴로 내려가서 결박된 자들을 풀어주어 위로 이끌고 가려고 한다.
> ─「국가론」, Ⅶ권, 514a 이하

2. 이데아에 이르는 과정: 분선이론

인식의 대상	가시계(可視界): 현상		예지계(叡智界): 실재	
	㉠ 그림자	㉡ 시각적 사물	㉢ 수학적 지식(개념)	㉣ 형상(이데아)
마음의 상태	환상(상상, 추측)	믿음(신념)	사고(오성)	지식(지성·이성)
	견해		지식	

△ 오성(Dianoia)은 가설(전제)에 근거한 연역적 추론(예: 수학적 지식), 이성(Noesis)은 가설(전제) 없이 순수 이성에 의한 직관적 통찰(예: 철학적 지식)을 의미함.

3. **플라톤(Platon)의 교육단계설**: 제1·2기는 기초교육(국민교육), 제3·4기는 고급(엘리트)교육, 고급교육은 남녀동등교육 19. 지방직

개인	덕	사회	교육 단계	교육 중점
머리(이성)	지혜	지배계급 (철학자)	(35세~) 국가 통치에 대한 행정실무 경험 제4기(30~35세) 변증법, 철학 ⇨ 통치자 양성 과정	철학(변증법) 교육
가슴(의지)	용기	수호계급 (군인)	제3기(20~30세) 4과[음악, 기하학, 산수(수학), 천문학] ⇨ 성적 불량 시 군인계급에 종사	수학교육
허리 이하(욕망)	절제	생산계급 (노동자)	제2기(18~20세) 군사훈련 ⇨ 성적 불량 시 생산계급 종사	(신체 및 군사훈련)
			제1기(~18세) 체육, 음악, 3R's	음악교육
세 부분의 조화	정의	세 계급의 조화		

❷ 로마의 교육 07. 국가직

실용주의(실용인·웅변인 양성), 그리스 모방, 국가보조 교육 ⇨ 실용성 중시(주의주의)

1. 제정시대 이전의 로마교육

(1) **왕정시대**: 비형식적 생활교육(학교교육 없음.)

(2) **공화정시대**: 가정교육 중심, 학교교육은 보조역할 ⇨ 로마의 고유성 중시

2. 제정시대의 교육(B.C. 27~A.D. 476): 학교교육 중심 ⇨ 학교를 통한 세계화 지향

수준	학교	수학기간	교육내용	특징
초등	루두스(Ludus, 문자학교)	6~12세	12동판법, 3R's, 체육	사립(학생들의 수업료로 운영)
중등	문법학교(Grammaticus) • 그리스어 문법학교 • 라틴어 문법학교	12~16세	7자유과(교양과목), 호머의 시, 문학, 역사	• 고등교육 준비 교육 • 모두 사립(국가 보조로 운영) • 제정시대 교육의 핵심
고등	• 수사학교(Rhetor) • 철학학교(Stoa학파) • 법률학교	16~18세	• 수사학, 라틴어, 그리스어, 문법 • 윤리학, 논리학 • 법학	• 교육목적: 웅변가 양성 • 수사학교가 대부분을 차지 • 정부 지원과 보조금으로 운영

✎ **루두스(ludus)** 명칭은 '놀이' 또는 '심심풀이'를 뜻하는 단어에서 유래하였으며, 후에 '문자학교(school of the Litterator)'로 개칭되었다. 6~7세의 남녀 아동이 취학하여 읽기, 쓰기, 셈하기를 공부하였다.

더 알아보기

용어 설명

1. **3R's**: 읽기(reading), 쓰기(writing), 셈하기(arithmetic)
2. **12동판법**: 귀족의 관습법 악용으로부터 평민 보호가 목적. 자식에 대한 부모의 권리, 아내에 대한 남편의 권리, 노예에 대한 주인의 권리, 소유권 등을 규정
3. **7자유과**(7 liberal arts): 3학 4과로 구성 ⇨ 주지교과, 이성 도야, 일반교양교육
   ① **3학**: 언어 중심, 정신 내적 세계를 표현 ⇨ 문법, 수사학, 논리학
   ② **4과**: 수(數) 중심, 정신 외적·객관적 세계를 표현 ⇨ 산수, 기하학, 천문학, 음악
   ③ 바로(Varro)가 학문적 기초 확립 ⇨ 로마제정 후반기에 카펠라(Capella)에 의해 확정

3. 교육사상가

(1) **키케로(Cicero)**: 공화정시대의 정치가, 웅변가, 철학자, 「웅변론」

① **교육목적**: 인문적 교양을 지닌 웅변가 양성 ⇨ "진정한 웅변가는 철학자이어야 하며, 적어도 철학을 실제 생활에 적용하는 힘을 가진 사람이어야 한다."

② 로마 정신의 기초 위에 그리스적 교양 수용 강조, 성선설(性善說) ⇨ 르네상스 시대의 인문주의 교육(키케로주의)에 영향

(2) **퀸틸리아누스**(Quintilianus): 세계 최초의 공립학교 교사, 수사학교 설립, 「웅변교수론」(12권, 르네상스 시대 교육의 바이블)

① **교육목적**: 타고난 덕(德, 善性)을 조화롭게 갖춘 웅변가 양성

② **교육론의 특징**: 조기교육론(어릴 때 기억이 오래감), 개성존중교육, 학교교육 우위론(공립학교교육 중시), 외국어교육론, 체벌금지론, 교사교육론

③ **교육방법**
  ㉠ 아동 중심 교육: 체벌금지, 조기교육(독서·언어 교육), 심리적 교수법(흥미·놀이 중시)
  ㉡ 개성 존중 교육: "새는 날 수 있게 세상에 태어났으며, 말은 달릴 수 있게 세상에 태어났고, 인간은 배우며 이해할 수 있게 태어났다."
  ㉢ 체벌금지론: 체벌은 자유민에 대한 모독, 교육방법에의 실패, 학생에게 열등감이나 정신적 불안을 조성하는 정서적 부작용 초래, 다른 아동에게 부정적 영향

④ **교육의 3단계**: 가정교육 ⇨ 문법학교 ⇨ 수사학교

⑤ **체계적인 교사상 제시**: 교사론

> **퀸틸리아누스의 교사론**
>
> 1. 교사는 아동에 대해서 어버이와 같은 따뜻한 정을 지녀야 한다.
> 2. 교사는 스스로가 악덕한 짓을 해서는 안 된다.
> 3. 교사의 태도가 너무 엄격해서는 안 된다.
> 4. 교사는 가끔 선하고 존경할 만한 것들에 대하여 물어보아야 한다.
> 5. 교사는 분노의 정을 가져서는 안 되고, 고쳐야 할 것을 묵과해서도 안 된다.
> 6. 교사는 교수법이 쉬워야 하고, 근로에는 인내성이 있어야 한다.
> 7. 교사는 질문을 받았을 때는 신속히 응답해야 하고, 질문이 없을 때는 먼저 물어봐야 한다.
> 8. 교사는 아동의 성적에 칭찬을 해주어야 한다.
> 9. 교정을 해줄 때 비난해서는 안 된다.
> 10. 교사는 매일 아동이 마음에 오래 간직할 만한 것을 이야기해 주어야 한다.

제3절 중세시대의 교육 07. 국가직

1 개관[A.D. 476(서로마 멸망)~1453(동로마 멸망)]

(1) **교육목적과 내용의 변화**: 신 중심주의, 주정주의(主情主義), 내세주의(來世主義), 세계주의

(2) 형식적인 초·중·고등교육기관 설립

(3) **중세교육의 시대구분**: 십자군 전쟁(1096~1270)을 기준으로 전기와 후기로 구분

구분	중세 전기(5~11세기) 교육	중세 후기(11~15세기) 교육
배경 철학	교부 철학 • 플라톤 철학 바탕 ⇨ 기독교 교리 체계화 • 신앙 > 이성 ⇨ 철학은 신학의 시녀 • 대표자: 아우구스티누스(Augustinus)	스콜라 철학(번쇄철학) • 아리스토텔레스 철학 바탕 ⇨ 실추된 신앙 권위 회복 • 신앙과 이성의 조화 • 대표자: 토마스 아퀴나스(T. Aquinas)
교육	기독교 교육(종교교육 중심) • 문답학교, 고급문답학교, 본산학교, 수도원학교	비기독교 교육(세속교육 중심) • 비형식적 교육: 기사도 교육, 도제교육 • 형식적 교육: 대학교육, 시민교육

❷ 전기의 교육(기독교 교육) - 기독인 양성(내세의 준비)

1. 사상적 배경

교부 철학(Platon 철학을 바탕으로 기독교 교리를 체계화, 신앙 > 이성)
⇨ 대표자는 아우구스티누스(Augustinus)

2. 학교제도 - 교회 부설학교

(1) **문답학교**(Catechumental School): 초등교육 ⇨ 이교도(異敎徒)의 교화와 세례
  ① 세례를 받기 위한 준비로서 성인들에게 기독교의 핵심적 교리를 주로 문답식으로 가르치던 단기 과정이었다.
  ② 2세기 말경이 되면서 남녀 아동들을 대상으로 종교적인 내용과 세속적인 학문을 동시에 가르치는 학교가 되었고, 수학연한도 2·3년으로 연장되었다.

(2) **고급문답학교**(Catechetical School): 문답학교 교사 양성 사범학교 ⇨ 중등교육 수준(고등교육 수준으로 보기도 함.)
  ① 대주교가 거처하는 큰 교회에 설립한 학교로, 교사가 될 성직자들을 양성하기 위한 학교였다.
  ② 그리스 학문의 전통이 강했던 동방의 알렉산드리아, 안티오크 등에서 발달했으며, 기독교 교리와 그리스 철학의 교섭과 융합이 시도된 교육기관이었다.

(3) **본산학교**(Cathedral School, 성당학교, 사원학교, 감독학교): 성직자 양성 대학
  ① 총대주교가 거처하는 감독교회에 부설된 학교로서, 장차 교회지도자가 될 성직자와 신학자를 양성하기 위한 학교였다.
  ② 기독교 교리를 이론적으로 뒷받침한 스콜라 철학의 성립에 기여하였다.

(4) **수도원학교**(Monastic School, 승암학교)
  ① 내교(內校, inner school): 수도사 양성 대학 ⇨ 순결, 청빈, 복종의 이상 추구
  ② 외교(外校, outer school): 지역주민을 위한 초·중등교육 ⇨ 지역사회학교(Olsen)의 원형
  ③ 교육사적 의의: 고구려 경당과 유사, 지역사회학교의 원형

중세 전기 학교제도 비교

학교 유형		교육 수준	특징	
(교리)문답학교		초등교육	이교도(異敎徒)의 교화와 세례 준비	
고급문답학교		중(고)등교육	문답학교 교사 양성 사범학교	
본산학교(성당학교)		고등교육	성직자 양성 대학 ⇨ 교부(敎父)철학의 중심	
수도원학교	내교	고등교육	수도사 양성 대학	• 고구려의 경당(扃堂)과 유사
	외교	초·중등교육	지역주민을 위한 교육	• 지역사회학교(Olsen)의 원형

3. 카알 대제(Karl the Great, 재위 786~814)의 교육

학문 부흥운동(프랑크 왕국 통일 이후 고대 로마제국 재건의 이상 추구) ⇨ 위로부터의 필요에 의한 교육

(1) 궁정학교 건립(782)

① 영국 요크(York) 본산학교 교장 알퀸(Alcuin)을 교육고문으로 초빙 ⇨ 왕, 왕족의 자제, 귀족의 자제를 대상으로 지도자 교육
② 조선시대의 종학과 유사

(2) 대중교육 장려: 교육령 제정·반포

① 승령법규(787, 제1회 지령): 최초의 교육령 ⇨ 기독교의 포교와 대중의 일반교육 장려
② 제2회 지령(789): 모든 학교에서 찬송가, 3R's와 문법교육 ⇨ 교육내용에 관한 명령
③ 제3회 지령(802)
 ㉠ 세계 최초의 의무교육령(실천에 이르지는 못함.) ⇨ "국민으로서 모든 아동은 교육받지 않으면 안 된다."
 ㉡ 조선시대의 '학교모범'(이이, 국민교육헌장)과 유사

③ 후기의 교육(비종교적 세속교육)

1. 사상적 배경 – 스콜라 철학(Scholasticism) 03. 서울

(1) 등장 배경

① 십자군 원정의 실패로 인한 교회의 권위 실추, 교회의 교리에 대한 민중의 비판적 회의(懷疑) 분위기, 사라센 문화의 유입으로 인한 지적 자극
② 기독교 교리의 우위성을 확보하고 기독교의 정당성을 입증하기 위한 학문적 움직임 대두

(2) 개요: 번쇄(煩瑣)철학 ⇨ 형식논리 중시

① 11세기부터 15세기까지 중세 유럽의 본산학교나 수도원학교에서 유행하던 철학적 방법과 경향 ⇨ 기독교의 교리를 이성적·논리적·철학적으로 설명, 기독교 신앙의 권위 회복
② 그리스 아리스토텔레스(Aristoteles) 철학을 바탕으로 신앙과 이성의 조화 도모
③ **대표자**: 토마스 아퀴나스(T. Aquinas)

> **더 알아보기**
>
> **스콜라 철학 논쟁의 중심 주제**: 보편(普遍) 논쟁 ⇨ 번쇄철학(煩瑣哲學)
> 1. **안셀무스(Anselmus)**: 관념적 실재론 또는 스콜라적 실재론(신플라톤 철학에 근거) ⇨ 개개의 사물에 앞서 일반적 관념, 즉 보편이 실재한다. ⇨ 개별적 유명론 부정
> 2. **로스켈리무스(Roscellimus)**: 유명론(唯名論, 아리스토텔레스 철학에 근거) ⇨ 보편은 명목(名目)뿐이고 개개의 사물이 진정한 실재이다. ⇨ 관념적 실재론 부정
> 3. **토마스 아퀴나스(T. Aquinas)**: 아리스토텔레스 철학과 기독교 신앙을 종합하여 기독교 철학을 체계화

(3) 교육론
① 교육목적: 신앙의 정당성을 지지하고 기독교적 지식을 체계화하기 위한 이성의 계발
② 교육내용: 그리스 철학, 종교 철학, 신학, 변증법
③ 교육방법: 강의(교과서에 대한 주해와 해설), 문답과 토의(논리적 사고와 훈련)

(4) 교육사적 영향과 의의
① 중세 대학의 성립과 발달 및 르네상스(문예부흥)와 근대의 발달을 촉진하였다.
② 신 중심에서 인간 중심의 경향을 띠게 하였다.
③ 지적·논리적 사고 훈련은 큰 교육사적 의의를 지닌다.
④ 수도원주의의 도덕적·정서적 도야 위주의 교육에서 스콜라주의의 지적 도야로 교육을 전환시켰다.
⑤ 자연과학적 인식을 가능케 하였으며, 17세기 실학주의 및 현대의 항존주의 교육사조에 영향을 미쳤다.

2. 학교제도 10. 인천

(1) 학교 외 교육: 비형식적 교육

구분	교육목적	교육내용	특징
기사도 교육	기독교적 무인(武人) 양성 • (중)상류층 자제 대상 • 4단계 교육	① 가정교육기(0~6세) ② 시동기(侍童期, 7~13세) ③ 시종기(侍從期, 14~20세) ④ 기사입문식(21세)	• 귀족 교육 • 실생활 중심 교육 • 체육교육 중시 • 근대 신사도(gentle manship)에 영향
도제(徒弟) 교육	상공업에 종사하는 기술자 양성 • 상공업자의 자제(시민) 대상 • 3단계 교육	① 도제기(徒弟期, 견습공 apprentice) ② 직공기(職工期, journeyman) ③ 장인기(匠人期, master)	• 실생활 중심 교육 • 직업교육 • 구성주의 학습(인지적 도제이론)에 영향

(2) 학교교육
① 시민교육(burgher school, 시민학교): 초·중등 교육기관 설립, 복선형 학제(상류층과 하류층 구분)로 운영

구분	교육대상	교육목적	학교의 종류	영향
초등교육	하류 시민 계급 자제	직업준비 교육	• 독일: 습자학교, 모국어학교 • 영국: 조합학교(Guild school)	오늘날 초등교육의 기초
중등교육	상류 시민 계급 자제	대학준비 교육	• 독일: 라틴어학교(Latin school) • 영국: 공중학교(Public school), 문법학교(Grammar school)	오늘날 중등교육의 기초

② 시민교육의 의의
  ㉠ 교육의 대상을 서민계급까지 확대: 초등 및 서민교육의 기초 확립
  ㉡ 교육의 자주성 확립: 교회로부터의 독립의 계기 cf. 완전한 독립은 아님.
  ㉢ 실생활 위주의 현실교육: 직업교육, 생산교육에 중점
  ㉣ 아래로부터의 필요에 의한 교육

(3) 대학: 지적 도야 중시 cf. 수도원: 종교적 도야 중시 06. 대구
① 발달 원인
  ㉠ 십자군 원정(동서문화의 교류) 이후 동방의 사라센 문화 유입
  ㉡ 스콜라 철학으로 인한 학구열 고조
  ㉢ 도시의 발달과 시민계급의 형성으로 세속적인 학문의 필요성 증대
    ◇ 대학교와 단과대학
    1. 대학교(university): 학문연구의 자유가 허용된 보편성을 띤 연구소(길드 성격의 교수와 학생의 단체)
    2. 단과대학(college): 학생들이 기숙하는 합숙소
② 특권: 면세·면역 특권, 대학 내 자치재판권('국가 안의 국가'로 불림), 학위수여권, 총장 또는 학장 선출권, 자유로운 여행권 ⇨ 남성들만의 특권이었음(여성의 대학 내 출입 금지).
  ◇ 대학의 성립 학위 수여시점을 기준으로 하는 설과 설립연대를 기준으로 하는 설 등이 있음.
③ 발달: 살레르노(의학, 이탈리아 남부, 1060) ⇨ 볼로냐(법학, 이탈리아 북부, 1088) ⇨ 파리(신학, 프랑스, 1109) ⇨ 옥스퍼드(종합대학, 영국, 1167)
  ◇ 볼로냐는 학위수여를 한 최초의 대학으로 유럽대학 발달의 모델을 제공함.
④ 영향: 자유로운 학문연구를 통해 르네상스 시대의 인문주의 교육에 영향

제4절 근대의 교육(Ⅰ): 르네상스기(14~15C)의 인문주의

1 개관 16. 국가직, 04. 부산

> 르네상스(renaissance), 즉 문예부흥(文藝復興)은 신(神) 중심, 내세(來世) 위주의 편협한 중세문명에서 벗어나, 보다 '인간적인 것' 또는 보다 '인간다운 삶'을 찾으려는 움직임이었다. 그것은 교회의 권위에서 벗어나 현세에서의 생활을 긍정하고, 개인의 자율성과 주도성을 회복하려는 움직임이었다. 또한 '인간(인간성)을 발견하고 회복하려는' 운동이었고, 그런 점에서 '인간중심주의(humanism)' 운동이었다. 문예부흥을 중세에서 근세로 넘어오는 분기점으로 삼는 것은 그것을 근대정신(modernism)의 탄생 시점으로 보기 때문이다.

1. 르네상스(Renaissance)

rebirth(재생), 고대 로마 문예 및 문화의 부활 ⇨ 14세기 이탈리아를 중심으로 발생, 15~16세기 알프스 이북(북유럽) 지방으로 확대

2. 인문주의(Humanism)

고전(古典)을 통한 인간성의 재발견 ⇨ 인간에 대한 자각과 존중, 있는 그대로의 세계 인식 등 '인간과 세계의 발견' ⇨ 인간해방운동

르네상스 시대	인본주의 (人本主義)	개인주의	현세주의	이성주의	자연주의	자유주의	고전 중심
중세	신본주의 (神本主義)	교회주의	내세주의	권위주의	초자연주의	금욕·억압 주의	성서 중심

(1) **교육목적**: 자유 교육을 통한 개성 있는 인간의 완성 ⇨ 전인교육

(2) **교육내용**: 라틴어 교육, 수사학(cf. 중세: 논리학), 체육·음악·유희(육체와 정신의 조화로운 발달 도모), 자연과학

(3) **교육방법**: 주석서(註釋書)를 이용한 고전교육, 놀이 등 인간적인 교육방법

(4) **교육 특징**: 자유교육, 고전교육, 개성존중교육, 귀족교육

2 유형 09. 서울

1. 개인적 인문주의 – 초기 인문주의, 남부 인문주의

> '초기 인문주의' 또는 '남부 인문주의'를 '개인적 인문주의'로 부르는 것은 중세적 삶과 스콜라주의 교육에 염증을 느낀 사람들이 개인의 삶을 보다 품위 있게 고양시켜 줄 교양을 넓히고 다방면의 재능을 발휘할 수 있게 해주는 새로운 삶을 추구하였기 때문이다.

⑴ 개인적·귀족적·심미적 교육, 남부 유럽의 상류층 중심으로 전개 ⇨ 자유인 양성

⑵ 인문주의를 이념으로 하는 자유교육(liberal education) ⇨ 유럽의 중등학교 발달에 영향

⑶ **대표자**: 비토리노(Vitorino) ⇨ 최초의 근대적 교사, 궁정학교의 교장
  ① 철저한 아동 중심주의 교육: 자유교육, 자발교육, 생활교육, 개성존중교육
  ② "학교는 즐거운 집이다.": 체벌과 강제를 반대하고 아동의 명예와 자유 존중

  ✍ **궁정학교(court school)** 라틴어 학습을 주로 하는 대학입학 예비 학교 ⇨ 유럽의 중등학교 탄생에 영향
  예 콜레즈(college, 프랑스), 리세(Lycee, 프랑스), 김나지움(Gymnasium, 독일), 라틴어 문법학교(영국)

2. 사회적 인문주의 – 후기 인문주의, 북부 인문주의

> '후기 인문주의' 또는 '북부 인문주의'는 네덜란드 지역을 중심으로 이탈리아와의 해상 무역이 활발해지면서 문예부흥의 기운이 전파되어 시작되었다. 자유분방한 이탈리아인들의 삶에 심취된 소수의 엘리트들은 그러한 삶의 이상을 자기 고향에서 펼치고자 했으며, 그러기 위해서는 대중들의 의식을 계몽해야만 했다. 그리하여 북부 인문주의는 고전을 공부한 소수 엘리트 집단의 조직적인 주도하에 다수 대중의 의식을 개혁하기 위한 사회계몽운동으로 전개되었다.

⑴ 사회적·대중적·도덕(종교)적 교육, 북부 유럽의 하류층 중심으로 전개 ⇨ 사회개혁인 양성

⑵ 전 민중에게 교양을 넓혀 사회(종교)·도덕개혁을 이루고 그를 통해 사회 전체의 행복 추구

⑶ **대표자**: 에라스무스(Erasmus)
  ① **교육목적**: 지성(知性)을 지닌 인간 본성의 함양
  ② **교육의 3요소**: 자연(인간의 본성)과 교사의 훈련, 그리고 아동의 연습이 함께 나타날 때 교육이 이루어진다.
    ㉠ **자연(nature)**: 인간 내면에 존재하는 발전가능성 또는 선(善)해지려는 능력
    ㉡ **훈련(training)**: 교사의 교수나 지도
    ㉢ **연습(practice, 실행)**: 훈련에 의해 촉진되는 아동 자신의 활동력, 성숙된 습관
  ③ **특징**
    ㉠ 체계적인 교사교육을 최초로 주장

    > "훌륭한 교사는 순수한 책임감이 넘쳐흐를 뿐만 아니라 아동의 개성과 특기를 살려 그것을 신장시켜 준다. 그러므로 훌륭한 교사 밑에서 교육을 받은 아동이야말로 행복에 넘친다."

    ㉡ 교육의 기회균등: 남녀 차별 없는 교육 실시 ⇨ 도덕사회 실현을 위한 전제 조건
    ㉢ 조기교육 중시: 부모에 의한 가정교육(0~2세) ⇨ 교사에 의한 교육(2~6세) ⇨ 언어교육(6~8세)
    ㉣ 아동 중심의 교수법: 주입보다 계발, 흥미와 운동·유희·체조 중시, 시각 이용, 체벌금지(단, 도저히 행동을 교정할 수 없는 경우에는 신체적 체벌을 인정)
    ㉤ 아동의 자유로운 표현을 이용한 개성신장 중시: '자유인에게는 자유스러운 교육' 중시 ⇨ 체벌금지

④ 주요 저서: 「학습방법론」, 「아동자유교육론」, 「우신예찬」

개인적 인문주의 교육과 사회적 인문주의 교육의 차이점

구분	개인적 인문주의 교육	사회적 인문주의 교육
특징	• 이탈리아 중심 • 개인의 교양 강조 • 귀족적 성격	• 북유럽 독일 중심 • 사회개혁과 도덕개혁 강조 • 종교적, 민중적 성격
교육목적	• 자유교육 • 인간 완성	종교와 도덕에 의한 사회 전체의 행복 실현
교육내용	• 그리스와 로마의 고전 • 고전어, 체육, 음악	• 고전문학 • 성서문학
교육방법	• 교과서 강의와 기억 • 훈육	• 학생의 명예와 자유를 존중하는 생활지도 • 사고의 장려

3. **키케로주의**(후기 인문주의) − 언어 중심주의, 구술주의(verbalism)

   (1) 고전 자체를 목적시, 고전 중시의 근본정신 망각 ⇨ 타락한(형식화된, 언어화된, 편협한) 인문주의 예 "절대로 키케로에서 이탈하지 말자."(Vittorino)

   (2) 로마의 명문장가 키케로(Cicero)의 문장과 문체, 표현양식(Latin style)을 암송·숙달

③ 한계점

1. 계층 차별적인 정신운동 ⇨ 귀족계층만 대상
2. 언어의 무비판적 모방과 형식주의에 치우침.
3. 기독교적 세계관을 탈피하지 못함.

제5절 근대의 교육(II): 종교개혁기(16C)의 교육

1 개관

> 종교개혁 운동은 1517년 독일 비텐베르크 대학의 신학(神學) 교수인 마르틴 루터(Martin Luther)가 가톨릭 교회의 면죄부(免罪符) 판매에 반대하여 95개조의 반박 성명을 발표함으로써 시작되었다. 이에 교황 레오 10세(Leo X)는 루터를 이단(異端)으로 규정하여 파문했으나, 루터의 노력은 영주들, 도시민, 농민 등 광범위한 계층의 지지를 받는 교회개혁운동으로 전개되어 결국 개신교(改新敎)의 탄생을 가져왔다.
> 이러한 종교개혁을 가능하게 한 것은 바로 인문주의적 각성이었으며, 그 점에서 종교개혁은 북유럽 문예부흥의 직접적 산물이라고 할 수 있다. 결과적으로 종교개혁은 기독교 세계의 대립을 초래하여 모든 형태의 교육과 인문주의 운동 자체마저도 약화시키는 결과를 초래하였으나, 모든 사람을 위한 의무교육이라는 관념과 교회가 아닌 국가가 설립하고 관리하는 학교라는 새로운 교육적 이상을 제시함으로써 근대교육제도의 발전을 자극했다.

1. 교회의 타락과 부패를 개혁하려는 기독교의 개혁운동 ⇨ 성서 중심의 신앙해방운동

2. **문예부흥기 교육과의 비교**

구분	문예부흥(르네상스)	종교개혁
차이점	• 그리스·로마의 고전 부활 ⇨ 인간해방운동 • 귀족계층(상류층)을 중심으로 발달 • 개인주의적·자기중심적 • 고등교육(대학) 발달을 촉진	• 원시기독교 부활 ⇨ 신앙해방운동 • 서민계층(하류층)을 중심으로 발달 • 사회적·대중적 • 초등교육(보통교육)의 발달과 제도적 기초 마련
공통점	중세의 권위에서 탈피하려는 자유주의 운동, 자아의 각성과 인간의 발견	

2 신교(新敎, Protestantism)의 교육 10. 경북

1. **교육적 특징** 21. 국가직 7급

   근대적인 기독교인 양성 ⇨ 종교(합리적 신앙)와 도덕(사회적 도야)의 조화

   (1) **초등교육의 의무화를 선언한 대중교육운동**: 교육을 올바른 신앙생활을 통해 영혼의 구원을 얻는 중요한 수단으로 강조

   (2) **공교육제도의 기초 확립**
   cf. 공교육제도 확립: 19C 국가주의 교육사조의 영향

   (3) **교사양성교육 중시(여교사의 출현)**: 여성의 교육적 지위 향상

2. 교육사상가 07. 전남

(1) 루터(Luther)

▲ Luther

① 교육의 국가책임론 강조: 국가에 의한 공교육제도 주장
② 보편적 (취학의) 의무교육론: 초등의무교육, 보통교육 강조 ⇨ 고타 교육령(1642, 독일, 근대 최초의 의무 교육령)에 영향을 줌.
③ 가정교육 중시: 좋은 가정은 국가발전의 원동력
④ 풍부한 교육과정
⑤ 아동의 인격을 존중한 교육: "아동은 신의 선물" ⇨ 체벌 반대
⑥ 교직 중시: 교사면허제, 여교사 채용 ⇨ 교직을 성직(聖職)과 동등시, 초등교육에서 여교사 필요성 강조
⑦ 전통적인 주입식 교수방법 사용: 무조건적 암기와 암송보다 내용에 대한 필수적 이해 중시

> • "만약 통치자가 그들의 신체 강건한 신민(臣民)에게 창과 총을 짊어지도록 강요할 수 있다면, 그것보다 더 당당한 근거로 그들에게 자녀를 학교에 보내도록 강요할 수 있어야 한다."
> • "설사 영혼도 없고 천국이나 지옥도 없고 오직 세속적인 일만 있다고 하더라도 여전히 소년소녀를 위한 좋은 학교는 있어야 하며, 거기서 나라를 잘 다스리는 남자와 집안을 잘 돌보는 여자가 배출되어야 한다."
> • "만약 내가 성직자가 아니었더라면 틀림없이 교육자가 되었을 것이다."

(2) 칼뱅(Calvin)

① 공교육제도와 교사채용 시험제도 주장 ⇨ 매사추세츠 교육령(1642, 미국)에 영향을 줌.
② 대학교육보다는 초등교육과 서민교육을 강조

(3) 멜란히톤(Melanchton): '독일의 교사'라 불림. 루터 정신의 계승 ⇨ 실천가, 교육 사업가

① 교과서 편찬: 라틴어 중시 ⇨ 라틴어 문법책(근대 학교 교과서의 기원)과 「아동 초보 교육과정」(1524, 라틴어 초보 교과서) 발간
② 삭소니 교육령(1528, The Saxony School Plan): 근대 공립학교제도의 시초, 3급제도 제안 ⇨ 최초로 학년별 학급편성의 원칙 제시

✎ 루터가 초등교육을 중시한 데 비해, 멜란히톤은 중등교육을 보다 중시하였다.

📖 고타 교육령과 매사추세츠 교육령의 비교 10. 부산

구분	고타 교육령(1642) 14. 지방직	매사추세츠 교육령(1642)
선포	독일(1642), 전문 16장 45개조	미국(1642년 – 제1차, 1647년 – 제2차 교육령)
선포자	봉건 영주: 에른스트(Ernst)	청교도 이민단의 대의원회의에서 의결
성격 및 의의	• 중앙집권적·전제적 성격 • 구체적 제시(지도요령적 성격) • 시행령적 법령 • 루터의 영향, 코메니우스와 라트케 등이 참여 ⇨ 세계 최초의 근대적 의무 교육령	• 지방분권적·민주적 성격 • 포괄적 제시(근본 원칙만 제시) • 헌법적 법령 • 칼뱅의 영향 ⇨ 세계 최초의 민주적 교육령
내용	[제2장] '아동 및 학생'에 관한 조항 • 모든 지역의 아동은 모두 예외 없이 남녀 공히 1년간은 학교에 다녀야 한다. • 아동은 5세가 되면 취학해야 한다. • 입학을 아무 때나 해서는 안 되고 매년 일정한 시기를 정하여 입학시켜야 한다. [제13장] 아동의 취학에 관한 부모의 책무 • 문자를 해독하지 못하는 12세 이하의 아동의 부모는 5세 이후 취학시키지 않으면 누구라도 벌을 받는다. • 부모는 그 자녀가 앓지 않는 한 하루라도, 한 시간이라도 결석시켜서는 안 되며, 언제나 지각하지 않고 등교하도록 엄중히 주의하여야 한다. • 취학의무, 학급편성, 학교관리, 교과과정, 교수법, 학교관리 등을 체계적으로 규정 • 학교 설치 및 유지에 관한 언급 없음.	[제1차 매사추세츠 교육령(1642)] • 각 마을은 마을 안의 교육에 관하여 책임을 지고 마을 안의 부모나 고용주 및 소년들을 감독하여 모든 소년들이 교육을 받을 수 있게 할 권한과 의무를 갖는다. • 부모나 고용주는 감독자에게 복종해야 하며, 이를 어기고 자녀교육을 소홀히 하는 자에게는 벌금을 부과한다. [제2차 매사추세츠 교육령(1647)] • 50호 이상의 마을은 즉각 읽기 및 쓰기 교사를 채용하고, 그 급료는 마을의 의결에 의하여 부모 또는 고용주가 부담한다. • 100호 이상의 마을에는 라틴 문법학교 하나를 세운다. • 공교육제도, 부모와 고용주의 의무교육 규정, 교육세에 의한 무상교육제도 • 지방자치단체가 학교의 설치·유지 의무를 지님.
공통점	아동의 취학 의무 규정	

③ 구교(舊敎, Catholic)의 교육

1. **교육적 특징**

   교회의 지도자 양성 ⇨ 기독교적 신사(Christian gentleman)와 학자(Christian scholar)의 양성

   (1) **반종교개혁운동**(counter-Reformatiom): 로욜라(Loyola)의 '예수회 교단(The Society of Jesuit)'에 의해 추진 ⇨ 중등교육에 영향

   (2) **교사양성교육 중시**: '예수교 동포단체(The Brethern of Christian Schools)'를 창설한 라살(La Salle)에 의해 사범학교가 설립 ⇨ 사범교육의 기원

2. 교육사상가

(1) **로욜라**(Loyola): 반종교개혁운동 전개 ⇨ 엄격한 군대식교육, 기숙사교육, 체벌 허용
   ① **교육의 보급을 통한 가톨릭 세력의 확장을 시도**: 가톨릭 세력하에 있는 국가에 자신들의 목적에 맞는 고등학교와 대학체제를 수립해 나감.
   ② 강의(predilection)와 반복(repetition)이라는 자체적으로 개발한 교수방법 사용
   ③ 우수한 교사양성에도 관심과 노력을 기울임.
   ④ **교육사적 의의**: 교수방법의 개발, 교사양성체제의 발전, 중등 및 고등교육기관의 보급

(2) **라살**(La Salle): 최초의 교사양성기관(라살의 사범학교) 설립 ⇨ 현대 사범학교의 기원

제6절 근대의 교육(Ⅲ): 실학주의(Realism, 17C) 교육

1 개관   09. 국가직

> 르네상스 운동으로 표면화된 유럽의 근대정신은 17세기에 접어들면서 새로운 질적 변화를 겪게 된다. 과학적 세계관과 경험론 철학의 등장이 그것이다. 이로 인해 17세기는 '자연과학의 세기'로 평가받게 되었다. 자연과학의 발달과 그에 따른 사고방식의 변화는 인간 생활의 여러 면에 영향을 주었으며, 그러한 변화가 교육에 있어서는 '실학주의(realism)'라는 이름으로 그 모습을 드러내었다. 실학주의란 교육의 이론 및 실제에서 관념적인 것보다는 실용성과 실천성을 중요시하는 교육사조이다. 이러한 사조가 등장하게 된 직접적인 계기는 종래의 인문주의 교육이 키케로주의라는 편협하고 형식적인 언어중심주의로 흘렀다는 점에서 찾을 수 있지만, 더 근본적인 원인은 고전공부를 특징으로 하는 인문주의 교육이 보다 인간적인 삶을 열망하는 근대정신을 더 이상 수용할 수 없게 되었다는 점에 있었다.
> 인문주의자들은 고대 자유인들의 삶을 본받는 데서 중세의 질곡으로부터 벗어나려 했지만, 오랜 세월이 흘러 삶의 여건이 크게 변한 상황에서 과거의 삶을 재현하는 것은 새 시대가 요구하는 인간다운 삶의 진정한 모습은 아니었다. 이에 대한 비판과 성찰을 바탕으로 주어진 현실의 여건 속에서 보다 적합한 교육의 모습을 모색하는 과정에서 등장한 것이 실학주의 교육사조다. 실학주의 교육사조는 인문적 실학주의, 사회적 실학주의 그리고 감각적 실학주의라는 이름으로 그 모습을 띠며 전개되었다.

1. 개념

인문주의(humanism, 일반 도야)에 대립되는 교육사조 ⇨ 교육의 이론 및 실제에서 관념적인 것보다는 실용성과 실천성을 중시하는 교육사조

(1) 인문주의(언어주의, 형식주의, 개인주의)와 종교개혁(종교주의, 교조주의, 사회정치주의)의 한계 비판 ⇨ 학교는 실생활과 유리(실생활 준비에 실패)

(2) **현실의 객관적 관찰 위에 실질 도야 중시**: 현실 사회생활에 필요한 구체적이고 실용적인 지식과 경험 강조

2. 실학주의의 등장 배경

(1) **르네상스와 종교개혁에 대한 반발**: 언어와 종교에만 치우친 편협성

(2) **학문적 방법론의 변화**: 연역법에서 귀납법으로의 변화

(3) **새로운 세계관 형성**: 신항로 개척, 지동설

(4) **자연과학의 발달**: 코페르니쿠스, 갈릴레이, 베이컨, 뉴턴의 영향

3. 교육관

(1) **교육목적**: 실용성(utility)·실천성·현실성 중시 ⇨ 합리적 인간(사회인) 양성

(2) **교육내용**: 실제적·구체적인 것 ⇨ 실질 도야
    ① 실용적인 지식: 실생활에 필요한 교과 **예** 상업, 언어, 역사, 정치, 법률, 자연과학 등
    ② 광범위한 교육과정: 신학과 고전교육 중심에서 모국어·외국어·수학·사회·과학교육 중심으로 변화 ⇨ 백과사전적 지식(25~30개 교과목)

(3) **교육방법**
    ① 감각교육: '모든 지식은 감각으로부터'(Aristoteles)
        ㉠ 실물교육: 언어 이전에 사물(things before words), 언어가 아니라 사물(things, not words)
        ㉡ 시청각교육: 모든 교육은 5관을 통해야만 한다.
    ② 직관교육: 직접적 경험 중시 ⇨ 기억·상상보다 여행·수행·시범·관찰·실험 중시

❷ 유형

1. 인문적 실학주의(언어적 실학주의, humanistic realism)

고전을 통해 학생들에게 현실 생활을 간접적으로 이해시켜 사회생활의 적응 도모 ⇨ 고전을 인생과 현실을 이해하는 수단으로 파악(고전 자체를 목적시한 키케로주의의 한계 극복)

(1) **밀턴(Milton)**: 고전을 통한 종교적·현세적 도야 ⇨ 「실낙원」

(2) **라블레(Rabelais)**: 고전을 통한 사회생활에 필요한 지식 습득 ⇨ 「팡타그뤼엘 이야기」, 「가르강튀아 이야기」 ⇨ 중세 수도원과 프랑스의 언어주의 비판 & 인생의 전반적 지식(백과사전적 지식)을 바탕으로 한 자유주의 교육 강조

    ✎ 라블레(F. Rabelais)는 인문주의 교육사상가로 분류되기도 한다.

(3) **비베스(Vives)**: 교육을 심리학적 관점에서 이해하고자 했던 최초의 교육사상가 ⇨ 「소녀를 위한 공부방법」, 「기독교적 여성의 교육」, 「교과론」, 「대담」, 「영혼과 생명」
    ① 무엇을 가르칠 것인가에 대한 몰두보다는 학습의 과정과 학습자의 마음에 주목해야 한다.
    ② 교사가 학생과의 개별 면담을 통하여 학생들의 개별성을 파악하고 거기에 맞는 교육을 한다.

③ 고전언어를 가르칠 때 모국어를 교수언어로 활용하는 것이 효과적이다.
④ 감각경험이 지적 활동의 첫 단계이므로, 학생들로 하여금 일상생활의 사실들에 익숙해지게 해야 한다.

> • 감각은 우리의 최초의 교사이며, 마음은 감각의 집으로 둘러싸여 있다.
> • 공부는 감각에서 시작하여 상상에 이르는 길을 따라 나아간다. 그리하여 학습은 개별적 사실에서 사실들의 집합으로, 개별적 사실에서 보편자로 진행된다.

⑤ 언어 중심의 인문주의 교육의 한계를 넘어 후에 등장할 감각적 실학주의로의 길을 예비

2. 사회적 실학주의(social realism)

고전·서적교육 반대, 현실 생활의 직접적 경험(사교, 여행) 중시, 귀족주의(상류계층 대상) ⇨ 교양 있는 신사(gentleman, 사회인) 양성

(1) 몽테뉴(Montaigne) 11. 경기

① 교육목적: 청소년을 '훌륭한 신사'로 양성함. ⇨ 학자 또는 전문가를 양성하는 교육보다 일반도야를 중시
② 교육특징: 가정교사(tutor)에 의한 가정교육 중시, 조기교육, 개성존중교육, 실용적 교육(지식의 가치는 그 자체에 있는 것이 아니라, 실제 생활에 옮겨질 때에 있다.), 체벌 반대

> • 공부의 유용성은 아이들을 학식 있는 사람으로 만드는 데 있는 것이 아니라 삶을 살아가는 지혜를 가지도록 하는 데 있다. 삶의 지혜를 기르는 교육의 올바른 시작은 주위 사람들과의 교제에 의하여 이루어져야 한다. 여행을 통하여 세상 견문을 넓히고, 역사공부를 통하여 다른 시대에 살았던 사람들과 교섭하게 하는 것이 중요하다.
> • 세상은 가장 훌륭한 교과서다.

(2) 로크(Locke) 09. 대전, 03. 전북

① 사상
  ㉠ 인식론적 경험론(「인간오성론」): 생득관념으로서의 이성 부정 ⇨ 모든 관념(mind)은 감각이라는 외적 경험과 성찰(reflection)이라는 내적 경험에 의해 형성되고, 성찰을 통해 생긴 관념이 연합되어 사고나 지식이 형성된다.
    ⓐ 모든 지식은 감각(sensation)으로부터 나온다. 감각이 지식의 근원이지만, 감각으로 인해 형성된 '감각인상(image)' 그 자체가 지식은 아니다. 그것들이 복합적인 아이디어(idea)로 구성되고 통합되어야 비로소 지식이 된다.
    ⓑ 성찰(반성, reflection)은 감각 인상들을 처리하는 마음 자체의 능동적 작용으로, 이것이 곧 이성(reason)이다.
    ⓒ 그러므로 감각(외적 경험)과 이성(내적 경험)이 지식 구성에 있어 불가분의 관계를 형성한다. ⇨ 감각주의와 합리주의를 통합하는 입장을 보임으로써, 인간을 '이성적 존재'로 파악하는 계몽사상의 등장을 예고함.

ⓒ **수동적 백지설**(tabula rasa): 태어날 때의 인간 상태는 백지(경험 無), 각 개인이 어떤 인간이 되는가는 교육의 결과 ⇨ 교육 가능설
ⓒ **형식도야설**: 7자유과를 통해 일반정신능력(이성)을 도야 ⇨ 이성 도야를 통해 선한 도덕적 본성 형성 ⇨ 교과 중심 교육과정에서 중시하는 전이이론 13. 국가직 7급

② **교육론**
㉠ **3육론**: 체·덕·지의 조화된 교양 있는 신사 양성 ⇨ 전인교육
㉡ **신체적 단련주의(건강제일주의)**: 경교육(hard education) ⇨ "건강한 신체에 건전한 정신이 깃든다." 예 적당한 운동, 필요한 수면, 담백한 음식 등
㉢ 사교나 여행 등 직접 경험 중시
㉣ 가정교사(tutor)에 의한 가정교육 중시
㉤ **교육방법**: 감각, 기억, 추리의 3단계 학습 과정 및 각 단계에서의 철저한 훈련 중시, 즐거운 학습활동 강조(체벌 반대)

아리스토텔레스(Aristoteles)**와 로크**(Locke) **사상의 비교**

1. **공통점**
   ① 통합적 교육 중시(체·덕·지)
   ② 인간을 정치적(사회적) 존재로 이해
   ③ 학습뿐만 아니라 훈련과 습관의 중요성 강조
2. **차이점**: 아리스토텔레스(Aristoteles)는 실용적 삶과 이성에 의한 관조(觀照)적인 삶을 모두 중시함.

---

3. **감각적 실학주의**(과학적 실학주의, sense realism) 18. 지방직, 17. 국가직

감각의 훈련을 통해 현실 생활의 지식 획득 & 자연과학적 지식과 연구방법을 교육에 도입하여 인간생활과 사회생활의 합리적 향상 도모, '말보다 사물'(things before words) ⇨ 직관교육, 실물(사물)교육, 시청각교육

◈ 아리스토텔레스 "감각 속에 존재하지 않는 것은 이성 속에도 존재하지 않는다." ⇨ 모든 지식은 감각기관을 통하여 성립하므로, 교육은 감각기관을 훈련하는 과정이다.

(1) **베이컨**(Bacon)
① **과학적 지식을 중시**: "아는 것이 힘이다." ⇨ 귀납적 교수를 통한 선입견이나 편견(4대 우상)을 극복
② **4대 우상론**

종족의 우상	인간이기에 누구나 피할 수 없는 지적 편견 예 감정에 따른 오판
동굴의 우상	개인적 성향에 따른 편견
시장의 우상	언어의 한계에 내재한 편견 예 신(神)이라는 언어에 대응하는 대상이 없음.
극장의 우상	잘못된 기존 철학이나 권위에 따른 편견

(2) **코메니우스**(Comenius): 근대 교육의 아버지, 시청각교육의 선구(「세계도회」) 23. 국가직, 11. 대전, 04. 서울

▲ Comenius

① 교육관: "Omnia Sponie Fluant, Absit Videntia Rebus"(만물을 자연스럽게 하라. 폭력이여, 사라져라.) ⇨ 세계 평화 실현으로서의 교육
  ㉠ 교육목적: 천국생활을 위한 준비 ⇨ 신학적(神學的) 자연주의
    ⓐ 경신(敬神)의 신앙을 바탕으로 자연주의적 방법을 채택: 기독교 신학(조화로운 질서)+근대 과학정신(자연에 대한 탐구)
    ⓑ 인간의 삶은 태내생활·지상생활·천국생활로 구성, 태내생활은 지상생활을, 지상생활은 천국생활을 위한 준비 과정
  ㉡ 교육대상과 교육내용
    ⓐ 범지학(凡知學, 백과사전학): "모든 사람에게 모든 것을 가르친다."(남녀·빈부·귀천의 차별없이 교육받을 권리가 있다.) ⇨ 보편적 학교, 전인취학학교, 평생학교
    ⓑ 자연의 책(博識, eruditio), 인간 이성의 책(有德, virtus), 성경(敬虔, pietas)
  ㉢ 교육방법
    ⓐ 합자연의 원리: 자연(自然)의 질서에 따른 교수 ⇨ 객관적 자연주의

자연의 법칙	교수방법
자연은 적당한 시간을 선택한다.	아동의 적정 시기나 발달단계에 따라 교수한다. 즉, 교수도 일생이라면 아동기에, 하루라면 아침에 실시해야 한다.
자연은 형체(形體)가 있는 것을 만들기 전에 재료를 준비한다.	교수에 필요한 교구를 준비하여 사물을 이해시켜야 한다.
자연은 그 활동에 적합한 것을 선택하거나 또는 이것에 적합하도록 사물을 준비한다.	교수도 교육방법을 개선하여 아동의 지적 충동과 학습의욕을 환기시키고 학습에 흥미를 갖도록 하여야 한다.
자연은 질서가 있어 한 가지씩 완성하여 간다.	아동으로 하여금 한 번에 한 가지씩 배우게 한다.
자연은 비약하지 않으며 한 걸음씩 전진한다.	질서와 통일을 지켜 앞의 것이 뒤의 것의 기초가 되게 가르친다.
자연은 쉬운 것에서 곤란한 것으로 옮겨 간다.	쉬운 것에서 어려운 것으로 나아간다. 즉, 처음에는 직관을 연습하고, 다음에는 기억을, 마지막에는 판단력을 기르게 한다. ⇨ 계열성의 원리
자연은 불필요한 일을 하지 않는다.	아동에게 필요한 것, 즉 현재생활과 미래생활에 가치가 있는 것만을 교육해야 한다(실질 도야).
자연의 움직임은 일반적인 것에서 특수한 것으로 옮겨 간다.	교수도 일반적인 기초를 주고 특수한 사항으로 넘어가야 한다.

    ⓑ 집단지도 및 훈육 중시: 개별 교수보다 6명씩 그룹지도 중시, "학교에서 훈육(訓育)이 없으면 물 없는 물레방아와 같다." ⇨ 때로는 교사의 충고와 질책이 필요
    ⓒ 아동 중심 교육: 아동의 천성(자연)을 고려하여 수업을 전개할 때 수업은 효과적 ⇨ "교사는 천성(天性)의 하인일 뿐 그 주인은 아니다."

ⓓ **4단계 단선형 학교제도론**: 독일 통일학교의 기본이념, 미국 단선형 학제에 영향

시기(연령)	학교	특징	비고(현대의 교육)
유아기 (1~6세)	모친학교(어머니 무릎학교)	• 외적 감각의 개발 • 사적(私的)인 학교	가정교육, 유치원교육
아동기 (7~12세)	모국어 학교: 3R's, 모국어	• 내적 감각(상상과 기억)의 개발 • 무상·의무교육 • 각 마을마다 설치	초등교육
청소년기 (13~18세)	라틴어 학교: 7자유과	• 이해와 판단의 개발 • 각 도시마다 설치	중등학교
청년기 (19~24세)	청년학교(대학교) 및 외국여행	• 의지의 개발 • 국가 및 교회 지도자 양성 • 각 주(州)마다 설치	대학교 (선발시험 실시)

ⓔ **평생교육 주장**: 태교(탄생 전 학교), 4단계 학교(공공학교), 성인학교와 노인학교·죽음학교(개인학교) 등 생애 전 과정의 학습 중시

ⓜ **교육사상적 의의**
  ⓐ '모든 사람을 위한 교육'이라는 루터(Luther)의 교육사상을 계승하고 있다.
  ⓑ 교육목적은 플라톤(Platon)의 관념주의에 영향을 받았으나, 교육방법은 베이컨(Bacon)의 경험론에 크게 의존하여, 교육사상 속에 신비주의와 감각주의의 이질적인 요소가 동시에 자리 잡고 있다.
  ⓒ 조기교육에 대한 관심을 불러일으켜 프뢰벨(Fröbel)의 유치원교육 탄생에 영향을 주었다.
  ⓓ 개인교수나 소집단 지도보다 대집단 지도에 의한 학교교육을 중시하였다. ⇨ 학교제도 성립에 기여

② **저서**
  ㉠ 「대교수학」(1632): 세계 최초의 체계적인 교육학서 ⇨ 교육의 본질과 목적(아동의 이해에 기초), 일반교수원리, 교수-학습방법 및 언어·도덕·신앙 교수법, 학교교육의 필요성, 4단계 학교제도론 등을 서술
  ㉡ 「세계도회」(1658): 세계 최초의 그림이 있는 교과서, 직관의 원리, 시청각교육의 선구서(≒ 권근의 「입학도설」)
  ㉢ 「어학입문」(1631): 심리학에 기초한 라틴어 교과서

> 사용 빈도가 가장 높은 라틴어 단어 8,000개를 선정한 다음, 각각의 단어가 한 번씩만 나오게 하면서 점점 문법구조가 어려워지는 1,000개의 문장을 만들었다. 그리고 '언어는 오직 사실을 표현하는 수단'이라는 원리에 입각하여 1,000개의 문장을 100개의 절로 구분하고, 각 절은 단일한 주제를 다루되 전체적으로는 모든 지식의 백과사전식 요약이 되도록 배열하였다. 이처럼 치밀한 구성에 의해 집필되었기에 종전의 라틴어 교재와는 비교할 수 없는 전혀 새로운 교과서로 선풍적 인기를 끌었고, 유럽 전역에서 초보자들이 가장 즐겨 사용하는 교과서가 되었다.

▲「세계도회」

실학주의 유형 비교 18. 국가직

구분	인문적 실학주의	사회적 실학주의	감각적 실학주의
특징	• 인문적·실제적 성격 • 지적·도덕적·사회적 훈련 강조 • 종교교육 강조	• 직접적인 사회생활을 통한 교육 강조 • 학교보다는 개인 가정교사 제도를 많이 이용	• 실제적·과학적 교육 및 인문 교육 강조 • 학교교육 강조 • 학교 내부의 계통적 조직 강조
교육목적	고대문학 연구(고전)를 통해 현실세계의 생활 준비	• 사회적 조화 • 신사(gentleman) 양성	• 감각을 통한 올바른 지식 획득 • 과학적 지식을 통한 힘의 증진
교육내용	백과전서식 내용	여행이나 사회적 접촉 등의 실제적인 경험	• 자연현상의 연구 • 유희(遊戲) 활동
교육방법	• 개별적 교육 • 동기학습법 • 토의와 설명에 의한 독서법	이해와 판단을 중시	• 관찰에 의한 감각 훈련 • 귀납적 방법 • 실천에 의한 학습
대표자	밀턴(J. Milton), 비베스(Vives), 라블레(F. Rabelais)	몽테뉴(M. Montaigne), 로크(Locke)	베이컨(F. Bacon), 라트케(W. Ratke), 코메니우스(Comenius)

제7절 근대의 교육(Ⅳ): 계몽주의(illuminism, 18C) 교육

1 개관 15. 지방직

명예혁명에서 프랑스 대혁명에 이르는 100년 동안의 시기, 즉 유럽의 18세기는 흔히 '계몽의 세기'라고 부른다. 계몽주의는 인간이 보편적으로 가지고 있는 이성을 최고의 권리로 삼아 자유롭게 사고하고 연구하여 지식을 증진하고 보급함으로써 기성의 모든 권위와 전통, 즉 앙시앵레짐(ancient régime)을 비판하고 그 불합리한 점을 바로잡아 보다 합리적인 사회를 건설하려는 사상이다.

계몽주의 사상 확산의 배경이 된 것은 중세적 봉건주의 체제에서 근대적 민주 체제로 변화하는 시기에 과도기적으로 등장한 중앙집권적 절대주의(absolutism) 체제에 있다고 볼 수 있다. 절대주의는 '왕권신수설(王權神授說)'을 바탕으로 국왕이 어떠한 의무적 제약도 받지 않고 절대왕권을 행사하는 전제군주제의 정치사상이다. 절대주의가 교육에 미친 영향은 나라마다 차이가 있지만, 전반적으로 보아 국민의식을 통합하고 부국강병(富國强兵)을 이룩하기 위해 교육에 대한 국가적 통제가 강화되었다고 말할 수 있다. 프로이센(Preussen) 군주에 의한 의무교육제도의 도입과 고급 관료 양성을 위한 할레(Halle) 대학의 설립, 프랑스에서 라 샬로테(La Chalotais) 등에 의해 제기된 국민교육제도의 구상 등이 그 예에 해당한다.

이처럼 절대주의는 국민교육제도의 도입에 기여한 면은 있었으나, 개인의 인권을 신장하려는 역사적 흐름에는 어긋나는 정치사상이었다. 정치적으로 절대주의가 강화될수록 거기에 반발하여 개인의 자유와 권리를 찾으려는 혁신적인 사조가 널리 퍼지기 시작하였는데, 그것이 계몽주의 또는 계몽사상이다.

계몽주의 운동에서 드러난 '계몽(啓蒙)'은 기존 질서에 대한 반항적 태도를 함의하고 있었다. 계몽주의는 천부인권사상(天賦人權思想)을 바탕으로 개인의 자유와 평등의 이념을 추구하는 비판적 합리주의 사상이다. 그런데 개인의 권리를 절대시하는 입장이 극단으로 가면, 민족이나 국가의 이름으로 개인의 권리를 제약하는 것은 불가능해지기에, 계몽주의는 반역사주의적이고, 반전통주의적이며, 초국가적인 경향을 포함하게 되고, 이러한 경향은 19세기에 신인문주의의 등장으로 다시 비판의 표적이 되고 만다.

> 사회운동으로서 계몽운동이 교육실천에 직접적 영향을 준 것은 아니었으나, 그 속에 내포된 인간의 본성과 이상적인 삶의 모습에 관한 아이디어는 교육을 통해서 길러야 할 '합리적인 개인'이라는 이상적 인간상을 교육목적으로 제시해 주었고, 이후의 교육사상은 이 계몽주의적 인간을 형성하기 위한 교육원리와 그것을 극복하기 위한 대안을 모색하는 방향으로 전개되었다. 이런 점에서 계몽사상은 자연주의 교육사상의 출현을 위한 도약대가 되었다.

1. 의미

(1) 명예혁명(1688)으로부터 프랑스 대혁명(1789)에 이르는 약 100년간의 시대

(2) 이성(理性)의 힘으로 절대주의의 몽매성(夢昧性)을 타파하고 민주주의를 확립하려는 인간 이성의 해방운동

2. 특징 21. 국가직 7급, 11. 경북

(1) **합리주의**(rationalism): 인간은 이성적 존재, 이성을 통한 세계에 대한 해석과 문제해결 중시

(2) **기계주의**(mechanicalism): 전체는 부분의 단순한 집합 ⇨ 사회도 개인의 집합

(3) **개인주의**(individualism): 개인의 존엄성과 가치를 최우선시 ⇨ 아동존중교육

(4) 반역사주의 · 반국가주의 · 반민족주의

(5) **자연주의**(naturalism): 개인의 이성과 권리는 자연권 ⇨ 자연스런 조성과 교육 중시

② 유형

1. 자연주의(Naturalism) 11 · 10. 부산

> 교육사상으로서 자연주의는 '자연에 따라서 교육한다.'는 것을 최고의 원칙으로 삼는 입장이다. 이 원칙은 코메니우스(Comenius)에 의해 천명된 바 있었지만, 그 의미를 철학적으로 심화하고 설득력 있게 주장함으로써 교육의 개념에 획기적인 변화를 가져온 사람은 루소(Rousseau)이다.
> 루소는 인간의 있는 그대로의 자연상태를 가치 있는 것으로 인정하면서 그 바탕 위에서 '자연에 따르는' 교육의 목적, 내용, 방법을 강구하였다. 이는 교회와 국가의 횡포에 대항하고 전통의 권위에 반대하면서 개인의 인간으로서의 자유와 권리를 주장했다는 점에서는 계몽사상의 일부로 볼 수 있지만, (학교)교육만능설과 인위적 교육을 비판했다는 점에서는 계몽사상의 일반적 경향과 구별된다. 자연주의는 개인의 자연적 본성(本性)에 주목했으며, 그것을 발달시킴으로써 완전한 '시민'이 아닌 완전한 '인간'을 기르고자 했다.

17C의 실학주의(realism)에 대한 반성에서 출발 ⇨ 자연에 일치하는 교육, 인간의 발달 과정이 자연적 법칙에 합치되는 교육, 강제적 · 인위적인 것을 거부하고 스스로 자발적 · 자연적으로 성장하는 교육

(1) 특징
　① **주관적·심리적 자연주의**: 외계(外界)로서의 자연의 법칙에 대한 모방이 아니라 아동의 내면에 있는 자연의 법칙(발달 법칙)에 합치하는 교육 주장 ⇨ 교육은 '아동의 이해'에서부터 출발, 자연이 준 성장 가능성을 최대한 계발시켜 전인으로 발달(성장)
　　✎ 루소(Rousseau)의 자연주의 교육은 ① 유전 차이, ② 연령(발달단계) 차이, ③ 성별 차이, ④ 개인 차이를 존중하는 교육을 의미한다.
　② **원시적 자연주의**: 악한(타락한, 문명화된) 사회 이전의 선(善)한 본성을 지닌 자연 상태로의 복귀(인간성 회복의 교육) 주장 ⇨ "자연으로 돌아가라."
　③ 19C 말~20C에 전개된 유럽 신교육 운동(아동 중심 교육운동)의 기초

(2) **루소**(Rousseau, 1712~1778) 22. 지방직, 14. 국가직, 13. 지방직, 12. 경기, 11. 울산, 10. 서울·전북, 07. 국가직
　① 사상적 토대 및 인간관
　　㉠ **낭만주의**(Romanticism): 주지주의·합리주의에 반대, 감성과 도덕성(양심)의 가치 중시 ⇨ 인간의 개성 신장과 조화로운 발달을 강조
　　㉡ **자연주의**: 성선설(性善說)적 인간관("자연은 선하고 인간은 악하다.", "인간은 조물주로부터 나올 때는 선하다.") ⇨ 주관적 자연주의(선천적인 자연성의 계발), 자유주의(문명적 구속에서의 탈피)

▲ Rousseau

　　　✎ **자연상태**
　　　　1. 모든 사람들이 소박하고 순진하게 살아가는 목가적(牧歌的)인 상태
　　　　2. 인간다운 삶을 위해서 되돌아가야 하고 회복시켜야 할 대상
　　　　3. 원죄(原罪)가 없는 선한 그대로의 상태 ⇨ 교회의 논리나 홉스(Hobbes)의 주장과 대립
　② 교육관(교육원리)
　　㉠ **교육은 아동의 자발적 조성 작용**: "식물은 재배에 의해 자라고 인간은 교육에 의해 성장한다." ⇨ 교육 가능설, 교육은 곧 성장(output, 주입 ×)
　　㉡ **주관적 자연주의 교육**: 인간의 타고난 선성(善性)을 바탕으로 한 자연교육 강조
　　㉢ **아동 중심 교육**: 아동은 성인의 축소판이 아님. ⇨ 교육은 '아동의 이해'에서 출발, 교사 중심 교육을 강조하는 전통적 교육관에 대한 코페르니쿠스적 전환의 계기, 교육심리·교육과정·교육방법 연구와 활용의 중요성 강조
　　㉣ 교육은 미래의 생활을 준비하는 것이 아니라 현재 생활 그 자체
　　㉤ **경험(생활) 중심 교육**: 언어보다는 경험을 중시 ⇨ 지식 중심 교육 지양
　　㉥ **소극적 교육**: 사회악으로부터 아동 보호, 아동의 필요 충족 ⇨ 인위적 교육(학교, 사회, 국가에 의한 교육) 부정 및 대안교육 활성화 계기 마련
　　　　예 "아동이 교육받을 준비가 되어 있을 때, 아동이 필요를 느낄 때 교육하라."
　　㉦ **주정주의**(主情主義): 먼저 느끼는 교육 ⇨ EQ 후, IQ 교육
　　㉧ **교사의 역할**: 정원사(庭園師) ⇨ 나무와 풀의 특성을 파악하고 이에 맞는 조건을 제공해 주고 돌보는 사람

③ 「에밀(Emile)」의 내용

구성	발달단계	교육중점	세부내용
제1편	유아기 (출생~2세) ⇨ 동물적 시기	신체단련	• 사는 것은 활동하는 것이다. ⇨ 체육 중시 • 지육과 덕육은 불필요, 친모(親母)가 직접 양육 • 자유로운 신체활동에 대한 일체의 구속 거부 ⇨ 맨발, 냉수목욕, 견디는 훈련
제2편	아동기 (2~12세) ⇨ 야만인의 시기	감각교육 ⇨ 소극적 교육의 시기	• 5감각기관(눈, 귀, 코, 혀, 피부)의 단련: 감각은 모든 정신기능(주의, 기억, 사고 등)의 바탕, 훈련 방법으로 '관찰'을 중시 • 언어의 습득 ⇨ 독서 금지, '세계와 사물이 최선의 책' • 놀이를 통한 자발적 학습 • 소극적 교육: '덕이나 진리를 가르쳐 주는 것이 아니라, 심성을 악덕으로부터, 지력을 오류로부터 보호' ⇨ 사회로부터 격리 • 자연벌: 실학적 단련주의, 경교육 ⇨ 도덕적 가치 주입 금지
제3편	(청)소년기 (13~15세) ⇨ 농부, 로빈슨 크루소의 시기	지식교육	• 지적 호기심을 이용한 자기활동: 필요 ⇨ 활동 ⇨ 경험 ⇨ 지식 • 과학 공부부터 시작: 지리 ⇨ 천문학 ⇨ 물리학(과학은 배워야 하는 것이 아니라 스스로 발견해야 하는 것) • 실질 도야: 생활에 유용한 것 교수 ⇨ 목공술 등 노작교육을 통한 노동에 대한 이해 도모 • 독서 불필요: 「로빈슨 크루소」(Robinson Cruseo) ⇨ 자연 속에서 스스로 모든 문제를 해결하는 방법을 제시
제4편	청년기 (16~25세) - 제2의 탄생기 ⇨ 합리적 사고의 시기	도덕·종교교육 ⇨ 적극적 교육의 시기	• 사회생활 준비: 「플루타크 영웅전」 ⇨ 사회 타락 과정을 이해, 훈화교육은 금지 • 인간관계와 사회제도에 대한 지식 습득: 사회학, 심리학, 윤리학, 정치학을 연구 • 발달된 이성으로 성의 충동(정념)을 통제 • 도덕·종교교육: 내적 정신생활의 충실 도모 ⇨ 도덕, 미술, 종교, 철학 등을 학습 ⇨ 적극적 교육 **예** '사보아 보좌신부의 신앙 고백'(제도적 종교 비판, 자연종교론 주장)
제5편	결혼기 ⇨ 사회인의 시기	여성교육론 - 소피교육	현모양처론 강조: 여자의 1차 임무는 남자를 즐겁게 하는 것, 순종·겸양·청결·수예·가사 등이 주된 교육내용 ⇨ 여성교육에 대해 소극적이고, 무용론(無用論)적 입장, 즉 남녀별학(男女別學)의 입장

④ 교육목적: 자연인(noble savage, 고상한 야인) 양성 ⇨ 이상적 사회 구현
  ㉠ 일반 도야(인간 도야) 중시: 인간과 시민 중에서 인간을 만드는 교육
  ㉡ 양심과 이성에 따라 판단하고 실천하는 도덕적 자연인을 통해 사회 개혁

   ✎ 자연인(noble savage)
      1. 현존하는 문명사회의 인위적 허세와 지적 귀족주의, 이기주의에서 벗어난 순수한 자연상태의 인간
      2. 계몽사상의 합리주의자들이 추구했던 지적 인간이 아니라 감성이 순수하고 자연성을 유지한 개인
      3. 특정 국가나 사회의 요구가 반영된 '시민'이나 특정 직업기술을 갖춘 '직업인'이 아니라 자유교육의 이상인 온전한 인간, 즉 전인(숱人)

⑤ 교육내용(교육의 3요소)
  ㉠ **자연에 의한 교육**: 인간이 자연적으로 타고난 육체적 기관들과 여러 능력(심리적 자연 예 잠재성, 필요, 흥미, 욕구)의 자발적인 성숙
  ㉡ **인간에 의한 교육**: 교사에 의해 자연적인 능력의 발달을 유용하게 활용
  ㉢ **사물에 의한 교육**: 사물(물리적 환경) 세계에 대한 직접적인 경험을 통한 앎
⑥ **교육원리(교육방법)**: 합자연의 원리(주관적·심리적 자연주의), 주정주의(主情主義), 실물교육(직관주의 원리), 소극적 교육, 아동 중심 교육
⑦ 장단점

장점	단점
• 교육을 내적·자연적 발전 과정(성장)으로 이해(자유주의 교육 주창)	• 가정교육을 중시하고 사회교육과 학교교육을 경시 ⇨ 대안교육 논의의 출발점 제공
• 개성, 자유, 자기활동의 원리 강조(주체적 활동 강조)	• 자유주의적 방임주의 경향
• 아동심리에 대한 이해 강조	• 국가교육체제를 부정
• 지식교육보다 감정 도야를 중시	• '자연'의 개념이 불명확(예 흥미, 자유)
• 일반 도야를 교육목적으로 추구	• 무조건적 성선설은 잘못
• 직관주의적 실물교수를 강조(실학적 직관주의)	• 일반적 도야를 강조한 나머지 직업 도야를 배척
• 자기능력 함양을 위한 근로교육, 수공업 작업 중시	• 교육개혁의 실현 가능성에 대한 문제
	• 여성교육에 대한 문제

⑧ 교육사적 의의
  ㉠ 교육은 변질되고 타락하기 이전의 상태, 즉 순수한 인간의 본래성을 회복하는 작업임을 역설하여, 인간성 회복 교육을 선도하였다.
  ㉡ 소극적 교육의 중요성을 강조하여, 대안교육의 모색을 활성화하는 데 기여하였다.
  ㉢ 아동 중심·생활 중심 교육을 주장하여, 교사 중심·지식 중심의 교육에 대한 재고(再考)를 유도하였다.
  ㉣ 인간의 발달단계와 그 특성에 따라 교육내용과 교육방법을 구체적으로 제시하여, 교육심리·교육과정·교육방법 연구와 활동의 중요성을 환기시켰다.
  ㉤ 양심과 이성에 따라 판단하고 실천하는 도덕적 자연인을 통해 사회를 개혁함으로써 이상사회를 구현하려 하였다.

2. **범애(汎愛)주의(Philanthropism)** – 세계주의 교육, 현실적 실리주의 교육
  (1) **루소의 사상＋기독교적 박애주의(Agape)** ⇨ 교육을 통한 인류애 실현
    ① 루소의 자연주의 교육원리를 실천하기 위한 실험학교 운동: 즐거운 학습(놀이를 통한 학습, 직관교수), 교사교육의 중요성(열정 있는 교사), 교과의 유용성(교과서 개혁) 강조
    ② 학교교육의 개혁 운동: 학교제도 개혁에 선구적 역할 ⇨ 특정 종파가 아닌 국가가 관리하는 공적인 교육제도를 통한 개인의 행복과 공익의 증진을 추구
  (2) **동양의 묵자(墨子)가 주장한 '겸애설(兼愛說)'과 유사** ⇨ 차별없는 사랑(Agape)
    예 "天下之亂 皆起不相愛, 墨子曰, 視人之身若視其身, 愛人若愛其身"－ 兼愛 －

(3) **교육관**
  ① **교육목적**: 빈부, 귀천, 종파의 구별 없이 모든 개인의 행복한 삶의 실현(보편교육론) ⇨ "교육의 목적은 아동을 위해서 공익적이고 애국적이며, 행복한 생활을 준비하는 일"(Basedow)
  ② **교육내용**: 아동의 삶에 유용한 교육내용
    ㉠ 실생활에 필요한 지식과 기능: 실리주의 교육(예, 사실적 역사, 일화를 통한 도덕교육, 문법보다는 회화 위주의 언어교육) ⇨ 불필요한 지식교육에 시간이 낭비되는 것을 방지
    ㉡ 신체적인 양육(체육)과 정신 도야(덕육, 지육): 행복한 삶의 필요조건
  ③ **교육방법**: 즐겁게, 행복하게 배울 수 있는 방법(놀이, 여행, 견학, 실물, 회화 등)
    ㉠ 교수의 직관화·유희화·작업화: 교사의 일방적 주입을 지양하고 아동 스스로가 발견에 참여하는 개발법
    ㉡ 강압적 방법보다 다정다감한 인간애에 의한 즐거운 학습
  ④ **교사관**: 정열을 가지고 참고 인내할 줄 아는 교사, 특별한 능력(실력)이 있는 사람보다 성실하고 열성을 다하는 교사

(4) **교육사상가**
  ① **바제도우(Basedow)**: 범애학교 설립(Philanthropinum, 1774) ⇨ 초등교육의 개혁과 교재의 근본적 개정을 시도, 학교를 국가가 관리하는 중앙집권적·통일적 기구라고 주장 05. 경북
    ✎ **범애학교** 종파적으로 중립인 기숙제 학교 ⇨ 규율적 생활 중시
    ㉠ 교육목적: 인류애에 기초, 아동으로 하여금 공익에 봉사하는 인간애와 애국정신을 길러 행복한 시민생활을 영위하게 하는 것
    ㉡ 교육내용: 인간의 삶에 기초가 되는 모든 가치 있는 지식 ⇨ 모든 단계의 교육에 있어서 교과서 이용 강조(국어, 실과, 체육교과 중시)
    ㉢ 교육방법: 체육(1일 2시간은 체육과 노작 수업, 영양식 섭취), 훈육(체벌 금지, 선행 장려, 벌점·노역·단식), 교수(놀이를 통한 학습, 공동학습, 자연관찰, 칭찬과 격려, 직관교수, 자발적인 참여 등 ⇨ 사물·그림·모델에 의한 교수)
    ㉣ 「초등교수서(Elementarwerk)」 저술(1774): 코메니우스의 「세계도회」와 루소의 자연주의 사상의 영향, 100여 개의 삽화를 첨가 ⇨ 18C의 세계도회
    ㉤ 초등교육에 미친 영향: 아동의 수준에 맞는 교육, 언어보다는 실물에 관한 지식, 실제적 활동(유희, 운동, 수공)을 학교교과에 도입, 모국어의 중시(문법보다는 회화 중시), 교과 선정 시 유용성 강조
  ② **잘쯔만(Saltzman)**
    ㉠ 슈네펜탈 학교 설립(1784): 아동교육소(knabenerziehungsanstalt) 또는 동로조합(同勞組合) ⇨ 도시에서 떨어진 전원에서 교직원과 전교생이 기숙사 생활, 지·덕·체의 조화로운 발달 도모(교훈: '생각하라, 참아라, 행하라')
    ㉡ 교육목적: 건강하고 유쾌한 생활을 통해 합리적이고 선한 사람 양성 ⇨ 자신의 행복과 동포의 복지 증진을 위해 협력하는 인간

ⓒ **교육방법**: 교수의 출발점은 생활의 체험과 식물의 관찰(현장답사, 여행 등 권장), 작업을 통한 지식 획득, 공동 가족적 생활을 통한 교육적 감화에 의한 좋은 습관 및 인성의 형성

ⓔ **교사관**: 건강할 것, 쾌활한 성품을 보일 것, 아동과 화목하게 지낼 것, 아동과 함께 작업하는 방법을 알 것, 자연물에 대하여 명확한 지식을 가질 것, 근면할 것, 자기 손으로 직접 하는 방법을 배울 것, 시간을 절약하는 습관을 기를 것, 건강한 아동을 가진 가정과 교육기관과 긴밀한 관계를 유지할 것, 아동에게 요구하기에 앞서 먼저 솔선수범을 보일 것

3. 합리주의(Rationalism) 10. 대전

(1) 계몽주의는 곧 합리주의 ⇨ 이성(理性)의 도야를 통한 전통적 권위에서 해방

(2) **대표적 사상가**: 칸트(Kant, 1724~1804) - 자연주의를 합리주의 입장에서 수정·보완

① **인간관**: 인간은 자연인(욕구와 충동, 감정에 의해 지배를 받는 존재)과 이성인(이성에 따라 자유의지를 가지고 선택하고 책임지는 존재)의 이중적 존재 ⇨ 인간 자신의 내면에 지닌 도덕률을 따를 때 인간다운 존재 구현

② **도덕률(명령법)**: 모든 사람에게 객관적으로 타당한 보편성을 지닌 행위의 준칙
  예 무조건 당위의 법칙, 보편타당한 실천법칙, 자율적인 행위법칙 ⇨ 정언명령(定言命令, the categorical imperative), 의무론적 윤리설

③ **교육관**: 도덕적 자연주의 ⇨ 루소의 자연주의+합리주의(도덕주의)

④ **교육만능설**: "인간은 오직 교육에 의해서만 인간이 될 수 있다." ⇨ 교육은 현재에의 적응보다는 미래의 더 나은 상태, 즉 인간성의 이념(최고선, 선의지에 의한 도덕적 행위와 이에 부응하는 행복과의 합치)에 도달하기 위한 것

⑤ **교육의 인격성(도덕성) 중시**: 교육은 sein적(현실적·본능적) 존재에서 sollen적(이상적·당위적) 존재로 변화시키는 일

⑥ **교육보편설**: 교육은 초국가적·초시대적 사업 ⇨ 인간의 도덕성 함양이 목적

⑦ **교육의 형식**: 양육, 훈육, 교화(教化), 개화(開化), 도덕화

구분	의미
양육 (warten)	• 루소의 교육론처럼 자연의 교육에 맡기는 소극적 방법 • 아동의 자연스런 발육 도모(유희에 의한 신체 및 감각기관의 단련) • 아동이 스스로 주어진 일을 처리할 수 있는 기회 제공
훈육 (disziplinieren)	• 아동의 자연 속에 내재된 야만성을 없애고 규칙을 지키게 하는 것 • 아동의 고유한 인간성을 잃지 않도록 인간성을 고양시키는 것 • 이기적인 욕망을 멀리하고 실천 이상의 무상명령으로 안내하는 것
교화 (kultivieren)	• 읽고 쓰기 등 기초적이고 근본적인 제 능력을 연마하고 계발시켜 필요한 능력을 기르는 것 • **교육되어야 할 정신능력**: 오성, 판단력, 이성, 감각, 상상력, 기억, 주의력 • **교육방법**: 주입식 방법보다는 소크라테스 대화법 또는 아동 스스로의 자발적인 방법에 의한 계발식 방법

개화 (zivilisieren)	• 사회생활을 예의바른 방향으로 안내, 인간 사회에 적응하도록 돕는 것 • 자기중심성에서 탈피, 예의·정숙함·지혜 등을 구비하는 것
도덕화 (moralisieren)	• 도덕적 정조(情調, 예, 순종, 진실성, 사교성)의 도야 ⇨ 인간 삶의 목적이자 교육의 목적 • 양육, 훈육, 교화, 개화의 네 가지 형식은 도덕화에 이르기 위한 준비

제8절 근대의 교육(V) : 신인문주의(Neo-humanism, 19C) 교육

1 개관 11. 서울·울산

> 유럽의 19세기는 혼란과 갈등 속에서 새로운 시대가 열리는 격동의 시기였다. 산업혁명으로 인한 경제 질서의 변화, 나폴레옹 전쟁에서 촉발된 민족국가 형성 움직임, 그 양자의 결합에 비롯된 제국주의적 경쟁 등은 인류의 삶의 양상을 근본적으로 뒤흔들어 놓았다. 앞 세기에 계몽주의자들이 가졌던 꿈, 즉 자연적 권리와 보편적 이성에 입각하여 자유, 평등, 박애 정신이 실현될 새로운 사회질서를 건설하려던 꿈은 혁명 이후의 무질서와 그 뒤를 이은 나폴레옹 군사독재로 무너지고 오히려 구시대의 절대주의가 부활했다. 이에 따라 인간 이성에 대한 신뢰와 인류의 미래에 대한 낙관적인 전망은 수정이 불가피했다. 사람들은 이성이 인간 행위를 이끄는 절대적 기준이 될 수 없다는 것을 깨달았으며, 비합리적이라고 매도했던 과거의 전통과 종교적 신앙 속에도 그 나름의 가치가 있다는 것을 인정할 수밖에 없었다. 이러한 혼란 속에서 신인문주의(Neo humanism)라는 새로운 이념으로 무장하고, 국가교육체제 확립을 위한 교육개혁 사업에 착수함으로써 이론적으로나 실제적으로 유럽 근대교육의 발전을 선도한 나라는 독일(프로이센)이었다.
> 19세기 초 독일을 중심으로 전개되기 시작한 신인문주의는 그 속에 문예사상(낭만주의), 철학사상(계발주의), 사회사상(국가주의) 등 다양한 갈래의 사상들이 녹아들어 있어서 그 특징을 한 마디로 규정하기가 어렵다. 그러나 한 가지 분명하게 지적할 수 있는 것은 신인문주의가 18세기 계몽사조의 지나친 합리주의적·주지주의적·개인주의적 경향에 대한 반동으로 일어난 사상운동이라는 점에서 낭만주의와 관련이 깊다는 것이다. 또한 신인문주의는 계몽사조를 주도해 온 이탈리아를 중심으로 한 라틴 민족에 대항하는 게르만 민족의 사상이라고 할 수 있으며, 라틴 문화 이전의 고대 그리스 문화 속에서 참다운 인간성을 찾음으로써 라틴 문화를 극복하고자 한 사상이었다.
> 이렇게 사상적 스펙트럼이 다양한 것을 '신인문주의'라는 하나의 이름으로 묶을 수 있는 공통성은 ① 고대 그리스 문화의 핵심인 인간성의 조화로운 발전을 추구했고, ② 인간의 보편성보다는 각자의 개성과 역사 및 민족의 특수성을 강조했으며, ③ 개인의 삶에 있어서 사회적·역사적·문화적 전통의 중요성을 강조한 점에서 찾아볼 수 있다.

1. 등장 배경

18C 계몽주의에 대한 반동에서 출발 ⇨ 낭만주의(romanticism)의 교육적 반영

(1) 정의적 측면(주정주의)을 바탕으로 인간 본성의 조화로운 발달 도모 ⇨ 신인문주의

(2) 역사, 민족, 국가를 중심으로 고대 그리스(플라톤)의 이상(理想) 실현 도모

2. 특징

주정주의 · 정의(情意)주의 · 국가주의 · 민족주의 · 역사주의

3. 비교

(1) 계몽주의와 신인문주의

계몽주의	이성 중시	합리주의	기계적 세계관	개인주의	상류층 중심 교육
신인문주의	감정+이성	낭만주의	유기적 세계관	국가주의, 민족주의	대중 지향 교육

(2) 구인문주의와 신인문주의

구인문주의	로마 문화	형식 중시(언어, 문장)	고전의 기계적 모방	모방적, 이상적
신인문주의	그리스 문화	내용 중시(세계관, 인생관)	고전의 자각적인 비판	자각적, 비판적, 현실적

② 유형

> **신인문주의 교육사상이 현대 교육에 미친 영향**
> 1. **계발주의 교육**: 교육방법의 발달에 기여
> 2. **국가주의 교육**: 국가에 의한 교육관리, 공교육제도(의무교육제도) 발달에 기여
> 3. **과학적 실리주의(실증주의) 교육**: 현대 교육과정(curriculum) 형성에 기여

1. 계발주의(Developmentalism): 루소(Rousseau)의 자연주의의 영향 및 계승

심리학적 방법에 의하여 교육방법을 인간발달법칙에 합치

◇ **계발주의의 세 경향**
1. 페스탈로치: 사회적 계발주의 ⇨ 3H의 계발
2. 헤르바르트: 심리적 계발주의 ⇨ 다면적 흥미의 계발
3. 프뢰벨: 종교적 계발주의, 범신론(汎神論) ⇨ 유아의 신성(창조성, 자발성)의 계발

(1) 페스탈로치(Pestalozzi, 1746~1827): 교육은 사회개혁의 수단 ⇨ 교성(敎聖) 23·05. 국가직, 06. 서울

① **교육목적**: 인간 도야를 통한 사회개혁 ⇨ 평등교육론
  ㉠ 인간의 모든 능력, 즉 3H(Heart, Head, Hand)의 조화로운 계발
     ⇨ 전인교육, 능력심리학에 토대
  ㉡ 도덕적 인간 형성을 통한 불평등한 사회개혁
② **교육내용**: 직관(直觀)의 3요소

▲ Pestalozzi

수(數, Zahl)	계산, 수학 ⇨ 사물의 종류, 논리적 사고력을 도야함.
형(形, Form)	도화(圖畵, 그리기), 습자(習字, 쓰기), 측량 ⇨ 사물의 형태(모습), 직관력과 공간에 대한 감각 능력을 도야함.
어(語, Sprache)	읽기, 말하기, 문법 ⇨ 사물의 이름(개념), 언어 능력을 도야함.

③ **교육방법** 13. 지방직
  ㉠ 합자연의 원리 : 사회적(도덕적) 자연주의
    ⓐ 자발성의 원리 : 아동의 능력을 스스로 내부로부터 계발 ⇨ 주입식 교육 배제
    ⓑ 방법의 원리(점진적 발달의 원리) : 심성 발전의 법칙, 발달단계에 따른 교수

도덕적 도야	무규율 단계(자연상태) ⇨ 타율 단계(사회상태) ⇨ 자율 단계(도덕상태)로 전개
지적 도야	수 ⇨ 형 ⇨ 어, 직관교육에서 개념교육으로, '막연한 감각인상'에서 '명확한 관념'으로 전개
신체적 도야	반복 연습을 통한 도야

    ⓒ 사회 또는 생활공동체 : 사회를 떠난 개인은 존재하지 않으며 개인의 교육도 사회생활을 통해서만 가능하다. ⇨ 가정교육(안방교육의 원리)의 사회화
      예 가정에서의 모자(母子)관계가 모든 사회관계, 교육관계의 기초
    ⓓ 조화적 발전의 원리(통합의 원리, 도덕성 중시의 원리) : 3H의 조화 ⇨ 플라톤(Platon)과 로크(Locke)의 능력심리학의 영향을 받음. 3가지 능력의 조화로운 계발을 강조하였으나 그중에서도 도덕성(Heart), 즉 덕육(德育)을 제일 중시함.
  ㉡ 노작교육의 원리(learning by doing)
    ⓐ 지식의 훈련은 노작교육을 통해 완성 : 수업의 결과로 획득한 '명확한 관념'이 행동으로 적절하게 표현될 때 비로소 삶을 영위하는 데 도움 제공
    ⓑ 노작교육은 그 자체로서 의미를 지닌 인간성의 도야를 위한 교육
    ⓒ 아동의 자립적인 삶을 위하여 직업교육이 필요하나, 직업교육은 전인교육(인간교육)의 목적하에 이루어져야 한다. ⇨ 일반도야(인간도야)의 원리
  ㉢ 직관의 원리 : 언어보다 사물, 판단과 추리보다 보고 듣고 행하는 것 중시
    ⓐ 사물에 대한 인식은 사물을 감각으로 인식하는 '막연한 감각인상'에서 출발
    ⓑ 아동이 개별적인 사물과 직접 접촉하고 구분하는 직관교육에서부터 수업 시작
    ⓒ 코메니우스는 감각적 직관을 외계(外界)의 인상을 수동적으로 수용하는 과정임을 강조하였으나, 페스탈로치는 외계의 사물이나 현상의 본질을 이해하려는 능동적인 인식의 과정으로 이해함.

④ **특징** : 루소(Rousseau) 교육원리의 수정

루소(Rousseau)	페스탈로치(Pestalozzi)
소극적 교육관 : 교육은 아동 개인의 직접적 경험의 결과	적극적 교육관 : 교육을 통한 아동 능력 계발 가능
학교교육을 부정	학교교육을 긍정 : 좋은 가정교육의 연장
개인 중심 교육	개인과 사회의 조화로운 발달 강조
일상적인 삶이 가지는 교육적 가능성 부정 : 최선의 교육을 위해서는 탁월한 능력과 인격을 갖춘 부모를 둔 이상적인 가정이 반드시 필요	일상적인 삶이 가지는 교육적 가능성 긍정 : 평범한 농부의 가정도 인간적인 유대와 일거리가 있는 한 훌륭한 교육의 장이 될 수 있고, 그를 통해 최선의 교육이 가능 ⇨ 생활 도야

정원사로서의 교사: 아동 성장의 협조자, 안내자	교사의 적극적 역할론 강조: 교사는 '교육의 대기술'을 가지고 아동과 사회를 매개하고 아동을 성인 수준으로 육성하는 자

⑤ **주요 저서**: 「은자의 황혼」, 「린하르트와 게르트루트」, 「백조의 노래」
  ㉠ 「숨은 이(隱者)의 황혼」: 페스탈로치의 교육적 이상, 즉 평등을 표현 ⇨ "권좌에 앉아 있는 사람이나 시골 마루에 앉아 있는 사람이나 모두 다 똑같은 인간이다."
  ㉡ 「린하르트와 게르트루트」: 악(惡)의 추방과 가난의 근절을 주제로 한 농촌 소설 ⇨ 시골 가정의 한 어머니가 노작교육과 자애로운 대화를 통해 아이들의 지력과 인격 도야, 루소의 「에밀」에 비유될 만한 작품, "최선의 교육이 반드시 이상적인 가정에서만 가능한 것은 아니며, 평범한 농부의 가정도 인간적인 유대와 일거리가 있는 한 훌륭한 교육의 장이 될 수 있다(생활 도야).", "학교교육도 가정에서의 교육과 다르지 않다."는 교육관 전개

> 소설 속 주인공인 현명한 어머니 게르트루트는 헌신적인 노력으로 일곱 남매를 키우면서 술과 도박에 빠진 남편 린하르트를 갱생시키고 나아가 마을 전체를 변화시키게 된다. 게르트루트는 아이들이 쓸데없이 빈둥거리지 않도록 옷감 짜는 일을 시키며, 사랑이 담긴 대화를 통해 아이들의 지력을 향상시키고 인격을 함양시킨다. 학교교사와 같은 전문적인 교과지식은 없지만, 창문의 유리를 세어 보게 하거나 방의 크기를 발걸음으로 세어 보게 하는 등의 방법으로 산수를 가르치며, 주변에 있는 사물들을 세밀하게 관찰하게 함으로써 필요한 지식을 습득하도록 가르친다.

  ㉢ 「직관의 ABC」: 직관교육에 토대를 둔 아동교육법

> - 산수공부의 시작은 아동이 주위에 있는 사물을 셀 수 있게 되고 그것을 통하여 각각의 수가 무엇을 의미하는지 알게 되는 것에서 시작한다.
> - 형태의 공부에서 기본적인 요소는 선과 각이다.
> - 언어의 공부에서 기본적인 요소는 말을 이루고 있는 소리이므로, 각각의 소리를 명확하게 구별할 수 있도록 한 다음 음절, 단어, 문장을 읽을 수 있도록 한다.

⑥ **영향**
  ㉠ 민중교육·보통교육(아래로부터의 교육) 발전: 평등교육론
  ㉡ 가정교육과 학교교육, 사회교육 중시
  ㉢ 사회적 이상주의 교육(Natorp)
  ㉣ 퀸시 운동(Parker)과 오스웨고 운동(Scheldon) ⇨ 페스탈로치학파

퀸시 운동 (Quincy Movement)	'진보주의의 아버지'라고 불리는 파커(W. Parker)가 주창, 페스탈로치의 참된 교육으로의 회귀 운동
오스웨고 운동 (Oswego Movement)	쉘덴(Scheldon)이 주창, 페스탈로치주의(교육사상과 교육방법) 보급 운동 ⇨ 교사교육 프로그램으로 발전

  ㉤ 교육심리학과 아동연구에 영향
  ㉥ **노작교육사상의 원천**: 아동의 자발적인 노작활동에 의한 기능의 기초훈련을 중시
  ㉦ **생활교육의 기초 마련**: "생활이 도야한다."는 명제 확립

ⓔ 직관주의 사상은 직관 교수에 영향
ⓕ 교육목적을 인간의 개선에 두어 인도주의와 민주주의 교육 발전에 기여: 하늘나라를 이 땅 위에 건설하기 위해서 인간과 사회를 개혁하는 것이 종교의 궁극적 목적이자 도덕과 교육의 목적이기도 함. ⇨ 교육을 보다 높은 목적에 종속시킴.
ⓖ 19C 말~20C 초 신교육 운동(New Education Movement)

(2) **헤르바르트**(Herbart, 1776~1841) 23. 지방직, 07. 경남, 04. 제주: 교육학(사변적 교육학)의 체계 확립 ⇨ 교육학의 아버지

> **더 알아보기**
>
> **헤르바르트의 '교육학(Pedagogy)'**
>
> 헤르바르트는 「일반교육학」을 저술하여 교육학을 체계화하였다. 그는 루소의 자연주의의 영향을 받아 교육을 하나의 독립적 학문의 성격으로 연구하였다. 헤르바르트의 범애파 교육자들은 교육의 기초로 아동의 심리에 착안하였으며, 칸트나 피히테 등은 철학적 기초 위에 교육학을 조직하려고 시도한 바 있다. 그러나 교육학의 과학적 성격을 분명히 하고 교육학의 독자적 체계를 수립한 사람은 헤르바르트이다. 그는 그의 저서 「교육학 강의 개요」 서문에서 "과학으로서의 교육학은 실천 철학과 심리학에 의존한다. 실천 철학은 교육의 목적을, 심리학은 교육의 길, 즉 교육의 수단과 장애를 교시한다."고 함으로써 실천 철학(윤리학)으로부터 교육의 목적을, 심리학으로부터 교육 및 수업의 방법을 도출하여 독립된 과학으로서의 교육학을 성립시켰다.
> 1. **교육목적**: 칸트(Kant)의 윤리학(실천 철학) ⇨ 도덕적 품성(5도념)의 도야
> 2. **교육내용과 교육방법**: 표상심리학(Pestalozzi의 능력심리학 비판) ⇨ 다면적 흥미의 계발
> 3. **표상심리학**(representation psychology): 학습심리학의 기반이 된 심리학 ⇨ 출생 시에 백지상태인 인간의 마음은 신경계통을 통해서 외부의 실재와 관계한다. 이 관계를 통해 마음에 감각적 지식의 원천인 표상(表象, 어떤 것에 대한 영상 또는 이미지)이 부여되고, 이 표상에서 전체의 마음이 발전한다. 즉, 마음은 오직 외부 실재와의 상호작용을 통해 나타나는 표상의 형태로 인식될 뿐이다. 한 번 형성된 표상은 계속적인 자기보존의 노력을 하며, 이들 표상의 상호작용은 외연(外延)으로 확대되어 보다 많은 표상을 포괄하는 작용을 통해서 개념을 만들고, 나아가 판단과 추리로 발전한다. 그러므로 교육이란 외부에서 보다 많은 표상을 제시하고 이를 통해 마음을 확대·배양·조직하는 것이어야 한다. 흥미는 바로 이러한 표상으로 생긴다. 따라서 교육의 임무는 외계 사물(자연)과의 접촉 및 사회적 교제를 통해 표상을 일으키고, 이것을 기초로 해서 이념과 행위에로의 동기를 유발하여 사상권을 완성시키는 것이다.

① 교육목적: 도덕적 품성, 즉 5도념의 도야 ⇨ 내면적 자유, 완전성, 호의(好意), 정의(正義), 보상(報償)

내면적 자유	도덕적 의지와 도덕적 판단의 일치
완전성	의지의 완전성이 실현된 상태 ⇨ 의지의 강력, 충실, 조화 상태
호의(好意)	타인의 행복을 자기 의지의 대상으로 삼는 것
정의(正義)	두 개의 의지가 상호 양보하고 조화를 이룬 상태
보상(報償 또는 균형)	의지의 결과로 생긴 행동에 대하여 책임을 지는 것

② 교육내용: 아동의 다면적(多面的) 흥미
㉠ 흥미: 교육적 활동을 적극적으로 하게 하는 마음이 일어나는 것 ⇨ 교육적 흥미의 조건(영속성, 직접성, 다면성), 전심(專心, concentration)과 치사(致思, correlation, 숙고)를 통해 형성

ⓒ 흥미의 종류: 신체적 흥미를 제외

지적(인식적) 흥미	경험적 흥미, 추구적(사변적) 흥미, 심미적 흥미 ⇨ 자연과학 교과와 관련
정의적(교제적) 흥미	동정적(공감적) 흥미, 사회적 흥미, 종교적 흥미 ⇨ 역사 교과와 관련

③ 교육방법: 다면적 흥미의 조화로운 계발 ⇨ 관리, 교수, 훈련
  ㉠ 관리(Regierung): 교수를 위한 예비 단계

소극적 관리	감시, 명령, 금지, 처벌 등에 의하여 학습 준비 태세 형성
적극적 관리	일정한 과제를 주어 아동을 활동시키는 것

  ㉡ 교수(Unterricht): 교육목적 달성을 위한 최선의 방법, 교재(서적)를 매개
    ⓐ 교육적 교수와 비교육적 교수

교육적 교수	지식, 기능, 의지 전달을 통해 도덕적 품성을 도야
비교육적 교수	지식, 기능만 전달

    ⓑ 4단계 교수법(인식의 과정) 12. 경기: 명료 ⇨ 연합 ⇨ 계통 ⇨ 방법

교수단계	의미	정신 작용	Ziller	Rein
명료 (clearness)	대상에 대한 뚜렷한 인식, 개개의 관념의 명확한 구별 ⇨ 정적 전심	전심(專心): 일정한 대상에 몰입되어 명확한 관념을 파악하는 것	분석	예비
			종합	제시
연합 (association)	신·구 관념의 결합 ⇨ 동적 전심		연합	비교
계통 19. 지방직 (system)	연합된 관념을 체계적으로 조직 ⇨ 정적 치사	치사(致思): 파악된 개념을 통합하여 반성을 통해 통일하는 작용	계통 (체계)	개괄 (총괄)
방법 (method)	체계화된 지식을 활용하고 응용 ⇨ 동적 치사		방법	응용

  ㉢ 훈련(Zucht, 훈육): 교재를 매개로 하지 않고 아동의 도덕적 품성 도야를 위한 직접적인 활동 ⇨ 내부적·자율적 방법 예 교훈, 교사의 모범(가장 중요), 훈육(상벌)

보존적 훈련(유지적 훈련)	교사가 시범 보인 방향으로 아동의 의지를 유지
규정적 훈련	교사가 미리 규정한 규칙에 따라 아동이 행동하도록 훈련
결정적 훈련	교사가 아동의 심리 상태를 예상하고, 아동 스스로 결정하도록 훈련
후원적 훈련	아동이 자율적으로 올바른 선택을 하도록 교사가 후원

④ 특징: 선지후행(先知後行), 주지주의적 입장
⑤ 주요 저서: 「일반교육학」, 「실천철학」, 「교육학요강」

(3) **프뢰벨**(Fröbel, 1782~1852): 세계를 하나의 통일체로 파악하는 관념론자(idealist), 유치원(Kindergarten, garden of children)의 창시 ⇨ 몬테소리 '아동의 집' 창설에 영향 06. 서울
  ① 교육목적: 아동의 신성(神性, 창조성, 활동성) 계발 ⇨ 범신론(만유신론, pantheist)
  ② 교육내용: 종교, 자연, 언어, 수학, 예술 등 5개 영역 중시 ⇨ 유희(遊戲), 수공(手工), 노래, 언어, 율동 강조

③ **교육방법**: 루소(Rousseau)의 소극적 교육관을 '발달 순응적 교육'으로 계승하고, 주의와 보호를 첨가할 필요가 있을 때 '명령적 교육'으로 보완
　㉠ **통일의 원리**: 신·인간·자연의 조화 ⇨ 손가락은 손과 연결되고 손은 팔과, 팔은 몸과 연결되어 하나의 통일된 몸을 형성하듯, 교육도 인간 내부의 자연성(진·선·미)의 합일을 통해 사회(인간)와 조화를 이루고, 신과의 합일을 이루어야 한다.

> 프뢰벨 유치원에서는 마루에 커다란 원을 그려 놓고 매일 교사와 아동이 원 주위에 모여 노래하고 기도하고 이야기를 나눈다. 여기서 원은 시작과 끝이 없는 가장 완전한 형태로 계속성과 규칙성을 상징하며, 이는 아이들은 원 주변에서 활동하는 동안에 원이 지닌 철학적 의미를 흡수할 것이라는 프뢰벨의 철학에 기초한 것이다.

　㉡ **자기활동의 원리**: 아동의 자발적인 동기·흥미·힘에 의한 활동 중시 ⇨ 자기활동은 신성(神性)의 표현, 교육은 아동이 자신의 의지와 흥미에 따라 자신의 본성을 표현하고 자연과 조화를 이루어 나가도록 돕는 활동
　㉢ **놀이와 작업의 원리**: 놀잇감(은물, 恩物)을 통한 작업적 놀이(예 진흙작업, 종이자르기, 종이접기, 구슬에 실꿰기, 그림그리기, 수놓기)와 운동적 놀이 ⇨ 유아교육의 2대 원리
　㉣ **연속적 발달의 원리**: 발달에는 단절이나 비약이 없다. ⇨ 발달의 출발점은 유아교육

> **더 알아보기**
>
> 은물(恩物, gabe, gift): 신(神) 또는 부모님이 주신 은혜로운 선물
> 1. 단순한 놀이기구가 아니라 철학적인 의미를 담고 있는 교육용 장난감
> 2. **자연계에 속하는 성질, 형상, 법칙을 상징하는 것**: 상징적 실물수업(symbolic object lesson) ⇨ '상징주의자', '상징주의 교육이론'
> 3. **발달 단계별로 계열화되어 구성**: 털실로 된 공, 나무로 만든 구(球), 6면체, 원통, 나무로 만든 8개의 작은 6면체 ⇨ 형체(3차원의 세계), 면(2차원의 세계), 선(1차원의 세계), 점(이념의 세계)의 4영역으로 구성되어 형체-(평)면-선-점-선-평면-형체 순서로 학습

④ **교사관**: 학교는 화원, 아동은 꽃, 교사는 꽃을 가꾸는 정원사(협조자, 안내자)
⑤ **비판**: 교육방법론을 지나치게 형이상학(관념론)적 기초 위에 수립하였다.

2. **국가주의(Nationalism)** 10. 울산, 08. 경기

　(1) **개념**: 국가의 존속과 발전을 교육목적으로 하는 교육 ⇨ 교육의 국가관리, 의무교육, 공교육제도의 발전(최초의 의무교육제도 실시: 프로이센)에 기여

　(2) **대표적 사상가** ⇨ **문화적 국가주의**
　　① **피히테(Fichte)**: 자기활동을 통한 자유 획득이 교육목적
　　　㉠ 국민적 이기주의 때문에 독일이 대 프랑스 전쟁에서 패배 ⇨ 개인주의 배격 및 국가에 의한, 국가를 위한 국민교육 주장
　　　㉡ 도덕적 개조(덕육)를 통한 국가 구제 ⇨ 「독일 국민에게 고함」(1807~1808)
　　　㉢ 전 국민을 대상으로 학교교육을 의무화하고 국고에 의한 교육비 부담과 국민공통 교육과정 개설, 그리고 남녀공학의 실시를 주장

② 훔볼트(Humboldt): 초등학교제도의 정비와 중등교육 개혁, 복선형 학제의 정착, 베를린대학 창설 ⇨ '고독과 자유'의 근대적 대학이념 보급
③ 호레이스만(Horace Mann) 12. 서울: 미국 공교육의 아버지
  ㉠ 학교교육은 위대한 평등장치:「12년보」발간 ⇨ 빈약한 교육환경 개선, 일반 대중을 위한 공립보통학교 설립, 남녀·빈부의 차 없는 교육 실시
  ㉡ 미국 최초의 근대적 의무교육제도 성립에 기여: 교육은 인간의 기본권
  ㉢ 교과서 통일과 학교도서관 보급
  ㉣ 미국 최초 주립 사범학교 설립
  ㉤ 민주적인 학교감독제도의 기초 확립: 주교육위원회 설치
  ㉥ 미국 최초 남녀공학 대학 설립

3. 과학적 실리주의(실증주의)
  (1) **개념**: 과학적 지식을 통한 실생활 준비, 인류의 행복 실현 ⇨ 과학적 교육론
  (2) **대표적 사상가**: 스펜서(Spencer) ⇨ 「교육론(Education)」(1861)

  > **더 알아보기**
  >
  > **스펜서「교육론」의 내용**: 교육은 본질상 개인의 관심사 ⇨ 국가교육체제 도입을 강력 반대
  > 1. **제1장**: 어떤 지식이 가치 있는 지식인가? ⇨ 지식의 가치는 완전한 생활을 하는 데 있다(고전적 인문 중심의 전통적교육을 대신하는 새로운 교육과정의 개편 강조).
  > 2. **제2장 지육론**: 신체적 발달과 건강에 대한 지식, 실증적 실리주의교육 강조 ⇨ 다섯 가지 새로운 교육과정 제시
  > 3. **제3장 덕육론**: 중세적 간섭주의(체벌)를 비판, 루소의 자연주의에 의한 자율적 도덕 형성 강조
  > 4. **제4장 체육론**: 건강한 신체 단련이 체육의 주된 임무 ⇨ 체육을 경시한 헤르바르트(Herbart)를 비판

  ① 교육목적: 지상에서 완전한 생활 실현을 준비(생활준비설)
    예 자기 보존 ⇨ 모든 능력의 자유로운 발휘 ⇨ 행복 ⇨ 완전한 삶으로 이어지는 사회적 진화론에 토대
  ② 교육내용: 체·덕·지의 3육론
  ③ 교육과정: 완전생활을 위한 5대 영역 ⇨ 현대적 교육과정 제시(신체적, 지적, 정의적 교과)
    ㉠ 직접적인 자기 보존에 필요한 지식: 생리학, 위생학(체육)
    ㉡ 간접적인 자기 보존에 필요한 지식(직업교육, 생필품 확보): 자연과학, 사회과학
    ㉢ 자녀의 양육과 교육활동(가사, 육아): 가사, 심리학
    ㉣ 정치적·사회적 관계 유지 활동(시민교육): 역사학, 공민학
    ㉤ 여가를 즐기는 취미 및 감정 만족을 위한 활동: 문학, 예술(인문교과 및 예능과)
  ④ 교육방법: 자연의 법칙에 따르는 것 ⇨ 체계적인 과학의 방법 예 직관의 방법(페스탈로치)
  ⑤ 의의: 영국 사회학의 창시자(사회유기체설) ⇨ 프래그머티즘에 영향

▲ Spencer

제9절 현대의 교육(20C) : 신교육운동(New Education Movement)

1 개관

1. 19C 말~20C 초 유럽에서 시작하여 미국 등 전 세계의 교육개혁에 영향을 준 운동

2. **아동 중심 교육 운동**: 교사 중심의 권위적·획일적·교과 중심의 주입식교육에서 탈피, 아동 중심의 실생활 중심·사회 중심 교육을 실천 ⇨ 학교 교육의 내용적 변화(예 노작학교, 실험학교, 아동의 집 등 설립), 교수·학습지도 방법의 개선 운동(예 달톤안, 위네트카안)

2 교육사상가

1. **엘렌 케이**(Ellen Key, 1849~1926) 06. 서울

   20세기는 「아동의 세기(Das Jahrhundert des Kindes, 1900)」, 주지주의 교육 비판(아동 정신의 살해 행위) ⇨ 자유주의 교육

2. **몬테소리**(Montessori, 1870~1952) – '아동의 집(Casa dei Bambini)' 창설, 철저한 자유방임주의 교육
   10. 경남

   (1) **아동관**
   ① 아동은 성인의 축소판이 아니며 개별적 생명을 지닌 독립적 인격체, 무한한 잠재력의 소유자
      ⇨ "교육의 출발은 새로운 아동의 발견으로부터"
   ② "유아기는 학습이 이루어질 수 있는 최대의 가능성을 지닌 민감기(sensitive period)이다."
      ⇨ 0~6세 사이의 아동에게 질서, 걷기, 읽기, 말하기, 작은 사물, 사회생활 등에 대한 민감기가 나타난다.

   (2) **교사관**: 길을 안내하는 향도자(向道者, director), 수동적 방임자(on-looker, 계속적 관찰자), 환경의 관리자 ⇨ 루소(Rousseau)처럼 아동을 선(善)한 존재로 보지 않았기 때문에 아동의 내적 발달에 관심을 갖고 지켜보아야 한다고 주장

   (3) **교육이론**
   ① **노작이론**: 작업을 통한 아동의 인성 형성과 자기 완성
   ② **정상화이론**: 교육의 목적은 아동의 전인적 성장을 통한 '정상화(천성적으로 부여된 성격이 왜곡 없이 발달된 상태)'를 돕는 것 ⇨ 자유로운 신체활동, '정리된(준비된) 환경', 감각교육 중시

3. **닐(Neill) – 서머힐(Summerhill) 설립, 자유주의 교육 운동** 24. 국가직 7급

   (1) **교육목적**: 행복의 실현 ⇨ 내적인 건강과 균형, 생에 대한 충족감, 억압받지 않는 상태

   (2) **교육원리**: 사랑(상대방을 있는 그대로 인정해 주는 것, 상대방의 편이 되어 주는 것), 자유(자유의지 행사 + 자기통제), 감성교육(무의식을 중시, 놀이와 창작 활동 중시), 남녀공학(남녀가 함께 있는 생활세계를 그대로 반영)

   (3) **아동관**: 성선설 ⇨ "어린이는 본래 현명하고 현실적이다. 어린이는 본래 성실성을 갖고 태어난다. 어린이는 사랑과 이해를 필요로 한다. 어린이의 흥미는 직접적이다."

4. **스프랑거(Spranger) – 문화적 교육학** 11. 광주

   (1) **교육의 본질은 문화의 번식(전승)**: 문화는 정신생활, 바람직한 가치추구 생활

   (2) **교육은 도야**: 기초적 도야(개체성) ⇨ 전문적 도야(보편성) ⇨ 일반적 도야(전체성)

   > **더 알아보기**
   >
   > **스프랑거의 '정신'의 의미**
   > 1. **주관적 정신(개체성)**: 객관적 문화를 이해하고 구성하는 개인적 정신, 자아활동의 원동력
   > 2. **객관적 정신(보편성)**: 과학·예술·경제·종교 등의 문화 ⇨ 개인 정신의 주관적 가치 경험을 객관화한 것
   > 3. **절대적 정신(전체성)**: 객관적 정신과 주관적 정신의 지양·통합 ⇨ 주관적 정신과 객관적 정신의 방향을 선도

   (3) **교육은 성숙자와 미성숙자와의 만남을 통해서 깊은 잠에서 깨어나는 각성**: 내면적 세계 각성, 인격적 자아 각성, 문화적 책임 각성

5. **딜타이(Dilthey)** 10. 경기

   문화적 교육학 주장, "인간은 자연(문화적 환경)의 학생이고 지구는 인류의 학교이다." ⇨ 무의도적 교육 중시

오현준
정통교육학

핵심 체크 노트

1. **교육철학의 영역과 기능**
   ① 철학의 영역: 존재론, 인식론, 가치론, 논리학
   ★ ② 교육철학의 기능: 분석적 기능, 사변적 기능, 규범적 기능, 통합적 기능

★ 2. **지식의 종류:** 명제적 지식(사실적, 규범적, 논리적), 방법적 지식

★ 3. **현대의 교육사조(Ⅰ):** 진보주의, 본질주의, 항존주의, 재건주의

★ 4. **현대의 교육사조(Ⅱ):** 실존주의, 분석철학, 구조주의, 비판이론, 포스트모더니즘, 신자유주의

CHAPTER 04

교육철학

01 교육철학의 개관
02 지식과 교육
03 전통철학과 교육
04 현대의 교육철학
05 동양철학과 교육

CHAPTER 04 교육철학

> **학습 포인트**
> 1. **교육철학의 기능**: 사변적 기능, 규범적 기능, 분석적 기능, 통합적 기능
> 2. **지식의 종류**: 명제적 지식(사실적 지식, 규범적 지식, 논리적 지식), 방법적 지식
> 3. **현대 교육사상**: 진보주의, 본질주의, 항존주의, 재건주의, 실존주의, 분석철학, 포스트모더니즘, 홀리스틱, 신자유주의

제1절 교육철학의 개관

1 교육철학의 개념

1. 개념적 의미

(1) **어원적 의미**: education(교육)+philos(사랑)+sophia(지혜) ⇨ 교육에 관한 지혜를 사랑(탐구)하는 학문

(2) **일반적 의미**: 철학적 방법으로 철학적 수준에서 교육의 본질을 추구하는 학문

2. 학자들의 정의

(1) **Phenix**: 철학적 방법과 견해를 교육 분야에 적용하는 것 ⇨ 철학적 교육학(응용학문)

(2) **Broudy**: 교육현상을 대상으로 하는 철학적 탐구행위 ⇨ 교육적 철학(독립학문)

3. 유사 개념: 교육철학은 다음 세 가지 의미를 모두 포괄한다.

(1) **교육관(敎育觀)**: 교육의 전반적인 과정(예 개념, 목적, 방법)에 대한 포괄적인 이해와 견해

(2) **교육사상**: 교육관을 조금 더 체계화한 것 ⇨ 교육의 전반적인 과정을 설명하고 그 과정의 원리를 체계적으로 정당화하는 이론

(3) **교육목적**: 교육이 나아가야 할 바람직한 방향, 이상적 인간상

2 교육철학의 연구영역 11. 서울·인천

1. 존재론(형이상학, Metaphysics, 사변철학) 11. 광주

무엇이 실재하는가?(What is real?) ⇨ 존재(예 인간, 자연, 세계)의 본질(本質) 또는 궁극적 실재(窮極的 實在) 탐구

(1) **관념론(유심론)**: 궁극적 실재는 관념 또는 정신(이념, 영혼) 예 Platon(이데아)

(2) **실재론(유물론)**: 궁극적 실재는 물질 예 Aristoteles(각각의 사물 속에 내재)

(3) **프래그머티즘(실용주의)**: 궁극적 실재는 계속되는 변화와 발전 그 자체 예 Dewey

(4) **일원론**: 세계의 모습은 다양하지만 궁극적 실재는 하나 예 Aristoteles, 이이

(5) **이원론**: 궁극적 실재는 정신과 물질, 이상과 현실의 세계로 분리 예 Platon, 이황

2. **인식론(Epistemology)**

무엇이 진리인가?(What is true?), 진리(지식)의 근거와 본질 규명 ⇨ 안다는 것은 무엇이고, 우리는 어떻게 지식을 얻을 수 있으며, 어떤 것이 참된 지식이고 거짓된 지식인가, 그리고 그것을 판단하는 근거는 무엇인가 등에 관하여 탐구

(1) **절대론(독단론)**: 참다운 진리나 지식이란 불변하고 절대적이며 확실한 것이기에 인식될 수 있다. ⇨ 직관론(순간적이고 돌발적인 내적 통찰), 경험론(감각적 경험), 합리론(이성적 추론), 계시론(초자연적 방법이나 특정한 사람을 통해 전수)

(2) **상대론(오류가능론)**: 진리나 지식은 변화하고 상대적이며 불확실한 것이다.
예 소피스트, 프래그머티즘, 진보주의, 구성주의, 포스트모더니즘, 지식사회학

(3) **회의론**: 자명(自明)한 진리나 지식은 존재하지 않는다. 지식은 단순한 의견에 불과하고 참다운 진리에는 도달할 수 없다.

3. **가치론(Axiology, 규범철학)**

무엇이 가치 있는가?(What is valuable?), 선(善)·악(惡), 정의·불의, 미(美)·추(醜) 등 가치(Value)의 근거와 판단기준 탐구 ⇨ 있어야 할 당위(當爲) 또는 이상(理想)을 제시

(1) **윤리학(ethics)**: 도덕철학, 인간의 개인적·사회적 행위와 관련된 도덕적 가치 탐구

(2) **미학(aesthetics)**: 예술철학, 도덕적 가치 이외의 가치 탐구, 미적 가치 탐구

(3) **객관주의**: 인간과 관계 없이 보편적 가치가 객관적으로 존재한다.

(4) **주관주의**: 가치는 사람에 따라서 다를 수 있다.

(5) **가치 절대주의**: 가치는 변하지 않는 절대적인 것이다.

(6) **가치 상대주의**: 가치는 시간과 장소에 따라 변한다. 예 포스트모더니즘

4. **논리학(Logic)**

결론에 도달하기까지의 사고 과정의 타당성 검증, 사고의 규칙에 관한 탐구 ⇨ 철학의 방법론
예 논리적 실증주의(문장의 논리적 검증), 분석철학(일상 언어의 의미 분석)

③ 교육철학의 기능 09. 경기, 05. 충북, 04. 대구

교육철학의 네 가지 기능 중 분석적 기능은 언어와 논리를, 평가적 기능은 대상에 대한 교육적 합리성 여부의 평가를, 사변적 기능은 새로운 제언(提言)과 아이디어의 창출을, 통합적 기능은 전체로서의 파악을 강조한다.

1. 분석적 기능: 언어의 의미 명료화 ⇨ 1차적 기능

(1) 교육적 의미체계를 구성하는 언어의 의미와 그 논리적 관계를 명백히 분석하는 것을 말한다.
  ① 언어의 애매성(ambiguity, 의미·본질의 다양성)과 모호성(vagueness, 범위·한계의 불명확성)을 없애거나 줄이는 일
  ② 동어반복(tautology)과 논리적 모순(contradiction)을 가려내는 일
  ③ 함의(implication)와 논리적 가정(presupposition)을 밝히는 일 및 논리적 모순 제거

(2) 교육이론이나 실천에서 쓰이는 좌표나 원리를 명확히 규명한다.

(3) 언어가 사용된 맥락(context)을 파악한다.

(4) 겉으로 표방하는 이론이나 철학의 전제나 가정을 밝히는 언어논리적 분석뿐 아니라 감추어져 있는 의도나 동기, 관심이나 목적까지도 드러내는 사회문화적 분석의 역할을 포함한다.
  ⇨ 단순한 언어의 논리적 분석을 넘어, 교육적 의미체계가 어떠한 신념과 가정, 가치관과 이론적 배경에서 성립하고 있는가를 분석하여 그 의미체계가 전제하거나 반영하는 인간관과 세계관, 사회관과 학교관을 분석하는 것이다.
    예 '교육'과 '훈육'의 개념을 분석할 때 우리가 일상적 맥락에서 그 개념을 어떻게 쓰는지, 어떤 인간관과 학교관을 가정하는지, 심지어 이러한 개념의 일상적 쓰임새에 숨어 있는 정치적 이념은 무엇인지를 분석할 수 있다.

> 예를 들어 "철수는 착하다."라는 문장이 있다고 할 때 '착하다'는 말의 의미는 여러 가지 기준에서 이야기할 수 있다. 어떤 경우는 어른들이 시키는 말을 고분고분 잘 듣는다는 점에서 '착하다'고 이야기 할 수도 있고, 용돈을 절약해서 쓴다는 점에서 '착하다'고 이야기할 수도 있고, 공부를 열심히 한다는 점에서 '착하다'고 이야기할 수도 있고, 봉사활동을 많이 한다는 점에서 '착하다'고 이야기할 수도 있다. 이 경우 어떤 것을 '착하다'고 하는 것이 적당하며, 나아가 '착하다'는 것은 무슨 뜻인가 하는 의문을 가질 수 있다. 이처럼 의사소통을 명확히 하고 올바른 사고를 전개하기 위해서는 무엇보다도 언어의 의미나 가치판단의 기준 같은 것을 분명히 하는 것이 필요하다.

2. 평가적 기능(규범적 기능)

어떤 규준이나 준거에 비추어 교육적 실천·이론·주장·원리의 만족도를 밝히는 행위

(1) 분석적 기능을 토대로 교육에 관한 가치판단(예 좋다, 나쁘다, 옳다, 그르다, 바람직하다, 바람직하지 못하다, 해야 한다, 해서는 안 된다)을 하는 기능
  cf. 평가 준거나 기준을 명료화하는 일은 분석적 기능에 해당한다.

(2) 개념의 명료화에 의거, 기준을 명확히 하는 것과 평가대상을 명확하게 파악하는 것이 중요
   예 '고교 평준화 정책'을 평가할 때 교육철학자는 자유주의적 관점, 여성주의적 관점, 비판이론적 관점 등 자신이 어떤 관점을 취하고 평가하는지 미리 밝혀야 한다.

(3) 분석적 기능이 교육이론이나 실천에서 쓰이는 좌표나 원리를 명백히 하려는 노력이라면, 평가적 기능은 그 좌표 혹은 원리대로 교육을 이루고자 하는 노력을 말함.

3. 사변적 기능(형이상학적 기능, 구성적 기능) 12. 국가직 7급

어떤 문제를 해결하기 위해 생각에 잠기는 것, 사변적 추론 행위 ⇨ 가장 중핵적인 기능

(1) 분석적 기능과 평가적 기능을 토대로 얻어진 자료들을 다시 종합·정리

(2) 교육목적 설정 시, 교육문제 해결의 대안(가설, 방향, 제언) 제시
   ① 교육에 대한 새로운 설명체계나 의미체계를 구안하여 교육현상을 설명하거나 교육적 비전을 제시하는 역할을 말한다.
   ② 사유(思惟)를 통하여 새로운 개념, 가설, 해결책 등 교육의 문제를 새롭게 보거나 해결하기 위한 모종의 안(案)을 도출하는 것에서, 인간관과 세계관, 지식관과 가치관, 아동관과 교사관을 새롭게 구성하고 이를 위한 교육의 구체적인 방법과 새로운 교육적 비전을 제시하는 등 다양한 형태를 띨 수 있다.
   예 어떤 교육철학자가 오늘날 요구되는 '교육받은 자의 모습'을 전통적인 견해들에 비추어 새롭게 구성하였다.

4. 통합적 기능(종합적 기능)

전체적·종합적으로 교육을 이해 ⇨ 가장 고유한 기능

(1) 교육현상을 이해하기 위해 동원된 기초 학문들(**예** 심리학, 사회학, 행정학, 정치학 등)의 서로 다른 관점을 연결시키는 기능
   ① 여러 가지 차원과 관점에서 제시되는 교육에 대한 다양한 의미체계를 전체적으로 검토하고 이를 통합된 체계로 파악하려는 역할을 말한다.
   ② 다양한 학문적 접근 내에서 이루어지는 분할된 의미부여 체계를 전체적으로 조망하는 것이다.
   예 '교육평등'의 문제가 교육행정학과 교육사회학에서 각각 어떻게 정의되고 논의되는가를 살펴보고 그것이 서로 어떻게 관련되고 또 관련되어야 하는지에 대한 전체적인 조망을 보여 주어, 교육평등의 문제를 교육정책에 적용하는 데 보다 종합적이고 균형 잡힌 시각을 갖도록 도울 수 있다.

(2) 교육의 일관성을 유지하게 하고 전인교육과 관련된 기능

> 통합적 기능은 하나의 현상이나 과정을 전체로서 파악하고 여러 부분과 차원을 통합하여 이해하려는 행위를 말한다. 즉, 나무도 보고 숲도 볼 수 있는 안목을 말하는 것이다. 깊은 산속에 들어가서 우거진 수풀만 보고 와서는 그 산속의 전체를 보았다고 말할 수 없듯이, 나무도 보고 숲도 보고 전체를 종합해서 볼 수 있는 안목을 키우는 것을 말하는 것이다.

제2절 지식과 교육

1 지식의 종류(Ryle) — 지식의 표현 형태에 따른 구분

1. 방법적 지식(procedural knowledge, 절차적 지식, 묵시적 지식, 역동적 지식)

(1) 어떤 과제의 절차와 방법에 대한 지식(know how), 특정한 능력(ability)을 기르는 데 사용되는 지식 **예** 빨래를 할 줄 안다. 컴퓨터를 다룰 줄 안다. 영어회화를 할 줄 안다.

(2) "~할 줄 안다."(Know how)로 진술, 반드시 언어로 표현될 필요는 없다. ⇨ 산출[production; 조건-행위규칙(if A, then B)]의 형태로 저장

(3) **무엇을 알고 있는가보다 무엇을 할 수 있는가와 관련된 지식**: 다양한 지식과 정보를 효과적으로 활용하는 지식, 과제수행에 요구되는 규칙과 원리 습득을 전제

(4) 문제해결학습, 발견학습, 탐구학습, 구성주의, 자기주도적학습, 수행평가 등에서 중시

2. 명제적 지식(propositional knowledge, 선언적 지식, 정적 지식) 13. 지방직

(1) 어떤 명제가 진(眞)임을 아는 지식(know that), 특정한 사상(事象)에 관계된 신념(belief)에 해당하는 지식
   cf. 명제적 지식에서 '명제(proposition)'는 진위 판별 여부와 상관없이 모든 문장(statement)이 포함될 수 있다.

(2) **탐구 결과로 생성된 지식**: 결과로서의 지식, 내용으로서의 지식

(3) "~임을 안다."(X가 P임을 안다.)로 표현 ⇨ 도식(schema; 명제, 직선적 순서, 심상, 각본)의 형태로 저장

(4) **성립 요건**: 신념조건, 진리조건, 증거조건(Platon)+방법조건(Ryle) ⇨ 쉐플러(Scheffler)는 증거조건과 방법조건을 포함하는가의 여부에 의해 '강한 의미의 앎(knowing in the strong sense, 증거와 방법조건을 포함하는 앎)'과 '약한 의미의 앎(knowing in the weak sense, 증거와 방법조건을 포함하지 않는 앎)'으로 나누었다. 06. 경기

성립 요건	의미	제시자
신념조건	• 지식의 내용을 믿어야 한다(핵심 조건). • X는 P임을 믿는다. **예** 나(X)는 '지구가 둥글다(P)'는 것을 믿는다.	플라톤(Platon)의 「메논(Menon)」
진리조건	• 지식의 내용이 진실이어야 한다. • P는 진(眞)이다. **예** 지구가 둥글다는 것은 참이다.	
증거조건	• 지식이 진리라는 것은 증거를 통해 입증되어야 한다. • X는 P가 참임에 대한 증거 E를 갖고 있어야 한다. **예** 멀리서 다가오는 배는 윗부분부터 보인다.	
방법조건	• 증거는 객관적으로 타당한 방법에 의하여 획득된 것이어야 한다. • X는 E를 얻은 타당한 방법을 제시할 수 있어야 한다.	라일(Ryle)

(5) **종류**: 지식의 검증방법에 따른 구분 ⇨ 사실적 지식, 규범적 지식, 논리적 지식

구분	의미
사실적(경험적) 지식	• 사실이나 현상을 기술하거나 설명하는 지식: 객관적으로 존재하거나 존재한다고 가정하는 세계에 관한 지식 • 경험적 증거나 관찰에 의해 진위 판명 • 가설적·개연적 지식, 경험적 지식, 귀납적 지식 　예 장미는 빨갛다. 일본은 섬나라이다. 철이 공기 중에서 산소를 만나면 녹이 슨다. <table><tr><td>경험적(과학적) 지식</td><td>신념·진리·증거·방법조건을 모두 충족 예 지구는 둥글다.</td></tr><tr><td>형이상학적(사변적) 지식</td><td>신념·진리조건만을 충족 예 귀신은 존재한다.</td></tr></table>
규범적(평가적) 지식	• 가치나 규범을 나타내는 지식, (도덕적·미적) 주장이나 가치판단을 내포하는 지식 • 평가적 용어(예 좋다, 나쁘다, 옳다, 그르다, 바람직하다)를 포함하는 진술로 구성 • 준거 또는 근거에 의해 정당화되며, 가설적 타당성(절대적 타당성 ×)을 지닌 지식 • 진위 판명이 어렵다. 　예 거짓말은 나쁘다. 음주는 건강에 좋다. 사회주의는 바람직한 사회제도이다.
논리적(개념적) 지식	• 문장 요소들 간의 의미상 관계를 나타내는 지식 ⇨ 분석적 지식, 형식적 지식 • 개념과 개념 간의 논리적 관계에 의해 진위 판명 • 의미에 관한 사고가 요구되며, 경험적 세계에 대한 정보를 제공하지 못한다. • 논리적 규칙을 제공하며, 무모순성의 조건과 일관성의 조건이 요구된다. 　예 총각은 결혼하지 않은 성년의 남자이다. 할머니는 어머니의 어머니이다. 한 점으로부터 같은 거리에 있는 점들의 집합을 원이라고 한다.

❷ '지식을 가르친다'는 것의 의미

1. 단순히 어떤 명제나 진술을 암기하거나 기억하게 하는 것이 아니라 탐구의 과정으로서 가르쳐야 한다.
　'결과로서의 지식' 혹은 교과의 '중간언어(middle language)'를 가르치는 것이 아니라 '과정으로서의 지식' 혹은 '교과언어(subject language)'로 가르쳐야 한다.

2. 지식은 그것의 성격에 충실하게 가르쳐야 한다.
　경험적 지식은 경험적 지식답게, 규범적 지식은 규범적 지식답게, 논리적 지식은 논리적 지식답게 가르쳐야 한다. 가령 수학을 연역적 추리가 아닌 과학적 실험방식으로 가르치는 것은 문제다.

3. 지식의 조건인 신념, 진리, 증거 및 방법 조건에 맞게 가르쳐야 한다. ⇨ **지적 정직성**(지적 윤리성, intellectual honesty)**의 문제**
　우리가 무엇을 '가르친다' 또는 '교육한다'고 할 때는 신념, 진리, 방법 및 그러한 지식을 뒷받침하는 타당한 증거에 근거해 가르쳐야 한다. 이는 훈련과 수업의 어느 지점에 위치하는 방식으로 가르치는 것을 의미한다.

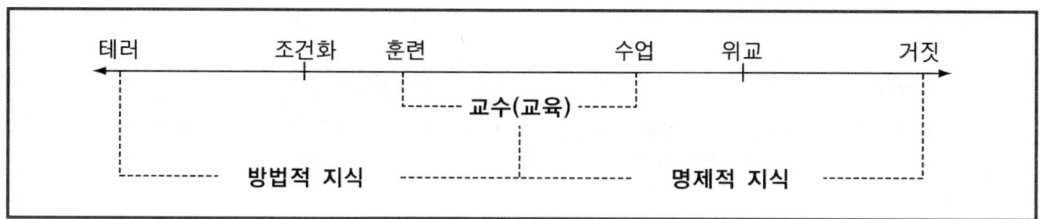

제3절 전통철학과 교육

1 이상주의(idealism, 관념론, 유심론)와 교육

1. 개관

(1) 관념(정신)만이 궁극적 실재이고, 궁극적 가치판단의 준거라고 보는 철학적 입장

(2) 실재는 인간(또는 신)의 정신 속에 있는 관념(idea)을 통해서만 존재 ⇨ 우주나 물질, 자연계는 정신적 표상(image)에 불과하다.

(3) 진·선·미·성의 절대적 가치 중시, 감각적 경험보다 이성적 사유 중시(정합설)

> ◇ **진리정합설**(整合說, coherence theory of truth)
> 1. 인식은 기존 지식체계에 근거한 활동이며, 진리란 어떤 거대한 논리적 체계 안에서의 타당성 유무를 따지는 것이다.
> 2. 지식체계와의 정합성, 무모순성을 중시

2. 전개 과정

플라톤(Platon), 데카르트(Descartes), 버클리(Berkeley), 칸트(Kant), 피히테(Fichte), 프뢰벨(Fröbel), 헤겔(Hegel), 나토르프(Natorp), 혼(Horne)

사상가	주장
플라톤	이데아(Idea) ⇨ 영원불변의 보편적 원리, 초월적이고 초자연적인 참된 실재
데카르트	합리적 사유 법칙 중시 ⇨ "Cogito ergo sum."(자아가 모든 사고의 중심)
버클리	유아론(唯我論) ⇨ 궁극적 실재는 정신, 마음 이외는 아무것도 존재하지 않는다.
칸트	이성을 통해 얻은 지식이 가장 신뢰할 만한 지식 ⇨ 근대 관념론의 시작
헤겔	관념론은 신(神)의 사고과정, 즉 절대정신 ⇨ 관념론의 완성
혼	교육은 자연인(natural man)을 이상인(ideal man)으로 발전시키는 이상적 자아의 자기실현 과정 ⇨ 인격도야가 교육의 목적

3. **교육원리**

   (1) 개인의 완성과 이상사회 실현

   (2) 일반 교양교육 중시

   (3) 교사 중심 교육

   (4) 아동의 자발적 참여 유도

   (5) 교사는 문화와 실재 세계를 구현해 주는 사람

   (6) 회상설

② 실재주의(realism, 유물론)와 교육

1. **개관**

   (1) 궁극적 실재가 인간의 정신과 관계없이 존재하는 물질(matter)이라고 보는 철학적 입장

   (2) 참된 지식은 물질에 대한 지식, '물질 그 자체'가 주관과 독립하여 객관적으로 존재

   (3) 감각적 경험을 통한 외부 세계 인식 ⇨ 대응설(진리란 실재와 합치된 지식)

   ◊ **진리대응설**(correspondence theory of truth)
   1. "하나의 명제(진리)는 하나의 사실과 대응할 때 참이다."로 표현된다.
   2. 판단과 사실의 대응, 사물과 지성의 일치를 중시

2. **전개 과정**

   아리스토텔레스(Aristoteles), 토마스 아퀴나스(Thomas Aquinas), 로크(Locke), 베이컨(Bacon), 허친스(Hutchins), 브로우디(Broudy) ⇨ 항존주의

3. **교육원리**

   (1) 이상적 생활의 구현이 목적

   (2) 교육내용은 알 가치가 있는 실재

   (3) 말보다 사물(교양교육 < 실제적 교육)

   (4) 교사는 보편적 지식을 가진 교육 전문가

❸ 자연주의(Naturalism)와 교육 13. 국가직 7급

1. 개관
(1) 자연을 유일하고 가치 있는 실재(實在)로 보는 철학

(2) **자연이 진리와 인간 경험의 원천**: 인식의 과정에서 지성이나 이성의 역할을 부정, 유일하고 타당한 지식은 경험에서 온다고 주장

(3) **인간은 자연의 일부**: 자연처럼 아름답고 순수하며 잠재적 능력을 생득적으로 소유

(4) **변화는 모든 존재의 일반적 특징, 인간도 현재의 존재 상태에 머물러 있지 않는 가역적 존재**: 궁극적, 불변적, 절대적 실재의 존재 거부 ⇨ 이상주의(idealism)와 대립

2. 전개 과정
탈레스(Thales), 코메니우스(Comenius), 루소(Rousseau), 스펜서(Spencer), 페스탈로치(Pestalozzi), 엘렌케이(Ellen Key), 몬테소리(Montessori), 닐(Neill), 듀이(Dewey) ⇨ 범애주의, 신교육운동(아동 중심 교육), 진보주의 철학

사상가	주장
탈레스	우주의 기원과 본질(arche)은 '물' ⇨ 자연철학자
코메니우스	인간 외부의 자연적 질서에 따르는 교육 ⇨ 객관적 자연주의
루소	• 인간 내부의 자연성(예 흥미, 필요)에 따르는 교육 ⇨ 주관적 자연주의 • 현재 중심의 자발적 교육, 실물 중심의 직접 경험에 의한 교육, 아동의 발달단계에 합치되는 교육 강조
스펜서	교육은 지상에서 행복한 삶을 준비하는 일 ⇨ 생활준비설
페스탈로치	교육은 인간의 자연적 본성(3H)을 계발하는 일 ⇨ 사회적(인위적) 자연주의
엘렌케이	주지주의 교육은 아동의 정신을 살해하는 일 ⇨ 자유주의 교육
몬테소리	아동의 자발적 발달(정상화)은 자유를 통해 실현 ⇨ '아동의 집' 설립
닐	교육은 자유로운 환경에서 자연적인 성장을 돕는 일 ⇨ '서머힐 학교' 설립
듀이	아동 중심 교육사상 ⇨ 진보주의 교육

3. 교육원리
(1) **교육목적**: 인간의 자연성(내적 가능성) 계발(성장) ⇨ 아동의 자유와 행복 실현

(2) **교육내용**: 초보적인 학문(3R's), 자연과학적·실용적 지식 ⇨ 실질 도야

(3) **교육방법**: 합자연의 원리, 경험을 통한 학습(직관교육, 실물교육), 흥미 중심 수업

(4) **이상적 교사상**: 아동의 자율적 성장을 돕는 안내자, 조력자, 보조자 ⇨ 정원사

(5) **교육적 의의**: 교육의 과학화(심리학 발달), 아동 중심 사상, 준비성 개념 도입

4. 홀리스틱 교육(Holistic education) 06. 서울·대구

(1) 개념
① 전반적인 관계성(relationship)에 초점을 둔 교육: 마음과 몸, 인간과 인간, 인간과 자연, 개인과 사회, 논리적 사고와 직관, 자신과 타인 등
② 생명(조화로운 삶)을 가장 중시: 생명체의 자연스러운 성장 모습과 생명의 전체성을 강조 ⇨ 인간의 생명은 육체·마음·지성뿐만 아니라 대자연의 모든 생명과도 전연관적(holistic approach)으로 깊은 관계를 맺고 있다는 인식에 기초

(2) 등장 배경
① 서양의 근대적 가치관의 토대였던 합리주의, 환원주의, 개인주의, 객관주의, 기계론적 세계관에 대한 재검토 과정에서 등장
② 1980년대 중반 캐나다를 중심으로 교육분야에 도입: 시카고 선언(1990) ⇨ 10가지 홀리스틱 교육의 기본방침 제시

홀리스틱 교육의 기본방침

1. 학교교육의 최우선 과제는 전인교육을 통하여 인간성의 발달을 촉진하는 것이다.
2. 학생 개개인의 개성을 존중하여야 한다.
3. 교육에서 경험이 중심적 역할을 하여야 한다.
4. 홀리스틱 교육으로의 패러다임의 전환이 반드시 필요하다.
5. 교사는 새로운 역할을 재인식하여야 한다.
6. 학습의 모든 과정에서 선택의 자유가 보장되어야 한다.
7. 교육에서 참여형 민주주의 교육의 모델을 만들어야 한다.
8. 다문화 이해교육, 생태학적 사고방식 등 지구시민교육이 강조되어야 한다.
9. 지구생명권에 대한 이해를 촉구하는 지구소양교육이 필요하다.
10. 모든 사람은 정신적 존재임을 강조하는 영성교육이 이루어져야 한다.

③ 이론적 배경: 낭만주의, 초개인주의(인간주의, Maslow), 생태주의

(3) 홀리스틱 교육의 특징
① 전인적 발달 강조 ⇨ 학생들 각자가 타고난 지적·정의적·신체적 잠재성의 성장
② 관계성 중시
③ 기초적 기술(basic skill)이 아닌 생활경험(life experience)에 연관된 교육
④ 학습자들이 자신의 삶의 상황을 비판적으로 접근할 수 있게 하는 교육
⑤ 균형, 포괄, 연계의 교육원리를 강조한 교육

균형	분석적이고 이분법적인 사고방식에서의 탈피 필요조건 ⇨ 아동의 지적 발달은 그들의 감성, 육체, 심미적 영적 발달과의 균형을 통해 달성
포괄	기존의 원자론적인 '전달(transmission, 강의와 암기)' 교육과 실용적인 '교류(transaction, 인지적 상호작용에 역점을 둔 대화)' 교육을 포괄 ⇨ 개인과 사회의 변용(transformation)을 도모
연계 (연관)	사물 간의 연관성(관계성)을 발견 ⇨ 근대사회에서 야기된 개인적·사회적 분절성의 통합 도모 **예** 통합 교육과정

⑥ **이상적인 교사**: 영적(靈的)인 치유자 ⇨ 학생들의 입장에 대한 깊은 공감과 보살핌을 통해 학생들이 가진 고립감과 단절이 가져다 준 상처를 치유(治癒)

4 프래그머티즘(Pragmatism, 실용주의) 04. 서울

1. 개관

(1) **19세기 후반 미국에서 등장한 현대철학**: 19세기 말부터 20세기 초에 걸쳐 나타난 과학과 공학의 발달을 이용, 더 나은 삶을 실현하려는 사회 전반의 진보적 운동에 따라 급속히 확산 ⇨ 진보주의 교육사상의 이론적 배경

(2) 경험론 + 공리주의(功利主義, 사회적 유용성) + 진화론(변화)이 결합된 행동철학

(3) **행동과 경험, 실용(pragma)에 중점을 두는 철학**: 형이상학(形而上學)에 대한 비판 ⇨ 형이상학은 관념적 허구(虛構)
  ① 철학적 탐구대상을 형이상학적 관념의 세계로부터 현실의 삶의 문제로 변화
  ② 과학의 실험적 방법을 발전시켜 삶의 모든 문제를 탐구·해결함으로써 보다 나은 삶을 실현
  ③ 구체적인 행동의 결과나 과정을 중시하는 철학

(4) **유사 개념**: 실험주의(experimentalism), 도구주의(instrumentalism), 기능주의(functionalism), 경험주의(empiricism)

2. 전개 과정

퍼스(Peirce), 제임스(James), 듀이(Dewey), 킬패트릭(Kilpatrick)

(1) **논리학 사상(Peirce)**: "개념의 의미는 그 대상에 실험(행위)을 가했을 때 초래하는 실제적인 결과이다." ⇨ 추상적 개념의 의미를 확인하는 방법론(실증주의) 제시

(2) **심리학 연구(James, 기능주의 심리학)**: "개인의 특수한 경험에서도 유용성(utility, 실제적 효과)을 초래하는 개념은 진리이다." ⇨ 개념의 결과를 구체적인 삶과의 관련성 속에서 검토

(3) **철학사상으로 집대성(Dewey)**: 반성적 사고(탐구의 원리) ⇨ 과학적 실험방법을 경험의 성장과정에 적용

3. 특징(Kneller)

(1) **경험과 변화가 유일한 실재**: '모든 것은 변한다.'

(2) **상대적 진리관 또는 가치관**: 지식의 현실적합성, 가치의 유용성(utility) 중시

(3) **생물학적·사회적 인간**: 충동(욕구), 습관, 지성(지력)은 인간의 본성이다.
  ① **충동**: 신경조직의 생득적·본능적 작용 방식 또는 욕구 ⇨ 맹목적이고 능동적임, 인간행동의 근본 동기

② **습관**: 충동을 가진 인간이 환경과의 상호작용을 통해 획득한 효율적인 행동방식 ⇨ 인간은 욕구충족을 위해 그 대상에 맞는 습관(개인적 습관)을 형성, 개인적 습관과 습관이 모여 '사회적 습관'을 형성, 사회적 습관이 역사적 전통으로 굳어지면 '문화'를 형성

③ **지성(지력)**: 반성적 사고의 능력 ⇨ 개인적 습관과 사회적 습관 사이의 충돌과 불일치를 조정하고 새로운 적응을 가능하게 만드는 힘, 인간의 충동을 목적적 활동으로 전환시키는 사고활동

(4) **생활양식으로서의 민주주의 존중**: 민주주의는 정부 형태가 아니라 삶의 양식이다. ⇨ 현재 아동 개인의 삶 그 자체가 목적인 삶, 소외되지 않는 삶, 성장하는 삶, 자율적인 삶

4. 교육론

경험 중심 교육, 생활 중심 교육, 아동 중심 교육, 전인교육, 민주주의교육

5. 교사관

학습활동의 참여자 ⇨ 아동의 관심과 욕구, 자유에 대한 존중을 기초로 학습경험을 제공하고 안내

예. 아동의 학습을 조직하고(조직자), 중재하고(중재자), 안내하고(안내자), 조력하는(조력자) 역할을 수행

6. 듀이(Dewey) 13. 국가직, 11. 울산, 10. 인천·부산·서울, 08. 서울, 06. 국가직, 05. 충북

(1) **교육의 본질**

① 교육은 생활이다(Education is life): 교육은 미래생활 준비 ×, 현재 생활 그 자체

② 교육은 성장이다(Education is growth): 성장의 전제는 미성숙(immaturity)과 가소성(plasticity) ⇨ 연속적으로 성장하는 과정이 교육

③ 교육은 계속적인 경험의 재구성이다(Education is a continuous reconstruction of experience): 환경과의 상호작용을 통한 계속적인 경험의 재구성이 곧 성장

▲ Dewey

④ 교육은 사회적 과정이다(Education is a social process): 교육이 생활이고 성장이라면, 이는 곧 사회 공동체 안에서 이루어진다. 그리고 우리가 추구하는 이상적 사회는 민주주의 사회이다.

⑤ 교육은 학생들의 자발적 활동과 능동적 참여 과정이다.

⑥ 교육은 전인적(全人的) 과정이다.

(2) **교육내용**: '경험의, 경험에 의한(learning by doing), 경험을 위한' 교육

① 경험은 아동이 환경과의 상호작용 과정에서 직면하는 문제해결 과정

㉠ 모든 경험은 능동적인 측면 '해보는 것(trying)'과 수동적인 측면 '당하는 것(undergoing)'의 결합으로 이루어진다.

구체적 경험의 사례	경험의 능동적 측면 (해보는 것)	경험의 수동적 측면 (당하는 것)	경험의 가치(경험의 능동과 수동적 측면을 연결하는 사고)
어린아이가 엄마가 마시고 있는 뜨거운 커피에 손을 데는 경험	어린아이가 커피에 손을 갖다 대는 측면	뜨거움을 느끼는 측면	손을 대보는 행위 때문에 뜨거움을 느끼게 되었다고 생각(thinking)하는 것

　　　ⓒ '사고한다(thinking)'는 것은 경험의 두 측면의 관련을 정확히 파악하려는 노력을 의미하며, 경험이 가치 있는 것이 되려면 거기에는 비록 불완전하나마 사고가 반드시 개입되어야 한다. ⇨ 전통철학의 경험과 사고의 이원론적 대립을 지양하고 일원론적으로 인식
　　　ⓒ 경험 속에 사고가 차지하는 비중에 따라 '시행착오적 경험'과 '반성적 경험'이 구분된다.

시행착오적 경험	경험의 두 측면의 관련이 수많은 반복에 의해 이러이러한 행동이 이러이러한 결과와 연결되어 있다는 것을 막연하게 알고 있는 상태
반성적 경험	시행착오적 경험에 내재되어 있던 사고가 능동과 수동 사이의 세밀한 관계를 파악하는 수준에 이르게 된 상태

　　② 경험은 반성적 사고(reflective thinking)* 과정 ⇨ 지식은 문제해결의 도구
　　　　✐「How we think(1910)」 반성적 사고의 과정을 문제인식 → 지성화(intellectualization, 문제 정의) → 가설 설정 → 추론(reasoning) → 결론의 검증으로 제시
　　③ 경험의 특징
　　　⊙ 상호작용의 원리(공간적 측면): 개인은 사회적 존재이기에 경험은 개인과 개인, 개인과 사회 공동체 간에 상호작용한다. ⇨ 경험의 생성(획득)의 원리
　　　ⓒ 계속성의 원리(시간적 측면): 경험은 계속적으로 재구성, 성장한다. ⇨ 현재 경험은 과거 경험에 영향을 받으며 미래의 경험에 영향을 준다. ⇨ 경험의 확대(성장)의 원리
　　④ 교육적 경험의 준거: 모든 경험이 다 교육적인 것은 아니며 비교육적인 경험도 존재한다. 그러므로 교육과 경험은 직접적으로 동일시될 수는 없다. 어떤 경험이라도 이후의 경험의 성장을 막거나 왜곡하는 결과를 가져온다면 그 경험은 비교육적인 것이다. 그러므로 교육적 경험은 가치로운 경험, 성장하는 경험이어야 한다. 교육적 경험의 준거는 ⊙ 지속성이 있어야 하며, ⓒ 여러 경험들이 의미 있게 통합되는 결과를 낳아야 하며, ⓒ 가치와 의미를 지녀야 하며, ⓔ 후속되는 경험에 새로운 방향을 제시하면서 통제력(영향력)을 가지는 경험이어야 한다.

(3) **교육방법**: 문제해결학습(problem solving method) ⇨ 사회화의 과정

(4) **학교관**: 학교를 통한 사회개혁 ⇨ 민주주의 구현
　① 축소사회로서의 학교(학교는 사회적 기관의 하나): 학교는 이상적 사회, 즉 민주주의 사회의 축소판
　② 학교교육은 사회진보와 개혁의 근본적인 방법

(5) **주요 저서**: 「나의 교육신조(1897)」, 「학교와 사회(1899)」, 「민주주의와 교육(1916)」, 「경험과 교육(1938)」

제4절 현대의 교육철학 11. 국가직 7급, 10. 경북

1 현대의 교육철학(Ⅰ) — 20세기 전반 미국을 중심으로 08. 경기·충북, 07. 인천·국가직 7급

> 20세기 전반의 교육에 대한 논의는 미국을 중심으로 네 가지 교육철학 사조가 전개되었다. 그 논의는 미국 교육계에 혁명적인 세력으로 대두된 '진보주의'에서 출발하였다. 이어서 진보주의를 반대하는 세력으로 '항존주의'와 '본질주의'가 대두되었다. 이 두 이론은 정도의 차이는 있지만 대체로 진보주의를 반대하거나 비판적으로 보는 입장이라고 볼 수 있다. 한편, 진보주의를 보완하려는 입장으로 '재건주의'가 대두되었다.

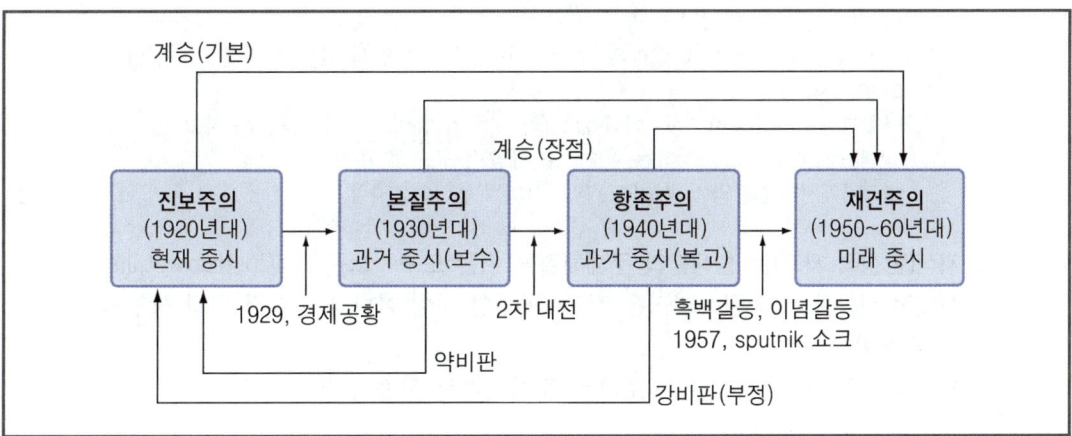

1. 진보주의(Progressivism, 1920년대) 20. 국가직 7급, 11. 부산·경북, 10. 울산·국가직, 06. 울산, 05. 서울·경북, 04. 국가직

(1) **개요**

① 전통적 교육에 대해 반기(反旗)를 들고 자연주의와 프래그머티즘을 철학적 기초로 한 교육개혁운동(신교육운동) ➪ 전통적 교육은 변화하는 현대 사회에 아동을 적응 ×

전통적 교육 (문제점)	주입식 교육 / 권위적 교사 / 성인 생활에 대한 준비로서의 교육 / 교재 중심 / 사회로부터 고립된 학교 / 체벌이나 공포분위기에 의한 교육
새로운 교육	계발적 교육 / 아동 중심 교육 / 아동의 자발적 자기실현 / 경험 중심 / 학교와 사회의 밀접한 관련(학교를 통한 사회개혁) / 아동의 흥미와 욕구 중시

② 교사 중심·교과 중심 교육에서 아동 중심·경험 중심 교육으로의 교육적 전환 운동

△ **진보주의 교육의 슬로건**
  1. 아동 개인의 필요 충족(meeting individual needs)
  2. 경험을 통한 학습(learning by doing)

(2) **대표자**: 듀이(Dewey), 파커(Parker), 킬패트릭(Kilpatrick), 올센(Olsen)

① 듀이(Dewey): 진보주의의 사상적 배경을 제공했으나 이후 진보주의 교육운동과 일정한 거리를 둠. ➪ 진보주의가 지나치게 아동의 흥미만 강조하고 사회 재건에는 관심을 두지 않았기 때문

② 파커(Parker): '진보주의 교육의 아버지' ➪ 퀸시 운동, 회화법(토의법)

(3) **교육원리** 25·22. 지방직

① 교육은 아동의 현재 생활 그 자체: '아동 개인의 필요 충족' ⇨ 아동의 흥미와 능력에 직접적인 관련이 있을 것

> **더 알아보기**
>
> **흥미(interest)의 의미와 종류(J. Dewey)**
> 1. **흥미의 의미**
>   - 흥미란 어원적으로 '사이에 존재하는 것'을 뜻하는 것으로, '거리가 있는 두 개의 사물을 연결하는 것'을 의미한다. 자아와 사물의 활동적 동일성을 의미하며, 사람과 재료들 그리고 자기 행위와 결과 사이의 거리감을 없애는 것을 말한다.
>   - 교육적 흥미란 학생이 현재 지닌 능력·성향(출발점 행동)과 교사가 설정한 최종 목표 사이에 있는 것으로, 목표 달성의 수단이며, 학생이 몰입해 있는 상태를 의미한다.
> 2. **흥미의 종류**
>   - 「학교와 사회」(1989): ① 회화(會話)와 교류의 흥미, ② 사물을 탐구하고 발견하는 흥미, ③ 사물을 제작하고 구성하는 흥미, ④ 예술적 표현의 흥미
>   - 「교육에서의 흥미와 노력」(1913): ① 사회적 흥미, ② 지적 흥미, ③ 신체적 흥미, ④ 구성적 흥미

② 지식(반성적 사고)은 실생활의 문제해결을 위한 도구: 도구주의(instrumentalism)
③ 상대적 진리관·가치관: 지식은 정적(靜的)인 것이 아니라 지속적 변화 상황에서 능동적으로 활용할 도구
④ 교육방법은 교과내용의 주입보다는 문제해결식 학습이어야 한다.
⑤ 교사는 조력자·안내자
⑥ 학교는 경쟁의 장이 아니라 협동하는 공동체 사회

(4) **교육이론**

① 교육목적: 현실 생활에 적응할 수 있는 전인적 인간 양성(전인교육), 경험의 계속적인 재구성을 통한 성장
  ㉠ 성장(growth): 교육의 궁극적 목적
    ⓐ 인간은 탄생할 때 미성숙하고 불완전한 존재 ⇨ 성숙과 완전을 위해 성장이 필요
    ⓑ 성장 = 목적과 과정의 통합 = 경험의 개조 = 새로운 습관의 형성
  ㉡ 예견된 결과(end-in-view, 예견성): 목적은 현실 안에 있는 희망
  ㉢ 계속성(continuity): 목적의 수단화, 변증법적 발전 과정을 통한 변화
② **교육내용** 08. 국가직: 현실생활의 경험(실질 도야) ⇨ 경험 중심 교육과정(경험을 통한 학습, learning by doing)
③ 교육내용 조직 원리: 심리적 배열 ⇨ 아동의 발달단계에 따라 배열
④ 교육방법: 문제해결학습(Dewey), 구안법(project method), 개별학습, 협력학습

(5) **영향**

① 우리나라 해방 이후 전개된 신교육운동(아동 중심 교육운동)
② 민주주의 교육이념 보급
③ 재개념주의 교육과정 운동(교육과정의 사회적·정치적 함의에 관심)에 영향
④ 구성주의 학습에 영향

(6) 비판
   ① 주장과 언동의 과격성
   ② 교육의 사회적 기능과 문화적 전통, 사회적 요구를 무시
   ③ 1차적 지식(예, 3R's)의 중요성 간과 ⇨ 기초학력의 저하 초래
   ④ 가치의 절대성, 미래에 대한 준비로서의 교육, 교육의 방향성 등을 상실

2. **본질주의**(Essentialism, 1930년대) 24. 국가직 7급, 14. 국가직, 13. 지방직, 05. 인천

(1) **개요**
   ① 진보주의의 폐단 비판(약) & 교육적 한계를 극복하고자 대두된 사상: "진보주의는 전통적 교육의 장점인 인류의 문화유산의 전달을 무시하고 아동의 흥미와 자유, 욕구를 지나치게 존중함으로써 학력 저하, 교사의 권위 약화 등의 문제를 초래하였다."
   ② 전체주의 국가의 침략을 막아내는 민주 국가의 수호적(守護的) 역할 담당
   ③ 학문 중심 교육과정을 탄생시킨 근원적 사상
   ④ 단일한 철학적 배경은 없다. ⇨ 인문주의적 요소 강함.
   ⑤ 진보주의와 항존주의 사이에서 절충적 입장을 취함: 교육내용은 항존주의에, 교육방법은 진보주의에 가까움.
   ⑥ 지식의 타당성과 안정성에 대한 믿음을 전제: 객관적 세계가 독립적으로 존재한다고 가정하며, 적절한 방법을 통해 인식되고 증명될 수 있다고 봄.

   ◈ 본질주의 교육의 슬로건
   1. "교육은 인류가 쌓아 놓은 과거의 문화유산에서 가장 기본적이며 '본질적인 것(essentials)'을 간추려서 다음 세대에 전달함으로써 역사 발전의 원동력을 기르는 것이다."
   2. "사려 깊게 교육받은 인간이라면 누구나 알아야 할 본질적인 요소가 있다."

(2) **대표자**: 데미아쉬케비치(Demiashekevich), 배글리(Bagley), 브리그스(Briggs), 브리드(Breed)
   ① 데미아쉬케비치: 본질주의 용어 처음 사용
   ② 배글리: 미국 교육 향상을 위한 본질파 위원회 구성
   ③ 브리드: "보존(교사의 권위) 없는 진보(아동의 자유)는 없다." ⇨ 양극이론 주장

(3) **교육원리**
   ① 인류의 문화전수가 교육의 주된 목적
      ㉠ 학교는 인류의 문화유산 중에서 가장 본질적인(essential) 것을 가르쳐야 한다.
      ㉡ 교육내용으로서 자연과학이나 인문과학 중시: 교육은 물리적 세계와 사회적 세계를 지배하는 질서나 보편적 법칙을 발견하고 가르치는 것이다. 세계를 알고 이에 대한 우리의 관계를 파악하여 그 질서에 맞추고 적응하도록 하는 것이 교육이다.
   ② 교사의 통제와 주도성: 교사의 권위 회복 ⇨ 아동의 자발성은 인정
      ㉠ 아동의 자유는 한계가 있어야 하며(지나친 자유는 방종), 때에 따라 교사의 통제가 필요하다.
      ㉡ 교육의 주도권은 아동이 아니라 성숙된 교사에게 있다.

③ 학습의 훈련성
  ㉠ 학습은 싫어도 해야 하며, 이를 위해 단련과 도야가 필요하다.
  ㉡ 아동의 흥미보다도 노력과 훈련·탐구의 과정을 중시한다.
  ㉢ 학교는 전통적인 학문적 훈련방식을 계속 유지해야 한다.
④ 교육과정의 핵심은 소정의 교과를 철저하게 이수하고 자기 것으로 만드는 일
  ㉠ 교육의 본질은 개인의 경험을 초월하는 민족적 경험이나 사회적 유산을 계승하는 것
  ㉡ 교과는 인류의 지혜가 담긴 문화유산들을 엄선하여 논리적으로 조직한 것
  ㉢ 학교와 교사는 정당한 권위를 행사하여 교과를 가르쳐야 한다. ⇨ 교사는 문화유산의 전달자
  ㉣ 교육에서 중시되어야 할 흥미는 교과의 논리적 체계와 도덕적 훈련의 결과로 수반되는 흥미일 것
⑤ 교육은 사회적 요구와 관심을 중심으로 행해져야 한다.

(4) **교육이론**
  ① 교육목적: 인류의 본질적인 문화유산 전달, 미래생활 준비로서의 교육
  ② 교육내용: 본질적인 문화유산
    ㉠ 전기: 기초지식(3R's), 인문과학(교양교육) ⇨ 교과 중심 교육과정
    ㉡ 후기: 자연과학(수학, 물리학) ⇨ 학문 중심 교육과정
  ③ 교육내용 조직원리: 논리적 배열 ⇨ 교과의 논리적 체계에 따라 배열
  ④ 교육방법
    ㉠ 전기: 교사 중심 수업, 명제적 지식 강조 ⇨ 강의법
    ㉡ 후기: 아동 중심 수업, 방법적 지식 강조 ⇨ 발견학습(Bruner), 탐구학습(Massialas)

(5) **특징**: 교사의 권위 존중(문화유산의 전달자), 아동의 훈련 강조, 계통학습(系統學習)

(6) **영향**
  ① 1980년대 일본과 독일의 급속한 경제성장 이후 미국 정부가 주도한 '기초로의 회귀 운동(Back to the basics movement, 기초로 돌아가자 운동)': 교육과정 개혁 운동
    예 쉬운 과목 폐지, 어려운 과목으로 교육과정 편성 등
  ② 1989년 미국의 기준 교육과정 운동(standard movement): 국가수준에서 교육수준과 성취수준의 통일성을 기하려는 운동
  ③ 2002년 제정된 미국의 'NCLB법(No Child Left Behind, 낙오학생 방지법)': 초등학교 3학년부터 8학년까지 매년 읽기와 수학과목의 표준화 성취검사 실시
  ④ 미국의 'ESSA법(Every Student Succeeds Act, 모든 학생 성공법)'에 영향: 학교 자율성 강화 (2015)
  ⑤ 교육을 공학적으로 보는 현대의 주류적 교육관의 기본원리나 원칙과 유사: 사회적 이슈에는 다소 무관심하고 수월성과 학업성취 기준을 강조하며, 교육이 사회복지사업으로 전락하지 않는 것이 더 낫다고 보는 견해

(7) 비판
① 항상 변화하는 문화의 동적인 관점을 무시: 문화에 대한 정적인 관점을 취함.
② 문화적인 보수성으로 인해 지적인 진보성과 창의성을 저해할 우려가 큼.
③ 인문과학(역사의식)과 자연과학(체계성)을 중시한 반면 사회과학을 도외시하여 사회의 비인간화 문제의 해결방안을 논의하는 데 한계가 있음.
④ 권위주의적이고 전통적인 교육을 강조함으로써 독립심, 비판적 사고, 협동정신 등 민주시민의 자질 향상에는 부적합
⑤ 지나친 교사 중심의 수업으로 학생의 자발적인 참여와 학습동기를 경시
⑥ 기본적인 지식·기술 전수에만 치중하여 절대적 진리나 종교교육에 소홀
⑦ 미래 사회에 대한 전망과 사회혁신의 자세가 부족
 cf. ①~⑤는 진보주의자, ⑥은 항존주의자, ⑦은 재건주의자에 의한 비판임.

(8) 진보주의와 본질주의의 비교

진보주의	아동의 흥미와 자유, 아동의 자발성, 개인의 경험, 아동의 활동(경험), 교재의 심리적 조직, 현재적 목적
본질주의	아동의 노력과 훈련, 교사의 자발성, 민족의 경험, 교과의 교재(원리), 교재의 논리적 조직, 미래의 목적

3. **항존주의**(Perennialism, 영원주의, 1940년대) 23. 국가직, 20. 국가직 7급, 13. 지방직, 11. 경기, 09. 대전, 07. 서울, 06. 대구

(1) **개요** 14. 지방직
① 진보주의를 비판(강), 전면 부정하면서 등장한 교육사조
  ㉠ 인류 파멸(예 세계대전)의 원인은 진보주의의 인식론·가치관(예 과학 지상주의, 물질주의, 기계주의, 현실주의, 상대주의)에서 비롯
  ㉡ 현대 문명의 위기 극복을 위한 참된 인간성 회복 교육 강조: 인류 구원을 위해 고대와 중세의 "영원불변하는 (절대적) 진리의 세계로 돌아가자."
② 교육의 본질은 절대적 진리를 통해 인간의 불변적 본질인 이성을 계발하고 참된 도덕성(인간성)을 회복하는 일: 일상적인 생활수준 향상으로서의 교육이 아니라 도덕성·지성(이성)·정신(영혼)의 함양 교육 강조
③ 본질주의의 보수적인 입장을 넘어 복고적 성격 ⇨ "문화로부터의 역행"이라는 비판

(2) **사상적 배경**: 관념론 및 실재론 ⇨ 플라톤, 아리스토텔레스, 토마스 아퀴나스(스콜라 철학)

(3) **대표자**: 허친스(Hutchins), 아들러(Adler), 마리탱(Maritain), 커닝햄(Cunningham)
① 허친스(Hutchins): 물질주의에 병든 현대 사회를 건강하게 만드는 길은 학교교육을 통해 절대적인 진리를 전수하여 이성(지성)을 단련하고 도덕성을 계발하는 것 17. 국가직
  ㉠ 고전 독서론: '위대한 고전(The Great Books) 읽기 프로그램' 창안 ⇨ 동서양 고전 144권 선정, 1년에 16권씩 9개년에 걸쳐 독서
  ㉡ 일반 교양교육 강조: 3학 4과 중심의 자유교육 중시 ⇨ 이성 계발, '학습사회' 중시
  ㉢ 교사관: 이성을 계발하는 논리적 기술(예 토론, 대화법)을 지닌 지적인 훈육가, 영혼의 조련사

② 아들러(Adler) : 항존주의의 이론가 ⇨ 허친스를 도와 「위대한 책들」 선정, 교육의 제1원리로 절대적이고 보편적인 것 강조("교육의 목적은 만인에게 동일한 것이 되어야 한다. 이 명제는 교육의 목적이 절대적·보편적이어야 한다는 주장과 그 의미에 있어서 같은 것이다.")
③ 마리탱(Maritain) : 가톨릭 신앙을 바탕으로 현대문명의 비인간화 현상 극복 방안 제시
  ㉠ 교육목적 : 인간성의 도야와 문화유산에의 적응
  ㉡ 교육규범 : 교육은 아동으로 하여금 진·선·미에 대한 감각을 갖추게 하는 일 ⇨ 내면화를 심화하는 일 ⇨ 교육의 전 과정을 인격화하는 일 ⇨ 이성·지성 도야를 통해 인간을 자유롭게 하는 일("진리가 너희를 자유롭게 하리라.")
④ 커닝햄(Cunningham) : 기독교 신앙을 바탕으로 신체적, 사회적, 종교적, 지적 발달을 도모하는 교육 강조 ⇨ 학교교육의 주된 임무는 지적 발달(지성의 육성)을 도모하는 일

(4) **주장**
  ① 이 하늘 아래 새로운 것은 하나도 없다(전도서 1장 9절).
  ② 영원불변하는 진리의 세계로 돌아가자.
  ③ 인간의 본질(이성)은 불변하기 때문에 교육의 본질(이성의 도야)도 불변한다. ⇨ '학교는 지성의 훈련장', 철저한 교사 중심 교육

(5) **교육원리** : 절대적 가치관, 과거 중시(영원불변의 진리, 고전 중시 ⇨ 복고적·고전적 인문주의, 신토미즘), 미래의 이상적 생활 대비 교육 25. 국가직
  ① 인간은 서로 다른 환경에 놓여 있다 하더라도 그 본성은 언제 어디서나 동일하다. 따라서 교육도 언제 어디서나 동일해야 한다.
  ② 이성(理性)은 인간의 최고 속성이다.
  ③ 교육의 과업은 인간을 현실세계에 적응시키는 일이 아니라, 영원불변하는 진리에 인간을 적응시키는 일이다.

  > "교육은 교수를 포함한다. 교수는 진리를 포함한다. 지식은 진리다. 진리는 어느 곳에서나 동일하다. 그러므로 교육은 어느 곳에서나 동일해야 한다."
  > — 허친스(Hutchins)

  ④ 교육은 생활 그 자체나 모방이 아니라 미래의 이상적 생활의 준비다.
  ⑤ 학생들은 세계의 영원성에 익숙하게 하는 기본적인 과목들을 배워야 한다. ⇨ 기본적으로 이성의 훈련과 지성의 계발을 위한 자유교육, 교양교육 중시
  ⑥ 학생들은 문학, 철학, 역사, 과학과 같이 여러 시대를 거쳐 인간의 위대한 소망과 성취를 나타낸 위대한 고전들(The Great Books)을 읽어야 한다. ⇨ 고전적 인문주의(신토미즘, Neo-Thomism)

(6) **교육이론**
  ① 교육목적 : 이성(지성)의 철저한 도야를 통한 참된 인간성(도덕성) 회복
  ② 교육내용 : 고전[古典, 예 '위대한 책들'(The Great Books)], 형이상학 등 일반 교양교육 ⇨ 교과 중심 교육과정[파이데이아(Paideia) 교육과정]
  ③ 교육내용의 조직원리 : 논리적 배열
  ④ 교육방법 : 교사 중심 수업 ⇨ 이성(지성)의 도야 강조

(7) **영향과 의의**
① 실존주의 철학에 영향을 줌. ⇨ 인격교육 중시
② 1960년대 신보수주의자들의 주장의 배경
  ㉠ 유럽과 미국을 휩쓴 학생 운동과 반문화 운동에 비판적 태도
  ㉡ 블룸(Bloom)의 「미국 정신의 종말」: 만화, 음악, 로큰롤, 성과 사랑의 혼동 등으로 대표되는 현대 젊은이들의 경향을 비난하며 교육에서의 고전 읽기를 강조
③ 산업혁명과 과학 발달의 영향으로 절대적 가치를 상실하고 방황하는 시대 상황 속에서 인간의 본성과 절대적 가치를 심어 줌으로써 인간 삶의 지표를 확고히 함.

(8) **비판**
① 지적 훈련만을 강조하는 주지주의적 엘리트 교육, 귀족적 교육, 상류층 교육이다.
② 지적 계발만을 강조함으로써 지·덕·체의 전인교육에 소홀하기 쉽다.
③ 절대적 가치만을 추구하기 때문에 상대적 원리에 입각한 비판정신과 자유시민 육성에 저해 요소가 될 수 있다.
④ 현실 경시로 인해 현실에 충실하고자 하는 인간적 노력을 과소평가한다.
⑤ 고전을 통한 교육은 인문주의에 빠지기 쉽다.

(9) **항존주의와 진보주의의 비교**

항존주의	① 영구적·불변적 가치, ② 진리의 절대성(항존성), ③ 영원한 실재, ④ 미래의 준비, ⑤ 고전 중심 교육과정, ⑥ 정신(이성)주의, ⑦ 일반 도야, ⑧ 초자연적인 신의 세계
진보주의	① 일시적·변화적 가치, ② 진리의 상대성(진화성), ③ 변화하는 실재, ④ 현재 생활의 충실, ⑤ 생활(경험) 중심 교육과정, ⑥ 물질(과학)주의, ⑦ 직업 도야, ⑧ 현실적인 인간의 경험 세계

4. **(문화)재건주의**(Reconstructionism, 1950~60년대) 09·04. 경기

(1) **개요**
① 진보주의 계승(사회 중심주의) + 본질주의와 항존주의 장점 수용: 진보주의의 실험정신(과학 정신, 아동 존중 사상, 민주주의 이념) + 본질주의의 계통적 지식(문화 중시) + 항존주의의 합리성(인간과 세계에 대한 사유방식)
② 사회문화적 위기(예 인종 갈등, 사상의 혼란, 권위 상실, 불평등, 확실성의 부재)를 교육을 통해 재구성·극복: "현대 사회의 문화적 위기는 진보주의·본질주의·항존주의 교육으로는 극복할 수 없으며, 미래를 위한 과감하고 선구적인 교육철학으로 이를 해결해야 한다."

브라멜드(Brameld)가 제시한 현대 사회의 문화적 위기

1. 생활, 건강, 교육수준의 불균형
2. 인구의 폭발적 증가와 기아(飢餓)
3. 대지, 수질, 식품, 공기의 오염
4. 국가 간의 적대감과 증오심
5. 인간의 긴장과 파괴 행위
6. 전제적 정치체제(사이비 민주주의)
7. 도덕 감각의 붕괴
8. 과학의 폭발적 발달

(2) **역사**
　① 듀이(Dewey)의 철학을 사회 중심주의로 계승　cf. 진보주의는 개인(아동) 중심주의로 계승
　② 경제공황(1929)이라는 사회적 위기 상황에서, 진보주의 교육자 중에 미국 사회의 보수화를 비판하며, "새로운 민주사회 건설을 위해 학교가 앞장서야 한다."고 주장하는 '전위적(前衛的) 사상가' 등장
　③ 이 운동은 1930년대의 카운츠(Counts), 러그(Rugg), 1950년대의 브라멜드(Brameld) 등에 의해 계승·발전

(3) **대표자**: 카운츠(Counts), 러그(Rugg), 브라멜드(Brameld)
　① 카운츠(Counts): 재건주의의 선구자 ⇨ 진보주의의 사회학적 전향 주장
　　㉠ 「학교는 새로운 사회 질서를 세울 수 있는가?」(1932): 경제위기와 사회위기를 극복하고 새 사회 질서 재건을 위한 교육적 역할 강조
　　㉡ 평등사회 건설 주장
　② 브라멜드(Brameld): 재건주의의 대표자　08. 서울
　　㉠ 재건주의는 '위기의 철학': "재건주의는 진보주의, 본질주의, 항존주의 교육사상들의 장점을 절충해서 미래사회 건설에 역점을 두고 현대적 위기 극복을 위해 세운 교육사상"(「재건된 교육철학을 위하여」, 1956)

> "진보주의는 과학적 방법에 있어서는 강하지만 포괄적 결과에 있어서는 약하며, 사색하는 방법에 있어서는 강하지만, 목표를 가르쳐 주는 데 있어서는 약하다. 본질주의는 현재와 같이 급격한 변화가 진행되고 있는 시대에 있어서는 매혹적이지만, 지나간 시대에 적합했던 신조와 습관을 영속시키고 복귀시키자는 주장은 동적인 문화를 창조할 수 없다. 항존주의는 고대의 문화유산을 부활시키려고 하고 있으므로 이는 역사성을 무시하는 결과가 되며 또 현대의 가장 중대한 과제인 민주주의에 상반되는 것이다."
> — 브라멜드(Brameld)

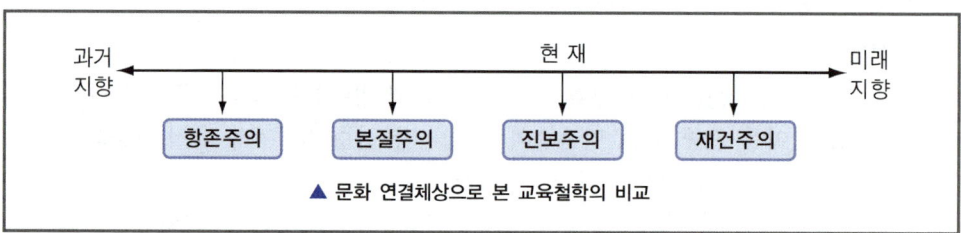
▲ 문화 연결체상으로 본 교육철학의 비교

　　㉡ **교육목적**: 사회적 자아실현인(social self-realization, 개인과 사회의 요구를 최대한 만족) 양성 ⇨ 정약용의 '수기위천하인(修己爲天下人)'과 유사

(4) **주장**: 사회문화적 위기 극복을 위한 교육의 능동적·선도적 역할에 대한 신뢰 ⇨ 민주적 세계 문화 건설을 위한 '힘으로서의 교육(힘 있는 교육)'을 강조
　① 학교는 새롭고 더 평등한 사회창조를 위해 지도적 역할을 수행해야 한다.
　② 교육을 수단으로 현 사회를 개혁하고 새로운 사회질서를 수립해야 한다.
　③ 학생·교육·학교 등은 사회적·문화적인 힘에 의하여 재구성되어야 한다.

(5) **교육원리** 21. 국가직 7급
① 교육은 문화의 기본적 가치를 실현시키는 새로운 사회질서를 창조하는 일에 전념해야 하며, 동시에 현대 세계의 사회적·경제적 세력과 조화를 이루어야 한다. ⇨ 교육개혁을 통한 사회문화의 재건, 즉 파형(破型)의 기능을 중시
② 새로운 사회는 진정으로 민주적인 사회가 되어야 하며, 이러한 사회는 민주적인 방법으로 실현되어야 한다. ⇨ 재건주의는 민주적인 질서가 자리잡고 부(富)의 공정한 분배가 이루어지는 복지사회를 이상으로 추구
③ 아동, 학교, 교육 등은 사회적·문화적 세력에 의해 확고하게 조건지어진다.
　㉠ 진보주의는 개인의 자유를 강조하면서 인간이 처한 사회적 조건을 경시하였다.
　㉡ 교육은 개인이 사회적 관계 속에서 자아를 실현할 수 있도록 돕는 사회적 자아실현을 추구해야 한다.
④ 교사는 재건주의자들이 제시하는 새로운 사회건설의 긴급성과 타당성을 학생들에게 민주적인 방법(예 참여와 의사소통, 토론 등)으로 확신시켜 주어야 한다.
⑤ 학교는 학생들의 미래를 준비하도록 도야하는 미래지향적 교육을 해야 한다.
⑥ 교육의 목적과 수단은 문화적 위기를 극복할 수 있도록 철저하게 개조되어야 하고, 행동과학의 연구가 발견해 낸 제 원리들에 맞아야 한다.

(6) **교육이론**
① **교육목적**: 개인의 사회적 자아실현과 사회의 민주적 개혁 ⇨ 사회 중심적·미래 중심적 교육
② **교육내용**: 사회적 자아실현을 위해 가치 있는 경험들
　예 사회·문화적·과학적 경험, 행동과학적 경험 ⇨ 행동과학적 경험을 가장 중시, 학교는 문화적 유산을 비판적으로 검토하여 사회적 재건에 활용 가능한 내용들을 취급
③ **교육내용의 조직 원리**: 절충적 배열(논리적 배열＋심리적 배열)
④ **교육방법**: 협동학습, 학교와 지역사회의 밀접한 관련성 중시, 민주주의적 방법
　예 참여와 의사소통, 토론 등

(7) **교육적 의의**
① 교육의 힘에 대한 신뢰
② 이상사회로서의 복지사회 추구
③ 교육을 통한 사회 문화적 위기 극복 중시

(8) **비판**
① **교육의 역할과 민주주의에 대한 지나친 기대**: 민주적인 것이 좋은 것이긴 하지만 그것이 최선의 방법인가에 대한 의문(예 다수결의 원리)은 존재한다.
② **미래 사회를 세울 바람직한 가치관에 대한 논증 결여**: 재건주의가 추구하는 복지사회가 어떤 가치를 추구하는 사회인지 분명하지 않다.

③ 행동과학을 유일한 방법으로 간주하는 데서 오는 한계: 인간은 매우 복합적이고 유동적인 특성을 지니고 있어 행동과학으로 설명하지 못하는 부분이 있으며, 행동과학은 인간이 믿어야 할 최상의 가치가 무엇인지 제시하지 못한다.

④ 지나치게 미래 지향적이어서 현실의 문제해결을 등한시한다.

❷ 현대의 교육철학(Ⅱ): 20세기 후반 유럽을 중심으로

11. 광주, 08. 충남·충북, 06. 서울, 05. 충북, 04. 국가직·서울·대구·부산

▣ 20세기 후반 현대 교육사상의 흐름

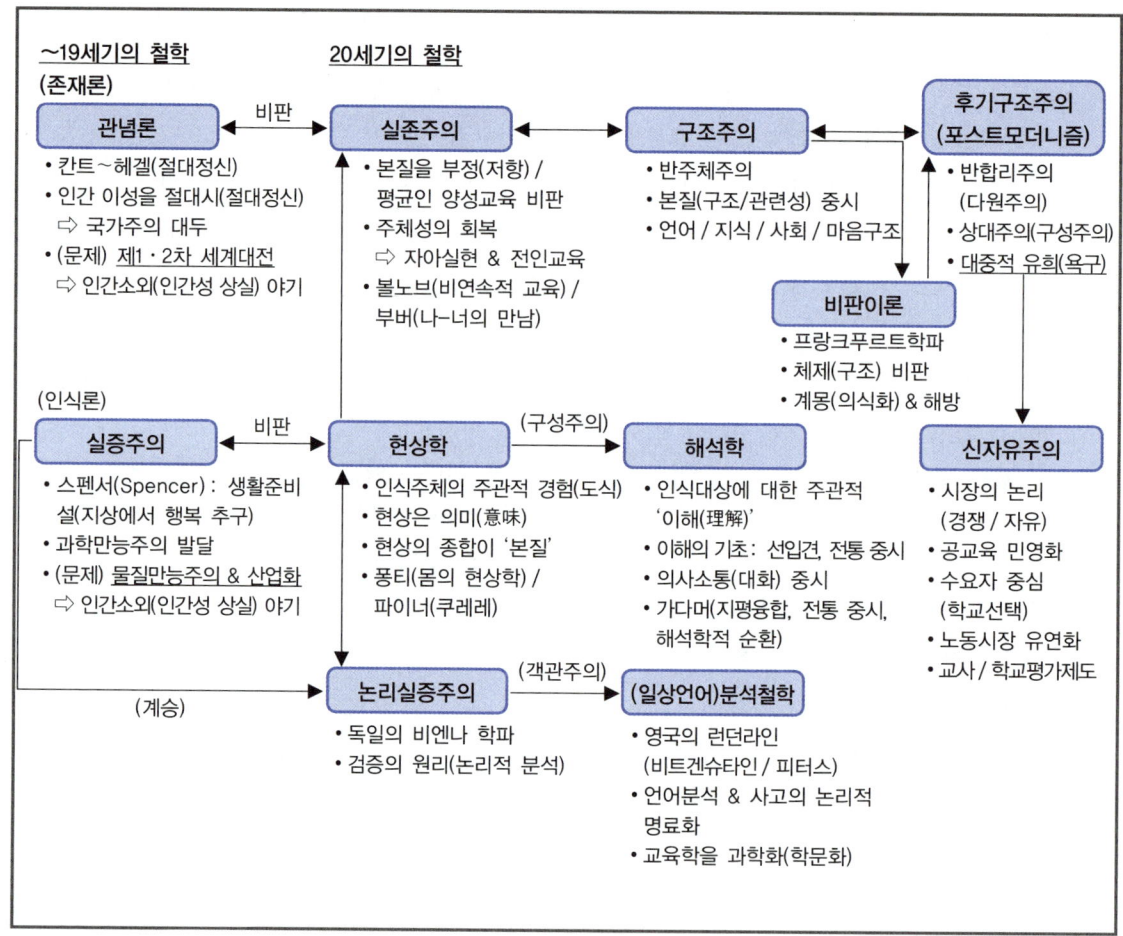

1. **실존주의**(실존적 현상학, Existentialism, Existential phenomenology) 22·20. 지방직, 19. 국가직

   (1) 개요

   ① 등장 배경: 현대문명이 결과한 비인간화 현상(예 제1·2차 세계대전과 후기 산업사회의 물질만능화)을 비판하고 그에 대한 반항으로 인간성 회복을 주창하며 등장 ⇨ 인간의 주체성 회복의 철학(인간 실존의 본질 규명, 자기소외·자기상실 상태에서 자기회복·자기귀환을 시도)

⑤ 현대문명 비판: 관념론(인간 이성을 절대시), 실증주의(인간을 객체화), 현대의 산업체제(조직의 효율성 중시) ⇨ 인간 개개인의 주체성·개체성·자아를 무시하고 전체성·합리성·논리성·객관성·획일성 등을 조장 ⇨ 인간성의 규격화, 객체화 ⇨ 인간성 파괴와 비인간화 현상 초래

ⓒ 현대문명으로 인한 위기 극복: '전체성·합리성·평균성(본질)'을 강조하는 전통철학과 대립되는 철학을 통해 인류를 구원할 수 있다고 믿음. ⇨ 모든 체계성·전체성·일반성·보편성을 거부하는 실존주의(주체적 존재로서의 인간을 중시)

✎ **본질의 부정**
1. 니체: 신은 죽었다.
2. 포이에르바흐: 인간이 신을 창조했다.
3. 키에르케고르: 나는 고통한다. 고로 나는 존재한다.
4. 사르트르: 실존은 자유다. / 실존이 본질에 선행한다. / 실존은 주체성이다. / 주체성이 진리다.

② 개념: 인간 실존의 정체 규명 ⇨ 현상학(행위 주체자의 의식의 과정 탐구), 인간 내부 문제를 중시하는 자기반성적 철학

⑤ 실존(實存): 존재하면서 자신의 존재를 문제삼는 유일한 존재(Heidegger)
  ⓐ 현상적 의미: '지금 & 여기'에서의 나의 삶, 현존재(現存在, 세계-내-존재)적 삶의 양상, 객관적 실재(허무와 대립)
  ⓑ 내포적 의미: 구체적·특수적·역동적·개성적·주체적인 삶의 양태

> "실존(實存)은 우리의 인식과 의식에서 독립하여 존재하는 객관적 실재나 사물의 본질 또는 본성과 구별되는 사물의 현재 있는 그대로의 모습을 의미하는 것이 아니다. 실존주의는 그러한 객관적 실재나 사물의 현 존재적 양상이 '나에게 어떤 의미를 갖는가'에 관심을 갖는다. 실존주의에서 말하는 실존은 바로 '나'로 존재하는 인간의 구체적인 삶의 현실을 의미한다. 그것은 역동적이면서도 독특한 주체적인 삶의 본모습이다. 실존주의는 추상과 이론으로 삶이 일반화되고 객관화되는 것, 사회집단의 조직과 규칙에 얽매이는 것을 거부한다. 실존주의가 추구하는 것은 구체적이고 개성적인 '자기 자신의 삶'이다."

ⓒ 실존은 자유다: 적극적 자유(~을 향한 자유) ⇨ 선택 가능성, 자아실현의 자유

ⓒ 실존(existence)은 본질(essence)에 선행한다: 인간의 존재(실존)가 먼저 있고, 자신의 추상적·보편적 본질(예 이데아, 이성)에 대한 규정은 뒤에 오게 된다는 말로, 오직 나의 실존만이 나에게 본질을 부여하는 것이다. ⇨ 인간의 실존은 도구(道具)와는 전혀 다른 존재방식을 갖는다. 도구는 제작자의 의도에 의해 만들어지므로 도구적 존재는 본질이 앞선다. 그러나 인간의 실존은 다르다. 나는 본질에 대한 규정 없이도 지금 여기에 존재한다. 나는 오직 나의 자유로운 선택과 주체적인 결단에 의해 내 자신을 형성해 간다. 나의 실존이 곧 나에게 본질을 부여하는 것이다. 따라서 실존주의는 인간의 보편적, 추상적 본질보다는 각 개인의 실존을 중요시한다.

ⓔ 실존은 주체성이다(Existence is subjectivity): 인간은 자신의 실존을 자각하고 자신의 본질을 창조하기 위하여 절대적 자유를 지녀야 하는 주체적 존재라는 의미이다. 인간은 본질을 가지고 세상에 태어난 것이 아니라 아무런 규정도 없이 세상에 내던져진 존재다. 인간은 비록 자신이 태어난 기존 세계의 한계상황을 삶의 조건으로 하여 살아가지만 자유로운 선택에 의해 자신의 삶을 스스로 결정할 수 있다. 실존하는 인간은 자기 존재에 대한 물음과 자각을 가지고 선택, 결단, 행동의 자유를 가지며 그 결과에 대해 스스로 책임을 진다.

ⓜ 주체성이 진리다: 어떤 진리라도 그것이 참으로 진리로 존재하기 위해서는 '나에게' 의미가 있어야 한다는 말이다. 아무리 객관적이고 보편타당한 진리라 하더라도(실존주의는 실제로 그런 것이 있다고 보지도 않는다.) 내가 그 속에 살지 않고 그것이 나의 삶에 의미를 부여하는 것이 아니라면 그것은 진정한 의미의 진리라고 보기 어렵다. ⇨ 지식의 본질에 대한 실존주의적 사고방식은 현상학(現象學)에 근거하고 있다. 현상학은 우리의 개인적 의식에 직접적으로 나타난 사물의 현상과 사건을 있는 그대로 기술하고자 한다. 실존주의에서 말하는 지식과 진리는 보편적·추상적 관념으로 '저기에(there)' 존재하는 것이 아니라, '지금 여기에(now and here)' 주체의 삶 속에서 구체적인 의미를 부여하며 존재하는 것이다.

더 알아보기

현상학(phenomenology): 인식의 과정을 탐구   cf. 해석학: 인식대상을 탐구

1. **개념**: 현상의 본질을 이성적으로 탐구하려는 학문, 현상 + 논리 ⇨ 현상(現象)은 경험적 대상이 의식에 나타난 구체적 모습, 현상학은 사물 그 자체에 대한 학문이 아니라 경험적 현상에 관한 학문
2. **기원**: 후설(Husserl)의 「논리연구」(1975) ⇨ 선험적 주관성(직관) 중시
3. **모토**: 객관과 본질의 전환 ⇨ "사상 그 자체로 돌아가라."
4. **주장**
   ① 본질·직관 중시: "본질은 어떻게 파악되는가? 그것은 직관에 의해서다."
   ② 인식에 대한 이원론적 관점 부정(주·객의 통합 지향): "인식 주체(Noesis)인 나는 대상(Noema)을 향해 열려 있고, 대상은 자신의 고유한 특성을 웅변으로 말해주듯 우리를 향해 열려 있다. 이 둘은 서로 만나려는 본성을 가지고 있다."
   ③ 실증적·자연과학적 인식론 부정: "인간의 인식과 의식 작용은 객관적 논리로 설명될 수 없다." — 자연과학적 태도 버리기(Epoke, 세계에 대한 스위치 끄기, 판단 중지) ⇨ 현상학적 환원(물질세계의 사물이 의식세계의 사물로 전환=의미)
   ④ 보편적 진리관 부정: "주관이 대상을 의식한다. 인식 주체를 떠난 객관적 지식은 불가능하다. 객관적 실체는 우리의 의식 작용의 구성적 산물이다(앎의 본질은 대상이 우리의 의식에 와 박히는 것이 아니다)."
5. **특징**: 실증주의(과학·객관·명료) 부정, 진리의 상대성·주관성·가치추구성 중시

(2) **특징**

① **개체성(개성) 존중**: 실존(existence)은 본질(essence)에 선행한다. ⇨ 스스로 자신의 존재의 미를 결정한 후 본질을 규명한다는 것으로, 실존주의는 본질보다 실존의 우위성을, 보편보다 개체를 중시한다.

② **전인성 중시**
  ㉠ 실존의 참 의미는 지·덕·체가 조화를 이룬 통합적 존재로서의 개인
  ㉡ 지식뿐만 아니라 감정, 의지까지도 포함한 체험의 세계를 중시하는 지향성

③ **존재 상황의 불합리성**: 실존을 확인하는 방법
  ㉠ 삶의 무의미(無意味), 부조리, 외로움, 허무, 불가피한 죽음, 불안, 우울 등을 엄연한 사실로 인정 ⇨ '실존적 신경증'
  ㉡ 개인적인 의미(意味)의 발견, 한계상황의 분석을 통한 삶의 허무주의 극복 ⇨ 반항(저항)

④ 개인적 삶의 자유와 책임(실존은 주체성): 인간 외부의 타자(예 신, 절대정신) 부정
⑤ 공감적 관여 중시: 우연이지만 전인적 만남(encounter)을 통한 진정한 사회 형성
  ㉠ 우연이지만 각자가 자유로운 두 존재 사이에 공감적 참여 또는 전인적 만남(encounter)이 이루어질 때, 진정한 의미의 사회가 형성될 수 있다.
  ㉡ 나의 실존은 타인의 실존과 함께 보장될 때, 즉 상호주관성(inter-subjectivity)을 공유할 때 의미를 지닌다. ⇨ 자유인과 공동체인의 조화를 중시, 유아론(唯我論, 나만이 존재한다.)과 대립

(3) **교육원리** 18. 지방직, 13. 국가직 7급, 09. 서울
① 개인(개성) 중시: 평균인(Das Man)을 양성하는 학교교육을 비판 ⇨ 소극적 교육론
  ◎ **소극적 교육론** 자연주의, 진보주의, 실존주의 ⇨ 학교교육에 대한 비판적 태도
② 자아실현(self-realization)과 전인교육 지향: 학교교육의 목적
  ㉠ 진정한 교육은 지식과 감성, 감정, 의지, 체험 등이 결합된 전인교육
  ㉡ 지식은 그 자체가 목적이 아니라 인간의 자아실현을 위한 수단
③ 비연속적(단속적) 교육 중시: 만남은 어느 순간에 온다. ⇨ 의도적인 학교교육 비판, 잠재적 교육과정 중시, 직관적 통찰(A-ha 현상) 중시
  ㉠ 진정한 교육은 삶의 비의도적·불합리한·부정적 측면까지도 포함한 전체로서의 인간교육
  ㉡ 죽음, 갈등, 고통, 좌절 등과 같은 삶의 어두운 측면들을 교육내용으로 포함

▲ 어린 왕자

④ 인격교육: 도덕성 회복 교육 ⇨ 자유, 선택, 책임 강조
  ㉠ 진정한 도덕적 가치는 개개인의 자유로부터 연유(緣由) ⇨ 적극적 자유(free for ~)
  ㉡ 개인이 자유(自由)에 입각하여 선택한 행동과 그에 대한 완전한 책임이야말로 진정한 의미에서 도덕적인 삶
  ㉢ 훈육적이거나 권고적인 교육방법 거부: 인간 실존의 부조리 등에 궁극적 의문을 가지고 탐구할 수 있도록 조성하는 촉진적 교육방법 중시
⑤ 교사의 역할: 주어진 지식을 일방적으로 가르치는 사람이 아니라, 학생 각자의 실존(개성)에 알맞은 적절한 만남을 예비하는 사람 예 「어린 왕자」 속의 여우

(4) **대표자**
① 볼노브(Bollnow): 비연속적(단속적) 교육 중시 ⇨ 인간이 한계상황에서 겪게 되는 위기, 만남, 각성, 충고, 상담, 모험과 좌절 등의 비연속적 경험은 자기 성장의 교육적 계기
  ㉠ 위기: 모든 유기체가 성장할 때 겪게 되는 것 ⇨ 위기는 성장이 비연속적 도약일 때 발생
  ㉡ 만남: 만남은 교육에 선행한다. 너와 내가 전인격적인 만남을 이룰 때 진정한 교육이 발생
    예 소크라테스와 플라톤의 만남, 베드로와 예수의 만남, 단테와 베아트리체의 만남
  ㉢ 각성: 원래 자신이 지니고 있으나 이를 인식하지 못해, 남으로부터 일깨움을 받는 인간 영혼의 전향술

② 충고: 권위를 가지고 남에게 새로운 방향을 제시하는 교육자적 의도에서 외부로부터 갑작스럽게 가하는 간섭 ⇨ 명령과 호소 사이에 위치하는 교육적 감화력, 학생이 미래를 지향하게 함.
⑩ 상담: 학생이 직면한 문제상황 해결을 위해 결단을 내릴 수 있도록 돕는 교사의 조언
⑪ 모험과 좌절: 성공 시에는 삶의 기쁨을, 실패 시에는 좌절을 딛고 일어서는 슬기를 깨닫게 하는 것

② 부버(M. Buber): 만남의 교육(철학) 24. 국가직, 19. 지방직

▲ Buber

㉠ 하시디즘(Hasidism): 유대교의 경건주의적 신비 운동, 율법(律法)의 형식보다 내면성을 중시하는 18C 계몽주의 시대 폴란드에서 발생한 유대교 개혁 운동 ⇨ 성속일여(聖俗一如) 운동, 인간과 타자(他者)들과의 관계에서 신(神)의 뜻 발견
㉡ 만남(encounter)의 교육: 인간은 관계 형성을 통해 자신의 실존을 형성해 가는 창조자
　예 나(I)와 그것(it)의 만남 ⇨ 대화법 ⇨ 나(I)와 너(You)의 만남
㉢ 인간교육론: 성격교육(도야)을 통한 인격교육 ⇨ 인간임을 인간됨으로 변화
　▲ 부버(M. Buber)는 성격(character)과 인격(personality)을 구분함. 즉, 인격은 교사의 영향력 밖에서 성장하는 것이고 성격은 인격도야에 영향력을 행사하는 것임. ⇨ 성격교육이 가치 있는 교육이며, 교육은 학생들에게 인격적 책임을 각성시키는 것임.
　ⓐ 세계 자체가 교육의 장(잠재적 교육과정)
　ⓑ 교육은 비에로스(非Eros)적인 것: 에로스는 선택 ⇨ 교육은 비의도적·우연적인 것
　ⓒ 포용으로서의 교육: 포용은 자기 자신의 구체성과 삶의 현실적 상황을 확장하는 계기

> "인간의 관계는 '나(I)−그것(it)'의 대상적 관계와 '나(I)−너(You)'의 인격적 관계로 나누어 볼 수 있다. '나−그것'의 관계는 인간 대 인간의 관계가 아닌 수단−목적의 관계를 말하며, 그 관계는 어떤 제3의 목적, 즉 경제적 목적이나 정치적 목적 등에 의해 매개된다. 그 결과 그 목적이 사라지면 그 만남도 사라지게 된다. '나'는 '그것'을 수단적 관계를 통해서 이용할 뿐 그 관계를 통해 '나'의 경험이 성장하지는 않는다. 그러기에 이러한 수단적 관계를 통해서는 결코 교육이 이루어질 수 없다. 이와 대비되는 '나−너'의 관계는 인격적 관계로서, 그 관계 사이에 어떤 도구적 가치도 개입하지 않는 인격적 소통의 관계를 말한다. 이는 교육이 지향하는 인간 형성의 관계이며, 또한 학습자와 지식의 관계이기도 하다. '나'와 '너'가 인격적으로 만날 때 나는 너를 통해 하나가 되는 것이며, 가치관과 삶이 바뀌어 나의 내면과 경험의 전인적 변화, 즉 성장을 경험하게 되는 것이다."
> − 「나와 너(Ich und Du)」(1973)

③ 메를로 퐁티(Merleau-Ponty): 현상학자, 실존주의자 ⇨ 신체적 지각(몸의 현상학) 중시
㉠ 현상학의 역할: 현상학은 체험된 경험의 세계로 인도 ⇨ 인간은 '신체를 통해 세계와 직접적으로 연결되는 행위자'(세계의 정신적인 모습을 창조하는 사상가 ×)
㉡ 저서: 「지각의 탁월성(Primacy of perception)」
㉢ 지식 추구에 있어서의 이원론적 입장 비판: 인간 존재와 대상 세계의 분리는 지식을 추상화함. ⇨ 모든 인식행위에 있어서 지각의 우위 주장
㉣ 인식 문제를 지각의 문제로 파악, 지각세계와 반성세계를 구분하여 지각세계는 주관과 객관이 공존하는, 전반성적(prereflective) 세계로 이해

ⓜ '세계 내 존재'로서의 인간은 신체를 통해 세계를 지각하고 체험하는 주체: 전의식적 신체를 통해 직접 체험되는 체험적 세계를 탐구 ⇨ 모든 지식은 지각의 산물이며 지각은 신체적 활동, 지식은 근본적으로 경험에 근거해야 한다고 주장

ⓑ 아동기의 지각과 생활세계 중시: "사고와 지식은 지각에 기초, 지각은 아동기에 근거를 둔다. 인간에게 있어서 중요한 생활세계는 아동기의 생활세계이며, 어른의 세계는 단지 아동기 세계의 정교화에 불과하다."

ⓢ 교육적 시사점
   ⓐ 초등(아동기)교육에 있어서 구체적 경험이 추상적 사고에 선행해야 한다.
      ⇨ "어린이는 몸을 움직이고, 사물을 조작하고, 자신이 발견한 것을 일반화함으로써 배워야 한다. 또한 어린이는 어렸을 때 형성된 그리고 그 후 정교화된 전반성적(pre-reflective) 개념에 의존해야 한다."
   ⓑ 우리 자신의 신체적 상황을 통한 외적 공간(환경이나 세계)의 포착과 이해를 강조
      ⇨ 신체는 세계에 대한 우리 자신의 표현, 나의 지식은 실재에 대한 나의 이해나 존재의 본질에 대한 나 자신의 해석을 강조

(5) 교육적 시사점

① 교육에서 비연속적 형성 가능성에 주목하게 하였다.
② 인간을 보편화·집단화·획일화하는 현대 교육의 경향을 인간 개성과 주체성을 존중하는 교육으로 전환시키려 하였다.
③ 학생 개인의 개성을 존중하여 전인교육이 이루어질 수 있도록 하였다.
④ 실존적 아이디어들을 적용시킬 수 있는 새로운 교사교육을 요구하였다.
⑤ 삶의 밝은 측면뿐만 아니라 어두운 측면까지 교육 영역에 끌어들임으로써 보다 진솔한 교육이 이루어지도록 촉구하였다.
⑥ 교육이 무엇보다 인간을 기르는 일이라는 점, 인간을 기르기 위해서는 인간의 실존에 대한 철저한 각성이 있어야 한다는 점, 인간의 각성을 위해서는 인격적이고 진정한 만남이 필요하다는 점을 잘 드러내어 주었다.
⑦ 교사와 학생 간의 대화·참여·만남을 중시하였다.
⑧ 교과목으로서 인문학과 예술을 강조하였다.
⑨ 창조적 개인의 성장과 자아실현을 강조하였다.
⑩ 지적교육보다 도덕교육과 인간주의적 교육방법을 강조하였다.

(6) 비판

① 교과내용의 전달을 통한 계획적이고 연속적인 형성이나 성장보다는 만남, 각성, 모험 등을 통한 비약적인 변화를 추구하다 보면 교육내용이나 교육방법 등을 경시하기 쉽다.
② 만남을 통한 비약적인 변화는 전혀 불가능한 것은 아니지만, 일반적인 교육방식으로 보기는 어렵다.
③ 인간의 사회적 존재양상의 측면을 객관적으로 분석하지 못했다.

2. 구조주의(Structuralism) — 실존주의와 대립, 반주체주의(주체의 실종)
⇨ 인간의 주관적 행위보다 구조(構造)를 우선시

(1) **개요**
① 시공을 초월하여 자연과 인생, 사회현상에 작용하는 하나의 논리(구조)가 존재, 구조는 관찰 불가능하나 인지 가능 ⇨ "관계 구조가 그 속의 모든 항에 우선한다."
② 인간·세계·개인·문화·사회의 근본적인 본질에 대해 사고하고 탐구하는 과학
③ 상대적으로 변화하는 인간의 삶의 현상, 그 배후에 작동하는 어떤 보편적 질서를 찾으려는 노력

(2) **구조(structure)**: 건축물의 '뼈대'를 뜻하는 stuere에서 유래
① 부분적 요소들이 어떤 법칙에 의해 체계화된 전체, 요소들 간의 관련성 ⇨ 고립된 특수한 사실(실존주의)이 아닌 사실들 간을 연결하는 상호관계
② 사물을 보는 수단 또는 개념적 도구 ⇨ 내적 일관성, 전체성(전체가 먼저 있고 요소는 전체적인 구조에 비추어 의미를 지님), 변형성을 지님.

(3) **특징**
① 비인간화주의 ⇨ 인간을 대상으로 하지 않는다. 주체는 인간이 아니라 구조이다.
② 연구 대상은 고립된 특수한 사실보다는 일련의 사실 상호관계로 본다.
③ 직접 관찰할 수 있는 사회적 생활현상의 기초를 이루는 심층구조에 관심이 있다.

(4) **대표자**: 피아제(Piaget, 인지구조), 브루너(Bruner, 지식의 구조), 에릭슨(Erikson), 콜버그(Kohlberg), 라캉(Lacan), 소쉬르(Saussure), 촘스키[Chomsky, LAD(언어습득장치) ⇨ UG(보편문법)], 푸코(Foucault), 부르디외(Bourdieu), 번스타인(Bernstein)
① 브루너: 학문 중심 교육과정
⇨ "각각의 학문 분야는 그 학문의 독특한 기본구조를 가지고 있다. 교육과정은 이런 학문의 기본구조를 중심으로 조직되어야 한다."
② 소쉬르: 인간은 언어 없이 세계를 인식할 수 없다. 그러나 인간은 언어를 사용하는 주체가 아니라 언어 구조에 의해 지배받는 존재이다. 언어(signue, 시뉴)의 구조는 시니피앙(significant, 청각과 영상, 소리와 문자)과 시니피에(signifie, 의미 내용)로 구성되어 있다.

(5) **비판**
① 실증주의적 경향: 객관성·확실성·보편성을 달성하려는 열망 ⇨ 구조주의는 철학이 아니라 과학
② 비역사주의적 경향: 현재만을 연구 대상으로 설정 ⇨ "세계는 변화된다기보다는 다르게 사유될 뿐이다."
③ 추상적 이론주의의 경향
④ 탈신비화라는 계몽주의적 정치 성향: 허위 구조에 저항하는 지식인들의 급진주의적 성향
⑤ 주체의 탈중심화를 가정하는 반휴머니즘적 성향

3. 분석철학(Analytic philosophy) 22. 국가직, 10. 충북

(1) 개념
① 모든 과학과 일상적 지식의 개념, 명제의 의미를 분석하는 철학
② 과학적・경험적으로 확인・검증할 수 없는 전통철학의 초월적・사변적・형이상학적 요소들을 철저히 거부하고 인식 가능한 사실만을 진정한 지식으로 간주하며 등장한 철학사조

(2) 특징: 언어와 개념의 의미, 사고의 논리적 명료화를 통한 사물의 본질 이해 ⇨ 철학의 과학화・객관화 주장
① "언어와 개념에 사물의 본질이 들어 있다." ⇨ 언어 분석이 곧 철학의 사명, 사고의 논리적 명료화가 철학의 목적
② 실존주의 비판 ⇨ 실존주의는 이론적 명확성이 부족하고 주관성이 강하다.

(3) 유형
① 논리실증주의(logical positivism)
  ㉠ 독일의 비엔나 학파 중심, 슐리히(Schulich)가 대표 ⇨ 철학의 방법론, 철학의 과학화 주장
  ㉡ '검증(檢證)의 원리(verification principle)' 중시
    ⓐ 전통철학의 순이론적(純理論的, 사변적) 방법 비판
    ⓑ 경험과 논리를 통하여 증명(실증)될 수 없는 명제는 무의미
    ⓒ 논리적 분석이 곧 철학의 기능
  ㉢ 기호논리학을 응용하여 일상적 언어가 아닌 '인위적・인공적 언어'를 창안, 철학을 과학적으로 정교화하려는 경향
② 일상언어 분석주의(linguistic analysis)
  ㉠ 영국 옥스퍼드 학파 중심, 비트겐슈타인(Wittgenstein)이 대표 ⇨ 언어분석 철학
  ㉡ 철학의 주된 임무는 일상적인 언어의 의미를 논리적으로 분석하여 언어의 참된 의미를 밝히고 인간의 사고를 정확한 과학적 기초 위에 세우는 것 ⇨ 언어의 사용(use)에 나타난 의미 분석
  ㉢ '있는 것(What is)'이나 '있어야 할 것(What should be)'보다는 '말해진 것(What is said)'에 유일한 관심을 지님.
  ㉣ 철학의 목적은 사고의 논리적 명료화를 통한 실천적 행동에 있다(Wittgenstein).
    ⓐ 철학의 목적은 사고의 논리적 명료화이다.
    ⓑ 철학은 이론이 아니고 실천적 행동이다.
    ⓒ 철학적 저서는 주로 인용구로 이루어진다.

▲ Wittgenstein

(4) 교육적 의의
① 교육문제는 언어의 문제 ⇨ 언어의 명료화를 통해 교육문제 해결
② 교육학의 과학화・체계화・전문화에 기여
③ 교육에 있어서 생각과 말의 중요성 부각

(5) **한계**
① 교육이념·교육목표의 중요성 간과
② 바람직한 세계관이나 윤리관을 제시하지 못함.
③ 정의적 차원의 교육적 의의와 가치 간과

4. 해석학(Hermeneutics)과 교육

(1) **개념**: '이해(理解, understanding)'의 문제를 다루는 철학
① 시·공간적으로 떨어져 있는 인간 정신의 모든 소산(예 문헌, 텍스트, 언어, 의사소통, 대화, 메시지, 인간 행위의 의미 등)을 널리 이해하는 해석과 그 해석적 방법(이해의 기술), 그리고 거기에서 파생되는 철학적 문제를 다루는 학문
② 텍스트(text)의 이해는 물론 교육을 포함한 모든 인간 행위의 의미를 이해하려는 방법론

| 현상학과 해석학, 분석철학의 관계 |

1. **현상학**: 인식 주체의 인식 현상, 즉 인식 과정(체험)을 다룬다.
2. **해석학**: 인식 대상을 다룬다. ⇨ 문화적·역사적 맥락 안에서 일어나는 인식 기반으로서의 선이해와 텍스트의 해석
3. **분석철학**: 언어를 주로 다룬다.

(2) **대표자**: 슐라이어마허(Schleiermacher), 딜타이(Dilthey), 하이데거(Heidegger), 하버마스(Habermas), 가다머(Gadamer)

① 하이데거(존재론적 해석학): 인간은 이해하는 존재, 이해는 모든 활동의 토대 ⇨ 「존재와 시간」
  ㉠ 해석학을 인간 존재 철학 전반에 적용, 존재의 의미와 현존재(Dasein, 거기에 있음)의 구조를 규명하려고 시도 ⇨ '현존재의 자기 해석'
  ㉡ 모든 이해의 근원으로 선이해(先理解, preunderstanding)를 중시: 이해는 필연적으로 '미리 가짐, 미리 봄, 미리 붙잡음'의 선구조를 가진다.
② 하버마스(비판적 해석학): 이데올로기 비판과 정신분석적 기법을 동원, 지배와 권위에 의해 왜곡된 의사소통의 폭로 ⇨ 해석학의 주된 목적을 '지배로부터 해방된 이해'를 실현하는 것이라고 주장
③ 가다머(철학적 해석학): 자연과 인간을 대상화시켜 지배하려는 과학기술문명에 대한 반기(反旗)를 드는 것이 인문학, 곧 철학적 해석학이다. ⇨ 「진리와 방법(Truth and Method)」

"가다머의 주저(主著)인 「진리와 방법」을 처음 접하는 많은 사람들은 표제만을 보고 이 저서가 진리에 이르는 방법을 다루리라고 기대할 것이다. 사실 이 저서의 표제는 일반에게 그러한 기대를 불러일으키지만 인내심 있는 독자는 그것이 잘못된 것임을 알게 된다. 그러나 가다머의 철학적 관심사는 과학주의, 객관주의의 방법적 이념으로 접근될 수 없는 경험의 세계를 찾아서 여기에서도 진리와 인식이 획득될 수 있음을 보여 주려는 것이다. 따라서 가다머의 「진리와 방법」은 학문 내지 과학의 방법론, 그리고 근대 이래의 과학과 기술에 의해 학문적 진리의 차원으로부터 추방된 정신과학적 경험에서의 진리 문제를 이해의 역사성을 통해 밝히려고 한다."

㉠ 이해의 기반으로서 선입견(先入見)과 전통(傳統)을 중시
  ⓐ 과거의 정당하지 못한 것, 부정적인 의미로 전제되는, 계몽의 대상으로 보았던 것
  [예 Bacon은 선입견을 타파해야 할 '우상(偶像)'으로 봄.]을 선입견에 대한 선입견으로 보고 적법한 선입견의 기반을 확립하였다.
    ⇨ 선입견(先入見)은 판단에 앞서는 의식, 무의식적인 전제(前提), 즉 '선(先)판단'으로, 선입견에 의해 이루어진 이해 내용이 인간의 인식, 이해작용의 근본적인 '지평(地平)'을 형성한다.
  ⓑ 선입견의 하나로서 전통(傳統, 예 소크라테스, 플라톤, 아리스토텔레스로 대변되는 고대철학과 칸트 및 헤겔로 대변되는 근대철학, 신화와 예술작품 등)은 인문학의 출발점이며, 과학문명의 지배요구에 대한 저항의 잠재력의 보고(寶庫)이다.
    ⇨ '전통의 이해'는 전통에 무조건적으로 권위를 부여하거나, 전통의 단순한 습득 및 이해를 의미하는 것은 아니며, 반드시 '대화와 질문'과 같은 소통(疏通)을 전제로 한다. "우리는 한 인간의 이해를 통해 우리의 지평(horizon, 사물과 대상을 보는 방식)을 넓히듯이, 전통의 이해를 통해 '새로운 지평'을 보게 된다."
㉡ 지평융합(fusion of horizon)으로서의 이해: 지평융합이란 텍스트나 역사적 사건에 대한 이해를 그것들이 우리의 현재 상황에 대해 갖는 의의와 통합하는 것이다. 즉, 텍스트와 독자의 상호작용을 통해 텍스트의 역사성(텍스트는 늘 역사적인 것이고 주어진 시간에 특수한 언어로 저술되었기에)과 독자의 역사성의 차이를 통합하는 것이며, 과거의 지평과 현재의 지평을 통합하는 것이다.
㉢ 영향과 작용의 해석학적 순환 과정의 역사를 강조: 우리가 지니고 있는 현재의 지평은 무(無)로부터 만들어진 것이 아니라 역사적인 영향의 작용을 받아 성립된 것이다. 현재는 과거에 '영향'을 주고 그렇게 해서 받아들인 과거가 현재에 '작용'한다. '영향'과 '작용'이 순환하는 역사가 '영향과 작용의 역사'이다. 이런 해석학적 순환에 대한 자각이 곧 '영향과 작용의 역사적 의식'이며, 이런 자각하에서 우리의 진리 탐구와 실천이 가능해진다.

(3) **특징**
① 의미 부여 행위자(이해하는 존재)로서 인간의 주체성 강조: 인간행동의 규칙성에 입각한 일반화의 부정 ⇨ 이해는 인간의 실존 방식의 하나
② 텍스트 해석에 있어 사회나 집단의 문화적·역사적 맥락(context)이나 상황 중시
③ '**전통(傳統)**'은 이해의 기반: 가르친다는 것은 전통 안에서의 대화, 교사는 전통의 해석자
④ 해석자는 그가 해석하는 바에 관한 예비적 이해(선이해)를 가지고 해석
⑤ 교육은 이해에 목적을 둔 대화나 게임, 학습은 텍스트를 해석하는 것

(4) **교육적 의의 및 시사점**
① '해석'을 이해의 핵심으로 파악함으로써 교육활동에서의 대화의 중요성 강조: 교사와 학생 간 대화와 토론은 이해의 지평을 확장하는 중요한 과정
② 교육내용으로서의 텍스트는 절대적 지식체계가 아니라 이해해야 하는 것

③ 교수 – 학습의 과정은 미리 계획되는 활동이 아니라 학생들이 자발적으로 의미를 발견해 나가는 과정

④ 교사는 학생들의 현재 지식과 관심(선이해)에 비추어 텍스트에 접근하도록 유도

　🖉 인식론적 입장에서 현상학과 해석학은 구성주의, 구조주의와 분석철학은 객관주의에 해당한다.

5. **비판이론**(Critical theory, 비판적 교육학, 해방적 교육학 ⇨ 마르크스주의의 르네상스)**과 교육** 16. 국가직

   (1) **역사**: 독일 프랑크푸르트대학 내 사회연구소 개설(1923), 초기 마르크스의 교조주의 비판 ⇨ 후기 자본주의의 도구적 이성 비판, 마르크스주의 + 정신분석학 + 미국사회학(갈등이론)에 영향 받음.

   ① 제1세대: 이론에의 몰두(이론의 자율성 중시), 도구적 이성 비판, 실증주의 전면 부정, 고급문화 중시

   ② 제2세대: 이론과 실천의 불가분성, 도구적 이성 비판 + 의사소통적 이성의 가능성 제시, 실증주의 비판적 수용, 일상문화에 대한 관심

   ▲ K. Marx

   (2) **주장**: 현대 사회 문제의 책임은 (개인이 아니라) 사회 또는 그 체제에 있다.

   (3) **특징** 20. 국가직

   ① **이론에의 몰두**: 이론과 실제가 분리될 수 없고, 어떤 실제도 이론이 존재한다. ⇨ 이론적 탐구와 정치적 실천 간의 통일성 추구

   ② **복수이론**: 특정 대상이나 현상에 대한 단일이론은 존재할 수 없으며, 다양한 접근방식과 관점이 존재 ⇨ 사회체제가 지닌 문제와 그 해결에 대한 시각과 관점의 다양성 인정

   ③ **과학적 접근(실증주의적 방법)의 거부**: 인간사회를 연구함에 있어 과학적·실증적 접근은 가치판단과 실천을 외면하고 사실의 기술에만 그치기 때문에 현실을 긍정할 뿐 기존 질서의 변화에는 전혀 관심을 두지 않는다.

   ④ **계몽(啓蒙)**: 개인과 집단에 존재하는 부정과 불평등을 폭로 ⇨ 인간의 사회적 삶은 구성원들의 조화로운 합의보다는 갈등에 의해 이루어지기 때문에 사회문제의 본질 폭로에 중점

   ⑤ **해방(解放)**: 권력, 권위, 불평등으로부터 인간의 자율성 확보 ⇨ 인간 중심 사상

   ⑥ **마르크스주의 이론의 수정**: 경제적 결정론("토대가 상부구조를 결정한다.")을 부정, 교육의 상대적 자율성 인정 ⇨ 신교육사회학의 관점

   ⑦ **도구적 이성(도구적 합리성) 비판**: 자기 보존의 목적에 따라 대상을 정복·지배하려는 이기적 이성, 즉 목적보다 수단을 중시하는 도구적 이성 비판

비판이론의 핵심개념(Gibson, 1986)	
1. 복수이론	2. 이론에 대한 몰두
3. 과학적 접근의 거부	4. 계몽(啓蒙)
5. 해방(解放)	6. 마르크스(Marx) 이론의 수정
7. 도구적 합리성 비판	8. 문화에 대한 관심
9. 개인과 사회의 관계	10. 미학(美學)의 중심성
11. 프로이트(Freud)의 영향	12. 사회적 사태의 설명
13. 언어에 대한 관심	

(4) **대표자**: 아도르노(Adorno), 마르쿠제(Marcuse), 호르크하이머(Horkheimer, 「계몽의 변증법」), 하버마스(Habermas), 프레이리(Freire), 프롬(Fromm)

① 하버마스(Habermas): 제2세대 ⇨ 절충주의 이론
  ㉠ **이론의 개요**: 변증법적 사회이론(사회철학) ⇨ 자연과학적 실증적 방법 부정, 마르크스 사상을 비판적으로 계승(마르크스의 결정론 비판＋의사소통)
  ㉡ **교육목적**: 이성(理性, 자기반성적 사고)에 의한 합리적인 사회 건설 ⇨ 자기반성을 통하여 사회생활의 왜곡을 폭로하고 제거함으로써 해방적 사회 구현
  ㉢ **의사소통적 이성 중시**: 이상적 담화 상황(ideal speech situation, 참가자 간에 평등한 발언 기회 보장되는 상황 ⇨ 강제 없는 자유토론에 의한 합의, 곧 진리를 도출), 상호주관성(inter-subjectivity)의 획득 과정, 체제에 의한 생활세계의 식민화를 극복하는 과정
    △ **이상적 담화 상황** 왜곡되지 않은 의사소통을 의미함. ⇨ 언어와 모든 담화("나는-무언가에 대해-상대방에게-말한다.")의 토대를 구성하는 주체(말하는 사람), 객체(말하는 내용), 상호주관성(대화하는 사람과의 관계), 담화행위(말하는 행위 그 자체) 등 4요소가 진실성(말하는 내가 상대방을 기만하려 하지 않고 진실해야 함), 진리성(말하는 내용이 객관적으로 옳아야 함), 이해 가능성(상대방이 그 말을 이해할 수 있어야 함), 규범적 정당성(담화 행위가 사회적 권리와 규범에 비추어 정당해야 함)을 갖춘 상태
  ㉣ **지식을 구성하는 3가지 관심론**

기술적 관심	물질적 욕구나 노동에 기반을 둔 관심 ⇨ 경험적·분석적인 과학적 방법으로부터 도출된 객관적 지식의 영역
실제적 관심	언어의 성격에 기초하여 개인과 사회집단 간 의사소통과 이해에 대한 관심 ⇨ 역사적, 해석학적 지식의 영역
해방적 관심	권력의 행사에서 비롯된 왜곡된 행동이나 표현 연구 ⇨ 자기반성적이고 비판적인 지식의 영역

② 프레이리(Freire): 제2세대 ⇨ 「페다고지(피압박자들을 위한 교육)」
  ㉠ **교육**: 대화를 통해 사회적·문화적 책임을 일깨워 세계의 개편을 도모하는 활동
  ㉡ 전통교육(은행저금식 교육, 주입)을 비판, 대안교육(문제제기식 교육, 의식화) 제시 21. 국가직 7급

▲ Freire

구분	은행저금식 교육 (banking education)	문제제기식 교육 (problem posing education)
교육목적	지배문화에 종속, 지배이데올로기의 유지·존속 ⇨ 사회구조의 유지(보수적)	현실에 대한 문제제기 및 비판(의식화) ⇨ 자유와 해방을 위한 교육(혁명적)
학생관	미성숙자, 방관자 ⇨ 수동적 존재	비판적 사고자 ⇨ 자율적 존재
교사-학생관	주체(예금주) - 객체(은행, 통장)적 관계	주체 - 주체적 관계
교재(지식)	인식의 대상 ⇨ 제3자(국가)가 구성	대화의 매개체 ⇨ 교사와 학생이 구성
교육방법	수동적 전달(주입), 비대화적	능동적 탐구, 대화적

  ㉢ **의식화 교육**: 비판적 교육이론의 목적
    ⓐ **의식화**: 불합리한 사회적 요인의 분석 및 비판 능력 ⇨ 자기를 객체화·비인간화시키는 상황을 인지하고 그 상황의 변혁을 통해 새로운 세계와 존재를 실현해 나가는 과정

ⓑ **의식화 개념의 발달단계**: 문제 제기식 교육을 통해 다음 단계로의 발달이 진행
⇨ '사회현실에 대한 문제 제기'와 '자유로운 대화'를 의식화 교육의 주된 요소로 강조

본능적 의식의 단계	원초적 욕구충족에 매몰되어 자신을 억압하는 것을 의식하지 못하는 단계
반본능적(주술적) 의식의 단계	침묵 문화의 지배적 의식 수준의 단계(제3세계나 폐쇄사회) ⇨ 사회문화적 상황을 주어진 것으로 숙명처럼 수용, 자기 자신을 비하 또는 부정
반자각적(소박한) 의식의 단계	대중적 의식의 단계 ⇨ 삶의 상황에 대한 의문을 제기하지만, 아직 소박한 수준으로 대중지도자들에게 쉽게 조작될 수 있는 단계
비판적 의식의 단계	의식화 과정을 통해 형성된 비판의식의 단계 ⇨ 비인간적 사회구조에 대한 합리적이고 격렬한 비판의식을 소유 **예** 사회문화적 환경에 대한 문제의식, 정확한 상황인식, 논리적 사고, 개방적 태도, 토론에서의 자신감 등

(5) **교육이론**

> 비판이론의 교육적 관심사는 다음의 세 가지 질문으로 요약할 수 있다(Gibson, 1986).
> 첫째, 교육에서 무엇이 잘못되었는가? 이 질문은 교육의 불평등과 부정의(不正義)의 모습을 드러내 보이려는 관심에서 제기된 것이다. 비판이론에 의하면 이런 불평등은 자유주의 이데올로기, 즉 '교육이란 원래 좋은 것일 뿐만 아니라 사회의 불평등을 완화할 것이라는 신념체계'의 실패에 기인한다.
> 둘째, 그러한 병폐가 왜 그리고 어떻게 발생했는가? 이 질문은 불평등과 부정의가 유지되는 교육의 과정과 구조를 드러내 보이면서 그 원천을 추적하는 데 관심을 갖는 것이다.
> 셋째, 그러한 병폐는 어떻게 치유될 수 있는가? 이 질문은 그러한 부정의들의 치유방법을 모색하거나 제안하기 위한 것이다.

① **교육목적**: 자율적·의식화된 인간상 구현(인격적 목표) ⇨ 이상사회 건설(사회·정치적 목표)
② **교육내용**: 정치·인문·여성해방·사회과학교육, 이상사회 구상 ⇨ 교육을 통해 사회 부정의(不正義)와 불평등(不平等)을 폭로
　㉠ **정치교육**: 지배체제의 이데올로기를 비판, 바람직한 체제에 대한 전망 제시
　㉡ **인문교육**: 삶과 역사를 올바르게 보는 시각 정립을 위한 일반 교양교육
　㉢ **여성해방교육**: 성차별 문제를 다루는 성해방교육
　㉣ **사회과학교육**: 사회구조와 그 역사적 발전 과정을 거시적 시각에서 보는 역사교육
　㉤ **이상사회 구상**: 자본주의와 공산주의의 문제를 극복한 복지사회에 대한 전망 제시
③ **교육방법**
　㉠ 학교와 사회의 관계 회복 ⇨ 사회문제 중심으로 학교교육 진행
　㉡ 학습자의 자율성·주체성·능동성 존중: 학습자의 흥미·자유·자치 존중
　㉢ 사회 갈등의 현장(**예** 농성·데모·파업 등) 견학 ⇨ 문제의 초점을 다지는 일
　㉣ 친교(親交) 강화: 동지적 유대감을 길러 주기 위한 대화
　㉤ 갈등 상황에 대한 문헌 접근: 갈등 현장의 문제들을 기록한 문헌을 접하게 하는 일

(6) **교육사적 의의**
① 실증주의 문제점 규명: 교육의 가치지향성(인격적 자아실현성·이상사회 구현) 부각
② 사회비판의 규범적 토대를 '의사소통적 합리성' 개념을 통해 새로이 정립
③ 이성에 기초한 '대화를 통한 문제해결'을 제시
④ 교육철학의 관심 영역을 학교 현장에 집중함으로써 현장 교육개선에 기여
⑤ 학교교육의 도구적 기능(사회 불평등 구조의 재생산)을 규명

(7) **비판점**
① 학교교육의 순기능(문화전승·사회 유지 발전 및 자아실현에 기여)을 평가절하
② 교육을 지나치게 사회·정치·경제의 논리에 따라 해석하는 경향

6. 포스트모더니즘(Postmodernism) 12. 국가직, 11. 광주·인천, 08. 서울·충북, 07. 국가직 7급, 06. 강원

(1) **개념**

> 포스트모더니즘을 한마디로 정의하는 것은 매우 어렵다. 그 이유는 포스트모더니즘이 지향하고 있는 경향 자체가 불확정성, 상대성, 다원성과 같이 제한적인 규정을 거부하는 특징을 지니고 있기 때문이다. 포스트모더니즘은 1960년대 이후에 새롭게 나타난 사회적·문화적·학문적 현상들을 포괄적으로 지칭하는 용어로, 건축 분야에서 발원하여 문학, 건축, 미술 등의 예술 분야를 비롯하여 철학, 미학, 사회학, 정치학 등의 학문 분야 전반에서 나타난 기본적인 인식체계의 변화 현상을 아우르는 개념이다. 후기 산업사회, 정보화사회, 소비사회의 새로운 특징들을 대변하고 정당화하는 시대사조 혹은 문화논리를 말한다.

① 20세기 후반기의 인간 생활양식의 변화를 설명하고 정당화하려는 문화논리·사상체계·사회운동
② 20세기 산업사회의 지배적인 문화논리였던 모더니즘(modernism)을 극복하자는 운동
  ㉠ 모더니즘의 논리적 계승·발전(again)과 더불어 그에 대한 비판적 반작용과 단절(after) 추구 ⇨ 20세기 시대의 이론적 해체와 거부를 추구
  ㉡ 모더니즘은 데카르트(Descartes) 이후에 서구 정신세계를 지배해 온 계몽주의적 세계관으로, 합리화, 탈전통화, 지성화를 중시하는 신념을 말한다.
③ 서양의 근대적 정신과 문화, 사회 구조와 체제가 재구성되는 과정을 설명하는 이론
④ 후기구조주의(post-structuralism, 탈구조주의), 해체주의(deconstructionism)라고도 부른다.

모더니즘	포스트모더니즘
20C 산업화 시대의 논리	20C 이후 탈산업화 시대의 논리
주류(majority) 문화	비주류(minority) 문화
제1세계(서양, 백인, 남성, 중산층 이상, 성인, 인간)	비서양, 유색인종, 여성, 하류층, 아동, 사물
이데올로기 문제	비이데올로기 문제(일상생활)
전체·보편 문화(대서사)	부분·특수 문화(소서사)
규격·정형·정전(正典)	탈규격·탈정형·탈정전
문화객관주의	문화상대주의(다원주의)

| 포스트모던 사회의 특징 |

1. 이질성과 다양성이 강조되는 사회
2. 구체적인 '너와 나'가 존중되는 사회
3. 미래에 대한 예측이 불가능한 사회
4. 시민단체들의 영향력이 높아지는 사회
5. 쾌락주의, 대중주의, 시대정신의 결여, 허무주의, 자아의 상실, 기준과 가치의 소멸, 반전통주의, 행복감이 만연하는 사회

(2) **등장 배경**: 서구의 근대성(modernity, 합리성)에 대한 비판, 정치·경제·사회·문화·예술·학문 등에 걸친 다양한 사회적 변화를 설명하고 정당화하려는 이론적 근거의 필요
  ① **정치적 배경**: 이데올로기적 대립구조가 해체되고, 비이데올로기적인 일상생활 문제 등장
     예 환경문제, 여성문제, 인종문제, 지역사회문제 등
  ② **경제적 배경**: 다국적 자본에 의한 소비 조장과 주체적 자아 및 비판의식의 해체
  ③ **사회적 배경**: 복잡하고 거대한 사회 속에서의 인간과 사물의 기호화
  ④ **문화적 배경**: 다양한 가치관의 변화
     예 문자시대에서 영상시대로, 이성 중심에서 감성 중심으로, 논리적 사고에서 감각적 판단으로, 동질지향적 가치관에서 이질지향적 가치관으로, 자기절제에서 자기표현으로, 정적 문화에서 동적 문화로, 억압된 감성에서 해방된 감성으로, 소유욕구에서 소비욕구로 변화
  ⑤ **예술적 배경**: 예술적 독창성·실험정신을 벗어나 기존의 예술작품을 새롭게 다루려는 예술가의 시도 예 패러디 기법
  ⑥ **학문적 배경**: 학문적 다원주의 현상

(3) **대표자**: 데리다(Derrida), 료타르(Lyotard, 철학 분야), 들뢰즈(Deleuze), 라캉(Lacan, 정신분석학 분야), 푸코(Foucault, 역사 분야), 하버마스(Habermas, 정치·사회철학 분야), 쿤(Kuhn, 과학철학 분야)
  ① **데리다(J. Derrida)**: 해체주의 철학 이론을 제시
     ㉠ **해체(解體, deconstruction)**: 탈구축(脫構築)의 의미
        ⓐ 해체는 서구의 형이상학 또는 존재론을 만들어낸 로고스, 곧 진리 중심적인 구조를 헐어버리기 위해 주장하였다.
        ⓑ 일상 언어가 전통이나 특정한 문화적 전제를 담고 있어 결코 중립적이지 않으며, 그런 언어에 의존할 수밖에 없는 지식은 모두 해체의 대상이다.
        ⓒ 해체는 우리 안에 형성된 개념적 질서를 깨뜨리는 일이다. 즉, 어떤 말이나 텍스트를 세상에서 통용되는 뜻대로 해석하는 것이 아니라 다른 말이나 텍스트와 연결하여 본래의 의미를 파악하려는 것이 해체이다.
           예 이슬람교도가 기독교도를 살해하였을 때, 이 행위는 이슬람 세계에서는 선(善)이 될 수 있지만, 기독교 세계에서는 살인이 된다. 이때 기독교라는 타자의 경험에 비추어 그 사건의 새로운 의미를 생성해 내는 일을 해체라고 할 수 있다.
     ㉡ **차연(差延, 차이, difference)**
        ⓐ 차연은 모든 텍스트의 의미가 시간적으로 끊임없이 지연되는 일을 말한다. 따라서 모든 텍스트의 의미는 하나의 의미로만 고정되지 않고 시간에 따라 새로운 의미를 갖게 된다.

ⓑ 지식이 역사를 매개로 하여 형성된 것이기에 우리는 시간과 공간과의 연계성을 고려하면서 지식을 이해하여야 한다. 이처럼 어떤 시점에서 기호의 의미는 언어 안에 완전히 나타나지 않고 불완전한 의미작용으로 남아 있다.

② **료타르(J. F. Lyotard)**: '포스트모더니즘'이라는 용어를 학술적으로 처음 사용 ⇨ 대서사(큰 이야기)에 의해 억압되었던 소서사(작은 이야기)적 지식관의 필요성 제기
  ㉠ 포스트모더니즘이란, 보편화된 거대담론(예 진보, 해방, 복지)을 의심하고 지엽적이고 국지적인 지식이나 관점을 중시하는 사상이다.
  ㉡ 근현대 사회의 지적 사고의 경향은 모든 사람에게 보편적으로 해당된다고 하는 큰 주제에 관심을 갖고 논리적인 일관성 및 통일성을 갖춘 거대한 이론체계를 구축하는데, 이를 대서사(grand recit)라고 한다. 헤겔(Hegel)의 철학이나 마르크스(Marx) 철학은 이에 해당한다.
  ㉢ 포스트모던한 것은 대서사 혹은 메타서사에 대하여 불신하는 것이라고 규정할 수 있으며, 포스트모던 사회는 다양한 언어 게임, 즉 다수의 담론 양식(談論樣式, 삶의 양식)이 혼재되어 있는 사회이다. 철학적 담론, 과학적 담론 그리고 법학적 담론과 같은 각 담론 양식들이 하나의 담론으로 통일되는 것이 아니라, 창의적이고 실험적인 삶의 양식이 끊임없이 생겨나고 걷잡을 수 없을 정도로 다양하고 이질적인 어구 및 담론들이 난무하는 사회이다.
  ㉣ 전문가들의 일치가 아니라 '서로 다름', '서로 같지 아니함'이 담론과 생활양식을 포스트모던적이게 하는 근거이다.
  ㉤ 포스트모던 사회의 담론은 지금까지는 대서사에 의해 가려지고 억압되어 왔던 조그만 이야기, 즉 소서사(micro recite)여야 한다.
  ㉥ 포스트모던 사회 구성원들의 바람직한 생활 자세는 인간해방, 역사적 진보, 국가발전과 같은 거대담론에 관심을 가지는 것보다, 자기 가정, 자기 지역사회, 자기 직장 등과 같은 자기 주위의 것에 관심을 가지고 대화하고 행동하는 일이다.

③ **들뢰즈(Deleuze)**: 프로이트의 정신분석을 재해석 ⇨ 차이·다양성의 존중
  ㉠ **합리주의 비판**: 그리스 이후 자기동일적 존재(예 이데아, 신, 이성, 절대정신)만 강조 ⇨ 타자에 대한 배제의 논리, 이성의 폭력 ⇨ 차이·다양성(리좀) 존중
  ㉡ **리좀(rhizome)**: 땅속 줄기, 불확정적·비결정적 상태에 있는 다양한 세계
  ㉢ **포스트모던한 삶**: 노마드(nomad, 유목민)의 삶 ⇨ 스키조(schizo, 욕망의 다양성을 실현하는 삶)에 머물면서 파라노(parano, 옳고 그름을 구별하는 이원적 삶)가 안 되는 것 ⇨ 자기 동일성의 끊임없는 해체를 통해 실현

  ✎ **노마디즘(nomadism, 유목주의)**
    1. 자신의 살 곳을 찾아 끊임없이 이동하는 노마드(Nomad, 유랑인·유목민)처럼 특정한 가치나 삶의 방식에 얽매이지 않고 끊임없이 자신을 바꾸어가는 행위를 말함.
    2. 여러 가지 학문 분야를 넘나들며 새로운 삶을 탐구하는 사유의 여행을 의미함.
    3. 자신이 가지고 있는 것과 기존의 가치, 철학들을 부정하며 새로운 것을 찾아가거나 창조해 가는 일체의 행위임과 동시에 현대 사회의 문화·심리현상을 일컫는 용어임.

④ 푸코(Michel Foucault): 훈육론(訓育論) 또는 규율론
  ㉠ 지식과 권력의 결합 관계: 근대국가는 폭력이 아닌 지식(이데올로기)을 통한 내면적 통제를 통해 권력을 지배 ⇨ 권력은 끊임없이 지식을 생산, 지식은 정당성 유지를 위해 권력과 결합

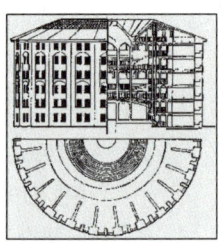

▲ 원형감옥(Locke)

> **푸코의 지식론**
> 1. 근대 철학: 인식 주체가 세계를 이해하는 과정 ⇨ '인식론적 기획'
> 2. 실존주의: 인식 주체와 인식 대상의 통합
> 3. 구조주의: 인식 주체의 실종
> 4. 후기구조주의(푸코): '인식' 대신 '지식'을 사용
>   ① 지식은 일반적인 앎 전체 예 과학, 철학, 운전하기 등을 아는 것
>   ② 지식의 내용보다 누가 지식을 구성하고 규정하는가에 관심

  ㉡ 훈육론: 권력이 효율적인 통치를 목적으로 길들여진 인간을 만들어 내기 위해 사용하는 다양한 기법과 전술, 교육은 훈육(규율)의 역할 담당 ⇨ 규율적 권력이 사용되는 감옥이 사회로 확산
  ㉢ 훈육을 위한 도구: 관찰(감시), 규범적 판단, 시험(검사)

관찰(감시)	규율이 효과적으로 행사되기 위해 그 구성원들을 관찰하고 감시 ⇨ 학교는 그 구성원들을 눈에 잘 띄게 감시할 수 있도록 설계된 원형감옥(panopticon)과 유사
규범적 판단	모든 규율체제는 일정한 규범을 정하고 이에 위반되었을 때 처벌을 가하는 방식으로 구성원을 통제
시험(검사)	모든 사람들을 동일한 사람과 다른 사람으로 구분하기 위하여 계산 가능한 모습으로 분석하는 방법 ⇨ 시험을 통해 인간을 규격화함으로써 사람을 정상과 비정상으로 구분 & 사람들을 기존 질서에 순응하도록 길들임.

  ㉣ 대표적 저서 -「광기(狂氣)의 역사」(1961): 유럽 사회가 '광기'의 개념을 어떻게 인식해 왔는지를 고고학적으로 분석, 광기를 심리적 측면이 아닌 사회역사적 측면에서 분석 ⇨ 정상과 비정상의 관계, 차별과 배제의 논리로 주류사회가 '광인'이라고 규정한 세계에 가한 폭력을 분석, 이성에 대한 근본적인 반성적 성찰 제공
    예 "아름다움은 추함을, 부는 빈곤을, 영광은 치욕을, 앎은 무지를 은폐한다." ⇨ 이성 중심 사회에서 아름다움, 부, 영광, 앎은 모두 권력이고, 그 권력은 자신들과 다른 것들을 비정상으로 치부하고 억압함을 폭로

(4) 특징 10. 경남·경기·인천·대전·국가직 7급
  ① 기본입장 21. 지방직
    ㉠ 반정초주의(Anti-Foundationalism): 지식이나 인간 인식에 있어서 궁극적이고 절대적인 기초가 존재하지 않는다. ⇨ 이성을 통해 객관적 진리 구축 부정
    ㉡ 다원주의(Pluralism): 삶에는 궁극적 기초가 없다. ⇨ 지식은 다양한 사회와 이익집단의 특정한 필요와 문화에 적합한 가치로 구성

ⓒ 반권위주의(Anti-Authoritarianism): 모든 지식은 지식생산자(majority)의 이익과 가치를 반영하므로, 반권위적·민주적인 방법(minority 존중)으로 탐구가 진행돼야 함.

> **소수자(minority)**
> 1. 신체적 소수자 예 장애인, 왼손잡이
> 2. 성적 소수자 예 동성애자, 성전환자
> 3. 문화적 소수자 예 소수 민족, 외국인, 전과자, 실정법에 위배되는 교리를 가진 특정 종교인

ⓔ 연대의식(Solidarity): 타자에 대한 관심과 연대의식 강조 ⇨ 타자에게 해를 끼치는 억압적 권력·조종·착취·폭력 등을 거부, 공동체 존중·상호협력정신 등을 적극 추구

② 문화적 특징
　㉠ 반합리주의(2원론적 경계의 해체): 이성적·주체적 자아는 허구적(虛構的) 자아 ⇨ 자아는 우연적·타율적·분열적·모순적이다.

> 포스트모더니즘의 특징은…… 반합리주의이다. 이성적 합리성은 근대인에게 요구되었던 사고와 행동의 전형이다. 근대 사회는 이성적이고 주체적인 자아인을 추구하였던 것이다. 포스트모던 사상가들은 이성적·주체적 자아라는 것은 일반인을 속박하기 위하여 만든 허구(虛構)의 것이라고 규정한다. 그들에 의하면 인간의 자아란 유희적 관계망을 가진 언술(言術)의 산물이며, 따라서 자아는 우연적·타율적·분열적·모순적이므로 결코 합리적 사고와 행동의 주체일 수는 없다. 그럼에도 불구하고 인간으로 하여금 합리적으로 사고하고 행동하기만을 요구하는 것은 부당한 속박에 지나지 않으므로 포스트모던 시대의 인간은 결코 합리성에 집착할 필요가 없다고 포스트모던 사상가들은 주장한다. ─ 「모더니즘과 포스트모더니즘」, 현암사刊

　㉡ 상대적 인식론: 진리의 보편타당성 부정, 모든 인식활동은 인식자의 주관에 따라 상대적 ⇨ 진리의 소여성(所與性)의 부정과 가치부하설(진리는 주어지거나 결정된 절대적인 것이 아니라 인간의 가치와 선입견 등에 의해 구성된 것), 진리의 우연성과 상호비교 불가능설, 진리의 다원성과 해체설 강조
　㉢ 탈정형화(脫正型化)·탈정전화(脫正典化)를 추구하는 문화다원주의
　　ⓐ 정전(正典)이란 보편적·본질적인 가치를 구현하고 있다고 대다수 사람들이 믿는 학문적 이론체계, 도덕적 규범체계, 예술적 창작품, 종교적 교리 등을 말한다.
　　ⓑ 정전(正典)이란 없으며 고급문화와 저급 대중문화의 구분 또한 무의미하다.
　　ⓒ 문화의 보편성과 생활양식의 동일성을 거부하고 다양한 생활양식이 혼재하는 문화다원주의 주장 ⇨ "차이가 나는 것을 차이 나는 것 그대로 두자."(Derrida)
　㉣ 유희적 행복감을 향유하는 문화: 역사적·도덕적 중압감을 탈피하여 유희적 행복감을 향유하는 것이 자연스러운 인간의 본질이다. ⇨ 삶과 자신에 대한 실험적·유희적·감성적 접근
　㉤ 주체적 자아가 해체되는 문화: 다양한 형태의 자아가 형성 ⇨ 열린 자아인 추구

③ 일반적 특징
　㉠ 과학, 객관, 절대, 보편, 합리성을 거부: 절대적 진리(absolute truth)보다 국지적 진리(local truth)를 옹호
　㉡ 지식의 조화성을 강조: 인지적 + 정의적, 이론 + 실천
　㉢ 다차원적 접근, 상황성, 다양성을 추구

ⓔ 대서사(거대담론, 전체화, grand narratives)가 정당화된 사회에서 소서사(작은 이야기)가 정당화된 사회로의 전환: 진리상대성, 주관성, 가치추구성을 강조한다.

(5) **교육원리** 24. 지방직: 공교육의 재개념화, 구성주의, 열린교육, 대화교육, 수행평가
① 공교육체제의 변화: 국가가 주도하는 전체적이고 획일적인 공교육의 재개념화 요구 ⇨ 다양한 형태의 대안적 교육 모델 추구 예, 열린 교육, 대안교육, 홈스쿨링
② 지식에 대한 전통적 관점의 변화: 객관주의에서 상대주의로 변화
  ㉠ 지식은 객관적이고 보편타당한 절대적 지식이 아니라 특정한 사회적·역사적 상황 속에서 형성되고 지속적으로 재구성되어 가는 것 ⇨ 열린 교과서, 열린 교육과정 중시
  ㉡ 영 교육과정: 학교교육에서 배제된 교육내용도 학습자의 삶에 있어서 중요한 내용
  ㉢ 구성주의 학습: 객관주의(행동주의와 합리적 인지주의)에 대한 부정 ⇨ 지식은 상대적인 것이기에 발견되는 것이 아니라 구성되는 것
  ㉣ TV와 컴퓨터와 같은 영상매체 중심 교과서로의 변화를 적극 수용: 교과는 하이퍼텍스트로서 통합을 추구
③ 획일적·무비판적·일방적인 전통적 교육방법의 전환: 일방적인 전달과 주입 방법 탈피 ⇨ 교사와 학생, 학생과 학생 간의 개방적이고 비판적인 대화와 토론, 협동, 자율적인 참여와 창의적인 탐구의 방법으로 전환 예, 열린 교육방법, 해석적 읽기보다 해체적 쓰기 중시, 대화 프로그램 중시, 협동학습, 멀티미디어 학습, 창의적 문제해결학습
④ 학습자관의 변화: 학습자는 수동적 존재가 아니라 능동적·주체적 존재
⑤ 평가관의 변화: 수행평가 강조 ⇨ 이론 + 실천의 조화

(6) **모더니즘 교육과 포스트모더니즘 교육의 비교**

구분	모더니즘 교육	포스트모더니즘 교육
교육내용 (진리·가치관)	절대적·보편적·객관적 지식(가치)관	상대적·다원적·주관적 지식(가치)관
교육과정의 구성	지식 자체의 논리적 특성	지식의 사회적·문화적 맥락성(상황성)
교육환경	• 전체(보편) 문화 • 거대담론(대서사)	• 다양한 가치와 신념을 지닌 소수 문화 인정 • 국지담론(소서사)
교육방법	객관주의 교수	구성주의 학습
교육평가	객관식 지필평가	수행평가
교육제도	공교육 중시	공교육의 재개념화

(7) **교육적 의의 및 문제점**
① 교육적 의의
  ㉠ 교육에 대한 획일적이고 고정적인 사고의 틀에서 벗어나고자 하였다.
  ㉡ 주지주의 교육과 전통교육의 문제점을 잘 드러내 주었다.
  ㉢ 학교교육에서 과학적 지식에 의해 소외되어 왔던 일상적 지식을 부각시켰다.

② 문제점
　㉠ 전통교육을 대치할 만한 대안적 이론을 제시하고 있지 못하다.
　㉡ 다양한 교육적 가치에 대한 합의가 어렵다.
　㉢ 교육에 대한 전체 방향이나 비전을 상실하고 있다.
　㉣ 도덕적 주장의 정당성을 부정하는 경향이 있고, 교육의 인간화보다 비인간화를 부추길 가능성이 있다.

> **더 알아보기**
>
> **포스트모더니즘 이후의 철학 – 공동체주의**
> 1. 포스트모더니즘적 관점의 논의에 기초하여, 교육의 일차적 관심을 인간의 공동체적 삶에 대한 이해에 두려는 사상적 경향
> 2. 자유주의 대 공동체주의의 논쟁에서 출발
>   ① 롤즈(John Rawls)의 「정의론」에 담겨 있는 자유주의적 개인주의(개인적 자유주의) 관점에 대한 비판을 계기로 현실적 대안 제시에 대한 모색 과정에서 출발
>   ② 개인의 도덕성의 기반은 개인이 속한 사회의 문화적 전통이라고 간주 ⇨ 공동체적 삶과 유리된 전통적 지식이나 도덕교육을 중시하는 자유주의 비판
> 3. 대표자: 맥킨타이어(MacIntyre), 샌들(Sandel), 왈쩌(Walzer)
> 4. 맥킨타이어의 공동체주의
>   ① 공동체주의적 정치철학: 개인적 자유주의 비판
>   ② 아리스토텔레스적인 덕 윤리학(Aristotelian virtue ethics) 중시: 실천전통, 인간 삶의 서사적 총체성, 전통으로 이어지는 덕론(德論) 제시 ⇨ 칸트적인 의무 윤리학(Kantian duty ethics) 비판

7. **신자유주의**(Neo–Liberalism) **교육** 08. 국가직 7급, 06. 경기, 05. 인천, 04. 서울

(1) **개념**: 교육에 시장경제 원리 적용(교육도 하나의 상품) ⇨ 자율성, 다양성을 중심으로 한 교육개혁을 통해 교육의 수월성(excellence) 확보

> **신자유주의**(Neo-liberalism)
>
> 1. 정보화, 세계화로 특징지어지는 현대 사회의 변화에 대한 자본주의의 세계화 경향이나 전략
> 2. 자본의 이익 축적이 가능하도록 일체의 제약을 제거하고 무제한의 자유를 보장하려는 사상
> 3. 국가경쟁력 강화를 위한 제반 제도 개혁 추진 ⇨ 공기업의 민영화, 노동시장 유연화, 대폭적인 규제 완화 추진, 교육 부문의 시장원리 도입(교육의 상품화)

(2) **특징**
　① 공교육체제에 경쟁적 시스템 도입: 공립학교 민영화 추진, 학교 간 경쟁체제 도입
　② 교육의 효율성(efficiency) 극대화: 기존 교육의 비효율성과 질적 저하 극복
　③ 수요자(학부모 또는 학습자) 중심 교육: 학부모의 학교선택권 강화
　④ 노동의 유연성을 제고(提高)하는 교육: 계약제 교원 확대
　⑤ 자본의 이데올로기를 교육정책에 대폭 반영

(3) **교육제도**
① **자석학교(Magnet school)**: 1970년대 초 미국에서 인종 통합 촉진을 위해 실시, 특성화된 교육 프로그램 운영을 통해 학부모의 학교 선택 기회 확대 ⇨ 특성화학교, 자율학교(초·중등교육법 제61조, 초·중등교육법 시행령 제105조)
② **헌장학교(Charter school, 협약학교)**
  ㉠ 설립과 재정 부담은 정부가 지지만 민간에 운영을 전적으로 위탁하는 학교 제도 ⇨ 자율형 공립고교(공영형 혁신학교) 09. 경기, 06. 국가직
  ㉡ 차터스쿨의 특징: 자율성(모든 규제로부터의 자율적 운영 ⇨ 일률적 국·공립학교의 독점 해체가 목적) + 책무성(학업성취 결과에 대한 책임 강조 ⇨ 계속 지원 여부 결정)
    ⓐ 교육의 선택권을 강조한다(헌장학교의 이념).
    ⓑ 참된 분권화가 성립된다.
    ⓒ 과정과 결과를 중시한다.
    ⓓ 공립학교의 성격을 띤다.
    ⓔ 시장경제 원리를 적용한다.
    ⓕ 교사가 새로운 전문인으로 활약하도록 기회를 제공한다.
    ✎ 교부금지원학교(Grant-maintained school)는 미국의 협약학교와 유사한 영국의 학교 형태로서 지방정부(Local Educational Authorities, LEA)의 관할에서 벗어나 중앙정부로부터 직접 지원금(grant)을 받고 자체 학교운영위원회에 의해 운영되는 학교를 말한다.
③ **교육비 지급 보증제(Voucher system)** 11. 광주
  ㉠ 경제학자 프리드만(Friedman)이 주장
  ㉡ 정부나 지방공공단체가 학령아동이 있는 부모에게 교육비지급보증서(voucher)를 주면 부모는 자녀들의 학교를 자유롭게 선택하고 자녀교육의 대가로 교육비지급보증서를 학교에 제출하며, 학교가 이를 토대로 정부로부터 재정지원을 받도록 하는 제도 ⇨ 유치원 무상화 방안(만 5세), 방과 후 학교에 적용
④ **자유등록제(open enrollment plan)**: 거주지역에 관계없이 학생이 자유롭게 학교 선택 ⇨ 칼슨(Carlson)의 봉사조직 유형 중 제Ⅱ형 조직(적응조직)에 해당
⑤ **스타스쿨(Star school)**: 지리적으로 멀리 떨어져 있는 소수민족 자녀들이 취학하는 소규모 학교를 대상으로 원격교육을 통해 다양한 교육과정을 제공함으로써 교육과정의 선택폭을 넓혀주는 학교
  ㉠ 1980년대 미국이 내외적으로 어려운 상황에서 소외계층 학생들의 학습의 질 향상과 이를 통한 국가 경쟁력 향상을 목적으로 실시한 교육개혁의 일환으로 만들어진 학교이다.
  ㉡ 텔레커뮤니케이션(tele-communication) 기술을 사용하여 수학, 과학, 외국어, 문학, 기술의 영역에서 개선된 교수를 제공하는 차원에서 시작되었다.
  ㉢ 목적: 리터러시 기술, 직업교육과 수학, 과학, 외국어 등의 교수 향상, 그리고 소외계층, 문맹자, 영어를 사용하는 데 제약이 있는 사람들, 장애인들에게 원거리통신 교육 제공
⑥ **단위학교 책임경영제(SBM)**: 학교운영위원회, 학교회계제도, 학교장 초빙제
⑦ **우수학교 우선 지원**: 학교평가를 통한 예산의 차등 지원

⑧ 대학 학부제 및 교수업적 평가제와 연봉제를 포함한 교수계약제 도입 등 대학의 구조조정 정책
⑨ 학년 및 교과 담임의 학생선택제, 교사평가제 도입
⑩ 교육시장의 대외 개방 정책: 외국계 학교의 국내 분교 설립 등

제5절 동양철학과 교육

1 도가사상(道家思想): 노자(老子), 장자(莊子)

1. 노장사상(老莊思想)

(1) 도가사상(道家思想)은 노자(老子)와 장자(莊子)를 중심으로 한 사상, 유가(儒家)와 함께 중국 철학의 두 주류를 형성한 철학사상

(2) 춘추전국시대라는 실제적 시대배경에서 출발하여 인류사회라는 보편적 배경으로 지평을 확대하여 인류 불행의 원인을 진단하고 처방
  ① 인류불행의 원인은 인간의 주관적 편견과 근시안적 무지에서 비롯되는 가치대립, 이기심, 욕망, 경쟁, 그리고 이러한 작용의 인위적(人爲的) 산물인 문명과 문화에 있다.
  ② 불행극복의 방법으로 무아(無我), 무명(無名), 무위(無爲), 무욕(無慾), 무지(無知)를 주장한다.

유가(儒家)와 도가(道家)의 사상 비교

유가(儒家)	도가(道家)
인위적인 수양과 노력을 강조	무위자연(無爲自然)을 강조
수기치인(修己治人)의 노력을 통해 현세적 행복 추구	인위적 노력을 포기하고 있는 그대로의 현상 이해를 통해 자연에 순응함으로써 진정한 행복 추구
상류 계층(귀족)이 주된 대상	하류 계층(서민)이 주된 대상
정치적 성향	예술 및 종교적 성향

(3) 부정적 사변법(思辨法)을 사용하여 유가의 가치도덕과는 본질적으로 다른 존재론적 본체관념(本體觀念)으로서 '도(道)'와 '덕(德)'의 이론을 제시하였다. 도덕(道德)은 인위조작(人爲造作)하지 않으면서도 어김없이 전개되는 무위자연(無爲自然)의 상태를 말한다.

2. 노자(老子)

(1) **노자의 중심사상**: 도(道)와 그 실천원리인 무위자연(無爲自然)
  ① 개요: 도(道)란 무엇인가?
    ㉠ "도(道)의 도(道)라 해야 할 것은 보통의 도(道)가 아니노라": 유가에서 중시하는 인간의 실천 윤리로서의 도를 부정하고 그 극복을 위한 대안을 제시

ⓒ 무(無)로서의 도(道): 노자가 말하는 도(道) ⇨ 시·공간을 초월한 실재로서, 감각을 초월한 것이기는 하지만 비실재는 아니며, 모든 유(有)의 근원에 있는 것, 만물(萬物)을 하나되게 하는 것 예 "도(道)는 하나를 생기게 하고, 하나는 둘을 생기게 하고, 둘은 셋을 생기게 하고, 셋은 만물을 생기게 한다. 만물은 음을 지니고 양을 안으며 충기(沖氣)로써 화하도다."

ⓒ 무위(無爲)로서의 도(道): 본래 무(無)인 도(道)의 작용이 무위(無爲) ⇨ '무위'란 아무것도 하지 않는 것이 아니라, 작위(作爲) 즉 부자연스러움을 행하지 않는 것을 말함.

② 도(道)의 실천 방법

허일이정(虛壹而靜)	마음을 비우고 하나가 되어 고요함을 유지하는 것을 말한다.
습명(襲明)	밝음(明)을 이어받는 것(襲)으로 자연의 법칙을 알아서 그에 따라 행위해야 하는 것을 말한다. 살다보면 늘 잘할 수도 없고 늘 잘못만 범하는 것도 아닌 것처럼, 잘했다 하여 우쭐댈 것 없고 잘못했다 하여 주눅들 것 없음을 터득한다는 말이다.
안민(安民)	무사(無事)의 사(事)에 처하고 무언의 교(無言之敎)를 행하는 말로, 법률, 도덕, 규칙 등 일체의 인위적인 것은 백성의 순진함을 손상시킬 뿐이라는 노자의 정치론의 핵심이다.
소요유(逍遙遊)	세속을 초월하여 노닌다는 말이다.
양망(兩忘), 양행(兩行)	도는 초월적·전체적(유일적)·보편적 작용이므로 그에 입각하여 상대성과 개별성을 잊어버리거나(兩忘), 상대성과 개별성을 모두 포괄해야 함(兩行)을 의미한다.

(2) **노자의 교육사상**

① 무언지교(無言之敎) 또는 불언지교(不言之敎)로서의 교육
  ㉠ 교사와 어른이 자연에 따른 삶을 영위한다면 어린이들도 그렇게 살아갈 것이다.
  ㉡ 이처럼 성인이 무위로써 세상사를 처리하고 말없이 시행하면 저절로 교육이 된다.

② 교육적 인간상: 도와 덕을 터득한 사람의 모습은 어린이, 곧 영아(櫻兒)와 같다.
  ㉠ 어린이는 그 무심(無心)함과 무욕(無慾)의 행위, 그리고 유약한 육체를 갖는 것에 있어서 도(道)를 상징한다.
  ㉡ "덕(德)이 두터운 사람은 갓난아이에 비유할 수 있다."는 노자의 말은 덕을 터득한 사람은 순진무구한 어린이처럼 된다는 것을 의미한다.
  ㉢ 교육에 있어 자연주의적 입장을 취하고 있음. ⇨ 루소(Rousseau)와 유사

3. **장자(莊子)**

(1) **장자의 도(道)와 덕(德)**

① 도(道)는 천지만물의 근본원리
  ㉠ 도는 일(一)이며 대전(大全)이므로 그의 대상이 없음. 도는 어떤 대상을 욕구하거나 사유하지 않으므로 무위(無爲), 도는 스스로 자기존재를 성립시키며 저절로 움직이기 때문에 자연(自然)임.
  ㉡ 도(道)는 있지 않은 곳이 없으며, 거미·기왓장·똥·오줌 속에도 있음. ⇨ 일종의 범신론(汎神論)
  ㉢ 노자(老子)의 도는 생성의 근원으로서 본체(本體)의 의미를 지니는 데 비해, 장자(莊子)의 도는 다양한 존재를 꿰뚫고 있는 하나의 이법(理法)이며, 제물론(齊物論)에서는 도가 세계의 근본이 아니라 최고 인식의 특징으로 인식되고 있다. 즉, 모든 대립과 시비, 차별을 없애는 인식의 통일 상태로 이해되고 있다.

② 도(道)가 개별적 사물들에 전개된 것을 덕(德)
  ㉠ 도가 천지만물의 공통된 본성이라면 덕은 개별적인 사물들의 본성이며, 인간의 본성도 덕이라고 할 수 있음.
  ㉡ 이러한 덕을 회복하려면 습성(習性)에 의하여 물들은 심성(心性)을 닦아야 하는데, 이를 성수반덕(性脩反德)이라고 함.
  ㉢ 도와 일체가 되면 도의 관점에서 사물들을 볼 수 있는데, 이를 이도관지(以道觀之)라고 함.

장자(莊子)의 중심사상

심재(心齋)	지인(至人)·신인(神人)·성인(聖人)에 도달하기 위해 마음을 텅 비우는 것을 말한다.
좌망(坐忘)	나와 만물, 옳고 그름, 아름다움과 추함 등 모든 대립과 차별을 잊어버림을 말한다.
제물론(齊物論)	'절대적인 도의 경지에 이르면 일체의 사물들이 통일되어 하나로 보인다.', '모든 현상은 유기적으로 관련을 가진 하나의 전체이므로 그 기능의 우열은 논할 수 없다.'는 이론을 말한다.
몰아일체(沒我一體)	자연과 내가 하나가 되는 절대적인 자유의 경지를 말한다.

(2) **장자의 이상적 인간상**
  ① 장자의 사상은 절대적 자유와 평등을 지향
  ② 이상적 인간상: 지인(至人, 덕이 높은 사람), 신인(神人, 신처럼 거룩한 사람), 성인(聖人, 타인의 모범이 될 만한 지극이 덕이 있는 사람) ⇨ 자기의 현실세계, 나와 남의 구별을 초월하여 절대적으로 자유롭고 행복한 사람을 가리킴.

(3) **장자 철학의 교육적 의미**
  ① 인간의 마음은 일정한 시대·지역·교육에 의하여 형성되고 환경에 의해 좌우되고, 이 마음이 외부 사물들과 접촉하여 지식이 생긴다. 이러한 지식은 시대·지역, 그리고 사람들에 따라 다르기 때문에 보편타당한 객관성을 보장할 수 없다.
  ② 장자는 이러한 지식에 입각한 행위를 인위(人爲)라고 하여 이는 자연(自然)을 훼손할 수 있다고 경고한다. **예** 물오리의 다리가 짧다고 하여 그것을 이어주거나 학의 다리가 길다고 하여 그것을 잘라주면 그들을 해치게 된다.
  ③ 노자와 마찬가지로 교육에 있어 자연주의적 입장을 취하고 있다.

❷ 유가(儒家, 儒는 군자 또는 선비의 뜻)사상

1. 공자

(1) **사상**: 인(仁, benevolence) 강조 ⇨ 「논어(論語)」, 귀족주의 교육(엘리트 교육 ⇨ 교양교육 중시 ≒ 서양의 인문주의 교육사조와 유사)

'인(仁)'이란 사람의 길

어느 날 자로가 공자에게 물었다. "죽음에 대해 알고 싶습니다." "삶도 아직 다 모르는데 어찌 죽음을 말하겠느냐?" 자로가 다시 물었다. "귀신 섬기는 법을 말씀해 주십시오." "사람도 다 못 섬기는데 어찌 귀신을 말하겠느냐?"(季路問事鬼神 子曰未能事人焉能事鬼神 曰敢問死 未知生焉知死) – 「논어(論語)」, 선진편

(2) **교육관**: 학습의 결과에 따라 현우(賢愚)의 차가 발생 ⇨ 교육 가능설
(3) **교육목적**: 도덕적 인간(聖人) 양성 ⇨ 현실적으로는 군자(君子) 양성
(4) **교육내용**: 시서예악(詩書禮樂), 공문사과(孔門四科 – 덕행, 언어, 정사, 문학)
  ① 문(問)・행(行)・충(忠)・신(信)
  ② 육예(六藝): 예(禮)・악(樂)・사(射)・어(御)・서(書)・수(數) ⇨ 자유교양교육(liberal arts)을 통한 지덕(知德) 겸비한 전인적 인간 양성 (≒ 로마, 중세의 7자유과)

▲ 공자

| 공자의 가정교육: 정훈(庭訓: 뜰에서 가르쳤다는 뜻) |

> 어느 날 공자는 뜰에서 아들 백어(伯魚)가 지나가는 것을 붙들고 물어 보았다. '시를 배웠느냐'고, 백어가 '아직 배우지 않았다'고 대답하자 공자는 '시를 배우지 않으면 자신의 뜻을 남에게 전달할 방법이 없다'고 하며 '시를 반드시 배우라'고 강조했다. 아마도 공자의 아들 백어도 공부에는 그다지 흥미가 없었던 모양이다. 또 다른 날 공자는 백어에게 '시경의 주남편과 소남편을 배웠느냐'고 물어 보았다. 역시 배우지 않았다고 대답하자 공자는 '주남편과 소남편을 배우지 않으면 담벼락을 마주하고 서 있는 것과 같다'고 하며 배우도록 당부했다.

(5) **교육방법**
  ① 박학(博學)주의
  ② 점진적 교육: 점진적 순서에 따른 교육 ⇨ 발달단계에 따른 교육을 강조, 배움을 청하는 자에게만 교육(≠일부러 찾아가서 가르치지 않음.)
  ③ 계발교육: 스스로 생각하고 이해할 수 있도록 사고력 함양 ⇨ 일방적 지식주입교육 지양
  ④ 인격 감화: 행동적 감화를 통한 인격교육 중시
  ⑤ 개별 교수: 제자들의 수준을 고려한 교수 ⇨ 개인차 존중
  ⑥ 학사병용(學思並用)
    ㉠ 귀납법(學, 溫故)과 연역법(思, 知新)의 조화 ⇨ "배우기만 하고 생각하지 않으면 어둡고, 생각하기만 하고 배우지 않으면 위태롭다."
    ㉡ 이론과 실천의 조화: 지눌(고려)의 '정혜쌍수(定慧雙修)'와 유사

    △ 인(仁)이란 무엇인가? 공자 가라사대……
    1. **번지**(樊遲): 인(仁)이란 남을 사랑하는 것이다(仁者愛人也).
    2. **안연**(顔淵): 인(仁)이란 자기를 극복하고 예로 돌아가는 것이다(克己復禮).
    3. **사마우**(司馬牛): 인(仁)이란 말을 더듬는 것이다(其言也訒).

(6) 특징
① 평등교육(有敎無類, 가르침은 있으나 계층·빈부·재능 등으로 분류하지 않는다.), 조기교육, 전인교육 강조
② 여성교육 경시: "유독 여자와 소인은 다루기가 어렵다(唯女子與小人爲難養也)."

더 알아보기

유학의 발전과정

춘추전국시대	한(漢)·당(唐)	송(宋)	명(明)	청(靑)
원시 유교(선진 유학)	훈고학	주자학(성리학, 理學)	양명학(心學)	고증학
공자(仁), 맹자(仁義), 순자(禮法)	경전의 자구 해석	이론철학	실천철학	문헌비평(유교과학)

2. 맹자

(1) **사상**: 성선설[수위론(修爲論) ⇨ 물욕 억제 & 선성 회복], 왕도정치(王道政治)

(2) **교육목적**: 사단(四端)의 확충(존양공부를 통한 인의예지 인간 육성), 호연지기(浩然之氣)를 갖춘 대장부상 추구 ⇨ 명인륜(明人倫, 인륜을 밝힌다.)

(3) **특징**: 덕육(德育) 중심의 인격주의(지식의 주입 배격), 주정주의(主情主義), 존양공부(存養工夫, 타고난 착한 성품, 즉 양심을 기르는 것)

3. 주희

(1) **사상**: 성리학을 체계화(우주론 + 심성론 ⇨ 이기이원론적 주리론), 주지주의(선지후행)

(2) **교육원리**: 교육 가능설(기질 변화설), 수위(修爲)를 위한 2대 강령 ⇨ 거경(居敬)과 궁리(窮理), 「소학」 교육 강조(성현의 행실 모방), 인문교양교육 추구
① 거경(居敬): 인간의 타고난 순수한 도덕심을 기른다는 의미 ⇨ 일상세계에서의 도덕적 각성과 도덕심의 발휘, 실천 덕목
② 궁리(窮理): 도덕심의 발휘에 수반되는 인간사와 모든 사물에 대한 지식과 가치판단 및 옳음에 대한 탐구, 이론 탐색

(3) **교육가능설**: 기(氣, 기질지성, 본능)의 인간을 이(理, 본연지성, 도덕성)의 인간으로 변화

(4) **교육목적**: 성인(聖人) 양성 ⇨ 시작은 입지(立志), 완성은 작성(作聖)

(5) **교육내용**: 오륜(五倫), 「소학(小學)」과 「대학(大學)」 ⇨ 사서(四書, 대학 - 논어 - 맹자 - 중용의 순서), 「근사록(近思錄)」은 소학과 대학의 부족한 점을 보완하는 역할

✎ **근사록(近思錄)** 성리학 해설서. 자하(子夏)가 '간절하게 묻고 가까이서 생각한 것(切問近思)'에서 따온 말로, 사람들이 날마다 쓰는 것, 즉 효(孝), 경(敬) 등 일상적인 것에 대한 성찰을 담고 있다.

(6) **교육방법**(「중용」) : 박학(博學, 널리 배우기) ⇨ 심문(審問, 자세히 묻기) ⇨ 신사(愼思, 깊이 생각하기) ⇨ 명변(明辯, 사리를 잘 분별하기) ⇨ 독행(篤行, 실천하기)

(7) **의의** : 사서(四書) 중심의 경학체계 구성, 「소학」을 편찬

4. **왕양명**(왕수인)

   (1) **사상** : 양명학의 체계화, 주의주의(지행합일설), 3대 강령[심즉리(心卽理) ⇨ 치량지(致良志) ⇨ 지행합일(知行合一)]

   > "모든 것은 마음에서 나온 것이므로 마음의 본체(本體)를 찾는 것이 곧 모든 것의 실재(實在)를 파악하는 일이며 인생의 도리(道理)를 아는 것이다. 마음의 본체가 양지(良知)이며, 이 양지를 찾는 것이 천리(天理)를 찾는 것이다. 인간 본연의 고유한 앎을 완전히 회복하는 것이 치지이고, 마음속에 있는 앎의 대상이 명백하게 된 상태가 격물(格物)이다. 격물이 교육의 원리와 목적이 되고, 치지(致知)와 격물(格物)을 위해서는 극기(克己)가 필요하다."

   ◇ **치량지**(致良知)
   1. 「맹자」의 양지(良知)와 「대학」의 치지(致知)를 결합
   2. **양지**(良知) : 시비선악(是非善惡)을 판별하는 마음의 작용, 만인이 선천적으로 지닌 판단력(天理)
   3. **치지**(致知) : 실천하는 능력

   (2) **교육사상** : 성의(誠意) 중시, 자연주의 교육사상(아동의 천성은 초목의 싹과 같다. ⇨ 자연스런 조성 중시), 「대학」 교육 강조

   (3) **주희와 왕양명 사상의 비교**

주희	주자학, 이기이원론(주리론), 성즉리(性卽理), 주지주의, 선지후행, 소학 중시
왕양명	양명학, 이기일원론(이기합일론), 심즉리(心卽理), 주의주의, 지행합일, 대학 중시

   더 알아보기

   주자와 왕양명의 사상 비교
   1. **주자** : 주지주의(선지후행), 성즉리(性卽理), 거경궁리(이기론)
      - **성즉리**(性卽理) : 성(性)이 곧 이(理)다. 인간의 본성은 곧 하늘의 이치이다. 인간은 나면서부터 하늘의 이치(順善)를 성품으로 부여받았다.
   2. **왕양명** : 주의주의(지행합일설), 심즉리(心卽理), 치량지
      - **심즉리**(心卽理) : 우주만물의 이치는 오직 나의 마음에 있다. 마음(心)이 곧 이(理)다. 이(理)와 심(心)은 하나다. 마음 밖에 따로 이(理)가 존재하는 것이 아니라 마음속에 우주만물의 이치가 내재해 있다.

유가사상(儒家思想) : 공자(孔子), 맹자(孟子), 주자(朱子), 왕양명 사상의 비교

구분	공자(孔子)	맹자(孟子)	주자(朱子)	왕양명(왕수인)
사상	인(仁)	성선설 : 수위론(修爲論) ⇨ 왕도정치(王道政治) 지향	① 성리학을 체계화 ⇨ 이기이원론적 주리론 ② 주지주의(선지후행) : 성즉리(性卽理)	① 양명학을 체계화 ⇨ 이기일원론(주기론) ② 주의주의(지행합일) : 심즉리(心卽理) ⇨ 치량지(致良志) ⇨ 지행합일(知行合一)
교육	① 교육가능설 : 학습의 결과에 따라 현우(賢愚)의 차가 발생 ② 교육목적 : 도덕적 인간(聖人) 양성 ③ 교육내용 : 시서예악(詩書禮樂), 육예(六藝) ④ 교육방법 : 박학(博學)주의, 발달단계에 따른 점진적 교육, 사고력의 계발교육, 인격감화, 개별교수, 학사병용(이론과 실천의 조화)	① 사단(四端)의 확충(존양공부를 통한 인의예지 인간 육성) ② 호연지기(浩然之氣)를 갖춘 대장부상 추구 ⇨ 명인륜(明人倫)	① 교육 가능설(기질 변화설) ② 수위(修爲)를 위한 2대 강령 ⇨ 거경(居敬)과 궁리(窮理) ③ 「소학」 교육 강조(성현의 행실 모방) ④ 인문교양교육 추구 ⑤ 교육목적 : 성인(聖人) 양성 ⇨ 시작은 입지(立志), 완성은 작성(作聖) ⑥ 교육내용 : 소학, 사서(四書) ⑦ 교육방법 : 박학(博學, 널리 배우기) ⇨ 심문(審問, 자세히 묻기) ⇨ 신사(愼思, 깊이 생각하기) ⇨ 명변(明辯, 사리를 잘 분별하기) ⇨ 독행(篤行, 실천하기)	① 성의(誠意) 중시 ② 자연주의 교육사상 : 아동의 천성은 초목의 싹과 같다. ⇨ 자연스런 조성 중시 ③ 「대학」 교육 강조
특징 및 의의	① 엘리트교육(교양교육) 지향 ② 평등교육(有敎無類) ⇨ 여성교육은 경시 ③ 조기교육 중시 ④ 전인교육 중시	① 덕육(德育) 중심의 인격주의(지식의 주입 배격) ② 주정주의(主情主義) ③ 존양공부(存養工夫) : 타고난 착한 성품, 즉 양심(良心)을 기르는 것	사서(四書) 중심의 경학(經學) 체계 구성	실학(實學) 사상 형성에 영향

오현준 정통교육학

핵심 체크 노트

★ 1. **교육과정 개발모형:** 타일러(Tyler)의 합리적 모형(목표 중심 모형), 타바(Taba)의 교사 중심 모형, 워커(Walker)의 숙의 모형, 스킬벡(Skilbeck)의 학교교육과정 개발 모형, 아이즈너(Eisner)의 예술적 접근 모형, 위긴스와 맥타이(Wiggins & Mctighe)의 후진 설계 모형

2. **교육과정 연구(교육과정학):** 재개념주의

3. **교육과정 개발절차:** 블룸(Bloom)의 교육목표 분류

4. **교육과정의 유형(Ⅰ):** 교과 중심, 경험 중심(생성교육과정, 중핵교육과정), 학문 중심(지식의 구조), 인간 중심 교육과정

★ 5. **교육과정의 유형(Ⅱ):** 잠재적 교육과정, 영 교육과정

6. **우리나라 교육과정의 전개과정:** 제1차~제7차, 2007 개정 교육과정, 2009 개정 교육과정의 개정

★ 7. **2022 개정 교육과정의 개정 중점사항 및 특징**

CHAPTER 05

교육과정

- 01 교육과정의 기초
- 02 교육과정 개발모형
- 03 교육과정 연구에 대한 이론적 접근방법
- 04 교육과정의 개발절차
- 05 교육과정의 유형(Ⅰ):
  공식적 학교 교육과정의 유형
- 06 교육과정의 유형(Ⅱ):
  학교 교육과정을 비판하는 교육과정 유형
- 07 우리나라의 교육과정

CHAPTER 05 교육과정

학습 포인트

1. 교육과정 모형: 타일러(Tyler), 워커(Walker), 아이즈너(Eisner)
2. 교육과정의 유형
    - 교과 중심, 경험 중심, 학문 중심, 인간 중심 교육과정
    - 잠재적 교육과정, 영 교육과정
3. 우리나라 교육과정의 역사: 제1차~제7차
4. 2009 개정 교육과정(미래형 교육과정) / 2015 개정 교육과정 / 2022 개정 교육과정

제1절 교육과정의 기초

1 교육과정(Curriculum)의 어원

1. 라틴어 '쿠레레(Currere)'에서 유래 ⇨ 동 '뛴다, 달린다(race itself)', 명 경주로(course of race)
    (1) 마차 경주에서 말들이 따라 달려야 하는 정해진 길(race course, course of race) ⇨ 전통적 개념
    (2) 경주에서 말들이 정해진 길을 따라 달리면서 갖는 체험의 과정, 경주활동 그 자체, 교육경험을 통한 개인의 의미형성 그 자체(race itself) ⇨ 현대적 개념

더 알아보기

"교육과정은 그 어원인 쿠레레에 복귀해야 한다."(Pinar) 18. 지방직

교육과정은 실존적 체험과 그 반성, 개인의 인생행로에 대한 해석이다.
1. 교육과정은 교육자나 학습자가 자신이 갖는 교육경험의 본질을 분석하여 그 실존적 의미를 찾는 작업
2. 교육자나 학습자가 살아오면서 갖게 된 체험들을 자신의 존재 의미와 관련지어서 해석하고 이를 통하여 자기반성적인 삶을 살아가도록 하는 과정
3. 쿠레레의 방법론으로 정신분석학의 자유연상법을 활용하여 '회귀 – 전진 – 분석 – 종합'의 4단계를 제시하였다.

파이너(Pinar)의 쿠레레 방법론

단계	의미	방법
회귀 (소급)	과거를 현재화하는 단계 ⇨ 자서전적 주인공인 자신의 실존적 경험을 회상하면서 기억을 확장하고, 과거의 경험에 관한 정보를 수집하고, 최대한 생동감 있게 묘사하는 단계이다. • 전기적 과거는 현재에 존재하며, 베일에 싸인 현재를 이해하는 관건이다. • 과거가 현재가 될 때 현재는 드러난다.	① 회귀하기: 자연스럽게 그때의 상황이 되어 보기, 손상되지 않은 원래 그대로의 과거 발견하기 ② 과거에서 누군가를 기능적으로 관찰하기 ③ 관찰하고 기록하기: 관찰한 것을 기록할 때 현재의 반응도 포함하기 ④ 관찰자의 중심을 자아에 두기: 자아란 과거 경험에 대한 자신의 반응을 의미

전진	미래에 대한 논의 단계 ⇨ 자유연상기법을 통해 아직 현실화되지 않은 자신의 미래의 모습을 상상해 보는 단계이다. • 현재에 스며 있는 미래에 주목한다. • 미래 또한 과거처럼 현재에 존재하며, 심사숙고하여 설정 가능한 미래를 상상한다.	① 가장 편안해진 상태가 되기: 편안함을 형성하여 자유연상을 유도하기 ② 미래에 관해 생각하기 ③ 상상한 것을 묘사해 보기 ④ 편안해질 때까지 여러 번 반복하기 ⑤ 미래 상황에 대해 지속되는 기간을 생각하기: 기간을 생각하는 것은 일시적인 감정적·인식적 편견에 의한 왜곡 가능성을 감소시킨다.
분석	현상학적 방법을 통해 회귀와 전진을 거친 후에 현재로 다시 돌아오는 단계 ⇨ 과거, 미래, 현재라는 세 장의 사진을 동시에 펼쳐 놓은 후, 이들을 연결하고 있는 복잡한 관계를 분석하는 과정으로, 과거의 교육적 경험으로 인해 형성된 자신의 삶을 분석하는 단계이다.	① 전기적 현재를 묘사하기: 자신의 현재 흥미, 감정 상태 등을 파악하기 ② 개념화를 통해 경험으로부터 분리되기: 무엇인지, 무엇이었는지, 무엇일 수 있는지를 일괄하여 다루는 개념화는 경험으로부터 분리되는 것이며, 이를 통해 현재와 미래의 선택이 자유로워질 수 있다. ③ 과거-현재-미래의 상황을 병렬해 보기
종합	생생한 현실로 돌아가 내면의 목소리에 귀를 기울이고, 자기에게 주어진 현재의 의미를 자문하는 단계 ⇨ 주인공이 과거, 미래, 현재라는 세 장의 사진 속에서 과거 학교교육이 자신에게 어떤 유익이 되었는지, 지적 호기심이 자기 성장에 도움이 되었는지, 개념에 대한 정교성이나 이해가 제대로 되었는지를 자문자답하는 것이다.	① 함께 두기: 모든 것을 함께 두고 그것들을 구체적으로 바라보기 ② 현재의 의미가 무엇인지를 자문해 보기 ③ 모두 하나로 만들어 보기

2. **용어의 시작** - 보비트(Bobbitt), 「교육과정(The Curriculum)」(1918) **24. 지방직**

   (1) **교육과정의 개념**: "청소년들이 성인생활을 장차 영위할 때 겪게 될 여러 가지 일들을 보다 효과적으로 처리할 능력계발이라는 방식하에 경험하지 않으면 안 될 일련의 일들"

   (2) **학교를 공장에 비유**: 테일러(Taylor)의 「과학적 경영의 원리(The Principles of Scientific Management)」(1911)에 영향을 받아 '과학적 관리론'을 교육과정에 도입
   ① 학교는 공장, 학생은 원자재, 교사는 생산직 근로자, 교장은 공장장이다.
   ② 학교(공장)는 학생(원자재)을 일정 기간 동안 일련의 교육과정(조립생산라인)을 거치게 하여 사회(소비자)가 원하는 이상적인 어른(완제품)으로 제대로(불량품 없이) 배출(생산)할 때 좋은(효율적인) 학교라고 할 수 있다. ⇨ 학교는 아동이 성인 세계에 적응할 수 있도록 준비시키는 기관
   ③ '이상적인 어른(ideal adult)'이라는 완제품을 향해 제대로 나아가고 있는지를 결정하기 위해 필요한 기준은 지역사회가 정해야 한다.

(3) **교육과정의 편성방법**
① 이상적인 어른(ideal adult)의 생활을 몇 가지 주요 활동으로 나눈다.
   예 언어활동, 건강활동, 시민활동, 일반적 사회활동, 여가활동, 건전한 정신관리활동, 종교활동, 부모활동 등
② 이러한 주요 활동을 학생이 성취할 수 있는 구체적 활동(specific activities)으로 분석한다.
   ⇨ 활동교육과정
③ 학생이 성취해야 할 구체적인 활동을 교육목표로 설정한다.
④ 교육과정 구성의 과학화를 위한 5단계 제시: 인간경험의 광범위한 분석 ⇨ 주요 분야의 직무 분석 ⇨ 교육목표의 열거 ⇨ 목표의 선정 ⇨ 상세한 교육계획의 조직

2 교육과정의 의미

1. 어원적(語源的) 의미

(1) **학생이 일정한 목표를 향해 달리는 길, 교육의 과정**(process, 敎育의 過程): 교육목표를 달성하기 위하여 무엇을 선정해서, 어떻게 조직하고, 어떻게 가르치고 평가할 것인가에 대한 교육의 전체적인 계획

(2) **교육내용**(contents, 敎育課程): 학생이 일정한 목표를 향하여 학습해야 하는 내용
   예 지식, 경험 등

① 교육과정의 발달사에 따른 분류

| 교과 중심 교육과정 | → | 경험 중심 교육과정 | → | 학문 중심 교육과정 | → | 인간 중심 교육과정 |

② 교육과정 결정요소에 따른 구분: 교과(학문), 학습자(개인), 사회

(3) **교육목표를 달성하기 위한 수단**: 인간행동을 바람직한 방향으로 변화시키는 데 작용하는 계획적인 수단

2. 개념적 의미: 교육의 진행과정에 따른 분류   14. 국가직 7급

(1) **의도된 교육과정**(written curriculum, 공약된 목표로서의 교육과정): 문서화된 교육과정
   예 교육부 고시 교육과정 기준, 시·도 교육청 고시 교육과정 편성 운영지침

(2) **전개된 교육과정**(taught curriculum, 수업 속에 반영된 교육과정): 교사에 의해 수업 속에 재현된 교육과정, 본교육과정

(3) **실현된 교육과정**(learned curriculum, 학습성과로서의 교육과정): 학생에게 실제로 나타난 교육과정, 학생들이 배운 최종 결과 ⇨ 잠재적 교육과정도 포함

(4) **지원된 교육과정**(supported curriculum): 교사가 수업자료로 활용하기 위한 자료
   예 교과서, 컴퓨터 소프트웨어 프로그램, 멀티미디어 자료

(5) **권장된 교육과정**(recommended curriculum): 해당 분야 전문가들로부터 추천된 교육과정

③ 아이즈너(Eisner)의 교육과정 개념 모형 – 공식화 정도, 교육과정의 층위(層位)에 따른 분류

1. **표면적(공식적) 교육과정**(explicit or official curriculum)

    형식적인 공적 문서 속에 기술되어 있는 교육과정 ⇨ 잠재적 교육과정과 영 교육과정이 부산물로 발생

2. **잠재적(비공식적) 교육과정**(latent or hidden or implicit curriculum)

    공식적으로나 표면적으로 의도하지 않았으나 학생들이 은연중에 배우는 교육과정 ⇨ 학생들이 반드시 학습

3. **영 교육과정**(null curriculum)

    가르치지 않은(배제된) 교육과정, 학생들이 공식적 교육과정을 배우는 동안에 놓치게 되는 기회학습 내용

교육과정 유형	의도·교수(교사)	실현·학습(학습자)	특징
표면적 교육과정	有	有 또는 無	제1의 교육과정 ⇨ 전개된 교육과정
잠재적 교육과정	有 A	有 B	제2의 교육과정 ⇨ 실현된 교육과정
	無	有	
영(배제된) 교육과정	無	無	제3의 교육과정 ⇨ 기회학습의 내용, 배제된 교육과정

제2절 교육과정 개발모형 14. 지방직

> **교육과정 개발모형의 전개 과정: 개발모형 ⇨ 실제모형 ⇨ 이해모형**
> 1. **개발모형**: 타일러(Tyler)의 합리적 모형, 타바(Taba)의 교사 중심 모형, 스킬벡(Skilbeck)의 학교교육과정 개발 모형
> 2. **실제모형**: 워커(Walker)의 숙의모형, 슈왑(Schwab)의 실제적 모형
> 3. **이해모형**: 아이즈너(Eisner)의 예술적 접근 모형, 파이너(Pinar)의 현상학·정신분석학적 접근, 애플(Apple)의 신교육사회학적 접근

① 타일러(Tyler)의 합리적 모형 19. 국가직, 11. 경북, 10. 경북·충북, 08. 국가직 7급, 05. 경기

1. **개관**: 타일러의 논리(Tyler rationale)

    「교육과정과 수업의 기본원리(Basic Principles of Curriculum and Instruction)」(1949)

    (1) **합리적 모형**: 교육과정 개발에 관심을 가진 모든 사람들이 누구나 활용할 수 있다.

    (2) **목표(결과) 중심 모형**: 교육과정 요소 중에서 교육목표를 가장 중시한다.

    (3) **평가 중심 모형**: 목표 그 자체가 나중에 평가의 준거가 된다.

(4) **처방적 모형**: 교육과정 개발자가 따라야 할 실제적인 절차를 제시한다.

(5) **연역적 모형**: 전체 교과에서 단원(unit)의 개발로 진행된다.

(6) **선형적(linear) 모형**: 목표에서 평가로 진행하는 일정한 방향을 가진다.

(7) **체제접근모형**: 교육과정을 하나의 전체 체제(system)로 보고, 하위 요소로 분류하여 진술

(8) **가치중립적 모형**: 타일러는 '무엇을 가르칠 것인가'라는 교육과정학의 근본적 질문에는 전혀 답변을 하지 않고, 교육과정을 구성하는 방식을 가치중립적인 입장에서 서술한다.

▲ Tyler

(9) **목표 - 수단 모형**: 교육과정 개발은 우선적으로 교육목표를 설정하고, 학습경험을 선정·조직하고, 적절한 평가의 수단을 마련하는 과정이다. ⇨ 학습경험(교육내용)은 목표 달성의 수단임.

2. **개발절차** 24·15. 지방직, 12. 국가직

교육목표의 설정 → 학습경험의 선정 → 학습경험의 조직 → 평가

> "학교 교육과정의 개편에서 제기되는 또 하나의 문제는 교육과정 개편의 절차가 이 책에서 제시한 순서를 따라가야 하는가 하는 것이다. 그 대답은 분명히 '그렇지 않다.'는 것이다. …… 이 책에서 제시하고 있는 원리는 학습계획의 구성과 관련된 요소(교육목표의 설정, 학습경험 선정, 학습경험 조직, 평가)가 무엇이며, 그것들이 서로 어떤 관계를 갖고 있는가를 보여 주는 것이다. (Tyler, 1949)"
> ―「교육과정 및 교육평가」(김대현, 김석우 共著), 학지사, p.71

3. **교육목표 설정** - 학교가 달성해야 할 교육목표가 무엇인가? ⇨ 가장 중요한 요소

(1) **교육목표**: 학교가 교육과정을 통해 달성하고자 하는 목표 ⇨ 도착점행동

(2) **잠정적 목표설정 자원**: 교육목표의 타당성 조건
① 학습자의 심리적 요구(학습자에의 타당성): 교육목표는 학습자의 특성, 즉 학습자의 필요와 흥미, 욕구 등을 반영하여 설정
② 사회적 요구와 가치(사회에의 타당성): 교육목표는 학교 밖의 사회적 필요나 요구(예 지역사회·국가·세계) 등에도 부합되게 설정
③ 교과 전문가의 견해(교과에의 타당성): 교육목표는 교과 관련 전문가들(예 교사, 학자 등)에게 수용될 만한 타당성이 있도록 설정

(3) **목표 거름체**
① 교육철학(제1의 체): 교육적으로 추구할 만한 가치가 있는가?
② 학습심리학(제2의 체): 잠정적 목표를 학습자가 달성할 수 있는가?

(4) **구체적 목표진술의 방식 및 원칙**

① 목표진술 방식 : 이원목표분류 ⇨ 내용 차원(교육내용, 학습경험)과 행동 차원(도착점행동)으로 나누어 진술

② 목표진술 원칙
 ㉠ 포괄성 : 학습자의 사소한 행동이 아니라 보다 폭넓은 행동특성의 변화를 포함하여야 한다.
 ㉡ 일관성 : 목표는 서로 논리적 모순이 없고 철학적 일관성이 있어야 한다.
 ㉢ 실현 가능성 : 교육활동을 통하여 실현 가능성이 있어야 한다.

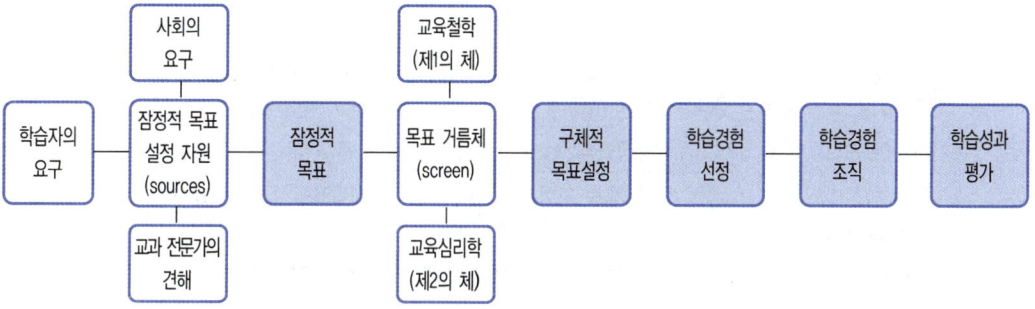

4. **학습경험의 선정** – 목표를 달성하기 위하여 어떤 학습경험을 제공해야 하는가? 10. 대전

(1) **학습경험**(learning experience) : 교육목표 달성을 위해 학생들이 겪어야 할 경험 ⇨ 어느 한 교과목에서 취급하는 교과내용이나 교사가 펼치게 되는 지도활동 같은 것이 아니라 학습자와 '외적 환경(교육내용)'과의 상호작용을 말하며, 학생들에게 무엇을 제공했느냐의 문제라기보다 학생들이 무엇을 경험했는가의 문제이다.

(2) **학습경험의 선정원칙** 21. 국가직 7급

① 기회(교육목표와의 일관성) : 목표 달성의 경험 제공
 예 '컴퍼스를 사용하여 원을 그릴 줄 안다.'가 교육목표라면 실제로 학생들이 컴퍼스를 사용하여 원을 그리는 행동을 할 기회가 제공되어야 한다.

② 만족(동기 유발의 원리) : 학생들이 만족을 느낄 수 있는 경험이어야 한다.
 예 '박자치기를 할 수 있다.'는 교육목표를 달성하기 위하여 캐스터네츠를 이용하여 박자치기를 한다고 할 때, 학생들이 캐스터네츠보다 작은북에 더 흥미를 갖는다면 작은북을 이용하는 것이 좋다.

③ 학습 가능성 : 현재 수준에서 경험 가능한 것
 예 초등학교 1학년 학생들에게 '바르게 글쓰기'라는 교육목표를 설정했다면 붓보다는 연필로 글쓰기를 연습시키는 것이 적절하다. 일반능력을 지닌 초등학교 3학년 학생들에게 2차 방정식을 가르칠 수 없다.
 ㉠ 현재 그 학생의 능력 범위(예 현재의 능력수준, 성취수준, 발달수준) 안에 있는 것이어야 한다.
 ㉡ 무조건 쉬워야 함을 의미하는 것이 아니라 적절한 도전감과 좌절감을 경험할 수 있는 것이어야 한다.

④ 일목표 다경험 : 하나의 목표 달성을 위해 여러 가지 학습경험을 제공 ⇨ 다양성의 원리
 예 바람직한 가치관 형성을 위하여 독서, 여행, 대화 등의 다양한 활동을 제공한다. ⇨ 전이력 증가

⑤ 일경험 다성과(일경험 다목적, 동시학습의 원리) : 하나의 학습경험을 통해 다양한 학습결과를 유발
  예) '본 대로 그리기'라는 활동은 '나비의 한살이 이해(자연과)', '박물관에서의 문화재 탐방(사회과)', '보고 그리기(미술과)', '보고 따라하기(체육과)' 등 다양한 목표 달성에 도움을 준다.
  ㉠ 전이가(轉移價)가 높은 학습경험을 선정해야 한다.
  ㉡ 학습경험이 부작용이나 바람직하지 못한 결과를 초래할 가능성은 없는지도 유념해야 한다.

(3) 현대 교육내용의 선정원리

기회의 원리	교육목표와의 일관성 ⇨ 목표 달성에 필요한 경험을 할 수 있는 기회 제공
만족의 원리 (동기 유발 또는 흥미의 원리)	교육목표가 지향하는 학습활동을 통해서 만족감을 느낄 수 있도록 할 것 ⇨ 학생들의 흥미와 관심에 기초한 학습경험
가능성의 원리	학생들의 현재 학습능력, 발달수준에 맞는 학습경험일 것
일경험 다성과의 원리 (동시학습의 원리)	한 가지 경험으로 여러 가지 교육목표를 동시에 달성할 수 있도록 할 것 ⇨ '학습다과율'의 원리
일목표 다경험의 원리	동일한 목표 달성을 위해 여러 가지 경험을 제공할 것
전이의 원리(파급효과의 원리)	전이가 높은 교육내용일 것 예) 기본개념, 일반원리
타당성의 원리	교육내용이 일반목표 달성에 도움을 주는 것이어야 할 것
중요성의 원리	학문을 구성하는 가장 중요한 것을 교육내용으로 선정할 것
유용성의 원리	생활에 유용한 내용으로 선정할 것
교수·학습 가능성의 원리	교수자에게는 가르칠 수 있는 내용이어야 하고, 학습자에게는 배울 수 있는 내용이어야 할 것
내적·외적 관련성의 원리	선정되는 내용들은 그 학문 분야 내에서 다른 내용들과 상호 유기적 관계를 형성하고 있어야 할 것

5. 학습경험의 조직 - 학습경험을 효과적으로 조직하는 방법은 무엇인가? 20. 국가직, 08. 국가직, 06. 경기

(1) **수직적(종적) 원리** : sequence ⇨ 계열, 순서, 시간적 체계성 예) 4학년 수학내용과 5학년 수학내용
  ① 계속성(continuity) : 동일 내용의 동일 수준 반복(단순반복)
    예) 중요 개념·원리·사실 학습, 태도 학습, 운동기능 학습 ⇨ '누적학습'(Taba, 계열성도 포함)
  ② 계열성(sequence) : 동일 내용의 다른 수준 반복(질적 심화·양적 확대, 전후 교육내용 간의 관련성) ⇨ 나선형 교육과정(Bruner)
    예) 코메니우스(Comenius), 브루너(Bruner), 가네(Gagné), 스키너(Skinner), 해비거스트(Havighurst), 피아제(Piaget), 콜버그(Kohlberg)

(2) **수평적(횡적) 원리** : scope ⇨ 범위[폭(교과목 이름), 깊이(주당 시간 수)], 횡적 관련성
  ① 통합성(integration) : 교육내용을 수평적으로 연관, 서로 다른 교육내용 간의 상호 관련성
    ⇨ 교육내용 간의 중복·누락·상극 등의 모순 방지 예) 3학년 수학과 사회의 관계

(3) **현대 교육내용의 조직원리** 11. 경북, 07. 서울·경남, 06. 경기
  ① **수평적 조직원리**: 같거나 비슷한 시간대에 연관성 있는 교육내용을 배치하여 학습의 효율성을 도모하는 것 ➡ 스코프(scope), 통합성, 균형성, 건전성(보편타당성), 다양성
    ㉠ **스코프(scope)** 14. 국가직, 10. 국가직 7급
      ⓐ 특정한 시점에서 학생들이 배우게 될 내용의 폭과 깊이: 어떤 시점에서 학생들이 배워야 할 내용(학교급, 학년, 교과, 과목의 스코프)이 무엇이고 그것들을 얼마나 깊이(학습할 내용에 할당된 시간 수) 있게 배워야 하는가를 결정하는 것이다.
        • 학교급별 교육과정의 스코프: 내용의 폭은 교과 이름으로, 내용의 깊이는 교과에 배당된 시간 수를 의미한다.

구분	내용의 폭(교과 이름)	내용의 깊이 (교과별 배당시간 수)
초등학교	• 1~2학년: 국어, 수학, 바른 생활, 슬기로운 생활, 즐거운 생활 • 3~6학년: 국어, 사회/도덕, 수학, 과학/실과, 체육, 예술(음악/미술), 외국어(영어)	교과별 배당시간 수 예 국어6, 체육3
중학교	필수교과(10개): 국어, 사회(역사 포함)/도덕, 수학, 과학/기술·가정, 체육, 예술(음악/미술), 외국어(영어), 선택	교과별 배당시간 수 예 국어5, 체육3

        • 학년별 교육과정의 스코프: 학년별 교과 이름과 교과별 배당시간 수
        • 학년별 한 교과의 스코프: 교과를 구성하는 단원들이나 대주제들 속에 포함된 내용과 할당된 시간 수 예 중학교 1학년 국어교과의 스코프는 '듣기·말하기, 읽기, 쓰기, 국어 지식, 문학' 등의 내용과 이들에 배당된 시간 수
      ⓑ 스코프는 일반적으로 한 학기 이상의 기간에 배울 내용의 폭과 깊이를 의미한다.
    ㉡ **통합성(integration)** 10. 부산, 09. 경기
      ⓐ 교육내용들의 관련성을 바탕으로 이들을 하나의 교과나 과목 또는 단원으로 묶는 것
        ➡ 수평적인 계속성 또는 연계성의 문제
      ⓑ 수업의 효과를 높이기 위하여 관련 있는 내용들을 동시에 혹은 비슷한 시간대에 배열하는 것
      ⓒ 국가 수준에서의 통합성: 일부 교과를 통합 교육과정으로 편성하고 학교 단위의 통합적 교과 운영을 강조
        • 초등학교 1~2학년의 통합교과 편제: 슬기로운 생활, 바른 생활, 즐거운 생활 ➡ 교육내용의 논리적 관련성, 사회적 적합성, 개인적 유의미성을 높이기 위해 통합
        • 중·고등학교의 공통사회, 공통과학의 운영
        • 통일, 교통, 환경, 성교육 등의 범교과 학습
      ⓓ 학교 차원의 통합성: 학년별 또는 교과별 교사들이 참여하여 교육내용을 단원별, 주제별로 상호 연관시키려는 노력을 한다.
    ㉢ **균형성**: 여러 학습경험들 사이의 균형이 유지되어야 한다.
        예 지·덕·체의 조화로운 발달(전인교육) 도모, 일반교양교육과 전문교육의 조화

ㄹ. **건전성(보편타당성)**: 건전한 민주시민으로서 지녀야 할 공통적인 가치관, 이해, 태도, 기능 등을 기를 수 있는 건전한 학습경험으로 조직
ㅁ. **다양성**: 학생들의 다양한 흥미, 필요, 능력에 부합되어야 한다. ⇨ 개인차를 존중, 일목표 다경험이 가능하도록 구성

② **수직적 조직원리**: 시간의 연속성을 토대로 교육내용을 연관되게 배치하여 수업의 효율성을 높이는 것 ⇨ 계속성, 연속성, 계열성

㉠ **연속성(continuity)**: 수직적 연계성, 이전에 배운 내용과 앞으로 배울 내용의 관계성 ⇨ 특정한 학습의 종결점이 다음 학습의 출발점과 잘 맞물리도록 교육내용을 조직하는 것을 말한다.

학교급 간의 연속성	초등학교 교육과정은 중학교 교육과정과, 중학교 교육과정은 고등학교 교육과정과 자연스럽게 이어지도록 조직되어야 한다.
학년 간 연속성	초등학교 3학년까지 전 과목 성취도가 90% 이상이던 많은 학생들이 4학년에 들어와 여러 과목에서 학업성취도가 급격히 떨어진다면 그 과목들의 연속성 상태를 점검할 필요가 있다.
단원 간 연속성	영어 학습에서 현재형 시제를 처음 접한 학습자에게 곧바로 아주 복잡한 가정법 동사형을 공부할 것을 요구한다면 연속성에서 실패한 것이 된다.

㉡ **계열성(sequence)** 22. 지방직, 15·09. 국가직, 07. 인천

ⓐ **교육내용을 가르치는 순서**: 어떤 내용을 먼저 가르치고 어떤 내용을 나중에 가르칠 것인가를 결정하는 것 ⇨ 학교급, 학년, 학기, 월, 주, 일, 차시별로 결정된다.
 • 초등학교, 중학교, 고등학교에서 어떤 내용(교과)을 먼저 가르치고, 어떤 내용을 나중에 가르칠 것인가?
 • 한 교과를 한 학기나 한 학년, 또는 초등학교에서 고등학교 3학년까지 연속해서 가르친다면 어떤 단원이나 주제를 어떤 시기(예 학교급, 학년, 학기, 월, 주, 일, 차시별)에 가르칠 것인가?

ⓑ **계열화 방법**

연대순 방법	다루게 될 교과내용이 시간의 흐름과 관련 있을 때 과거에서 현재 혹은 그 반대로 조직한다. 예 역사교과, 문학이나 예술 장르의 발전 과정
주제별 방법	내용을 여러 단원으로 묶지만, 단원들이 상호 독립적이어서 학습자가 새로운 단원을 학습하기 전에 이전 단원에서 배운 정보를 사용할 필요가 없을 때 사용 예 7학년 과학교과에서 '생물의 구성'과 '지구의 구조' 단원은 서로 관련성이 없기 때문에 어떤 것을 먼저 배치해도 상관이 없다.
단순에서 복잡으로의 방법	기초적인 내용이 보다 복잡한 내용 앞에 오도록 순서 짓는 것 예 영어교과에서 과거나 완료 시제를 배우기 전에 현재 시제를 먼저 배운다.
전체에서 부분으로의 방법	전체에 대한 이해가 부분들을 이해하는 데 필수적일 때 사용한다. 예 지리교과에서 학습자에게 대륙 전체를 가르친 다음 각 나라와 나라 안의 도시를 소개한다.
논리적 선행요건 방법	어떤 내용을 학습하기 위해 반드시 배워야 할 내용이 있을 때 사용된다. 예 논리적 위계가 분명한 수학, 물리학, 화학 등에서 사용한다. 2차 함수를 배우기 전에 1차 함수를 먼저 풀도록 하는 것이다.

추상성의 증가에 의한 방법	학습자가 친숙한 교육내용에서 점차 낯선 교육내용으로 안내되도록 배치한다. **예.** 초등학교 도덕교과는 개인생활, 가정·이웃·학교생활, 사회생활, 국가·민족생활의 순으로 배열한다.
학생들의 발달단계에 의한 방법	학생들의 인지, 정서, 신체 등의 발달단계(**예.** Piaget, Erikson, Kohlberg)에 맞추어 교육내용을 배열한다. **예.** Piaget의 인지발달이론에 맞추어 교육내용을 배열한다.

전통적인 계열성 조직방법

1. 단순한 것에서 복잡한 것으로 나아감.
2. 전체로부터 부분으로 제시함.
3. 사건의 연대기적 순서로 제시함.
4. 구체적 경험에서 개념의 순서로 나아감.
5. 특정 개념이나 아이디어를 계속적으로 제시하되, 나선형적으로 그 내용을 심화·확대하여 제시함.

6. **평가** – 목표가 달성되었는지를 어떻게 알 수 있는가?
   (1) 교육목표가 교육과정이나 학습지도를 통해 어느 정도 실행되었는지를 확인하는 과정이다. ⇨ 총괄평가
   (2) 변화를 알아보는 것이므로 한 번 이상 실행되어야 하며, 평가 결과는 교육목표를 수정할 수 있도록 재투입되어야 한다.

7. **장단점** 13. 국가직 7급
   (1) **장점**
   ① 어떤 교과나 어떤 수업 수준에서도 활용, 적용할 수 있는 폭넓은 유용성이 있다. ⇨ 국가수준의 교육과정, 학교 수준의 교육과정 등 폭넓게 적용 가능
   ② 논리적이고 합리적인 일련의 절차를 제시하고 있어 교육과정 개발자나 수업계획자가 이를 따라 하기가 쉽다.
   ③ 학생의 행동과 학습경험을 강조함으로써 평가에 매우 광범위한 지침을 제공해 주었다. 특히 교육목표를 명세적으로 강조함으로써 교육목표를 둘러싼 교육과정 관련자들 사이의 의사소통을 원활하고 정확하게 하는 데 기여하였다.
   ④ 교육과정과 수업을 구분하지 않고 통합적으로 '목표 – 경험 선정 – 경험 조직 – 평가'를 포괄하는 광범위한 종합성을 띠고 있다.
   ⑤ 경험적·실증적으로 교육성과를 연구하는 경향을 촉발하였다.

   (2) **단점**
   ① 목표의 원천은 제시하고 있으나 무엇이 교육목표이고, 그것이 왜 다른 목표를 제치고 선정되어야 하는지 그 이유를 분명하게 밝혀 주지 못한다.

② 목표를 분명히 미리 설정한다는 것은 수업 진행 과정 중에 새롭게 생겨나는 부수적·확산적 목표(예, 표현적 결과)의 중요성을 간과한 것이다.
③ 목표를 내용보다 우위에 두고, 내용을 목표 달성을 위한 수단으로 전락시킨 면이 있다.
④ 무엇을 가르쳐야 할 것인가에 대한 대답을 회피하고, 교육과정의 실질적인 내용이 어떤 것인가를 제시하지 않는다.
⑤ 겉으로 평가할 수 있는 행동만을 지나치게 강조함으로써 잠재적 교육과정이나 내면적 인지구조의 변화, 가치와 태도 및 감정의 변화를 확인하는 데 약하다.
⑥ 교육과정 개발절차를 지나치게 절차적·체계적·합리적·규범적으로 처방하여 제시함으로써 교육과정 개발활동 과정의 연속성과 실제 교육과정 개발에서 일어나는 많은 복잡한 것들에 대한 기술을 경시하였다.
⑦ 가치와 규범적 의미를 내포하지 않은 기술적 용어로 교육목표를 규정하고 있다.
⑧ 교육목표가 교육내용의 가치보다는 학습자와 사회의 필요 등의 수단적인 것으로 주어져 있다.
⑨ 교육목표 진술 시 행동적 차원의 강조는 본말전도의 위험을 내포하고 있다.

2 타바(Taba)의 확장 모형 - 「교육과정 개발: 이론과 실제」(1962)

1. 특징

(1) **교사 중심 모형**: 교육과정이 교사에 의해 개발되어야 함을 강조

(2) **처방적 모형**: 교육과정 개발절차를 상세히 제시 ⇨ 타일러 모형 + 학습과 교수의 형태(교수전략)

(3) **귀납적 모형**: 단원(unit) 개발에서부터 교과 형성으로 진행

(4) **역동적 모형**: 계속적인 요구진단을 통하여 교육과정 요소들의 상호작용을 강조 ⇨ 스킬벡(Skilbeck)과 워커(Walker)는 역동적 모형의 이론가로 분류되는 반면에, 타바(Taba)는 역동성의 측면을 강조한 점은 인정되지만 목표 중심 모형 이론가로 분류된다.

2. 교육과정 개발모형

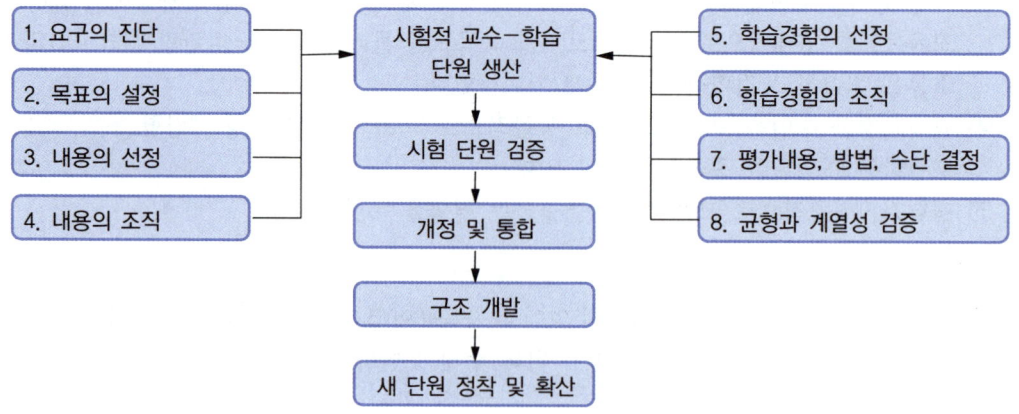

3. 타일러(Tyler) 모형과의 비교

(1) 타일러 모형에 비해 단계를 세분화하고 특히 수업 수준에서 교수-학습활동을 어떻게 전개할 것인가를 염두에 두고 만들어진 것이다.

(2) 타일러는 전체적인 학습자, 사회, 교과의 요구나 의견을 분석하였으나, 타바는 보다 좁은 범위에서 학습자에게 무엇이 요구되는가를 분석하였다.

(3) 타일러는 연역적 모형이고, 타바는 귀납적 모형이다.

(4) 접근방법에서 타바는 타일러와 같이 단선형인 반면, 타바는 교육과정 개발 과정의 각 단계에서 보다 많은 정보들이 투입되어야 한다고 본다. 특히 내용에 관한 것(교육내용), 개별 학습자에 대한 것(학습경험) 등을 이원적으로 고려해야 한다고 제안하고 있다.

③ 스킬벡(Skilbeck)의 모형

학교 중심 교육과정 개발모형(SBCD; School-Based Curriculum Development, 1984), 역동적·상호작용적 모형

1. 개관

타일러(Tyler) 모형의 단점 보완 ⇨ 목표 설정 과정에서 타일러가 소홀히 하였던 '학습자와 사회의 특성 및 요구 분석 과정'을 중요시

(1) 교육과정 계획에서 '상황분석'의 단계(교사, 학생 등 내적 상황 분석 및 학부모, 지역사회 등 외적 상황 분석)를 추가 ⇨ 학생, 교사의 개별적 특성을 고려한 교육과정 개발
   ▲ 타일러는 보편적인 특성을 지닌 교육과정 개발모형

(2) **보다 개방된 상호작용 모형 제시**: 일정한 순서에 상관없이 교육과정 개발자의 의도에 따라 어느 단계에서나 시작이 가능
   ▲ 타일러 모형은 순서나 절차를 중시

2. 교육과정 개발 과정

상황분석 ⇨ 목표 설정 ⇨ 프로그램 구축 ⇨ 판단과 실행 ⇨ 모니터링, 피드백, 평가, 재구성

(1) **상황분석**: 스킬벡(Skilbeck) 모형의 가장 특징적인 단계

외적 요인	• 학부모의 기대감, 지역사회의 가치, 변화하는 인간관계, 이데올로기 등과 같은 사회문화적 변화 • 교육체제의 요구, 변화하는 교과의 성격, 교사 지원체제 등
내적 요인	• 학생의 적성·능력·교육적 요구 • 교사의 가치관·태도·기능·지식·경험 • 학교의 환경과 정치적 구조, 공작실·실험실 등과 같은 시설 • 교육과정 내에 존재하는 문제점 등

(2) **목표 설정**
① 예상되는 학습결과를 진술함으로써 교사와 학생의 행동을 강화할 수 있는 목표를 설정한다.
② 목표는 상황분석에 기초하며, 교육적 행위의 방향을 제시하기 위한 가치나 판단을 포함한다.

(3) **프로그램 구축**: 교수-학습활동의 내용·구조·방법·범위·계열성 등의 설계, 수단-자료(예, 키트, 자원, 교재 등의 상세한 목록)의 구비, 적절한 시설 환경(예, 실험실, 작업실, 공작실 등)의 설계, 인적 구성과 역할 부여, 시간표 짜기 등을 한다.

(4) **판단(해석)과 실행**
① 교육과정의 변화를 일으키는 문제를 판단하고 실행한다.
② 이러한 문제는 경험의 개관, 혁신에 대한 연구와 이론의 분석, 선견지명 등을 통해 파악되고 실행된다.

(5) **모니터링, 피드백, 평가, 재구성**: 모니터링, 의사소통 체계의 설계, 평가 절차의 준비, 지속적인 평가 문제, 연속적인 과정의 재구성이나 확정 등이 관련된다.

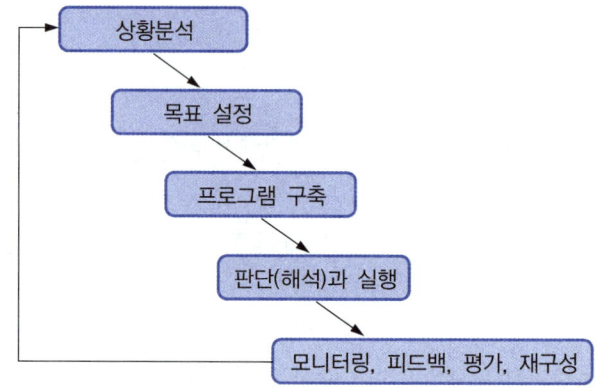

3. 특징
(1) 학생, 교사, 지역사회, 학부모들의 요구와 필요에 따라 발전적으로 수정할 수 있기 때문에 융통적이고 역동적(상호작용적)인 교육과정 개발방식이다.
(2) 학교 현장을 가장 잘 반영하고 현실적이고 실행 가능성이 높은 교육과정 개발절차이다.
⇨ 교육과정 개발의 출발점을 추상적 상황에서 목표를 설정하는 것이 아니라 학교에서 일어나는 학습 상황을 비판적으로 평가하는 데 두고 있다.

❹ 브루너(Bruner)의 내용(과정) 중심 모형 – '지식의 구조' 모형(1960) 25. 지방직

(1) 교육목표는 교육내용 속에 내재된 가치 ⇨ 인지주의 학습이론, 학문 중심 교육과정에 토대

(2) 교육내용은 지식의 구조, 교육내용의 조직방법은 나선형 교육과정(계열성), 교육방법은 발견학습, 탐구학습

(3) **지식의 구조**: 각 학문 속에 내재된 기본개념·아이디어·원리

▲ Bruner

❺ 워커(Walker)의 실제적 개발 모형 – 숙의(熟議)모형

> **슈왑(Schwab)의 실제적 교육과정 모형 –「School Review(1969)」**
>
> 1. **개요**: 실제적 상황을 중시하는 교육과정
>   ① 슈왑(Schwab)은 지금까지의 교육과정 연구가 교육과정 개발의 이론(theory)에만 집착해 온 경향성을 비판하고 교육과정 연구는 '실제적(practical)', '준실제적(quasi-practical)', 그리고 '절충적(eclectic)'인 방향으로 진행될 때 교육의 질 향상이 이루어진다고 주장하였다. ⇨ 교육과정 연구가 특수한 상황에 따라 적절한 대안적 행동을 모색할 수 있도록 해야 함을 강조
>   ② 교육과정 이론의 좋고 나쁨은 그것이 구체적인 상황에서 얼마나 유용하게 적용될 수 있는가 하는 정도라고 보아야 하며, 이러한 특수한 상황에 대한 배려는 마치 배심원들이 주어진 여러 구체적인 증거들을 바탕으로 고심하여 판결을 내리듯이 '숙의(deliberation)'라고 하는 과정을 통하여 가능한 것이라고 슈왑(Schwab)은 주장한다.
> 2. **목적**: 학습자들로 하여금 지식을 추구하기보다는 어떤 결정을 할 수 있는 능력을 기르는 것이다.
> 3. **등장 배경**:「School Review」에서 "교육과정학은 죽어가고 있다."고 충격적 선언을 하면서 학문의 위기를 맞을 때 나타나는 징후가 교육과정학에서도 나타나고 있다고 주장하였다. ⇨ 1970년대 재개념주의 연구가 등장하는 이론적 배경을 제공함.
>   ① 그 분야의 전공자가 아닌 타 분야 전공자에게로 주도권이 넘어가고 있다. 즉, 교육과정 개발이 교육과정 전문가가 아닌 브루너(Bruner)와 같은 심리학자나 물리학자에게로 넘어갔다.
>   ② 교육과정 연구에 있어 '타일러(Tyler)의 논리'만 반복하고 있다.
> 4. **의의**: 보편화된 일반원리로 구성되는 교육과정의 이론을 추구하기보다는 구체적인 교육과정의 정책이라고 할 수 있는 실천의 사례에서 보다 좋은 결정과 행위를 찾도록 제안한다.

1. **개관**(1971)

    현실적인 장면(실제적 상황)에서 교육과정을 개발하는 과정을 기술
    ⇨ 자연스러운 개발 모형(Naturalistic model)

2. **특징** 17. 국가직

    (1) **기술적(descriptive) 모형**: 교육과정 개발자들이 실제로 따르고 있는 절차를 객관적으로 기술

    (2) **과정 지향적 모형**: 결과보다는 의사결정 과정이나 절차를 중시

3. **개발 과정**: 순서에 구애 받지 않고 융통성 있게 진행할 수 있는 역동적 모형임. 15. 지방직

토대 다지기(platform, 강령) → [자료] → 숙의(deliberation, 대안 선정) → [정책] → 설계(design)

   (1) **토대 다지기**: 교육과정 개발에 참여한 사람들의 기본입장(강령) 검토를 통한 토대(토론의 기준, 합의의 발판) 구축 ⇨ 강령은 개발자들이 지닌 아이디어, 관점, 선호성, 가치, 신념 등으로 이루어진 선행 경향성

   (2) **숙의**: 교육과정에 대한 공통적인 그림을 찾기 위하여 개발자들이 상호작용하는 단계
      ① 교육과정 개발자들의 의견이 타협되고 조정되는 과정
      ② 반드시 합리적으로 전개되는 것은 아니며, 기존의 교육과정 정책이 영향을 미침.
      ③ 숙의는 주어진 교육과정 문제를 가장 설득력 있고 타당한 방법으로 논의하며, 가장 유망한 교육과정 실천 대안을 검토하는 일임.

   > **바람직하지 못한 숙의(熟議)의 예**
   > 1. **파당적 숙의**: 특정 집단의 견해만 반영되는 경우
   > 2. **제한적 숙의**: 몇몇 요인만 과도하게 부각되는 경우
   > 3. **한정적 숙의**: 숙의의 대상에 대한 근본적인 재검토 및 재규정이 불가능해진 경우
   > 4. **유사적 숙의**: 구체적인 실천 계획은 사라지고 목적, 이상, 기본 원칙, 철학 등만 늘어놓는 결과를 초래한 경우
   > 5. **공청회**: 숙의와 결정에 앞서 의사결정자를 위한 거친 수준의 정보와 의견을 다양하게 제공하는 수준으로 전락한 경우

   (3) **설계**: 개발자들이 논의를 통하여 교육 프로그램의 상세한 계획을 수립
      ① **명시적 설계**: 대안을 가려내어 가장 옹호할 만한 해결을 발견한 후 만들어지는 토론으로 이루어진다.
      ② **함축적 설계**: 대안들을 고려하지 않은 채 무의식적으로 취해진 행동방침으로 구성된다.

4. **타일러(Tyler) 모형과의 비교**
   (1) 타일러(Tyler)는 교육과정 개발에 관심이 있는 누구나, 어느 교과나 수준에도 활용 가능한 합리모형임. ⇨ 워커(Walker)는 교육과정 전문가들이 참여하며, 개발을 위한 자금과 시간이 풍부한 비교적 대규모의 교육과정 개발 프로젝트를 참여·관찰하고 평가한 결과를 통해 형성됨. 또한 국가 수준의 교육과정 개발과 달리 전문가, 자금, 인력이 부족한 학교에서는 일반적으로 적용되지 않는다.
   (2) 타일러(Tyler)는 교육과정 개발에서 설계 활동에 관심을 두고 설계를 위한 4가지 과제 수행의 원리 처방에 관심(처방적 모형) ⇨ 워커(Walker)는 개발 과정을 기술하는 기술적(서술적) 모형임.
   (3) 타일러(Tyler)는 선형적 모형임. ⇨ 워커(Walker)는 교육과정 개발에서 개발자가 갖는 신념과 활동 그리고 역동적인 상호작용 행위의 묘사에 관심을 두는 역동적 모형
   (4) 타일러(Tyler)는 주로 목표설정단계에 초점을 두는 목표중심모형임. ⇨ 워커(Walker)는 목표설정단계를 강령, 숙의, 설계로 세분화하여 제시함.

5. 장단점

장점	단점
• 교육과정을 계획하는 동안 실제로 일어나는 것을 정확하게 묘사해 준다. • 계획자가 다른 강령에 반응하고 숙의하기 위해 대화에 상당한 시간을 보내야 할 필요성을 강조한다. • 교육과정의 설계를 특수한 상황에 맞추어야 할 필요성을 강조한다. • 교육과정 개발에 대한 합의를 이루지 못했을 경우에도 교육과정이 어떻게 진행될 수 있는지를 잘 진술해 주고 있다.	• 국가 수준과 같이 대규모의 교육과정 프로젝트에는 적절하나, 소규모 또는 학교중심 교육과정에는 적절하지 않을 수 있다. • 참여자가 강령을 설정하고 숙의하는 데 상당한 시간이 필요하다. • 교육과정 계획에만 초점이 맞추어 있으므로 교육과정 설계가 완성된 뒤의 문제에 대해서는 언급하고 있지 않다. • 목표설정 단계에만 집중하고, 내용 선정 및 조직, 수업, 평가 등에 대한 언급이 없다.

6 아이즈너(Eisner)의 예술적 접근 모형 – 교육과정에 대한 이해 패러다임

1. 개관

전통적으로 중시되었던 학문적인 교과 중심 교육과정 풍토 비판 ⇨ 예술적·인본적·심미적 관점에서의 교육과정 개발모형

2. 개발절차 – 「교육적 상상력」(1979) 24. 국가직 7급, 23. 지방직

(1) **목표의 설정**: 명백한 교육목표와 표출목표(잘 정의되지 않은 목표)도 고려, 목표의 중요성(우선순위)을 토의하는 과정에서 숙의(熟議) 과정 중시

① **행동목표(behavioral objectives)**: 타일러(Tyler)의 목표, 행동 용어로 진술된 목표

② **문제해결목표(problem-solving objectives)**

㉠ 어떤 문제와 그 문제를 해결할 때 지켜야 할 조건이 주어지면, 그 조건을 충족시키면서 문제를 해결해야만 하는 경우를 말한다.
> 예 '20만 원의 예산으로 최소한 책 100권을 갖춘 학급문고를 꾸미기'와 같은 목표는 문제와 따라야 할 조건은 분명하지만 그 해결책은 여러 가지일 수 있다.

㉡ 행동목표처럼 미리 정해진 해결책을 학생이 찾아내도록 요구하는 것이 아니라, 정해지지 않은 수많은 해결책 중 하나 또는 그 이상을 학생 각자가 찾아내도록 유도한다.

③ **표현적 결과(expressive outcomes)**

㉠ "학교에서 목표를 정하지 않고 무엇인가 재미있고 유익할 것으로 생각되는 활동을 하면서 배운다." (Eisner)

㉡ 목표를 미리 정하지 않고 어떤 활동을 하는 도중이나 끝낸 후에 교육적으로 바람직한 그 무엇을 얻을 수 있는 목표를 가리킨다. 즉 우리가 어떤 활동을 하는 도중 또는 종료한 후에 얻게 되는 것을 말한다.
> 예 우리가 영화를 보러 극장에 갈 때 목표를 미리 정해 놓고 이 목표에 도달하기 위하여 가는 사람은 아무도 없다. 그저 그 영화를 보면 뭔가 재미있을 것 같은 막연한 느낌을 가지고 극장에 가서 유익한 그 무엇을 배울 수 있다.

㉢ 처음에는 '표현된 목표'라고 했으나 목표라는 말은 미리 정해진 것을 의미하기 때문에 최근에는 '표현적 결과'라는 말을 사용하고 있다.

④ 교육목표의 세 가지 형태

종류	특징	평가방식
행동목표	• 학생의 입장에서 진술 ⇨ 수업 전 진술 • 행동 용어 사용 • 정답이 미리 정해져 있다.	• 양적 평가 • 결과의 평가 • 준거지향검사 이용
문제해결목표	• 일정한 조건 내에서 문제의 해결책 발견 • 정답이 정해져 있지 않다. • 수업 전 진술	• 질적 평가 • 결과 및 과정의 평가 • 교육적 감식안 사용
표현적 결과	• 조건 없다. • 정답 없다. • 활동의 목표가 사전에 정해지지 않고 활동하는 도중 형성 가능	• 질적 평가 • 결과 및 과정의 평가 • 교육적 감식안 사용

(2) **교육내용의 선정**: 학생의 흥미·사회의 요구·학문(교과)적 요소 등을 고려하여 선정, 영 교육과정도 포함

(3) **학습기회의 유형**: 다양한 학습기회를 학생들에게 제공 ⇨ '교육적 상상력'이 요구됨.

(4) **학습기회의 조직**: 다양한 학습결과를 유도할 수 있는 비선형적 접근방법 강조 ⇨ 교과의 다양한 요소를 다루는 교사의 역할을 '거미줄을 치는 작업'에 비유

(5) **내용영역의 조직**: 다양한 교과를 꿰뚫는 내용으로 조직 ⇨ cross-curriculum

(6) **제시 양식과 반응 양식**: 다양한 의사소통 양식 사용 ⇨ 학생의 학습기회를 확대

(7) **평가절차**
  ① 평가는 최종 단계의 활동 × ⇨ 교육과정 계획 및 개발 과정의 전반에 널리 퍼져 있는 종합적인 활동
  ② 참평가(authentic assessment)를 중시: 자신의 삶과 자기를 둘러싼 세계에 대한 이해 과정

3. **특징** 20. 국가직 7급

(1) **영(零) 교육과정 중시**: 학교 교육과정에서 배제된 교육내용 예 대중문화

(2) **교육과정 개발자는 교사**: 교사는 교육과정 실제에 대한 다양한 시각을 표현하는 예술가

(3) **교사의 예술성(artistry) 중시**: 교사들이 실제 학생들에게 의미 있고 만족스러운 다양한 학습기회를 제공할 수 있도록 교육목표와 교육내용을 학생들에게 적합한 형태로 변형하는 '교육적 상상력'을 중시

(4) **질적 연구 지향**: 교육과정에 대한 보편적 법칙 발견 ×, 다양한 실제에 대한 이해 모색 ⇨ 교육과정 이해에 있어 의도와 결과 분석의 중요성 강조

(5) 교육 실제에 대한 비선형적 접근

(6) **심미안(審美眼, 교육적 감식안)과 교육비평 중시**: 교육과정 평가방법으로 도입 ⇨ 교육과정 평가자는 교육현상을 보고 교육활동의 질을 판단할 수 있는 '교육적 감식안(educational connoisseurship, 심미안)'과 '교육비평(educational criticism)'을 지녀야 한다.

① **교육적 감식안**: 학생들의 성취 형태들 사이의 미묘한 차이를 감지할 수 있는 능력으로, '포도주 감식가'가 포도주들의 미묘한 질의 차이를 구별해 낼 수 있듯이 교사들도 자신들이 가르치는 교과에 대한 학생들의 수행 사이의 미묘한 차이를 구별할 수 있는 감식안을 가져야 한다.
② **교육비평**: 어느 분야에 대한 감식안을 가진 사람만이 감지할 수 있는 미묘한 차이를 그 분야의 비전문가가 이해할 수 있도록 언어로 표현하는 일을 말한다.
③ 교육적 감식안은 감상하는 기술이고 개인적인 성격이 강한 반면에, 비평이란 남에게 전달하는 기술이고 공적인 성격이 강하다.

7 위긴스와 맥타이(Wiggins & McTighe, 2005)의 후진 설계 모형(backward design)

1. 개관 21. 국가직 7급

거꾸로 설계 모형, 역방향 설계 모형 ⇨ 전통적 방식과 비교할 때 2단계와 3단계의 순서가 역전되어 있는 모형

(1) **개념**
① '학생의 이해력을 신장'하는 교육과정 설계(understanding by design) 모형
② 목표를 마음속에 품고 시작하여 그것을 향해 나아가는 모양으로 설계하는 교육과정 혹은 단원 설계의 접근방식

(2) **구성 절차**: 바라는 결과의 확인 ⇨ 수락할 만한 증거의 결정 ⇨ 학습경험과 수업의 계획
① 1단계: 바라는 결과의 확인(목표설정)
   ㉠ 바라는 결과의 내용은 '영속한 이해'이다.
   ㉡ 영속한 이해는 객관주의적 사고와 일맥상통하는 것으로, 설명, 해석, 적용, 관점, 공감(연민), 자기지식 등의 여섯 가지 측면으로 구성된다.

정도	내용
설명	현상·사실을 조직적으로 설명하기, 관련짓기, 실제 사례 제공하기
해석	의미 있는 스토리 말하기, 적절한 번역 제공하기, 자신의 말로 의미 해석하기
적용	실질적인 맥락에 적용하여 사용하기
관점	비판적으로 바라보기
공감	타인의 관점에서 바라보기
자기지식	메타인지적 인식 보여주기, 습관 자각하기, 학습과 경험의 의미 숙고하기

   ㉢ 단원 목적 설정으로서의 바라는 결과의 확인은 가르칠 만한 가치가 있는 지식을 다양한 이해 속에서 찾아보는 것이다.
② 2단계: 수락할 만한 증거 결정(평가계획) ⇨ 구체적인 교육과정 내용을 선택하여 우선순위를 정하고 구체적인 평가방법과 도구를 개발한다.

③ 3단계: 학습경험과 수업의 계획(학습계획)
　　㉠ 실제 활용할 수 있는 교수·학습지도안을 개발한다.
　　㉡ 학습경험과 수업계획의 수립은 WHERETO의 원리를 따른다.

(3) WHERETO의 원리
① W(단원의 방향과 목적): 교사는 높은 기대수준과 학습방향을 제시한다(Where are we headed?).
② H(주의환기와 흥미 유지): 학습자들의 도전의식을 고무하며 관심을 이끈다(Hook the student).
③ E(탐구하고 경험하기): 수행과제를 투입하면서 주제를 넓게 탐구시킨다(Explore).
④ R(반성하기, 다시 생각하기, 개정하기): 높은 성취 수준을 수행하고 있는지 점검한다(Review, Rethink, Revise).
⑤ E(작품과 향상도를 평가하기): 성취의 증거들을 발표하고 전시한다(Exhibition).
⑥ T(학습자에게 맞추기, 그리고 작품을 각 개인에 맞게 개별화하기)
⑦ O(효과적인 학습을 위한 내용 조직 및 계열화): 최적의 효과성을 위해 조직하기

2. 특징

(1) 평가설계가 내용설계에 앞서 설계되기 때문에 목표, 즉 성취기준(standards)에 맞는 평가계획이 가능하고, 목표와 평가에 합치되는 내용설계가 가능하여 목표, 내용, 평가가 일치하는 교육과정 설계가 가능하다.

(2) 목표에 도달했을 때 나타날 수 있는 성취기준(standards)을 바탕으로 교육과정을 설계하고 그를 토대로 수업을 전개하기 때문에 성취평가제(절대평가제도)에 대비한 수업을 운영할 수 있다.

(3) 타일러(Tyler)의 교육과정 설계 모형(합리적 모형)을 바탕으로 브루너(Bruner)의 지식의 구조 모형을 결합한 모형이다. 브루너의 '지식의 구조(학문의 기본 개념, 원리, 핵심적 아이디어)'를 교수학습의 궁극적 목적으로 삼아, 교과에 대한 학습자의 심오한 이해나 고등사고능력을 평가계획과 연결하여 신장시킬 수 있다.

(4) 목표설정과 동시에 평가계획을 고려한 통합적인 설계 모형으로, 평가계획은 학습경험과 조직을 통해 계속적으로 실행됨으로써 교사의 교육에 대한 책무성을 강조한다.

(5) 학습경험과 조직, 즉 수업의 단계에서 학습자의 심리적 요소와 수업의 과학적 흐름을 연결시키는 WHERETO의 원리를 중시한다.

제3절 교육과정 연구에 대한 이론적 접근방법

1 전통주의(1920~1960): 교육과정 전문가의 관점

보비트(Bobbitt), 타일러(Tyler), 타바(Taba) ⇨ 이론적 개발모형

1. **실용주의적·처방적 접근**: 광범위한 분야(심리학, 사회학, 경영학 등)의 이론을 적용, 교육과정 개발과 같은 실제적 업무에 유용한 지침이나 방법 등을 처방하는 데 관심

2. **합리적·체제적 접근 모형**: 체제분석적 관점에서 접근 ⇨ 체제와 상호작용 중시
3. **목적·수단론적 접근**: 교육과정 사고의 출발점은 교육목표, 나머지는 목표의 효과적 달성 수단
4. **가치중립성 추구**: 탈역사, 탈정치, 탈윤리

❷ 개념-경험주의(1960~1970): 교과 전문가의 관점

슈왑(Schwab), 워커(Walker), 브루너(Bruner) ⇨ 실제적 개발모형

1. **자연과학적·실증주의적 접근**: 교육과정 실제 문제에 대한 자연과학적 연구방법 중시, 자연과학적 방법을 사회과학에 적용 ⇨ 교육과정 현상을 설명, 통제, 예언
2. **지적·학구적 접근**: 교육과정 현상과 관련된 개념과 아이디어를 명료화
3. **가치중립성 추구**: 탈역사, 탈정치, 탈윤리

❸ 재개념주의(1970~): 교육과정 전문가의 관점 14. 지방직. 12. 국가직 7급, 10. 경북

파이너(Pinar)의 「교육과정 이론화: 재개념주의자(Curriculum Theorizing: The Reconceptualist)」(1975)에서 처음 사용. 아이즈너(Eisner), 파이너(Pinar), 지루(Giroux), 애플(Apple) ⇨ 예술적 개발모형, 교육과정의 이해 패러다임

1. **인본적·심미적 접근**: 교육과정 이론과 실천보다 교육경험에 대한 이념, 목적, 본질 지향 ⇨ 기존 교육과정을 비판적으로 검토, 인본주의적 관점에서 재개념화
2. **신교육사회학의 이론적 접근**: 교육과정에 내재된 이데올로기 분석 ⇨ 특정 이데올로기로부터의 학생들의 삶의 해방 추구
3. **가치추구성**: 기술성, 과학성, 객관성 거부

재개념주의적 탐구접근 비교(Mazza)

구분	내용	대표자
역사적 접근	기술공학적 패러다임에 대해 역사적 측면에서 비판하는 접근	클리바드(Kilibard), 애플(Apple)
미학적·철학적 접근	행동적 교육목표에 대한 비판을 가하는 접근	휴브너(Huebner), 그린(Green), 맥도날드(MacDonald), 아이즈너(Eisner)
정신분석학적 접근	교육의 비인간화 현상에 대한 비판을 가하는 접근 ⇨ 현상학적 접근	파이너(Pinar)
사회적·정치적 접근	교육과정의 사회적 기능에 대하여 비판을 가하는 접근	휴브너(Huebner), 맥도날드(MacDonald), 애플(Apple), 지루(Giroux)

제4절 교육과정의 개발절차

1 구성요소와 절차

2 교육목표의 분류(B. S. Bloom) 20. 국가직 7급, 12·06. 서울

「교육목표 분류학(The taxonomy of educational objectives)」 ⇨ 행동적 영역의 목표를 세분화

> **교육목표 분류 비교**
>
> 1. **타일러**(Tyler): 2원 목표 분류 ⇨ 내용(지식) 차원, 행동(인지과정) 차원
> 2. **블룸**(Bloom): 교육목표 분류학 ⇨ 행동적 영역의 목표를 인지적 영역(Bloom, 1956), 정의적 영역(Krathwohl, 1964), 심리운동적 영역(Harrow)으로 세분화
>   ① 의의: 수업설계·실행·평가에 도움 제공
>   ② 한계
>   ㉠ 세 영역의 교육목표를 독립된 실체로 설명하고 있으나, 영역의 경계가 명확하지 않은 부분이 있다.
>   ㉡ 인지적 영역과 정의적 영역이 분리되어 학습되지 않는다(Eisner).
>   ㉢ 총체적인 개인의 성장을 위한 목표달성을 촉진하는 복합적인 행동영역이 없다.

1. **인지적 영역**(Cognitive domain) – '지식'과 '지적 기능'(이해력~평가력)으로 분류

   '복합성(복잡성)의 원리'에 따라, 지식 ⇨ 이해력 ⇨ 적용력 ⇨ 분석력 ⇨ 종합력 ⇨ 평가력

   (1) **지식**(Knowledge): 이미 배운 내용(개념, 사실, 원리, 방법 등)을 기억했다가 재생·재인(再認)할 수 있는 능력 ⇨ 가장 단순한 정보 재생 능력(암기 수준)
      ① 용어, 사실 등의 특수 사상(事象)에 관한 지식 **예** 산소의 원자기호를 쓰시오.
      ② 학문 분야의 규칙, 경향과 계열, 분류와 유목 등 특수 사상(事象)을 다루는 방법과 수단에 관한 지식
      ③ 보편적·추상적 사상(일반법칙, 이론, 구조)에 관한 지식 **예** 삼투압의 원리를 쓰시오.

   (2) **이해력**(Comprehension): 지식을 바탕으로 자료의 의미를 파악하는 능력
      ① 번역(translation): 다른 언어나 상징 형태로 표현 **예** 주어진 2차 방정식을 그래프로 그리기, 영어 문장을 우리말로 옮기기, 그림이나 도표의 내용을 말로 설명하기
      ② 해석(interpretation): 주어진 자료들 사이의 관계를 규명하여 전체적인 견해 정립
         예 건축설계도를 읽는 능력, 소설을 읽고 작가의 핵심사상을 파악하는 능력

③ 추리(extrapolation) : 주어진 자료에 담겨진 경향을 해독하고 이를 바탕으로 결과를 추측 ⇨ 번역, 해석을 토대로 경향·추세·조건을 해독하고 추정·예측할 수 있는 능력
　　예 장래 예언 능력, 추론적 결론을 내릴 수 있는 능력, 물가변동 관련 지표를 보고 이 시기를 지난 다음에 어떤 사태가 일어날 것인지를 추측하기

(3) **적용력**(Application ≒ 응용력, 전이력)
① 특수한 사태, 구체적 사태에 추상 개념(**예** 개념, 방법, 원리, 학설, 이론)을 사용하는 능력
② 추상 개념을 기초로 새로운 문제 사태에 사용하여 문제를 해결할 수 있는(problem solving) 능력 **예** 사회과학의 법칙이나 결론을 실제 사회문제에 응용하는 능력, 삼각함수의 이론을 이용하여 지형의 거리 측정하기

(4) **분석력**(Analysis) : 주어진 자료를 구성부분으로 분해하고 부분 간의 상호관계와 그것이 조직되어 있는 방법을 발견하는 능력   23. 국가직
① 요소분석(analysis of elements) : 자료를 그 구성부분으로 나누어 자료의 요소를 발견하고 분류하는 능력 **예** 사실과 가설의 식별 능력
② 관계분석(analysis of relationship) : 요소와 요소, 부분과 부분 간의 관계를 찾아내는 능력
③ 조직원리의 분석(analysis of organizational principles) : 자료를 전체로 묶고 있는 조직원리, 즉 배열과 구조를 인식하는 능력

(5) **종합력**(Synthesis) : 여러 개의 요소나 부분을 전체가 하나가 되도록 묶는 능력 ⇨ 이전에 경험한 부분들을 새롭고 잘 통합된 전체로 구성된 새로운 자료로 창안해 내는 창의적인 능력(≒ 창의력)
① 독특한 의사전달방법의 창안 능력 **예** 즉흥 연설하기, 작곡 능력, 새롭게 작문하는 능력
② 조작의 계획 및 절차의 창안 능력 **예** 가을 운동회 계획 수립 능력
③ 추상적 관계의 추출 능력 **예** 주어진 자료에서 잠정적인 가설을 형성하는 능력

(6) **평가력**(Evaluation ≒ 판단력, 비판력) : 어떤 목적을 가지고 아이디어, 작품, 해답, 방법, 소재 등에 관한 가치를 판단하는 능력 ⇨ 어떤 준거나 규준을 활용하여 자료의 가치를 판단하는 능력, 최상위 수준의 인지능력
① 내적 준거에 의한 평가 : 어떤 자료에 대한 내적 일관성, 논리적 정확성, 기타 내적 준거에 의해서 의사전달 자료의 결함 유무를 판단하는 것
② 외적 준거에 의한 평가 : 선정된 준거나 기억된 준거에 의해서 특정 신념을 비판적으로 평가하는 것

2. 정의적 영역(Affective domain)

'내면화의 원리'에 따라, 감수 ⇨ 반응 ⇨ 가치화 ⇨ 조직화 ⇨ 인격화(성격화)

(1) **감수**(感受, 수용, Receiving): 느낌 ⇨ 어떤 현상이나 자극에 대하여 긍정적인 반응을 보이는 것, 수동적 반응 **예** 인지(認知), 자진 감수, 주의집중(선택적 관심)

(2) **반응**(反應, Responding): 느낌을 표현하는 단계 ⇨ 주의집중을 넘어 특정 현상이나 자극에 대해 어떤 활동적·적극적인 반응을 보이는 것, 적극적 반응(≒ 흥미) **예** 묵종적(默從的) 반응, 자진반응, 반응에 대한 만족

(3) **가치화**(Valuing): 느낌이나 현상에 대한 의미 부여 ⇨ 어떤 사물이나 현상·행동에 대하여 그 의미와 가치를 부여하여 내면화하는 행동 **예** 가치의 수용, 가치의 선호, 가치의 확신

(4) **조직화**(Organizing): 가치체계의 확립 ⇨ 여러 가지 가치의 비교와 연관을 통해 가치를 종합하고 자기 나름대로 일관성 있는 가치체계를 확립하는 단계 **예** 가치의 개념화, 가치체계의 조직

(5) **인격화**(Characterization ≒ 성격화): 가치체계를 바탕으로 지속적이고 일관성 있고 확고한 행동이나 생활양식으로 발전하여, 그의 인격의 일부로 내면화되는 단계 **예** 일반화된 행동태세, 인격화

3. 심리운동적 영역(Psycho-motor domain, 신체적 영역)

(1) **반사적 운동**(reflex movements): 개인의 심리적 의지와는 무관하게 이루어지는 동작, 보다 높은 운동기능의 발달에 기초 **예** 파악반사, 무릎반사, 동공반사

(2) **초보적 기초 운동**(basic-fundamental movements): 여러 가지 또는 몇 개의 반사적 운동이 함께 발달되고 통합됨으로써 이루어지는 동작 **예** 이동 운동, 비이동 운동, 손 운동 ⇨ 걷기, 달리기, 뛰기, 밀기, 잡기

(3) **운동지각능력**(perceptual abilities): 감각기관을 통하여 지각·해석하고, 환경에 대처하는 능력 **예** 근육 변별, 시각 변별, 청각 변별, 촉각 변별, 자기조정능력 ⇨ 근육 운동, 시각, 듣기, 촉각

(4) **신체적 운동기능**(physical abilities): 일련의 숙달된 운동을 연속시켜 가는 데 필요한 기초기능 **예** 지구력, 힘, 유연성, 민첩성 ⇨ 견디기, 저항력

(5) **숙련된 운동기능**(skilled movement): 비교적 복잡하고 숙련된 운동기능 **예** 단순 적응기능, 복합 적응기능, 혼합 적응기능 ⇨ 게임, 스포츠, 춤추기, 기계체조, 타자하기

(6) **동작적 의사소통**(non-discursive communication): 신체적 운동 및 동작을 통하여 감정, 흥미, 의사 등을 표현하는 능력 **예** 표현 운동, 설명적 운동

제5절 교육과정의 유형(I): 공식적 학교 교육과정의 유형

1 공식적(의도적, 형식적, 표면적) 교육과정(formal curriculum): 제1의 교육과정 22. 국가직, 19. 지방직

1. 개념
학교의 의도적·계획적 조직 및 지도하에 학습되는 교육과정

2. 유형
(1) **교육과정 발달사에 따른 구분**: 교과 중심 교육과정, 경험 중심 교육과정, 학문 중심 교육과정, 인간 중심 교육과정, 통합적 교육과정

(2) **교육과정 결정요소에 따른 구분**: 교과(학문), 학습자(개인), 사회

■ 공식적 교육과정 유형 비교

구분	교과중심 교육과정	경험중심 교육과정	학문중심 교육과정	인간중심 교육과정
연대	1920년대 이전까지	1930~1950's	1960~1970's	1970~1980's
교육 목적	문화유산의 전달, 이성의 계발	생활인(적응인) 양성, 성장	탐구력 배양, 지적 수월성 도모	전인적 인간 형성, 자아실현
철학 배경	(구)본질주의, 항존주의	진보주의	구조주의, (신)본질주의, 인지심리학(Piaget)	실존주의, 현상학, 인본주의 심리학
특징	• 교사 중심 교육 • 논리적·체계적 학습 • 계통학습 • 지적 영역의 학습	• 아동 중심 교육 • 문제해결력 함양 • 과외활동 중시 • 전인교육 중시	• 탐구과정과 방법 중시 • 지식의 구조 중시 • 나선형 교육과정 • 대담한 가설, 핵심적 확신	• 잠재적 교육과정 중시 • 통합 교육과정 중시 • 인간주의적 교사(수용, 공감적 이해, 진정성) • 학교 환경의 인간화
유형	분과형, 상관형, 융합형, 광역형	활동형, 생활형, 생성형, 중핵형	나선형	
교육 내용	문화유산+기본 지식(3R's), 진리	생활 경험(광의의 경험)	지식의 구조	포괄적 내용(지·덕·체), 실존적 경험
교육 과정 조직	분과형 (논리적 배열)	통합형 (심리적 배열)	나선형 (절충형 배열)	균형성, 필요충족성, 다면충족성
교육 방법	강의법(반복적 교수를 통한 지식 주입)	문제해결학습, 구안법	발견법, 탐구법	성장
정의	교수요목(敎授要目)	계획된(의도적) 경험	지식 탐구과정의 조직(지식의 구조)	경험의 총체 (의도적+비의도적 경험)
전이 이론	형식도야설	동일요소설	일반화설(동일원리설), 형태이조설	

❷ 교과 중심 교육과정(~1920년대)

1. 개념
학교의 지도하에 학생이 배우는 모든 교과와 교재

2. 특징
(1) 교사 중심 교육과정, 전통적·보편적인 교육과정, 형식도야설(능력심리학), 본질주의와 항존주의에서 중시 **예** 서양의 7자유과, 동양의 6예, 교수요목(syllabus)

(2) 수업의 사전 계획성, 교사의 주도권 중시, 설명과 강의를 통한 전달, 일률적 교재학습

3. 유형
(1) **분과(교과) 교육과정**(subject matter curriculum): 교과의 한계선 유지 ⇨ 한 교과를 다른 교과와 완전히 독립하여 조직된 교육과정 **예** 물리, 화학, 지구과학, 생물

A	B	C	D
정치	경제	화학	생물

(2) **상관(관련) 교육과정**(correlated curriculum): 교과의 한계선을 유지하면서 교과 간 공통 내용을 추출하여 구성 **예** 사실의 상관, 원리의 상관, 규범의 상관

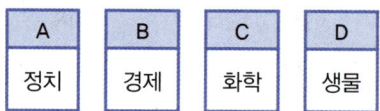

(3) **융합 교육과정**(fused curriculum): 간학문적 설계 ⇨ 교과 간 공통 내용 추출, 새로운 교과 구성
① 몇 개의 학문에 공통되는 내용, 즉 주요 개념, 원리, 법칙, 탐구방법 등을 중심으로 새로운 교과나 단원을 만드는 방법
   예 초등학교 1, 2년 '슬기로운 생활' 교과 ⇨ 주제별 편성(제4, 5차 교육과정, 다학문적 설계)에서 개념과 탐구방법 중심(제6, 7차 교육과정, 간학문적 설계)으로 편성

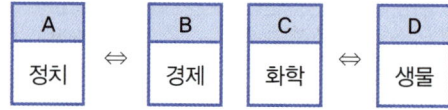

② 특징: 각 학문의 개별적 성격이 약화되고 학문들 간에 공통되는 내용이나 방법을 중심으로 구성
③ 장점: 종합적인 인식론적 경험을 조성하여 학생과 교사의 동기 유발, 교사 자신이 교과 분석을 토대로 간학문적 단원 설계 가능

(4) **광역 교육과정**(broad-field curriculum): 다학문적 설계 ⇨ 동일한 교과들을 묶어서 하나의 교과에 통합(교과형+생활형) ⇨ 통합성이 가장 강함.
① 유사하거나 인접한 학문들을 모아서 하나의 교과 또는 단원을 구성하는 방법
   예 초등학교와 중학교의 국어, 사회, 과학 등의 교과, 초등학교의 '즐거운 생활'

② **교육과정 조직방법**: 주제법을 많이 활용 ⇨ 주제와 관련하여 지식·개념·원리를 통합
③ **장점**: 학문의 개별적 성격이 유지되고 여러 학문 속에 들어 있는 주제와 관련된 지식, 기능, 가치 습득이 쉬움.

4. 장단점

장점	단점
• 지식의 전달이 용이(체계적 조직) • 문화유산의 전달이 용이 • 초임교사도 쉽게 운영 가능 • 교수-학습활동에의 통제가 용이 • 교육평가 및 측정에 용이 • 교육과정의 중앙집권적 통제가 용이 • 사전 계획성으로 인해 교사, 학생, 학부모들에게 안정감을 제공	• 학생들의 필요·흥미 무시 • 고등정신 능력(비판력, 창조력 등) 함양 곤란 • 수동적 학습태도 형성 • 민주적 태도나 가치 형성 곤란 • 단편적인 지식 주입 • 경쟁적 풍토 조장(상대평가의 경우) • 교육목적 달성을 충분히 수행하도록 이바지하지 못함. • 실제 생활문제와의 유리 및 비실용적 지식 전달

❸ 경험 중심 교육과정(1920~1950) 16. 국가직, 15. 지방직, 11. 서울, 09. 대전

1. 개념
학교의 지도하에 학생들이 가지게 되는 모든 경험

2. 특징 10. 울산

아동 중심 교육과정, 경험(생활) 중심 교육과정, 진보주의 교육, 생활인의 육성이 목표, 전인교육 강조, 교과활동 못지않게 과외활동을 중시, 문제해결력의 함양을 강조 ⇨ 교과보다 생활, 지식보다 활동(행동), 분과보다 통합, 교사의 교수보다 학습자의 활동을 중시

📖 교육자의 교과와 학습자의 교과의 특징 비교(Dewey)

교육자의 교과(subject-matter of educator)	학습자의 교과(subject-matter of learner)
• 교육자에게 이해되는 상태로서의 교과 • 논리적 조직 • 형식적인 사고의 반영 • 교과내용의 논리적 조직 • 사고의 결과 • 정당화의 맥락 • 결과를 설명하는 데 유용 • 탐험의 결과로서의 지도에 비유	• 학습자의 경험 안에서 발달되어 가는 교과 • 심리적 조직 • 실제적인 사고의 반영 • 교과내용의 심리적 조직 • 사고의 과정 • 발견의 맥락 • 결론에 도달하는 데 유용 • 탐험 과정 자체에 대한 기술

3. 유형

활동 중심 교육과정, 생활영역 교육과정, 생성(현성) 교육과정, 중핵 교육과정

(1) **활동 중심 교육과정**(activity curriculum): 학습자의 흥미나 요구에 기초하여 학습경험을 선정하고 조직 ⇨ 학교활동에 포함되는 학습자의 모든 활동경험 예 구안법(Kilpatrick)

(2) **생활영역**(경험형 광역) **교육과정**: 생활·흥미·경험 등을 생활활동 중심 또는 사회기능 중심으로 묶어서 학생들이 학습하도록 조직 예 사회생활영역, 가정영역, 언어생활영역

(3) **생성(현성) 교육과정**(emerging curriculum): 사전에 계획을 세우지 않고 교육현장에서 학생과 교사가 협력하여 교육과정을 함께 구성 ⇨ '만들어가는 교육과정'

(4) **중핵 교육과정**(core curriculum, 필수 교육과정) 04. 부산

① 중심 과정과 주변 과정이 동심원적으로 결합된 구조를 갖는 교육과정 ⇨ 교과 중심 교육과정과 경험 중심 교육과정의 결핍을 보완
  ㉠ 가장 중요한 것을 중심에, 그 외 나머지 것들을 중심을 둘러싼 주변에 배치
  ㉡ 학생들에게 현재 의미 있는 내용을 선택하고 이를 철저히 탐구하는 데 필요한 시간을 주려는 의도

② 교과의 선을 없애고 학습자의 요구나 해결해야 할 사회문제를 중심으로 조직 ⇨ 무엇을 중핵으로 삼을 것인가는 교육과정 개발자의 관점에 좌우
  ㉠ **교과 중심 중핵 교육과정**: 몇 개의 교과를 선정하거나 통합시켜서 중핵으로 하고 나머지는 주변학습으로 돌리는 교육과정
  ㉡ **개인 중심 중핵 교육과정**: 학생 개인의 필요와 흥미를 중심 과정에 두는 교육과정
  ㉢ **사회 중심 중핵 교육과정**: 사회기능과 사회문제를 중심 과정에 두는 교육과정

4. 장단점

장점	단점
• 학습자의 흥미와 필요가 자발적 활동을 촉진 • 현실적이고 실제적인 생활문제를 해결할 수 있는 능력 함양 • 민주시민으로서의 자질 함양 용이 • 학교와 지역사회와의 유대 강화 • 학교생활의 여러 가지 장면의 통합 증진 • 개인차에 따르는 학습 용이 • 급격한 사회 변화에 적응하는 인간 육성 용이	• 학생의 기초학력 저하를 초래할 수 있음. • 교육시간의 경제성을 무시 • 교육과정 분류의 준거가 명확하지 못함. • 사전에 계획하지 않기 때문에 행정적 통제가 어려움. • 교직 소양과 지도방법이 미숙한 교사는 경험 중심 교육과정 운영이 어려움. • 조직상의 논리적인 체계가 부족함. • 직접경험에서 얻어진 원리나 사실을 새로운 장면에 적용하기 어려움.

❹ 학문 중심 교육과정(1960~1970) : 학문(= 교과의 내용, 지식의 구조)

24·22. 국가직 7급, 23. 지방직, 13. 국가직, 12. 국가직, 11. 서울, 10. 울산·경기·경남, 08. 서울·국가직 7급, 07. 서울

1. 등장 배경

(1) **학문적 배경** : 후기(신)본질주의(철학적 배경), 피아제(Piaget)의 인지심리학(심리학적 배경)

(2) **정치적 배경** : 구소련의 Sputnik 위성 발사(1957) ⇨ 진보주의에 대한 비판, 생활적응교육 비판 및 교육내용 혁신 주장, 교육개혁방안 마련을 위해 매사추세츠 우즈홀(Woods Hole) 회의 개최

> **더 알아보기**
>
> **매사추세츠 우즈홀(Woods Hole) 회의(1959. 9.)**
>
> 1960년 브루너(J. S. Bruner)가 회의의 종합 보고서인 「교육의 과정(The process of education)」을 출간 : 교과를 잘 가르친다는 것은 지식의 구조를 가르쳐야 한다는 것이다.
>
> 1. "미국의 학교에서 교과를 가르치는 데 관한 근본적인 문제가 무엇인가?"
>   ① 교과를 '교과답게' 또는 '그 교과의 성격에 충실한 형태로' 가르치지 않았다.
>   ② 교사는 표면상 교과를 가르치는 듯했지만, 사실은 '교과가 아닌 다른 어떤 것'을 가르치고 있었다.
>   **예.** 물리학을 가르칠 때 학생들로 하여금 '물리학자들이 하는 일(물리 현상을 탐구하는 일)'을 하도록 한 것이 아니라, 물리학자들이 물리 현상을 탐구한 결과로 얻은 결론, 즉 물리학의 법칙이나 원리를 학생들에게 제시하고 그것을 받아들이도록 했다.
>   ③ 교과의 중간언어(middle language)를 가르쳤다. ⇨ 학자들의 탐구 결과를 학생들에게 전달해 주는 언어, 교사언어
>
> 2. "교과를 잘 가르친다는 것은 무슨 의미인가?"
>   ① 교과를 '교과답게' 가르쳐야 한다. ⇨ 학생들로 하여금 해당 분야의 학자와 비록 '수준'에 있어서는 다르다 하더라도, '종류'에 있어서 동일한 일을 하도록 하는 것이다.
>   **예.** 물리학을 공부하는 초등학교 3학년 학생은 물리학자와 본질상 동일한 일을 한다. ⇨ 핵심적 확신
>   ✎ **대담한 가설** "어떤 교과이든 지적 성격을 그대로 두고 발달의 어떤 단계에 있는 어떤 아동에게도 효과적으로 가르칠 수 있다."
>   ② '동일한 일을 한다.'는 것은 학생들로 하여금 '학자들이 하는 일', 즉 '개별 현상을 탐구하는 일'을 하게 한다는 뜻이다.
>   **예.** 물리학을 배운다는 것은 물리학적 현상을 '볼 수 없는 상태'에서 '볼 수 있는 상태'로 나아가게 한다는 것이다.
>   ③ 교과언어(subject language)를 가르쳐야 한다. ⇨ 학자들이 개별적 현상을 탐구할 때 하는 생각 그 자체, 학자들의 언어

(3) **시대적 배경** : 지식과 기술·정보의 폭발적 증가에 대처 ⇨ 전이가(轉移價)가 높은 지식(적은 양의 지식으로 활용범위를 극대화)을 선정·조직하여 교육, 지식의 경제성 중시

2. 개념

구조화된 일련의 의도된 학습결과(Intended learning outcome)로서 각 학문에 내재해 있는 지식 탐구 과정의 조직 ⇨ 학문의 내용과 탐구 과정(지식의 구조)이 가장 중요

3. 특징

(1) **교육목적**: 지적 수월성(intellectual excellence) 확보

(2) **교육내용**: 지식의 구조(The structure of knowldege) ^{19. 지방직}

① 개념
  ㉠ 어떤 교과의 '기본개념과 기본원리', '일반적(핵심적) 아이디어', '탐구 과정', '학자들이 하는 일', '교과언어'이다.
  ㉡ 각 학문 분야에서 가르쳐야 할 가장 중요하고도 기본적인 교육내용(요소, 개념, 원리)들을 논리적인 구조에 의해 체계적으로 조직한 것을 말한다.

> 우산의 경우를 생각해 보자. 예컨대 "우산은 비를 막는 것이다."라는 말은 그 자체로는 완전한 의미를 나타내지만 그렇다고 해서 "우산의 구조는 비를 막는 것이다."라는 표현은, 적어도 정상적인 어법으로서는 용납될 수 없다. 이것은 곧 비를 막는 것이 우산의 구조가 될 수 없다는 것을 말해 준다. '우산의 구조는 ······'이라는 말 다음에 우리가 자연스럽게 기대하는 것은 가운데에 대가 있고 팔방으로 살이 나 있으며, 그 위에 천이 덮여 있고, 대 끝에는 손잡이가 달려 있 ······는 식의 말이다. 가운데에 대가 있고 ······ 라는 대답이 우산의 구조를 말하는 것과는 달리 비를 막는 것이라는 대답은 우산의 용도, 또는 우산의 기능을 말하는 것이다.
> 이와 같이, 구조(structure)와 기능(function)은 우산의 상이(相異)한 측면, 또는 우산을 파악하는 상이한 방법을 나타낸다고 볼 수 있다. 그리하여 구조의 의미를 파악하는 한 가지 방법은 기능과의 대비에서 찾아볼 수 있을 것이다. 또한, 구조는 '사물의 안'을 말하는 것임에 비하여 기능은 '사물의 바깥'을 말하는 것이다. 구조가 사물의 안을 기술한다고 할 때, 그 말에 들어 있는 가장 중요한 의미는 그 사물을 하나의 온전한 전체, 외부와의 관련이 없이 독립적으로 존재하는 하나의 완결된 실체로 파악한다는 뜻이다.

  ㉢ 나선형 교육과정(계열성의 원리), 발견학습(학습자가 스스로 답을 발견, 학습방법의 학습), 형태이조설(개념과 개념 간 관계 파악 ⇨ 전이가가 높다.)

② "지식의 구조를 가르친다."는 의미
  ㉠ 학생들로 하여금 해당 분야의 학자들과 똑같은 일(교과언어, 즉 학자들의 생각이나 탐구 과정 자체)을 하도록 하는 것이다. ≠ 학자들이 탐구해서 발견한 결과인 중간언어(middle language)를 가르치는 것
  ㉡ 한 가지 현상을 여러 가지 현상과 관련지어 이해하도록 하는 것이다. ⇨ 개별적인 사실이나 현상이 어떻게 관련되어 있는가를 학습하는 것
  ㉢ 각 교과를 특정 짓는 안목이나 사고방식을 이해하도록 하는 것 ⇨ 개별적인 사실이나 현상의 관련성을 파악하게 해 주는 틀, 사물이나 현상을 보는 안목, 탐구방법

③ 지식의 구조의 이점
  ㉠ 학습내용에 대한 쉬운 이해: 개별적 사실이나 현상을 연결해서 보는 안목을 익히게 되면, 다른 사실이나 현상과 연결해서 볼 수 있기 때문에 아동이 학습한 내용을 이해하기가 쉽다.
  ㉡ 학습내용에 대한 장기적 파지(기억): 서로 연결되지 않은 개별적 사실은 파지 기간이 짧으나, 개별적 사실이나 현상을 연결하는 구조는 오래도록 기억할 수 있다.

ⓒ 높은 전이가(轉移價, 파급효과): 원리나 법칙은 다른 개별적 사실이나 현상에 쉽게 적용할 수가 있다.
ⓓ 초등지식과 고등지식 간의 간격 축소: 초등학생이나 중학생, 고등학생, 대학생 모두가 학자들이 하는 것과 같은 종류의 일을 하기 때문에 지식의 간격을 좁힐 수 있다. ⇨ '핵심적 확신'

④ 지식의 구조의 요건
㉠ 표현방식(mode of representation): 동작적(작동적) ⇨ 영상적 ⇨ 상징적

인지발달단계(Piaget)	표현방식(Bruner)	표현방식의 예
• 감각운동기(0~2세) • 전조작기(2~7세)	작동적 표현방식(enactive representation, 0~5세)	일련의 직접적인 동작(예. 나무토막으로 정사각형을 짜 맞춘다. 양팔저울에 추를 올려놓는다. 시소를 타 본다.)으로 표현
구체적 조작기(7~11세)	영상적 표현방식(iconic representation, 6~9세)	도해, 그림이나 영상(예. 양팔저울 모형이나 그림)을 통해 표현
형식적 조작기(12세~)	상징적 표현방식(symbolic representation, 10~14세)	언어나 기호, 공식 등(예. 힘×거리 = 힘´×거리´)을 통해 표현

"어떤 교과이든 지적 성격을 그대로 두고 발달의 어떤 단계에 있는 어떤 아동에게도 효과적으로 가르칠 수 있다(대담한 가설)."

㉡ 경제성(economy): 기억해야 할 정보의 양이 적다.
㉢ 생성력(power): 전이가(轉移價, 파급효과)가 높다. ⇨ 일반화설(동일원리설), 형태이조설

(3) **교육과정의 조직**: 나선형 교육과정 ⇨ 지식의 구조 + 계열성 + 절충적 배열
① 동일한 교육내용(지식의 구조)이 학교와 학년(발달단계)이 높아짐에 따라 점차로 심화·확대되어 가는 교육과정 ⇨ 학습의 계열성을 중시
② 선행학습에 기초하여 동일한 교육내용을 점차 깊이와 넓이를 더해 가도록 조직한 교육과정
③ 나선형(spiral)은 달팽이나 조개껍질에서 보듯이 동그라미가 작은 것에서 연속적으로 점점 크게 돌아나가는 것을 말한다.
④ 조직방법: 하향식 조직
㉠ 먼저 학자들이 학문을 할 때 사용하는 '기본적인 아이디어'가 어떤 것인가를 확인하고, 그 다음에 차차 낮은 수준으로 내려오면서 각각의 수준에 맞도록 기본적 아이디어를 번역하여야 한다.
㉡ 교과의 깊이와 폭이 가장 큰 상태에서 점차 그 아래 단계의 수준에 맞게 줄여 가면서 조직한다.
㉢ 대학에서 하는 학문(대학 교육과정)을 먼저 결정하고, 차츰 고등학교, 중학교, 초등학교의 순서로 각 학교급별로 알맞게 번역하여 교육과정을 구성한다.

(4) **교육방법**: 발견학습(Bruner), 탐구학습(Massialas)
  ① 교사의 지시를 최소화하고 학습과제의 최종적 형태를 학습자 스스로 찾아내게 하는 방법
  ② 학습자가 학습에 능동적으로 참여하여 스스로 의문을 품고 탐구하여 그 해답을 발견하게 하는 방법
  ③ 교사의 역할: 탐구자료 제시, 해답을 발견하도록 단서 제공

(5) **학습동기면**: 외적 보상(예 칭찬, 상)과 같은 외적 동기 유발보다는 발견에 따른 내적 보상(예 지적 호기심, 만족, 기쁨)과 같은 내적 동기 유발을 중시

(6) **분석적 사고만큼 직관적 사고를 중시**: 직관적 사고(통찰적 사고, A-ha 현상)는 어떤 내용을 완전히 통달하는 것으로, 지식의 구조를 기초로 가능한 것이다.

  예 어떤 수학 문제를 풀 때, 그 문제를 가지고 오랫동안 씨름을 한 뒤에 갑자기 해결점에 도달하는 경우가 있는데, 그 해결점을 찾았음에도 불구하고 형식적인 말로 그것을 증명할 수 없는 경우가 있다.

  > 지식의 구조야말로 사고의 도약-사고에서 거쳐야 할 단계들을 뛰어넘고 지름길로 질러가는 것-을 가능하게 한다. 그리고 이때 얻은 결론은 나중에 분석적 사고(연역 내지 귀납)에 의하여 다시 점검되어야 한다. 우리는 직관적 사고와 분석적 사고가 서로 상부상조한다는 것을 인식할 필요가 있다. 직관적 사고를 통하여 사람들은 흔히 분석적 사고로는 도저히 해결할 수 없는 문제, 또는 해결한다고 해도 아주 오랜 시간이 걸려야 하는 문제들을 해결할 수 있다. …… 불행하게도 학교의 학습은 형식을 갖춘 내용을 다룬다는 사실 때문에 직관의 중요성이 과소평가되는 결과를 초래하였다. -「교육의 과정」

(7) **탐구와 발견의 학습 과정에서 나타나는 창조성(통찰력) 중시**

4. 장단점
(1) **장점**
  ① 지식과 기술의 폭발적 증가에 대처 가능(지식의 경제성 중시)
  ② 고등정신능력(적용력, 분석력, 종합력, 평가력) 함양
  ③ 지적 수월성 확보
  ④ 초등지식 수준과 고등지식 수준의 간격을 좁힐 수 있음(∵ 지식의 구조가 학문의 기본적인 내용이므로).
  ⑤ 높은 학습 전이가 가능: 일반화설(동일원리설), 형태이조설(구조적 전이설)
    ㉠ 일반화설(동일원리설): 학습과제 사이에 원리가 유사할수록 전이가 잘 된다.
    ㉡ 형태이조설(구조적 전이설): 지식의 구조와 관련된 전이이론 ⇨ 어떤 장면 또는 학습자료의 역학적 관계(수단과 목적의 관계)를 이해할 때 전이가 발생한다.
  ⑥ 탐구와 발견의 과정에서 나타나는 창의적 활동을 통해 교육의 질 향상

(2) 단점
① 학습자의 정서적 성장에 도움을 주지 못한다. ⇨ 지나치게 학문적이고 지적인 교육에 치중함으로써 정의적 교육(예 도덕교육, 예체능교육, 생활교육 등)에 소홀하게 되었다.
② 학습능력이 상위권에 있는 학습자에게 유리한 '소수정예주의 교육과정'이다. ⇨ 학습능력이 보통 이하 수준의 학습자에게는 적절하지 않아 학교교육의 비인간화, 비민주화 현상을 초래하고 있다는 비판을 받는다.
③ 교육과정 개발에 있어 특정 교과(예 과학, 수학)에 우선순위를 둠으로써 교과 간의 분절현상으로 교육과정 전반의 균형 유지가 어렵고, 아울러 전체적으로 지식을 통합하기도 어렵다.
④ 학문의 구조라는 순수 지식만을 협소하게 강조함으로써 학교 밖의 실생활과 유리되어 실용성이 적다. ⇨ 학문 중심 교육과정은 교육이 마땅히 관심을 가져야 할 개인적 필요나 요구 및 사회적 문제를 무시하고 추상적 지식에 치중하고 있다.
⑤ 지식의 구조는 학년의 수준에 맞게 번역(해석)되지 않으면 이해하기가 어렵다.
⑥ 교사가 지식의 구조를 충분히 이해하기가 어렵다.

5 인간 중심 교육과정(1970~) 05. 경기, 04. 국가직·부산

1. 개념
(1) 학생들이 학교생활을 하는 동안에 갖게 되는 모든(의도적＋비의도적) 경험
(2) 교육을 통한 자아실현(自我實現) 및 전인적 인간 양성 ⇨ 교육은 교과를 가르치는 것이 아니라 인간을 가르치는 것

2. 등장 배경
(1) 현대 산업사회의 비인간화(인간소외, 인간성 상실) 문제 극복 ⇨ 교육의 인간화 강조
(2) **학교교육의 한계와 역기능 비판**: 학교가 학생의 자발성·자율성 함양보다는 타율과 복종, 학습된 무기력을 길러 주는 비인간적인 교육의 장으로 전락 ⇨ 갈등론적 교육관(Illich, Reimer)
(3) **학문 중심 교육과정에 대한 비판**: 지적 학습을 강조하여 정의적 측면과 인간성 계발을 외면
(4) **교육의 수단화 극복**: 학교의 주된 기능을 사회 및 경제 발전에 필요한 인재 육성에 두는 교육의 수단화가 인간소외와 비인간화를 초래

3. 이론적 배경 - 실존주의(실존적 현상학), 인본주의 심리학 ⇨ 아동은 스스로 성장 가능성(잠재성)을 지닌 주체적 존재

4. 특징
(1) **잠재적 교육과정 중시**: 비의도적인 교육효과 중시, 교육의 정의적 측면 강조
(2) **통합 교육과정 중시**: 교과 중심 ＋ 경험 중심 ＋ 학문 중심 교육과정을 모두 포괄
(3) 교육의 목적은 자아실현 및 전인적 인간 양성

(4) 학교 환경의 인간화를 위해 노력(∵ 학교 환경이 인간 중심적으로 조성될 때 인간적인 경험을 할 수 있기 때문에)

(5) **인간주의적 교사를 요구**: 진실된 교사(진정성), 한 개인으로서 아동에 대한 존중(수용), 공감적 이해, 애정 ⇨ 인간주의적 교사의 특성(Patterson)

5. 장단점

장점	단점
• 전인교육을 통하여 인간의 성장 가능성을 조화롭게 발전시킬 수 있다. • 학습자의 개별적인 자기성장을 조장할 수 있다. • 학습자의 자아개념을 긍정적으로 형성하는 데 도움이 된다. • 교수·학습 과정에서 개방적·자율적 분위기를 조성하여 학습 과정을 통해 터득된 의미가 내면화되도록 할 수 있다. • 교육과 교육환경의 인간화에 기여한다.	• 자유로운 환경 조성과 역동적인 인간관계의 유지가 이루어지지 않으면 교육성과의 보장이 어렵다. • 교사들의 투철한 교육관이 확립되지 않으면 그 실현이 어렵다. • 과대학교와 과밀학급에 대한 개선 및 학교교육에서의 경쟁적 풍토 지양 등과 같은 행정적 조건 정비가 선행되지 않으면 그 실현이 어렵다. • 개인의 성장만을 중시하고 교육과 사회와의 관계를 경시할 수 있다. • 개념이 모호하고 이론 자체가 미비하다. • 교육의 인간화가 보장되지 않으면 그 실현이 어렵다.

6. 비판

(1) 이론 자체 미비(개념 모호)

(2) 개인의 성장만을 중시하고 교육과 사회와의 관계 경시

⑥ 통합 교육과정 06. 국가직 7급

1. 기원

(1) **헤르바르트의 단원사상**: 낱낱의 사실보다 작은 묶음으로 통합하여 가르치는 것이 효과적

(2) **모리슨(Morrison)의 단원사상**: 경험 내용의 통일성, 단일성, 전체성, 통합성을 의미

(3) 진보주의

2. 기능

학습내용보다는 학습 과정을, 지식체계보다는 지적 활동을, 논리보다는 학습자 심리를 강조

(1) **인식론적 기능**: 지식의 변화에 대처, 지식의 효율성 증대

(2) **심리적 기능**: 학습자의 학습 과정을 중시, 학습자의 발달수준과 필요에 적합한 교육, 학습자의 전인적 발달을 촉진

(3) **사회적 기능**: 사회문제의 해결에 효율적으로 대처, 교수-학습 과정에서의 협동심 육성, 학교와 사회의 연결

3. 유형

(1) **인그람**(Ingram): 지식의 역할 또는 접근방법에 따른 구분

① 평생교육의 관점에서 수직적 통합, 수평적 통합, 교육과정 통합을 제시

  ㉠ 수직적 통합: 일생에 걸친 교육적 경험이 학생들의 발달에 유기적인 도움이 되도록 여러 교육활동을 조정하고 조화시킨다는 의미에서의 통합

  ㉡ 수평적 통합: 특정 시점에서 학교교육, 가정교육, 사회활동, 대중매체 등 다른 교육기관의 교육적 영향이 학생들에게 관련성 있게 전달되도록 해야 한다는 것을 의미

  ㉢ 교육과정 통합: 수평적 통합의 한 측면으로, 학교에서 여러 교과들의 학습경험을 연결하고 조화시키는 것을 의미

② 교과 통합의 접근방식을 학습 과정에서의 지식의 역할에 따라 구조적 접근과 기능적 접근으로 구분

구조적 접근	• 교과(학문)의 논리적·인식론적 측면 중시: 교과에서 다루는 지식이 통합적 학습경험의 핵심으로, 지식의 구조의 재구조화가 통합의 주된 대상이 된다. • 교사 중심의 통합
기능적 접근	• 학습자의 심리적·사회적 특성을 중시: 지식은 통합적 학습경험을 위한 수단으로 사용되며, 학습자들의 생활이나 경험이 핵심적 위치에 서게 된다. • 학습자 중심의 통합

(2) **드레이크**(Drake): 학문이 연결되는 방식 또는 통합의 정도에 따른 구분

① 다학문적 통합(multi-disciplinary integration): 상호 독립적인 분야에서 관련 있는 주제를 통합적으로 다루는 것

  ㉠ 하나의 주제를 개별 학문(교과)의 측면에서 다양하게 다룸으로써 한 주제에 대한 통합을 시도하는 형태임. **예** 광역 교육법

  ㉡ 여러 학문들 간의 결합의 강도가 가장 낮은 형태로서 각 학문은 상호 독립적이면서 하나의 문제를 여러 각도에서 접근하는 방법임.

② 간학문적 통합(inter-disciplinary integration): 개념, 방법, 절차 등의 유사성을 공통분모로 새롭게 교과나 학문을 결합하는 통합

  ㉠ 여러 학문(교과)들에 공통으로 걸치는 주제를 선정함으로써 개별 학문들 간의 경계를 구분 짓기 어렵다는 특징이 있음.

  ㉡ 여러 학문들에 공통적인 주제, 개념, 문제, 이슈, 기능, 고등사고력 등을 중심으로 각 학문적 내용을 재구성하는 방법임. **예** 융합 교육과정

  ㉢ 각 학문 간의 독립성이 완전히 없어진 것은 아니지만 다학문적 접근에 비하여 학문의 독립성은 흐려짐.

③ 탈학문적 통합(extra-disciplinary integration): 교과의 구조를 무시하고 학습자 중심의 입장에서 자유로이 통합

  ㉠ 사회문제나 기능 등 교과 외적인 주제를 다루며, 결과적으로 교과의 경계가 완전히 사라지는 통합방식임. **예** 중핵 교육과정

  ㉡ 학생들의 흥미를 중심으로 다양한 교과들의 독립적인 영역을 초월해서 완전한 통합 형태를 이루려는 접근방법임.

융합교육과정 구성 방식: 과학(Science), 기술(Technology), 공학(Engineering), 예술(Art), 수학(Mathematics)

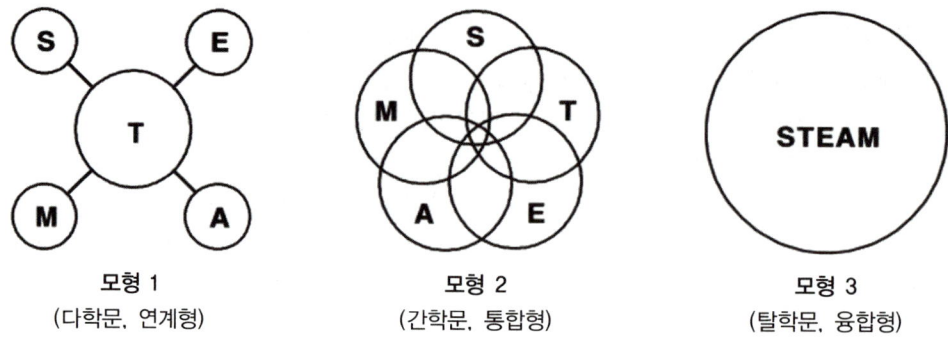

모형 1　　　　　　　　　모형 2　　　　　　　　　모형 3
(다학문, 연계형)　　　　(간학문, 통합형)　　　　(탈학문, 융합형)

7 교육과정 결정요소와 교육과정 유형

1. 개관

(1) **교육과정 결정의 3요소**(Tyler, Dewey) : 교과(학문), 학습자(개인), 사회

(2) 교육과정의 기본 성격을 결정하는 데 작용하고, 교육과정의 사조(유형, 경향)를 결정하며, 교육과정에 대한 여러 가지 정의나 개발 방식도 결정한다.

(3) 20세기 이전에는 교과가, 진보주의 교육이 우세한 때는 학습자 또는 사회가 주된 축을 차지해 왔다.

2. 사회

(1) **사회의 중요성**: 학교교육이 일정한 사회적 틀 속에서 이루어지며, 학교를 통해서 길러진 학습자가 일정한 사회 속에서 활동하게 되기 때문

(2) **사회의 입장에서 중시하는 교육과정의 요소**: 사회적 유용성(utility)
　① 교육과정의 구성요소들(예 지식, 전략, 태도 등)이 사회적 쓸모가 있을 때 사회를 유지하거나 변화시킨다.
　② 사회의 유지와 개혁, 그에 따른 학습자의 적응과 변화 능력 개발을 강조한다.

(3) **사회를 중심으로 한 교육과정의 종류**
　① **생활 적응**(life adjustment) **교육과정**: 실생활이 요구하는 지식, 기능, 태도, 행동양식을 효과적・효율적으로 습득하여 실생활 적응을 강조
　② **직업 준비**(vocational) **교육과정**: 직업 세계가 요구하는 기본 교양, 주요 소양, 핵심 역량을 익혀 효율적이고 생산성 있는 직업인 양성을 강조
　③ **중핵**(core) **교육과정**: 청소년의 관심을 끄는 사회의 문제와 쟁점을 중심으로 여러 교과의 내용을 통합적으로 구성
　④ **사회 개조**(social reconstruction) **교육과정**: 불합리하고 모순된 사회현실을 꿰뚫어 보고 이를 구조적으로 변화시킬 반성적・주체적 실천인의 양성을 강조

3. 학습자(개인)

(1) 학습자의 중요성
① 교육은 인간 형성 작용이기에 교육의 모든 것은 인간 형성을 돕는 조력자들이다.
② 교육과정의 목적은 학습자의 능력과 소질과 적성을 신장하고 그들의 요구와 진로를 만족시키는 교육적 배려에 있다.
③ 학습자는 교육과정이 제공하는 온갖 활동과 내용을 경험할 주체다.
④ 교육과정의 범위와 수준은 학습자의 이해와 발달수준에 의해 결정된다.
⑤ 학습자의 서로 다른 경험과 발달단계, 소질과 적성, 요구와 진로 및 애로는 교육과정 구성과 운영의 원천이 된다.
⑥ 학습자의 성취 정도에 대한 평가는 교육과정의 성패에 대한 잣대가 된다.

(2) 교육과정의 구성요소: 학습자들의 경험, 인간성, 인지능력의 발달, 지식의 구성능력

(3) 학습자를 중심으로 한 교육과정의 종류
① 경험 중심(experiential) 교육과정: 학습자의 흥미를 기초로 교육적 경험의 계속적 성장을 강조
② 인간 중심(humanistic) 교육과정: 인간의 타고난 선한 본성을 유지하거나 현대 사회에서 뒤틀린 학습자의 본성 회복을 강조
③ 인지주의(cognitive) 교육과정: 학습자의 학습내용 이해를 통한 인지구조의 질적 변화를 도모
④ 구성주의(constructive) 교육과정: 학습자의 적극적·능동적·참여적 지식 구성을 강조

4. 교과(학문)

(1) 교과의 중요성
① 초·중등학교 교육과정에서 교육과정의 핵심이 되는 내용
② 사회와 학습자의 요구를 담아서 전달하는 주요 수단

(2) 교과의 구비조건: 포괄성과 정확성, 논리적 정연성

(3) 교육과정의 구성요소: 학문적 최신 성과의 체계적 반영, 내용의 폭과 깊이의 균형, 학습내용의 전이력

(4) 교과를 중심으로 한 교육과정의 종류
① 교과 중심(subject-centered) 교육과정: 전통문화 중에서 다음 세대로 전해 줄 핵심적 문화내용을 담은 교과를 가르치고 배우자는 보수적 전통을 강조
② 학문 중심(discipline-centered) 교육과정: 각 학문의 기본 아이디어, 개념, 주제, 이론, 법칙, 원리들 사이의 관계로서 구조를 효과적인 학습전략으로 강조
③ 성취 지향(achievement) 교육과정: 구체적인 수업목표를 행동적으로 기술함으로써 교과의 교육효과를 높이려는 교육과정

제6절 교육과정의 유형(II): 학교 교육과정을 비판하는 교육과정 유형 12. 서울, 11. 울산

1 잠재적 교육과정[latent curriculum, 숨은(비공식적) 교육과정]: 제2의 교육과정
25·18. 국가직, 23. 국가직 7급, 20. 지방직, 11. 대전, 10. 경기, 08. 서울, 06. 강원, 04. 경기

1. **개념**: 잭슨(P. W. Jackson)이 소설「교실의 생활(life in classroom, 1968)」에서 처음 언급 17. 국가직
   (1) 학교에서 의도하지 않았던 학습결과를 초래하는 교육과정 ⇨ 학교의 상황을 통하여 학생들이 은연중에 가지게 되는 경험의 총체 08. 국가직
      ① 학교에서 의도했으나 의도와는 다른 학습결과를 초래하는 경우
         예 • 과학 실습시간 조별활동을 하면서 같은 조 친구들끼리 친해졌다.
            • 학생들에게 민주적인 생활태도를 기르기 위해 학생 자치활동을 허용했으나, 선거 과정에서 금품이 오 가는 현상이 발생하였다.
      ② 학교에서 의도하지 않았으나 학생들이 학습한 경우
         예 우리 반에 들어오는 수학선생님 때문에 수학과목이 싫어졌다.
   (2) 표면적인 교육과정을 제외한 학교의 전 경험
   (3) 교사가 계획하거나 의식하지 못하는 가운데 '교육실천과 환경'이 '학생들의 삶에 미치는 영향력과 그 결과' – 잠재적 교육과정은 학교나 교실에서 실제로 일어나는 일들을 밝혀 주었다는 교육적 가치를 지닌다. ⇨ 교육과정 '이해' 패러다임

2. **대두 배경**
   학교교육의 역기능(인간교육에의 실패)을 분석하고, '학교교육의 순기능을 확대시키려는 교육적 노력'(교육제도 자체 속에 인간교육을 해치는 요소들을 분석하여 이를 바로잡으려는 노력)에서 대두

3. **잠재적 교육의 장(場)**: 잠재적 교육과정이 나타나는 원천
   (1) **학교의 생태**
      ① 잭슨(Jackson): 군집성(crowd), 상찬(평가, praise), 권력관계(power)

군집성	교육의 평등성에 따라 상·중·하류층 아이들 모두가 학교에 모임으로써 상호 간에 어울리는 방법을 배운다.
상찬 (賞讚, 평가)	무시행학습(관찰학습)의 경우처럼, 학생들은 상호 간에 또는 교사에 의해 내려지는 여러 가지 형태의 평가 속에서 살아가는 방법을 배운다.
권력관계	아동은 학교 적응을 위해 학교에서 교사와 학교 당국의 권위에 적응하는 것을 배운다.

② 김종서

목적성	교육의 실제적 목적과 공식적 목적 간의 괴리 **예** 학교교육은 자아실현을 목적으로 하지만, 학부모가 명문대학 진학을 목적으로 할 때 학생들은 대학 진학 준비를 위해 공부를 하게 된다.
강요성	학생들로 하여금 학교 교칙, 교육과정, 학년제도, 시설 등에 맞춘 생활을 요구하는 과정에서 잠재적 교육과정을 경험하게 된다. **예** 쉬는 시간에만 물을 마실 수 있다.
군집성	각기 다른 특질이나 가정배경을 가진 학생들이 함께 생활 ⇨ Jackson의 군집성
위계성	교사와 학생 간, 학생과 학생 간 위계질서 속에서 생활 ⇨ Jackson의 권력관계

(2) **학교의 장(場)**

물리적 조건	학교의 규모·위치, 교실의 공간, 책상과 의자의 치수, 조명, 기타 시설 설비
학교의 제도 및 행정 조직	학년제도, 담임제도, 직원조직, 교내 장학을 위한 여러 행정 절차
사회 및 심리적 상황	학교풍토, 학교문화

(3) **인적 구성요소**: 학교행정가(교장, 교감), 교사, 학생, 학부모

(4) **사회환경**: 가장 중요한 원천
   ① 잠재적 교육과정의 원천은 학교 내에서보다 사회환경에서 찾아야 한다.
   ② 잠재적 교육과정의 원천이 되는 학교 내의 특성은 궁극적으로 그것이 생성·유지되는 사회문화적 조건과 밀접한 관련을 맺고 있으며, 사회와의 상호작용에 의하여 결정된다.

4. **특징** 10. 국가직, 06. 강원, 05. 서울

(1) **학교교육의 전 상황과 관련**: 교사가 제일 중요

(2) **정의적 영역(예 태도, 가치관의 형성)과 관련**
   ① 교사의 인격적 감화, 품위, 교사와 학생의 인간관계 등
   ② 학생의 모형, 모델링(modeling)의 대상으로 교사의 역할 중시

(3) **학생들의 태도·가치관·신념 등 인간성 형성과 관련된 교육과정**: 사회적·정의적 발달 ⇨ 콜버그(Kohlberg)의 가치교육·도덕교육

(4) 표면적 교육과정과 잠재적 교육과정이 서로 조화되고 상보적인 관계에 있을 때 학생 행동에 강력한 영향을 미칠 수 있다.

(5) 잠재적 교육과정을 찾아내어 이를 계획한다 하여도 표면적 교육과정과 잠재적 교육과정의 구조는 변하지 않는다.

(6) 표면적 교육과정 자체에 잠재적 기능이 있다.

표면적 교육과정과 잠재적 교육과정의 비교 07. 인천

구분	표면적 교육과정(제1의 교육과정)	잠재적 교육과정(제2의 교육과정)
교육방법	학교의 의도적·계획적 조직 및 지도하의 학습	학교생활에서의 무의도적 학습
학습영역	인지적 영역	정의적 영역(태도·가치관) ⇨ 인간교육
학습경험	교과, 교재	학교의 문화와 풍토, 생활 경험
학습기간	단기적·일시적·비영속적 경향	장기적·반복적·영속적인 경향
교사의 역할	지적·기능적 영향	인격적·도덕적 감화 ⇨ 학생의 동일시 대상
학습내용	가치 지향적인 내용(바람직한 내용)만 포함	가치 지향적인 것과 무가치적·반사회적인 내용(바람직하지 못한 내용) 모두 학습

5. 잠재적 교육과정의 의의

(1) **교육과정의 개념 확장에 기여하였다.**
① 교육과정 연구의 주된 패러다임이 '개발 패러다임(curriculum development paradigm)'으로부터 '이해 패러다임(curriculum understanding paradigm)'으로 전환되었다.
② 교육학자들의 관심이 '의도'와 '계획'보다는 '결과'와 '산출'을 중시하게 되었다.

(2) **교육평가의 개념 확장에 기여하였다.**
① 의도한 목표를 얼마나 성취했는가를 측정하는 전통적인 '목표 중심 평가'에서 벗어나 의도하지 않는 결과나 산출도 중시하는 '탈목표 중심 평가'가 등장하였다.
② 의도한 목표를 90% 달성했다 하더라도 의도하지 않은 심각한 부작용이 발생했다면 성공적인 교육을 수행했다고 보기 어렵다.

(3) **'학교교육이 이러이러해야 한다.'는 당위적 진술보다는 '학교교육이 이러이러하다.'는 사실적 진술에 더 많은 관심을 갖게 하였다.**
① 교육적 주장을 하기에 앞서서 학교교육의 실제를 정확히 이해해야 한다는 인식이 확산되었다.
② 학교와 교실 안의 사실을 정확하게 이해하기 위한 목적에서 학교교육에 관한 문화기술지적 연구(ethnographical study) 방법을 중심으로 한 질적 연구를 확산시켰다.

(4) **학교교육과 교육과정 효율성 제고에 기여하였다.**
① 공식적 교육과정과 잠재적 교육과정 간에 갈등이 발생할 경우 잠재적 교육과정이 공식적 교육과정보다 학생에게 더 강한 영향력을 미친다.
② 학교교육의 효율성을 제고하기 위해서는 공식적 교육과정뿐만 아니라 잠재적 교육과정도 활용할 수 있어야 한다.

❷ 영(零) 교육과정(null curriculum, 배제된 교육과정)

21 · 18 · 14. 국가직, 11. 국가직 7급, 10. 경북 · 전북, 08. 경기, 06. 대구 · 부산, 05. 강원

1. 개관

(1) **주창자**: 아이즈너(Eisner)가 저술한 「교육적 상상력」(1979) ⇨ 제3의 교육과정

① '영(null)'은 '법적인 구속력이 없는(zero에 가까운)'을 의미
  ㉠ 법적인 구속력이 있는 공적인 문서에 들어 있지 않아서 학교에서 가르치지 않은 교육내용
  ㉡ 공적인 문서에 들어 있지 않은 모든 내용이 영 교육과정이 되는 것은 아니다(∵ 교육과정은 가르칠 만한 가치가 있는 교육내용을 담고 있어야 하기 때문에).
  ㉢ 배울 만한 가치가 있는데도 불구하고 공적인 문서에 빠진 교육내용

② '영(null)'은 '학습할 기회가 없는(zero에 가까운)'을 의미
  ㉠ 교육적으로 가치 있는 내용 중에서 학생들이 학습할 기회를 갖지 못한 모든 내용
  ㉡ 공식적 교육과정에 포함되어 있다 해도 학습할 기회가 없었다면 영 교육과정이다.

(2) 겉으로 확인할 수 없는 무형(無形)의 형태로 존재하는 교육과정으로 교사의 마음속에 계획되어 있는 교육과정

(3) 학교에서 의식적 · 공식적 · 관습적으로 가르치지 않은(배제된) 교과나 지식 · 사고양식, 학생들이 공식적 교육과정을 배우는 동안에 놓치게 되는 기회학습 내용 ⇨ 배제된 교육과정(excluded curriculum)

> **예**
> • 클래식은 가르치나 대중음악은 가르치지 않음.
> • 지배계급의 부도덕성을 교과내용에서 삭제
> • 냉전시대에 북한의 실상을 의도적으로 가르치지 않음.
> • 교육과정에 철학교과를 배제
> • 문자나 숫자 위주의 표현양식만 강조하고 시각 · 청각 · 운동 등 다양한 표현양식 개발을 경시

(4) **영 교육과정의 발생원인**

① 타성(惰性): 편견, 경직된 신념과 같은 잘못된 타성 때문이다.
② 의욕 부족: 교육과정 주체자(예 교육과정 전문가, 교사 등)의 의욕이 부족하면 중요한 것들이 교육과정에서 포함될 수 없다.
③ 무지(無知): 모르는 것이 교육과정에 포함될 수 없기 때문이다.

2. 특징

(1) 교육과정을 인본주의적 · 심미적 관점에서 접근하려는 시도 ⇨ 학교에서 소홀히 하는 예술, 철학, 심미적 측면도 중시해야 한다.

> "만일 학교가 영 교육과정을 공식적 교육과정에 포함하지 않는다면 학교의 교육적 영향력은 위축되거나 왜곡될 수 있다."
> — Eisner(1994)

(2) 공식적 교육과정의 필연적 부산물로 중시

(3) 교육과정 사회학의 접근방법 ⇨ 교육과정은 특정 계급의 이데올로기적 산물이다.

(4) 잠재적 교육과정의 특정한 형태로 간주되기도 한다. (Eisner)

▣ 잠재적 교육과정과 영 교육과정의 비교

구분	잠재적 교육과정	영 교육과정
의도성의 측면	학교에서 의도하지 않은 교육과정	학교에서 의도적으로 배제한 교육과정
명시성의 측면	교육과정에 명시되어 있지 않음.	
기능면	교육환경의 잠재적 기능에 초점을 둠.	학습기회의 박탈에 초점을 둠.

제7절 우리나라의 교육과정

1 교육과정의 결정

1. **중앙집권형** – 소수 엘리트를 중심으로 교육부가 결정 ⇨ 교사 참여 배제

   (1) **장점** 07. 인천

   ① 전국적으로 통일된 교육과정을 가진다. ⇨ 전국적·공통적 교육과정(common curriculum)
   ② 학교급 그리고 학교 간 교육과정의 연계성을 충족시킨다.
   ③ 풍부한 전문인력을 활용하고 물적 자원을 투입하여 질 높은 수준의 교육과정을 개발할 수 있다. ⇨ 연구·개발·보급 모형(RDD model)
   ④ 국가와 사회의 대변혁 시기에 총체적으로 대응하는 데 도움을 준다.

   (2) **단점** 09. 대전

   ① 교육과정의 운영이 획일화·경직화되기 쉽다.
   ② 권위주의적 교육풍토를 조성할 가능성이 높다.
   ③ 한번 제정된 교육과정은 법규적인 권위 때문에 즉각적인 수정이 어렵다.
   ④ 교사가 교육과정으로부터 소외되어 교사의 전문성이 저해된다. ⇨ 교사 배제 교육과정(teacher-proof curriculum)으로 '교육과정 사소화' 문제가 발생할 수 있다.
   ⑤ 지역, 학교, 학습자의 특수성에 부합하는 다양한 교육과정의 운영이 어렵다.

2. **지방분권형** – 다양한 인사의 참여를 통해 시·도 교육청 단위에서 결정 ⇨ 교사 참여 유도

   (1) **장점** 07. 경남

   ① 지역과 학교의 특수 상황에 부응하는 교육과정을 개발하게 된다.
   ② 교사들이 교육과정에 대해 주인의식을 가지고 개발·운영하게 된다.
   ③ 주변 상황의 급속한 변화에 대응하여 교육과정을 신속하고 유연하게 수정하고 운영할 수 있으며, 교육과정의 맥락적 특성으로 인하여 학습자들의 자발적 학습기회가 촉진된다.

(2) 단점

① 전문가, 예산, 시간, 인식의 부족으로 수준 높은 교육과정의 개발이 어렵다.
② 학교급 그리고 학교 간 교육과정의 연계가 힘들다.
③ 지역 중심, 학교 중심, 교사 중심에 치우쳐 교육개혁의 전파가 어렵다.
④ 지역, 학교 간 격차가 심화될 가능성이 있다.

■ 중앙집권형과 지방분권형의 비교

구분	장점	단점
중앙집권형	집권화, 통일성, 표준화, 균형성, 교육기회 균등, 교육의 질 향상	관료주의, 권위주의, 획일화, 통제성
지방분권형	분권화, 다양성, 자율, 능동, 전문성, 책무성 증대	중앙집권이 곤란, 지역 간·학교 간 교육 격차 심화

3. 절충형 – 중앙집권형과 지방분권형의 절충을 통해 각각의 결함을 최소화

(1) 우리나라의 경우는 제6차 교육과정과 제7차 교육과정에서 절충 형태의 교육과정 체제를 채택하고 있다.

  ✎ 「교원지위향상 특별법」, 「교원노조법」에서 교육과정 결정은 단체교섭, 협의 대상이 아니다.

(2) 중앙집권적 교육과정 체제의 기본 틀 위에서 교육과정의 분권화를 강화하고 있다.

② 우리나라 교육과정의 역사

1. 전개 과정

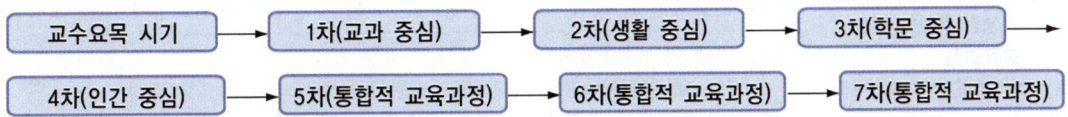

  ✎ 교육과정의 정의(「초·중등교육법」 제23조) 학교교육에서 학생들에게 어떤 교육목표를 어떠한 교육내용과 교육방법, 평가를 통하여 성취시킬 것인가를 국가 수준에서 정해 놓은 기준

우리나라 교육과정의 전개 과정 10. 충북, 09. 서울, 08. 국가직, 05. 충북

교육과정 구분	편제 및 특징	
긴급조치기 (1945~1946)	미 군정청 학무국에서 주관: '한국교육위원회' 조직, '신조선의 조선인을 위한 교육'을 일반명령으로 시달 - 교수용어를 한국어로 할 것, 조선의 이익에 반하는 것 교수를 금지 - 평화와 질서를 교육목표로 설정, 교육제도와 법규에서 일본의 색채 일소 - 초·중등학교 교과편제 및 시간배당 발표: 제국주의적 색채가 강한 수신과를 폐지하고 공민과 신설, 한국어로 수업 실시, 국사를 교과목에 포함	

교수요목기
(1946~1954)
	• 교수요목(syllabus): '교수요목 제정위원회' 구성(1946) ⇨ 교수요목 제정, 교과서 편찬 작업 착수
	  - 교수요목: 교과의 지도내용을 상세히 기술한 문서 ⇨ 각 교과별로 단원 또는 제재명과 내용요소·이수시간 수 제시
	  - 민주시민 양성에 주력: 사회생활과(공민, 역사, 지리, 작업, 자연관찰을 종합한 교과)
	• 특징: 교과의 지도내용을 상세히 표시하고 기초능력 배양에 주력, 교과는 분과주의를 선택하여 체계적인 지도와 지력 배양에 중점, 홍익인간의 교육이념에 입각한 애국애족교육 강조(일제의 잔재 청산에 노력)	

제1차 교육과정 (1954~1963) -교과 중심 교육과정	의미	교과과정: 각 교과목 및 기타 교육활동의 편제
	편제	교과활동, 특별활동
	특징	• '교과과정'이란 용어 사용('교육과정' 용어 ×) • 특별활동의 최초 편성: 교육목적 및 교육목표를 달성하기 위하여 필요한 교과 이외의 기타 교육활동 ⇨ 전인교육 지향 • '생활 중심'의 단원학습으로 교과내용을 배열(경험 중심 교육과정의 시각 반영) ⇨ 계통적 학습 위주의 배열 × • 반공교육, 도의(道義)교육(연간 35시간 이상 확보), 실업교육 강조 • 교육과정의 지역성 고려
제2차 교육과정 (1963~1973) -생활(경험) 중심 교육과정 ※ 1969년 부분 개정	의미	교육과정: 학생들이 학교의 지도하에 경험하는 모든 학습활동의 총체
	편제	교과활동, 특별활동(학급활동, 학생회활동, 클럽활동, 학교행사), 반공도덕활동
	특징	• '교과과정'에서 '교육과정'으로 명칭 변경 • 총론(학교급별 교육과정)과 각론(과목별 교육과정)으로 편성 • 특별활동 영역 구분: 학급활동, 학생회활동, 클럽활동 • 고등학교 교육과정에 '단위제' 도입: 1단위는 매주 50분 수업 기준, 1학기 동안 이수하는 수업량 • 국어과에서 한자와 한문 지도내용 삭제(한글 전용 교육) • 사회과에서 국사와 세계사를 분리 • 기술과목 신설: 남녀공통 필수과목 • 제1차 유치원 교육과정 편성(1969)
제3차 교육과정 (1973~1981) -학문 중심 교육과정	편제	교과활동, 특별활동(학급활동, 학생회활동, 클럽활동, 학교행사)
	특징	• 기본 방향: 국민교육헌장의 이념 구현 • '도덕'과 및 '국사'과를 독립교과로 신설(중학교), 자유 선택과목 신설(고교) • 중학교: 기술(남), 가정(여) 필수 ⇨ 여자 '기술'을 '가정'으로, '가정'을 '가사'로 개칭

제4차 교육과정 (1981~1987) - 인간 중심 교육과정	편제	교과활동, 특별활동(학생회활동 - 학급활동을 포함, 클럽활동, 학교행사)
	특징	• 한국교육개발원에 위탁, '연구·개발' ⇨ 교육과정 개발의 전문화 도모 • 종합적 교육과정의 성격: 개인적·사회적·학문적 적합성 고루 구비 • 통합 교육과정의 개념 도입(초 1·2): 바른 생활(국어+사회+도덕), 슬기로운 생활(산수+자연), 즐거운 생활(체육+음악+미술) • 중학교: 진로교육 개념의 도입, 자유 선택과목 신설, 필수인 생활기술(남), 가정(여)에서 3학년은 제외함.
제5차 교육과정 (1987~1992) - 통합적 교육과정	편제	교과활동, 특별활동(학급활동, 학생회활동, 클럽활동, 학교행사)
	특징	• 개정 방침: 교육과정의 적화화, 교육과정의 내실화, 교육과정의 지역화 • 기초교육의 강화: 국어·산수(초), 과학(중) • 초 1~2학년 통합교과에서 국어, 산수를 분과 독립 • 초 1학년에 '우리들은 1학년' 추가 • 특수학급 운영지침 명시: 교육 가능 정신박약아, 약시, 난청 등 특수학생을 위한 특수학급 설치 근거 마련 • 통합 교육과정의 시행: 교과 중심+경험 중심+학문 중심+인간 중심의 영역별 통합 • 1교과 다교과서 체제 도입(초등학교): 국어(말하기·듣기, 읽기·쓰기), 산수(산수, 산수익힘책) • 자유 선택과목 실질적 운영(고교): 교육학, 논리학, 심리학, 철학, 종교, 생활경제 중 택1 • 정보화 시대에 대응하는 교육의 강화 • 중학교: 기술(남), 가정(여), 기술·가정(남녀공통) 3과목 중 택1
제6차 교육과정 (1992~1997) - 통합적 교육과정 ※ 1995년 부분 개정	편제	교과활동, 학교재량시간(초 3~6년), 특별활동(학급활동, 학교활동, 클럽활동, 단체활동 - 고교)
	특징	• 교육과정 결정의 분권화, 교육과정 구조의 다양화, 교육과정 내용의 적화화, 교육과정 운영의 효율화 • 추구하는 인간상: 건강한 사람, 자주적인 사람, 창의적인 사람, 도덕적인 사람 • 국가 수준, 지역 수준, 학교 수준의 교육과정을 명백히 구별 • 초등학교: 학교 재량시간 신설(3~6학년 주당 1시간), 교과 전담 교사제(3~6학년, 체육, 음악, 미술, 영어), 영어교육 실시(초3, 1997년), 산수를 수학으로 개칭 • 국민학교 ⇨ 초등학교 • 중학교: 필수교과 축소(13 ⇨ 11교과), 학생의 학습부담 경감(주당 수업 시수 34시간으로 축소), '국사'를 '사회'에 통합(단, 교과서는 따로 편찬), '가정'과 '기술산업'은 남녀공통 필수 • 고등학교: 보통교과와 전문교과의 구분, 이수단위와 이수과목수 축소, 특별활동 강화, 외국어교육 강화
제7차 교육과정	편제	교과활동, 재량활동(교과 재량, 창의적 재량), 특별활동(자치활동, 적응활동, 계발활동, 봉사활동, 행사활동)

	특징	• 국민공통 기본교육과정: 1~10학년(초1-고1) ⇨ 교과, 재량활동, 특별활동으로 편성
		  - 수준별 교육과정(단계형, 심화보충형)
		• 학생선택중심 교육과정 도입: 고 2·3(11, 12년) ⇨ 교과, 특별활동으로 편성
		  - 교과군 개념: 제1교과군(인문·사회), 제2교과군(과학·기술), 제3교과군(예·체능), 제4교과군(외국어), 교양과목군 ⇨ 과목선택형 수준별 교육과정

2007 개정 교육과정	편제	교과, 재량활동, 특별활동
	특징	• 고등학교 선택중심 교육과정 개선: 선택과목군 6개로 확대(예·체능 과목군 ⇨ 체육 과목군, 예술 과목군) • 수준별 교육과정에서 수준별 수업으로 전환 • 계기교육에 대한 근거 마련
2009 개정 교육과정 (미래형 교육과정)	편제	교과활동, 창의적 체험활동(자율활동, 동아리활동, 봉사활동, 진로활동)

	특징	• 공통교육과정(초1~중3)과 선택교육과정(고1~고3)으로 편성
		• 학기당 이수 교과목 수 축소(8개 과목 이하)
		  – 학년군 설정: 초(1~2/3~4/5~6), 중(1~3), 고(1~3) ⇨ 집중이수 원활
		  – 교과(군) 설정: 초·중학교는 신설, 고교는 재분류 ⇨ 초 1·2(5개), 초3~6(7개), 중(8개), 고(기초, 탐구, 체육·예술, 생활·교양 등 4개 영역, 8개 교과군)
		• 교과목별 20% 범위 내에서 수업시수 자율 증감 허용
		• 창의적 체험활동 편성: 특별활동과 창의적 재량활동을 통합
		• (초) '우리들은 1학년' 폐지 ⇨ '창의적 체험활동'에 반영
		• (중) 선택과목에 '진로와 직업' 교과 추가
		• (고) 고교 모든 교과 선택(단, 국어, 수학, 영어는 필수)

2013 개정 교육과정	특징	• 교과(군)별 수업 시수를 20% 범위 내에서 증감 운영 가능[단, 체육, 예술(음악/미술) 교과목은 기준 수업 시수 감축 편성 불가]
		• 중학교 '학교 스포츠클럽 활동'을 편성·운영
		  – '창의적 체험활동'의 '동아리활동'으로 편성
		  – 학년별 연간 34~68시간(총 136시간) 운영, 매 학기 편성
		  – 교과(군)별 시수의 20% 범위 내에서 감축하거나, 창의적 체험활동 시수를 순증(純增)하여 확보

2. 교육과정의 운영

(1) **법적 근거**: 「초·중등교육법」 제23조(교육과정)

① 학교는 교육과정을 운영하여야 한다.

② 국가교육위원회는 제1항의 규정에 의한 교육과정의 기준과 내용에 관한 기본적인 사항을 정하며, 교육감은 국가교육위원회가 정한 교육과정의 범위 안에서 지역의 실정에 적합한 기준과 내용을 정할 수 있다.

③ 교육부장관은 제1항의 교육과정이 안정적으로 운영될 수 있도록 대통령령으로 정하는 바에 따라 후속지원 계획을 수립·시행한다.

④ 학교의 교과는 대통령령으로 정한다.

(2) **운영체제**

① **국가교육위원회**: 국가 수준의 교육과정 기준 고시 ⇨ 초·중등학교의 교육목적과 교육목표를 달성하기 위해서 「초·중등교육법」 제23조 제2항에 의거하여 국가교육위원회가 문서로 결정·고시한 교육내용에 관한 전국 공통의 일반적 기준

> 「국가교육위원회 설치 및 운영에 관한 법률(국가교육위원회법)」
>
> **제10조【위원회의 소관 사무】** ① 위원회의 소관 사무는 다음 각 호와 같다.
> 1. 제11조에 따른 교육비전, 중장기 정책 방향, 학제·교원정책·대학입학정책·학급당 적정 학생 수 등 중장기 교육 제도 및 여건 개선 등에 관한 국가교육발전계획 수립(매 10년)에 관한 사항
> 2. 제12조에 따른 국가교육과정의 기준과 내용의 고시 등에 관한 사항
> 3. 제13조에 따른 교육정책에 대한 국민의견 수렴·조정 등에 관한 사항
> 4. 그 밖에 다른 법률에 따라 위원회의 소관으로 정한 사항
> ② 제1항에 따른 위원회의 소관 사무에 관한 세부적인 사항은 대통령령으로 정한다.
>
> **제12조【국가교육과정 기준 및 내용의 고시 등】** ① 위원회는 국가교육과정(「유아교육법」 제2조 제2호에 따른 유치원 및 「초·중등교육법」 제2조에 따른 학교에서 운영하는 교육과정)의 기준과 내용에 관한 기본적인 사항을 정하여 고시하여야 한다.
> ② 위원회는 제1항에 따라 고시한 국가교육과정에 대하여 조사·분석 및 점검을 할 수 있고, 그 결과를 국가교육과정에 반영하도록 노력하여야 한다.
> ③ 그 밖에 국가교육과정의 기준과 내용에 관한 기본적인 사항을 정하는 데 필요한 사항은 대통령령으로 정한다.

② 시·도 교육청: 지역 수준의 교육과정 편성·운영지침 작성 제시
③ 시·군·구 교육청: 학교 교육과정 편성·운영 장학자료 작성 제시 ⇨ 신설
④ 학교: 학교 수준의 교육과정 편성·운영
　㉠ 학교 수준의 교육과정의 의미
　　ⓐ 당해 학교의 구체적인 실행 과정: 국가 수준 교육과정 기준과 시·도 교육과정 편성·운영지침을 근거로 지역의 특수성과 학교의 실정, 학생의 실태에 알맞게 각 학교별로 마련한 '당해 학교의 구체적인 실행 교육과정'
　　ⓑ 당해 학교의 교육운영 세부 시행계획: 당해 학교의 교육목표와 경영철학, 전통, 특성 등이 반영되어 나타난 교육목표, 내용, 방법, 평가에 대한 구체적인 실행 교육 프로그램 ⇨ 특색 있는 교육설계도
　㉡ 편성·운영 절차

준비(계획)	1. 학교 교육과정위원회 조직과 편성계획 수립: 조직, 임무, 역할의 구체화 2. 국가 교육과정 기준과 지침의 내용 분석: ① 교육부 고시 교육과정, 시·도 지침 및 장학자료 분석, ② 관계 법령, 교육시책, 지표, 과제의 분석 3. 각종 실태조사 분석과 시사점 추출: ① 교직원 현황, 학교여건, 학생과 학부모 실태, 지역사회 특성 조사 및 분석, ② 교원·학생·학부모의 요구 조사 및 분석, ③ 전년도 교과, 창의적 체험활동 등의 운영실태 평가 및 분석

편성	4. 학교 교육과정 편성·운영의 기본 방향 설정: ① 학교장의 경영철학 및 학교 교육목표 설정, ② 교과, 영역, 학년별 교육중점 제시 5. 학교 교육과정 시안 작성: ① 편제와 시간배당, 수업일수 및 시수 결정, ② 교과, 창의적 체험활동 시간의 운영계획 수립, ③ 생활지도 계획 수립, ④ 교과전담 운영, 특별교실 및 운동장 활용 계획, ⑤ 기타 학교 운영 전반에 필요한 계획 수립 6. 학교 교육과정 시안의 심의 및 확정: ① 시안의 심의, 검토 분석, ② 시안의 수정 및 보완 7. 개별화 교육과정의 작성: ① 개별화 교육운영위원회 조직, ② 공통기본 교육과정 적응 곤란 학생 선별, ③ 학생 및 학부모의 요구 반영 8. 교수·학습 지도계획 수립: ① 교육내용 결정, ② 교육방법 결정, ③ 학습형태 및 학습조직 결정, ④ 학습매체의 선정
운영	9. 학교 교육과정의 운영: ① 지속적인 연수 실시, 교내 자율장학의 활성화, ② 운영과정의 문제점에 대한 탄력적 대처, ③ 장학협의를 통한 교육과정의 수정·운영, ④ 학교조직의 재구조화
평가	10. 학교 교육과정의 평가와 개선: 내년도 교육과정 개선을 위한 의사결정

더 알아보기

학교 교육과정 운영의 기본원리

1. **교육과정 운영**: 개발된 교육과정을 학교와 교실에서 실천에 옮기는 과정 ⇨ 이행(履行)과 창조적 실행(創造的 實行)의 의미를 지님.
   ① **이행**(implementation): 법으로 정한 의무를 행동으로 옮기는 것, 개발자의 요구에 맞추어 성과를 내기 위하여 행동하는 것
      • 교사는 수동적이고 소극적인 역할을 담당
      • 충실도적 관점(fidelity of implementation): 교사들이 교육과정 개발자의 의도에 충실하게 운영하는 역할을 맡아야 한다는 관점 ⇨ 교육과정에 대한 교사의 이해 수준이 낮으므로 교육과정을 고도로 구조화하고 교수방법에 대한 지침도 명확하게 제공해야 한다고 봄.
      • 우리나라 국가 수준의 교육과정의 관점
   ② **창조적 실행**(enactment): 자발적인 행위를 통하여 무엇을 만들어 가는 과정
      • 교사는 주체적이고 능동적인 역할을 담당 ⇨ 생성(형성) 관점
      • 적용적 관점(adaptation of implementation): 교사들이 학생들의 이익을 위하여 학교와 교실의 복잡하고 특수한 환경에 맞추어 교육과정을 운영하는 역할을 맡아야 한다고 보는 관점
   ③ **상호적응 관점**(조정 또는 재구성 관점): 교육과정 개발자에 의해 만들어진 교육과정이 학교나 교실 상황에서 그것을 실제로 사용하는 사람들에 의해 조정될 수 있다고 보는 것 ⇨ 교육과정 실행의 과정 접근(process perspective), 교육과정 실행의 상호적응 관점이라고도 함.
      • 미리 구체화된 교육과정의 보급보다는 실행자와 개발자 간의 상호작용에 기초한 역동적 변화의 과정을 강조한다.
      • 교육과정 운영은 상황에 따라 적절히 수정되면서 진행되기 때문에 교육과정을 운영하는 사람들은 교육과정이 전개되는 실제 상황에 관심을 갖는다.

교육과정 실행에 대한 세 가지 관점의 비교 (Snyder, Bolin, and Zumwalt, 1992)

구 분	교육과정 운영의 개념	교육과정 구성방식	평가 영역
충실도 관점	계획된 교육과정	학교 외부 전문가 ⇨ 기술공학적 관점	계획과 결과 간의 일치 정도
생성 관점	창조된 교육과정	학교 내의 교사와 학생 ⇨ 문화적 관점	교사의 이해와 해석 수준
상호적응 관점	조정된 교육과정	외부 전문가와 학교 내부의 교육과정 운영 담당자 간의 상호작용 ⇨ 정치적 관점	상호작용의 변화 과정

2. **교사의 관심에 기초한 교육과정 적용모형**(CBAM ; Concerns-Based Adoption Model)
   ① 개요
      ㉠ 홀(G. E. Hall)은 질문지법을 활용하여 교육과정의 운영과 관련된 교사들의 관심 수준을 7단계로 나누고, 그에 기초한 교육과정 운영 수준을 8단계로 구성하여 제시하였다.
      ㉡ '관심(concerns)'이란 교사들이 교육과정을 실행하는 과정에서 나타나는 개인의 지각, 느낌, 동기, 좌절, 만족을 표현하기 위하여 개발된 개념으로, 그 영역은 무관심(unrelated concerns), 자신과 관련한 관심(self-concerns), 과제와 관련한 관심(task concerns), 영향에 관한 관심(impact concerns) 등으로 구분된다.
   ② 교육과정에 대한 교사의 관심 수준 7단계

관심별 단계		관심 수준의 표현정도
자신에 대한 관심	(1단계) 0. 지각적 관심 (awareness)	새로운 교육과정에 대해 관심이 없거나 관여하지 않는다.
	(2단계) 1. 정보적 관심 (information)	새로운 교육과정에 대해 대체적인 것(예 특징, 효과)을 알고, 좀 더 알고 싶어한다.
	(3단계) 2. 개인적 관심 (personal)	새로운 교육과정을 실행하는 것이 자신과 자기 주변에 어떤 영향을 끼치는지 알고 싶어한다.
업무에 대한 관심	(4단계) 3. 운영적 관심 (management)	새로운 교육과정의 운영과 관리에 관심이 있으며, 정보와 자원의 효율적 활용에 관심이 높다.
결과에 대한 관심	(5단계) 4. 결과적 관심 (consequence)	새로운 교육과정을 실행하는 것이 학생들에게 어떤 영향을 끼치는지에 관심이 높다.
	(6단계) 5. 협동적 관심 (collaboration)	새로운 교육과정을 실행하는 데 있어 다른 교사들과 협동하고 조정하는 데 관심이 있다.
	(7단계) 6. 개선적 관심 (refocusing)	새로운 교육과정을 수정하고 보완하여 더욱 좋은 결과를 가져 올 방법에 대해 관심이 있다. ⇨ 강화적 관심

③ 교사의 관심 수준에 기초한 교육과정 운영 수준 8단계

관심 수준(Level of Use)	운영 수준(Behavioral Indicators of Level)
수준 0. 실행하지 않는 단계 (Non-Use)	교육과정의 혁신에 대해 거의 혹은 전혀 알고 있지 못하고 실행도 하지 않으며, 실행을 위한 어떠한 조치도 취하지 않고 있다.
수준 Ⅰ. 초보적 입문 단계 (Orientation)	교육과정 혁신에 대해 알고 있거나 정보를 얻고 있으며, 교육과정 혁신이 지향하는 바와 실행에 필요한 조건들을 탐색하고 있다.
수준 Ⅱ. 준비 단계 (Preperation)	교육과정 혁신을 실행하려고 준비하고 있다.
수준 Ⅲ. 기계적 실행 단계 (Mechanical use)	자신의 교육과정 실행을 되돌아볼 여유도 없이 하루하루의 단기적 실행에 모든 노력을 기울인다. 실행자인 교사의 필요가 중시된다.
수준 Ⅳ. 일상화 단계 (Routine)	교육과정 혁신의 실행이 안정화된다. 그렇지만 계속적인 실행 중에도 변화는 거의 일어나지 않으며 그 개선을 위한 숙고도 없다.
수준 Ⅴ. 정교화 단계 (Refinement)	교육과정 혁신의 대상자(학생)에 대한 효과를 높이기 위해 학생에게 미치는 장·단기적 결과에 대한 정보에 근거, 실행을 변형한다.
수준 Ⅵ. 통합화 단계 (Integration)	학생들에게 미치는 영향력을 향상시키기 위하여 교육과정 혁신과 관련된 동료 교사들의 활동을 자신의 교육과정 실행에 결합시킨다.
수준 Ⅶ. 개선 단계 (Renewal)	교육과정 혁신 실행의 질에 대한 재평가를 하고, 학생들에 대한 영향력을 높이려고 현재의 교육과정 혁신에 대한 대안을 찾고 있으며, 새롭게 개발된 대안들을 검토하고 자신과 학교조직을 위해 새로운 목표를 탐색한다.

❸ 2015 개정 교육과정(교육부 고시 제2015-74호)

1. 성격

(1) 국가 수준의 공통성과 지역, 학교, 개인 수준의 다양성을 동시에 추구하는 교육과정

(2) 학습자의 자율성과 창의성을 신장하기 위한 학생 중심의 교육과정

(3) 학교와 교육청, 지역사회, 교원·학생·학부모가 함께 실현해 가는 교육과정

(4) 학교교육 체제를 교육과정 중심으로 구현하기 위한 교육과정

(5) 학교교육의 질(質)적 수준을 관리하고 개선하기 위한 교육과정

2. 추구하는 인간상

(1) 우리나라의 교육은 홍익인간의 이념 아래 모든 국민으로 하여금 인격을 도야하고, 자주적 생활 능력과 민주 시민으로서 필요한 자질을 갖추게 함으로써 인간다운 삶을 영위하게 하고, 민주 국가의 발전과 인류 공영의 이상을 실현하는 데에 이바지하게 함을 목적으로 하고 있다. 이러한 교육 이념과 교육 목적을 바탕으로, 이 교육과정이 추구하는 인간상은 다음과 같다.

① 전인적 성장을 바탕으로 자아정체성을 확립하고 자신의 진로와 삶을 개척하는 자주적인 사람
② 기초 능력의 바탕 위에 다양한 발상과 도전으로 새로운 것을 창출하는 창의적인 사람
③ 문화적 소양과 다원적 가치에 대한 이해를 바탕으로 인류 문화를 향유하고 발전시키는 교양 있는 사람
④ 공동체 의식을 가지고 세계와 소통하는 민주 시민으로서 배려와 나눔을 실천하는 더불어 사는 사람

(2) 이 교육과정이 추구하는 인간상을 구현하기 위해 교과교육을 포함한 학교교육 전 과정을 통해 중점적으로 기르고자 하는 핵심역량은 다음과 같다. 21. 지방직
① 자아정체성과 자신감을 가지고 자신의 삶과 진로에 필요한 기초 능력과 자질을 갖추어 자기주도적으로 살아갈 수 있는 자기관리 역량
② 문제를 합리적으로 해결하기 위하여 다양한 영역의 지식과 정보를 처리하고 활용할 수 있는 지식정보처리 역량
③ 폭넓은 기초 지식을 바탕으로 다양한 전문 분야의 지식, 기술, 경험을 융합적으로 활용하여 새로운 것을 창출하는 창의적 사고 역량
④ 인간에 대한 공감적 이해와 문화적 감수성을 바탕으로 삶의 의미와 가치를 발견하고 향유하는 심미적 감성 역량
⑤ 다양한 상황에서 자신의 생각과 감정을 효과적으로 표현하고 다른 사람의 의견을 경청하며 존중하는 의사소통 역량
⑥ 지역·국가·세계 공동체의 구성원에게 요구되는 가치와 태도를 가지고 공동체 발전에 적극적으로 참여하는 공동체 역량

3. 개정의 주요 내용과 초·중·고 학교급별 개정의 중점 18. 지방직

(1) **개정의 주요 내용**

> **주요 개정 방향**
> • 인문·사회·과학기술에 관한 기초 소양을 함양
> • 학생의 꿈과 끼를 키우는 교육과정을 개발
> • 미래 사회가 요구하는 역량의 함양이 가능한 교과 교육과정 개발
> • 교육과정과 연계하여 교육정책 전반을 종합적으로 개선

① 인문·사회적 소양 함양과 인성교육 강화
  ㉠ 예술·체육교육 활성화를 통한 인성교육 강화를 위해 연극교육 및 예술 동아리 활성화, 뮤지컬 등 활동 중심 예술교육 확대를 추진
  ㉡ 한자교육 활성화를 위해 초·중·고 학교급별로 적정한 한자 수를 제시하고 교과서에 한자 병기(倂記)의 확대 검토
  ㉢ 고교 '통합사회' 신설로 사회현상에 대한 통합적 이해가 가능하도록 개선

② 과학기술에 대한 소양을 함양
　㉠ 고교에 '통합과학' 과목을 신설하여 자연현상에 대한 통합적 이해가 가능하도록 하고, 고교 과학교과의 이수단위 조정 등 과학교육을 강화
　㉡ 소프트웨어(SW) 교육 강화를 위해 초·중학교에서 SW 관련 사항을 필수로 이수하는 교육과정을 개발: 2018년 중학교 「정보」 교과에 연간 34시간 의무화, 2019년 초등학교 5, 6학년 「실과」 교과에 연간 17시간 의무화
③ 안전의식을 내면화할 수 있도록 안전교과 또는 단원 신설
④ 고교 교과(군)별 필수이수 단위: 국어, 수학, 영어, 한국사, 통합사회, 통합과학, 과학탐구실험 ⇨ 통합사회 10단위, 한국사 6단위, 통합과학은 12단위
⑤ 교육과정에 부합하는 수능 및 대입 제도 도입 검토: 수능 3년 예고제에 따라 2017년까지 2021학년도 수능 제도 확정

(2) **초·중·고 학교급별 개정의 중점**
① **초등학교**: 유아 교육과정(누리과정)과 연계를 강화하고, 수업시수를 주당 1시간 늘려 확보된 시수는 '안전한 생활' 교과 등으로 운영 17. 국가직
② **중학교**: 자유학기제의 운영 근거를 마련하고, 자유학기제(자유학년제)의 취지가 모든 과정에 반영될 수 있게 학습내용을 적정화하고 체험활동 강화
③ **고등학교**: 모든 학생이 배워야 할 필수내용으로 '공통과목'을 구성하여 기초소양을 함양할 수 있게 하되 내용과 수준을 적정화
　㉠ 학생이 적성과 진로에 따라 맞춤형으로 교육받을 수 있도록 선택과목으로 '일반선택'과 '진로선택' 개설
　㉡ 공통과목은 국어·영어·수학·사회·과학으로 하되, 사회/과학은 '통합사회' 및 '통합과학(과학탐구실험 포함)' 개발
　㉢ 기초교과(국어, 수학, 영어, 한국사)의 이수단위를 교과 총이수단위의 50%를 넘지 않게 하고, 특성화고 교육과정은 국가직무능력표준(NCS)과 연계

4. 교육과정 구성의 중점

이 교육과정은 우리나라 교육과정이 추구해 온 교육 이념과 인간상을 바탕으로, 미래 사회가 요구하는 핵심역량을 함양하여 바른 인성을 갖춘 창의융합형 인재를 양성하는 데에 중점을 둔다. 이를 위한 교육과정 구성의 중점은 다음과 같다.

△ **창의융합형 인재** 인재 인문학적 상상력, 과학기술 창조력을 갖추고 바른 인성을 겸비하여 새로운 지식을 창조하고 다양한 지식을 융합하여 새로운 가치를 창출할 수 있는 사람

(1) 인문·사회·과학기술 기초 소양을 균형 있게 함양하고, 학생의 적성과 진로에 따른 선택학습을 강화한다.

(2) 교과의 핵심 개념을 중심으로 학습 내용을 구조화하고 학습량을 적정화하여 학습의 질을 개선한다.

(3) 교과 특성에 맞는 다양한 학생 참여형 수업을 활성화하여 자기주도적 학습 능력을 기르고 학습의 즐거움을 경험하도록 한다.

(4) 학습의 과정을 중시하는 평가를 강화하여 학생이 자신의 학습을 성찰하도록 하고, 평가 결과를 활용하여 교수·학습의 질을 개선한다.

(5) 교과의 교육목표, 교육내용, 교수·학습 및 평가의 일관성을 강화한다.

(6) 특성화 고등학교와 산업수요 맞춤형 고등학교에서는 국가직무능력표준을 활용하여 산업사회가 필요로 하는 기초 역량과 직무 능력을 함양한다. 24. 국가직 7급

5. 학교 급별 교육과정 편성·운영의 기준 21. 국가직 7급

(1) 기본 사항

① 초등학교 1학년부터 중학교 3학년까지의 공통 교육과정과 고등학교 1학년부터 3학년까지의 선택 중심 교육과정으로 편성·운영한다.
② 학년 간 상호 연계와 협력을 통해 학교 교육과정을 유연하게 편성·운영할 수 있도록 학년군을 설정한다.
③ 공통 교육과정의 교과는 교육 목적상의 근접성, 학문 탐구 대상 또는 방법상의 인접성, 생활양식에서의 연관성 등을 고려하여 교과군으로 재분류한다.
④ 선택 중심 교육과정에서는 학생들의 기초 영역 학습을 강화하고 진로 및 적성에 맞는 학습이 가능하도록 4개의 교과 영역으로 구분하고 교과(군)별 필수 이수단위를 제시한다. 특성화 고등학교와 산업수요 맞춤형 고등학교는 보통교과의 4개 교과 영역과 전문교과로 구분하고 필수 이수단위를 제시한다.
⑤ 고등학교 교과는 보통교과와 전문교과로 구분하며, 학생들의 기초 소양 함양과 기본 학력을 보장하기 위하여 보통교과에 공통과목을 개설하여 모든 학생이 이수하도록 한다.
⑥ 학습 부담을 적정화하고 의미 있는 학습활동이 이루어질 수 있도록 학기당 이수 교과목 수를 조정하여 집중이수를 실시할 수 있다.
⑦ 창의적 체험활동은 학생의 소질과 잠재력을 계발하고 공동체 의식을 기르는 데에 중점을 둔다.
⑧ 범교과 학습 주제는 교과와 창의적 체험활동 등 교육활동 전반에 걸쳐 통합적으로 다루도록 하고, 지역사회 및 가정과 연계하여 지도한다.

> 안전·건강 교육, 인성 교육, 진로 교육, 민주 시민 교육, 인권 교육, 다문화 교육, 통일 교육, 독도 교육, 경제·금융 교육, 환경·지속가능발전 교육

⑨ 학교는 필요에 따라 계기 교육을 실시할 수 있으며, 이 경우 계기 교육 지침에 따른다.

(2) **초등학교**
  ① 편제
    ㉠ 초등학교 교육과정은 교과(군)와 창의적 체험활동으로 편성한다.
    ㉡ 교과(군)는 국어, 사회/도덕, 수학, 과학/실과, 체육, 예술(음악/미술), 영어로 한다. 다만, 1, 2학년의 교과는 국어, 수학, 바른 생활, 슬기로운 생활, 즐거운 생활로 한다.
    ㉢ 창의적 체험활동은 자율활동, 동아리활동, 봉사활동, 진로활동으로 한다. 다만, 1, 2학년은 체험활동 중심의 '안전한 생활'을 포함하여 편성·운영한다.
  ② 교육과정 편성·운영 기준
    ㉠ 학교는 모든 교육활동을 통해 학생의 기본 생활 습관, 기초 학습 능력, 바른 인성을 함양할 수 있도록 교육과정을 편성·운영한다.
    ㉡ 학교는 학년군별로 이수해야 할 교과를 학년별, 학기별로 편성하여 학생과 학부모에게 안내한다.
    ㉢ 학교는 각 교과의 기초적, 기본적 요소들이 체계적으로 학습되도록 교육과정을 편성·운영한다. 특히 국어 사용 능력과 수리 능력의 기초가 부족한 학생들을 대상으로 기초 학습 능력 향상을 위한 별도의 프로그램을 편성·운영할 수 있다.
    ㉣ 학교는 학교의 특성, 학생·교사·학부모의 요구 및 필요에 따라 교과(군)별 20% 범위 내에서 시수를 증감하여 편성·운영할 수 있다. 단, 체육, 예술(음악/미술)교과는 기준 수업 시수를 감축하여 편성·운영할 수 없다.
    ㉤ 학교는 교육의 효과를 높이기 위하여 필요한 경우 학년별, 학기별로 교과 집중이수를 실시할 수 있다.
    ㉥ 전입 학생이 특정 교과를 이수하지 못할 경우, 교육청과 학교에서는 보충 학습 과정 등을 통해 학습 결손이 발생하지 않도록 한다.
    ㉦ 학년을 달리하는 학생을 대상으로 복식 학급을 편성·운영하는 경우에는 교육내용의 학년별 순서를 조정하거나 공통 주제를 중심으로 교재를 재구성하여 활용할 수 있다.
    ㉧ 학교는 창의적 체험활동의 영역을 학생들의 발달수준, 학교의 여건 등을 고려하여 학년(군)별로 선택적으로 편성·운영할 수 있다.
    ㉨ 학교는 1학년 학생들의 입학 초기 적응교육을 위해 창의적 체험활동의 시간을 활용하여 자율적으로 입학 초기 적응 프로그램 등을 편성·운영할 수 있다.
    ㉩ 정보통신 활용교육, 보건교육, 한자교육 등은 관련 교과(군)와 창의적 체험활동 시간을 활용하여 체계적인 지도가 이루어질 수 있도록 한다.

(3) **중학교**
  ① 편제
    ㉠ 중학교 교육과정은 교과(군)와 창의적 체험활동으로 편성한다.
    ㉡ 교과(군)는 국어, 사회(역사 포함)/도덕, 수학, 과학/기술·가정/정보, 체육, 예술(음악/미술), 영어, 선택으로 한다.

ⓒ 선택은 한문, 환경, 생활외국어(독일어, 프랑스어, 스페인어, 중국어, 일본어, 러시아어, 아랍어, 베트남어), 보건, 진로와 직업 등의 과목으로 한다.
ⓔ 창의적 체험활동은 자율활동, 동아리활동, 봉사활동, 진로활동으로 한다.

② 교육과정 편성·운영 기준
㉠ 학교는 3년간 이수해야 할 교과목을 학년별, 학기별로 편성하여 학생과 학부모에게 안내한다.
㉡ 교과(군)의 이수 시기와 그에 따른 수업 시수는 학교가 자율적으로 결정할 수 있다.
㉢ 학교는 학교의 특성, 학생·교사·학부모의 요구 및 필요에 따라 자율적으로 교과(군)별 20% 범위 내에서 시수를 증감하여 편성·운영할 수 있다. 단, 체육, 예술(음악/미술)교과는 기준 수업 시수를 감축하여 편성·운영할 수 없다.
㉣ 학교는 학습 부담을 적정화하고 의미 있는 학습활동이 이루어질 수 있도록 학기당 이수 교과목 수를 8개 이내로 편성한다. 단, 체육, 예술(음악/미술)교과는 이수 교과목 수 제한에서 제외하여 편성할 수 있다.
㉤ 전입 학생이 특정 교과목을 이수하지 못할 경우, 교육청과 학교에서는 보충 학습 과정 등을 통해 학습 결손이 발생하지 않도록 한다.
㉥ 학교가 선택과목을 개설할 경우, 2개 이상의 과목을 개설함으로써 학생의 선택권이 보장되도록 한다.
㉦ 학교는 필요한 경우 새로운 선택과목을 개설할 수 있다. 이 경우 시·도 교육청이 정하는 지침에 따라 사전에 필요한 절차를 거쳐야 한다.
㉧ 학교는 창의적 체험활동의 영역을 학생들의 발달수준, 학교의 여건 등을 고려하여 자율적으로 편성·운영한다. 창의적 체험활동은 학교 스포츠클럽 활동 및 자유학기에 이루어지는 다양한 활동들과 연계하여 운영할 수 있다.
㉨ 학교는 학생들이 자신의 적성과 미래에 대해 탐색하고, 학습의 즐거움을 경험하여 스스로 공부하는 자기주도적 학습 능력과 태도를 기를 수 있도록 자유학기를 운영한다.
  ⓐ 중학교 과정 중 한 학기는 자유학기로 운영한다.
  ⓑ 자유학기에는 해당 학기의 교과 및 창의적 체험활동을 자유학기의 취지에 부합하도록 편성·운영한다.
  ⓒ 자유학기에는 지역사회와 연계하여 진로탐색활동, 주제선택활동, 동아리활동, 예술·체육활동 등 다양한 체험 중심의 자유학기활동을 운영한다.
  ⓓ 자유학기에는 협동 학습, 토의·토론 학습, 프로젝트 학습 등 학생 참여형 수업을 강화한다.
  ⓔ 자유학기에는 중간·기말고사 등 일제식 지필평가는 실시하지 않으며, 학생의 학습과 성장을 지원하는 과정 중심의 평가를 실시한다.
  ⓕ 자유학기에는 학교 내외의 다양한 자원을 활용하여 진로 탐색 및 설계를 지원한다.
  ⓖ 학교는 자유학기의 운영 취지가 타 학기·학년에도 연계될 수 있도록 노력한다.

ⓩ 학교는 학생들의 심신을 건강하게 발달시키고 정서를 함양하기 위해 '학교 스포츠클럽 활동'을 편성·운영한다.
  ⓐ 학교 스포츠클럽 활동은 창의적 체험활동의 동아리활동으로 편성한다.
  ⓑ 학교 스포츠클럽 활동은 학년별 연간 34~68시간(총 136시간) 운영하며, 매 학기 편성하도록 한다. 학교 여건에 따라 연간 68시간 운영하는 학년에서는 34시간 범위 내에서 학교 스포츠클럽 활동을 체육으로 대체할 수 있다.
  ⓒ 학교 스포츠클럽 활동의 시간은 교과(군)별 시수의 20% 범위 내에서 감축하거나, 창의적 체험활동 시수를 순증(純增)하여 확보한다. 다만, 여건이 어려운 학교의 경우 68시간 범위 내에서 기존 창의적 체험활동 시간을 활용하여 확보할 수 있다.
  ⓓ 학교 스포츠클럽 활동의 종목과 내용은 학생들의 희망을 반영하여 학교가 정하되, 다양한 종목을 개설함으로써 학생들의 선택권이 보장되도록 한다.

(4) 고등학교

① 편제
  ㉠ 고등학교 교육과정은 교과(군)와 창의적 체험활동으로 편성한다.
  ㉡ 교과는 보통교과와 전문교과로 한다.
  ㉢ 창의적 체험활동은 자율활동, 동아리활동, 봉사활동, 진로활동으로 한다.

② 편성·운영 기준
  ㉠ 고등학교 교육과정의 총 이수단위는 204단위이며 교과(군) 180단위, 창의적 체험활동 24단위(408시간)로 나누어 편성한다.
  ㉡ 학교는 3년간 이수해야 할 과목을 학년별, 학기별로 편성하여 학생과 학부모에게 안내하도록 한다.
  ㉢ 학교는 학습 부담을 적정화하고 의미 있는 학습활동이 이루어질 수 있도록 학기당 이수 과목 수를 8개 이내로 편성한다. 단, 과학탐구실험, 체육·예술·교양 교과목, 진로 선택 과목, 실기·실습 과목은 이수 과목 수 제한에서 제외하여 편성·운영할 수 있다.
  ㉣ 과목의 이수 시기와 단위는 학교에서 자율적으로 편성·운영할 수 있다. 단, 공통과목은 해당 교과(군)의 선택과목 이수 전에 편성·운영하는 것을 원칙으로 한다.
  ㉤ 선택과목 중에서 위계성을 갖는 과목의 경우, 계열적 학습이 가능하도록 편성한다. 단, 학교의 실정 및 학생의 요구, 과목의 성격에 따라 탄력적으로 편성·운영할 수 있다.
  ㉥ 학교는 일정 규모 이상의 학생이 이 교육과정에 제시된 선택과목의 개설을 요청할 경우 해당 과목을 개설해야 한다. 이 경우 시·도 교육청이 정하는 지침에 따른다.
  ㉦ 학교에서 개설하지 않은 선택과목 이수를 희망하는 학생이 있을 경우 그 과목을 개설한 다른 학교에서의 이수를 인정한다.
  ㉧ 학교는 필요에 따라 이 교육과정에 제시되어 있는 과목 외에 새로운 과목을 개설할 수 있다. 이 경우 시·도 교육청이 정하는 지침에 따라 사전에 필요한 절차를 거쳐야 한다.
  ㉨ 학교 및 학생의 필요에 따라 지역사회의 학습장에서 이루어진 학습을 이수 과목으로 인정할 수 있다. 이 경우 시·도 교육청이 정하는 지침에 따른다.

㋈ 학교는 필요에 따라 대학과목 선이수제의 과목을 개설할 수 있고, 국제적으로 공인된 교육과정이나 과목을 개설할 수 있다. 이 경우 시·도 교육청이 정하는 지침에 따른다.
㋉ 학교는 필요에 따라 교과의 총 이수단위를 증배 운영할 수 있다. 단, 특수 목적 고등학교와 특성화 고등학교는 전문교과의 과목에 한하여 증배 운영할 수 있다.
㋊ 학교는 창의적 체험활동의 영역을 학생들의 발달수준, 학교의 여건 등을 고려하여 자율적으로 편성·운영하고, 학생의 진로와 연계하여 다양한 활동이 이루어질 수 있도록 한다.
㋋ 학교는 학생이 자신의 진로에 적합한 과목을 체계적으로 이수할 수 있도록 진로지도와 연계하여 선택과목 이수에 대한 정보를 적극적으로 안내한다.

4 2022 개정 교육과정(교육부 고시 제2022-33호)

1. 성격

(1) 국가 수준의 공통성을 바탕으로 지역, 학교, 개인 수준의 다양성을 추구할 수 있도록 학교 교육과정의 기준과 내용에 관한 기본사항을 제시한다.

(2) 학교 교육과정이 학생을 중심에 두고 주도성과 자율성, 창의성의 신장 등 학습자 성장을 지원할 수 있도록 교육과정의 기준과 내용을 제시한다.

(3) 학교의 전반적인 교육 체제를 교육과정 중심으로 운영할 수 있도록 교육과정의 기준과 내용을 제시한다.

(4) 학교 교육과정이 추구하는 교육 목적의 실현을 위해 학교와 시·도 교육청, 지역사회, 학생·학부모·교원이 함께 협력적으로 참여하는 데 필요한 사항을 제시한다.

(5) 학교 교육의 질적 수준을 국가와 시·도 교육청, 학교 수준에서 관리하고 개선하기 위해 기반으로 삼아야 할 교육과정의 기준과 내용을 제시한다.

2. 교육과정 구성의 방향

(1) **교육과정 구성의 중점**

① 개정의 필요성과 배경

㉠ 인공지능 기술 발전에 따른 디지털 전환, 감염병 대유행 및 기후·생태환경 변화, 인구 구조 변화 등에 의해 사회의 불확실성이 증가하고 있다.

㉡ 사회의 복잡성과 다양성이 확대되고 사회적 문제를 해결하기 위한 협력의 필요성이 증가함에 따라 상호 존중과 공동체 의식을 함양하는 것이 더욱 중요해지고 있다.

㉢ 학생 개개인의 특성과 진로에 맞는 학습을 지원해 주는 맞춤형 교육에 대한 요구가 증가하고 있다.

㉣ 교육과정 의사 결정 과정에 다양한 교육 주체들의 참여를 확대하고 교육과정 자율화 및 분권화를 활성화해야 한다는 요구가 높아지고 있다.

이에 그동안의 교육과정 발전 방향을 계승하면서 미래 사회를 살아갈 학생들이 주도적으로 삶을 이끌어가는 능력을 함양할 수 있도록 교육과정을 구성한다.

② 교육과정 구성의 중점 24. 국가직·국가직 7급

이 교육과정은 우리나라 교육과정이 추구해 온 교육 이념과 인간상을 바탕으로, 미래 사회가 요구하는 핵심역량을 함양하여 포용성과 창의성을 갖춘 주도적인 사람으로 성장하게 하는 데 중점을 둔다.

㉠ 디지털 전환, 기후·생태환경 변화 등에 따른 미래 사회의 불확실성에 능동적으로 대응할 수 있는 능력과 자신의 삶과 학습을 스스로 이끌어가는 주도성을 함양한다.

㉡ 학생 개개인의 인격적 성장을 지원하고, 사회 구성원 모두의 행복을 위해 서로 존중하고 배려하며 협력하는 공동체 의식을 함양한다.

㉢ 모든 학생이 학습의 기초인 언어·수리·디지털 기초소양을 갖출 수 있도록 하여 학교 교육과 평생학습에서 학습을 지속할 수 있게 한다.

⚡ **디지털 소양** [(초) 학교자율시간 + 실과 34시간, (중) 학교자율시간 + 정보 68시간 (고) 정보교과 신설과 선택과목 개설 등]

㉣ 학생들이 자신의 진로와 학습을 주도적으로 설계하고, 적절한 시기에 학습할 수 있도록 학습자 맞춤형 교육과정 체제를 구축한다.

㉤ 교과 교육에서 깊이 있는 학습을 통해 역량을 함양할 수 있도록 교과 간 연계와 통합, 학생의 삶과 연계된 학습, 학습에 대한 성찰 등을 강화한다.

㉥ 다양한 학생 참여형 수업을 활성화하고, 문제 해결 및 사고의 과정을 중시하는 평가를 통해 학습의 질을 개선한다.

㉦ 교육과정 자율화·분권화를 기반으로 학교, 교사, 학부모, 시·도 교육청, 교육부 등 교육 주체들 간의 협조 체제를 구축하여 학습자의 특성과 학교 여건에 적합한 학습이 이루어질 수 있도록 한다.

(2) **핵심가치, 추구하는 인간상 및 핵심역량**

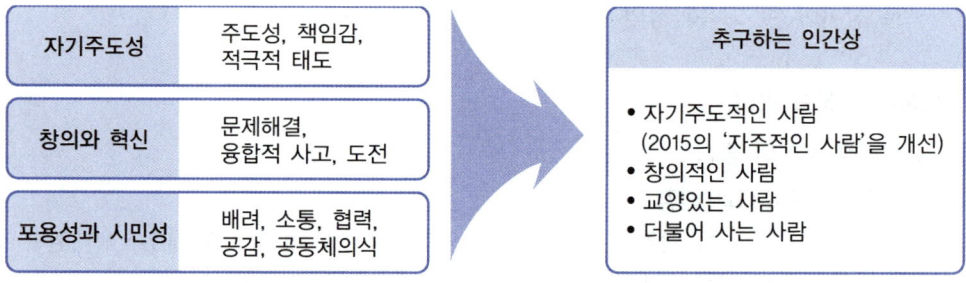

우리나라의 교육은 홍익인간의 이념 아래 모든 국민으로 하여금 인격을 도야하고, 자주적 생활 능력과 민주시민으로서 필요한 자질을 갖추어 인간다운 삶을 영위하고, 민주 국가의 발전과 인류 공영의 이상을 실현할 수 있도록 함을 목적으로 한다. 이러한 교육 이념과 교육 목적을 바탕으로, 이 교육과정이 추구하는 인간상은 다음과 같다.

① 전인적 성장을 바탕으로 자아정체성을 확립하고 자신의 진로와 삶을 스스로 개척하는 **자기주도적인 사람**
② 폭넓은 기초 능력을 바탕으로 진취적 발상과 도전을 통해 새로운 가치를 창출하는 **창의적인 사람**
③ 문화적 소양과 다원적 가치에 대한 이해를 바탕으로 인류 문화를 향유하고 발전시키는 **교양 있는 사람**
④ 공동체 의식을 바탕으로 다양성을 이해하고 서로 존중하며 세계와 소통하는 민주시민으로서 배려와 나눔, 협력을 실천하는 **더불어 사는 사람**

(3) 핵심역량

이 교육과정이 추구하는 인간상을 구현하기 위해 교과 교육과 창의적 체험활동을 포함한 학교 교육 전 과정을 통해 중점적으로 기르고자 하는 **핵심역량**은 다음과 같다.

① 자아정체성과 자신감을 가지고 자신의 삶과 진로를 스스로 설계하며 이에 필요한 기초 능력과 자질을 갖추어 자기주도적으로 살아갈 수 있는 **자기관리 역량**
② 문제를 합리적으로 해결하기 위하여 다양한 영역의 지식과 정보를 깊이 있게 이해하고 비판적으로 탐구하며 활용할 수 있는 **지식정보처리 역량**
③ 폭넓은 기초 지식을 바탕으로 다양한 전문 분야의 지식, 기술, 경험을 융합적으로 활용하여 새로운 것을 창출하는 **창의적 사고 역량**
④ 인간에 대한 공감적 이해와 문화적 감수성을 바탕으로 삶의 의미와 가치를 성찰하고 향유하는 **심미적 감성 역량**
⑤ 다른 사람의 관점을 존중하고 경청하는 가운데 자신의 생각과 감정을 효과적으로 표현하며 상호협력적인 관계에서 공동의 목적을 구현하는 **협력적 소통 역량**
⑥ 지역·국가·세계 공동체의 구성원에게 요구되는 개방적·포용적 가치와 태도로 지속 가능한 인류 공동체 발전에 적극적이고 책임감 있게 참여하는 **공동체 역량**

◬ **역량** 특정한 맥락이나 상황에서의 지식, 기능, 가치 및 태도를 통합적으로 작동시켜 복잡한 문제를 해결하는 능력
◬ **핵심역량** 교육과정이 추구하는 인간상을 구현하기 위해 교과 교육과 창의적 체험활동을 포함한 학교 교육 전 과정을 통해 중점적으로 기르고자 하는 역량

(4) **학교급별 교육목표**

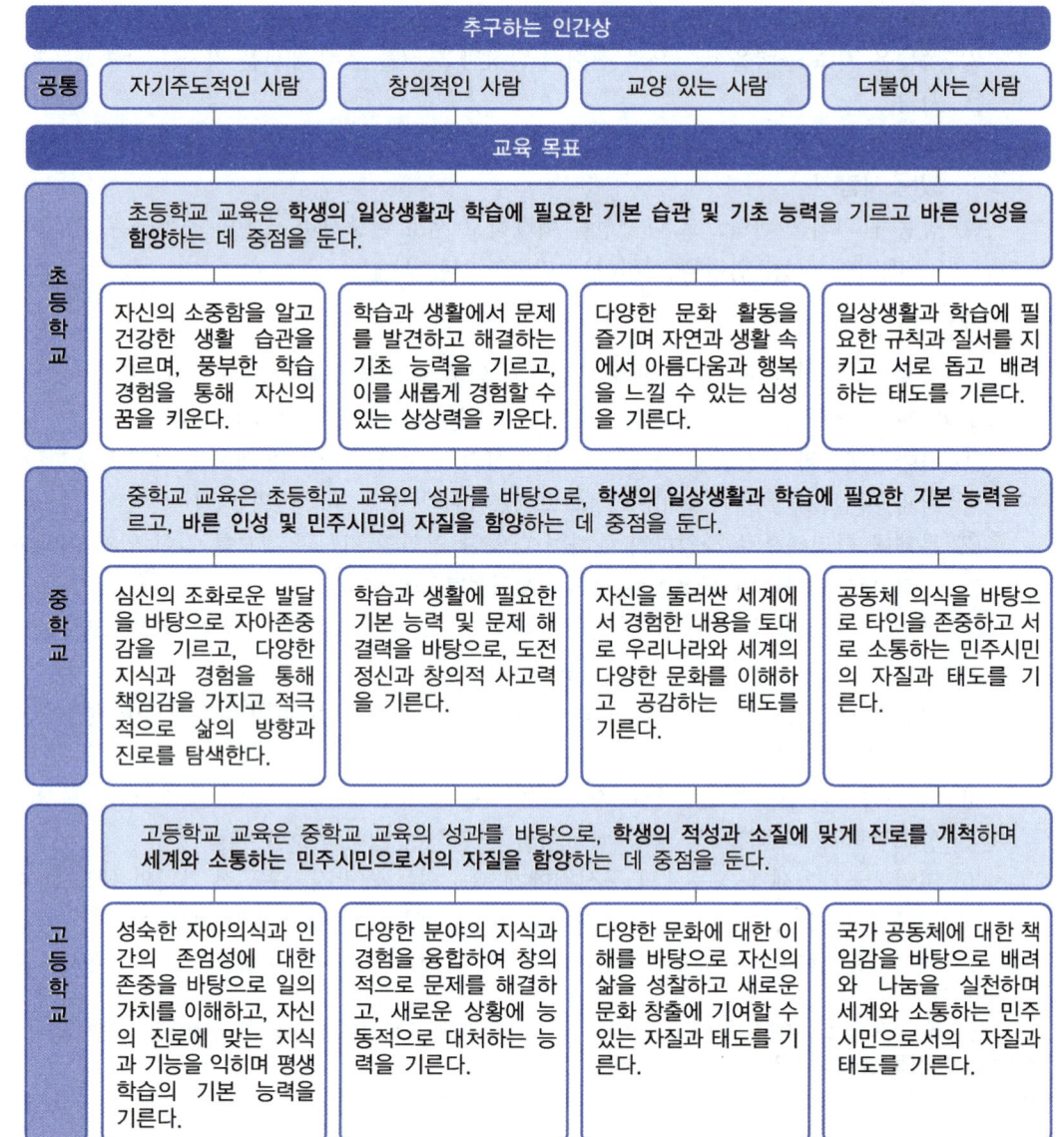

3. **학교 교육과정 설계와 운영**

　(1) **설계의 원칙**: 학교 교육과정을 설계하고 운영할 때 반영해야 할 주요 원칙들과 유의사항 및 절차 등을 안내한다.

　　① 학교는 이 교육과정을 바탕으로 학교 교육과정을 자율적으로 설계·운영하며, 학생의 특성과 학교 여건에 적합한 학습 경험을 제공한다.

　　　㉠ 학습자의 발달 수준에 적합한 폭넓고 균형 있는 교육과정을 통해 다양한 영역의 세계를 탐색해보는 기회를 제공하고, 학습자의 전인적인 성장·발달이 가능하도록 학교 교육과정을 설계하여 운영한다.

ⓒ 학생 실태와 요구, 교원 조직과 교육 시설·설비 등 학교 실태, 학부모 의견 및 지역사회 실정 등 학교의 교육 여건과 환경을 종합적으로 고려하여 학습자에게 적합한 학습 경험을 제공한다.
　　ⓓ 학교는 학생의 필요와 요구에 따라 학교의 특성을 고려하여 다양한 교육 활동을 설계하여 운영할 수 있다.
　　ⓔ 학교 교육 기간을 포함한 평생 학습에 필요한 기초소양과 자기주도 학습 능력을 갖출 수 있도록 지원하며 학습 격차를 줄이도록 노력한다.
　　ⓜ 학생들의 자발적인 참여를 원칙으로 하여 학교와 시·도 교육청은 학생과 학부모의 요구에 따라 방과 후 활동 또는 방학 중 활동을 운영·지원할 수 있다.
　　ⓗ 학교는 학교 교육과정의 효율적인 설계와 운영을 위하여 지역사회의 인적, 물적 자원을 계획적으로 활용한다.
　　ⓢ 학교는 가정 및 지역과 연계하여 학생이 건전한 생활 태도와 행동 양식을 가지고 학습할 수 있도록 지도한다.
② 학교 교육과정은 모든 교원이 전문성을 발휘하여 참여하는 민주적인 절차와 과정을 거쳐 설계·운영하며, 지속적인 개선을 위해 노력한다.
　　㉠ 교육과정의 합리적 설계와 효율적 운영을 위해 교원, 교육 전문가, 학부모 등이 참여하는 학교 교육과정 위원회를 구성·운영하며, 이 위원회는 학교장의 교육과정 운영 및 의사 결정에 관한 자문 역할을 담당한다. 단, 특성화 고등학교와 산업수요 맞춤형 고등학교의 경우에는 산업계 전문가가 참여할 수 있고, 통합교육이 이루어지는 학교의 경우에는 특수교사가 참여할 것을 권장한다.
　　㉡ 학교는 학습 공동체 문화를 조성하고 동학년 모임, 교과별 모임, 현장 연구, 자체 연수 등을 통해서 교사들의 교육 활동 개선이 이루어지도록 한다.
　　㉢ 학교는 학교 교육과정 설계·운영의 적절성과 효과성 등을 자체 평가하여 문제점과 개선점을 추출하고, 다음 학년도의 교육과정 설계·운영에 그 결과를 반영한다.

(2) **교수·학습**: 학습의 일반적 원리에 근거하여 수업을 설계하고 운영할 때 고려해야 할 주요 원칙들을 제시한다.
① 학교는 학생들이 깊이 있는 학습을 통해 핵심역량을 함양할 수 있도록 교수·학습을 설계하여 운영한다.
　　㉠ 단편적 지식의 암기를 지양하고 각 교과목의 핵심 아이디어를 중심으로 지식·이해, 과정·기능, 가치·태도의 내용 요소를 유기적으로 연계하며 학생의 발달 단계에 따라 학습 경험의 폭과 깊이를 확장할 수 있도록 수업을 설계한다.
　　㉡ 교과 내 영역 간, 교과 간 내용 연계성을 고려하여 수업을 설계하고 지도함으로써 학생들이 융합적으로 사고하고 창의적으로 문제를 해결하는 능력을 함양할 수 있도록 한다.
　　㉢ 학습 내용을 실생활 맥락 속에서 이해하고 적용하는 기회를 제공함으로써 학교에서의 학습이 학생의 삶에 의미 있는 학습 경험이 되도록 한다.

② 학생이 여러 교과의 고유한 탐구 방법을 익히고 자신의 학습 과정과 학습 전략을 점검하며 개선하는 기회를 제공하여 스스로 탐구하고 학습할 수 있는 자기주도 학습 능력을 함양할 수 있도록 한다.
⑩ 교과의 깊이 있는 학습에 기반이 되는 언어·수리·디지털 기초소양을 모든 교과를 통해 함양할 수 있도록 수업을 설계한다.

② 학교는 학생들이 수업에 능동적으로 참여하고 학습의 즐거움을 경험할 수 있도록 교수·학습을 설계하여 운영한다.
㉠ 학습 주제에서 다루는 탐구 질문에 관심과 호기심을 가지고 스스로 문제를 해결하는 학생 참여형 수업을 활성화하며, 토의·토론 학습을 통해 자신의 생각을 표현하는 기회를 가질 수 있도록 한다.
㉡ 실험, 실습, 관찰, 조사, 견학 등의 체험 및 탐구 활동 경험이 충분히 이루어질 수 있도록 한다.
㉢ 개별 학습 활동과 함께 소집단 협동 학습 활동을 통하여 협력적으로 문제를 해결하는 경험을 충분히 갖도록 한다.

③ 교과의 특성과 학생의 능력, 적성, 진로를 고려하여 학습 활동과 방법을 다양화하고, 학교의 여건과 학생의 특성에 따라 다양한 학습 집단을 구성하여 학생 맞춤형 수업을 활성화한다.
㉠ 학생의 선행 경험, 선행 지식, 오개념 등 학습의 출발점을 파악하고 학생의 특성을 고려하여 학습 소재, 자료, 활동을 다양화한다.
㉡ 정보통신기술 매체를 활용하여 교수·학습 방법을 다양화하고, 학생 맞춤형 학습을 위해 지능정보기술을 활용할 수 있다.
㉢ 다문화 가정 배경, 가족 구성, 장애 유무 등 학습자의 개인적·사회문화적 배경의 다양성을 이해하고 존중하며, 이를 수업에 반영할 때 편견과 고정 관념, 차별을 야기하지 않도록 유의한다.
㉣ 학교는 학생 개개인의 학습 상황을 확인하여 학생의 학습 결손을 예방하도록 노력하며, 학습 결손이 발생한 경우 보충 학습 기회를 제공한다.

④ 교사와 학생 간, 학생과 학생 간 상호 신뢰와 협력이 가능한 유연하고 안전한 교수·학습 환경을 지원하고, 디지털 기반 학습이 가능하도록 교육공간과 환경을 조성한다.
㉠ 각 교과의 특성에 맞는 다양한 학습이 이루어질 수 있도록 교과 교실 운영을 활성화하며, 고등학교는 학점 기반 교육과정 운영을 위해 유연한 학습공간을 활용한다.
㉡ 학교는 교과용 도서 이외에 시·도 교육청이나 학교 등에서 개발한 다양한 교수·학습 자료를 활용할 수 있다.
㉢ 다양한 지능정보기술 및 도구를 활용하여 효율적인 학습을 지원할 수 있도록 디지털 학습 환경을 구축한다.
㉣ 학교는 실험 실습 및 실기 지도 과정에서 학생의 안전사고를 예방하기 위해 시설·기구, 기계, 약품, 용구 사용의 안전에 유의한다.
㉤ 특수교육 대상 학생 등 교육적 요구가 다양한 학생들을 위해 필요할 경우 의사소통 지원, 행동 지원, 보조공학 지원 등을 제공한다.

(3) **평가**: 학교 교육과정 설계·운영의 맥락에서 평가가 학습자의 성장을 지원하는 데 고려해야 할 원칙과 유의사항을 제시한다.
  ① 평가는 학생 개개인의 교육 목표 도달 정도를 확인하고, 학습의 부족한 부분을 보충하며, 교수·학습의 질을 개선하는 데 주안점을 둔다.
    ㉠ 학교는 학생에게 평가 결과에 대한 적절한 정보를 제공하고 추수 지도를 실시하여 학생이 자신의 학습을 지속적으로 성찰하고 개선할 수 있도록 한다.
    ㉡ 학교와 교사는 학생 평가 결과를 활용하여 수업의 질을 지속적으로 개선한다.
  ② 학교와 교사는 성취기준에 근거하여 교수·학습과 평가 활동이 일관성 있게 이루어지도록 한다.
    ㉠ 학습의 결과만이 아니라 결과에 이르기까지의 학습 과정을 확인하고 환류하여, 학습자의 성공적인 학습과 사고 능력 함양을 지원한다.
    ㉡ 학교는 학생의 인지적·정의적 측면에 대한 평가가 균형 있게 이루어질 수 있도록 하며, 학생이 자신의 학습 과정과 결과를 스스로 평가할 수 있는 기회를 제공한다.
    ㉢ 학교는 교과목별 성취기준과 평가기준에 따라 성취수준을 설정하여 교수·학습 및 평가 계획에 반영한다.
    ㉣ 학생에게 배울 기회를 주지 않은 내용과 기능은 평가하지 않는다.
  ③ 학교는 교과목의 성격과 학습자 특성을 고려하여 적합한 평가 방법을 활용한다.
    ㉠ 수행평가를 내실화하고 서술형과 논술형 평가의 비중을 확대한다.
    ㉡ 정의적, 기능적 측면이나 실험·실습이 중시되는 평가에서는 교과목의 성격을 고려하여 타당하고 합리적인 기준과 척도를 마련하여 평가를 실시한다.
    ㉢ 학교의 여건과 교육활동의 특성을 고려하여 다양한 지능정보기술을 활용함으로써 학생 맞춤형 평가를 활성화한다.
    ㉣ 개별 학생의 발달 수준 및 특성을 고려하여 평가 계획을 조정할 수 있으며, 특수학급 및 일반학급에 재학하고 있는 특수교육 대상 학생을 위해 필요한 경우 평가 방법을 조정할 수 있다.
    ㉤ 창의적 체험활동은 내용과 특성을 고려하여 평가의 주안점을 학교에서 결정하여 평가한다.

(4) **모든 학생을 위한 교육기회의 제공**: 다양한 특성을 가진 학습자들이 차별을 받지 않고 적합한 교육기회를 갖게 하는 데 필요한 지원 과제를 안내한다.
  ① 교육 활동 전반을 통하여 남녀의 역할, 학력과 직업, 장애, 종교, 이전 거주지, 인종, 민족, 언어 등에 관한 고정 관념이나 편견을 가지지 않도록 지도한다.
  ② 학습자의 개인적 특성이나 사회·문화적 배경에 의해 교육의 기회와 학습 경험에서 부당한 차별을 받거나 소외되지 않도록 한다.
  ③ 학습 부진 학생(학업에 어려움을 겪는 학생), 특정 분야에서 탁월한 재능을 보이는 학생, 특수교육 대상 학생, 귀국 학생, 다문화 가정 학생 등이 학교에서 충실한 학습 경험을 누릴 수 있도록 필요한 지원을 한다.

④ 특수교육 대상 학생을 위해 특수학급을 설치·운영하는 경우, 학생의 장애 특성 및 정도를 고려하여, 이 교육과정을 조정하여 운영하거나 특수교육 교과용 도서 및 통합교육용 교수·학습 자료를 활용할 수 있다.

⑤ 다문화 가정 학생을 위한 특별 학급을 설치·운영하는 경우, 다문화 가정 학생의 한국어 능력을 고려하여 이 교육과정을 조정하여 운영하거나, 한국어 교육과정 및 교수·학습 자료를 활용할 수 있다. 한국어 교육과정은 학교의 특성, 학생·교사·학부모의 요구와 필요에 따라 주당 10시간 내외에서 운영할 수 있다.

⑥ 학교가 종교 과목을 개설할 때는 종교 이외의 과목과 함께 복수로 과목을 편성하여 학생에게 선택의 기회를 주어야 한다. 다만, 학생의 학교 선택권이 허용되는 종립 학교(종교단체가 설립한 사립학교)의 경우 학생·학부모의 동의를 얻어 단수로 개설할 수 있다.

4. 학교급별 교육과정 편성·운영의 기준

(1) **기본 사항**: 모든 학교급에 해당하는 학교 교육과정 편성·운영의 일반적인 기준

① 초등학교 1학년부터 중학교 3학년까지의 공통 교육과정과 고등학교 1학년부터 3학년까지의 학점 기반 선택 중심 교육과정으로 편성·운영한다.

② 학교는 학교 교육과정 편성·운영 계획을 바탕으로 학년(군)별 교육과정 및 교과(군)별 교육과정을 편성할 수 있다.

③ 학년 간 상호 연계와 협력을 통해 학교 교육과정을 유연하게 편성·운영할 수 있도록 학년군을 설정한다.

④ 공통 교육과정의 교과는 교육 목적상의 근접성, 학문 탐구 대상 또는 방법상의 인접성, 생활 양식에서의 연관성 등을 고려하여 교과(군)로 재분류한다.

⑤ 고등학교 교과는 보통 교과와 전문 교과로 구분하며, 학생들의 기초소양 함양과 기본 학력을 보장하기 위하여 보통 교과에 공통 과목을 개설하여 모든 학생이 이수하도록 한다.

⑥ 교과와 창의적 체험활동의 내용 배열은 반드시 따라야 할 학습 순서를 의미하는 것은 아니며, 학생의 관심과 요구, 학교의 실정과 교사의 필요, 계절 및 지역의 특성 등에 따라 각 교과목의 학년군별 목표 달성을 위해 지도 내용의 순서와 비중, 교과 내 또는 교과 간 연계 지도 방법 등을 조정하여 운영할 수 있다.

⑦ 학업 부담을 적정화하고 의미 있는 학습 활동이 이루어질 수 있도록 학기당 이수 교과목 수를 조정하여 집중이수를 실시할 수 있다.

⑧ 학교는 학교급 간 전환기의 학생들이 상급 학교의 생활 및 학습을 준비하는 데 필요한 교육을 지원하기 위해 진로연계교육을 운영할 수 있다.

진로연계 학기 운영 예시

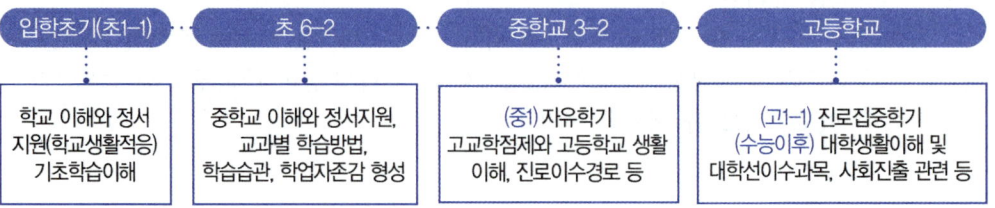

⑨ 범교과 학습 주제는 교과와 창의적 체험활동 등 교육 활동 전반에 걸쳐 통합적으로 다루도록 하고, 지역사회 및 가정과 연계하여 지도한다.

> 안전·건강 교육, 인성 교육, 진로 교육, 민주시민 교육, 인권 교육, 다문화 교육, 통일 교육, 독도 교육, 경제·금융 교육, 환경·지속가능발전 교육

⑩ 학교는 가정과 학교, 사회에서의 위험 상황을 알고 대처할 수 있도록 체험 중심의 안전교육을 관련 교과와 창의적 체험활동과 연계하여 운영한다.
  ㉠ 초1~2학년: 기존의 '안전한 생활' 성취기준, 내용요소를 통합교과로 재구조화하여 교과와 연계한 생활 중심 안전교육 강조

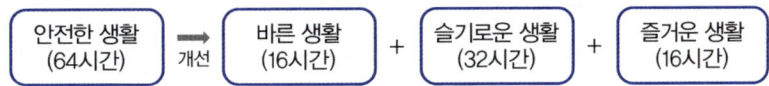

  ㉡ 초 3학년 이후: 과학, 체육, 실과, 보건 등 관련 교과(목)의 '안전' 대단원을 통해 전 학교급에 걸친 체계적인 안전교육 실시
⑪ 학교는 필요에 따라 계기 교육을 실시할 수 있으며, 이 경우 계기 교육 지침에 따른다.
⑫ 학교는 필요에 따라 원격수업을 실시할 수 있으며, 이 경우 원격수업 운영 기준은 관련 법령과 지침에 따른다.
⑬ 시·도 교육청과 학교는 필요에 따라 이 교육과정에 제시되어 있는 과목 외에 새로운 과목을 개설할 수 있다. 이 경우 시·도 교육감이 정하는 지침에 따라 사전에 필요한 절차를 거쳐야 한다.
⑭ 특수교육 대상 학생에 대해서는 이 교육과정 해당 학년군의 편제와 시간(학점 배당)을 따르되, 학생의 교육적 요구를 고려하여 특수교육 교육과정의 교과(군) 내용과 연계하거나 대체하여 수업을 설계·운영할 수 있다.

(2) **초등학교**

① 편제
  ㉠ 초등학교 교육과정은 교과(군)와 창의적 체험활동으로 편성한다.
  ㉡ 교과(군)는 국어, 사회/도덕, 수학, 과학/실과, 체육, 예술(음악/미술), 영어로 한다. 다만, 1, 2학년의 교과는 국어, 수학, 바른 생활, 슬기로운 생활, 즐거운 생활로 한다.
  ㉢ 창의적 체험활동은 자율·자치 활동, 동아리 활동, 진로 활동으로 한다.

② 시간 배당 기준

구분		1~2학년	3~4학년	5~6학년
교과(군)	국어	국어 482	408	408
	사회/도덕		272	272
	수학	수학 256	272	272
	과학/실과	바른 생활 144	204	340
	체육	슬기로운 생활 224	204	204
	예술(음악/미술)		272	272
	영어	즐거운 생활 400	136	204
	소계	1,506	1,768	1,972
창의적 체험활동		238	204	204
학년군별 총 수업 시간 수		1,744	1,972	2,176

① 1시간의 수업은 40분을 원칙으로 하되, 기후 및 계절, 학생의 발달 정도, 학습 내용의 성격, 학교 실정 등을 고려하여 탄력적으로 편성·운영할 수 있다.
② 학년군의 교과(군)별 및 창의적 체험활동 시간 배당은 연간 34주를 기준으로 2년간의 기준 수업 시수를 나타낸 것이다.
③ 학년군별 총 수업 시간 수는 최소 수업 시수를 나타낸 것이다.
④ 실과의 수업 시간은 5~6학년 과학/실과의 수업 시수에만 포함된다.
⑤ 정보교육은 실과의 정보영역 시수와 학교자율시간 등을 활용하여 34시간 이상 편성·운영한다.

③ 교육과정 편성·운영 기준
  ㉠ 학교는 학년(군)별 교과(군)와 창의적 체험활동의 수업 시수를 학년별, 학기별로 자율적으로 편성할 수 있다.
    ⓐ 학교는 학생이 학년(군)별로 이수해야 할 교과를 학년별, 학기별로 편성하여 학생과 학부모에게 안내한다.
    ⓑ 학교는 모든 교육 활동을 통해 학생이 기본 생활 습관, 기초 학습 능력, 바른 인성을 함양할 수 있도록 교육과정을 편성·운영한다.
    ⓒ 학교는 학교의 특성, 학생·교사·학부모의 요구 및 필요에 따라 자율적으로 교과(군)별 및 창의적 체험활동의 20% 범위 내에서 시수를 증감하여 편성·운영할 수 있다. 단, 체육, 예술(음악/미술) 교과는 기준 수업 시수를 감축하여 편성·운영할 수 없다.
    ⓓ 학교는 교육의 효과를 높이기 위하여 필요한 경우 학년별, 학기별로 교과 집중이수를 실시할 수 있다.
    ⓔ 학교는 창의적 체험활동의 영역을 학생들의 발달 수준, 학교의 여건 등을 고려하여 학년(군)별로 자율적으로 편성·운영한다.

ⓒ 학교는 모든 학생의 학습 기회를 보장할 수 있도록 학교 교육과정을 편성·운영한다.
  ⓐ 학교는 각 교과의 기초적, 기본적 요소들이 체계적으로 학습되도록 교육과정을 편성·운영한다. 특히 국어사용 능력과 수리 능력의 기초가 부족한 학생들을 대상으로 기초 학습 능력 향상을 위한 별도의 프로그램을 편성·운영할 수 있다.
  ⓑ 전입 학생이 특정 교과를 이수하지 못할 경우, 시·도 교육청과 학교에서는 보충 학습 과정 등을 통해 학습 결손이 발생하지 않도록 한다.
  ⓒ 학년을 달리하는 학생을 대상으로 복식 학급을 편성·운영하는 경우에는 교육 내용의 학년별 순서를 조정하거나 공통 주제를 중심으로 교재를 재구성하여 활용할 수 있다.

ⓒ 학교는 3~6학년별로 지역과 연계하거나 다양하고 특색 있는 교육과정 운영을 위해 학교자율시간을 편성·운영한다.
  ⓐ 학교자율시간을 활용하여 이 교육과정에 제시되어 있는 교과 외에 새로운 과목이나 활동을 개설할 수 있으며, 이 경우 시·도 교육감이 정하는 지침에 따라 사전에 필요한 절차를 거쳐야 한다.
  ⓑ 학교자율시간에 운영하는 과목과 활동의 내용은 지역과 학교의 여건 및 학생의 필요에 따라 학교가 결정하되, 다양한 과목과 활동으로 개설하여 운영한다.
  ⓒ 학교자율시간은 학교 여건에 따라 연간 34주를 기준으로 한 교과별 및 창의적 체험활동 수업 시간의 학기별 1주의 수업 시간을 확보하여 운영한다. ⇨ 학년별 선택과목 2과목 편성 운영 가능 예 3학년(지역연계생태환경, 디지털 기초소양), 4학년(지속 가능한 미래, 우리 고장 알기), 5학년(지역과 시민, 지역 속 문화탐방), 6학년(인공지능과 로봇, 역사로 보는 지역)

ⓒ 학교는 입학 초기 및 상급 학교(학년)으로 진학하기 전 학기의 일부 시간을 활용하여 학교급 간 연계 및 진로 교육을 강화하는 진로연계교육을 편성·운영한다.
  ⓐ 학교는 1학년 학생의 학교생활 적응 및 한글 해득 교육 등의 입학 초기 적응 프로그램을 교과와 창의적 체험활동 시간을 활용하여 진로연계교육으로 운영한다.
  ⓑ 학교는 중학교의 생활 및 학습 준비, 진로 탐색 등의 프로그램을 교과와 창의적 체험활동 시간을 활용하여 진로연계교육을 자율적으로 운영한다.
  ⓒ 학교는 진로연계교육의 중점을 학생의 역량 함양 및 자기주도적 학습 능력 향상에 두고, 교과별 학습 내용 및 학습 방법의 학교급 간 연계, 교과와 연계한 진로 활동 등을 통해 학생의 학습과 성장을 지원한다.

ⓒ 학교는 학생의 발달 특성을 고려하여 학교 교육과정을 편성·운영한다.
  ⓐ 학교는 1~2학년 학생에게 실내·외 놀이 및 신체 활동의 기회를 충분히 제공한다. ⇨ 주 2회 이상 실외 놀이 및 신체활동 144시간 편성·운영
  ⓑ 1~2학년의 안전교육은 바른 생활·슬기로운 생활·즐거운 생활 교과의 64시간을 포함하여 교과 및 창의적 체험활동을 활용하여 편성·운영한다.
  ⓒ 정보통신 활용 교육, 보건 교육, 한자 교육 등은 관련 교과와 창의적 체험활동 시간을 활용하여 체계적인 지도가 이루어질 수 있도록 한다.

(3) 중학교

① 편제
  ㉠ 중학교 교육과정은 교과(군)와 창의적 체험활동으로 편성한다.
  ㉡ 교과(군)는 국어, 사회(역사 포함)/도덕, 수학, 과학/기술·가정/정보, 체육, 예술(음악/미술), 영어, 선택으로 한다.
  ㉢ 선택 교과는 한문, 환경, 생활 외국어(생활 독일어, 생활 프랑스어, 생활 스페인어, 생활 중국어, 생활 일본어, 생활 러시아어, 생활 아랍어, 생활 베트남어), 보건, 진로와 직업 등의 과목으로 한다.
  ㉣ 창의적 체험활동은 자율·자치 활동, 동아리 활동, 진로 활동으로 한다.

② 시간 배당 기준

구분		1~3학년
교과(군)	국어	442
	사회(역사 포함)/도덕	510
	수학	374
	과학/기술·가정/정보	680
	체육	272
	예술(음악/미술)	272
	영어	340
	선택	170
	소계	3,060
창의적 체험활동		306
총 수업 시간 수		3,366

① 1시간 수업은 45분을 원칙으로 하되, 기후 및 계절, 학생의 발달 정도, 학습 내용의 성격, 학교 실정 등을 고려하여 탄력적으로 편성·운영할 수 있다.
② 교과(군)별 및 창의적 체험활동 시간 배당은 연간 34주를 기준으로 3년간의 기준 수업 시수를 나타낸 것이다.
③ 총 수업 시간 수는 3년간의 최소 수업 시수를 나타낸 것이다.
④ 정보는 정보 수업 시수와 학교자율시간 등을 활용하여 68시간 이상 편성·운영한다.

③ 교육과정 편성·운영 기준
  ㉠ 학교는 교과(군)와 창의적 체험활동의 수업 시수를 학년별, 학기별로 자율적으로 편성할 수 있다.
    ⓐ 학교는 학생이 3년간 이수해야 할 교과목을 학년별, 학기별로 편성하여 학생과 학부모에게 안내한다.
    ⓑ 학교는 학교의 특성, 학생·교사·학부모의 요구 및 필요에 따라 자율적으로 교과(군)별 및 창의적 체험활동의 20% 범위 내에서 시수를 증감하여 편성·운영할 수

있다. 단, 체육, 예술(음악/미술) 교과는 기준 수업 시수를 감축하여 편성·운영할 수 없다.
  ⓒ 학교는 학생의 학업 부담을 적정화하고 의미 있는 학습 활동이 이루어질 수 있도록 학기당 이수 교과목 수를 8개 이내로 편성한다. 단, 체육, 예술(음악/미술) 교과 및 선택 과목과 학교자율시간에 편성한 과목은 이수 교과목 수 제한에서 제외하여 편성할 수 있다.
  ⓓ 학교는 선택 과목을 개설할 경우, 2개 이상의 과목을 동시에 개설하여 학생의 선택권을 보장한다. 학교는 필요한 경우 새로운 선택 과목을 개설할 수 있으며, 이 경우 시·도 교육감이 정하는 지침에 따라 사전에 필요한 절차를 거쳐야 한다.
  ⓔ 학교는 창의적 체험활동의 영역을 학생들의 발달 수준, 학교의 여건 등을 고려하여 자율적으로 편성·운영한다.
ⓛ 학교는 모든 학생의 학습 기회를 보장할 수 있도록 학교 교육과정을 편성·운영한다.
  ⓐ 전입 학생이 특정 교과목을 이수하지 못할 경우, 시·도 교육청과 학교에서는 학습 결손이 발생하지 않도록 보충 학습 과정 등을 제공한다.
  ⓑ 교과목 개설이 어려운 소규모 학교, 농산어촌학교 등에서는 학습 결손이 발생하지 않도록 온라인 활용 및 지역 내 교육자원 공유·협력을 활성화한다. 이 경우 시·도 교육감이 정하는 지침에 따른다.
ⓒ 학교는 지역과 연계하거나 다양하고 특색 있는 교육과정 운영을 위해 학교자율시간을 편성·운영한다.
  ⓐ 학교자율시간을 활용하여 이 교육과정에 제시되어 있는 교과목 외에 새로운 선택 과목을 개설할 수 있다.
  ⓑ 학교자율시간에 개설되는 과목의 내용은 지역과 학교의 여건 및 학생의 필요에 따라 학교가 결정하되, 학생의 선택권을 고려하여 다양한 과목을 개설·운영한다.
  ⓒ 학교자율시간은 학교 여건에 따라 연간 34주를 기준으로 한 교과별 및 창의적 체험활동 수업 시간의 학기별 1주의 수업 시간을 확보하여 운영한다.
ⓔ 학교는 학생들이 자신의 적성과 미래에 대해 탐색하고 학습의 즐거움을 경험할 수 있도록 자유학기와 진로연계교육을 편성·운영한다.
  ⓐ 중학교 과정 중 한 학기는 자유학기로 운영하되, 해당 학기의 교과 및 창의적 체험활동을 자유학기 취지에 부합하도록 편성·운영한다.
    ❶ 자유학기에는 지역 및 학교 여건을 고려하여 자율적으로 학생 참여 중심의 주제 선택 활동과 진로 탐색 활동을 운영한다. ⇨ 102시간 편성·운영
    ❷ 자유학기에는 토의·토론 학습, 프로젝트 학습 등 학생 참여형 수업을 강화하고, 학습의 과정을 중시하는 다양한 평가 방법을 활용하되, 일제식 지필 평가는 지양한다.
  ⓑ 학교는 상급 학교(학년)로 진학하기 전 학기나 학년의 일부 시간을 활용하여 학교급 간 연계 및 진로 교육을 강화하는 진로연계교육을 편성·운영한다.
    ❶ 학교는 고등학교 생활 및 학습 준비, 진로 탐색, 진학 준비 등을 위해 교과와 창의적 체험활동 시간을 활용하여 진로연계교육을 자율적으로 운영한다.

❷ 학교는 진로연계교육의 중점을 학생의 역량 함양 및 자기주도적 학습 능력 향상에 중점을 두고 교과별 내용 및 학습 방법 등의 학교급 간 연계를 통해 학생의 학습과 성장을 지원한다.

❸ 학교는 진로연계교육을 창의적 체험활동의 진로 활동 및 자유학기의 활동과 연계하여 운영한다.

㉢ 학교는 학생들이 삶 속에서 스포츠 문화를 지속적으로 향유하여 건전한 심신 발달과 정서 함양이 이루어질 수 있도록 학교스포츠클럽 활동을 편성·운영한다.

ⓐ 학교스포츠클럽 활동은 창의적 체험활동의 동아리 활동으로 편성하고 학년별 연간 34시간 운영하며, 매 학기 편성하도록 한다. ⇨ 3년간 총 102시간 편성·운영

ⓑ 학교스포츠클럽 활동의 종목과 내용은 학생들의 희망을 반영하여 학교가 결정하되, 다양한 종목을 개설하여 학생들의 선택권이 보장되도록 한다.

(4) 고등학교

① 편제

㉠ 고등학교 교육과정은 교과(군)와 창의적 체험활동으로 편성한다.
교과는 보통 교과와 전문 교과로 한다.

ⓐ 보통 교과

공통과목	일반 선택과목	진로 선택과목	융합 선택과목
• 기초 소양 및 기본 학력 함양 • 학문의 기본이해 내용 과목	교과별 학문 영역 내의 주요 학습 내용 이해 및 탐구를 위한 과목	교과별 심화 학습 및 진로 관련 과목	• 교과 내·교과 간 주제 융합 과목 • 실생활 체험 및 응용을 위한 과목

❶ 보통 교과의 교과(군)는 국어, 수학, 영어, 사회(역사/도덕 포함), 과학, 체육, 예술, 기술·가정/정보/제2외국어/한문/교양으로 한다.

❷ 보통 교과는 공통 과목과 선택 과목으로 구분한다. 선택 과목은 일반 선택 과목, 진로 선택 과목, 융합 선택 과목으로 구분한다.

△ **공통과목** 국어(공통국어1, 공통국어2), 수학(공통수학1, 공통수학2, 기본수학1, 기본수학2), 영어(공통영어1, 공통영어2, 기본영어1, 기본영어2), 사회(역사/도덕포함; 한국사1, 한국사2, 통합사회1, 통합사회2), 과학(통합과학1, 통합과학2, 과학탐구실험1, 과학탐구실험2)

ⓑ 전문 교과

❶ 전문 교과의 교과(군)는 국가직무능력표준 등을 고려하여 경영·금융, 보건·복지, 문화·예술·디자인·방송, 미용, 관광·레저, 식품·조리, 건축·토목, 기계, 재료, 화학 공업, 섬유·의류, 전기·전자, 정보·통신, 환경·안전·소방, 농림·축산, 수산·해운, 융복합·지식 재산 과목으로 한다.

❷ 전문 교과의 과목은 전문 공통 과목, 전공 일반 과목, 전공 실무 과목으로 구분한다.

㉡ 창의적 체험활동은 자율·자치 활동, 동아리 활동, 진로 활동으로 한다.

② 학점 배당 기준
  ㉠ 일반 고등학교와 특수 목적 고등학교(산업수요 맞춤형 고등학교 제외)

교과(군)	공통 과목	필수 이수 학점	자율 이수 학점
국어	공통국어1, 공통국어2	8	학생의 적성과 진로를 고려하여 편성
수학	공통수학1, 공통수학2	8	
영어	공통영어1, 공통영어2	8	
사회 (역사/도덕 포함)	한국사1, 한국사2	6	
	통합사회1, 통합사회2	8	
과학	통합과학1, 통합과학2 과학탐구실험1, 과학탐구실험2	10	
체육		10	
예술		10	
기술·가정/정보/ 제2외국어/ 한문/교양		16	
소계		84	90
창의적 체험활동		18(288시간)	
총 이수 학점		192	

① 1학점은 50분을 기준으로 하여 16회를 이수하는 수업량이다.
② 1시간의 수업은 50분을 원칙으로 하되, 기후 및 계절, 학생의 발달 정도, 학습 내용의 성격, 학교 실정 등을 고려하여 탄력적으로 편성·운영할 수 있다.
③ 공통 과목의 기본 학점은 4학점이며, 1학점 범위 내에서 감하여 편성·운영할 수 있다. 단, 한국사1, 2의 기본 학점은 3학점이며 감하여 편성·운영할 수 없다.
④ 과학탐구실험1, 2의 기본 학점은 1학점이며 증감 없이 편성·운영하는 것을 원칙으로 한다. 단, 과학, 체육, 예술 계열 고등학교의 경우 학교 실정에 따라 탄력적으로 운영할 수 있다.
⑤ 필수 이수 학점 수는 해당 교과(군)의 최소 이수 학점이다. 특수 목적 고등학교의 경우 예술 교과(군)는 5학점 이상, 기술·가정/정보/제2외국어/한문/교양 교과(군)는 12학점 이상 이수하도록 한다.
⑥ 국어, 수학, 영어 교과의 이수 학점 총합은 81학점을 초과하지 않도록 하며, 교과 이수 학점이 174학점을 초과하는 경우에는 초과 이수 학점의 50%를 넘지 않도록 한다.
⑦ 창의적 체험활동의 학점 수는 최소 이수 학점이며 ( )안의 숫자는 이수 학점을 시간 수로 환산한 것이다.
⑧ 총 이수 학점 수는 고등학교 졸업을 위해 3년간 이수해야 할 최소 이수 학점을 의미한다.

ⓒ 특성화 고등학교와 산업수요 맞춤형 고등학교

교과(군)		공통 과목	필수 이수 학점	자율 이수 학점
보통 교과	국어	공통국어1, 공통국어2	24	학생의 적성과 진로를 고려하여 편성
	수학	공통수학1, 공통수학2		
	영어	공통영어1, 공통영어2		
	사회 (역사/도덕 포함)	한국사1, 한국사2	6	
		통합사회1, 통합사회2	12	
	과학	통합과학1, 통합과학2		
	체육		8	
	예술		6	
	기술·가정/정보/ 제2외국어/ 한문/교양		8	
	소계		64	30
전문 교과	17개 교과(군)		80	
창의적 체험활동			18(288시간)	
총 이수 학점			192	

① 1학점은 50분을 기준으로 하여 16회를 이수하는 수업량이다.
② 1시간의 수업은 50분을 원칙으로 하되, 기후 및 계절, 학생의 발달 정도, 학습 내용의 성격 등과 학교 실정 등을 고려하여 탄력적으로 편성·운영할 수 있다.
③ 공통 과목의 기본 학점은 4학점이며, 1학점 범위 내에서 감하여 편성·운영할 수 있다. 단, 한국사1, 2의 기본 학점은 3학점이며 감하여 편성·운영할 수 없다.
④ 필수 이수 학점 수는 해당 교과(군)의 최소 이수 학점이다.
⑤ 자연현장 실습 등 체험 위주의 교육을 전문적으로 실시하는 특성화 고등학교의 전문 교과 필수 이수 학점은 시·도 교육감이 정한다.
⑥ 창의적 체험활동의 학점 수는 최소 이수 학점이며 (   )안의 숫자는 이수 학점을 시간 수로 환산한 것이다.
⑦ 총 이수 학점 수는 고등학교 졸업을 위해 3년간 이수해야 할 최소 이수 학점을 의미한다.

ⓒ 보통 교과
ⓐ 선택 과목의 기본 학점은 4학점이다. 단, 체육, 예술, 교양 교과(군)의 기본 학점은 3학점이다.
ⓑ 선택 과목은 1학점 범위 내에서 증감하여 편성·운영할 수 있다.
ⓒ 체육 교과의 진로 선택 과목 중 「스포츠 문화」와 「스포츠 과학」 과목의 기본 학점은 2학점이며, 1학점 범위 내에서 감하여 편성·운영할 수 있다.
ⓓ 체육 교과는 매 학기 이수하도록 한다. 단, 특성화 고등학교와 산업수요 맞춤형 고등학교의 경우, 현장 실습이 있는 학년에는 탄력적으로 운영할 수 있다.

ⓔ 특수 목적 고등학교 선택 과목은 과학, 체육, 예술 계열에 관한 과목으로 한다.
ⓕ 특수 목적 고등학교 선택 과목의 기본 학점 및 증감 범위는 시·도 교육감이 정한다.
ⓔ **전문 교과**: 전문 교과의 과목 기본 학점 및 증감 범위는 시·도 교육감이 정한다.

③ 교육과정 편성·운영 기준
  ㉠ 공통 사항
    ⓐ 고등학교 교육과정의 총 이수 학점은 192학점이며 교과(군) 174학점(필수이수 84학점 + 자율이수 90학점), 창의적 체험활동 18학점(288시간)으로 편성한다.
      ✎ **과목 이수기준** 과목 출석률(수업 횟수의 2/3 이상 출석)과 학업성취율(40% 이상)을 충족할 경우 해당 과목 이수 판정
    ⓑ 학교는 학생이 3년간 이수할 수 있는 과목을 학기별로 편성하여 학생과 학부모에게 안내한다.
    ⓒ 학교는 학생이 자신의 진로에 적합한 과목을 이수할 수 있도록 진로·학업 설계 지도와 연계하여 선택 과목에 대한 정보를 적극적으로 안내한다.
    ⓓ 과목의 이수 시기와 학점은 학교에서 자율적으로 편성·운영하되, 다음의 각호를 따른다.
      ❶ 학생이 학기 단위로 과목을 이수할 수 있도록 편성·운영한다.
      ❷ 공통 과목은 해당 교과(군)의 선택 과목 이수 전에 편성·운영하는 것을 원칙으로 한다.
      ❸ 학생의 발달 수준 등을 고려하여 공통수학1, 2와 공통영어1, 2를 기본수학1, 2와 기본영어1, 2로 대체하여 이수하도록 편성·운영할 수 있다. 이와 관련된 구체적인 사항은 시·도 교육감이 정하는 지침에 따른다.
      ❹ 선택 과목 중에서 위계성을 갖는 과목의 경우, 계열적 학습이 가능하도록 편성한다. 단, 학교의 실정 및 학생의 요구, 과목의 성격에 따라 탄력적으로 편성·운영할 수 있다.
    ⓔ 학교는 학생의 학업 부담을 완화하고 깊이 있는 학습이 이루어질 수 있도록 학기당 이수하는 학점을 적정하게 편성한다.
    ⓕ 학교는 학생의 필요와 학업 부담을 고려하여 교과(군) 총 이수 학점을 초과 이수하는 학점이 적정화되도록 하며, 특수 목적 고등학교는 특수 목적 고등학교 선택 과목에 한하여, 특성화 고등학교 및 산업수요 맞춤형 고등학교는 전문 교과의 과목에 한하여 초과 이수할 수 있다.
    ⓖ 학교는 일정 규모 이상의 학생이 이 교육과정에 제시된 선택 과목의 개설을 요청할 경우 해당 과목을 개설해야 한다. 이와 관련된 구체적인 사항은 시·도 교육감이 정하는 지침에 따른다.
    ⓗ 학교는 다양한 방식으로 학생의 선택 과목 이수 기회를 확대하기 위해 노력하되, 다음의 각호를 따른다.
      ❶ 학교에서 개설하지 않은 선택 과목 이수를 희망하는 학생이 있을 경우 그 과목을 개설한 다른 학교에서의 이수를 인정한다. 이와 관련된 구체적인 사항은 시·도 교육감이 정하는 지침에 따른다.

❷ 학교는 필요에 따라 이 교육과정에 제시되어 있는 과목 외에 새로운 과목을 개설할 수 있다. 이 경우 시·도 교육감이 정하는 지침에 따라 사전에 필요한 절차를 거쳐야 한다.

❸ 학교는 학생의 필요에 따라 지역사회 기관에서 이루어진 학교 밖 교육을 과목 또는 창의적 체험활동으로 이수를 인정한다. 이와 관련된 구체적인 사항은 시·도 교육감이 정하는 지침에 따른다.

❹ 학교는 필요에 따라 대학 과목 선이수제의 과목을 개설할 수 있고, 국제적으로 공인된 교육과정이나 과목을 개설할 수 있다. 이와 관련된 구체적인 사항은 시·도 교육감이 정하는 지침에 따른다.

ⓘ 학교는 창의적 체험활동의 영역을 학생의 발달 수준, 학교의 여건 등을 고려하여 자율적으로 편성·운영하고, 학생의 진로 및 적성과 연계하여 다양한 활동이 이루어질 수 있도록 한다.

ⓙ 학교는 학생이 교과 및 창의적 체험활동의 이수 기준을 충족한 경우 학점 취득을 인정한다. 이수 기준은 출석률과 학업성취율을 반영하여 설정하며, 이와 관련된 구체적인 사항은 교육부 장관이 정하는 지침에 따른다.

ⓚ 학교는 과목별 최소 성취수준을 보장하기 위해 학교의 여건 등을 고려하여 다양한 방식으로 예방·보충 지도를 실시한다.

ⓛ 학교는 학교급 전환 시기에 학교급 간 연계 및 진로 교육을 강화하는 진로연계교육을 편성·운영한다.

  ❶ 학교는 학생의 진로·학업 설계 지도를 위해 교과와 창의적 체험활동 시간을 활용하여 진로연계교육을 자율적으로 운영한다.
  ❷ 졸업을 앞둔 시기에 교과와 창의적 체험활동 시간을 활용하여 대학 생활에 대한 이해, 대학 선이수 과목, 사회생활 안내와 적응 활동 등을 운영한다.

ⓜ 학교는 특수교육 대상 학생을 위해 필요시 특수교육 전문 교과의 과목을 개설할 수 있다. 이 경우 진로 선택 과목 또는 융합 선택 과목으로 편성한다.

ⓛ 일반 고등학교

ⓐ 교과(군) 174학점 중 필수 이수 학점은 84학점으로 한다. 단, 필요한 경우 학교는 학생의 진로 및 발달 수준 등을 고려하여 필수 이수 학점 수를 학생별로 다르게 정할 수 있으며, 이와 관련된 구체적인 사항은 시·도 교육감이 정하는 지침에 따른다.

ⓑ 학교는 교육과정을 보통 교과 중심으로 편성하되, 필요에 따라 전문 교과의 과목을 개설할 수 있다. 이 경우 진로 선택 과목으로 편성한다.

ⓒ 학교가 제2외국어 과목을 개설할 경우, 2개 이상의 과목을 동시에 개설하도록 노력해야 한다.

ⓓ 학교가 필요에 따라 이 교육과정에 제시되어 있는 과목 외에 새로운 과목을 개설할 경우 진로 선택 과목 또는 융합 선택 과목으로 편성한다.

ⓔ 학교는 교육과정을 특성화하기 위해 특정 교과를 중심으로 중점학교를 운영할 수 있다. 이 경우 자율 이수 학점의 30% 이상을 해당 교과(군)의 과목으로 편성하도록 권장하며, 이와 관련된 구체적인 사항은 시·도 교육감이 정하는 지침에 따른다.

ⓕ 학교는 직업교육 관련 학과를 설치·운영하거나 직업 위탁 과정을 운영할 수 있다. 이 경우 특성화 고등학교와 산업수요 맞춤형 고등학교의 학점 배당 기준을 적용할 수 있으며, 이와 관련된 구체적인 사항은 시·도 교육감이 정하는 지침에 따른다.

ⓒ 특수 목적 고등학교(산업수요 맞춤형 고등학교 제외)
  ⓐ 교과(군) 174학점 중 필수 이수 학점은 75학점으로 하고, 자율 이수 학점 중 68학점 이상을 특수 목적 고등학교 전공 관련 선택 과목으로 편성한다.
  ⓑ 이 교육과정에 제시되지 않은 계열의 교육과정은 유사 계열의 교육과정에 준한다. 부득이 새로운 계열을 설치하고 그에 따른 교육과정을 편성할 경우에는 시·도 교육감이 정하는 지침에 따라 사전에 필요한 절차를 거쳐야 한다.
  ⓒ 학교는 필요에 따라 전문 교과의 과목을 개설할 수 있다. 이 경우 진로 선택 과목으로 편성한다.
  ⓓ 학교가 필요에 따라 이 교육과정에 제시되어 있는 과목 외에 새로운 과목을 개설할 경우 진로 선택 과목 또는 융합 선택 과목으로 편성한다.

ⓔ 특성화 고등학교와 산업수요 맞춤형 고등학교
  ⓐ 학교는 산업수요와 직업의 변화를 고려하여 학과를 개설하고, 학과별 인력 양성 유형, 학생의 취업 역량과 경력 개발 등을 고려하여 학생이 직업기초능력 및 직무능력을 함양할 수 있도록 교육과정을 편성·운영한다.
    ❶ 교과(군)의 총 이수 학점 174학점 중 보통 교과의 필수 이수 학점은 64학점, 전문 교과의 필수 이수 학점은 80학점으로 한다. 단, 필요한 경우 학교는 학생의 진로 및 발달 수준 등을 고려하여 필수 이수 학점을 학생별로 다르게 정할 수 있으며, 이와 관련된 구체적인 사항은 시·도 교육감이 정하는 지침에 따른다.
    ❷ 학교는 두 개 이상의 교과(군)의 과목을 선택하여 전문 교과를 편성·운영할 수 있다.
    ❸ 학교는 모든 교과(군)에서 요구되는 전문 공통 과목을 학교 여건과 학생 요구를 반영하여 편성·운영할 수 있다.
    ❹ 전공 실무 과목은 국가직무능력표준의 성취기준에 적합하게 교수·학습이 이루어지도록 하며, 내용 영역인 능력단위 기준으로 평가한다.
  ⓑ 학교는 학과를 운영할 때 필요한 경우 세부 전공, 부전공 또는 자격 취득 과정을 개설할 수 있다. 이와 관련된 구체적인 사항은 시·도 교육감이 정하는 지침에 따른다.
  ⓒ 전문 교과의 기초가 되는 과목을 선택하여 이수할 경우, 이와 관련되는 보통 교과의 선택 과목 이수로 간주할 수 있다.
  ⓓ 내용이 유사하거나 관련되는 보통 교과의 선택 과목과 전문 교과의 과목을 교체하여 편성·운영할 수 있다. 이 경우 시·도 교육감이 정하는 지침에 따라 사전에 필요한 절차를 거쳐야 한다.
  ⓔ 학교는 산업계의 수요 등을 고려하여 전문 교과의 교과 내용에 주제나 내용 요소를 추가하여 구성할 수 있다. 단, 전공 실무 과목의 경우에는 국가직무능력표준에 기반을 두어야 하며, 학교 및 학생의 필요에 따라 내용 영역(능력단위) 중 일부를 선택하여 운영할 수 있다.

ⓕ 다양한 직업적 체험과 현장 적응력 제고 등을 위해 학교에서 배운 지식과 기술을 경험하고 적용하는 현장 실습을 교육과정에 포함하여 운영한다.
  ❶ 현장 실습은 교육과정과 관련된 직무를 경험할 수 있도록 운영한다. 특히, 산업체를 기반으로 실시하는 현장 실습은 학생이 참여 여부를 선택하도록 하되, 학교와 산업계가 현장 실습 프로그램을 공동으로 개발하고 현장 실습의 과정과 결과를 평가하도록 한다.
  ❷ 현장 실습은 지역사회 기관들과 연계하여 다양한 형태로 운영할 수 있으며, 이와 관련된 구체적인 사항은 시·도 교육감이 정하는 지침에 따른다.
ⓖ 학교는 실습 관련 과목을 지도할 경우 사전에 수업 내용과 관련된 산업안전보건 등에 대한 교육을 실시해야 하고, 안전 장구 착용 등 안전 조치를 취한다.
ⓗ 창의적 체험활동은 학생의 진로 및 경력 개발, 인성 계발, 취업 역량 제고 등을 목적으로 프로그램을 운영할 수 있다.
ⓘ 이 교육과정에 제시되지 않은 교과(군)의 교육과정은 유사한 교과(군)의 교육과정에 준한다. 부득이 새로운 교과(군)의 설치 및 그에 따른 교육과정을 편성·운영하고자 할 경우에는 시·도 교육감이 정하는 지침에 따라 사전에 필요한 절차를 거쳐야 한다.
ⓙ 학교가 필요에 따라 이 교육과정에 제시되어 있는 과목 외에 새로운 전공 실무 과목을 개설하여 운영할 경우 국가직무능력표준에 기반을 두어야 하며, 이 경우 시·도 교육감이 정하는 지침에 따라 사전에 필요한 절차를 거쳐야 한다.
ⓚ 산업수요 맞춤형 고등학교는 산업계의 수요와 직접 연계된 맞춤형 교육과정 운영이 가능하도록 교육과정 편성·운영의 자율권을 부여하고, 이와 관련된 구체적인 사항은 시·도 교육감이 정하는 지침에 따른다.

(5) **특수한 학교**: 초·중등학교에 준하는 학교, 기타 특수한 학교와 초·중등교육법 별도 규정에 의하여 설립된 학교, 초·중등교육법 시행령에 따라 교육과정 운영의 특례를 받는 학교 등에 대한 교육과정 편성·운영 기준을 제시한다.
  ① 초·중·고등학교에 준하는 학교의 교육과정은 이 교육과정에 따라서 편성·운영한다.
  ② 국가가 설립 운영하는 학교의 교육과정은 해당 시·도 교육청의 편성·운영 지침을 참고하여 학교장이 편성한다.
  ③ 고등공민학교, 고등기술학교, 근로 청소년을 위한 특별 학급 및 산업체 부설 중·고등학교, 기타 특수한 학교는 이 교육과정을 바탕으로 학교의 실정과 학생의 특성에 알맞은 학교 교육과정을 편성하고, 시·도 교육감의 승인을 얻어 운영한다.
  ④ 야간 수업을 하는 학교의 교육과정은 이 교육과정을 따르되, 다만 1시간의 수업을 40분으로 단축하여 운영할 수 있다.

⑤ 방송통신중학교 및 방송통신고등학교는 이 교육과정에 제시된 중학교 및 고등학교 교육과정을 따르되, 시·도 교육감의 승인을 얻어 이 교육과정의 편제와 시간·학점 배당 기준을 다음과 같이 조정하여 운영할 수 있다.
  ㉠ 편제와 시간·학점 배당 기준은 중학교 및 고등학교 교육과정에 준하되, 중학교는 2,652시간 이상, 고등학교는 152학점 이상 이수하도록 한다.
  ㉡ 학교 출석 수업 일수는 연간 20일 이상으로 한다.
⑥ 자율학교, 재외한국학교 등 법령에 따라 교육과정 편성·운영의 자율성이 부여되는 학교와 특성화 중학교의 경우에는 학교의 설립 목적 및 특성에 따른 교육이 가능하도록 교육과정 편성·운영의 자율권을 부여하고, 이와 관련한 구체적인 사항은 시·도 교육감(재외한국학교의 경우 교육부 장관)이 정하는 지침에 따른다.
⑦ 효율적인 학교 운영을 위해 통합하여 운영하는 학교의 경우에는 이 교육과정을 따르되, 학교의 실정과 학생의 특성에 맞는 학교 교육과정을 운영할 수 있도록 교육과정 편성·운영의 자율권을 부여하고 이와 관련된 구체적인 사항은 시·도 교육감이 정하는 지침에 따른다.
⑧ 교육과정의 연구 등을 위해 새로운 방식으로 교육과정을 편성·운영하고자 하는 학교는 교육부 장관의 승인을 받아 이 교육과정의 기준과는 다르게 학교 교육과정을 편성·운영할 수 있다.

5. 학교 교육과정 지원

(1) **교육과정의 질 관리**: 학교 교육과정의 질 관리와 개선을 위한 지원 사항을 제시한다.
  ① 국가 수준의 지원
    ㉠ 이 교육과정의 질 관리를 위하여 주기적으로 학업 성취도 평가, 교육과정 편성·운영에 관한 평가, 학교와 교육 기관 평가를 실시하고 그 결과를 교육과정 개선에 활용한다.
      ⓐ 교과별, 학년(군)별 학업 성취도 평가를 실시하고, 평가 결과는 학생의 학습 지원, 학력의 질 관리, 교육과정의 적절성 확보 및 개선 등에 활용한다.
      ⓑ 학교의 교육과정 편성·운영과 교육청의 교육과정 지원 상황을 파악하기 위하여 학교와 교육청에 대한 평가를 주기적으로 실시한다.
      ⓒ 교육과정에 대하여 조사, 분석 및 점검을 실시하고 그 결과를 교육과정 개선에 반영한다.
    ㉡ 교육과정 편성·운영과 지원 체제의 적절성 및 실효성을 평가하기 위한 연구를 수행한다.
  ② 교육청 수준의 지원
    ㉠ 지역의 특수성, 교육의 실태, 학생·교원·주민의 요구와 필요 등을 반영하여 교육청 단위의 교육 중점을 설정하고, 학교 교육과정 개발을 위한 시·도 교육청 수준 교육과정 편성·운영 지침을 마련하여 안내한다.

ⓛ 시·도의 특성과 교육적 요구를 구현하기 위하여 시·도 교육청 교육과정 위원회를 조직하여 운영한다.
  ⓐ 이 위원회는 교육과정 편성·운영에 관한 조사 연구와 자문 기능을 담당한다.
  ⓑ 이 위원회에는 교원, 교육 행정가, 교육학 전문가, 교과 교육 전문가, 학부모, 지역사회 인사, 산업체 전문가 등이 참여할 수 있다.
ⓒ 학교 교육과정의 질 관리를 위해 각급 학교의 교육과정 편성·운영 실태를 정기적으로 파악하고, 교육과정 운영 지원 실태를 점검하여 효과적인 교육과정 운영과 개선에 필요한 지원을 한다.
  ⓐ 학교 교육과정 편성·운영 체제의 적절성 및 실효성을 높이기 위하여 학업 성취도 평가, 학교 교육과정 평가 등을 실시하고 그 결과를 교육과정 개선에 활용한다.
  ⓑ 교육청 수준의 학교 교육과정 지원에 대한 자체 평가와 교육과정 운영 지원 실태에 대한 점검을 실시하고 개선 방안을 마련한다.

(2) **학습자 맞춤교육 강화**: 다양한 특성을 가진 학습자들의 학습을 지원하는 데 필요한 사항을 제시한다.
  ① **국가 수준의 지원**
    ㉠ 학교에서 학생의 성장과 성공적인 학습을 지원하는 평가가 원활히 이루어질 수 있도록 다양한 방안을 개발하여 학교에 제공한다.
      ⓐ 학교가 교과 교육과정의 목표에 부합되는 평가를 실시할 수 있도록 교과별로 성취기준에 따른 평가기준을 개발·보급한다.
      ⓑ 교과목별 평가 활동에 활용할 수 있는 다양한 평가 방법, 절차, 도구 등을 개발하여 학교에 제공한다.
    ㉡ 특성화 고등학교와 산업수요 맞춤형 고등학교가 기준 학과별 국가직무능력표준이나 직무분석 결과에 기초하여 학교의 특성 및 학과별 인력 양성 유형을 고려하여 교육과정을 편성·운영할 수 있도록 지원한다.
    ㉢ 학습 부진 학생, 느린 학습자, 다문화 가정 학생 등 다양한 특성을 가진 학생을 위해 필요한 지원 방안을 마련한다.
    ㉣ 특수교육 대상 학생에 대한 정당한 편의 제공을 위해 필요한 교수·학습 자료, 교육 평가 방법 및 도구 등의 제반 사항을 지원한다.
  ② **교육청 수준의 지원**
    ㉠ 지역 및 학교, 학생의 다양한 특성을 반영하여 학교 교육과정이 운영될 수 있도록 지원한다.
      ⓐ 학교가 이 교육과정에 제시되어 있는 과목 외에 새로운 교과목을 개설·운영할 수 있도록 관련 지침을 마련한다.
      ⓑ 통합운영학교 관련 규정 및 지침을 정비하고, 통합운영학교에 맞는 교육과정 운영이 이루어질 수 있도록 지원한다.
      ⓒ 학교 밖 교육이 지역 및 학교의 여건, 학생의 희망을 고려하여 운영될 수 있도록 우수한 학교 밖 교육 자원을 발굴·공유하고, 질 관리에 힘쓴다.

ⓓ 개별 학교의 희망과 여건을 반영하여 필요한 경우 공동으로 교육과정을 운영할 수 있도록 지원한다.
ⓔ 지역사회와 학교의 여건에 따라 초등학교 저학년 학생을 학교에서 돌볼 수 있는 기능을 강화하고, 이에 대해 행·재정적 지원을 한다.
ⓕ 학교가 학생과 학부모의 요구에 따라 방과 후 또는 방학 중 활동을 운영할 수 있도록 행·재정적 지원을 한다.

ⓒ 학생의 진로 및 발달적 특성을 고려하여 자신의 진로를 스스로 설계해 갈 수 있도록 다양한 방안을 마련하여 지원한다.
ⓐ 학교급과 학생의 발달적 특성에 맞는 진로 활동 및 학교급 간 연계 교육을 강화하는 데 필요한 지원을 한다.
ⓑ 학교급 전환 시기 진로연계교육을 위한 자료를 개발·보급하고, 각 학교급 교육과정에 대한 교사의 이해 증진 및 학교급 간 협력 관계 구축을 위한 지원을 확대한다.
ⓒ 중학교 자유학기 운영을 지원하기 위해 각종 자료의 개발·보급, 교원의 연수, 지역사회와의 연계가 포함된 자유학기 지원 계획을 수립하여 추진한다.
ⓓ 고등학교 교육과정이 학점을 기반으로 내실 있게 운영될 수 있도록 각종 자료의 개발·보급, 교원의 연수, 학교 컨설팅, 최소 성취수준 보장, 지역사회와의 연계 등 지원 계획을 수립하여 추진한다.
ⓔ 인문학적 소양 및 통합적 읽기 능력 함양을 위해 독서 활동을 활성화하도록 다양한 지원을 한다.

ⓒ 학습자의 다양성을 존중하고 학습 소외 및 교육 격차를 방지할 수 있도록 맞춤형 교육을 지원한다.
ⓐ 지역 간, 학교 간 교육 격차를 완화할 수 있도록 농산어촌학교, 소규모학교에 대한 지원 체제를 마련한다.
ⓑ 모든 학생이 학습에서 소외되지 않도록 교육공동체가 함께 협력하여 학생 개개인의 필요와 요구에 맞는 맞춤형 교육 활동을 계획하고 실행할 수 있도록 지원한다.
ⓒ 전·입학, 귀국 등에 따라 공통 교육과정의 교과와 고등학교 공통 과목을 이수하지 못한 학생들이 해당 과목을 이수할 수 있도록 다양한 기회를 마련해 주고, 학생들이 공공성을 갖춘 지역사회 기관을 통해 이수한 과정을 인정해 주는 방안을 마련한다.
ⓓ 귀국자 및 다문화 가정 학생을 포함하는 다양한 배경의 학생들이 그들의 교육 경험의 특성과 배경에 의해 이 교육과정을 이수하는 데 어려움이 없도록 지원한다.
ⓔ 특정 분야에서 탁월한 재능을 보이는 학생, 학습 부진 학생, 특수교육 대상 학생들을 위한 교육기회를 마련하고 지원한다.
ⓕ 통합교육 실행 및 개선을 위해 교사 간 협력 지원, 초·중학교 교육과정과 특수교육 교육과정을 연계할 수 있는 자료 개발 및 보급, 관련 연수나 컨설팅 등을 제공한다.

(3) **학교의 교육 환경 조성**: 변화하는 교육 환경에 대응하여 학생들의 역량과 소양을 함양하는 데 필요한 지원 사항을 제시한다.
   ① 국가 수준의 지원
      ㉠ 교육과정 자율화·분권화를 바탕으로 교육 주체들이 각각의 역할과 책임을 충실하게 수행할 수 있는 협조 체제를 구축하고 지원한다.
      ㉡ 시·도 교육청의 교육과정 지원 활동과 단위 학교의 교육과정 편성·운영 활동이 상호 유기적으로 이루어질 수 있도록 행·재정적 지원을 한다.
      ㉢ 이 교육과정이 교육 현장에 정착될 수 있도록 교육청 수준의 교원 연수와 전국 단위의 교과 연구회 활동을 적극적으로 지원한다.
      ㉣ 디지털 교육 환경 변화에 부합하는 미래형 교수·학습 방법과 평가체제 구축을 위해 교원의 에듀테크 활용 역량 함양을 지원한다.
      ㉤ 학교 교육과정이 원활히 운영될 수 있도록 학교 시설 및 교원 수급 계획을 마련하여 제시한다.
   ② 교육청 수준의 지원
      ㉠ 학교가 이 교육과정에 근거하여 학교 교육과정을 편성·운영할 수 있도록 다음의 사항을 지원한다.
         ⓐ 학교 교육과정 편성·운영을 위해서 교육 시설, 설비, 자료 등을 정비하고 확충하는 데 필요한 행·재정적 지원을 한다.
         ⓑ 복식 학급 운영 등 소규모 학교의 정상적인 교육과정 운영을 지원하기 위해 교원의 배치, 학생의 교육받을 기회 확충 등에 필요한 행·재정적 지원을 한다.
         ⓒ 수준별 수업을 효율적으로 운영하도록 지원하며, 기초학력 향상과 학습 결손 보충이 가능하도록 보충 수업을 운영하는 데 필요한 행·재정적 지원을 한다.
         ⓓ 학교 교육활동 전반에 걸쳐 종합적인 안전교육 계획을 수립하고 사고 예방을 위한 행·재정적 지원을 한다.
         ⓔ 고등학교에서 학생의 과목 선택권을 보장할 수 있도록 교원 수급, 시설 확보, 유연한 학습 공간 조성, 프로그램 개발 등 필요한 행·재정적 지원을 한다.
         ⓕ 특성화 고등학교와 산업수요 맞춤형 고등학교가 산업체와 협력하여 특성화된 교육과정과 실습 과목을 편성·운영하는 경우, 학생의 현장 실습과 전문교과 실습이 안전하고 내실 있게 운영될 수 있도록 행·재정적 지원을 한다.
      ㉡ 학교가 새 학년도 시작에 앞서 교육과정 편성·운영에 관한 계획을 수립할 수 있도록 교육과정 편성·운영 자료를 개발·보급하고, 교원의 전보를 적기에 시행한다.
      ㉢ 교과와 창의적 체험활동 등에 필요한 교과용 도서의 개발, 인정, 보급을 위해 노력한다.
      ㉣ 학교가 지역사회의 관계 기관과 적극적으로 연계·협력해서 교과, 창의적 체험활동, 학교스포츠클럽활동, 자유학기 등을 내실 있게 운영할 수 있도록 지원하며, 관내 학교가 활용할 수 있는 우수한 지역 자원을 발굴하여 안내한다.

ⓜ 학교 교육과정의 효과적 운영을 위하여 학생의 배정, 교원의 수급 및 순회, 학교 간 시설과 설비의 공동 활용, 자료의 공동 개발과 활용에 관하여 학교 간 및 시·도 교육(지원)청 간의 협조 체제를 구축한다.

ⓑ 단위 학교의 교육과정 편성·운영 및 교수·학습, 평가를 지원할 수 있도록 교원 연수, 교육과정 컨설팅, 연구학교 운영 및 연구회 활동 지원 등에 대한 계획을 수립하여 시행한다.

ⓐ 교원의 학교 교육과정 편성·운영 능력과 교과 및 창의적 체험활동에 대한 교수·학습, 평가 역량을 제고하기 위하여 교원에 대한 연수 계획을 수립하여 시행한다.

ⓑ 학교 교육과정의 효율적인 편성·운영을 지원하기 위해 교육과정 컨설팅 지원단 등 지원 기구를 운영하며 교육과정 편성·운영을 위한 각종 자료를 개발하여 보급한다.

ⓒ 학교 교육과정 편성·운영의 개선과 수업 개선을 위해 연구학교를 운영하고 연구 교사제 및 교과별 연구회 활동 등을 적극적으로 지원한다.

ⓢ 온오프라인 연계를 통한 효과적인 교수·학습과 평가가 이루어질 수 있도록 하며, 지능정보기술을 활용한 맞춤형 수업과 평가가 가능하도록 지원한다.

ⓐ 원격수업을 효과적으로 지원하기 위해 학교의 원격수업 기반 구축, 교원의 원격수업 역량 강화 등에 필요한 행·재정적 지원을 한다.

ⓑ 수업 설계·운영과 평가에서 다양한 디지털 플랫폼과 기술 및 도구를 효율적으로 활용할 수 있도록 시설·설비와 기자재 확충을 지원한다.

6. 교육과정 적용 시기

2024	2025	2026	2027
초1·2	초3·4	초5·6	
	중1, 고1	중2, 고2	중3, 고3

7. 2015 개정 교육과정 대비 신구 대조표

구분	주요 내용	
	2015 개정	2022 개정
교육과정 개정 방향	• 창의융합형 인재 양성 • 모든 학생이 인문·사회·과학기술에 대한 기초 소양 함양 • 학습량 적정화, 교수·학습 및 평가 방법 개선을 통한 핵심역량 함양 교육 • 교육과정과 수능·대입제도 연계, 교원 연수 등 교육 전반 개선	• <u>포용성과 창의성을 갖춘 주도적인 사람</u> • 모든 학생이 <u>언어·수리·디지털소양</u>에 대한 기초 소양 함양 • 학습량 적정화, 교수·학습 및 평가 방법 개선을 통한 역량 함양 교육 • 교육과정과 수능·대입제도 연계, 교원 연수 등 교육 전반 개선

총론	공통사항	핵심역량 반영	• 총론 '추구하는 인간상' 부문에 6개 핵심역량 제시 • 교과별 교과 역량을 제시하고 역량 함양을 위한 성취기준 개발 ✎ 일반화된 지식, 핵심개념, 내용요소, 기능	• 총론 '추구하는 인간상' 개선: 자주적인 사람 → 자기주도적인 사람 • 총론 6개 핵심역량 개선: 의사소통 역량 → 협력적 소통 역량 • 교과 역량을 목표로 구체화하고 역량 함양을 위한 내용체계 개선, 핵심 아이디어 중심으로 적정화 ✎ (개선) 지식·이해, 과정·기능, 가치·태도
		역량 함양 강화	• 연극교육 활성화 − (초·중) 국어 연극 단원 신설 − (고) '연극' 과목 일반선택으로 개설 • 독서교육 활성화	• 디지털 기초소양, 자기주도성, 지속가능성, 포용성과 시민성, 창의와 혁신 등 미래사회 요구 역량 지향
		소프트웨어 교육 강화	• (초) 교과(실과) 내용을 SW 기초 소양교육으로 개편 • (중) 과학/기술·가정/정보 교과 신설 • (고) '정보' 과목을 심화선택에서 일반선택 전환, SW 중심 개편	• 모든 교과교육을 통한 디지털 기초소양 함양 • (초) 실과 + 학교 자율시간 등을 활용하여 34시간 이상 편성 • (중) 정보과 + 학교 자율시간 등을 활용하여 68시간 이상 편성 • (고) 교과 신설, 다양한 진로 및 융합선택과목 신설(데이터과학, 소프트웨어와 생활 등)
		안전 교육 강화	• 안전 교과 또는 단원 신설 − (초1~2) 「안전한 생활」 신설(64시간) − (초3~고3) 관련 교과에 단원 신설	• 체험·실습형 안전교육으로 개선 − (초1~2) 통합교과 주제와 연계(64시간) − (초3~고3) 다중밀집도 안전을 포함하여 체험·실습형 교육 요소 강화
		범교과 학습 주제 개선	• 10개 범교과 학습 주제로 재구조화	• 10개 범교과 학습 주제로 유지 ✎ (초·중등교육법 개정) 교육과정 영향 사전 협의하도록 관련 법 개정
		창의적 체험 활동	• 창의적 체험활동 내실화 − 자율활동, 동아리활동, 봉사활동, 진로활동(4개)	• 창의적 체험활동 영역 개선(3개) − 자율·자치활동, 동아리활동, 진로활동 ✎ 봉사활동은 동아리 활동 영역에 편성되어 있으며, 모든 활동과 연계 가능
	고등학교	공통과목 신설 및 이수 단위	• 공통과목 및 선택과목으로 구성 • (선택과목) 일반선택과 진로선택 − 진로선택 및 전문교과를 통한 맞춤형 교육, 수월성 교육 실시	• 공통과목 및 선택과목으로 구성 • 선택과목은 일반선택과 진로선택, 융합선택으로 구분 − 다양한 진로선택 및 융합선택과목재구조화를 통한 맞춤형 교육
		특목고 과목	• 보통교과에서 분리하여 전문교과로 제시	• 전문교과I 보통교과로 통합(학생 선택권 확대), 진로선택과 융합선택으로 구분, 수월성 교육 실시
		편성 운영 기준	• 필수이수단위 94단위, 자율편성단위 86학점, 총 204단위 • 선택과목의 기본단위 5단위(일반선택 2단위증감, 진로선택 3단위 증감가능)	• 필수이수학점 84학점, 자율이수학점 90학점, 창의적 체험활동 18학점 → 총 192학점 • 선택과목의 기본학점 4학점(1학점 내 증감 가능)
		특성화고 교육과정	• 총론(보통교과)과 NCS 교과의 연계	• 국가직무능력표준 기반 교육과정 분류체계 유지 • 신산업 및 융합기술 분야 인력양성 수요 반영

	중학교	• 중학교 '교육과정 편성·운영의 중점'에 자유학기제 교육과정 운영 지침 제시	• 자유학기제 영역, 시수 적정화 　✎ (시수) 170시간→ 102시간 　✎ (영역) 4개→ 2개(주제선택, 진로탐색) • 학교스포츠클럽활동 시수적정화 　✎ (시수) 136시간→ 102시간
	초등학교	• 주당 1시간 증배, '안전한 생활' 신설 　- 창의적 체험활동에서 체험중심 교육으로 실시 • 초등학교 교육과정과 누리과정의 연계 강화(한글교육 강화)	• 입학초기적응활동 개선 　- <u>창의적 체험활동 중심으로 실시</u> • 기초문해력강화, 한글해득 강화를 위한 국어 <u>34시간 증배</u> • 누리과정의 연계 강화(즐거운생활 내 <u>신체활동 강화</u>)
	교과교육과정 개정 방향	• 총론과 교과교육과정의 유기적 연계 강화 • 교과교육과정 개정 기본방향 제시 　- 핵심개념 중심의 학습량 적정화 　- 핵심역량을 반영 　- 학생참여중심 교수·학습방법 개선 　- 과정중심 평가 확대	• 총론과 교과교육과정의 유기적 연계 강화 • 교과교육과정 개정 기본방향 제시 　- <u>핵심아이디어</u> 중심의 학습량 적정화 　- 교과역량 교과 목표로 구체화 　- 학생참여중심, 학생주도형 교수·학습방법 개선(비판적 질문, 글쓰기 등) 　- 학습의 과정을 중시하는 평가, 개별 맞춤형 피드백 강화
지원 체제	교과서	• 흥미롭고 재미있는 질 높은 교과서 개발	• <u>실생활 맥락에서 학습자의 자기주도성과 소통협력을 이끄는</u> 교과서 개발
	대입 제도 및 교원	• 교육과정에 부합하는 수능 및 대입 제도 도입 검토 　- 수능 3년 예고제에 따라 '17년까지 '21학년도 수능 제도 확정 • 교원양성기관 질 제고, 연수 확대	• 교육과정에 부합하는 대입 제도 도입 검토 　- '24년까지 '28학년도 대입제도 개편안 확정·발표 • 교원양성기관 질 제고, 연수 확대

오현준 정통교육학

핵심 체크 노트

1. **발달이론**
   ① 발달의 원리
   ② 브론펜브레너(Bronfenbrenner): 인간발달의 생태학
   ★ ③ 발달단계이론
   - 인지발달이론: 피아제(Piaget)의 개인적 구성주의, 비고츠키(Vygotsky)의 사회문화적 구성주의
   - 성격발달이론: 프로이트(Freud)의 심리성적 이론, 에릭슨(Erikson)의 심리사회적 이론
   - 도덕성 발달이론: 피아제(Piaget), 콜버그(Kohlberg)의 3수준 6단계 이론
   ④ 발달과업이론: 해비거스트(Havighurst)

2. **발달의 개인차**
   ① 인지적 특성
   ★ • 지능: 가드너(Gardner)의 다중지능이론(MI), 스턴버그(Sternberg)의 삼원지능이론
   - 감성지능(EQ)
   - 창의력: 브레인스토밍, 시넥틱스법, PMI기법, 6가지 사고모자기법
   - 인지양식(학습양식): 장의존형-장독립형 속응형-숙고형
   ② 정의적 특성
   ★ • 동기: 귀인이론, 자아효능감이론, 자기결정이론, 기대×가치이론, 목표이론, 자기가치이론, 켈러(Keller)의 ARCS이론
   - 자아정체감(Marcia): 정체감 확립, 정체감 유예, 정체감 폐쇄, 정체감 혼돈

3. **학습이론**
   ★ ① 행동주의 학습이론: 파블로프(Pavlov)의 고전적 조건화, 손다이크(Thorndike)의 시행착오설, 스키너(Skinner)의 조작적 조건화
   ② 인지주의 학습이론: 베르트하이머(Wertheimer)의 파이 현상 & 프래그난츠 법칙, 퀼러(Köhler)의 통찰설, 레빈(Lewin)의 장이론, 톨만(Tolman)의 기호형태설
   ★ ③ 정보처리이론: 정보저장소, 정보처리과정, 메타인지
   ★ ④ 사회학습이론(사회인지이론): 반두라(Bandura)의 관찰학습

4. **학습의 개인차**
   ★ ① 인지적 특성: 전이 ⇨ 형식도야설, 동일요소설, 일반화설, 형태이조설, 메타인지설
   ② 정의적 특성: 갈등, 방어기제(합리화, 투사, 동일시, 승화, 반동형성, 치환, 지성화 등)

CHAPTER 06

교육심리학

01 교육심리학의 개요
02 발달이론의 개관
03 발달이론의 유형
04 발달의 개인차(Ⅰ): 인지적 특성과 교육
05 발달의 개인차(Ⅱ): 정의적 특성과 교육
06 학습이론
07 학습의 개인차

CHAPTER 06 교육심리학

학습 포인트

1. 발달이론
   - 인지발달이론: 피아제, 비고츠키
   - 성격발달이론: 프로이트, 에릭슨
   - 도덕성 발달이론: 피아제, 콜버그
2. 발달의 개인차
   - 인지적 특성: 지능, 감성지능, 창의력, 인지양식
   - 정의적 특성: 동기, 자아정체감
3. 학습이론
   - 행동주의 학습이론
   - 인지주의 학습이론
   - 정보처리이론
   - 사회학습이론(사회인지이론)
4. 학습의 개인차
   - 인지적 특성: 전이
   - 정의적 특성: 갈등, 방어기제

제1절 교육심리학의 개요

1 개관

1. 개념

(1) 교육학(학습자 개개인의 바람직한 변화) + 심리학(인간행동과 정신 과정의 과학적 이해)

(2) 교육활동과 관련하여 일어나고 있는 여러 문제들을 과학적으로 연구하고, 그 결과를 실제에 적용하여 학습자를 바람직한 방향으로 변화시킬 수 있는 교육적·기술적·과학적 방법을 추구하는 학문

2. 목적

(1) 심리학의 방법·이론을 응용 ⇨ 교육의 효과 증대

(2) 교육과 관련된 심리학적 현상을 기술·설명·예언(예측)·통제

2 교육심리학의 기초이론 10. 경남

1. **정신분석학**(제1심리학): 인간의 정신(무의식)세계 탐구, 심층심리학, 메타심리학
   (1) **내용**: 성악설, 빙산이론(id, ego, super-ego), 인간행동의 근본 동기는 무의식(성본능, Eros) ⇨ 최면술, 꿈의 해석, 자유연상, 실수나 실언 분석 등을 통해 무의식을 의식화
   (2) **대표자**: 프로이트(심리성적 이론, id), 에릭슨(심리사회적 이론, ego), 융(집단 무의식)

(3) **특징 및 영향**: 아동의 초기경험 중시, 인과결정론(정신-무의식-결정론, 과거결정론), 욕구의 중요성, 정의적 상담이론

2. **행동주의 심리학**(제2심리학): 관찰 가능한 외적 행동 탐구 ⇨ 의식 배제

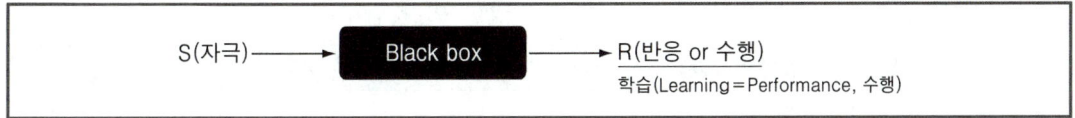

(1) **내용**: 인간과 동물의 존재론적 연결, 백지설(tabula rasa ⇨ 수동적 학습자), 인간행동은 자극과 반응의 결합(S-R)
(2) **대표자**: 파블로프(수동적 조건화 이론, S 이론), 왓슨(행동주의), 손다이크(시행착오설, 결합설), 거쓰리(1회 시행학습설), 헐(S-O-R 설, 신행동주의), 스키너(작동적 조건화 이론, R 이론)
(3) **특징 및 영향**: 요소주의("전체는 부분과 부분의 합이다." ⇨ 기계주의, 원자론, 미시이론, 환원론, 환경결정론), 경험론에 기초, 프로그램 학습, 행동수정요법, 사회학습이론

3. **사회학습이론**(사회인지이론)
(1) **내용**: 인지주의(정보처리이론) + 행동주의, 인간의 행동은 사회학습의 결과(modeling, 관찰학습)
(2) **대표자**: 반두라(관찰학습), 톨만(목적적 행동주의, 기호형태설)

4. **인지주의 심리학**: 형태주의, 정보처리이론
인간의 내적 정신과정(예 지각, 사고 등 인지활동) 탐구

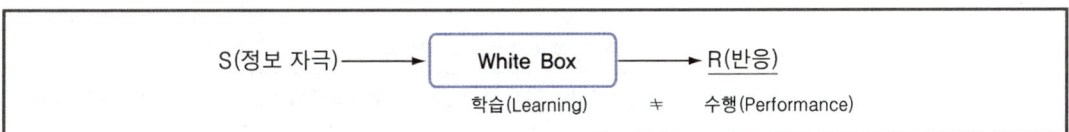

(1) **내용**: 인간은 동물과 질적으로 다른 존재, 생득관념(이성) 인정, 능동적 학습자, 인간행동(학습)은 인지구조의 변화 과정
(2) **대표자**: 베르트하이머(파이 현상, 가현운동, 프래그난츠 법칙), 쾰러(통찰설, A-ha 현상 ⇨ 직관적 통찰), 레빈(장이론), 피아제(인지발달이론), 톨만(기호형태설)
(3) **특징 및 영향**: 전체주의("전체는 부분과 부분의 합 이상이다." ⇨ 거시이론), 합리론에 기초, 정보처리이론, 발견학습, 탐구학습

5. **인본주의 심리학**(인간주의 심리학, 제3심리학): 전인적 존재로서의 인간 탐구

    (1) **내용**: 성선설, 인간의 잠재 가능성에 대한 믿음

    (2) **대표자**: 올포트(성격이론), 매슬로우(욕구위계이론), 로저스(비지시적 상담이론)

    (3) **특징 및 영향**: 실존적 현상학, 성격심리학(건강한 인간 탐구)

연구 대상		심리학 유형	관련 이론
인간	정신 (spirit)	무의식	정신분석학 (제1심리학)	인간의 무의식세계 탐구 • 초기 정신분석이론: 프로이트(Freud, 심리성적 이론, Id) • 후기 정신분석이론: 에릭슨(Erikson, 심리사회적 이론, Ego), 융(Jung, 분석심리학, 집단 무의식), 아들러(Adler, 개인심리학)
		의식	인지주의★	인간의 내적 정신과정 탐구 • 구조주의: 인지요인(구성요소) 예 분트(Wundt, 내성법) • 기능주의: 인지기능 예 제임스(James) • 형태주의: 지각(知覺) 예 베르트하이머(Wertheimer, 파이 현상, 가현운동, 프래그난츠 법칙), 쾰러(Köhler, 아하 현상, 통찰), 레빈(Lewin, 장이론), 코프카(Koffka, 형태이조설) • 인지발달이론: 피아제(Piaget), 비고츠키(Vygotsky), 케이즈(Case) • 정보처리이론★: 인지활동을 컴퓨터에 비유(순차처리) △ **신경망이론** 인지활동을 두뇌에 비유(병렬처리) ⇨ 신경생물학적 접근
	몸 (body)	행동	행동주의☆ (제2심리학)	인간의 외적 행동을 대상 ⇨ 동물의 행동(동물심리학, 실험심리학) • 고전적 조건화 이론: 파블로프(Pavlov, S형 조건화, 자극 대치 이론), 왓슨(Watson, 행동주의), 거쓰리(Guthrie, 실무율, 1회성 조건화) • 도구적 조건화 이론: 손다이크(Thorndike, S-R연합, 시행착오설) • 신행동주의: 헐(Hull, 충동 감소 이론, S-O-R 이론) • 작동적 조건화 이론: 스키너(Skinner, R형 조건화, 반응 변용 이론)
		관찰학습 (★ + ☆)		사회인지이론(사회적 학습이론): 반두라(Bandura), 톨만(Tolman, 목적적 행동주의, 잠재학습설) ⇨ 행동주의 + 정보처리이론
	전인 (全人)	정신 + 행동	인본주의 (제3심리학)	전인으로서의 인간 존재 탐구: 매슬로우(Maslow, 욕구위계설), 로저스(Rogers, 자아 중심 상담이론), 올포트(Allport, 성격이론)

> **(신경)생물학적 심리학**
>
> 1. **연구 대상**: 뇌 기능
> 2. **특징**: 인간의 행동과 정신작용을 두뇌와 신경계 안의 신경세포들 사이에서 일어나는 생리학적 과정으로 설명
> 3. **대표 이론**: 헵(Hebb), 로렌츠바이크(Rosenzweig), 가드너(Gardner)의 다중지능이론, 신경망이론

제2절 발달이론의 개관

1 발달(development)의 개념

1. 인간의 전 생애(수정~죽음 이전)에 걸쳐 일어나는 모든 변화로, 상승적 변화와 퇴행적 변화, 양적 변화와 질적 변화를 모두 포괄하는 변화이다.

2. 유전적으로 주어진 정보에 의해 이루어지는 성숙에 의한 변화와 자연적인 성장에 의한 변화, 후천적인 경험으로 이루어지는 학습에 의한 변화를 총칭한다.

   (1) 성장(growth): 전 생애 동안에 일어나는 양적(量的)인 변화, 시간의 변화에 따라 나타나는 자연적인 변화로 주로 신체적인 측면의 변화를 의미

   예 키가 큰다. 몸무게가 늘어난다.

   (2) 성숙(maturation): 유기체의 신체 내에서 일어나는 신경생리학적·생화학적 변화 ⇨ 어떤 심리적 특성이 출현하는 최초 시기에 대한 정보 제공

   예 2차 성징이 나타난다. 생후 3개월 된 영아가 말을 못하는 것은 뇌가 성숙되지 않았기 때문이다.

   (3) 학습(learning): 경험, 훈련, 지속성을 띤 후천적인 변화

   예 나눗셈을 할 줄 안다.

3. 발달은 크기의 변화, 비율의 변화, 새로운 특징의 획득, 기존 특징의 소멸 등이 서로 작용하여 일어나게 된다.

크기의 변화	신장, 체중, 가슴둘레 등의 증대라든가 심장, 폐, 위, 내장 등 기관의 구조 변화를 말한다.
비율의 변화	신생아와 성인의 신장, 체중, 가슴둘레, 머리의 비율이 성장함에 따라 변화하여 차이를 나타내는 것을 말한다.
새로운 특징의 획득	신체적·정신적 발달에 의하여 영아기에는 보행의 시작, 유아기에는 언어 발달, 아동기에는 신체 성장, 청년기에는 성적 발달이 나타나는 것을 말한다.
기존 특징의 소멸	신체가 성장 발달함에 따라 여러 가지 신체적·정신적인 측면의 특징이 없어진다. 예를 들어, 신생아의 젖니나 여러 가지 반사작용이 없어지는 것을 말한다.

2 발달의 주요 원리 16. 국가직, 09. 경기

1. 분화 통합성

   (1) 발달은 전체적·미분화된 기관 또는 기능에서 부분적·특수적 기능으로 분화되며, 또한 부분적인 기관이나 기능은 전체로 종합되어 하나의 새로운 체제로 통합된다.

   (2) 발달은 '미분화 ⇨ 분화 ⇨ 통합화'의 과정을 통하여 체제화·구조화된다.

   예 몸 움직이기 ⇨ 팔 뻗치기 ⇨ 손목 움직이기 ⇨ 손가락 사용하기 ⇨ 몸 움직여 팔 뻗어 손가락으로 물건 잡기, 각각 분화된 달리는 능력·던지는 능력·받는 능력 등이 통합되어 농구를 할 줄 안다.

2. **연속성**(≒ 점진성) : 기계론적 관점(행동주의 심리학적 접근)

    (1) 발달에는 비약이 없으며, 점진적·연속적으로 이루어진다.

    > 예 • (신체발달) 눕기 ⇨ 목 가누기(2~3개월) ⇨ 몸 뒤집기(5~6개월) ⇨ 기기(7~8개월) ⇨ 홀로 앉기(8~9개월) ⇨ 홀로 서기(11~12개월) ⇨ 홀로 걷기(12~13개월)
    > • (언어 발달) 울음 ⇨ 응아응아소리(cooing) ⇨ 옹알이(babbling) ⇨ 1단어 ⇨ 조합어 ⇨ 문장어

    (2) 이전 단계의 발달은 그 이후의 발달을 위한 기초를 제공한다.

    (3) **발달은 불연속적·비약적 과정(예 계단식 그래프)을 밟기도 한다.** ― 발달은 일련의 독립적이고 질적으로 다른 단계를 통하여 이루어지기도 한다. ⇨ 유기론적 관점(인지심리학적 접근)

3. **상호작용성**

    발달은 유전(소질)과 환경(학습)의 상호작용의 결과이다.
    예 레빈(Lewin) ⇨ B = f(P·E), 우즈워드(Woodworth) ⇨ D = f(H·E)

4. **상호관련성**

    (1) 각 발달영역(예 신체적·사회적·정신적 영역) 간에는 상호 영향을 미친다.

    (2) 보상원리(compensation principle)가 적용 ×, 특정 영역이 우수(열등)하면 거의 모든 영역에서 우수(열등)

5. **예언 곤란성**

    연령 증가에 따라 발달 경향성을 예측하기가 어렵다.

6. **순서성**(방향성)

    발달은 일정한 방향과 순서가 있다.

    (1) 전체 ⇨ 부분, 머리(頭) ⇨ 발끝(尾), 중앙 ⇨ 밖, 중추신경 ⇨ 말초신경

    (2) 구조에서 기능 부분으로 발달한다.

    > 예 연필을 쥐고 글을 쓰는 것과 같은 기능이 발달하기 위해서는 기능을 받쳐 주는 팔 근육과 손가락 근육이 먼저 발달해야 한다.

    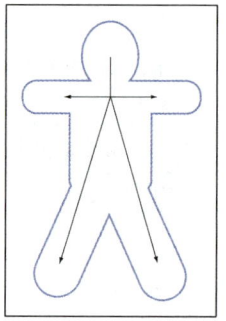

7. **주기성**(발단단계 有)과 **불규칙성**(단기적)

    (1) 장기적인 발달은 계속적인 과정이나, 단기적인 발달은 일정하지 않다.

    (2) 발달단계의 순서는 일정 불변이나, 발달속도는 개인마다 다르다.

8. **개별성**

    발달에는 개인차가 있다.
    예 "모든 인간들이 다 다르다." ⇨ 개인 내적 차이, 개인 간 차이

③ 발달연구의 최근 동향

1. **브론펜브레너(Bronfenbrenner)의 생태학적 접근** ⇨ 「인간 발달의 생태학(The Ecology of Human Development)」(1979) 20. 국가직 7급, 15. 국가직, 12. 서울

    (1) **생태학적 이론(ecological theory)의 개요**

    ① 유전적 요소, 가정의 역사, 사회경제적 수준, 가정생활의 질, 문화적인 배경과 같은 요인들이 발달과 관련된다고 파악
    ② 인위적인 실험실 연구가 아닌 실제 삶의 맥락 내에서 행하고 연구하고자 하는 접근
    ③ '맥락 속의 발달(development-in-context)' 혹은 '발달의 생태학(ecology of development)'을 연구 ⇨ 생태학(ecology)은 개인이나 유기체가 경험하고 있는 혹은 개인과 직접·간접으로 연결되어 있는 환경적 상황을 의미한다.

    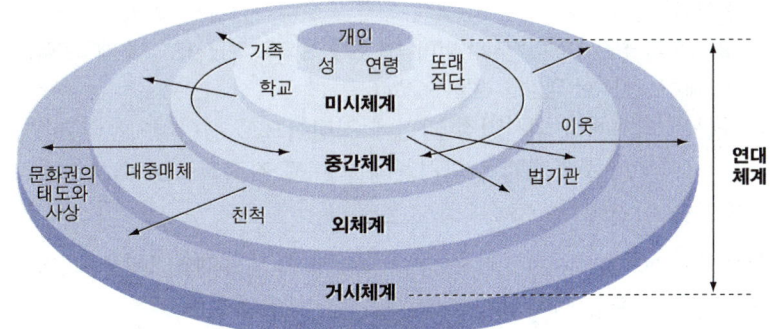
    ▲ Bronfenbrenner의 생태이론

    ④ 사람과 상황이 상호작용하는 방식을 설명: 러시아 인형에 대한 은유(metaphor) ⇨ "러시아 인형이 가장 큰 인형 속에 점차 작은 인형들이 차례로 들어 있는 것처럼, 상황들도 역시 더 큰 상황 속에 담겨 있다. 미시체계는 중간체계 속에 담겨 있고, 중간체계는 외체계 속에 담겨 있다." 브론펜브레너는 이러한 각각의 상황들 속에서의 역동성과 그 상황들 간의 전이(轉移)에 관심을 가졌다.

    (2) **인간을 둘러싸고 있는 생태학적 환경의 구조체계**

    ① **미시체계(microsystem)**: 아동이 직접적으로 접하는 환경(예 가정, 유치원, 학교, 또래집단, 놀이터 등) ⇨ 아동의 발달에 직접적으로 영향을 미치는 가장 가까운 환경으로, 아동이 성장하면서 변화한다.
    ② **중간체계(mesosystem)**: 미시체계들 간의 상호관계, 즉 환경들 간의 관계, 아동이 적극적으로 참여하는 두 개 또는 더 많은 수의 환경들 간의 상호관계
        예 가정과 학교의 관계, 가정과 또래의 관계

㉠ 각각의 미시체계는 중간체계를 통해 서로 연결된다. 즉, 한 미시체계에서 일어난 사건은 중간체계에 의해 다른 미시체계로 연결된다.
　　　㉡ 중간체계를 형성하는 각 미시체계들 간의 관계가 밀접하면 아동의 발달이 순조롭게 진행된다.
　　　　　예. 가정의 경험이 학교에서의 행동에 영향을 미치는 것이나 또래 간의 사회적 관계와 학교 성적이 관련된다.
　　　　　✎ 미시체계와 중간체계는 아동과 환경의 상호작용적 체계이다.
　　③ 외체계(외부체계, exosystem): 아동이 직접적으로 접촉하지는 않지만 아동에게 영향을 미치는 사회적 환경
　　　　예. 이웃, 친척, 부모의 직장, 대중매체, 정치적·경제적·사회적 의사결정기구(정부기구, 교육위원회, 사회복지기관 등과 같은 청소년 관련 기관)
　　　㉠ 비교적 간접적인 사회적 상황으로, 아동 개인이 직접 겪지 않더라도 아동의 미시체계에 영향을 준다.
　　　　　예. 부모의 직장에서 아버지나 어머니를 먼 지방으로 전근시키거나 해고한다면 아동의 미시체계와 중간체계는 심각한 영향을 받을 수 있다.
　　　㉡ 아동은 외체계의 의사결정 과정에 직접적으로 참여하지는 않지만, 외체계 내에서 결정된 사항들은 중간체계와 미시체계를 통해 직접적으로 혹은 간접적으로 아동의 생활에 영향을 미친다.
　　④ 거시체계(macrosystem): 미시체계, 중간체계, 외체계를 모두 포함한 것으로, 아동이 살고 있는 문화적 환경 전체 예. 사회적 가치, 법, 관습, 태도 등
　　　㉠ 가장 바깥에 존재하며, 가장 넓은 체계의 환경이다.
　　　㉡ 아동의 삶에 직접적으로 개입하지는 않지만 간접적으로 매우 강력하고 지속적인 영향을 미친다. 예. 사회적으로 유행하는 '얼짱 신드롬'은 아동의 가치관 형성에 영향
　　⑤ 시간체계(연대체계: chronosystem): 개인의 일생 동안에 걸쳐 일어나는 변화와 사회·역사적인 환경의 변화
　　　　예. 부모가 이혼한 시점, 동생이 태어난 시점 등이 언제이냐에 따라 아동에게 주는 영향이 다르다. 가족제도의 변화, 결혼관의 변화, 직업관의 변화 등
　　　　✎ 생태학적 전환 둘 이상의 환경체계가 주요한 전환을 겪는 시점 ⇨ 둘 이상의 환경체계를 경험하는 과정(발달과정에 새롭게 추가되는 사건들) 예. 초등학교 입학, 중학교 입학, 사립학교에서 공립학교로의 전학, 새로운 친구집단 형성

2. 레빈슨(D. Levinson, 1998)의 생애주기이론: 인생계절론

(1) 성인기의 연구에 있어서 전 생애적 접근방식이 필요하다는 판단 아래, 각계각층의 남성 40명에 대한 심도 있는 면접을 통해 인간 발달의 형태를 주장

(2) 질적 연구방법을 통해 "모든 인간은 필연적인 패턴(pattern)으로 발달을 계속한다."는 명제를 입증하였다. ⇨ 비록 사람들이 만든 특정한 구조들이 매우 다를 수 있지만 동일한 기본적인 순서가 문화 간, 계층 간에 걸쳐서 일어나며 역사를 통해 발생해 왔다고 강조한다.

(3) **전 생애 발달을 4개의 계절적 주기로 설명한다.**

① 인생을 25년 정도의 주기인 4개의 국면으로 나눌 수 있다고 보았으며, 각 단계는 고유한 발달과업을 지닌다는 점에서 발달의 '계절적 주기'라고 부른다.

아동기와 청소년기(0~22세)	수태에서부터 청년기 말기까지의 형성기이다.
성인 초기(17~45세)	이 시기 동안 인생에서 중요한 선택을 하며 최고의 정력을 발휘하지만, 가장 큰 스트레스도 경험한다.
성인 중기(40~65세)	대부분의 사람들은 생물학적 능력이 다소 감소하나 사회적 책임은 더 커진다.
성인 후기(60세 이상)	인생의 마지막 단계이다.

② '인생의 계절적 주기'는 계절이 바뀌는 것과 마찬가지로 우리 인생도 '안정적인 시기(인생 구조)'와 그것이 바뀌는 전환기가 번갈아온다.

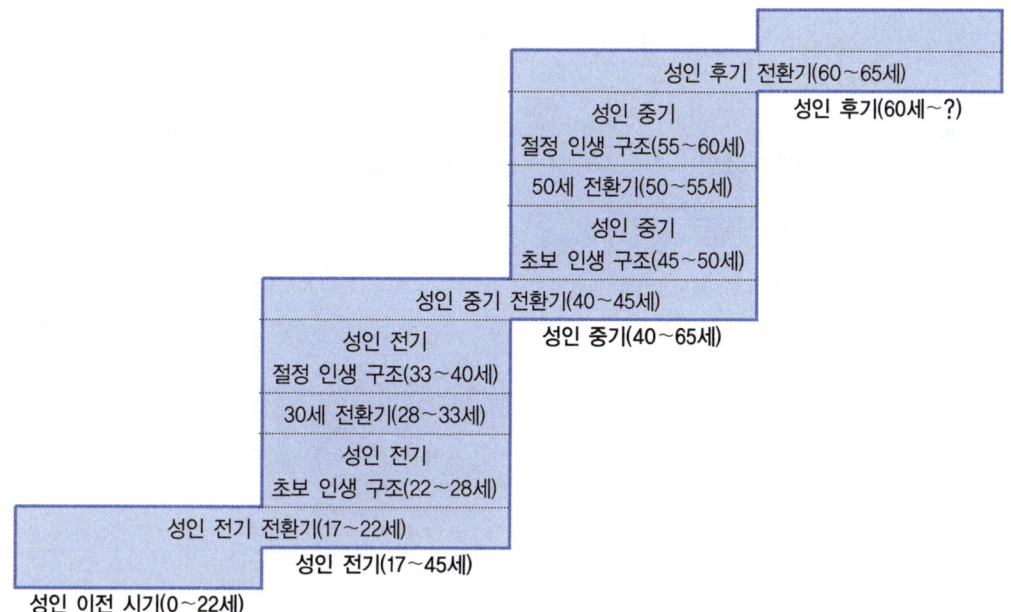

④ 발달단계이론

1. 연령 단계별 발달 특징

(1) **태아기**(임신~출생): 인간의 형태와 운동능력 생성

(2) **신생아기**(출생~2주): 가소성이 가장 강한 시기

(3) **유아기**(乳兒期, 2주~2세): 특수 반응이 나타나는 시기

바빈스키(Babinski) 반사	발바닥을 자극하면 발가락을 쫙 폈다 오므린다.
모로(Moro) 반사	갑자기 큰 소리를 들으면 팔다리를 쫙 폈다 오므린다.
파악(把握) 반사	손에 닿는 것은 꼭 쥔다.
흡입(吸入) 반사	배고플 때 입 근처에 무엇을 갖다 대면 재빨리 물고 빤다.

(4) **유아기**(幼兒期, 2~6세): 제1의 반항기, 가정에 의한 사회화

(5) **아동기**(6~12세): 자아개념의 형성

(6) **청소년기**(12~14·15세): 신체적 성숙과 정신적 미성숙(주변인), 제2의 반항기, 자아정체감 형성

2. 발달단계이론의 비교 10. 경북

영역	주창자	0~18개월 (2세)	18개월~3세(4세)	3(4)~6(7)세 유치원	6(7)~12(11)세 초등학교(저)	12(11)~18(14)세 초등학교(고) & 중·고등학교
인지 (사고)	Piaget	감각운동기	전개념기	직관적 사고기	구체적 조작기	형식적 조작기
			전조작기			
	Case	감각운동기	관계기		차원기	벡터기
	Bruner	작동적 단계(0~5)			영상적 단계(6~9)	상징적 단계(10~14)
성격	Freud (심리성적 이론)	구강기 (Id)	항문기 (Ego)	남근기 (Superego)	잠복기(잠재기)	생식기(성기기)
	Erikson (심리사회 이론)	기본적 신뢰	자율성	주도성	근면성(성취감)	자아정체감
		vs(희망)	vs(의지)	vs(목적)	vs(능력)	vs(충실)
		불신감	수치심	죄책감	열등감	역할 혼미
		성인 초기 (19~24)	성인 중기 (25~54)	성인 후기 (54~)		
		친밀감	생산성	자아통일 (자아통정감)		
		vs(사랑)	vs(배려)	vs(지혜)		
		고립감	침체성	절망감		
도덕성	Kohlberg	1. 벌과 복종에 의한 도덕성(주관화) 2. 자기중심의 욕구충족을 위한 수단(상대화)			3. 대인관계의 조화 (객관화) 4. 법과 질서 준수 (사회화)	5. 사회계약 및 법률복종(일반화) 6. 양심 및 보편적 원리(궁극화)
		I (인습 이전 - 전도덕기, 무율)			II (인습 - 타율)	III (인습 이후 - 자율)
사회성	Selman	0. 자기중심적 관점수용단계(3~6세)			1. 주관적 조망수용단계(6~10세) 2. 자기반성적 조망수용단계 (8~10세) 3. 상호적 조망수용단계(10~12세)	4. 사회적 조망수용단계(12~15세)

제3절 발달이론의 유형

1 인지발달이론

1. 피아제(Piaget)의 인지발달이론 25. 국가직, 12. 국가직 7급, 10. 경남·인천·울산·부산, 07. 국가직 7급, 06. 경기·서울, 05. 국가직

(1) **이론의 개요**
  ① 발생적 인식론(유전적 인식론, genetic epistemology): 지식(인식론)의 기원(발생) 탐구 ⇨ 관찰과 면접에 의한 임상적(臨床的) 방법을 통해 연구
  ② 인지적(개인적, 급진적) 구성주의: 아동과 물리적 환경과의 상호작용을 통해 지식을 구성, 사고 > 언어, 행동 ⇨ 사고 ⇨ 언어

(2) **이론의 기본전제**
  ① 지능이란 환경에 적응하는 능력으로 정(靜)적인 특성이 아니라 동(動)적인 특성이다.
  ② 아동의 사고는 성인의 사고와 질적으로 다르다. ⇨ 아동은 성인의 축소판이 아니다. ≒ Rousseau의 아동관
  ③ 아동은 외부 지식을 모사하거나 기억하는 수동적인 존재가 아니라 세계를 해석하는 능동적인 존재이다.
  ④ 인지는 구성적 과정이다. ⇨ 인지구조는 개인이 환경과의 능동적인 상호작용을 통해 구성한다. 실재는 환경 및 개인 속에 존재하는 정보를 근거로 구성되기 때문에 객관적 실재란 존재하지 않는다.

▲ Piaget

  ⑤ 개체와 물리적 및 사회적 환경의 상호작용은 인지발달에 큰 영향을 미친다. ⇨ 사회적 상호작용은 또래들과의 상호작용이 중요하다(성인과의 상호작용 ×).
  ⑥ 인지발달에는 유전적으로 결정된 신경계의 성숙이 전제되어야 한다.
    예 초등학교 학생들은 신경계의 미성숙으로 인해 결코 어른과 같은 방식으로 사고할 수 없다.
    ◇ **인지발달의 기제**(Piaget) 성숙, 물리적 환경, 사회적 전수, 평형화(가장 중시)
  ⑦ 인지발달은 단계적으로 이루어진다.
    ㉠ 발달이란 지식이나 기능이 점진적으로 축적되는 과정이 아니라, 사고의 질적 변용 과정이다.
    ㉡ 발달은 비연속적인 과정이며, 모든 사람들은 발달단계를 동일한 순서로 통과한다(발달순서는 불변적이고 문화적 보편성이 존재).

> **발달단계(developmental stage)의 의미**
> 1. **불변적인 순서에 따라 전개된다**: 발달의 결정론(단, 발달속도의 개인차는 인정)
> 2. **질적으로 다른 패턴으로 전개된다**: 아동은 성인의 축소판이 아니다(Rousseau).
> 3. **사고의 일반적인 속성을 나타낸다**: 특정 단계의 아동에게서 보편적으로 나타난다.
> 4. **위계적 통합을 나타낸다**(포섭적 팽창).
> 5. **모든 문화에 걸쳐 보편적이다**(발달의 보편론).

(3) **이론의 주요 내용**
① 인지기능(intelligence, 지능)은 생득적으로 부여받은 지적 행위의 일반적 특성으로, 개체가 환경에 적응하려는 기본적인 경향성을 뜻한다.
② 인지구조는 연령에 따라 변화하는 지능의 조직된 측면으로, 생득적인 것이 아니라 유기체가 환경과의 상호작용을 통해서 구성해 나간다.
③ 인지발달은 인지기능의 변화 과정이 아니라, 유기체와 대상(환경) 간의 연속적인 상호작용에 의해 단계적으로 구성되는 인지구조(schema)의 변화로 발생한다.

(4) **인지발달의 주요 기제**

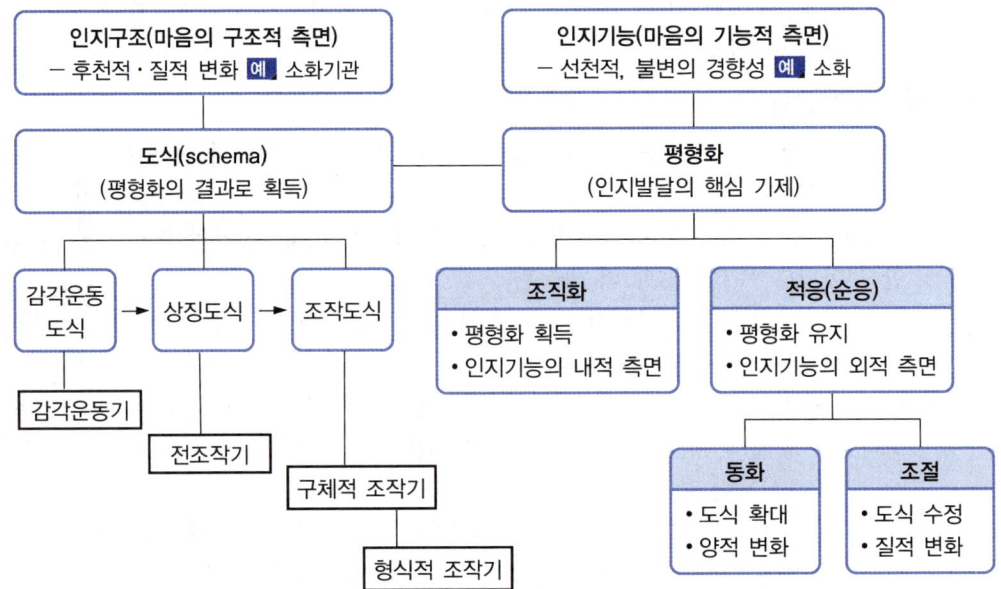

① 인지기능(cognitive function, 'intelligence'): 환경에 적응하려는 선천적 경향성 ⇨ 고정 불변성(항상성) 17. 국가직

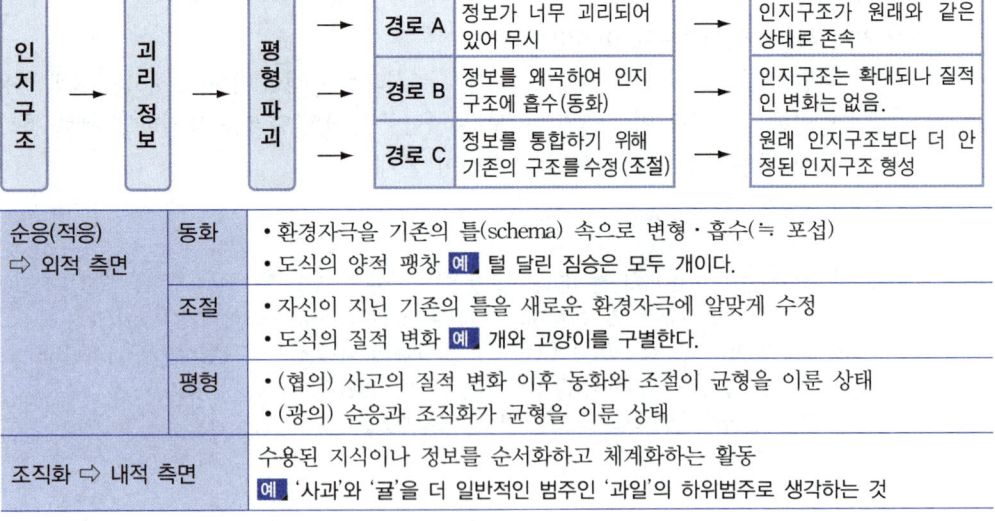

순응(적응) ⇨ 외적 측면	동화	• 환경자극을 기존의 틀(schema) 속으로 변형·흡수(≒ 포섭) • 도식의 양적 팽창 예 털 달린 짐승은 모두 개이다.
	조절	• 자신이 지닌 기존의 틀을 새로운 환경자극에 알맞게 수정 • 도식의 질적 변화 예 개와 고양이를 구별한다.
	평형	• (협의) 사고의 질적 변화 이후 동화와 조절이 균형을 이룬 상태 • (광의) 순응과 조직화가 균형을 이룬 상태
조직화 ⇨ 내적 측면		수용된 지식이나 정보를 순서화하고 체계화하는 활동 예 '사과'와 '귤'을 더 일반적인 범주인 '과일'의 하위범주로 생각하는 것

② 인지구조(cognitive structure, 'schemata') : 과거 경험의 축적으로 만들어진 심리적인 틀, 감각운동적 차원 ⇨ 개념적 차원으로 발달, 인지발달은 인지구조의 변화 과정

(5) **이론의 특징**
① 인지발달이란 인지구조의 계속적인 질적 변화의 과정이다.
　㉠ 지력의 발달은 몇 개의 단계를 거치는 비연속적인 경로를 밟는다.
　㉡ 한 단계에서 다음 단계로 옮겨갈 때 기존의 인지구조가 새로 형성된 인지구조 속에 흡수·통합된다. ⇨ 포섭적 팽창
② 인지발달의 단계는 모든 문화권을 초월해서 일정·불변하다.
③ 발달순서는 개인차가 없이 일정·불변하다. 단, 발달의 속도는 개인차가 있다.
④ 발달단계에 있어 사고가 언어에 반영된다(행동 ⇨ 사고 ⇨ 언어).

(6) **인지발달 단계별 특징** 19. 지방직, 07. 국가직, 06. 전북

```
                    ┌전개념기(2~4)                          형식적 조작기
                    └직관적 사고기(4~7)    구체적 조작기      11~14세
                          전조작기          7~11세
         감각운동기         2~7세
         0~2세
```

🔖 인지발달 단계와 그 특징(P. Eggen)

단계	특징	예
감각운동기	목표 지향 행동	뚜껑을 열면 인형이 튀어나오는 상자의 뚜껑을 연다.
	대상영속성(대상을 기억에 표상하기)	부모의 등 뒤에 숨어 있는 물체를 찾는다.
전조작기	언어능력의 급격한 성장과 언어 사용의 과잉 일반화	"엄마, 할아버지가 식사하시고, (동생인) 철수도 식사를 하셔."
	상징적 사고 ⇨ 언어를 사용	차창을 가리켜 '트럭'이라고 말한다.
	지각에 의해 지배됨.	세면대의 모든 물은 수도꼭지에서 나온다고 생각한다.
구체적 조작기	구체적인 물체를 논리적으로 조직함.	저울에서 평형을 이룬 두 물체는 하나가 다른 것보다 부피가 크더라도 질량은 같다고 결론을 짓는다.
	분류와 서열화를 함.	그릇을 부피가 큰 순서로 배열한다.
형식적 조작기	추상적이고 가상적인 문제를 해결함.	제2차 세계대전에서 영국이 패했다면 어떤 결과가 나타났을지 생각한다.
	조합적인 사고를 함.	3가지 종류의 고기, 치즈, 빵을 가지고 몇 가지 샌드위치가 만들어질 수 있는지 체계적으로 생각할 수 있다.

① 감각운동기(sensory-motor period, 출생~2세)
  ㉠ 지능이 행동으로 표현되는 시기: 감각과 운동을 통해 외부세계 수용, 행동 > 사고
  ㉡ 인지적 특징: 목적 지향적 행동, 3차에 걸친 순환반응, 대상영속성(항구성) 획득 ⇨ 대상(object)의 획득
  ㉢ 대상영속성(대상항구성, the concept of object permanence): 4~12개월에 획득
    ⓐ 어떤 대상이 시야에서 사라져도 독립된 실재로 여전히 존재하는 것을 아는 것
      예. 공을 보자기로 감추면 두리번거리며 공을 찾는다.
    ⓑ 지각이나 행위와 관계없이 사물이 존재함을 인식하는 능력 ⇨ 표상능력의 획득을 의미(인지발달의 코페르니쿠스적인 전환)
    ⓒ 사고의 발생을 나타내는 지표, 애착 형성의 중요한 요소
    ⓓ 감각 - 동작에서 감각 - 표상 - 동작으로 감각운동기에서 벗어나는 순간을 의미
  ㉣ 18개월 이후부터는 행동하기 전에 그 행동에 대해 사고한다.

② 전조작기(pre-operational period, 2~7세): 전개념기(2~4세)+직관적 사고기(4~7세) ⇨ 지각(知覺)에 의한 사고, 개념의 사용이나 사고발달이 불완전한 단계, 지각 > 사고

  ✎ 조작(operation) 대상이나 정보의 전환을 이해하는 정신능력, 논리적인 사고능력, 아동이 사고를 통하여 문제를 해결하는 행위

  ㉠ 전개념기(period of preconception): 세상에 대한 자기의 표상(表象)을 정신적으로 전환시키지 못한다. ⇨ 불완전하고 비논리적인 개념을 사용
  ㉡ 직관적 사고기(period of intuitive thought, 지각에 의한 사고): 대상이나 현상의 가장 두드러진 한 가지 지각적 속성을 기준으로 대상을 파악 ⇨ 사고발달이 불완전한 단계
    ⓐ 신중하고 합리적인 사고 과정을 거치지 않고 직접적·즉시적으로 사고한다. ⇨ 단편적이고 일관성이 없다. 언어가 개입되지 않은 인상이나 지각에 의존한다.
      예. "오른손을 드세요."라는 선생님의 말씀을 듣고, 아이는 (선생님이 오른손 드는 것을 보고) 왼손을 든다.
    ⓑ 사고와 지각이 완전히 분리되지 못하고 지각(인상)이 앞선다.
  ㉢ 언어발달(4세 전후)이 뚜렷: 개념적 조작 능력이 없어서 어른들과는 다른 방식으로 사물에 이름을 붙이고 행동한다. 예. 목욕을 '아보'라고 한다.
  ㉣ 인지적 특징: 상징(언어)의 획득
    ⓐ 가상놀이(상징적 사고, make-believe play/symbolic play): 가상적인 상황이나 사물을 사용하여 실제 상황이나 사물을 상징화하는 놀이 예. 소꿉놀이, 병원놀이
    ⓑ 물활론적(인상학적) 사고(animism): 생명이 없는 대상에 생명과 감정을 부여하는 비논리적 사고
      예. 산은 죽은 것이고 구름은 살아 있는 것이다.
    ⓒ 중심화(concentration, 집중화): 현상이나 사물의 한 가지 측면만 고려
      예. 모든 털이 달린 동물(토끼, 고양이, 개)을 보고 '고양이'라고 함. 동일한 양의 물을 모양이 다른 그릇에 담으면 양이 다르다고 생각함.

ⓓ **자기중심적 사고(egocentric thought)** : 다른 사람의 감정, 생각, 관점이 자신과 동일하다고 생각(나의 생각 = 남의 생각) ⇨ 주관적이고 비사회적인 사고, 사물이나 사건을 대할 때 다른 사람의 관점을 고려하지 못하는 인지적 한계

> 예. • 아동들은 천으로 눈을 가리면 자신만 남을 볼 수 없는 것이 아니라 남들도 자신을 볼 수 없다고 생각함.
> • 내가 형이 있으면 모든 사람도 다 형이 있을 거라고 생각함.
> • 엄마의 생일선물을 사기 위해 두 소년이 쇼핑을 했는데, 형(7세 소년)은 보석을 고르고, 동생(3세 소년)은 모형차를 고름.

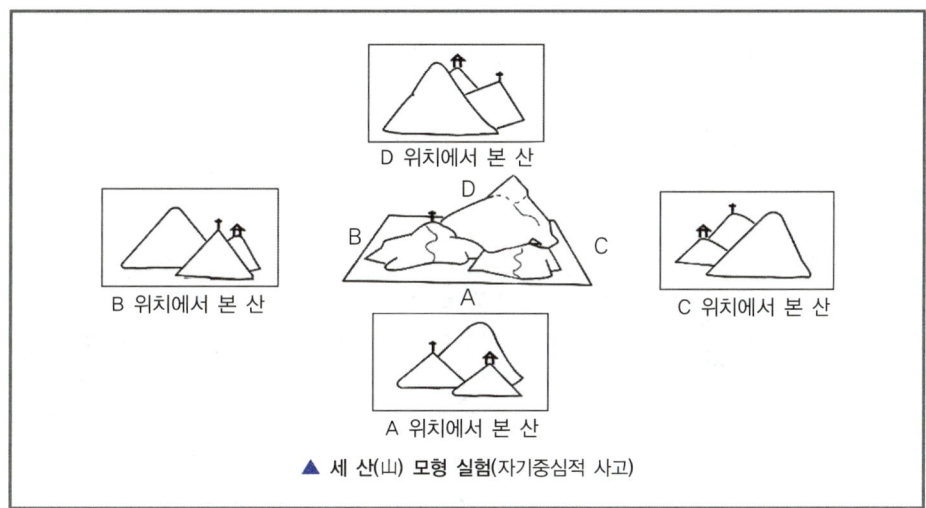

▲ 세 산(山) 모형 실험(자기중심적 사고)

ⓔ **자기중심적 언어** : 자기 생각만 일방적으로 전달하는 언어 ⇨ 조망수용능력(perspective-taking ability, 타인의 입장이나 관점에서 보는 능력)의 부족에서 오는 한계. 비사회적 언어, 집단 독백(collective monologue)

> 예. 4세 여아들이 놀이를 하면서 대화를 하는 것처럼 보이지만 각 여아는 실제로는 자신의 마음속에 있는 것에 대해서만 말하고 있는 것이다. 한 여아는 자신이 만들고 있는 인형 집에 대해서 말하고 있고, 다른 여아는 자신이 여행 간 곳에 대해서 말하고 있다.

ⓕ **지각적 중심화(perceptual centration)** : 두드러진 한 가지 속성만으로 대상 파악 ⇨ 불가역적 사고(보존성 개념 획득 ×)

> 예. 과자를 한 개 가지고 있는데도 더 달라고 졸라서, 엄마가 그 과자를 둘로 쪼개어 주었더니, 아이는 더 달라고 하지 않고 만족스러워함.

ⓖ **변환적 추리(transductive reasoning, 환위추론)** : 특수사례에서 특수사례로 진행하는 추리. 논리적 오류를 포함

> 예. 암소는 우유를 생산한다. 염소도 우유를 생산한다. 따라서 염소는 암소다.

ⓗ **전도 추리** : 사물을 특정한 기준에 따라 분류(유목화)할 수는 있으나 전체와 부분, 상위개념과 하위개념의 관계를 정확히 파악하지 못한다.

> 예. 8명의 남자 아이, 5명의 여자 아이로 구성된 놀이팀을 놓고 '남자'가 더 많은가 '여자'가 더 많은가 하고 물었을 때 남자가 많다고 맞게 대답하였다. 다시 '남자'가 많은가 '아이'가 많은가를 물으면 남자가 많다고 답한다.

ⓘ 꿈의 실재론(realism): 꿈과 현실을 명확히 구분 ×
  예 자신의 꿈이 다른 사람들에게도 보인다고 생각
ⓙ 인공론적 사고: 사물이나 현상이 사람의 필요와 목적에 맞도록 쓰려고 만들어진 것이라고 생각 예 파란 하늘은 누군가가 파란 물감으로 도색했기 때문
③ **구체적 조작기**(concrete operational period, 7~11세, 아동기) 21. 국가직 7급, 13. 지방직, 08·07. 국가직
  ㉠ 지각에 의해 지배되지 않고(사고와 지각을 구분하고), 구체적 사물이나 상황(관찰, 실험 등)을 통해 논리적인 사고 가능 ⇨ 동작으로 했던 것을 머리로 생각할 수 있는 단계, '지금-여기(now-here)'에 한정, 시행착오적 문제해결 방법 사용
    예 100원, 500원짜리 동전이 실제로 주어졌을 때는 액수대로 구분할 수 있으나 머릿속으로는 구분 못한다.
  ㉡ 인지적 특징: 현실의 획득
    ⓐ 탈중심화(decentration): 사물이나 현상의 여러 측면을 고려 ⇨ 조망 수용능력 발달, 사회화된 사고와 언어가 발달

> **더 알아보기**
>
> **조망 수용능력**(perspective taking ability)
> 1. 사회적 대인관계에서 나타나는 탈중심화 능력으로, 다른 사람의 입장이나 생각, 사고 등을 추론해서 이해하는 능력을 말한다. 공간 조망능력, 감정 조망능력, 인지 조망능력 등이 있다.
>   ① **공간 조망능력**: 똑같은 물체라고 하더라도 보는 위치에 따라서 그 물체가 다르게 보인다는 사실을 이해하는 능력이다.
>   ② **감정 조망능력**: 다른 사람의 정서 상태를 바르게 추론하고 공감하는 능력을 말한다.
>   ③ **인지 조망능력**: 학령기(學齡期)에 형성되기 시작하는 것으로 자기와 다른 사람의 생각이 다를 수 있다는 것을 알게 되는 것을 말한다.
> 2. 사회학자 미드(Mead)는 '역할 취득(role taking)'으로 표현하고 있다.

    ⓑ 가역적 사고(reversibility): 특정 조작과 역조작을 동시에 통합, 사고가 진행되어 나온 과정을 거꾸로 되밟아 갈 수 있는 사고능력 ⇨ 보존성 개념(the principle of conservation) 획득

> **더 알아보기**
>
> **연속적인 양**(액체)**에 대한 보존개념 실험**
>
> 아동에게 똑같은 높이로 물을 채운 A, B의 두 컵을 보여 준다. 그런 다음, 두 개의 컵에 같은 양의 물이 들어 있냐고 물어보면 대부분이 그렇다고 대답한다. 다음에 실험자(혹은 아동 자신)는 B의 액체를 높이는 더 높고 밑면적은 더 좁은 컵 C로 옮겨 붓는다.
> Q: A와 C 중 어느 컵에 액체의 양이 더 많을까?
> A: (아동의 응답)

1. **전조작기**: C가 더 높기 때문에 양이 더 많다. 또는 A가 더 넓기 때문에 양이 더 많다.
2. **구체적 조작기**
   ① 물을 더 붓거나 덜지 않았기 때문에 액체의 양은 같다(동일성).
   ② C컵은 더 길지만, A컵은 더 넓기 때문에 액체의 양은 같다(보상성).
   ③ 이것(C)을 전에 있는 컵(B)에다 그대로 다시 부을 수 있기 때문에 두 컵의 양은 같다(반환성−역조작).

더 알아보기

보존성 개념(the principle of conservation)
1. **개념**: 물체가 위치나 모양을 달리해도 본질, 즉 수(數)나 양(量)은 변함이 없다(같다).
2. **성립 조건**
   ① 동일성(identity): 어떤 물질에 아무것도 첨가되거나 제거되지 않는 한 그 물질은 동일한 상태를 그대로 유지한다는 것을 이해하는 것
   ② 보상성(compensation): 특정한 변화는 다른 변화에 의해 보상된다는 사실을 이해하는 것, 특정 조작의 경우 그 조작의 효과를 보정하는 다른 조작이 존재한다는 규칙
   ③ 반환성(reversibility): 특정 조작이 역조작에 의해 원래 상태로 되돌아온다는 것을 이해하는 능력 **예** 5+2 = 7이면 7 − 2 = 5이다.
3. **형성 과정**
   ① 수(어느 쪽이 더 많은가) 개념: 6~7세
   ② 질량(어느 쪽이 더 큰가) 개념, 길이(어느 쪽이 더 긴가) 개념: 7~8세
   ③ 면적(어느 쪽이 더 넓은가) 개념: 8~9세
   ④ 무게(어느 쪽이 더 무거운가) 개념: 9~10세
   ⑤ 부피(물의 위치는 어떻게 달라지나) 개념: 14~15세(신명희) **cf.** 11~12세 출현(김언주)
4. **수평적 격차**(horizontal decalage): 수평적 위계
   ① 일정한 발달단계에서 동일한 인지구조로 조작되는 여러 분야의 과제를 수행하는 데에서 나오는 차이
   ② 동일한 가역성의 원리에 기초를 두면서도 과제의 형태에 따라 조작의 습득 시기가 달라지는 현상을 말한다(Piaget).

  ⓒ 중다분류(classification): 2개 이상의 기준을 사용하여 사물 분류 ⇨ 유목화 능력 발달
  ⓓ 중다서열(seriation): 여러 개의 기준(**예** 크기, 무게 등)을 사용하여 사물을 차례대로 배열할 줄 안다.
  ⓔ 비교: 전체와 부분의 관계 및 개념 이해 **예** 사과와 과일 중에서 과일이 더 크다.
  ⓕ 논리적 사고: 귀납적 사고

④ **형식적 조작기**(formal operational period, 11~14세) 11. 대전: 성인의 사고방식과 질적으로 동일 ⇨ 가장 높은 수준의 '평형화'에 도달
  ㉠ 언어나 기호라는 형식을 통해 사고: 추의 진동 실험 ⇨ 길이, 무게, 높이, 힘 등의 상대적 요소를 고려해야만 대답할 수 있다.
  ㉡ 인지적 특징: 사고의 획득(현실과 추상의 구별)

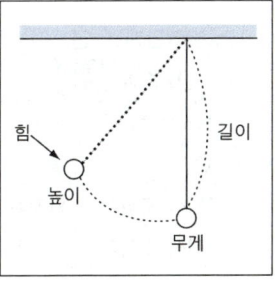

ⓐ **추상적 사고(abstract thinking)**: 구체적인 사물이나 대상과 관계없이 형식논리에 근거한 사고 예 반성적 추상화(내적 성찰)

　◇ **반성적 추상화(reflective abstraction)** 사고에 대한 사고, 즉 내적 성찰(internal reflection)의 과정

ⓑ **가설·연역적 사고(hypothetical-deductive thinking)**: 가설을 설정하고 검증 및 결론을 추론한다. 이상주의(理想主義)적 사고(사회·정치·종교·철학 등 전 영역에 걸쳐 더 나은 사회를 건설하기 위해 기존의 사회를 개혁 또는 파괴하려는 성향, 관념을 통한 세계의 변혁을 구상) ⇨ 가상적 청중에 대한 과민반응, 개인적 신화, 불사신 신화와 같은 자기중심적 사고가 나타난다(Elkind).

- **가상적 청중에 대한 과민반응**: 남들이 모두 나만을 주시하고 있다는 착각 ⇨ 자신의 사고(주관적 관점)와 타인의 사고(객관적 관점)를 잘 구분하지 못하여 발생, 15~16세 이후 사회인지능력의 발달로 차츰 감소
- **개인적 신화**: 자신의 경험·느낌·생각은 오직 나만이 겪는 것이라는 믿음 ⇨ 자신의 사고와 타인의 사고를 지나치게 구분하여 발생, 이후 정서발달(친밀감)로 차츰 감소
- **불사신 신화**: 불치병, 재난 등 불행한 사건은 남들에게만 일어난다는 생각 ⇨ 개인적 신화의 확장

전조작기의 자기중심성	세계가 자신의 행위와 별개로 분리되어 있음을 지각하지 못하기 때문에 발생
형식적 조작기의 자기중심성	자신의 사고에 무한한 힘을 부여하는 데에서 발생(자신의 생각을 현실적으로 검증하려 들지 않음.) ⇨ 자신의 사고 과정(주관적 관점)과 타인의 사고 과정(객관적 관점)과의 구분 실패에서 비롯되는 인지적 경향성

ⓒ **명제적 사고(propositional thinking)**: 명제를 구성하고 명제들 사이의 관계에 대해 논리적으로 추론 예 삼단논법적 추리

ⓓ **논리적 사고**: 과거·현재·미래를 연결하여 추론이 가능하다.

ⓔ **조합적 사고(복합적·융합적 사고, 문제해결적 사고, combinational thinking)**: 어떤 문제에 직면했을 때 다양한 해결책을 궁리하여 문제를 해결한다.

　예 **색깔조합실험**: 아동들에게 무색의 액체를 담은 1, 2, 3, 4라는 숫자표가 붙은 4개의 비커와 함께 특정 화학물질과 반응하였을 때 색깔을 내는 무색의 액체를 담은 g라는 비커를 주었다. 아동들에게 네 개의 비커에 있는 어느 것과 섞었을 때 노란색이 만들어진다고 설명하고 그 색을 만들어 보라고 하였다. 아동들은 노란색이 나올 때까지 모든 경우의 수를 생각하여 논리적으로 하나하나의 조합을 탐색하여 노란색을 만들어 냈다.

ⓕ **체계적 사고**: 조직적 사고 ⇨ 각 변인을 분리시켜 사고함.

　예 "커피를 너무 많이 마시는 걸 그만 둬야겠어. 지난 며칠간 제대로 잠을 못 잤거든." 하는 아빠의 말씀을 듣고, 영희는 "하지만 아빠, 커피 때문이 아닐 거예요. 예전과는 달리 아빠가 요즘 밤마다 집에 일거리를 가지고 오셨잖아요."라고 말했다.

발달단계별 인지적 특성

발달단계	인지적 특성
감각운동기	행동을 통해 환경을 조작, 사고 발달 ×(단계 말기에 사고가 출현)
전조작기	불완전하고 비논리적인 사고(지각 > 사고), 1차원적 사고, 현재 중심적 사고
구체적 조작기	완전하고 논리적인 사고(구체적 경험에 한정), 2차원적 사고, 과거 - 현재에 대한 사고
형식적 조작기	완전하고 논리적인 사고(추상적 사고도 가능), 3차원적 사고, 과거 - 현재 - 미래에 대한 사고

(7) **교육적 시사**
① 아동의 현재 인지발달 수준에 기초하여 교육: 조기교육 반대 ⇨ 브루너(Bruner)의 '대담한 가설'에 영향을 줌.
② 아동의 능동적 자발성 중시: 아동은 '꼬마 과학자' ⇨ 학습자 스스로가 세계에 대한 지식을 구성 예 Rousseau와 Montessori의 아동관과 유사
③ 교육은 암기가 아닌 인지구조의 변화: 인지 부조화 또는 대립, 비평형화 전략(Festinger) ⇨ 인지 갈등 유발 예 소크라테스식 대화법
④ 교육목표: 사고능력의 신장 ⇨ 각 발달단계에 가장 적합한 사고능력을 신장(특정 사실이나 개념의 전수 ×, 문제해결 방법 습득 ×)
⑤ 교육과정 계열화: 아동의 발달수준에 맞는 내용으로 구성
⑥ 또래들과의 사회적 상호작용 촉진: 어른들과의 상호작용은 인지 불균형이 거의 초래되지 않기 때문(∵ 아동들은 어른들이 더 많은 것을 알고 있다고 생각하며, 아동과 어른의 세력관계도 불균형을 이루고 있고 어른들은 일방적으로 지시하려는 경향이 강하기 때문에)
⑦ 발견학습(Bruner), 구안법(Kilpatrick), 구성주의 학습에 영향

(8) **이론에 대한 비판**
① 아동, 특히 연령이 낮은 아동의 능력을 과소평가했다. ⇨ 과제의 추상적인 지시와 요구사항들이 과제 실패의 원인이 되기도 함.
② 연령이 높은 아동(형식적 조작기 이후)의 능력을 과대평가했다. ⇨ 구체적 조작기 사고에 머물러 있는 중·고등학생들이 많음.
③ 아동의 논리적 능력은 피아제가 제안한 것보다 구체적 영역의 경험과 지식에 더 크게 의존함을 고려하지 못했다. ⇨ 학생들은 적절한 경험이 주어질 때 비율 추리문제를 풀 수 있지만, 그렇지 못할 경우 풀지 못함.
④ 아동의 인지발달에 미치는 사회적·문화적 영향을 고려하지 못했다. ⇨ 문화는 아동의 경험, 가치, 언어, 다른 사람과의 상호작용 방식에 중요한 영향을 미침. - 비고츠키(Vygotsky) 연구의 주제
⑤ 인지능력과 실제 수행 수준 간의 차이의 존재를 무시하였다.
⑥ 인지발달에 있어 인간의 전 인지 영역을 포괄하고 있지 못하다. ⇨ 수학이나 과학적 사고의 발달을 언급하고 있으나, 음악·문학·예술 등의 정서성이 포함된 인지발달을 언급하지 않았다.
⑦ 인지발달과 정서발달의 상호관계를 규명하지 못했다.
⑧ 표집 수의 제한으로 인해 사례연구 혹은 임상연구라는 점에서 비판을 받는다.
⑨ 각 발달단계의 성격을 상세하게 설명하고 있지만 이러한 발달이 어떻게 일어나는지 그 발달의 기제를 자세히 설명하지 못하고 있다.
⑩ 인지발달단계는 피아제(Piaget)가 주장한 것처럼 명확히 구분되는 것은 아니다. 즉, 단계 간의 차이는 극적인 변화가 아니라 점진적인 것이고, 기존의 지적인 기술이 점차 축적되는 과정에서 자연스럽게 얻어지는 것이다.

2. 비고츠키(Vygotsky)의 인지발달이론: 사회문화적 구성주의(문화역사적 이론)

15. 국가직, 11. 서울, 10. 국가직 7급, 09. 대전, 08. 충남·충북, 06. 경기, 05. 충북, 04. 서울·부산

(1) 이론의 개요 14. 지방직, 08. 국가직

① 인간은 타인과의 관계에서 영향을 받으며 성장하는 사회적 존재이다: "물질(환경)이 의식(정신)에 선행한다."

② 인지발달은 사회문화적 맥락(context)의 영향을 받는다: "인간의 정신은 사회문화적 환경에 의해 결정된다."

▲ Vygotsky

  ㉠ 아동은 생물학적으로 기본정신기능(elementary mental function, 예 주의집중, 감각, 지각, 기억, 의지)을 가지고 태어나며, 이 기능이 지적으로 새롭고 보다 높은 고등정신기능(higher mental function)으로 발달되어 간다. 이때 사회문화가 핵심적 역할을 한다.

  ㉡ 고등정신기능의 기원은 사회이다: 1차적으로 발생하는 개인 간의 사회적 과정(mediation, 매개)은 아동의 내부에서 재구성(internalization, 내면화, 점유)되면서 발생한다.
    ⇨ 사회적 과정에서 심리적 과정으로 전이

    △ 내면화(internalization)
      1. 사회적 현상을 심리적 현상으로 변형시키는 과정, 외적인 활동을 내적 수준에서 독자적으로 실행하는 과정
        예 수업에서 내면화는 아동이 수업을 통해 전달된 개념의 의미를 이해하고 사고 속으로 통합하는 과정
      2. 외적 정보를 지식 기반과 일치하는 '내적 부호'로 전환하는 과정

  ㉢ 인간은 홀로 성장, 발달하는 것이 아니라 사회의 많은 사람들과 관계하고 도움을 받으면서 스스로 성장한다. 이 과정에서 관계와 의사소통의 도구인 언어와 기호가 중요한 역할을 한다.

  ㉣ 인간의 정신은 다른 사람들(예 성인, 뛰어난 동료)과의 대화와 같은 사회학습의 결과이다.

③ 인지발달은 변증법적 교류에 의해 이루어진다.

  ㉠ 아동의 인지발달은 새로운 문제를 풀 때 기존의 방식(thesis, 正)이 아닌 다른 방식(anti-thesis, 反)을 요구하며, 이러한 모순을 극복하며(synthesis, 合) 변증법적으로 이루어진다.

    △ 변증법 正(기존의 문제해결 방식) - 反(새로운 해결 방식) - 合(문제해결 상태)

  ㉡ 한 아동이 학습을 통해 잠재적 발달수준에 도달하면 잠재적 발달수준이 실제적 발달수준이 되고, 새로운 잠재적 발달수준이 설정된다.

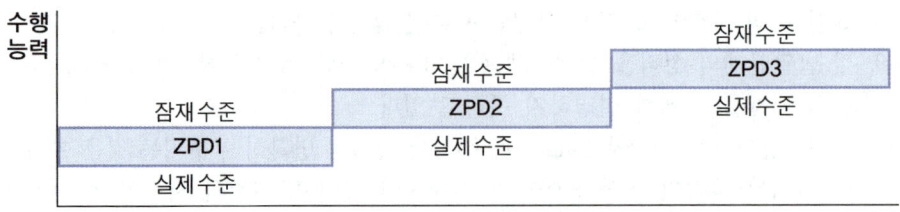

  ㉢ 실제적 발달수준(actual development level): 학생의 내부에 이미 발달한 기능에 의하여 혼자 힘으로도 문제를 해결할 수 있는 수준 ⇨ 현재 수준

ⓔ **잠재적 발달수준**(potential development level): 타인(예 성인, 뛰어난 동료)의 도움을 받으면 해낼 수 있는 수준 ⇨ 미래의 가능성(능력)
④ 언어가 사고발달(인지발달)에 선행한다.
⑤ 학습이 발달을 주도한다. ⇨ 근접발달영역(ZPD)에 있는 아동은 교수-학습의 과정을 거쳐야만 지적 발달을 이룰 수 있다.

Piaget	발달이 학습에 선행 ⇨ 발달은 학습의 선행요건, 발달수준을 고려하여 학습 전개
행동주의	학습과 발달을 동일시 ⇨ 모든 발달은 학습(환경)의 산물, 교사 중심의 계획적 학습 전개
Vygotsky	학습이 발달에 선행 ⇨ 학습자가 학습을 주도할 수 있는 사회문화적 환경 조성 중시, 교사 - 학생 간 또는 학생 상호 간의 상호작용을 중시하는 수업 전개

⑥ 성인이나 뛰어난 동료 등은 아동의 인지발달에 있어 발판(scaffolding)의 역할을 한다.
⑦ 놀이가 인지발달에 중요한 역할을 한다. ⇨ 놀이(예 블록과제 해결실험)를 통해 아동은 규칙을 학습하여 인지발달에 도움을 받는다.

(2) **근접발달영역**(ZPD, Zone of Proximal Development, 유사 발달 영역) 17. 국가직, 14. 지방직, 11. 인천
① 개념 23. 국가직
㉠ 실제적 발달수준(A)과 잠재적 발달수준(B) 사이 영역(ZPD = B - A), 아동의 현 인지수준에 인접해 있는 바로 위의 발달수준 ⇨ 성인이나 뛰어난 동료의 도움(scaffolding, 비계설정)을 통해 발달. 협력학습, 구성주의 학습의 이론적 근거
㉡ '지루함(실제적 발달수준)'과 '불가능함(잠재적 발달수준)' 사이에 있는 마법의 중간 지대(Berger)
② 교수-학습에 대한 시사점: 학생들의 근접발달영역을 확인한 다음 그 영역에 부합되는 학습과제를 제시해야 한다.
③ 지능측정에 대한 시사점: 지적 발달 잠재력을 측정할 수 있는 지능검사가 개발되어야 한다. ⇨ 역동적 평가(dynamic evaluation)
④ 사회적 상호작용 촉진: 인지적 도제이론, 상보적 교수(reciprocal teaching), 발판화, 협동학습
⑤ 발판화(scaffolding, 비계설정): 학습의 초기 단계에서 교사가 아동의 학습을 도와주기 위해 사용하는 다양한 방법이나 전략 ⇨ 우드(Wood), 브루너(Bruner)가 명명 11. 국가직

> **더 알아보기**
>
> **비계**(scaffolding)
> 1. 건물을 지을 때 높은 곳에서 공사를 할 수 있도록 임시로 설치하는 안전 가설물을 칭하는 것으로, 건물을 조금 더 빨리 그리고 효율적으로 건설할 수 있도록 돕는다. 이처럼 학습에서도 교사의 힌트나 친구들과의 협동학습은 학습자의 인지발달을 앞당길 수 있다.
> 2. 효과적인 비계설정은 학습자 스스로 할 수 있도록 지원해 주는 것으로 국한해야 한다. 실제로 학습하는 주체는 학습자 자신이고, 교사와 부모는 도움을 줄 수 있을 뿐이다. ⇨ 교사가 주어진 문제의 정답을 직접 제공하거나, 문제의 해결책을 직접 제시하는 것은 발판을 잘못 적용하는 것이다.
> 3. 학습에서의 비계설정은 초기 단계에서는 많은 도움을 제공하다가 점점 지원을 줄여서(fading) 스스로 할 수 있는 단계까지 이끌어 나가야 한다.

㉠ **목적**: 독자적으로 학습하기 어려운 지식이나 기능의 학습을 도움. ⇨ 아동이 지식을 내면화하여 독자적으로 사용할 수 있을 때까지 내면화 과정을 지지해 주는 것
㉡ **방법**: 시범 보이기, 기초 기능을 개발하기, 모델 제공하기, 오류를 교정하기, 틀린 개념을 발견하고 수정하기, 동기를 유발하기, 구체적이고 현실적인 목표를 제시하기, 피드백을 제공하기, 절차를 설명하기, 질문하기 등
㉢ **구성요소**: 협동적(공동적)인 문제해결, 상호주관성(inter-subjectivity), 따뜻한 반응(예 칭찬, 격려 등), 자기조절 증진시키기, 심리적 도구(예 언어, 기억, 주의집중 등)와 기술적 도구(예 인터넷, 계산기 등) 활용, 근접발달영역 안에 머물기

■ **교수과정에서의 비계설정(발판)의 유형**

발판의 유형	예시
모델링	• 체육교사는 농구수업에서 슈팅 시범을 보인다. • 미술교사가 학생들로 하여금 새로운 화법을 사용하여 그림을 그리도록 말하기 전에 먼저 시범을 보인다.
소리 내어 생각하기	• 수학교사는 2차 방정식 풀이 과정을 칠판에 판서하면서 말로도 똑같이 말한다. • 물리교사가 칠판에 운동량 문제를 풀면서 자신의 생각을 소리내어 말한다.
질문하기	• 수학교사는 2차 방정식 문제를 푼 후, 2차 방정식에 대한 이해를 높이기 위하여 1차 방정식과의 공통점과 차이점에 대한 질문을 던진다. • 물리교사가 학생들에게 중요한 시점에서 관련 질문을 던짐으로써 학생들이 문제를 보다 구체적으로 이해할 수 있게 한다.
수업자료 조정하기	• 체육교사는 뜀틀수업에서 처음에는 3단 뜀틀로 연습을 시키다가 학생들이 능숙해지면 4단 뜀틀로 높이를 높인다. • 초등학교 체육교사가 농구 슛하는 기술을 가르치는 동안 농구대의 높이를 낮췄다가 학생들이 능숙해짐에 따라 농구대의 높이를 높인다.
길잡이와 힌트 (조언과 단서)	• 과학교사는 태양계의 행성들을 암기할 때, 행성의 앞 글자를 딴 '수금지화목토천해'를 제시한다. • 취학 전 아동들이 신발 끈을 묶는 것을 배울 때 유치원교사가 줄을 엇갈려 가면서 끼우도록 옆에서 필요한 힌트를 준다.

◇ **상호주관성** 특정 과제에 대한 해결을 시도하는 초반에 그 과제해결에 대해 서로 다르게 이해하고 있는 두 참여자가 점차 공유된 이해에 도달하는 과정이다. ⇨ 공유된 이해, 협동적 공유

㉣ **유의점**: 학습자의 근접발달영역을 고려, 실제적인 발달수준보다 약간 더 높은 수준의 과제를 제시해야 한다.

(3) 언어발달

구분	주요 특징
제1단계 원시적(자연적) 언어 단계 (0~2세)	• 비지적(非知的) 언어 기능: 울음이나 만족을 나타내는 소리, 타인의 모습이나 목소리에 대한 반응 소리, 대상과 욕구에 대한 대응으로 기능하는 소리 등 • 언어와 의식적 사고가 결합되기 이전의 시기
제2단계 순수심리적 언어 단계 (2~4세)	• 사회적 언어 시작 • 언어의 상징적 기능 발견 • 언어와 사고가 차츰 결합되기 시작
제3단계 자기중심적 언어 (사적 언어) 단계 (4~6세)	• 독백 형태의 언어 사용: 자신의 행동 조정을 위해 자신에게 하는 말 • 사고의 새로운 중요 도구: 개념적·언어적 사고가 형성
제4단계 내적 언어 단계 (7세~)	• 논리적 기억이라는 수단을 사용하여 사고를 하는 시기 • 내적 언어('의식의 흐름')는 문제해결을 위한 중요한 도구

자기중심적 언어에 대한 Piaget와 Vygotsky의 주장 비교

구분	주요 특징
Piaget	• 전조작기의 자기중심적 사고(비논리적 사고)에서 비롯된 비사회적 언어 • 논리적 사고발달을 통해 자기중심적 언어가 점차 사라짐.
Vygotsky	• 자기지시 및 자기조절 사고의 수단: 목표를 달성하기 위해 전략을 짜고 자신의 행동을 결정하는 데 도움을 주는 사적 대화(private speech) ⇨ 중요한 목표를 달성하려 할 때나 장애물이 있을 때 급증 • 사고발달을 촉진하는 지적 적응 수단 • 자기중심적 언어(독백)가 내적 언어로 진행되면서 논리적 사고가 발달

(4) 교육적 시사

① 교육환경(인적 환경)이 아동의 발달에 중요하다. ⇨ 교사는 아동의 근접발달영역을 파악하여 안내와 조력 제공 **예** 협동학습
② 교사는 아동의 지적 발달을 촉진하는 역할: 교사는 아동에게 현재의 능력을 넘어서는 과제를 부여하고 조언과 도움을 주어야 한다.
③ 교육은 미래 지향적이어야 하고, 교수란 아동의 현재 발달수준보다 조금 앞서는 내용을 가르침으로써 발판(scaffolding)을 제공할 수 있어야 한다.
④ 전통적 평가(실제적 발달수준의 평가, 혼자 수행하는 평가, 정적 평가)에 대한 재검토가 필요하다. ⇨ 역동적 평가(dynamic evaluation) 강조
⑤ 장애아 분리교육을 반대하고 통합교육을 강조하였다. ⇨ 신체적·정신적으로 장애가 있는 아동은 비장애아동과 함께 교육받는 것이 효과적이다. 아이가 덜 유능한 사람과 상호작용을 하면 퇴행할 수도 있기 때문이다. **예** 포이에르슈타인(Feuerstein)의 중재학습

(5) 이론의 비판점

① **유럽 중심적이라는 비판**: 비고츠키는 다른 문화에 비해 우월한 문화가 존재한다고 생각하였고, 유럽의 문화가 다른 민족의 문화보다 우월하다고 생각하였다.

② **생물학적인 인지발달에 대한 설명 부족**: 문화적 영향력이 생물학적인 인지발달에 미치는 과정에만 초점을 맞추었을 뿐, 생물학적인 인지발달이 문화의 영향을 받은 인지발달에 어떠한 영향을 미치는지에 대해서는 거의 언급하지 않았다.

③ **아동의 발달은 환경의 산물이므로 개체의 능동적인 발달이 일어나기 어렵다고 주장**: 환경이 발달의 원천이라고 보았기 때문에 개인의 능동적인 발달, 개인이 지닌 창의성과 개혁성을 충분히 설명하지 못하고 있다.

④ **발달에서 사회 및 문화 환경의 중요성을 과장하고 있다는 비판**: 인지발달은 사회 환경 이외의 요인에도 영향을 받는다. 또한 사회 환경이 인지발달에 영향을 미친다 해도 그 영향을 정확하게 규명하기가 어렵다.

⑤ **인지발달에 대한 설명이 피상적이라는 지적**: 인지발달에 효과적인 사회적 상호작용의 유형이나 언어가 인지발달에서 수행하는 역할에 대한 명확한 설명이 부족하다.

⑥ 사회적 상호작용이 발달에 부정적인 영향을 미칠 수도 있다는 점을 간과하였다.
   예. 부모와 아동 간의 상호작용이 경우에 따라 인지발달에 부정적인 영향을 미칠 수도 있다.

⑦ **근접발달영역에 대한 설명이 모호함**: 근접발달영역을 측정하는 데 문제가 있으며, 근접발달영역을 안다고 해도 학습능력이나 학습방법, 다른 아동과 비교한 상대적 수준을 정확하게 알 수 없다는 데 문제가 있다.

⑧ 성인이나 유능한 또래의 적절한 도움을 받으면 학습이 촉진된다는 주장과 달리, 어린 아동의 경우 부모나 학교가 많이 도와주더라도 복잡한 기능을 학습하는 데 시간이 많이 걸린다는 사실은 비고츠키(Vygotsky)가 간과한 학습의 제약요인이 있음을 시사한다.

(6) 피아제 이론과의 비교

① **공통점** 11. 국가직 7급
   ㉠ 발달은 개체와 환경(사회)의 상호작용을 통해 발생
   ㉡ 학습자를 능동적 존재로 파악
   ㉢ 발달을 급격한 변화로 구성된 역동적인 과정으로 파악

② **차이점** 20. 지방직, 10. 전북·경북

구분	피아제(Piaget)	비고츠키(Vygotsky)
배경철학	관념론	유물론
환경관	물리적 환경에 관심	역사적·사회적·문화적 환경에 관심
아동관	학습자가 발달에 주체적 역할 (꼬마 과학자)	사회적 영향이 발달에 주요한 역할 (사회적 존재)

구분		
구조의 형성	평형화를 중시(개인 내적 과정)	내면화를 중시(대인적 과정에 의한 개인 간 의미 구성): 대인 간(사회적) 과정 ⇨ 개인 내(심리적) 과정
사고와 언어	사고발달 > 언어발달: 사고(인지발달)가 언어에 반영	언어발달 > 사고발달: 사고와 언어는 독립 ⇨ 연합 ⇨ 언어가 사고에 반영
발달적 진화	발달의 보편적·불변적 계열 ⇨ 결정론적 발달관	사회구조와 유기체 구조 간의 역동적 산물 ⇨ 발달단계 변화 가능
발달 양태	발달의 포섭적(동심원적) 팽창	발달의 나선적(심화·확대) 팽창
개인차	발달의 개인차에 관심 없음.	발달의 개인차에 관심 있음.
발달과 학습	발달이 학습에 선행	학습이 발달에 선행
수업	자기주도적(self-directed) 발견	교사 안내 수업(guided-learning)
놀이	상징적 기능(가상놀이) ⇨ 지적 연습	규칙을 학습하는 과정
상호작용	다른 아동(또래)과의 상호작용 ⇨ 아동 스스로 인지적 갈등 극복	유능한 아동이나 어른과의 상호작용 ⇨ 타인에 의한 사회 경험의 내면화
평가	정적 평가	역동적 평가
학습	현재 지향적 접근 ⇨ 현재 아동의 발달단계에 맞는 내용 제시	미래 지향적 접근 ⇨ 현재 발달수준보다 조금 앞서는 내용 제시
연구방법	발생학적 인식론 (인지능력의 결과에 관심)	발생학적 실험방법 (인지능력의 형성 과정에 관심)
교사역할	안내자(환경조성자)	촉진자(성장조력자)
학습도식	S − O(인지) − R	S − H − O − H − R ✎ H는 Human factors(교사, 어른 등 중재자)
언어발달	자기중심적 언어 − 사회적 언어	사회적 언어 − 자기중심적 언어(사적 발화) − 내적 언어(내적 발화)

③ 지식구성에 대한 관점 비교

구분	피아제(Piaget)	비고츠키(Vygotsky)
기본적인 물음	모든 문화에서 새로운 지식은 어떻게 만들어지는가?	특정 문화 내에서 지식의 도구가 어떻게 전달되는가?
지식형성 과정	개인 내적 지식이 사회적 지식으로 확대 또는 외면화된다.	사회적 지식이 개인 내적 지식으로 내면화된다.
언어의 역할	상징적 사고의 발달을 돕지만, 지적 기능 수준을 질적으로 높여 주지는 않는다.	사고, 문화전달, 자기조절을 위한 필수적인 기제이고, 지적 기능 수준을 질적으로 높여 준다.
사회적 상호작용	도식을 검증하고 확인하는 수단을 제공한다.	언어를 습득하고 생각을 문화적으로 교환하는 수단을 제공한다.
학습자에 대한 관점	사물과 개념을 적극적으로 조작한다.	사회적 맥락과 상호작용에 적극적이다.
교수에 주는 시사점	평형화를 깨뜨리는 경험을 계획하라.	발판을 제공하라. 상호작용을 안내하라.

❷ 성격발달이론 10. 울산

> **더 알아보기**
>
> **정의적 특성의 발달**
>
> 1. **정의적 특성의 개념과 종류**
>   (1) **개념**: 감정이나 정서를 나타내는 비지적(非知的)인 속성
>   ① 추리된 과정이다: 정의적 특성이란 직접 관찰될 수 없는 과정이다. 그것은 개인에게서 나타나는 행동을 관찰하며 추리하는 개념에 불과하다.
>   ② 방향을 결정해 주는 과정이다: 정의적 특성은 무엇을 얼마만큼 할 수 있느냐는 것보다는 어느 방향으로 가느냐 하는 것을 결정해 주는 개념이다.
>   ③ 주체와 객체와의 관계이다: 사물, 사람, 장소, 사상(事象), 추상적인 이념, 개념 등 개인의 환경에 있는 객체와의 관계를 나타내는 것이다.
>   ④ 학습된 것이다: 정의적 특성은 환경의 자극에 대하여 그것을 해석하고 반응하는 방법이기 때문에 그것을 생득적으로 어린이들이 갖고 있는 특성이 아니라, 환경과의 접촉을 통하여 학습되고 습득된다.
>   ⑤ 일관성과 안정성(지속성)을 가진다: 한 개인이 환경에 대한 반응에 있어서 순간적이고 일시적인 반응을 나타내는 것이 아니라, 계속적이며 일관된 반응을 나타낼 때 비로소 정의적 특성이라고 볼 수 있다. ⇨ 감정은 일시적이므로 정의적 특성이라고 볼 수 없다.
>   (2) **종류**: 흥미, 불안, 선호(選好), 통제의 소재, 가치, 태도, 동기, 인성, 자아개념 등
>
> 2. **정서형성이론**
>
> | 전통적 이론 | 정서가 행동을 일으킨다. **예**, 행복하니까 웃는다. |
> |---|---|
> | 제임스-랑게
(James-Lange) 이론 | 자율신경계의 반응(행동)이 먼저 생기고 정서 경험이 뒤따른다.
예, 웃으니까 행복하다. ⇨ 말초신경설 |
> | 캐논-바드
(Cannon-Bard) 이론 | 자율신경계의 반응과 정서 경험이 동시에 진행된다.
예, 거짓말 탐지기 ⇨ 정서의 중추신경설 |
> | 샥터(Schachter) 이론 | 반응과 정서 경험에는 인지적 해석 과정이 필수적이다.
예, 개가 짖는다. - (인지) - 무서워 도망간다. |
> | 아놀드(Arnold) 이론 | 상황에 대한 인지적 평가 후 정서 반응이 뒤따른다. |

1. 성격이론

(1) **성격**(personality): 한 인간이 환경에 적응해 나가는 과정에서 비교적 일관성 있게 나타나는 개인 특유의 행동 및 사고양식 ⇨ 독특성·일관성·적응성·전체성을 지닌다.

(2) **성격이론**: 특성론(특질론)적 접근

① **올포트**(Allport): 공통 특성과 개별 특성(주특성, 중심 특성, 2차 특성)
㉠ **공통 특성**: 어떤 문화 속에 있는 많은 사람이 공유하고 있는 특성, 같은 문화권에서 생활하는 사람들이 소유하고 있는 성격 특성 **cf.** 집단무의식(Jung)과 유사
㉡ **개별 특성**: 특정 개인에게만 존재하여 개인의 독특한 행동 경향성을 결정짓는 성격적 요인

주특성	개인의 행동이나 사고양식에 가장 광범위하게 영향을 미치는 지배적인 특성
중심 특성	주특성보다 덜 광범위하지만, 사고와 행동의 상당 범위에 걸쳐 나타나는 특성
2차 특성	특정한 자극, 대상이나 상황 등에 독특하게 행동하는 특성. 그 개인을 잘 아는 사람에게만 드러나는 특성

② 카텔(Cattell): 표면 특성과 근원 특성 ⇨ 요인분석을 통해 인간 성격의 기본요인 16가지의 근본 특성을 제시
  ㉠ 표면 특성: 표정이나 동작 등을 통해서 외부에서 관찰 가능한 특성
  ㉡ 근원 특성: 단일요인으로서 행동을 야기하는 안정적이며 지속적인 특성

(3) **성격유형론**
  ① 쉘던(Sheldon)의 체형기질설: 체격과 소질과의 관계에 따라 구분

내배엽형(비만형, 내장형)	소화기관이 발달, 사교적·향락적·애정 풍부
중배엽형(근골형, 신체형)	근육과 혈관조직이 발달, 투쟁적·잔인·냉정·자기주장적
외배엽형(세장형, 두뇌형)	피부와 신경조직이 발달, 고독·과민·신경질적·자제·억제력 소유

  ② 융(Jung)의 양향설: 내향성(introversion), 외향성(extraversion)

(4) **성격 측정과 평가**
  ① 자기보고식 성격검사(표준화검사): 자신의 마음상태에 관해서 피검사자가 스스로 진술하도록 하는 방식의 검사 ⇨ 질문지법 활용
    예 미네소타 다면적 인성검사(MMPI), 캘리포니아 성격검사(CPI), 성격유형검사(MBTI), 카텔(Cattell)의 성격요인검사(16PF), 표준화 성격진단검사, KPI 성격검사
  ② 투사적 성격검사: 개인의 욕구, 특수한 지각, 해석 등이 밖으로 표출될 수 있도록 비구조적인 자극을 피검사자에게 제시함으로써 성격을 측정하는 방법
    예 주제통각검사(TAT), 로르샤흐 잉크반점검사(RIBT), HTP검사, 인물화검사(DAP), 문장완성(SCT)검사, 단어연상검사(WAT)

2. **프로이트(Freud)의 성격발달이론**: 심리성적이론(psycho-sexual theory) 05. 서울, 03. 경기·울산·전북

(1) **정신의 구조**: 인간의 정신세계가 의식과 무의식으로 구성 ⇨ 빙산이론
  ① 의식(意識, conscious): 자신이 주의를 기울이는 순간에 곧 인식할 수 있는 정신활동(**예** 감각, 지각, 경험) 부분
  ② 전의식(前意識, pre-conscious): 즉시 인식되지는 않지만, 주의를 집중하고 노력하면 의식될 수 있는 정신활동 부분 ⇨ 기억 **예** 중3 때의 담임선생님의 성함
  ③ 무의식(無意識, unconscious): 의식되지 않는(자신이 전혀 모르는) 정신활동 부분, 억압된 욕구나 본능이 깊이 자리 잡고 있는 심층영역 ⇨ 인간행동의 중요 동기, 내적 갈등의 경험
    예 잘 아는 사람의 이름을 잊어버리는 것, 신경증적 증상, 꿈

(2) **성격의 구조**: id(원초아, 원자아, 원시자아, 본능), ego(자아), super-ego(초자아)로 구성
  ① Id: 성격의 무의식적 부분으로, 기본적 욕구의 저장고, 원시적·본능적인 개인의 충동, 모든 에너지의 원천이며 심리적 행동에 힘과 방향을 제공 ⇨ 생물학적 자아
    ㉠ 기본적 본능

| 삶의 본능(eros, 에로스) | 생존과 번식을 위한 욕구, 성욕(libido)이 가장 강함.
⇨ 쾌락의 원리에 의해 지배 |
| 죽음의 본능
(thanatos, 타나토스) | 미움, 공격, 파괴 등의 충동적 욕구
⇨ 열반(涅槃)의 원리에 의해 지배 |

ⓒ 쾌락원칙(pleasure principle)에 지배: 쾌락을 추구하고 고통은 피한다.
  예) 영아는 엄마가 우유를 줄 때까지 계속 운다.

② Ego: 의식된 성격의 부분, 본능(충동)을 조절하여 현실에 적응하도록 하는 정신구조, 본능의 욕구를 현실적·합리적으로 처리하는 과정에서 발달 ⇨ 외부세계의 직접적인 영향에 의해 수정된 원자아의 일부, 심리적 자아

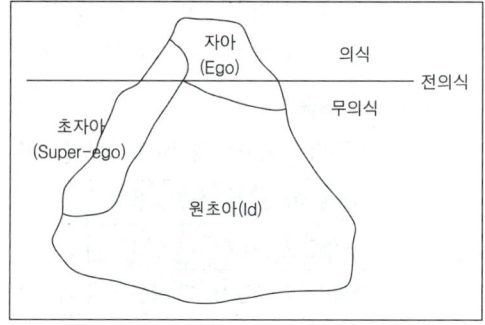

  ㉠ 조정자 역할: 개인으로 하여금 객관적 현실을 이해하고 합리적 사회생활을 영위하게 함. ⇨ 비합리적·반사회적인 것을 억압하고 현실적으로 적절한 방법으로 만족을 얻게 하는 성격의 조직적·합리적·현실지향적 부분
  ㉡ 현실원칙(reality principle)에 지배되는 성격의 집행관
     예) 아이는 우유를 먹고 싶어도 엄마가 설거지를 마칠 때까지 기다린다.

③ Super-ego: 개인의 행동을 이상(理想)에 따르도록 하는 역할, 전통적 가치와 그 사회가 요구하는 이상 등의 윤리적 가치 지향 ⇨ 도덕적 규제와 판단 기능, 현실보다는 이상, 불완전보다는 완전을 추구, 사회적 자아 22. 국가직
  ㉠ 윤리적·이상적 자아: 학습된 도덕성이 내면화된 것 ⇨ 부모와 주변인들로부터 물려받은 전통적 가치와 사회적 이상이 개인에게 내면화된 것
  ㉡ 양심(conscience, 죄책감)과 자아이상(自我理想, ego-ideal: 이상적 사람의 행동을 동일시)으로 구성
     예) 유아에게 불결함에 대해 엄격한 태도를 보이면 '양심'을, 청결함에 대해 우호적인 태도를 보이면 청결(淸潔)을 이상화하는 '자아이상'을 형성할 수 있다.
  ㉢ id처럼 현실에 구속되지 않으며, 완벽하고 비현실적인 표준을 자유롭게 설정하는 기능을 한다. ⇨ 초자아가 설정하는 도덕적 표준은 사람마다 다르다.

(3) **성격발달단계**: 구강기(id) ⇨ 항문기(ego) ⇨ 남근기(super-ego) ⇨ 잠복기 ⇨ 생식기(성기기)
  ① 개요
    ㉠ 개인의 성적 에너지인 리비도(libido)의 발생부위와 충족방식에 따라 성격발달단계를 유형화
    ㉡ 각 발달단계마다 유아가 추구하는 만족을 충분히 획득해야 다음 단계로 순조로운 이행이 가능
    ㉢ 각 발달단계에서 욕구불만을 느끼거나, 그 시기에 느낀 쾌감에 지나치게 몰두하게 되면 다음 발달단계로 넘어가지 못하고 고착(fixation)됨. ⇨ 성인 시 정신건강에 문제 발생

▲ Freud

    ㉣ 성격의 기본구조가 5~6세 이전에 완성, 그 이후는 기본구조가 정교화되는 과정: 초기경험의 중요성 강조 ⇨ '아이는 어른의 아버지(the child is father to the man)'

② 성격발달단계에 따른 주요 특징
  ㉠ 구강기(oral stage, 0~18개월) : I get 단계
    ⓐ 구강(입, 입술, 혀 등)의 자극으로부터 쾌감을 얻는 시기
    ⓑ 자신에게 만족과 쾌감을 주는 인물이나 대상에 대한 애착(attachment)을 지님.
      예 어머니 ⇨ 안정, 애착

구강 빨기 단계	과잉쾌락 대 의존성 갈등 ⇨ 고착 시 과식, 흡연, 과음, 다변(多辯) 등 말을 통해 쾌락 추구 또는 의존성 경향의 성격
구강 깨물기 단계	물어뜯기 대 부모의 금지 사이의 갈등 ⇨ 고착 시 손톱 깨물기, 남을 비꼬기 등 적대적이고 호전적인 성격
욕구충족의 경험	낙천적 성격 형성 ⇨ 긍정적 신뢰감 형성

    ⓒ 자아정체감(personality) 형성의 원형이 됨.
    ⓓ id가 지배
  ㉡ 항문기(anal stage, 2~3세) : I control 단계
    ⓐ 배변(항문) 훈련을 통해서 성적 쾌감을 얻는 시기 : 성감대의 변화(입 ⇨ 항문)는 성숙의 결과
    ⓑ 대소변 가리기 훈련을 통해 본능적 충동(id, 배설에 대한 만족감)에 대한 외부적 통제(ego) 경험 ⇨ 배출의 경험
    ⓒ 배변훈련의 방법이나 배변에 대한 감정은 성격특성이나 가치관 형성에 영향 ⇨ 갈등해결의 원형이 형성

배변훈련이 원만	독창성, 창조성, 생산성, 자신과 사회의 원만한 관계 형성
배변훈련이 엄격할 때 (항문보유적 성격)	엄격한 대소변 통제로 인한 불안 형성, 배출을 자유롭게 못하고 보유함으로써 소유욕이 증대 예 결벽증(더러운 대상으로부터 정반대의 깨끗함을 찾는 반동형성), 지나친 규율 준수, 인색, 강박, 수전노, 융통성 없는 소극적 성격
배변훈련이 허술할 때 (항문방출적 성격)	대변을 부적절하게 본 것에서 비롯된 공격적 성향 예 무절제, 기분파, 반사회적 행동 경향

    ⓓ id와 ego가 지배
  ㉢ 남근기(phallic stage, 3~5세) : I am a man 단계
    ⓐ 성기에 리비도가 집중, 성기의 자극을 통해 쾌감을 얻는 시기
    ⓑ 남녀의 신체 차이나 아기의 출생, 부모의 성역할(sex role)에 관심
    ⓒ 성적 갈등현상(complex)을 동성(同性)의 부모에 대한 동일시(identification)를 통해 극복하고 성역할 및 부모의 도덕률과 가치체계를 내면화 ⇨ 성격발달의 결정적 시기
      예 오이디푸스 콤플렉스, 일렉트라 콤플렉스

▲ 오이디푸스와 스핑크스

    ⓓ 동성애(Homo sexuality) ⇨ 성적 대상을 내부에서 찾음.

ⓔ 고착 시는 성불감증, 동성애
ⓕ id, ego, super-ego가 지배: 부모의 도덕성(양심)을 내면화함으로써 도덕성이 발달

> **더 알아보기**
>
> **오이디푸스 콤플렉스와 일렉트라 콤플렉스**
> 1. 오이디푸스 콤플렉스(Oedipus complex)
>   ① 남아(男兒)의 어머니에 대한 애정갈구현상
>   ② 아버지를 애정 경쟁자로 생각하여 적대감 ⇨ 거세불안증(castration anxiety)
>   ③ 불안 극복을 위해 어머니에 대한 애정을 포기하고 아버지를 동일시(identification)
>   **예.** 아버지와 같은 남성다움을 갖기 위해 노력한다. 아버지의 구두를 신어 본다.
> 2. 일렉트라 콤플렉스(Electra complex): 융(Jung)의 용어 ⇨ '단어연상검사'를 통해 콤플렉스 이론 정립
>   ① 여아(女兒)의 아버지에 대한 애정갈구현상 ⇨ 남근선망(penis envy)
>   ② 남근(男根)이 없다는 사실을 인정하고, 어머니의 여성스러움을 닮아간다.

ⓔ 잠복기(latent stage, 6~11세)
 ⓐ 성적 본능이 휴면을 취하는 시기: 남근기의 이성에 대한 성적 욕구가 철저히 억압되어 심리적으로 평온해지고 지적 활동에 에너지가 투입되는 시기 ⇨ 초등학교 입학 시기
 ⓑ 지적 호기심이 왕성
 ⓒ 논리적 사고를 통해 타인의 입장도 고려: 피아제(Piaget)의 구체적 조작기에 해당
 ⓓ 동성 또래와의 새로운 학습, 운동능력 신장 등 근면성 발달(Erikson)
 ⓔ id, ego, super-ego가 지배
ⓜ 생식기(성기기, genital stage, 11세~)
 ⓐ 급속한 성적 성숙에 의해 이성에 대한 성애(性愛) 욕구가 강해지는 시기
 ⓑ 이성애(Hetero Sexuality): 성적 추구 대상을 외부에서 찾음. ⇨ 사춘기
 ⓒ 심리적 이유기(心理的 離乳期, Hollingworth): 부모로부터 독립하려는 욕구가 강함.

(4) 특징
① 개인의 성격은 5, 6세 이전에 완성되고, 그 이후의 발달은 기본구조가 정교화된다.
② 각 발달단계에서 만족을 얻으면 다음 단계로 이행되고, 욕구충족이 되지 않거나 과잉 충족되면 다음 단계의 발달을 저해하는 현상(고착)이 일어난다.
③ 개인의 발달은 id, ego, super-ego의 상호작용의 결과이며, 개인의 성격도 이 세 요소의 역동적 관계에 의해서 형성된다. ⇨ 특히 id의 역할을 중시

(5) 교육적 영향
① 인생의 초기경험을 강조함으로써 유아교육의 중요성을 일깨워 주었다. ⇨ 개인의 성격과 사회성이 아동의 초기경험에 의해 형성된다.
② 행동의 무의식적 결정요인을 강조하여, 성격연구의 새로운 측면을 보여 주었다.

(6) **이론의 비판점** 07. 서울
① 인간을 수동적 존재(예, 성적 본능과 과거 경험에 지배되는 존재)로 파악하였다.
② 문화적 특수성을 경시하였고, 여성에 대한 편견(예, 오이디푸스 콤플렉스)이 강하다.
③ id, ego, super-ego 등의 개념이 모호하고 경험적으로 검증이 불가능하다.
④ 인간행동에 영향을 주는 상황 변인(예, 격려, 처벌 등)이 양심의 발달에 미치는 영향을 무시하였다.
⑤ 과학적 정확성이 결여되어 예언하기가 곤란하다.

3. **에릭슨(Erikson)의 성격발달이론** 18. 국가직, 11. 울산·광주·국가직, 10. 인천, 09. 대전, 06. 대구, 05. 충북

심리사회적 이론(psycho-social theory) ⇨ 성격, 정서, 사회성 발달의 통합이론

(1) **개요**: 「아동기와 사회(Childhood & Society, 1963)」

▲ Erikson

① 프로이트(Freud)와는 달리 개인이 사회 속에서 맺게 되는 사회적 관계에 따라 일생을 8단계로 나누고 각 발달단계는 상호관련성이 있다고 보았다.
② 각 발달의 결정적 시기[각 발달단계의 심리사회적 위기(psycho-social crisis), 발달과업]를 극복하면 건강한 성격이 발달하나, 그렇지 않으면 성격적 퇴행을 경험하게 된다. ⇨ 양극이론(polarity)
③ 성격발달은 점성적 원리(epigenetic principle)에 따라, 그 이전 단계들의 발달에 기초하여 연속적으로 발달한다.
   ✎ 점성원리는 생물학적 원칙에서 유래된 것이다. 성장하는 모든 생물은 기본계획을 갖고 있고, 그 기본계획으로부터 여러 부분들이 발생하고 발달하며, 이 과정에서 각 부분이 우세하게 나타나는 특정한 시점이 있는데, 이 모든 부분이 통합하여 하나의 기능적인 전체를 이루게 된다는 것이다(이건인, 2008).
④ 최초의 아동 정신분석가이자, 성인기의 발달단계를 따로 구분한 최초의 정신분석 이론가이다.

(2) **이론의 기본견해**
① **자아(ego)심리학**: 발달에는 자아가 핵심 역할을 한다.
② **심리사회 발달이론**: 발달에는 심리사회환경(대인관계)이 중요하다. ⇨ 성격, 정서, 사회성의 요소가 통합된 발달이론을 제시, 대상관계이론(object relations theory)
③ **전 생애 발달**: 발달은 일생 동안 이루어진다(≒ Havighurst).
④ 발달은 단계별로 이루어진다. ⇨ 질적 접근
⑤ **점성원리(epigenetic principle)**: 발달은 점성적으로 이루어진다(후성설).
⑥ 발달에서 '심리사회적 위기(특정 시기에서 획득해야 할 사회발달 과제)' 극복을 중시한다.

(3) 성격발달단계 21. 국가직 7급, 13. 국가직, 11. 경북

발달단계	나이	덕목	특징
기본적 신뢰 대 불신감 (basic trust vs. mistrust)	~18개월 (어머니) cf) 구강기 (프로이트)	희망 (hope)	• 부모로부터의 사랑이 일관적·지속적·동질적일 때 형성 • 유아의 신체적·심리적 욕구를 적절히 충족시켜 주는지의 여부에 따라 세상에 대한 기본적 태도 형성 ⇨ 성격발달에 가장 중요한 시기(토대 형성)
자율성 대 수치심 (autonomy vs. shame & doubt)	18개월~3세 (아버지) cf) 항문기 (프로이트)	의지력 (will)	• 대소변 가리기, 걷기 등을 자발적으로 진행할 때 형성 • 배변훈련을 통해 자신의 요구와 부모의 요구가 원만한 조화를 이룰 때 유아의 자율성이 발달 ⇨ 실패할 때 강박증이 형성(특정한 행동이나 사고를 반복)
주도성 대 죄책감 (initiative vs. guilt)	3~6세 (유치원, 가족) cf) 남근기 (프로이트)	목적 (goals)	• 성적 경험보다 놀이와 자기가 선택한 행동에 더 많은 관심을 보이는 시기 • 현실도전의 경험이나 상상, 활동에 자유가 주어지고 부모로부터 격려를 받을 때 주도성이 형성. 도덕의식 발달
근면성(성취감) 대 열등감 (industry vs. inferiority) 25. 국가직, 12. 경기	6~12세 (초등학교, 이웃) cf) 잠복기 (프로이트)	능력 (ability)	• 아동이 공식적 교육을 통해 사회와 문화에 대한 기초적인 인지능력과 사회적 기술을 습득해야 하는 시기 ⇨ 성적인 신체부위가 없다. • 학교에서의 성취에 대해 인정받을 때 근면성이 형성 ⇨ 자아개념 형성(자아성장)의 결정적 시기
자아정체감 대 역할 혼미 (identity vs. role diffusion) 08. 서울	12~18세 (중고교, 또래) cf) 생식기 (프로이트)	충실 (성실, fidelity)	• 급격한 신체적·심리적 변화와 사회적 요구에 따라 자신의 존재에 대한 새로운 탐색을 시작 ⇨ 이전의 발달적 위기들이 반복, 성격형성의 중추적 역할을 하는 시기 • 부모나 교사 등과의 동일시, 또래집단과의 상호작용, 개인의 내적 동질성이 확보될 때 자아정체감 형성 • 심리적 유예기(모라토리움): 사회적 책임으로부터 유예 ⇨ 자신을 찾아 노력하는 기간
친밀감 대 고립감 (intimacy vs. isolation)	19~24세 (이성, 친구, 배우자)	사랑 (love)	• 인간관계의 범위가 친구나 애인, 직장동료 등으로 확대 ⇨ 만족스러운 취업과 결혼이 중요한 발달 과업 • 동성 또는 이성 간의 인간관계에서 친근감 형성
생산성 대 침체성 (generativity vs. self-absorption)	25~54세 (배우자, 자녀, 직장)	보살핌 (배려, care)	직업적 창조성, 생산성, 후세 교육에 관심, 자녀들의 성공적 발달을 돕는 것이 최대 관심
자아통일 대 절망감 (ego integrity vs. despair)	54세~ (인류)	지혜 (wisdom)	• 자신의 지나온 생애를 돌아보고 성찰하는 시기 • 자기 삶에 후회가 없고 가치 있었다는 생각은 자아통정성을 형성

🔹 에릭슨(Erikson)이론의 교육적 적용

근면성(industry) 향상 전략 - 초등학교	자아정체감(self-identity) 향상 전략 - 중·고등학교

1. 학생들이 현실적 목표를 세우고 실행할 기회를 제공한다.
  예 • 단순한 과제에서 시작하여 복잡한 과제 부과
    • 합리적 목표를 세우고 목표설정 과정을 기록
2. 학생들이 독립성과 책임감을 표현할 기회를 준다.
  예 • 적당한 실수에 대해 관대하게 대하기
    • 학생들이 스스로 할 수 있는 과제 위임하기(자료정리)
3. 위축된 듯한(열등감을 지닌) 학생들에게 도움을 준다.
  예 • 학생의 개인성장도표를 활용, 향상정도 보여주기
    • 초기 작업 자료를 보관, 학생의 진전상황 보여주기
    • 향상정도, 노력정도 등을 기준으로 시상하기
4. 학생과 다른 학생과의 결과비교를 하지 않도록 한다.
	1. 직업선택과 성인 역할에 대한 많은 모델을 제시한다.
	  예 • 문학과 역사 속 모델 제시(유명여성, 민족지도자)
	    • 유명 직업인 초청 특강 진행하기
	2. 학생 개인이 당면한 문제를 해결하도록 돕는다.
	  예 • 상담 교사와 면담하도록 격려하기
	    • 학교 밖 전문 상담 서비스에 대해 토론하기
	3. 타인을 불쾌하게 하거나 학습에 방해가 되지 않는 한 십대들의 일시적인 유행에 대해 인내심을 갖는다.
	  예 • 지난 시대의 일시적인 유행에 대하여 토론하기
	    • 엄격한 옷차림이나 머리 모양을 강요하지 않기
	4. 학생들에게 실제적 피드백을 준다.
	  예 • 학생의 잘못된 행동이 미칠 결과에 대해 이해시키기
	    • 자신의 작업과 비교 가능한 모범답안·사례 제공하기
	    • 학생의 역할(행동)과 사람을 분리하여 비판하기

(4) 프로이트와 에릭슨의 이론 비교

① 차이점

프로이트(Freud)	에릭슨(Erikson)
• 심리성적 발달이론: id심리학 • 가족관계 중시 ⇨ 엄마의 영향 강조 • 리비도의 방향 전환 • 무의식 • 발달의 부정적인 면 ⇨ 이상(異常)심리학 • 청년기 이후 발달 무시: 5단계 • 과거 지향적 접근	• 심리사회적 발달이론: ego심리학 • 사회적 대인관계 중시 • 개인에 대한 가족과 사회의 영향 • 의식 • 발달의 긍정적인 면 ⇨ 양극이론(약간의 부정적인 면은 인정) • 전 생애를 통한 계속적 발달: 8단계 • 미래 지향적 접근

② 공통점
  ㉠ 정신분석학에 기초를 둔 발달이론이다.
  ㉡ 인생의 초기경험의 중요성을 강조한다.
  ㉢ 성격발달은 일련의 단계를 거쳐 이루어진다.
  ㉣ 원만한 성격발달을 위해 성장 과정에서 욕구가 적절히 충족되어야 한다.

(5) 에릭슨 이론에 대한 비판

① 남성을 대상으로 한 연구에 기초해 이론을 세웠기 때문에 정체감의 발달 후 친밀감이 확립된다고 하였으나, 여성의 경우 친밀감의 확립이 정체감 형성과 함께 또는 앞서 일어나기도 한다.
② 대부분의 사람들은 정체감이 에릭슨이 제시한 것처럼 일찍 형성되지 않는다. ⇨ 정체감은 고등학교 시절이 아니라 그 이후에 형성된다.
③ 이론이 모호하고, 경험적으로 검증하기가 어렵다.
   예. 주도성이나 통합성을 어떻게 측정해야 하고, 심리사회적인 갈등을 극복하기 위해 어떤 경험을 제공할 것인가에 대한 뚜렷한 지침을 제공하지 못하고 있다.
④ 이론의 대부분이 에릭슨(E. Erikson)의 개인적이고 주관적인 해석에 근거하고 있을 뿐, 엄밀한 실험을 통해서 검증되지 못했다.
⑤ 성격발달의 초기 단계는 결국 동일한 특성을 강조하고 있어 분명하게 구분이 어렵다.
   예. 자율성, 주도성, 근면성은 모두 아동이 능동적으로 행위를 하도록 허용하고 격려하는 것을 강조하고 있다.

3 도덕성 발달이론(the theory of moral development)

> **도덕성(morality)**
> 1. 아주 어릴 때의 경험에 의하여 무의식적으로 형성된 양심 ⇨ 정신분석(Freud)
> 2. 특수한 행동(예. 거짓말하지 않는다. 약속을 잘 지킨다.)이 습관으로 굳어진 상태 ⇨ 행동주의(Skinner)
> 3. 타인의 행동을 관찰하고 모방한 결과 ⇨ 사회적 학습이론(Bandura)
> 4. 도덕적 문제 사태에서 도덕적 원리에 맞게 판단하는 능력 ⇨ 인지주의(Piaget, Kohlberg)

1. **피아제(Piaget)의 도덕성 발달이론**

    (1) **개요**

    ① 인지적 접근: '도덕성 발달이 인지발달에 병행하며 단계별로 발달한다.' ⇨ 도덕성은 도덕적 추론능력

    ② 도덕성 측정 질문지를 사용: 도덕적 갈등상황(moral dilemma) 제시

    > • 줄리앙이라는 꼬마는 아빠가 없을 때 아빠의 만년필을 갖고 놀다가 테이블보에 조그만 잉크 자국을 남기고 말았다.
    > • 톰은 아빠가 사용하는 잉크병이 비어 있다는 것을 발견하고 아빠를 도와주기 위해 잉크병에 잉크를 채워 넣다가 테이블보에 커다란 잉크 자국을 내고 말았다.
    > • 선생님: 줄리앙과 톰 중에서 누가 더 나쁜가? 왜 그렇게 생각하는가?

    (2) **도덕적 발달단계**(도덕적 추리단계): 타율적 도덕성 ⇨ 자율적 도덕성

    ① 타율적 도덕성(heteronomous morality, 4~8세)

    ㉠ 외재적 도덕성(external morality): 놀이를 비롯한 일상생활에 규칙(질서)이 있다는 것을 인식, 규칙은 성인이 만든 것이고 절대적이고 수정 불가능하며 반드시 준수해야 하는 것, 규칙에 일치하는 행동은 선이고 규칙에 어긋나는 행동은 악 ⇨ 판단과정 없이 규칙에 무조건 복종

    ㉡ 도덕적 실재론(moral realism, 도덕적 현실주의): 행위자의 의도와 동기를 고려하지 못하고 결과만을 판단 예 테이블보를 많이 더럽힌 톰이 더 나쁘다.

    ㉢ 내적 공정성에 대한 신념: 규칙 위반 시 반드시 처벌받는다.

    ② 자율적 도덕성(autonomous morality, 8~12세)

    ㉠ 내재적 도덕성(internal morality): 협동과 호혜에 의한 도덕성, 타인과의 상호작용을 통해 다른 사람에게는 다른 규칙이 있을 수 있다는 것을 이해 ⇨ 규칙은 임의로 정한 약속이므로 사회적으로 합의하면 변화 가능

    ㉡ 도덕적 상대주의(moral relativism): 행동의 이면에 있는 행위자의 의도와 동기, 상황을 고려하여 행동의 선악을 판단 예 놀다가 테이블보를 더럽힌 줄리앙이 더 나쁘다.

    ㉢ 외적 공정성에 대한 신념: 규칙 위반 시 반드시 처벌받는 것은 아니다.

2. **콜버그(Kohlberg)의 도덕성 발달이론** 23. 국가직, 11. 국가직, 10. 충북·부산, 05. 경북·강원

    > "콜버그(Kohlberg)는 도덕성 발달에 관하여 주로 아동을 연구의 대상으로 하던 피아제(Piaget)의 이론을 발전시켜서 성인에까지 확대하여 도덕성 발달단계를 더욱 체계화시켰다."
    > ─「교육심리학 서설」(이성진, 1985)

(1) **개요**: 피아제(Piaget)의 인지발달이론과 롤즈(Rawls)의 「정의론」에 토대, 듀이(J. Dewey)의 「민주주의와 교육」에 영향 받음. ⇨ 인지적 접근

▲ Kohlberg

① 도덕이란 도덕적 판단(도덕적 추리)의 구조를 말한다(도덕적 판단 내용 ×).

◊ **도덕적 추론의 구조**
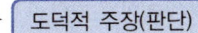
도덕적 근거 또는 이유(원리 & 사실) → 도덕적 주장(판단)

② 도덕발달의 주요 기제는 인지 갈등이다 : Bandura는 모델링, Freud는 동기(양심)
③ 도덕적 갈등 상황(Heinz's dilemma, 인간 생명 vs. 재산)을 설정, 제시된 답안의 사고체계(추론 과정)를 바탕으로 발달 과정을 설명하였다.
④ 도덕판단은 도덕적 행위를 결정하는 가장 중요한 요인이다.
⑤ 도덕발달에는 인지발달이 필수적이며, 인지발달은 도달할 수 있는 도덕적 단계를 한정한다 : 대부분의 사람들은 인지발달 수준이 도덕발달 수준보다 더 높다. ⇨ 인지발달은 도덕발달의 필요조건
⑥ 도덕성 발달의 보편론(결정론) : 도덕성 발달은 어떤 국가나 문화에 관계없이 일정한 발달단계를 거친다. ⇨ 발달속도는 개인차가 존재하며, 모든 사람이 6단계에 도달하는 것은 아니다.
⑦ 도덕발달은 단계적으로 이루어지며, 모든 사람은 동일한 순서로 도덕발달단계를 통과한다 : 도덕발달단계는 질적으로 상이한 비연속적이고 도약적인 과정이며, 상위단계는 하위단계보다 더 정교한 구조를 지닌다.
⑧ 인습(因習) 혹은 관습(慣習)을 기준으로 도덕적 발달수준을 3수준 6단계로 구분하였다.

> **더 알아보기**
>
> **하인즈의 딜레마**(Heinz's dilemma)
> "하인즈의 아내는 암에 걸려 죽어가고 있었다. 의사는 그녀를 살릴 수 있는 특효약이 있다고 말하는데 그 약은 그 마을에 사는 약사가 개발한 것이었다. 약사는 약값을 8천 달러나 요구했다. 재료비의 열 배나 되는 값이었다. 하인즈는 여기저기 돈을 구하러 다녔지만 약값의 반밖에 구하지 못했다. 그는 약사를 찾아가서 아내가 지금 죽어가고 있으니 그 약을 좀 싸게 팔거나 외상으로 해달라고 사정했으나 하인즈는 거절당했다. 하인즈는 절망에 빠졌다. 다음 날 밤 하인즈는 약국 문을 부수고 들어가 약을 훔쳐내고 말았다. 과연 하인즈의 행동이 옳았는가?"

(2) **도덕성 발달단계** : 3수준 6단계 이론 **14. 국가직 7급**

> **수준**(levels)
>
> 도덕적 딜레마나 문제를 해결할 때 개인이 취하는 관점
> ⇨ 제1수준은 '힘의 윤리, 자기중심성의 윤리', 제2수준은 '타인의 윤리', 제3수준은 '원리의 윤리'

① 제1수준 – 인습 이전(pre-conventional level) : 전도덕기(무율성) ⇨ 행위의 결과나 개인적 욕구에 기반을 둔 자기중심적 공정성, 사회의 인습이나 규칙을 정확하게 이해하지 못하는 단계

㉠ 제1단계 - 벌과 복종에 의한 도덕성(주관화)

판단기준	행위자가 행위자의 옳고 그름을 결정하는 기준은 그 행위를 함으로써 수반되는 물리적인 결과(예, 상·벌)와 그 행위를 명령하는 사람의 물리적 또는 상징적 힘의 정도
응답반응	• 약을 훔치는 것은 옳다. 아내를 죽게 내버려 두면 신으로부터 벌을 받기 때문이다. • 약을 훔치는 것은 옳지 않다. 약값이 비싸므로 비싼 것을 훔친 만큼 죄가 크고 교도소에 갈 것이다.
특징	결과를 중시한 행동, 처벌받는 행위는 나쁜 행위이고 처벌받지 않으면 옳은 행위 ⇨ '힘이 곧 정의다.', 적자생존의 원리가 지배 예, 들키지 않고 부정행위를 하는 것은 정당하다. 왜냐하면 들키지 않아서 처벌을 받지 않기 때문이다. "큰 물고기가 작은 물고기를 잡아먹는다."

㉡ 제2단계 - 자기중심의 욕구충족을 위한 수단으로서의 도덕성(상대화)

판단기준	행위자(자신과 타인)의 욕구를 충족시키는 행위가 옳은 행위 ⇨ 옳은 행위는 행위자의 만족을 위한 하나의 도구
응답반응	• 약을 훔치는 것은 옳다. 약을 훔쳐서라도 자기 아내의 생명을 구하기만 하면 된다. 약국 주인에게 큰 손해를 끼친 것도 아니고, 또 언젠가 갚을 수도 있다. • 약을 훔치는 것은 옳지 않다. 만약 자기가 교도소에 간다면 부인의 생명을 구하는 게 무슨 소용이 있겠는가? 그리고 약사가 돈을 받고 약을 파는 것은 당연하다.
특징	• 개인적 욕구충족 수단, 인간관계를 시장원리와 동등시(1:1 교환관계 중시) ⇨ 개인적 쾌락주의(칭찬받기 위한 도덕성), 도구적 상대주의, "네가 내 등을 긁어 주면, 내가 네 등을 긁어 줄게.", "눈에는 눈, 이에는 이", "당신에게 먹을 것을 주는 손을 물지 말라." 가언명령(假言命令) 예, 하인즈 입장에서는 약을 훔치는 것이 옳고, 약사 입장에서는 약을 훔치는 것이 옳지 않다. • 공정성, 상호성, 평등성 등의 요소가 나타나지만 이 요소들은 언제나 물리적·실용적 방식으로 해석된다.

② 제2수준 - 인습수준(conventional level): 타율도덕기 ⇨ 사회적 합의에 의해 공유되는 관습(예, 법률 준수, 사회질서, 가족의 기대, 타인의 인정 등)에 토대한 공정성, 사회의 인습이나 규칙에 동조하려고 노력하는 단계

㉠ 제3단계 - 대인관계에서의 조화를 위한 도덕성(객체화) 19. 지방직

판단기준	행위의 옳고 그름은 행위자의 행위를 주위 사람들이 어떻게 평가하느냐에 따라 결정 ⇨ 다른 사람들에 의해 인정받거나 그들을 만족시키는 행위가 옳은 행위, 도덕적 행위란 타인이 칭찬하는 행위
응답반응	• 약을 훔치는 것은 옳다. 그것은 좋은 남편으로서 해야 할 일이다. 아내가 죽도록 내버려 둔다면 주위 사람들로부터 비난을 받을 것이다. • 약을 훔치는 것은 옳지 않다. 약국을 부수고 남의 것을 훔치는 일은 나쁘기 때문이다. 그리고 아내가 죽더라도 남편이 비난받을 일은 아니다. 약을 훔치지 않았다고 해서 무정한 남편이라고 할 수 없다.
특징	착한 아이(good boy) 지향, 청소년의 윤리, 여성의 도덕성 ⇨ 타인의 인정과 승인 지향, 비난 회피 예, 부모를 걱정시키지 않기 위해 귀가 시간을 지킨다.

ⓛ 제4단계 – 법과 질서를 준수하는 도덕성(사회화)

판단기준	옳은 행위는 의무를 다하고 권위를 존중하며 기존 사회질서를 유지하는 행위, 현재의 법이나 질서와 일치 여부를 기준으로 도덕 판단
응답반응	• 약을 훔치는 것은 옳다. 그것은 좋은 남편으로서 해야 할 의무이다. 그러나 약값은 반드시 갚아야 하고, 훔친 데 대한 처벌도 받아야 한다. • 약을 훔치는 것은 옳지 않다. 아내를 살리려면 하는 수 없지만 그래도 훔치는 것은 나쁜 행동이다. 개인의 감정이나 상황에 관계없이 규칙은 지켜야만 한다.
특징	'악법(법률의 구체적 조항)도 법이다.', 법은 절대적(개인적 문제보다는 전체적 의무감 중시) ⇨ 사회질서와 권위 지향, 선악 판단의 사회성 예. 십계명

③ 제3수준 – 인습 이후(post-conventional level) : 자율도덕기 ⇨ 평등과 상호성의 논리에 토대한 원칙주의적 공정성, 개인이나 사회적 차원을 넘어 추상적이고 일반적인 원리에 비추어 도덕판단, 사회인습의 기저를 이루고 있는 도덕원리를 이해하는 단계

㉠ 제5단계 – 사회계약 및 법률복종으로서의 도덕성(일반화)

판단기준	옳은 행위는 단순히 사회질서를 유지하기 위한 것이 아니라 '좋은 사회'를 지향하는 행위. '좋은 사회'란 사회구성원 모두의 이익을 위해서 자유롭게 참여하는 사회계약을 통해 성립, 그러므로 옳은 행위는 사회 전체의 비판적 고려(예. 자유·생명 등 특정한 개인의 기본권리 보호, 민주적 과정과 절차)를 통해 합의된 법규와 질서에 부합하는 행위 ⇨ 법이 사람들의 요구를 충족시키지 못할 경우 사회구성원의 비판적인 숙고(熟考)에 의해 법규들은 재정립이 가능
응답반응	• 훔치는 것이 나쁘다고 하기 전에 전체 상황을 감안해야 한다. 이 경우 훔치는 것은 분명 나쁘다. 그러나 이 상황에 처했다면 누구라도 약을 훔칠 수밖에 없을 것이다. • 약을 훔치면 아내를 살릴 수 있지만 목적이 수단을 정당화할 수는 없다. 하인즈가 전적으로 나쁘다고 할 수는 없지만 상황이 그렇다고 해서 훔친 행동이 정당화될 수는 없다.
특징	전체적으로 잘 기능하는 사회가 반드시 좋은 사회는 아니라고 보고 '좋은 사회를 위해서 필요한 것이 무엇인가'를 고려, 법의 예외성 인정, 법이란 개인의 자유를 규제하기 위한 것이 아니라 극대화하기 위해 공동체가 합의한 것 ⇨ 사회계약 지향, 공공복리 증진을 위한 사회공평자의 입장 중시(가치기준의 일반화, 공리주의 입장)

ⓛ 제6단계 – 양심 및 보편적 도덕원리에 대한 확신으로서의 도덕성(궁극화) 24. 국가직 7급

판단기준	• '좋은 사회'를 지향하는 노력이 항상 정당한 결과를 가져오는 것은 아니며(예. 다수는 소수에게 불리한 법에 찬성할 수 있음.), 모든 이에게 적용되는 보편적 정의(正義)를 실현하는 원리가 존재 • 행위자는 자신의 양심에 비추어 보아 스스로 선택한 보편적 도덕원리[논리적 일관성, 보편성 구비 ⇨ 만인의 권리에 대한 평등성과 상호성을 보장 (예. 정의, 인간의 존엄성, 생명)]에 따라 행위 • 무지의 베일(veil of ignorance)을 쓰고 모든 사람들(예. 약사, 하인즈, 하인즈의 아내)이 다른 사람의 역할을 생각해 볼 때 중립적인 입장에서 올바른 결정이 가능

응답반응	• 법을 준수하는 것과 생명을 구하는 것 중에서 선택을 하라면 법을 어기더라도 생명을 구하는 것이 더 높은 수준의 도덕적 행동이다. • 암환자는 많고 약은 귀하기 때문에 모든 사람에게 약이 돌아갈 수는 없다. 이 경우에는 모든 사람들이 보편적으로 옳다고 생각하는 행동을 해야 한다. 감정이나 법에 따라 행동할 것이 아니라 한 인간으로서 무엇이 이성적인가를 생각해야 한다.
특징	보편적 윤리 지향, '악법(법의 정신)도 법이다.' ⇨ 윤리관의 최고 경지. 황금률(the Golden Rule, 무엇이든지 남에게 대접을 받고자 하는 대로 너희도 남을 대접하라.), Kant의 정언명령(무조건적이고 절대적인 도덕적 명령, 네 의지의 준칙이 항상 보편적 입법의 원리에 타당하도록 행동하라.)

(3) **교육적 적용**
  ① 교육목표: 구체적인 덕목의 주입이나 교화 × ⇨ 추상적인 도덕원리에 대한 추리능력의 발달
  ② 교육내용: 도덕적 인지 갈등 유발
  ③ 교육방법
    ㉠ +1 접근(블래트 효과): 인지적 비평형화 유도 예 도덕적 딜레마에 대한 토론
    ㉡ 정의의 공동체 접근: 문화적 접근 ⇨ 잠재적 교육과정을 통해 도덕성 형성

(4) **이론에 대한 비판**
  ① 도덕적 판단 능력(도덕적 추리)이 도덕적 행위와 반드시 일치하는 것은 아니다: 도덕적 판단 수준이 높다고 해서 도덕적으로 행동하는 것은 아니다(도덕적 판단수준이 높은 사람은 이기적인 행동을 한 후 합리화 기제를 사용하는 경향이 많다).
  ② 문화적 편향성: 인습 이후 수준의 발달단계는 개인의 존엄성을 중시하는 서구사회의 가치를 반영 예 중국 성인남자의 경우는 1단계가 대부분 ⇨ 콜버그 이론을 모든 문화권에 적용 ×
  ③ 도덕발달단계의 구분이 명확하지 않다(딜레마에 대한 반응이 동시에 2개 이상의 단계로 분류되는 경우가 많다).
  ④ 발달단계가 일정불변이라고 하나, 반드시 일정한 순서로 발달해 나간다고 할 수 없다. 도덕발달의 퇴행(退行)도 발생한다. 예 4단계에서 3단계로, 2단계에서 4단계로의 발달도 가능
  ⑤ 5·6단계에 도달하는 사람이 극소수이다: 인습 이후 수준은 도덕발달의 이상적 방향을 제시할 뿐 실제적 지침으로는 부족하다.
  ⑥ 남성 중심적 도덕관이다: 권리 또는 정의의 도덕성(justice perspective) ⇨ 여성의 도덕 발달수준은 3단계가 많음, 보살핌 또는 배려의 도덕성(care perspective)

3. 길리건(Gilligan)의 페미니즘적 윤리관

(1) **개요**: 여성들의 도덕성 발달이론 ⇨ 「다른 목소리로(different voice)」(1982)

  ① 보살핌(compassion, 동정) 또는 배려(caring)의 윤리 ⇨ 사회관계를 중시, 현실 지향적, 공정성과 평등 지향
  ② 도덕적 갈등 상황: 하버드 프로젝트 ⇨ 권리와 책임 연구, 대학생 연구, 임신중절 결정 연구

▲ Time지 속의 Gilligan

(2) **도덕발달단계**(3단계와 2개의 과도기): 이기적 단계 ⇨ 다른 사람에 대한 책임을 인식하는 단계 ⇨ 자기와 다른 사람을 평등하게 다루는 단계

① 제1단계 - 이기적 단계(자기 지향 단계): 생존 확보를 위해 자신만을 보살피려는 단계

② 비판적(반성적) 과도기(이기심에서 책임감으로): 자신의 생존을 위주로 하는 판단이 이기적이라고 비판

③ 제2단계 - 다른 사람에 대한 책임을 인식하는 단계(자기 희생으로서의 선의 단계): 모성적 도덕성의 단계
 ㉠ 무조건적인 보살핌과 순응을 행위의 원리로 채택, 자기희생을 도덕적 이상으로 간주
 ㉡ 다른 사람들에 대한 자신의 책임을 강조, 자기에게 의존하는 사람이나 자기보다 열등한 사람을 보살피고자 함. '선행(goodness)'을 다른 사람을 보살피는 행위로 규정

④ 비판적 과도기: 모성적 도덕기에 대한 반성적 재고찰(선에서 진실로) ⇨ 무조건적인 자기희생은 자신과 다른 사람들 사이의 불평등을 야기

⑤ 제3단계 - 자기와 다른 사람을 평등하게 다루는 단계(비폭력 도덕성의 단계): 도덕적 판단의 보편적인 자기 선택적(self-chosen) 원리의 단계
 ㉠ 자기 자신도 보살핌의 대상이 되어야 함(자아와 타아가 상호의존적인 관계)을 자각
 ㉡ 다른 사람과 함께 자신에 대한 부당한 착취와 가해를 막아야 하고 스스로에 대해 책임을 느끼고 보살펴야 한다는 보살핌의 원리 채택

(3) **콜버그와 길리건의 이론 비교**

콜버그(Kohlberg)	길리건(Gilligan)
• 남성적 도덕성: 84명의 남아들 대상 • Heinz의 딜레마: 재산 vs. 생명 • 인간관계보다 개인을 중시: 자율성 중시 • 권리의 도덕(morality of rights) • 정의(공정성, 타인 권리 불간섭)의 윤리 • 형식적·추상적 해결책 중시 • 권리와 규칙에 대한 이해가 발달의 중심	• 페미니즘적 윤리관 • 하버드 프로젝트 • 개인보다 인간관계를 중시: 애착 중시 • 책임의 도덕(morality of responsibility) • 보살핌(배려, 상호의존적 인간관계)의 윤리 • 맥락적·이야기적(서사적) 해결책 중시 • 책임과 인간관계에 대한 이해가 발달의 중심

4 사회성 발달이론

1. 개요

(1) 사회성(sociality)은 사회에 적응하는 개인의 소질이나 능력, 타인과의 공동적인 사회생활을 원만히 해내고 잘 적응할 수 있는 인성적 특성을 말한다.

(2) 사회성은 사회적 존재로서의 인간이 가정, 친구, 학교 등을 통하여 그 사회에 동화되는 사회화(socialization)의 과정을 거쳐 형성된다.

(3) 아동의 사회성 발달에 가장 중요한 영향 요인으로 가정환경, 동료집단, 교사가 있다.

2. 셀만(Selman)의 사회적 조망수용이론(사회인지 발달이론)

(1) **개요**: 사회인지(social cognition)란 사회적 관계를 이해하는 능력으로 타인의 사고와 의도, 정서, 사회적 조망수용능력(social perspective taking ability)을 의미한다.

① 사회적 조망수용능력의 발달은 타인과 잘 지낼 수 있는 성숙한 사회적 행동을 가능하게 한다.
② 사회적 조망수용능력이 발달한 아동은 다른 사람의 정서 상태를 대리적으로 경험하는 감정이입(empathy)능력과 동정심(compassion)을 가지고 있으며, 어려운 사회적 상황을 잘 처리하는 문제해결(social problem solving)능력도 지니고 있다.
③ 셀만(Selman)은 '구조화된 면접(사전에 계획한 대로 면접을 진행)'을 사용, 사회적 조망수용능력의 발달 단계를 다섯 단계로 구분하여 기술하였다.
　㉠ 사회인지의 발달은 사회적 역할 수용(social role taking)의 발달을 통해 이루어진다.
　㉡ 사회적 역할 수용이란, 자신과 타인을 객체로 이해하고, 타인이 자신에게 반응하는 식으로 자신도 타인에게 반응하고, 그리고 타인의 관점에서 자신의 행동에 반응하는 능력을 말한다.

(2) **사회적 조망수용능력의 발달단계 이론**

사회성 발달단계	특징	인지발달단계
0단계 자기중심적 관점 수용 단계 (3~6세: egocentric viewpoint / 자기중심적 미분화 단계)	타인을 자기중심적으로 보기 때문에 다른 사람도 자신의 견해와 동일한 견해를 갖는다고 지각한다.	전조작기
1단계 주관적 조망 수용 단계 (6~8세: social-information subjective perspective taking / 차별적 조망 수용 단계, 사회정보적 단계)	동일한 상황에 대한 타인의 조망이 자신의 조망과 다를 수 있다는 것은 이해하지만 아직도 자기의 입장에서 이해하려고 한다.	구체적 조작기(초기)
2단계 자기반성적 조망 수용 단계 (8~10세: self-reflective perspective taking / 자기반성적 사고 또는 상호 교호적 조망 수용 단계)	다른 사람의 입장이 되어서 그 사람의 의도와 목적, 행동을 이해할 수 있으나 이러한 과정을 동시 상호적으로 하지는 못한다.	구체적 조작기(후기)
3단계 상호적 조망 수용 단계 (10~12세: mutual perspective taking / 제3자 조망 또는 상호적 조망 수용 단계)	동시 상호적으로 자기와 타인의 조망을 각각 이해할 수 있으며, 제3자의 입장에서 객관적으로 생각할 수 있다.	형식적 조작기(초기)
4단계 사회적 조망 수용 단계 (12~15세: social and conventional system perspective taking / 심층적 조망 또는 사회적 조망 수용 단계)	동일한 상황에 대해 자기와 타인을 포함하여 개인은 물론 집단과 전체 사회체계의 조망을 이해하는 최상의 사회인지능력을 획득한다.	형식적 조작기(후기)

5 발달과업(developmental task)이론 : 해비거스트(Havighurst) 04. 제주

1. 개관

(1) **개념**
① 환경에 적응하기 위해 인간의 발달 과정의 각 발달단계에서 반드시 성취해야 할 일
② 개인의 특정한 발달단계에서 배우지 않으면 안 되는 과제 ⇨ "개인의 일생 중 특정시기 혹은 그 가까운 시기에서 나타나는 과업으로, 그 과업을 성취하면 행복하게 되고 후속과업도 성공할 수 있지만 실패하면 불행하게 되고 사회의 인정을 받지 못하게 되며 후속과제를 성취하는 데도 장애를 겪게 된다."

(2) **이론의 특징**
① 평생 발달론적 관점에서 발달과업을 제시
② 에릭슨(Erikson)의 심리사회적 이론에 기초 : 발달의 부정적 측면은 배제하고 긍정적 측면의 행동특성만을 기술
③ 발달단계를 영아기 및 유아기, 아동기, 청소년기, 성인 초기, 성인 중기(중년기), 성인 후기(노년기) 등 6단계로 구분하여 제시

2. 발달단계별 발달과업의 내용

발달단계	발달과업
영아기 및 유아기 (0~6세)	보행 배우기, 딱딱한 음식 먹기, 언어 습득하기, 성별 구분 및 성역할 개념 알기, 생리적 안정을 유지하는 법 배우기, 사회적 환경에 대한 간단한 개념 형성하기, 부모·형제자매·타인과의 정서적 관계 배우기, 선악을 구별하고 양심을 형성하기
아동기 (6~12세)	일상놀이에 필요한 신체기능 익히기, 자신에 대한 건전한 태도 형성하기, 3R's의 기본기술 배우기, 또래친구와 사귀는 법 배우기, 일상생활에 필요한 개념과 기초기능 배우기, 남자 또는 여자의 적절한 성역할 배우기, 양심·도덕·가치기준 발달시키기, 사회집단과 제도에 대한 태도 형성하기
청소년기 (청년기, 12~18세)	성숙한 남녀관계 형성하기, 자기 신체를 수용하고 신체를 효과적으로 조정하기, 남녀 간의 사회적 역할 학습하기, 부모나 다른 성인으로부터 정서적으로 독립하기, 경제적 독립의 필요성 느끼기, 직업 준비하기, 시민생활에 필요한 지식과 태도 기르기, 결혼과 가정생활 준비하기, 사회적으로 책임 있는 행동 실천하기, 가치체계와 윤리관 확립하기
성인 초기 (성년기, 18~30세)	배우자 선택하기, 배우자와 동거생활하기, 가정생활 시작하기, 자녀 양육하기, 가정 관리하기, 직업 선택하기, 시민으로서의 의무 완수하기, 친밀한 사회집단 형성하기
성인 중기 (중년기, 30~55세)	시민의 사회적 의무 다하기, 생활의 경제적 표준 설정·유지하기, 청소년 자녀를 훈육 및 선도하기, 적절한 여가활동 하기, 배우자와 인격적 관계 맺기, 중년기의 생리적 변화에 적응하기, 노부모 봉양하기
성인 후기 (노년기, 55세~사망)	체력감퇴와 건강에 적응하기, 은퇴와 수입 감소에 적응하기, 배우자의 사망에 적응하기, 동년배와 친밀한 유대 맺기, 사회적·시민적 의무 이행하기, 만족스러운 생활조건 구비하기

3. 발달과업의 특징

(1) 질서와 계열성을 가지고 나타난다.

(2) 각 발달단계에는 결정적 시기가 있다.

(3) 각 발달단계는 다음 발달단계의 행동발달에 영향을 준다.

4. 교육적 의의

(1) 교육의 목표설정에 필요한 준거를 제공해 준다.

(2) 평생교육의 내용과 교육목표를 설정하는 데 시사점을 준다.

(3) 교육의 적정시점(時點), 즉 특정 기능이나 태도를 가르쳐야 할 최적의 시기를 알려준다.

(4) 학생들이 적절한 시기에 기본적인 기능과 태도를 습득하는 것이 중요하다는 점을 강조하고 있다.

제4절 발달의 개인차(1) : 인지적 특성과 교육

1 지능(Intelligence) 08. 경기, 07. 국가직 7급

1. 개념

환경이나 어떤 문제사태에 직면하여 환경에 적응하고 문제를 해결하는 능력

(1) **고등정신능력**(Spearman, Thurstone, Terman) : 추상적인 사고능력

(2) **정신적 적응능력**(Sternberg) : 새로운 사태에 대처하는 개인의 정신적 적응능력

(3) **학습능력**(Dearbon) : 경험에 의한 학습능력, 문제해결능력

(4) **종합적 능력**(Wechsler) : 목적적으로 행동하고 합리적으로 사고를 하며, 환경을 효과적으로 다루는 개인의 총체적인 능력 ⇨ 광범위한 지적 기술들(예, 언어능력, 수리능력)을 학습하는 능력

2. **지능에 대한 이론적 접근** 20. 국가직, 16. 국가직, 14. 국가직, 12. 서울

(1) **심리 측정론적 접근** : 지능은 요인(Factor 예, 수학 문제를 잘 푸는 능력, 다른 사람들로부터 인기가 높은 능력)으로 구성되며 지능검사를 통해 이러한 요인의 개인차를 측정할 수 있다는 입장

① 스피어만(Spearman)의 2요인설(G요인설)

㉠ 지능은 일반능력요인과 특수능력요인이 결합하여 인지적 과제를 수행하는 능력이다.
⇨ 단일능력으로 파악

일반요인 (General factor)	생득적이며 모든 정신 기능에 작용하는 일반적인 정신능력(예, 이해력, 관계추출력) ⇨ 기본적인 정신 에너지와 같은 것으로 양적(量的)이어서 지능검사로 측정 가능
특수요인 (Specific factor)	특수한 학습이나 경험, 특정한 과제의 문제해결에만 작용하는 능력 ⇨ 언어, 수, 정신적 속도, 주의, 상상의 5가지 군요인(group factor)은 특수요인 사이에 공통적으로 존재 예, 언어이해력, 수이해력

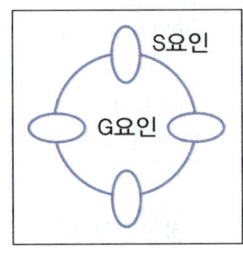

⊙ 지능검사에서 지능이 높은 아동은 일반적으로 거의 모든 형태의 문제를 잘 푸는 경향이 있는데, 이는 일반요인설의 근거가 된다. **예.** 팔방미인, 다재다능

⊙ 일반요인의 개인차는 각 개인이 지적 과제 수행에 사용할 수 있는 정신에너지의 개인차와 관련해서 이해해야 하며, 일반요인의 개인차는 경험의 포착, 관계의 유출, 상관인의 유출 등과 같은 세 가지의 '질적인 인지원리'를 사용하는 능력의 차와 관련해서 이해되어야 한다.

② 손다이크(Thorndike)의 다요인설
  ⊙ 스피어만(Spearman)의 2요인설을 부정 : 지능은 G요인과 S요인으로 구성되는 것이 아니라 개별적인 다요인으로 구성되어 있다.
  ⊙ 지능의 영역을 기계적 지능, 사회적 지능, 추상적 지능으로 구분

기계적 지능	손이나 손가락의 사용 시 기민성과 정교함에 관계되는 지능
사회적 지능	주위 사람과 협동하고 교제하는 지능(≒ 감성지능, 대인관계지능)
추상적 지능	• 언어와 추상적 개념에 관한 지능 • 추상적 지능을 검사하는 4요인(CAVD) : 문장완성력(sentence Completion), 산수추리력(Arithmetic reasoning), 어휘력(Vocabulary), 명령과 지시수행능력(Direction)

③ 서스톤(Thurstone)의 군집요인설(중다요인론) : 기본정신능력(PMA) 7요인 ⇨ 언어이해, 수, 공간, 지각, 연합적 기억, 추리, 언어유창성
  ⊙ 지능은 일반요인이 아니라 상호독립적인 기본정신능력(PMA) 7요인으로 구성
  ⊙ 7개의 군집요인을 인간의 기본정신능력(PMA : Primary Mental Abilities)이라고 명명(命名)

언어이해력 (verbal comprehension factor)	말의 이해·추리·사용에 관한 능력 ⇨ 어휘력 검사, 독해력 검사
수리력(numerical factor)	계산하는 데 필요한 능력 ⇨ 수학적 문제해결 검사
공간시각능력 (spatial visualization factor)	공간을 시각화하는 능력 ⇨ 대상을 정신적으로 회전하는 것을 요구하는 검사를 통해 측정 가능
지각속도 (perceptual speed factor)	빠르게 지시를 이해하고 사태를 파악하는 능력 ⇨ 무엇들 간의 차이를 구별하는 능력을 재는 검사로 측정 가능
기억력(memory factor)	정보를 저장하였다가 재생해 내는 능력 ⇨ 회상검사
추리력(reasoning factor)	여러 가지에 적합한 원리를 발견해 내는 능력 ⇨ 유추문제나 완성검사를 통해 측정 가능
언어유창성(word fluency)	단어를 신속하게 산출해 낼 수 있는 능력

④ 길포드(Guilford)의 지능구조모형(SOI, Structure Of Intellect) : 3차원적 접근 ⇨ 복합요인설
  ⊙ 서스톤의 기본정신능력을 확장·발전 05. 경북
  ⊙ S-O-R 이론에 기초하여 지능을 내용(5) × 조작(6) × 결과(6) 차원의 조합으로 설명 ⇨ 120~180개 요인설

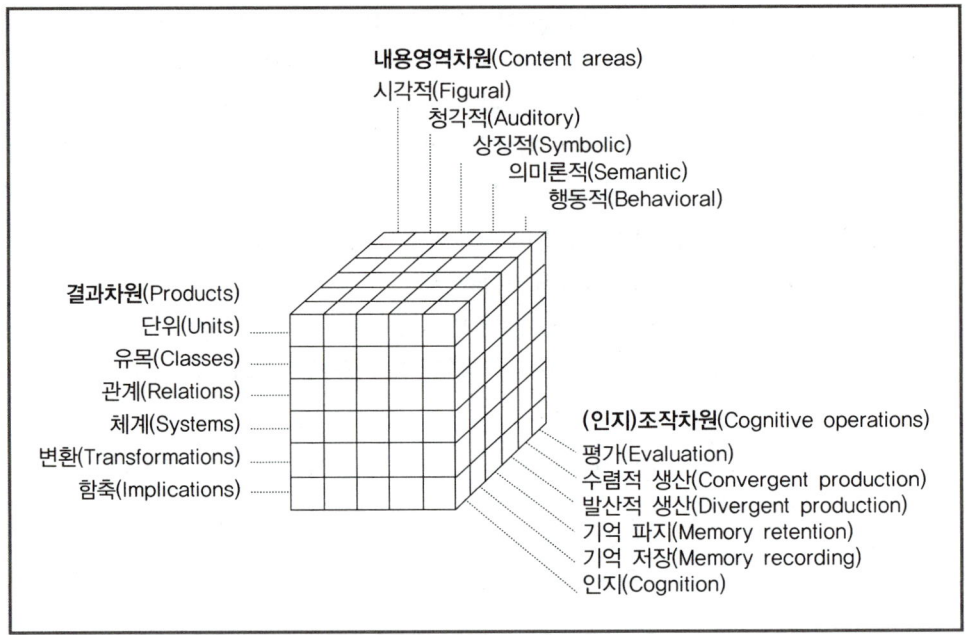

ⓐ **내용차원(contents)**: 지식의 일반적 종류, 정신적 활동의 자료 ⇨ 시각적·청각적·상징적·의미론적·행동적 차원

ⓑ **조작차원(operation)**: 정신활동 08. 충남·충북

기억력	기억 저장		기억 기록(부호화) ⇨ 단기기억
	기억 파지		기억 유지 ⇨ 장기기억
사고력	인지적 사고력		여러 가지 지식과 정보의 발견 및 인지와 관련된 사고력
	생산적 사고력	수렴적(집중적) 사고력	이미 알고 있는 지식이나 기억된 정보에서 어떤 지식을 도출해 내는 능력 ⇨ 여러 가지 가능성 중에 최선의 답을 선택하는 능력
		확산적(발산적) 사고력	이미 알고 있거나 기억된 지식 이외에 새로운 지식을 창출해 내는 능력 ⇨ 창의력 11. 경북·경기
	평가적 사고력		기억되고 인지되어 생산된 지식과 정보의 정당성을 판단하는 능력

ⓒ **결과차원(product)**: 단위, 유목, 관계, 체계, 변환, 함축(적용)

단위	지식과 정보의 형태
유목	어떤 공통적 특징을 지닌 일련의 사물의 집합 예 척추동물
관계	두 사물 간의 관련성 예 지구와 달의 비교
체계	상호 관련된 여러 부분의 복합적 조직 예 십진법
변환	지식과 정보를 다른 모양으로 표현하는 것 예 1.5 = 3/2
함축(적용)	어떤 지식이나 정보가 함축하고 있는 뜻 예 인플레이션

⑤ **카텔(Cattell)의 2형태설(2층이론)**: 위계적 모형설 ⇨ 서스톤(Thurstone)이 가정한 기본정신능력(PMA)에 영향을 주는 지능요인을 유동지능과 결정지능으로 구분
   ㉠ 위계적 모형설: 지능을 구성하고 있는 요인들이 위계를 이루고 있다. ⇨ 상층부에는 일반요인, 하층부에는 특수요인
   ㉡ 유동성 지능(gf, fluid general intelligence) ^{24. 국가직}
      ⓐ 선천적 요인(예 유전·성숙 등 생리적 요인)에 의해 영향을 받는 지능
      ⓑ 뇌 발달과 비례하는 능력, 교육이나 경험의 영향을 별로 받지 않는 지능 ⇨ 탈문화적 내용
      ⓒ 모든 문화권에서의 보편적인 능력, 새로운 상황에서 정보를 획득하고 활용하는 능력
         예 지각능력, 언어유추능력, 기억능력, 추상적 관계이해능력
      ⓓ 청소년기까지는 발달, 그 이후부터는 점차 쇠퇴
   ㉢ 결정성 지능(gc, crystallized general intelligence): 결정체적 지능
      ⓐ 선천적 요인보다는 환경적 요인(예 경험, 학습)에 의해 영향을 받는 지능
      ⓑ 경험이나 교육의 영향을 받아 획득한 능력, 개인이 소유하고 있는 정보량
         예 어휘이해력, 수리력, 일반지식
   ㉣ 연령과 지능: 연령이 증가함에 따라 유동지능은 감소, 결정지능은 불변이거나 오히려 증가
   ㉤ 혼(Horn): 유동적 지능과 결정적 지능을 종합하여 '전체적(일반적) 지능(G)' 제시

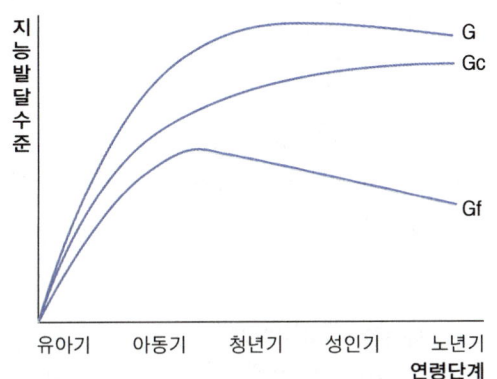

(2) **정보처리이론적 접근**: Naglieri & Das(1988)의 PASS이론 ⇨ 지능을 구성하는 기본 정신과정을 3가지 요소로 제시
   ① 주의와 각성(attention & arousal)
   ② 동시적 처리(simultaneous processing)와 연속적 처리(successive processing)
      ㉠ 동시적 처리: 다양한 정보를 한꺼번에 처리하는 방식
         예 사람의 얼굴이나 평행사변형과 같은 도형 인식의 경우
      ㉡ 연속적 처리: 정보를 순서대로 처리하는 방식 예 수학문제 풀기
   ③ 계획(planning): 행위 계획을 수립·실천하고 그 효과를 평가하는 과정 ⇨ 메타인지(인지과정을 계획·점검·조정)적 요소

3. 지능에 대한 최근 이론 - 다중지능이론, 삼원지능이론, 정서지능이론(EQ)

(1) **가드너(Gardner)의 다중지능이론**(MI, Theory of Multiple Intelligence) 25·22. 지방직, 24. 국가직 7급, 12. 경기, 10. 충북·전북, 06. 서울

① 개념: 「마음의 틀(Frames of Mind)」(1983), 「인간지능의 새로운 이해 (Intelligence Reframed: Multiple intelligence for the 21st Century, 1999)」

▲ Gardner

  ㉠ 지능을 문제해결력 또는 재능(才能)으로 정의
    ⓐ 지능은 한 문화권 혹은 여러 문화권에서 가치 있게 인정되는 문제를 해결하고 산물을 창조해 내는 능력을 말한다.
    ⓑ 인간은 모든 영역에서 타고날 수 있으나 한 가지 영역에서 탁월한 재능을 소유하고 있다.
    ⓒ 하나의 지능이 몇 개의 요인으로 구성되어 있다고 보는 것(요인분석적 입장)과는 달리 매우 독립적으로 구분하는 각각의 지능영역이 있다(지능의 다양성 인정). ⇨ 단일한 지능에 의해 다른 지적 능력이 모두 형성된다는 주장을 비판하고, 지능이 분리될 수 있는 여러 개의 독립적인 요소로 구성되어 있다고 주장

  ㉡ 학교교육 위주의 전통적 지능검사 비판
    ⓐ 지능의 범위를 너무 협소하게 정의: 언어적 지능과 논리-수학적 지능만을 지나치게 강조, 지능을 학업의 예언변수로만 본 점을 비판
    ⓑ 사회에서의 성공과 대학 성적표와는 거의 상관관계가 없는 것으로 나타남. ⇨ 학교의 우등생이 사회의 우등생은 아니다.
    ⓒ 전통적 지능과의 비교

전통적 지능	단일지능	요인분석	유전요인	객관화된 지필검사
가드너	다중지능	다차원접근	환경(교육)요인	수행평가, 관찰적 접근

② 기본입장
  ㉠ 독립적인 다중지능으로 구성: 서로 별개로 구분되는 9개의 지능들로 구성
    ⓐ 한 지능에 손상이 생겨도 서로 독립적이므로 다른 지능은 작동한다.
      예 말은 할 수 없어도 운동은 잘한다.
    ⓑ 모든 인간은 9개(8개로 보기도 함)의 다중지능 모두 소유: 개인마다 다중지능 구성(profile)이 다 다르다.
  ㉡ 지능은 상호작용: 문장으로 된 문제를 풀 때 언어지능과 논리-수학지능이 함께 작용한다.
  ㉢ 지능은 훈련을 통해 계발이 가능: 지능계발이 가능한 환경의 중요성
  ㉣ 지능발달의 개별성: 지능의 발달속도는 지능의 종류에 따라 다르며, 어느 한 종류에 지나치게 집착할 때 다른 지능의 발달이 늦어진다.
  ㉤ 수행평가를 통한 측정: 지능측정방법의 다양성 중시

③ **지능의 종류(9가지)** : 전통적 학교교육에서는 언어적 지능과 논리-수학적 지능만 중시, 실존지능은 지능의 종류에 포함 안 됨. 09. 대전·국가직

언어적 지능 (linguistic intelligence)	단어의 의미와 소리에 대한 민감성, 문장 구성의 숙련, 언어 사용방법의 통달 **예** 시인, 연설가, 교사 / Eliot ⇨ 브레인스토밍, 이야기꾸며 말하기(storytelling)
논리-수학적 지능 (logical-mathematical intelligence)	대상과 상징, 그것의 용법 및 용법 간의 관계 이해, 추상적 사고능력, 문제 이해능력 **예** 수학자, 과학자 / Einstein ⇨ 소크라테스 문답법, 체계적으로 생각하기
음악적 지능 (musical intelligence)	음과 음절에 대한 민감성, 음과 음절을 리듬이나 구조로 결합하는 방법과 음악의 정서적 측면 이해 **예** 음악가, 작곡가 / Stravinsky ⇨ 노래하기, 리듬치기
공간적 지능 (spatial intelligence)	시각적 정보의 정확한 지각, 지각내용의 변형능력, 시각경험의 재생능력, 균형·구성에 대한 민감성, 유사한 양식을 감식하는 능력 **예** 예술가, 항해사, 기술자, 건축가, 외과의사 / Picasso ⇨ 그림, 그래프 또는 심상(image)으로 그려보기
신체-운동적 지능 (bodily-kinesthetic intelligence)	감정이나 의도를 표현하기 위해 신체를 숙련되게 사용하고 사물을 능숙하게 다루는 능력 **예** 무용가, 운동선수, 배우 / Graham ⇨ 몸동작으로 말하기, 연극으로 표현하기
대인관계 지능 (inter-personal intelligence, 인간친화 지능)	타인의 기분, 기질, 동기, 의도를 파악하고 변별하는 능력, 타인에 대한 지식에 따라 행동할 수 있는 잠재능력 ⇨ 손다이크(Thorndike)의 '사회적 지능'과 유사 **예** 정치가, 종교인, 사업가, 행정가, 부모, 교사 / Gandhi ⇨ 협동학습
개인 내적 지능(자기성찰 지능) (intra-personal intelligence, 개인이해지능)	자신에 대한 이해, 통찰, 통제능력 **예** 소설가, 임상가 / Freud ⇨ 수업 중 잠깐(1분) 명상하기, 자신의 목표 설정하기
자연관찰 지능 (naturalist intelligence)	동식물이나 주변 사물을 관찰하여 공통점과 차이점을 분석하는 능력 **예** 동물행동학자, 지리학자, 탐험가 / Darwin ⇨ 곤충이나 식물의 특징 관찰하기

실존지능(영적인 지능)
(existentialist intelligence)
	• 인간의 존재 이유, 삶과 죽음, 희로애락, 인간의 본성 및 가치에 대해 철학적·종교적 사고를 할 수 있는 능력
	  예 종교인, 철학자
	• 뇌에 해당 부위(brain center)가 없고, 아동기에는 거의 출현 ×
	  ⇨ 반쪽 지능

◇ **감성지능·실존지능·전통적 지능**
1. 감성지능 : 대인관계 지능, 개인 내적 지능
2. 실존지능 : 영적 지능, 반쪽 지능
3. 전통적 지능 : 언어지능, 논리-수학 지능

④ 다중지능 발견 교수전략 : 다중지능 평가용 프로그램

다중지능 개발 프로그램	대상	내용
스펙트럼 교실 (Project Spectrum)	유치원 아동 (취학 전 아동)	• Feldman과 Krechevsky가 공동 연구 • 15가지 코너활동을 통해서 7가지 영역의 다중지능 능력 측정, 어린이의 지능 구성(profile)과 작업 스타일을 1년에 걸쳐 측정 • 초기에 아동의 지적인 강점과 약점을 발견
키 스쿨 (Key School Project)	초등학교 학생	• 인디애나폴리스의 공립 초등학교에서 유래 • 아동의 다중지능을 매일 골고루 자극하여 발달 • 주제 중심 교수법, 통합 교육과정, 비학년제, 프로젝트 접근, 지역사회 자원의 광범위한 활용, 포트폴리오에 의한 평가 등 활용
PIFS (Practical Intelligence For School)	중학교 학생	• 스턴버그의 삼원지능과 다중지능의 결합 : 학교에 필요한 실용지능 모형 • 인지개발 수업모형 : 초인지 기술과 학교의 다양한 교육활동에 대한 학생들의 이해능력 증진
Art Propel	고등학교 학생	• 펜실베이니아 주의 피츠버그 주립학교에서 추진된 고등학교 예술 교육과정 및 평가 프로그램 • 음악, 미술, 창작 등 세 가지 형태의 예술 영역에서 학생들이 예술작품을 만들고 평가 • 창작(production), 지각(perception), 반성적 사고(reflection), 학습(learning)을 중시 • 영역 프로젝트(domain project)와 프로세스 폴리오(process polio)로 구성

⑤ 교육적 의의

㉠ 전통적인 획일교육, 즉 모든 학생이 같은 내용을 같은 방식으로 공부해서 같은 기준으로 평가받아야 한다는 교육을 비판 ⇨ 학생의 개인차를 고려한 맞춤형 교육(다품종 소량교육)의 중요성 강조

㉡ 학교 교육내용의 다양화 : 학생들에게 다양한 학습영역에서 다양한 학습경험을 제시한다.
예 어린이 박물관, 스펙트럼 교실

㉢ 교사의 역할 : 각 지능 특성을 활용할 수업전략을 창의적으로 구안, 학생 - 교육과정 연계자(broker), 학교 - 지역사회 연계자

㉣ 학교와 지역사회 교육(예 박물관, 기업체, 전문기관)과의 연계 중시

㉤ 통합교과 운영

㉥ 지능 측정방법의 다양화 : 객관화된 검사를 지양하고 자연 상황에서의 관찰이나 포트폴리오 등 다양한 방법으로 측정

ㅅ 수업도입전략(entry point) : 학교학습의 목표는 이해에 있으며, 다양한 다중지능의 특성을 반영, 훈련받은 이해를 위한 수업의 도입전략 7가지 제시
  ⓐ 효과적인 교사는 '교육의 중개인'으로서 다양한 학습양식을 가진 학생들에게 가능하면 참여를 유도할 수 있는 효과적인 방법으로 관련 내용을 전달하려 할 것이며, 이러한 다양한 도입방법을 사용함으로써 학생들의 오해, 편견, 고정관념을 해소할 수 있을 것이라고 말한다.
  ⓑ 다양한 도입방법의 도입으로 인해 어떤 개념이나 문제에 대해 다양한 각도에서 바라봄으로써 학생들은 제한되고 편협한 방식에서 벗어나 현상을 다양한 방식으로 이해하게 될 것이다.
  ⓒ 또한, 주제에 한 가지 이상의 방법으로 접근함으로써 보다 많은 학생들에게 적합한 교육을 할 수 있으며, 다양한 도입방법을 사용함으로써 전문적인 지식을 갖는다는 것이 무슨 의미인지도 알게 되고, 핵심 아이디어를 다양한 형식으로 접하고 다양한 방법으로 생각할 기회를 가짐으로써 학생들은 전문가들의 지식에 근접하게 된다.

수업의 도입전략 7가지

서술적(narrational) 도입전략	의문스러운 개념에 대해 설명하거나 구체적인 사례를 제시하는 방법 예 진화 - 돌연변이 사례, 민주주의 - 고대 그리스의 사례 들기
논리적(logical) 도입전략	구조화된 논쟁을 통해 개념에 접근하는 방법 예 다윈 - 논리적 유추를 통해 진화론을 발전시킴.
수량적인(quantitative) 도입전략	수치와 숫자의 관계를 다루는 방법 예 다윈(Darwin) - 갈라파고스 섬에서 여러 종의 되새 개체수의 차이에 주목
근원적(실존적) (foundational) 도입전략	철학적인 접근을 개념에 의문("왜?")을 품는 접근방법 예 민주주의의 본질적 의미가 무엇인가? 왜 많은 국가가 전제주의 대신 민주주의를 선택하는가?
미학적(aesthetic) 도입전략	삶의 경험에 대해 예술적인 입장을 선호하는 학생들에게 효과적인 방법으로 감각적이거나 표면적인 특징을 강조하기 예 민주주의 - 음악적 조화의 결과인 현악 사중주나 오케스트라 연주 들려주기
경험적(experiential) 도입전략	개념이 내재되어 있는 구체적인 학습자료를 직접 다루어 봄으로써 효과적인 학습이 일어나게 하는 방법 예 진화의 개념 - 초파리의 돌연변이 모습을 직접 관찰하거나 컴퓨터 시뮬레이션으로 보여주기
협력적(cooperative) 도입전략	학생들 간의 모둠학습이나 토의, 토론, 역할극, 짝소활동 등을 통해 접근하는 방법 예 진화 관련 토론수업

다중지능의 교육적 적용

차원	적용
언어적 지능	학생들로 하여금 아이디어에 대해 이야기하거나 글로 표현하도록 하기 위해 어떻게 해야 하는가?
논리-수학적 지능	학생들로 하여금 아이디어를 명료화하거나 양화(量化)할 수 있도록 숫자, 논리, 범주를 어떻게 지시할 것인가?
공간적 지능	학생들로 하여금 아이디어를 공간적으로 시각화하거나, 그림을 그려 표현하거나, 혹은 재개념화할 수 있도록 도와주기 위해 무엇을 해야 하는가?
음악적 지능	학생들로 하여금 자연적인 소리를 활용하고, 그들의 아이디어를 리듬이나 멜로디로 바꿀 수 있도록 도와주기 위해 무엇을 해야 하는가?
신체-운동적 지능	학생들로 하여금 몸 전체를 움직일 수 있도록, 또는 실제 훈련의 경험을 활용할 수 있도록 도와주기 위해 무엇을 해야 하는가?
대인관계 지능	학생들에게 상호작용 기술을 길러 주기 위해 또래학습이나 협동학습을 어떻게 활용할 것인가?
개인 내적 지능	학생들로 하여금 자신을 한 개인으로 그리고 학습자로 인식하도록 돕기 위해 자신의 능력과 감정에 대해 어떻게 생각해 보게 할 수 있을까?
자연 지능	학생들로 하여금 사물들을 서로 다른 유형으로 분류하고, 이들이 사용한 범주도식을 분석할 수 있는 경험을 어떻게 제공할 것인가?

⑥ 가드너(Gardner) 이론의 비판
  ㉠ 가드너의 이론과 적용이 연구를 통해 타당화되지 못했다(Berk).
  ㉡ 몇몇 학자들은 개별적 영역들에 대한 능력(예 음악지능, 자연지능 등)이 개별적인 지능으로 분류될 수 있다는 것에 동의하지 않고 있다.
  ㉢ 중앙집중적인 작업기억체계(centralized working memory system)가 지적 행동에 공헌하는 역할을 제대로 설명하지 못한다. ⇨ 가드너 이론은 지능이 서로 분리된 개별적인 차원으로 구성되어 있다고 보기 때문에 모든 지식이 작업기억에서 처리된다는 사실을 고려하지 못하는 한계를 갖는다.

(2) **스턴버그(Sternberg)의 삼원지능이론**(Trichic theory of intelligence, 삼두이론, 삼위일체이론)
  ① 개요: 지적 행동이 일어나는 사고 과정의 분석을 활용하여 지능을 파악한 정보처리적 접근 방법 ⇨ 「IQ를 넘어서(Beyond IQ), 1985」 24·09. 국가직 7급, 11. 부산
    ㉠ 지능은 삶에 적합한 환경을 의도적으로 선택하거나 조성하고, 그 환경에 적응하는 능력을 말한다.
    ㉡ 보다 완전한 지능이 되기 위해서는 개인(IQ), 행동(창의력), 상황(적용력) 등 세 가지 요소를 고려해야 한다.
    ㉢ 지능의 역할을 설명하는 성분적(분석적)·경험적(창조적)·맥락적(실천적) 요소 제시

ⓔ **성공지능(SQ)**: 환경의 선택, 환경의 조성, 환경에 대한 적응 사이에 균형을 유지하는 능력 ⇨ 성분적 요소(AI)와 경험적 요소(CI), 맥락적 요소(PI)를 잘 활용하는 능력, 자신의 강점을 충분히 활용하는 동시에 약점을 극복

지능의 3요소	하위이론	성공지능
성분적 요소	요소하위이론	분석적 능력
경험적 요소	경험하위이론	창의적 능력
맥락적 요소	상황하위이론	실제적 능력

② 성공지능의 3요소: 성분적·경험적·맥락적 요소 07. 서울

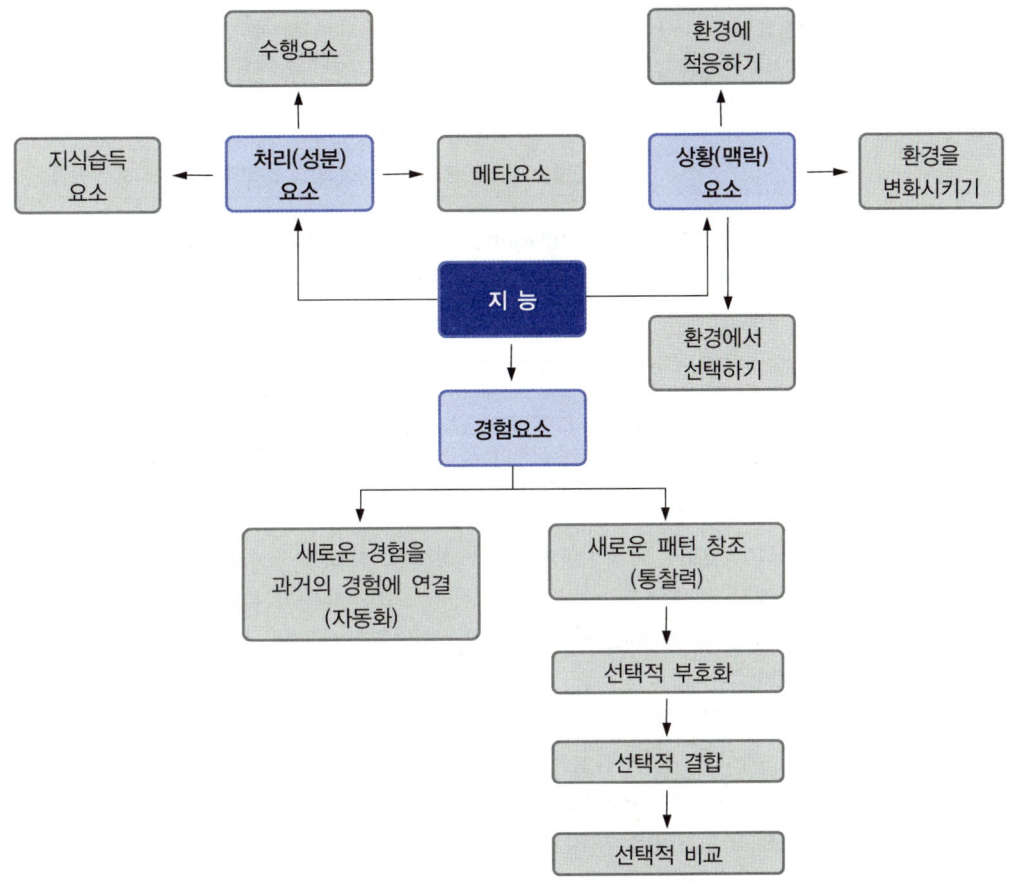

㉠ 성분적 요소(AI, Analytic Intelligence, 분석적 지능, 구성적 지능, 요소적 지능, 전통적 지능): 새로운 지식을 획득하고 그 지식을 논리적인 문제해결에 적용하는 것
  ⓐ 종래의 IQ, 암기 재능과 밀접한 관련 ⇨ 성분적 요소의 하위 요소의 개인차는 지능의 개인차를 의미한다.
  ⓑ 결과(분석적 능력): 분석, 판단, 평가, 비교·대조하는 능력

메타요소 (상위요소 ≒ 경영자)	• 문제해결을 계획, 점검, 평가하는 고등정신과정 ⇨ 무엇을 할 것인지 결정하고, 결정한 일이 진행되는 과정을 감독하여, 진행결과를 평가하는 데 사용되는 것 • 역할: 일을 계획하기, 수행 과정을 감독하기, 수행결과를 평가하기 • 스피어만의 G요인에 해당
수행요소 (≒ 실무자)	• 실제 무엇을 하는 데 사용되는 것: 메타요소가 계획한 것을 실행하는 과정 • 메타요소의 지시를 받아 문제를 해결하는 과정
지식획득요소 (≒ 학습자)	• 문제를 해결할 수 있는 방법을 학습하는 과정 • 무엇을 어떻게 하는지를 배우는 데 사용되는 것 예 인터넷을 통해 연구하는 방법, 프로젝트를 조직하는 방법

㉡ 경험적 요소(CI, Creative Intelligence, 창의력, 통찰력, 파지요인): 새로운 과제를 처리하는 통찰력이나 익숙한 과제를 자동적으로 수행하는 능력 ⇨ 선택적 부호화, 선택적 결합, 선택적 비교

  ✎ '선택적 부호화, 선택적 결합, 선택적 비교'는 성분요소 중 지식습득요소의 구성요소에도 해당한다. 왜냐하면 문제에 직면했을 때 우리가 해결하는 방식은 성분적 하위요소인 분석적 사고(논리적 사고)와 경험적 하위요소인 창의적 사고를 모두 활용하기 때문이다. 스턴버그(Sternberg)는 이 두 가지 방식으로 지식을 획득할 수 있다고 주장한다. 다만 차이점은, 이 세 가지를 활용함에 있어 성분적 하위요소의 경우 일정한 단서와 규칙(질서)이 존재하지만, 경험적 하위요소의 경우에는 일정한 단서와 규칙이 존재하지 않는다는 것이다.

  ⓐ 선택적 부호화: 다양한 정보에서 적절한 정보를 결정하는 과정 ⇨ 사고나 문제해결 과정에서 중요하고 적절한 정보에 주의를 기울이는 과정
    예 플레밍(Flemming)은 많은 학자들이 실험오류라고 간주한 사실에서 페니실린이라는 항생제를 발견하였다.
  ⓑ 선택적 결합: 정보들을 통합된 전체로 구성하는 과정 ⇨ 아무 관련이 없는 것을 연관시켜 새로운 것을 만들어 내는 능력
    예 다윈(Darwin)은 서로 전혀 관계가 없는 자연선택론과 적자생존론을 결합시켜 진화론을 완성하였다.
  ⓒ 선택적 비교: 새로운 정보와 기억 속에 저장된 정보 사이의 관계를 비교하는 과정 ⇨ 기존의 것을 새로운 각도에서 파악하여 새로운 것을 유추해 내는 능력
    예 • 케쿨레(Kekule)는 꿈에 뱀이 똬리를 트는 모양을 보고 벤젠의 분자구조를 발견하였다.
      • 케플러(Kepler)는 시계의 동작을 보고 천체의 운동을 유추했다.
  ⓓ 결과(창의적 능력): 창조, 발견, 발명, 상상, 탐색하는 능력

㉢ 맥락적 요소(PI, Practical Intelligence, 상황적 지능, 실용적 지능, 사회적 지능)
  ⓐ 외부환경에 대응하는 능력, 현실상황에 적응하거나 환경을 선택하고 변형하는 능력
    예 일상의 문제해결능력, 실제적인 적응능력, 사회적 유능성
  ⓑ 학교교육을 통해서가 아니라 일상의 경험에 의해 획득되는 능력

ⓒ 전통적 지능검사의 IQ나 학업성적과는 무관한 능력 ⇨ '암시적 지능'
ⓓ 결과(실제적 능력): 실행, 적용, 사용, 수행하는 능력
③ **교육적 적용**: 스턴버그는 지능을 향상시킨다는 아이디어를 확장하여 서로 다른 세 가지 종류의 사고를 제안하였다.
㉠ 분석적 사고: 비교, 대조, 비평, 판단, 평가 등과 관련
㉡ 창의적 사고: 무엇인가를 고안해 내고 발견하며 상상하고 가정하는 것과 관련
㉢ 실제적 사고: 적절한 아이디어를 찾아내고 실행하며 적용하고 활용하는 것과 관련

내용영역	분석적 사고	창의적 사고	실제적 사고
수학	44를 이진수로 표현하기	피타고라스 정리에 대한 이해를 측정하는 검사문항 만들어 보기	기하학이 건설에 어떻게 활용될 수 있는지 생각해 보기
언어	로미오와 줄리엣이 비극으로 간주되는 이유 말하기	로미오와 줄리엣을 희극으로 만들어 보기	로미오와 줄리엣 연극을 선전하는 TV 홍보물 제작하기
사회과	한국 전쟁과 베트남 전쟁의 공통점과 차이점 비교하기	미국이 이 두 전쟁에서 다르게 할 수 있었다면 어떤 것들을 할 수 있었을 것인가 생각해 보기	이 두 전쟁에서 우리가 얻을 수 있는 교훈은 무엇인지 생각해 보기
미술	고호와 모네의 스타일을 비교하기	자유의 여신상이 피카소에 의해 제작되었다면 어떤 모습이었을까 생각해 보기	지금까지 학습한 미술가들 중 한 사람의 스타일을 활용하여 학생 미술전을 알리는 포스터를 제작해 보기

④ 가드너(Gardner)와 스턴버그(Sternberg) 이론의 비교

구분	가드너(Gardner)	스턴버그(Sternberg)
차이점	• 지능의 독립적 구조를 중시 • 상호 독립적인 여러 개의 지능으로 구성	• 지능의 작용 과정(인지 과정) 중시 • 서로 관련을 맺고 있는 3개의 하위요인으로 구성
공통점	• 사회·문화적 맥락을 고려하여 지능을 이해 • 수업이나 훈련을 통해 지능개발 가능 • 강점 지능의 활용과 약점 지능의 교정·보완 중시 • 지능을 복합적 능력으로 파악	

4. 지능의 측정: 지능검사 25. 지방직, 10. 울산

(1) **개념**: 지능을 재기 위한 측정도구

(2) **유형**

① 실시방식을 기준으로 한 분류
㉠ 개인지능검사: 비네 – 시몬(Binet–Simon) 검사, 스탠포드 – 비네 검사, 웩슬러 검사
ⓐ 비네 – 시몬 검사(1905): 최초의 지능검사, 언어성 검사 ⇨ 학습부진아 변별 목적, 아동의 지적 발달수준을 정신연령(MA)으로 표현

▲ Binet

ⓑ 스텐포드 - 비네 검사(1916): 오늘날 지능검사의 기초(미국 최초), 터먼(Terman)이 개발, IQ(비율지능지수) 개념 최초 사용, 언어성 검사, 학업성취도 예언에 많이 사용
ⓒ 웩슬러(Wechsler) 지능검사: 언어적 검사와 비언어적(동작성) 검사로 구성, 편차 IQ(DIQ, 평균 100, 표준편차 15) 사용
- 성인용 지능검사(WAIS, Wechsler Adult Intelligence Scale, 1939): 만 16~90세
- 아동용 지능검사(WISC, Wechsler Intelligence Scale for Children, 1943): 만 6~16세 11개월
- 유치원 - 초등학년용(취학 전 아동용) 지능검사(WPPSI, Wechsler Preschool-Primary Scale of Intelligence, 1967): 만 2세 6개월~7세 7개월

더 알아보기

K-WISC Ⅴ 지능검사

만 6세 0개월부터 만 16세 11개월까지의 아동의 인지적 능력을 평가하기 위한 개인 지능검사

1. **검사 구성**: 16개의 소검사로 구성 ⇨ 전체 IQ, 5개 기본지표, 5개 추가지표 척도 제공
   10개 기본검사(공통성, 어휘, 토막짜기, 퍼즐, 행렬추리, 무게비교, 숫자, 그림기억, 기호쓰기, 동형찾기)와 6개 소검사(상식, 이해, 공통그림찾기, 산수, 순차연결, 선택)로 구성

   예 ① 토막짜기(Block Design), ② 공통성(Similarities), ③ 행렬추리(Matrix Reasoning), ④ 숫자(Digit Span), ⑤ 기호쓰기(Coding), ⑥ 어휘(Vocabulary), ⑦ 무게비교(Figure Weights), ⑧ 퍼즐(Visual Puzzles), ⑨ 그림기억(Picture Span), ⑩ 동형찾기(Symbol Search), ⑪ 상식(Information), ⑫ 공통그림찾기(Picture Concepts), ⑬ 순차연결(Letter Number Sequencing), ⑭ 선택(Cancellation), ⑮ 이해(Comprehension), ⑯ 산수(Arithmetic)[숫자는 소검사 실시순서]

   (1) **전체척도**: 전체검사 IQ(Full Scale IQ) ⇨ ① 언어이해(공통성, 어휘, 상식, 이해) + ② 시공간(토막짜기, 퍼즐) + ③ 유동추론(행렬추리, 무게비교, 공통그림찾기, 산수) + ④ 작업기억(숫자, 그림기억, 순차연결) + ⑤ 처리속도(기호쓰기, 동형찾기, 선택)

   (2) **기본지표척도**: 5개의 기본지표
   ① 언어이해지표(VCI; Verbal Comprehension Index): 결정지능, 언어성 IQ ⇨ 언어적 추론, 이해, 개념화, 단어 지식 등을 이용하는 언어표현능력 측정
      예 공통성, 어휘 소검사
   ② 시공간지표(VSI; Visual Spatial Index): 동작성 IQ ⇨ 시각 정보를 분석하고 시공간 관계를 이해하는 시공간 추론능력, 시각 작업기억 측정 예 토막짜기, 퍼즐 소검사
   ③ 유동추론지표(FRI; Fluid Reasoning Index): 동작성 IQ ⇨ 사전지식이나 문화적 기대, 결정지능으로 풀 수 없는 문제해결능력 측정 예 행렬추리, 무게비교 소검사
   ④ 작업기억지표(WMI; Working Memory Index): 주의집중 ⇨ 아주 짧은 시간 동안 머릿속에서 정보를 유지하는 능력 측정 예 숫자, 그림기억 소검사
   ⑤ 처리속도지표(PSI; Processing Speed Index): 처리속도 ⇨ 의사결정을 위해 시각 정보를 빠르고 정확하게 처리하는 능력 측정 예 기호쓰기, 동형찾기 소검사

   (3) **추가지표척도**: 5개의 추가지표로 구성
   ① 양적추론지표(QRI): 암산능력, 양적 관계 이해·적용 능력, 언어적 문제해결능력 측정
      예 무게비교, 산수소검사
   ② 청각작업기억지표(AWMI): 청각단기기억, 작업기억, 청각적 순차처리능력, 정신적 조작능력 측정 예 숫자, 순차연결 소검사
   ③ 비언어지표(NVI): 언어적 요구를 최소화하여 아동의 전반적인 지능 측정
      예 토막짜기, 퍼즐, 행렬추리, 무게비교, 그림기억, 기호쓰기 소검사

④ **일반능력지표(GAI)**: 작업기억과 처리속도 요구를 최소화하여 아동의 전반적인 지능을 측정 예 공통성, 어휘, 토막짜기, 행렬추리, 무게비교 소검사
⑤ **인지효율지표(CPI)**: 학습, 문제해결, 고차원적인 추론과정에서 이루어지는 정보처리의 효율성 측정 예 숫자, 그림기억, 기호쓰기, 동형찾기 소검사

2. **특징**: 지능이론, 인지발달, 신경발달, 인지신경과학 및 학습과정에 대한 심리학 연구에 기초 제작
   (1) **소검사 추가**: K-WISC Ⅳ와 동일한 13개 소검사에 유동적 추론의 측정을 강화하는 3개의 새로운 소검사(무게비교, 퍼즐, 그림기억)가 추가
   (2) **합산점수(전체IQ), 5가지 기본지표 점수, 5가지 추가지표 점수 제공**
   (3) **시공간지표(VSI)와 유동추론지표(FRI)를 분리하여 산출**

더 알아보기

경계선 지능(borderline intellectual functioning): 경계선(경계성) 지적 기능

1. **개념**
   ① 웩슬러(Wechsler) 지능검사 기준 지능지수(DIQ)가 71~79(이론상으로는 IQ 70~85)로 지적장애인(IQ 70이하)과 비장애인(IQ 80~119) 사이의 경계선으로 분류되는 상태

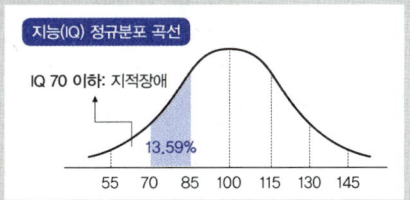

   ② 경계선 지능의 범주에 해당하는 사람을 느린 학습자(slow learner)*라고 함: 인구학적으로 전체의 13.5%(아동 청소년의 6~8%) 정도가 해당함. ⇨ 지적장애에 포함되지 않으며 질병으로 분류되진 않으나, 비장애인의 평균 지능에서 낮은 편에 속하기 때문에 학습을 하는 데 조금 더 오래 걸린다.
   * (광의의 개념) 또래 혹은 가지고 있는 지능에 비해 문해 및 학업에 어려움을 겪는 대상 전체

2. **경계선 지능 학습자의 특성**
   학업능력 저하, 대인관계 형성의 어려움, 사회활동 장애 등 인지적·정서적·사회적 특성을 함께 가지고 있다.

인지적	주의집중이 어려움, 기억력 부족, 개념학습과 추상적 사고의 어려움, 전략적 문제해결력 부족
정서적	미숙한 정서적 욕구(의존욕구, 애정욕구가 높음), 심리적 위축, 정서적 수용성, 공격성과 충동성, 우울감
사회적	어휘력 부족(어휘학습 부진), 언어이해력에 비해 언어표현력이 낮음(생각을 말로 잘 표현하지 못함), 사회적 눈치의 부족(상황파악 속도가 늦음), 사회적 기술 부족(또래와 어울리고자 하나 의사소통이 어려움)

ⓒ 집단지능검사

검사명	특징
• 육군 알파검사(Army α Test) • 육군 베타검사(Army β Test)	• 여커즈(Yerkes)가 제작한 세계 최초의 집단용 지능검사(1917) • 제1차 대전 중 임무에 적합한 군인 변별 목적 • 알파검사는 언어성, 베타검사는 비언어성(도형·동작성) 검사
쿨만앤더슨(Kuhlman-Anderson) 지능검사	• 언어성 검사(9개의 시리즈로 구성) • 피험자는 자기 능력에 적당한 시리즈를 선택해 검사 실시
군인 일반 분류검사(AGCT ; Army General Classification Test)	• 제2차 세계대전 중 군인의 선발과 배치를 위해 제작 • 점수는 백분위 점수와 평균이 100, 표준편차가 20인 AGCT 표준점수 두 가지로 산출
간편 지능검사	우리나라 최초의 집단지능검사(1954)

② 문항의 표현양식에 의한 분류
  ㉠ 언어성 검사(α 검사) : 문항을 문자로 구성한 검사
  ㉡ 비언어성 검사(β 검사) : 그림이나 도형으로 문항을 구성한 검사
     예 문맹자나 어린 아동을 대상으로 지능 측정 가능
  ㉢ 동작성 검사 : 간단한 기구, 종이, 나무토막 등을 사용, 동작이나 기능을 수행하도록 요구하는 검사

③ 측정목적에 따른 분류
  ㉠ 일반지능검사 : 일반지능을 종합적으로 측정 ⇨ 대부분의 지능검사가 해당
  ㉡ 특수지능검사 : 특수 능력을 분리시켜서 측정 예 추리력 검사, 주의력 검사, 기억력 검사

④ 기타 지능검사 : 문화적·경제적 차이를 극복하려는 검사 ⇨ 문화공정성 지능검사
  ㉠ SOMPA(다문화적 다원 사정체제 ; System of Multi-cultural Pluralistic Assessment)
     ⓐ 웩슬러 아동용 지능검사(WISC-R)를 보완하고 머서(Mercer)가 사회문화적 척도를 포함하여 개발한 것으로, 5~11세의 아동들을 대상으로 실시
     ⓑ 아동의 의료적 요소와 문화·인종·사회경제적 배경을 고려한 지능검사 ⇨ 사회문화적 요인과 건강, 그리고 아동의 학습능력을 평가하는 9가지의 척도를 제공, 학생사정부분과 부모면담부분으로 구성

의료적 요소	아동의 키, 몸무게, 시각, 청각, 예민성, 병력 등의 전반적 건강 상태
사회적 요소	교우관계, 학교 외적 생활 측면 등을 면접을 통해 파악

     ⓒ 검사방식의 다양성을 통해 특정집단에게 불리하지 않도록 하기 위해 제작된 검사로 아동 개개인의 특성에 맞도록 다양한 평가방식을 활용하여 개인을 보다 포괄적이고 정확하게 이해하려는 것이 목적임.
  ㉡ K-ABC(Kaufman Assessment Battery for children) : 아동용(2~12세) 카우프만 지능검사 25. 지방직
     ⓐ 아동의 학습잠재력과 성취도 측정을 위한 지능검사, 언어적 검사+비언어적 검사

ⓑ 청각장애자나 언어장애자, 외국인 아동들에게 유용한 검사 ⇨ 문화적 편향 극복 목적으로 개발
ⓒ 인지처리과정 척도(순차처리 척도, 동시처리 척도), 습득도 척도로 구성
ⓒ 동작성 보편지능검사(Universal Nonverbal Intelligence Test ; UNIT)
　ⓐ Bracken & McCallum(1998)이 아동과 청소년의 일반 지능과 인지능력을 측정하기 위해 개발
　ⓑ 언어에 기반을 둔 전통적인 검사들로 인해 불이익을 받을 수 있는 사람들에게 사용하기 위해 고안된 검사
　ⓒ 특수교육 대상자와 정신장애의 진단에 유용한 검사
ⓒ 색채 누진행렬 지능검사(Coloured Progressive Matrices Test ; CPMT)
　ⓐ 제작: 스피어만(Spearman)의 지능이론(일반요인설)에 토대를 두고 영국의 레이븐(Raven)이 제작한 지능검사
　ⓑ 구성: 3가지 세트로 구성(각 세트당 12문항씩 총 36문항으로 구성)
　ⓒ 특징
　　• 유아와 노인의 지적 능력(추론능력) 측정을 위해 개발된 언어이해력과는 무관한 범문화적인 검사로, 검사 수행을 위해 시각기능과 인지능력만을 필요로 하기 때문에, 신체장애인, 언어발달지체아동, 지적장애아동, 뇌성마비아동, 청각장애인에게도 적용 가능 ⇨ 언어나 학습경험의 개입을 최소화한 지능검사
　　• 컬러(color)로 구성된 도형검사자극에 근거하여 추론능력을 측정하는 비언어적 검사임. ⇨ 비고츠키(Vygotsky)의 근접발달영역의 개념에 따라서 문제해결 양식과 생각을 진행하는 방법을 쉬운 문제부터 점차 고난도 문제로 진행됨.
　　• 개인 또는 집단으로 실시할 수 있으며, 확산적 사고와 수렴적 사고를 교대로 사용할 수 있는 추론능력을 측정하여 잠재적 사고력을 측정함. ⇨ 평균이 100, 표준편차가 24인 편차지능지수(DIQ) 사용
　ⓓ 유형

CPMT(색채 누진행렬 검사)	• CPM(Coloured Progressive Matrices)은 5~11세의 유아 및 노인 대상 검사 • A·B·C 3세트, 각 세트당 12문항씩 총 36개 문항으로 구성
SPMT(표준 누진행렬 검사)	• SPM(Standard Progressive Matrices)은 6~17세의 아동 및 성인 대상 검사 • 한 세트 12문항씩 총 60개 문항으로 구성
SPMT PLUS	SPM-plus(Standard Progressive Matrices-plus)는 SPMT보다 난도를 높인 검사
APMT(고급 누진행렬 검사)	• APM(Advanced Progressive Matrices)은 청소년과 성인 대상의 영재성 판별 검사 • 12문항 1세트와 36개 문항 2세트로 구성

⑤ 우리나라의 지능검사: KIT-S 지능검사(1984)
　㉠ 한국행동과학연구소가 전국 고등학생을 대상으로 제작
　㉡ 언어능력, 수리력, 추리력, 공간지각력 등 4개의 하위요인으로 구성
　㉢ 전국, 도시, 농촌의 3개 특수집단으로 나누어 IQ 산출 가능

(3) 지능지수(IQ) 07. 인천

① **정신연령(MA)**: 비네(Binet)가 최초 사용
② **비율 지능지수(IQ)**: 슈테른(Stern, 1914)이 처음 사용한 것을 터먼(Terman)이 미국에 소개

$$\text{정신연령과 생활연령의 비} \Rightarrow IQ = \frac{\text{정신연령(MA)}}{\text{생활연령(CA)}} \times 100$$

③ **편차 지능지수(DIQ)**: 평균을 100, 표준편차를 15로 변환시킨 표준점수(DIQ=100+15Z) ⇨ IQ 70 이하는 지적장애의 지표, 145는 영재의 지표

④ **지능지수에 대한 올바른 견해**
　㉠ 지능지수는 지능과 동일한 것이 아니라 지능을 나타내는 한 지표이다.
　㉡ 지능지수는 개인의 일생 동안 상당한 정도로 변화된다.
　㉢ 지능검사는 수리력, 유추능력, 언어능력 등 비교적 한정된 능력을 측정할 뿐 인간관계 기술, 심미적 능력, 창의력과 같은 능력은 측정하지 못한다.
　㉣ 대부분의 지능검사들은 공정하지 못하고 문화적으로 편향되어 있다(특정 계층이나 인종에게 유리하게 구성되어 있다). ⇨ 문화적 편향성을 극복한 검사가 문화공정검사(비언어성 검사로 제작)이다.
　　　예 SOMPA, K-ABC 검사, UNIT 검사, CPMT
　㉤ 지능은 아동에 따라 개인차가 있다.
　㉥ IQ는 아동의 학업성취도를 예언하는 중요 변수이나 절대적 척도는 아니다.
　㉦ IQ는 잠재능력을 측정하지 않는다.
　㉧ IQ는 고정적인 것으로서 결코 변하지 않는다는 것은 잘못된 견해이다.
　㉨ 지능검사는 단일검사로서 지적인 능력의 전부를 측정할 수는 없다.

⑤ **지능지수 해석 시 유의사항**
　㉠ 지능지수는 개인의 절대적 지적 수준이 아니라 상대적 지적 수준을 나타낸다.
　㉡ 지능지수는 개인의 지적 능력을 나타내 주는 하나의 지표이다.
　㉢ 지능지수가 동일하더라도 하위요인은 다를 수 있다. ⇨ 하위요인 간 격차가 크면 학습장애 가능성 있음, 하위요인을 알려줄 때 지능검사의 활용도가 높아짐.
　㉣ 지능지수를 단일점수보다 점수범위(측정의 표준오차 혹은 신뢰구간)로 생각하는 것이 합리적이다.
　　　예 표준오차가 5인 지능검사에서 한 학생의 IQ가 120이 나왔다면 120이 아니라 115~125로 생각함.
　㉤ 지능지수는 학업성적과 높은 상관($r=0.50$)이 있지만 지능지수가 높다고 학업성적이 반드시 높은 것은 아니다. ⇨ 지능지수 이외의 요인(**예** 교사의 수업방법, 가정배경 등)도 고려해야 함.
　㉥ 지능지수만을 가지고 개개인에 대하여 중요한 결정을 내리는 것은 바람직하지 못하다.
　　　예 'IQ가 140 이상은 천재다.'라고 단언은 금물

> **더 알아보기**
>
> 플린 효과(Flynn Effect)
> 1. 개념
>   ① 세대의 진행에 따른 IQ가 전반적으로 높아지는 현상, 즉 지능의 시대적 상승 현상
>   ② Flynn(1999)이 국가별 IQ의 변동추세를 조사하는 과정에서 발견: 평균 10년당 3점씩 증가로 유동지능에는 변화가 없고 결정적 지능이 증가함.
> 2. 발생원인
>   ① 지적 능력이 발전해서라기보다는 정신적 활동을 점점 더 많이 요구하는 현 사회현상의 반영이며, 교육기간의 증가, 영양상태, 교육에 대한 관심 증대 등이 그 원인으로 제시되고 있다.
>   ② 사람들이 일반적으로 나이가 먹으면 지능이 떨어지는 것이 아니라 다음 세대의 지능이 더 뛰어나기 때문에 떨어진다고 볼 수 있다.

❷ 창의력(creativity) 04. 국가직·서울·경기·대구

1. 개념

(1) **이미 알고 있거나 기억된 지식 외에 새로운 지식을 창출해 주는 능력**: 확산적(발산적) 사고력(Guilford), 종합력(Bloom), 경험적 지능(Sternberg)

(2) **새롭고 독창적이고 유용한 것(예 아이디어, 방법, 관점)을 만들어 내는 능력**: 수평적(측면적) 사고 ⇨ 드 보노(de Bono)

(3) **'새로우면서도(novelty) 유용하고 적절한(useful & appropriate)' 가치를 지니는 것을 생성해 내는 능력** ⇨ 에머빌(Amabile)

2. 창의력의 구성요인

(1) **길포드(Guilford)의 견해**

① 유창성(fluency): 양의 다양성 ⇨ 사고의 속도와 관련, 제한된 시간에 많은 양의 반응(예 사고, 연상, 표현 등)능력
   예 특정한 주제에 대하여 떠오른 생각을 모두 말해 보기, 어떤 대상에 대해 가능한 한 많은 것을 연상해 보기 ⇨ 브레인스토밍

② 융통성(flexibility, 유연성): 질(접근방법)의 다양성 ⇨ 한 가지 문제에 대하여 접근하는 방법이 얼마나 다양한가 하는 사고능력, 낡고 오래된 사고를 버리고 새로운 생각을 채택하는 능력 ⇨ 사고의 넓이
   예 바늘의 주요한 용도는 옷을 깁는 것이다. 이 용도 이외에 바늘의 다른 용도를 써 보시오.

> **더 알아보기**
>
> **유창성과 융통성의 차이** 14. 국가직 7급
>
> 유창성은 각기 다른 반응의 총 개수이고 융통성은 일반적으로 다른 종류로 분류할 수 있는 반응범주의 개수이다. 즉, 일정한 시간 내에 한 범주 내에 속하는 아이디어를 다양하게 생성해 내는 능력이 유창성이라면, 융통성은 다양한 범주에 해당되는 아이디어들을 생성해 내는 능력을 말한다.
>
> 예 어떤 사람이 벽돌의 용도를 30가지 열거했는데, 그것이 전부 무언가를 건설하는 용도라면 유창성의 점수는 높을지라도 융통성의 점수는 낮은 것이다.
>
>
>
> ▲ 유창성과 융통성의 관계

③ **독창성**(originality, 참신성) : 사고의 결과로 나타나는 반응의 색다름, 신기함.
  예 다른 사람과 같지 않은 생각하기, 기존의 생각이나 사물의 가치를 부정하기, 기존의 생각을 다른 상황에 적용해 보기
  ✎ 독창성은 보통 통계적으로 결정된다. 예를 들어 검사를 치르는 사람 100명 중에서 5명 또는 10명 이하의 사람들이 내놓는 반응을 말하는 것으로, 남들이 생각하지 못한 다른 반응을 제시하는 사람수로 결정된다.

④ **정교성**(elaboration, 치밀성) : 주어진 문제를 세분하여 전개시키거나 문제에 포함된 의미를 명확히 파악하고 결점을 보완할 수 있는 능력 ⇨ 사고의 깊이
  예 잘 다듬어지지 않은 생각을 다듬어 보기, 은연중에 떠오른 막연한 것을 구체적으로 생각해 보기

⑤ **조직성**(organization, 재구성력) : 복잡한 문제상황을 보다 간결하게 하며, 새로운 의미를 부여하고 사물·사상을 구조적이고 기능적으로 관련짓는 능력

⑥ **지각의 개방성**(perceptional openness, 민감성, sensibility)
  ㉠ 문제사태에 대한 민감성(sensibility) : 문제상황에 대하여 민감하게 사실대로의 지각을 할 수 있는 능력
  ㉡ 관련성이 없는 자극에 의하여 혼돈되거나 장애를 받지 않고 독립적인 자각을 할 수 있는 능력 ⇨ 장독립적인 지각, 시넥틱스법
    예 이상한 것을 친밀한 것으로 생각해 보기, 분명해 보이는 현상에 대해서 다시 생각해 보기

> **창의적인 사람의 특성**(Guilford)
>
> 1. **지적 특성**
>   ① 문제사태에 대한 감수성(경험에의 개방성)
>   ② 사고의 유창성
>   ③ 융통성
>   ④ 참신성

> **2. 정의적 특성**
> ① 새롭고 복잡하고 어려운 문제를 선호하는 경향
> ② 모호성을 견디는 역량
> ③ 실패에 대한 불안이 적고 위험부담을 즐기는 경향
> ④ 관행에 동조하기를 거부하는 경향
> ⑤ 자신의 경험에 대한 개방성

(2) **에머빌(Amabile)의 견해**: 창의성을 지닌 인물의 성격적 특성으로 내적 동기 유발, 영역기술, 창의적인 사고와 행동 기술을 제시하였다.

3. 왈라스(Wallas)의 창의적 사고단계이론

왈라스(Wallas)는 창의적 문제해결 과정으로 준비(정보 얻기), 부화(내적으로 정보처리하기), 영감(해결책 찾기), 검증(해결책의 평가)의 4단계를 제시하였다.

(1) **준비(preparation) 단계**: 창의적인 산출이 이루어지기 위해서 주어진 문제를 다각도로 검토하고 분석해 보는 단계 ⇨ 의식적 노력

(2) **배양(incubation, 부화) 단계**: 문제에서 벗어나 휴식이나 다른 활동을 하면서 무의식적으로 문제에 대해 검토해 보는 단계
  ① 준비 단계에서 접했던 문제해결책이 떠오르지 않고 짧게는 몇 분에서 몇 달, 몇 년 등 시간 간격을 두고 떠오르는 단계
  ② 문제에 대한 해결책이 무의식적이고 비의도적인 사고를 통하여 숙고·모색되는 과정

> **더 알아보기**
>
> **부화 효과(incubation effect)**
> 1. 간혹 우리는 도무지 문제해결의 기미가 보이지를 않아 그 문제를 얼마 동안 생각하지 않고 제쳐둘 때가 있다. 그런데 놀랍게도 얼마의 시간이 흐른 후에 그 문제를 다시 해결하려고 할 때 너무나 쉽게 그 문제의 해결책을 발견할 때가 있다. 이러한 현상을 부화 효과라 한다.
> 2. 부화 효과는 초기에 문제해결을 위한 사고활동을 한 후, 그 문제해결을 위한 사고활동을 하지 않은 상태로 일정기간이 흐른 후에 다시 그 문제해결을 하려고 할 때 수행이 촉진되는 현상을 의미한다.

(3) **발현(illumination, 영감) 단계**: 충분한 부화 기간을 거쳐 '아하' 하는 통찰력과 함께 유레카(eureka)를 경험하게 되는 단계 ⇨ 문제에 대한 해결책을 찾아내는 단계, 직관 또는 통찰력의 단계, 확산적 사고의 단계

(4) **검증(verification) 단계**: 발견된 해결책을 객관적으로 검증하고 조합하는 단계 ⇨ 수렴적 사고의 단계

4. 창의력 검사

(1) 토랜스(Torrance)의 창의력 사고 검사(TTCT; Torrance tests of creative thinking)

① 개념
  ㉠ 길포드(Guilford)의 확산적 사고에 바탕 ⇨ 유창성, 융통성, 독창성, 정교성을 측정
  ㉡ 언어검사와 도형검사로 구분

② 언어검사(7가지 검사)
  ㉠ 생각할 수 있는 모든 것을 질문하기
  ㉡ 가능한 모든 원인 상상하기
  ㉢ 가능한 모든 결과 상상하기
  ㉣ 코끼리나 원숭이 인형을 가지고 좀 더 재미있게 개선해 보기: 아래 오른쪽 그림
  ㉤ 종이 상자나 빈 깡통의 다른 용도 찾기
  ㉥ 일반 사물에 대한 특이한 질문하기
  ㉦ 사실과 다른 상황에서 상상해 보기

③ 도형검사(3가지 활동)
  ㉠ 그림 구성하기
  ㉡ 그림 완성하기: 아래 왼쪽 그림
  ㉢ 동그라미 또는 선으로 그림 그리기

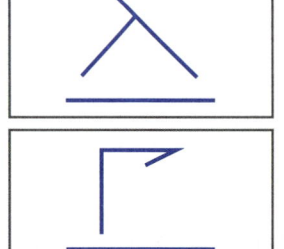

장난감 가게에서 볼 수 있는 천으로 만든 곰인형입니다. 크기는 15cm, 무게는 200g 정도입니다. 이제 이 장난감을 아동이 재미있게 놀 수 있도록 변화시켜 보세요. 비용에 대해서는 걱정할 필요가 없습니다. 어떻게 하면 아동이 더 재미있게 가지고 놀 장난감이 될 수 있는지만 생각해 보십시오.

(2) 겟젤스(Getzels)와 잭슨(Jackson)의 창의력 검사

① 6~12학년에 이르는 449명의 학생을 대상으로 측정
② 지능지수와 창의력 측정 결과 비교: 지능과 창의력은 관련이 없다는 결론 도출 ⇨ $r = 0.26$

검사 종류	검사방법	지능지수와의 상관	창의력 구성요인
단어 연상 검사	널리 알려져 있는 단어를 제시한 다음 그 단어에 대해 되도록 많은 정의를 내리도록 하는 검사	$r = 0.38$	유창성
용도 검사	일정한 용도를 갖고 있는 사물에 대해 가능하면 많은 용도를 찾아내도록 하는 검사		융통성
도형 찾기 검사	복잡한 도형 속에 숨겨져 있는 도형을 찾도록 하는 검사		정교성

이야기 완성 검사	미완성 우화를 들려준 다음 도덕적이고 유머러스하고 슬프게 종결짓도록 하는 검사	$r = 0.12$	독창성
문제 작성 검사	수리적 진술이 포함된 문장을 제시한 다음 그 문장을 이용해서 가능하면 많은 수학문제를 작성하도록 하는 검사	$r = 0.39$	조직성

5. 창의력 계발의 기법

(1) **브레인스토밍(Brainstorming)**: 오즈번(Osborn)이 창안(1963) 12. 국가직 7급, 10. 부산, 08. 서울

① 개념: 두뇌 폭풍 일으키기, 팝콘(Pop corn) 회의
  ㉠ 여러 사람들의 아이디어를 결합해서 합리적인 해결책을 모색하는 기법
  ㉡ 자유로운 집단토의를 통해 창의적 아이디어를 산출하는 방법 ⇨ 집단사고에 의한 아이디어 계발기법

② 기본전제: 창의력은 누구에게나 보편적으로 들어 있으나, 다만 개인적 혹은 사회적 제약으로 인해 발휘되지 못할 뿐이다.

③ 기본원리

비판 금지 (비판 유보)	아이디어에 대한 비판은 아이디어의 산출을 억제할 수 있으므로 일체 비판이나 평가를 하지 않는다.
양산(量産)	아이디어의 질(質)에 관계없이 가능한 많은 아이디어를 산출하도록 한다. ⇨ 다다익선(多多益善), 유창성
자유분방	과거의 지식, 경험, 전통 등에 구애받지 않고 어떤 아이디어라도 거리낌 없이 내놓을 수 있도록 자유분방한 분위기를 조성해야 한다.
결합과 개선	기존의 아이디어에 새로운 아이디어를 결합시켜 새로운 아이디어를 산출한다. ⇨ 독창성

④ 장점: 배우기 쉽고 재미가 있으며 어떤 문제든지 토론의 대상으로 삼을 수 있다.

⑤ 단점
  ㉠ **시간 낭비**: 제대로 시행되지 않는 경우 시간 낭비로 끝나기 쉽다.
  ㉡ **발표 방해**: 자신이 어떤 아이디어를 가지고 있었는데 다른 사람이 발표해 버리면, 자기 차례가 왔을 때는 자기 생각을 잊거나, 자기 생각이 부족하거나, 좋지 않다고 여겨 발표를 하지 않음. 특히 집단의 규모가 크거나, 말이 많은 사람이 회의를 주도하고 있을 때 더욱 두드러짐.
  ㉢ **평가에 대한 두려움**: 아이디어를 발표했을 때 다른 사람들이 그것을 어떻게 생각할지 불안함. 아이디어가 너무 획기적이고 비판적이거나 영향력 있는 사람(예 선생님)이 같이 있을 때 두드러짐.

(2) **시넥틱스 교수법**(Gordon법)
  ① **시넥틱스**(Synectics): 인간의 전의식적·하의식적 심리적 기제를 의식적으로 사용하는 운용적 이론 ⇨ 비합리적·정의적 요소 중시, 무의식에서 의식화 추구
    ㉠ 서로 관련 없는 요소들의 결합: 분명하게 서로 다른 것을 연관시켜 이해하는 것
    ㉡ 아무런 관련이 없어 보이는 요소들을 '비유'로 연결하는 연습을 통해 새로운 생각을 창출
  ② **발견적 문제해결법**: 개인이 당연한 것으로 받아들이던 대상이나 요소를 이상한 것으로 파악한다거나, 이상한 것으로 받아들이던 것을 친밀하게 받아들이는 경험을 통해 사고의 민감성을 증진시키는 방법 ⇨ 약한 전략(heuristics)에 해당
  ③ **방법**: 비유법, 즉 유추방법(대인유추, 직접유추, 상징적 유추) ⇨ 무의식의 의식화 방법

대인유추 (personal analogy)	사람을 특정 사물로 비유하여 가정하기 예 네가 만일 새롭게 고안된 병따개라면 어떤 모양이 되고 싶은가?
직접유추 (direct analogy)	두 가지 사물, 아이디어, 현상, 개념들 간의 직접적인 단순 비교하기 예 신문과 인생은 어떤 면에서 서로 비슷한지 그 실례를 들어보기
상징적 유추 (symbolic analogy)	두 개의 모순되어 보이는, 상반된 의미를 가진 단어를 가지고 특정 현상을 기술하기 예 뚱뚱하고 날씬한 사람, 아군과 적군, 잔인한 친절
환상적 유추 (fantastic analogy)	현실세계를 넘어서는 상상을 통해 유추함으로써 문제를 해결하기 예 날아가는 양탄자

(3) **Check list법**: 오즈번(Osborn)이 창안
  ① 타인의 창의적 사고를 유발하는 질문 형태로 체크리스트를 작성
  ② 사고의 출발 또는 문제해결의 착안점을 미리 정해서 체크리스트를 작성해 놓고 다양한 사고를 능률적으로 전개시키는 방법
  ③ SCAMPER법, IDEAL법 등이 해당된다.

(4) **SCAMPER 기법**: 오즈번이 제안한 체크리스트를 보완하여 에버를(Eberle, 1971)이 고안한 창의적 기법
  ① 특정 대상이나 특정 문제에서 출발해서 그것을 변형시키는 방법
  ② 새로운 아이디어와 상상력을 동원하도록 도와주는 체크리스트 기법의 한 유형

대체하기(Substitute)	기존 사물의 형태, 용도, 방법 등을 다른 것으로 바꾸기 예 석유난로 대신 전기를 사용하는 난로 만들기
결합하기(Combine)	두 가지 또는 그 이상의 것들을 결합해서 새로운 것 생각하기 예 매직 훌라후프(훌라후프+발포고무나 자석을 넣은 돌기), 등산칼
적용하기(Adapt)	어떤 형태나 원리, 방법을 다른 분야의 조건, 목적에 적용하기 예 사진을 조각품으로 만들기, 햄버거 모양을 따서 만든 전화기, 입술 모양의 루즈케이스
수정하기(Modify)	기존의 상품이나 아이디어에 색, 모양, 의미 등을 조금씩 수정해서 새로운 것을 만들기 예 옷, 자동차, 컴퓨터 등을 조금씩 변형해서 신상품 만들기 • 확대하기(Magnify): 크기를 더 크게 하거나 문제를 확대하기 • 축소하기(Minify): 크기를 더 작게 하거나 문제를 축소하기 예 미니카, 휴대폰, 초미니 컴퓨터, 관광상품

다르게 활용하기 (Put to other uses)	다른 용도로 활용하기 예. 폐타이어로 집짓기, 버려진 기차 차량으로 카페 만들기
제거하기(Eliminate)	사물의 어떤 부분을 제거·삭제하기 예. 노천극장, 오픈카
반대로 또는 재배열하기 (Reverse or rearrange)	위치를 바꾸거나 속성을 바꾸기 예. 여름에 겨울 상품 세일하기, 뒷번호부터 출석 부르기, 재택근무, 근무시간 변경하기, 교사 중심 수업에서 학습자 중심 수업으로의 변화

(5) **드 보노(de Bono)의 CoRT 프로그램의 PMI기법과 여섯 가지 사고모자(Six hats)기법**

① 개요: Cognitive Research Trust 기관에서 개발한 사고기능 훈련 프로그램
  ㉠ 형태심리학의 영향: 사고한다는 것은 지각한다는 것, 지각한다는 것은 어떤 형태를 다룬다는 것, 형태를 다룬다는 것은 주의를 집중한다는 것을 의미 ⇨ 문제해결을 위한 지각적인 양상을 중시
  ㉡ 사고행위는 정서, 가치, 느낌과 밀접한 관련을 갖고 있다고 가정
  ㉢ 한 번에 한 가지의 사고만 하도록 함으로써 창의적 사고를 촉진하려는 방법

② PMI기법: 문제나 대안을 바라보는 시야를 확대하는 방법
  ㉠ 어떤 문제의 긍정적인 면(plus)과 부정적인 면(minus)을 살펴본다.
  ㉡ +, -라고 할 수 없는 것, 즉 재미있지만 중립적인 측면(interesting)을 생각하도록 주의(attention)의 방향을 잡아 준다.

③ 여섯 가지 사고모자(Six Thinking hats)기법
  ㉠ 자신의 모자 색깔이 표상하는 여섯 가지 유형의 사고자 역할을 실행
  ㉡ 감정적·객관적·긍정적 측면 등의 사고를 한 번에 한 가지씩 할 수 있도록 돕는 도구

백색(white) 모자	중립적이고 객관적인 사실이나 자료, 정보 ⇨ 사실적 사고
적색(red) 모자	직관이나 감정, 느낌 ⇨ 감정적 사고
흑색(black) 모자	논리적인 부정, 실행 불가능한 이유 ⇨ 논리적 사고(부정)
황색(yellow) 모자	논리적인 긍정, 낙관적이고 건설적인 사고 ⇨ 논리적 사고(긍정)
녹색(green) 모자	창의적이고 다각적인 사고와 해결방법 ⇨ 측면적(수평적) 사고
청색(blue) 모자	사고과정에 대한 통제, 사고에 대한 사고 예. 요약, 개관, 결론, 규율을 강조 ⇨ 메타인지적 사고

④ 수평적 사고와 수직적 사고의 차이

수평적 사고(lateral thinking)	수직적 사고(vertical thinking)
• 창의적 사고 또는 확산적 사고: 기존에 형성된 인식 패턴을 깨뜨리고 새로운 개념과 인식을 창출하여 변화를 모색하는 사고 • 비논리적, 비계열적, 예언 불가능, 비관습적이다.	• 수렴적 사고 또는 논리적 사고: 기존의 지식이나 경험에 비추어 논리적으로 옳고 그름을 따지는 사고 • 논리적, 계열적, 예언 가능, 관습적이다.

(6) **속성열거법**(Attributing listing): 크로포드(Crawford)에 의해 창안 ⇨ 문제의 대상이나 아이디어의 속성을 목록으로 작성하여 세분화된 각각의 속성에 주의를 기울이는 것
① 대상의 주요 속성을 열거하기
② 속성을 변경시킬 수 있는 방법을 열거하기
③ 한 대상의 속성을 다른 대상의 속성을 변경하는 데 이용하기
    예 벽돌을 새롭게 만드는 방법 창안 ⇨ 벽돌의 속성 나열하기(색, 크기, 모양, 무게, 가격 등)

③ 인지양식(Cognitive style): 학습양식, 학습유형, 학습선호도 유형

1. 개념

(1) **정보를 처리하는 개개인의 전형적인 습관이나 양식, 개인이 사물을 지각하고 인지하는 독특한 반응양식**: 인지심리학의 지각과 정보처리에 관련하여 개인적으로 선호하는 일관성 있는 행위
① '학습유형(learning style), 학습양식, 학습선호도 유형'이라고도 부른다.
    ㉠ 인지양식을 구체적인 학습상황과 연결하려는 시도로, 학생 개인이 학습, 문제해결, 정보처리에 이용하는 독특한 사고방식이나 행동양식을 말한다.
    ㉡ 학습하는 과정을 나타내는 행동양식, 학습습관, 학습방법, 학습요령 등을 총괄하는 복합적인 학습자의 성향을 말한다.
② 새로운 정보에 대해 집중하거나 그 정보를 처리하고 기억하는 방식으로 질적인 차이 또는 선호하는 것을 나타낸다.
③ 가치중립적인 개념이기 때문에 어느 유형이 다른 유형보다 더 좋은 것이라고 할 수 없다.

(2) **인지(認知)행동에 있어서 나타나는 개인차**
① 인지양식은 정보처리 방식상의 개인차를 말한다.
② 서로 상반되는 몇 개의 특성들로 분류할 수 있다.
③ 개인차가 있으나 공통적인 특성을 가진 사람들끼리 어떤 특성(예 장의존형, 장독립형)으로 분류할 수 있다.
④ 본질적으로 능력(지능)과 구분되는 성격적 특성의 구성개념이다. ⇨ 지능과 성격의 조합으로 이해되기도 한다.

2. 유형

(1) **장의존적 – 장독립적 인지양식**: 위트킨(Witkin) 15. 지방직
① 개요: 막대 테두리 검사(RFT; Rod & Frame Test)를 사용, 개인에 따라 주어진 상황에서 정보를 받아들이는 독특한 양식이 있음을 확인하고 이를 장독립형과 장의존형으로 분류
    ✎ 막대 테두리 검사(RFT; Rod-Frame Test) 수직의 지각(知覺)과 관련된 검사로, 피험자에게 캄캄한 공간에 설치된 네모의 테두리와 수직막대를 이용하여 수직선을 세우는 과제가 주어진다.

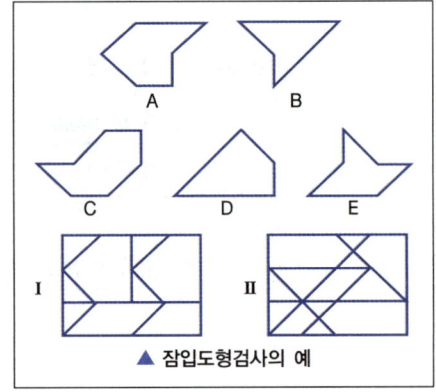

▲ 잠입도형검사의 예

② **인지양식 유형**: 신체조정검사(body adjustment test)나 잠입도형검사(EFT ; Embedded Figure Test)를 통해 측정된다.
   ㉠ **장독립형**: 내적 대상에 의존하는 성향 ⇨ 어떤 사물을 인지할 때 그 사물의 배경이 되는 주변의 장의 영향을 별로 받지 않고 논리적·분석적으로 지각하는 인지유형
   ㉡ **장의존형**: 외부적 대상에 의존하는 성향, 지각 대상을 전체로서 지각하는 인지유형 ⇨ 주변의 장에 의존하는 인지양식
③ 장독립형과 장의존형 학습자의 특성 비교(Jonassen 외) 09. 경기

장독립형(Field independence)	장의존형(Field dependence)
• 분석적·논리적·추상적·확산적 지각	• 전체적·직관적·수렴적 지각
• 내적 지향 ⇨ 비사교적	• 외부적 지향 ⇨ 사교적
• 구조를 스스로 창출 ⇨ 비구조화된 자료학습 선호	• 기존의 구조를 수용 ⇨ 구조화된 자료 학습 선호
• 비선형적인 Hyper-media 학습에 적합	• 선형적인 CAI 학습에 적합
• 학문 중심 교육과정에 유리	• 인간 중심 교육과정에 유리
• 개인적 성향 ⇨ 대인관계에 냉담, 강의법 선호	• 사회적 성향 ⇨ 대인관계 중시, 토의법 선호
• 사회적 정보나 배경 무시	• 사회적 정보나 배경에 관심
• 개념이나 원리 지향적 ⇨ 실험적	• 사실이나 경험 지향적 ⇨ 관습적·전통적
• 분석을 통한 개념 제시	• 제시된 아이디어를 수용
• 자신의 가설 형성	• 눈에 띄는 특징에 영향을 받음.
• 내적 동기 유발 ⇨ 외부 비판에 적게 영향 받음.	• 외적 동기 유발 ⇨ 외부 비판에 많이 영향 받음.
• 수학, 자연과학 선호 ⇨ 수학자, 물리학자, 건축가, 외과의사와 같은 직업 선호	• 사회 관련 분야 선호 ⇨ 사회사업가, 카운슬러, 판매원, 정치가와 같은 직업 선호
• 자신이 설정한 목표나 강화에 의해 영향	• 외부에서 설정한 목표나 강화에 의해 영향
• 사회적 내용을 다룬 자료에 집중하는 데 외부의 도움을 필요로 함.	• 기억조성술 활용방법을 학습할 필요 있음.

(2) **속응적(충동적) - 숙고적(반성적) 인지양식**: 카건(Kagan)
   ① 개요
      ㉠ 유사도형 결함검사(MFFT)를 사용, 숙고형과 속응형으로 분류
      ㉡ 유사도형 결함검사: 12개 도형으로 구성, 각 도형마다 표준도형과 6개의 유사도형을 제시하고 표준도형과 같은 모양을 찾는 데 걸리는 반응시간과 오답수를 계산하여 분류하는 방법

속응형	활동적	불안적	감각적	총체적	산만	흥분	성취도 낮음	보상에 민감	미래 중심
숙고형	사변적	사려적	언어적	분석적	집중	침착	성취도 높음	보상에 둔감	현재 중심

   ② 인지양식 유형
      ㉠ **속응형**(速應型, impulsivity, 충동형): 가설을 설정하고 검증하는 과정에서 신중하게 생각하지 않고 실수를 많이 범하는 유형
         ⓐ 사고보다 행동이 앞선다.
         ⓑ 반응잠시(反應潛時)가 짧고 반응속도가 빠르지만 반응오류가 많아 학업성취도가 낮다.

ⓒ 숙고형(熟考型, reflectivity) : 문제를 해결하기 위해 가설을 설정하고 그것의 타당성을 검토하는 과정에서 신중하게 생각하는 유형
- ⓐ 행동보다 사고가 앞선다.
- ⓑ 문제에 대한 반응시간(반응잠시, response latency)은 길고 반응속도는 느리지만, 오답수(반응오류)가 적어 학업성취도가 높다.

③ 인지양식과 학업성취도와의 상관연구
- ㉠ 숙고형과 속응형 인지양식이 모두 지능과는 낮은 상관을 가지고 있다.
- ㉡ 일반적으로 숙고형 학습자가 학교에서의 학업성취가 높다(∵ 과제에 대한 주의집중과 주의 깊은 사고 때문).
- ㉢ 속응형 학생을 위한 학습전략(숙고형 유도전략)
  - ⓐ 인지적 자기교수(cognitive self instruction) : 학습 중에 자신에게 혼잣말로 가르치기
    예, "나는 이것을 좀 더 깊이 있게 봐야 해 …." ⇨ 비고츠키(Vygotsky)의 사적 언어의 이점 이용
  - ⓑ 훑어보기 전략(scanning strategies) : 학습과제 전체를 모두 개괄적으로 파악하기
    예, 5지선다형 문제에서 5개의 보기를 모두 하나씩 살펴보도록 격려하기

④ 교육적 시사
- ㉠ 아동이 나이가 들수록 정보처리과정에서 숙고형으로 흐른다.
- ㉡ 충동적인 학생에게는 신중하게 사고하도록 훈련을 시켜야 하고, 숙고적인 학생에게는 과제를 시간 내에 완성할 수 있도록 어려운 문제는 건너뛰게 하는 전략을 가르친다.

(3) Dunn과 Dunn의 학습유형

① 학습유형이란 정보를 선택하고 획득하는 능력에 영향을 주는 학습자세 또는 선호하는 학습환경을 말한다.

② 학습유형을 형성하는 중요한 구성요소 : 환경적 요인, 정서적 요인, 사회적 요인, 생리적 요인, 심리적 요인

③ 21가지 학습유형

자극(stimuli)	요소(elements)
환경적(environmental) 요인	1. 소리(sound) : 공부할 때 들리는 소리에 대한 반응 예, 조용할 때 공부, 라디오 들으면서 공부 2. 빛(light) : 빛에 대한 반응 정도 예, 밝은 곳에서 공부, 어두운 곳에서 공부 3. 기온(temperature) : 온도에 대한 반응 정도 예, 따뜻한 곳에서 공부, 서늘한 곳에서 공부 4. 가구 및 좌석의 디자인(design) 예, 푹신한 소파에서 공부, 딱딱한 의자에서 공부

정서적(emotional) 요인	5. 동기(motivation): 학생들의 학업에 대한 동기 　예) 학습을 즐기며 공부, 학습에 전혀 의욕이 없음. 6. 지속력(persistence): 하나의 과제를 해결해 나가는 방식 　예) 시작한 일을 지속함, 쉽게 포기함. 7. 책임(responsibility): 학습과제에 대한 책임감 정도 　예) 해야 된다고 생각하는 것을 함, 원하는 것을 함. 8. 구조화(structure): 구조화된 것과 스스로 선택한 것을 원하는 정도 　예) 자세한 지시를 원함, 자기 방식대로 공부하기를 좋아함.
사회적(sociological) 요인	9. 혼자서(self), 10. 둘이서(pair), 11. 또래집단(peers), 12. 집단(team), 13. 성인과 함께(adult), 14. 다양하게(varied)
생리적(physiological) 요인	15. 지각(perception): 감각기관의 지각 차이 　예) 듣기자료를 잘 수용함, 직접 보는 정보를 잘 수용함. 16. 간식(intake): 공부하는 동안의 음료섭취를 즐기는 정도 　예) 간식 좋아함, 간식 싫어함. 17. 시간(time): 개인의 최대 능률시간 　예) 아침 시간에 능률이 오름, 늦은 밤에 능률이 오름. 18. 이동(mobility): 공부하는 동안 움직이고자 하는 욕구 　예) 오랜 시간 움직임 없음, 움직이며 공부
심리적(psychological) 요인	19. 전체적 · 분석적인 경향성 20. 좌뇌 · 우뇌의 경향성 21. 충동적 · 숙고적인 경향성

(4) 콜브(Kolb)의 학습유형

① 학습과정에서 학습자가 사용하는 정보지각 방식(perception)과 정보처리방식(processing)에 따라 학습유형을 적응자, 융합자, 분산자, 수렴자 등 네 가지로 분류하였다.

② 학습유형의 특성

　㉠ 분산자(Diverger, 확산자)

　　ⓐ 상상력이 뛰어나고 한 상황을 여러 관점에서 조망할 수 있으며, 많은 아이디어를 낼 수 있다.

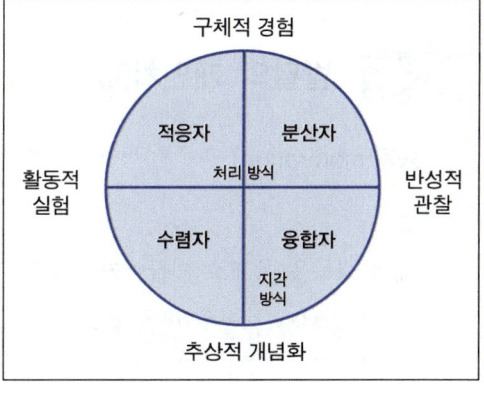

　　ⓑ 흥미 분야가 넓으므로 다양한 분야에 대해 정보를 수집한다.

　　ⓒ 학습과정에서 교수자나 동료 학습자와 좋은 인간관계를 맺을 수 있으며, 정서적인 특징을 갖는다.

　㉡ 융합자(Assimilator, 동화자)

　　ⓐ 논리성과 치밀성이 뛰어나고, 귀납적 추리에 익숙하므로 이론화를 잘한다.

　　ⓑ 넓은 범위의 아이디어를 잘 종합해 내며, 다각적으로 이해할 수 있으므로 이론적으로 모형을 만드는 일을 잘할 수 있다.

　　ⓒ 과학적이며 체계적인 사고를 하며, 분석적 · 추상적 사고에 강하다.

ⓒ 수렴자(Converger)
   ⓐ 아이디어와 이론을 실제적으로 응용해 낼 수 있으므로 의사결정이나 문제해결 능력이 뛰어나다.
   ⓑ 느낌보다 이성에 의존하며, 가설을 세우고 연역적으로 추론하며 과제에 대해 체계적이고 과학적으로 접근한다.
   ⓒ 사고지향적이어서 사회적 문제나 사람들과의 관계에 능숙하지 못한 대신, 기술적인 과제와 문제를 잘 다룬다.
ⓔ 적응자(Accommodator, 조절자)
   ⓐ 계획 실행이 뛰어나며, 새로운 경험을 추구하고 새로운 상황에 잘 적응한다.
   ⓑ 모험적이고 감각적이며 실험적인 특성을 지닌다.
   ⓒ 논리적으로 분석하기보다는 감각적이며 느낌에 따라 행동하므로, 문제를 해결할 때 자신의 기술적인 분석에 의존하기보다는 사람들에게 의존한다.
   ⓓ 지도력이 탁월하다.

3. 인지양식(학습양식)의 교육적 시사점
(1) 학습양식을 고려하여 교수양식을 다양화해야 한다.
(2) 학생으로 하여금 자신이 가장 효과적으로 학습하는 방식에 대해 생각해 보도록 한다.

제5절 발달의 개인차(II) : 정의적 특성과 교육

1 동기(motivation) 11. 경북, 09. 국가직 7급, 04. 경기

1. 개념
개체의 행동을 목표로 이끌어가는 내적 충동 상태, 심리적 에너지

(1) 동기는 행동 유발(시발적 또는 발생적 기능), 행동의 촉진 및 유지(강화적 기능), 목표 지향(지향적 또는 방향적 기능)의 역할을 한다.

(2) 동기와 학업성취도와의 상관은 0.45 정도이다.

2. 유형
(1) **매슬로우(Maslow)의 결핍동기(결핍욕구)와 성장동기(성장 욕구)**
   ① 결핍동기(deficiency motives) : 무엇인가 부족한 것을 충족시키려고 할 때 생기는 동기
   예) 배고픔, 성욕과 같은 생리적 욕구, 안전·보호 욕구, 애정·소속·사회적 욕구, 존경 욕구

▲ Maslow

② 성장동기(growth motives): 실존동기(being motive)
  예 자아실현 욕구, 지적 욕구, 심미적 욕구

(2) **머레이(Murray)의 성취동기**: 개인이 도전적인 과제와 성취의 수월수준을 스스로 정해 놓고, 이것을 성취해 나가는 과정에서 만족을 갖는 동기

(3) **내재적 동기와 외재적 동기**

① 개념

내재적 동기	• 과제수행의 결과와 관계없이 활동 그 자체가 보상인 동기 • 어떤 과제에 대하여 본인이 가지고 있는 흥미, 지적 호기심, 성취감, 자기 만족감 등에서 비롯되는 동기 • 인지주의 및 인본주의 학습이론에서 중시, 장기적 효과
외재적 동기	• 과제 자체와 관계없이 과제수행의 결과가 가져다 줄 보상이나 벌에서 비롯되는 동기 • 적절한 상벌 이용, 뚜렷한 학습목표 제시, 약간의 경쟁심 자극, 학습의 결과 제시, 학습에 대한 주의집중 등을 통해 유발 • 행동주의 학습이론에서 중시, 단기적 효과

② 내재적 동기와 외재적 동기의 관계: Deci & Ryan의 인지평가이론(cognitive evaluation theory)

  ㉠ 기본 가정: 개인은 자신을 둘러싼 환경 및 정보를 능동적으로 지각하고 해석하기 때문에 동기와 행동을 이해하기 위해서는 인지적 과정이 중요하다고 본다. 인지와 동기 간의 관계를 다루는 과정이론의 하나인 이 이론에 따르면 행동의 일차적 근원은 외적 보상이라기보다는 내적 동기다. Deci(1975)에 따르면 내적으로 동기화된 행동이란 개인이 유능감(competence)과 자기결정성(self-determination)을 느끼는 행동이며, 외재적 동기와 내재적 동기는 대립적·상반적 관계가 아니라 연속선상의 개념(무동기 ⇨ 외재적 동기 ⇨ 내재적 동기)으로 파악한다.

  ㉡ 내용

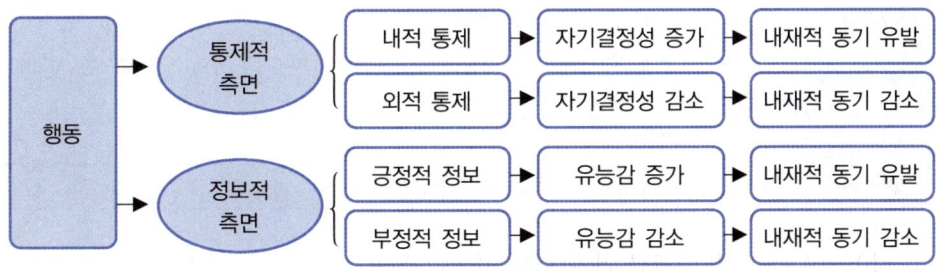

과잉 정당화 효과(과타당화 효과) ⇨ 보상과 동기의 반비례 관계	• 외재적 보상이 내재적 동기를 감소시키는 현상, 지나친 보상이 역효과를 야기하는 현상: 내재적 흥미를 가진 과제에 대하여 보상을 주면, 그 과제가 보상을 위한 수단으로 인식되면서 내재적 동기가 감소할 수 있다. • 통제의 특성을 가진 보상, 즉 보상이 **통제**(control)**로 인식**될 때 나타난다. 　예 '하던 굿도 멍석 깔아 놓으면 안 한다.', '제사보다는 젯밥'
보상과 동기의 정비례 관계	• 외재적 보상이 내재적 동기를 증가시킬 수 있다고 본다. ⇨ 대립적·상반적 관계가 아니라 연속선상의 개념으로 이해 • 수행이나 향상적 정보의 특성(**유능감이나 자기결정성의 지각**)을 가진 보상, 즉 **정보**(information)**로 인식**될 때 나타난다. 　예 프로선수들이 연봉이 향상되면 더욱 운동에 집중함.

　　ⓒ 다른 동기이론과의 비교: Vroom(1964)의 기대이론에 따르면, 내적 동기(기대)와 외적 보상(가치, 유인가)은 모두 행동을 증진시키는 데 긍정적인 효과를 낸다고 본다. 또한 Skinner의 조작적 조건형성 이론에서도 외적 강화가 행동을 증가시킨다고 본다. 그러나 이 이론에서는 외적 보상이 내적 동기를 감소시킬 수도 있다고 본다.

3. 동기이론의 접근방법

학습이론	동기의 근원	중요한 영향	학자
행동주의	외재적 동기	강화(보상), 벌	스키너(Skinner)
인지주의	내재적 동기	성공과 실패에 대한 귀인, 신념, 기대	바이너(Weiner)
사회학습	내·외재적 동기	목표의 가치, 목표 도달에 대한 기대	반두라(Bandura)
인본주의	내재적 동기	자존심, 자기충족감, 자기결단	매슬로우(Maslow)

4. 여러 가지 동기이론 15. 국가직

행동주의	추동감소이론(Hull), 강화이론(Skinner)
인지주의	귀인이론(Weiner), 자아효능감(Bandura), 목표이론(Dweck), 기대 × 가치이론(Atkinson), 자기가치이론(Covington), 자기결정성이론(Deci)
본능론	정신분석이론(Freud)
인본주의	욕구위계론(Maslow), 자아개념, 실현경향성(Rogers)

(1) **바이너(Weiner)의 인과적 귀인(歸因)이론**(attribution theory) 11. 대전·국가직, 10. 인천, 09. 국가직, 08. 서울

　① 개념

　　㉠ 어떤 상황의 성공과 실패에 대한 원인 돌리기: 인지주의 심리학에 기초, 관찰된 행동의 원인을 기술하는 일반적인 법칙을 규명

　　㉡ 학습의 성패에 대해 학생 자신이 어떻게 설명하는가에 대한 체계적인 이해 연구

　　　✎ 귀인(attribution)은 어떤 현상의 원인을 찾는 과정과 그 결과를 의미한다.

② 귀인의 유형: 원인의 3가지 차원 08. 국가직 7급
  ㉠ 원인의 소재 차원: 성공과 실패의 원인을 자신의 내부에서 찾느냐, 외부에서 찾느냐의 문제 ⇨ 로터(Rotter)의 통제소재이론

내적(internal) 요인	능력(ability, 예. IQ), 노력(effort)
외적(external) 요인	학습과제의 난이도(task difficulty), 재수(luck, 운)

  ㉡ 원인의 안정성 차원: 찾아진 원인이 시간과 상황에 따라 어떻게 변하는가의 문제 ⇨ 안정적 - 불안정적(stable vs. unstable) 차원
  ㉢ 통제 가능성(책임감) 차원: 찾아진 원인들이 학생의 의지에 의해 통제될 수 있는가, 없는가의 문제 ⇨ 통제 가능 - 통제 불가능(controllable vs. uncontrollable) 차원
  ㉣ 기본모형 및 확대 24·21. 국가직

안정성	통제가능성	소재	내부	외부
안정	통제 가능		평소의 노력	교사의 편견
	통제 불가능		**능력**	**과제 난이도**
불안정	통제 가능		**즉시적 노력**	타인의 도움
	통제 불가능		기분	**재수(운)**

③ 교육적 의의와 시사점
  ㉠ 학교학습에서의 성공과 실패의 원인을 무엇이라고 지각하느냐에 따라서 후속되는 학업적 노력, 정의적 경험, 미래 학습에서의 성공과 실패에 대한 기대 등이 달라진다.

    특정 귀인에 따른 정서 표출

귀인요인	정서	
	성공했을 때	실패했을 때
능력	긍정적 자아개념, 미래의 성공에 대한 기대, 자신감, 유능감	부정적 자아개념, 의기소침, 무능감, 열등감
불안정한 노력	열의, 자부심	수치, 죄책감
안정적 노력	평온(긴장 이완감)	수치, 죄책감
외부의 사람이나 기관	감사함	공격, 분노
재수(운)	놀라움(긍정)	놀라움(부정)

  ㉡ 학습자의 원인지각 내용을 알면 미래의 학업성취도를 예측할 수 있고, 인과적 귀인을 바람직한 요인으로 변경시키면 미래의 학업성취도를 증진시킬 수 있다.
  ㉢ Weiner의 귀인 변경 프로그램: 안정적 귀인 ⇨ 불안정적 귀인
    ⓐ 학습 실패 ⇨ 능력 결핍 ⇨ 무능감 ⇨ 성취 감소에서
    ⓑ 학습 실패 ⇨ 노력 결핍 ⇨ 죄책감과 수치감 ⇨ 성취 증가로 변경

- ② 학습동기를 증가시키는 요인: 노력
  - ⓐ 외적 요인보다는 내적 요인에 귀인한다.
  - ⓑ 안정적 요인보다는 불안정적 요인에 귀인한다.
  - ⓒ 통제 불가능 요인보다는 통제 가능 요인에 귀인한다.
- ⑩ 학습 실패의 원인을 자신의 '능력(없음)'에 귀인할 때 학습된 무기력(learned helplessness, 부정적 자아개념)이 형성된다. ⇨ 내적, 안정적, 통제 불가능한 요인
  - ◇ **학습된 무기력**(learned helplessness) 셀리그만(Seligman)이 개의 회피훈련 연구에서 처음 사용 ⇨ 계속되는 학업 실패와 좌절의 경험을 통해 노력해도 성공할 수 없다고 느끼는 자포자기 상태
- ⑪ 학습 결과에 대한 책임을 학생 자신의 내부에 존재하는 가변적이고 통제 가능한 요인인 '노력'에서 찾을 때 학습동기가 증가한다.

(2) **반두라(Bandura)의 자아효능감**(self-efficacy beliefs)**이론** 23. 국가직 7급
  ① 개념
    ㉠ 어떤 과제를 수행하는 데에 있어서 일정한 수준의 목표를 달성하기 위한 활동을 조직하고 실천할 만한 능력이 있다는 개인적인 신념
    ㉡ 개인이 어떤 행동이나 활동을 성공적으로 수행할 수 있는 자신의 능력(개인적 유능감)에 대한 신념
  ② 강한 자아효능감 유발의 방법
    ㉠ 성공적인 성과의 달성(경험의 완성)
    ㉡ (다른 사람의 성과를 지켜 보는) 대리적 경험: 모델과 자신의 유사성이 클 때 그 모델의 성패는 자아효능감에 많은 영향을 준다.
    ㉢ 언어에 의한 설득 예 격려, 건네는 말
    ㉣ 정서적 안정감
  ③ 자아효능감과 학업성취의 관계: 학업성취도가 높은 학생일수록 자아효능감이 높다.

(3) **데시(Deci)의 자기결정이론**(Self-Determination theory) 15. 국가직
  ① 개념 14. 지방직
    ㉠ 무엇을 어떻게 할 것인지에 대한 자신의 선택이나 자기통제의 욕구, 자신의 의지(will)를 활용하는 과정 ⇨ 자율성의 욕구
    ㉡ 외부 보상이나 압력보다는 자신의 바람이 자신의 행동을 결정하기를 바라는 욕구
  ② 자기결정이론의 하위이론
    ㉠ 기본적 욕구설(BNT; basic needs theory): 다음 세 가지 기본적 욕구를 충족시켜 주는 자율적 환경에서 성장

유능감 (competence, 성취 욕구)	환경에 효과적으로 기능하는 능력으로 도전과 호기심에 의해 유발된다. ⇨ 능력동기(White), 성취동기(Atkinson), 자기효능감(Bandura)과 유사
통제 욕구 (need for control or autonomy, 자율성 욕구)	필요할 때 환경을 바꾸는 능력으로, 통제의 책임 소재나 개인적 원인(personal cause)과 유사하다.
관계(relatedness) 욕구	사회적 환경 속에서 다른 사람들과 연관되어 있다는 느낌, 그리하여 자신이 사랑과 존경을 받을 가치가 있다는 느낌 ⇨ 소속감 욕구(Maslow), 친애(affiliation) 욕구, 친화 욕구와 유사

ⓒ **작인(作因) 성향설(COT ; causality orientation theory)**: 귀인양식에 따라 자율적 성향(autonomy orientation), 타율적 성향(controlled orientation), 운이나 운명에서 찾는 비인간지향(impersonal orientation) 등의 경향으로 구분

ⓒ **인지평가설(CET ; cognitive evaluation theory)**: 행위자가 자신의 행동을 외부귀인하면 내재적 동기가 줄어들고(과잉 정당화 효과), 내부귀인하면 내재적 동기가 증가한다. ⇨ 외부귀인의 상황에서도 내재적 동기가 감소하지 않는 조건을 다룬다.

ⓒ **유기체 통합설(OIT ; organismic integration theory)**
  ⓐ 모든 생명체가 외부로부터 자양분을 공급받아 성장하듯이 인간이 문화를 흡수하여 사회인으로 성장하는 과정을 다룬 이론
  ⓑ 모든 생명체가 외부세계에 의존하는 존재라고 가정하고, 인간에게는 물리적 자양분보다 심리적 자양분이 중요하므로 사회적 규범, 가치, 문화를 받아들여 내면화(internalization)해야 심리적으로 성장할 수 있다고 본다.
  ⓒ 내면화는 외재적 동기를 내재적 동기로 바꾸어 주는 메커니즘이며, 사회적 가치와 규범을 자기 것으로 채택하는 과정이다. 이 내면화의 정도에 따라 인간의 동기는 무동기, 외재적 동기, 내재적 동기로 분류되며, 내재적 동기를 지닐 때 자기결정성이 제일 높다고 보는 이론이다.
  ⓓ 내재적 동기의 형성과정(동기의 변화 과정): 무동기에서 외재적 동기를 거쳐 내재적 동기로 발달해 나간다.

동기 유형	조절 방식	인과 소재	관련 조절 과정
무동기	무조절	없음	무의도성, 무가치성, 무능력, 통제의지 결여
외재적 동기	외적 조절	외적	외적 제한에 따름. 순응, 대응, 외적인 보상과 처벌의 강조
	내사(부과, 투사)된 조절	약간 외적	자기통제, 자아개입, 내적인 보상과 처벌, 자기 자신 또는 타인으로부터의 인정에 초점을 둠.
	동일시(확인)된 조절	약간 내적	개인이 중요하다고 여겨 가치를 둠. 활동이 중요하다고 의식적으로 인식함. 목표를 스스로 인정함.
	통합된 조절	내적	목표의 위계적 통합, 일치, 자각
내재적 동기	내적 조절	내적	흥미, 즐거움, 내재적 만족

(4) 기대 × 가치이론(expectancy × value theory)

① 인간은 자신이 성공할 것이라는 기대에 그 성공에 대해 개인이 부여하는 가치를 곱한 값만큼 동기화된다는 이론이다.

② 기대구인(expectancy construct)과 가치요인(value components)이 두 가지 핵심요소이다.
  ㉠ 기대구인: 과제를 수행했을 때 성공할 수 있는 가능성에 대한 개인의 신념과 판단
    예 "내가 이 과제를 할 수 있을까?"라는 물음에 대한 답
  ㉡ 가치요인: 과제의 가치에 대하여 개인이 가지는 신념
    예 "내가 왜 이 과제를 해야 하지?"라는 물음에 대한 답

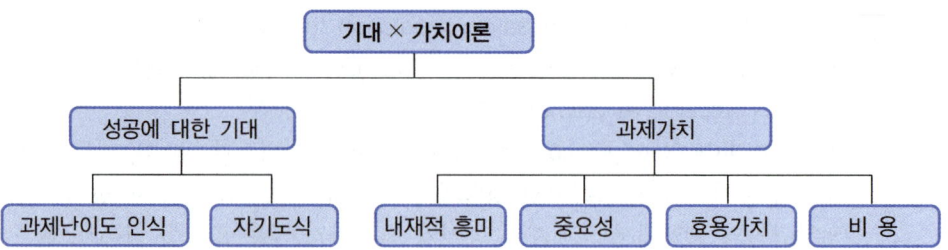

(5) **목표이론**(목표지향이론) 15. 지방직
① 목표(goals)는 개인이 이루고자 하는 성과 또는 성취하려는 욕망이다.
② 목표는 학생들의 동기와 학습에 영향을 미치며, 크게 학습목표(learning goal, 또는 숙달목표)와 수행목표(performance goal)로 나누어진다(C. Dweck). 24. 지방직
③ 수행목표에 비해 학습목표가 가지는 장점
　㉠ 통제: 학습목표는 통제가 가능하지만 수행목표는 통제 불가능일 수 있다.
　㉡ 목표 달성 실패 시 학생들의 반응: 학습목표를 가진 학생이 실패 시에는 더 노력하거나 전략을 바꾸는 방향으로 나아가지만, 수행목표를 가진 학생이 실패 시에는 불안감이 높아지고 수행회피 지향으로 나갈 수 있다.
　㉢ 숙달목표 지향 방안: 학생의 근접발달영역 안에 있는 과제 제시, 실제적 과제 제시, 과제 및 활동에 대한 선택권 부여, 언어적 피드백이나 보상 시 개인의 능력 향상과 학습 진전 그리고 숙달에 초점 맞추기, 소집단 협동학습의 기회 제공, 타인과의 비교를 통한 평가를 피하고 자기비교 평가하기, 자기평가방법 사용 등
④ 목표의 유형 비교

목표 유형	예시	특징
숙달접근 목표 21. 국가직, 20. 국가직 7급	르네상스가 미국 역사에 미친 영향 이해하기	과제이해, 즉 학습과정 및 학습활동 자체에 초점을 둔다.
숙달회피 목표	완벽주의적인 학생이 과제와 관련하여 어떠한 오류도 범하거나 잘못 하는 것을 피하기	이론적으로 존재하는지의 여부는 명확하지 않으나, 자신이 세워 놓은 높은 기준 때문에 걱정하는 것이다.
수행접근 목표	르네상스 시대에 대한 에세이 반에서 가장 잘 쓰기, 남보다 능력 있어 보이기	개인이 타인을 이기려고 노력하고 자신의 능력과 우월성을 증명하려고 동기화되는 것이다.
수행회피 목표	선생님과 다른 학생 앞에서 능력 없어 보이는 것 피하기	개인이 능력이 없어 보이는 것을 회피하기 위하여 부정적으로 동기화되는 것으로, 자기장애 전략을 사용하는 것과 관련된다.
사회적 책임감 목표	믿음직하고 책임감 있어 보이기	타인과의 관계에서 자기 몫을 다하는 것과 관련이 있다.
사회적 목표	친구 사귀기, 선생님의 동의를 구하기, 친구 지지하기	타인과의 관계에서 형성된다.
과제회피 목표	최소한의 노력으로 숙제 다하기, 쉬운 과제 선택하기	과제가 쉽거나 별다른 노력 없이 수행할 수 있는 과제를 선택하는 것과 관련이 있다.

(6) **자기가치이론**(self-worth theory): 자아존중감(자존감) 이론
   ① 모든 사람은 자기가치를 보호하려는 욕구를 가지고 태어났다고 본다.
   ② 자기가치는 자기 자신에 대한 정서나 감정적 반응, 혹은 자기 자신에 대한 평가를 말한다.
   ③ 코빙톤(Covington)은 학생들이 가끔 그들의 자기가치를 보호하기 위해서 자기장애(self-handicapping) 전략이나 행동 패턴을 보이는 것을 발견하였다.
   ④ 자기장애 전략(self-handicapping strategy)은 학습자가 과제 수행에 방해가 되는 요소를 미리 설정하여 과제를 성공할 경우 자신의 가치(능력)를 증가시키고, 실패할 경우 무능함이 드러나는 것을 피할 수 있고 자신이 유능하다는 이미지를 보호할 수 있는 자기 방어 전략을 말한다.

   ▶ 자기장애 전략의 예: 의도적으로 결석하기, 수업 중 교사의 질문에 자발적으로 대답하지 않기, 부정행위 하기 등도 해당함.

미루기	"더 할 수 있는데, 난 밤에만 공부가 잘 돼."
변명하기	선생님이 못 가르쳤거나 시험이 어려웠다고 말하기
걱정하기	"내용은 이해했는데 너무 긴장해서 시험을 못 봤어."
인상관리하기	실제로는 노력했지만 다른 사람들에게는 노력하지 않은 것처럼 보이기
노력하지 않았다는 것 강조하기	시험공부를 열심히 하지 않았다는 것을 강조하기
비현실적으로 목표설정하기	포부수준을 비합리적으로 높게 설정함으로써 실패의 원인을 과제의 어려움으로 돌릴 수 있기 때문이다.

5. **동기유발방법**: 켈러(Keller)의 동기유발전략(ARCS 모델) 24·21·18. 국가직, 12. 경기
   (1) 학습동기, 학업수행 및 수업영향에 관한 모델

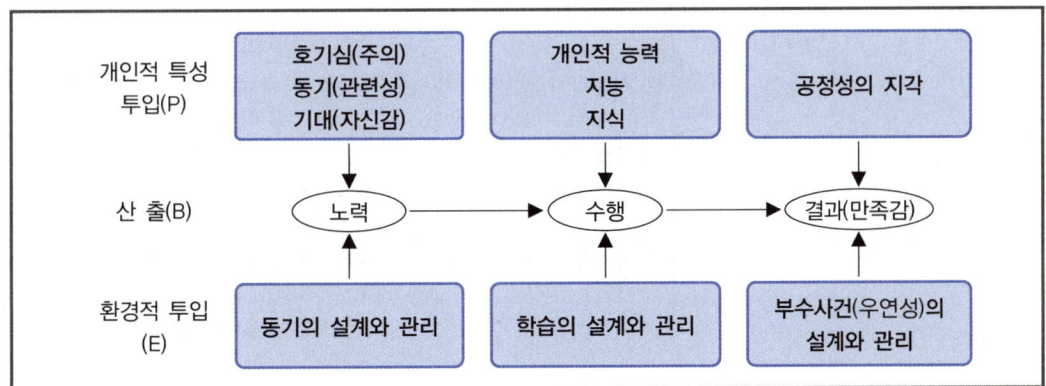

(2) 동기유발 요소 및 동기유발 전략

동기유발 요소	의미	하위전략	구체적 적용 방법 예시
주의집중 (Attention)	호기심과 관심을 유발·유지시킨다.	① 지각적 주의 환기 전략 (Perceptual Arousal)	• 시청각 효과의 사용 • 비일상적인 내용이나 사건의 제시 • 주의 분산의 자극 지양
		② 탐구적 주의 환기 전략 (Inquiry Arousal)	• 능동적 반응 유도 • 문제해결 활동의 구상 장려 • 신비감의 제공
		③ 다양성의 전략(Variability)	• 간결하고 다양한 교수형태 사용 • 일방적 교수와 상호작용적 교수의 혼합 • 교수자료의 변화 추구 • 목표 - 내용 - 방법이 기능적으로 통합
관련성 (Relevance)	교수를 주요한 필요와 가치에 관련시킨다.	① 친밀성 전략(Familarity)	• 친밀한 인물 혹은 사건 활용 • 구체적이고 친숙한 그림 활용 • 친밀한 예문 및 배경지식 활용
		② 목적 지향성의 전략 (Goal Orientation)	• 실용성에 중점을 둔 목표 제시 • 목적 지향적인 학습 형태 활용 • 목적의 선택 가능성 부여
		③ 필요나 동기와의 부합 전략 (Motive Matching)	• 다양한 수준의 목적 제시 • 학업성취 여부의 기록체제 활용 • 비경쟁적 학습상황의 선택 가능 • 협동적 상호 학습 상황 제시
자신감 (Confidence)	성공에 대한 자신감과 긍정적 기대를 갖도록 한다.	① 학습의 필요조건 제시 전략 (Learning Require ment, 성공기대)	• 수업의 목표와 구조의 제시 • 평가 기준 및 피드백의 제시 • 선수학습 능력의 판단 • 시험의 조건 확인
		② 성공의 기회 제시 전략 (Success Opportunities, 성공체험)	• 쉬운 것에서 어려운 것으로 과제 제시 • 적정 수준의 난이도 유지 • 다양한 수준의 시작점 제시 • 무작위의 다양한 사건 제시 • 다양한 수준의 난이도 제공
		③ 개인적 조절감 증대 전략 (Personal Responsibility, 자기책임)	• 학습의 끝을 조절할 수 있는 기회 제시 • 학습속도의 조절 가능 • 원하는 부분에의 재빠른 회귀 가능 • 선택 가능하고 다양한 과제의 난이도 제공 • 노력이나 능력에 성공 귀착

만족감 (Satisfaction)	강화를 관리하고 자기통제가 가능하도록 한다.	① 자연적 결과 강조 전략 (Intrinsic Reinforcement, 내재적 보상감)	• 연습문제를 통한 적용 기회 제공 • 후속 학습 상황을 통한 적용 기회 제공 • 모의 상황을 통한 적용 기회 제공
		② 긍정적 결과 강조 전략 (Extrinsic Rewards, 외재적 보상감)	• 적절한 강화 계획의 활용 • 의미 있는 강화의 강조 • 정답을 위한 보상 강조 • 외적 보상의 사려 깊은 사용 • 선택적 보상체제 활용
		③ 공정성 강조 전략(Equity)	• 수업목표와 내용의 일관성 유지 • 연습과 시험내용의 일치

2 성취동기(achievement motivation)

1. 개념

(1) 도전적이고 어려운 과제를 성공적으로 수행하려는 욕구

(2) 학업성취에 대한 의욕

(3) **머레이**(Murray): 용어 최초 사용 ⇨ 주제통각검사(TAT)를 통한 성취동기 측정

(4) **앳킨슨**(Atkinson): 성취경향 강도 공식화

> 성취경향 강도 = 성공추구동기 × 성공기대치 × 유인가

① 과거 경험의 중요성: 성공기대치와 유인가의 값은 현재 당면하고 있는 상황과 유사한 상황에서 개인이 과거에 겪은 경험 내용에 의해 결정된다.

② 성취동기를 성공추구동기(Ms)와 실패회피동기(Maf)로 구분하여 설명

㉠ 성공추구동기(Ms) > 실패회피동기(Maf)인 학생: 현실적으로 성공 가능성이 높은 난이도가 중간 정도인 과목을 선택, 과제 실패 시 동기가 증가

㉡ 성공추구동기(Ms) < 실패회피동기(Maf)인 학생: 실패했을 시 변명(예 "그 과목은 원래 학점 받기가 어렵다.")으로 정당화할 수 있는 가장 어려운 과목을 선택, 과제 성공 시 동기가 증가

구분	Maf > Ms	Maf < Ms
성공	동기 증가↑	동기 감소↓
실패	동기 감소↓	동기 증가↑

2. 성취인의 행동특성(McClelland)

(1) 업무 지향성(task-oriented)

(2) 적절한 모험심(adventuresome)

(3) 성취 가능성에 대한 자신감(self-confidence)

(4) 정신적·혁신적인 활동성(energetic-revolutional activity)

(5) 실천적인 자기책임감(responsibility)

(6) 결과를 알고 싶어 하는 성향(knowledge of the result)

(7) 미래 지향적 성향(future-orientation)

3. 성취동기 수준과 학습자 유형

실패수용 학습자	• 교사와 부모가 상당히 관심을 기울여야 함. • 이들의 수준에 적합한 과제를 제시함으로써 성공의 기회를 줌. • 자신감을 가질 수 있도록 유도
실패회피 학습자	• 교사의 인정이 아닌 학습 그 자체를 즐기도록 유도 • 새로운 과제에 스스로 도전했을 때 더 많은 칭찬 • 현재보다 더 도전감 있는 과제를 수행했을 때 아낌없이 칭찬함.
성공추구 학습자	문제 없음, 놔두면 됨.

4. 학습동기

구분	학습동기를 증가시키는 특성들	학습동기를 감소시키는 특성들
동기의 근원	내재적 동기: 욕구, 흥미, 호기심, 즐김과 같은 개인 내적 요인들	외재적 동기: 칭찬, 보상, 사회적 압력, 처벌과 같은 환경적 요인들
목표 유형	학습목표(숙련목표, learning goals): 숙달 지향적(mastery focused) 또는 과업 지향적(task focused)으로 과제를 숙달하고 더 깊이 이해하려는 데 목적을 두고 과제에 관심을 둔다. ⇨ 적당히 어렵고 도전할 만한 목표 지향	수행목표(과시목표, performance goals): 남보다 잘 함으로써 능력을 과시(ability focused)하고 타인의 인정이나 승인을 받는 데 목적을 두며 과제보다 자기에게(ego-oriented) 관심을 더 둔다. ⇨ 아주 쉽거나 어려운 목표를 선택하려는 경향
참여 유형	과제개입형: 과제를 숙달시키는 데 관심을 갖는다.	자아개입형: 타인의 눈에 자신이 어떻게 비칠지에 관심을 갖는다.
성취동기	성공추구동기 지향	실패회피동기 지향
귀인 차원	성공과 실패는 통제 가능한 노력과 능력(증가적 견해)으로 귀인	성공과 실패는 통제 불가능한 변인으로 귀인
능력에 대한 신념	증가적 견해(향상모형, incremental view): 능력은 영역 특수적이고 변화될 수 있는 특성이라는 견해 (내적 - 불안정적 - 통제 가능한 요인) ⇨ 노력과 지식이나 기술의 축적을 통해 능력이 향상될 수 있다는 신념	고정적 견해(능력모형, entity view of ability): 능력은 변화될 수 없는 고정적 특성이라는 견해 ⇨ 능력이 고정적·안정적이어서 통제 가능하지 않은 특성이라는 신념

③ 자아개념(self concept) 10. 대전

1. **개념**: 나를 비춰 보는 거울
   (1) 자기 자신에 대한 생각과 감정, 태도의 복합물
   (2) 자신에 대한 지각의 총체(總體)

2. **종류**
   (1) **긍정적 자아개념**: 자기 자신을 가치 있고 유능하다고 생각하며 자신을 신뢰하는 경향
      예 나는 참 좋은 사람이야. 나는 잘할 수 있어.
   (2) **부정적 자아개념**: 자기 자신을 가치 없고 무능하다고 생각하며 자신을 불신하는 경향
      예 나는 쓸모없는 사람이야.

3. **구성요소**
   (1) **자신감**(self-confidence): 어떤 과제를 할 수 있는 자기 능력에 대한 신념 ⇨ 매슬로우(Maslow)의 자아이론에 토대
   (2) **자아존중감**(self-esteem): 개인이 자기 자신에 대하여 내리는 평가 ⇨ 로저스(Rogers)의 자아이론에 토대

4. **자아개념의 구조**: 샤벨슨(Schavelson, 1976)

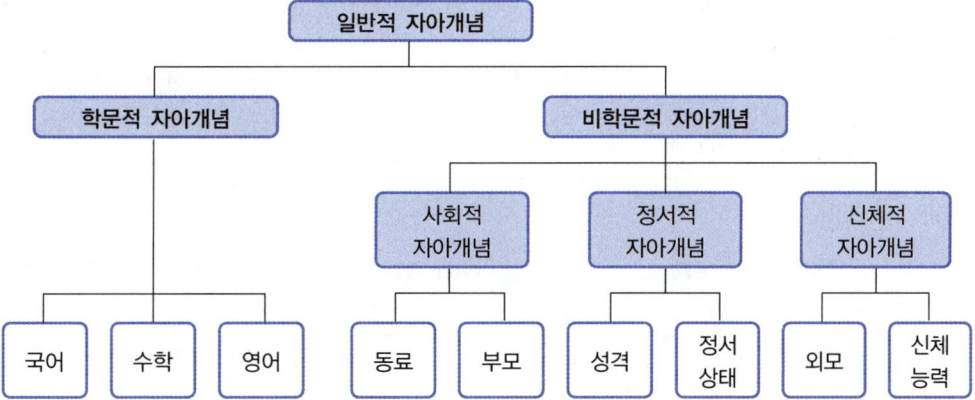

4 자아정체감(self-identity)

1. 개념

(1) **자기의 고유성을 깨닫고 유지해 가려는 노력**: '나는 누구인가?'에 대한 해답

(2) **에릭슨(Erikson)의 정의**
  ① '~로서의 나' 사이의 통합의식(통합성): 사회적 존재인 개인이 다양한 사회집단에서 차지하고 있는 지위에 따른 역할들 간에 통합된 의식을 가지는 것이다.
  ② 과거, 현재, 미래의 나 사이의 연속의식(연속성): 과거 - 현재 - 미래의 연결선상에서 자신의 행동에 대해 신뢰감과 안정감을 가지는 것이며 일관성을 느끼는 것이다.
  ③ 주체적 자아와 객체적 자아 사이의 조화의식(조화성): 주체적 자아가 지나치게 발달하면 자아도취적인 태도를 지니게 되고, 객체적 자아가 지나치게 발달하면 다른 사람들의 눈만을 의식한 나머지 자아를 상실한 모습을 보이게 된다. 이 두 자아가 조화를 이룰 때 진정한 '너와 나'의 관계가 정립될 수 있다.
  ④ '나는 나다'라는 실존의식(독립성): '나'라는 존재는 생물학적으로는 부모로부터 생겨난 존재이지만, 실존적 의미로는 '누구로부터의 존재가 아닌 오직 나'인 존재이다. 이러한 실존의식은 절대적 자유, 자기 선택, 자기 책임과 관련된다.

2. 자아정체감의 유형 및 형성 과정: 마르샤(J. Marcia)

(1) 마르샤(J. Marcia)가 제시한 정체성 지위(identity status)는 개인의 정체감 형성 과정뿐 아니라 정체감 형성수준의 개인차를 함께 진단하고자 하는 개념이다. 과업에 대한 전념(commitment), 정체성 위기(crisis)의 경험 여부라는 두 가지 기준에 따라 정체감 혼미, 정체감 유실, 정체감 유예, 정체감 형성 등 네 가지로 분류하였다.

(2) 여기서 위기(crisis)란 직업선택이나 가치관 등의 문제로 고민과 갈등을 느끼면서 의문과 방황을 하고 있는 경우로, 현재 상태와 역할에 관해 의문을 제기하고 대안적 가능성(직업이나 신념 등)을 탐색하는 과정을 의미하며, 참여(수행, 관여, commitment)란 직업선택이나 가치 및 이념 등에 방향이나 우선권을 확실하게 설정한 후, 그것을 성취하기 위한 적절한 수단이 되는 활동에 능동적으로 참여하고 있는 경우를 말한다.

자아정체감의 유형	위기 경험	위기 참여(몰입/과업에 대한 전념)
정체감 혼미(혼돈, 확산)	없다.	없다.
정체감 폐쇄(유실, 상실, 조기완료)	없다.	있다(남의 정체감).
정체감 유예(모라토리움)	있다.	없다.
정체감 성취(확립, 형성)	있다.	있다.

 '정체감 유예'와 '정체감 성취'는 건강한 자아정체감의 상태에 해당한다. 반면, 에릭슨(E. Erikson)은 '정체감 유예'를 부정적 의미로 해석하였다.

(1) **자아정체감 혼미**(identity diffusion, 자아정체감 확산): 자아정체감을 찾지 못하고 찾으려고도 하지 않는 상태
   ① 삶의 방향에 대해 무관심하고 뚜렷한 목표도 없으며, 충동적이고 동요도 심하다.
   ② 청소년기 초기 또는 대부분의 비행청소년의 정서 상태에 해당한다. ⇨ 아직 그들은 '아무것도 아니기 때문에 무슨 짓'이든 할 수 있다.
   ③ 이 상태가 지속되면 부정적 정체성에 빠질 위험이 있다.

   > **부정적 정체성**(negative identity)
   > 1. 바람직하지 못한 사회적 모델에 근거하여 형성된 정체성을 말한다.
   > 2. 가족이나 지역사회가 바람직하다고 생각하는 역할에 대한 적대감이나 경멸로 표출되기도 하는데, 부모가 학교공부가 중요하다고 계속 잔소리를 할 경우 아예 학교를 그만두는 경우가 그런 예이다.

(2) **자아정체감 폐쇄**(identity foreclosure, 자아정체감 유실, 조기완료): 남(부모)의 정체감을 빌려 쓰면서 자신의 정체감을 형성할 가능성을 폐쇄하고 있는 유형 21. 국가직
   ① 자기의 정체에 대해 심각하게 고민해 본 적이 없고, 고민하려고 하지도 않는다. 성인들이 요구하는 인간상을 너무 일찍 전면적으로 수용해 버렸기 때문이다. 예 피터팬 증후군
   ② 목표의식이 뚜렷하고 안정되어 있지만, 그 목표는 자기가 심사숙고하여 설정한 것이 아니기 때문에 융통성이 없다. 따라서 목표 달성이 좌절될 경우 자기 존재 자체를 송두리째 무가치한 것으로 여길 수 있다. '자살'은 이런 좌절의 극단적 표현이다.
   ③ 대부분의 모범생들의 경우에 해당한다.

(3) **자아정체감 유예**(identity moratorium, 모라토리움) 24. 국가직: 아직 뚜렷한 자아정체감을 성취하지 못했지만 자아정체감 혼미와는 달리 자아정체감을 찾기 위해 끊임없이 노력하고 있다.
   ① 자기를 찾기 위한 내적인 투쟁을 벌이고 있다. ⇨ 대안적 가능성을 끊임없이 실험
   ② 아직 자아정체감이 형성되어 있지 않아서 불안하고 긴장되어 있기는 하지만, 진지하게 삶을 바라본다.

(4) **자아정체감 성취**(identity achievement, 자아정체감 확립): 대안적인 가능성을 탐색한 후 자아정체감을 성공적으로 성취해 낸 경우 ⇨ 삶의 방향을 설정하고 의욕적이고 자신감에 넘쳐 있다.
   ⇨ 모라토리움을 극복한 상태

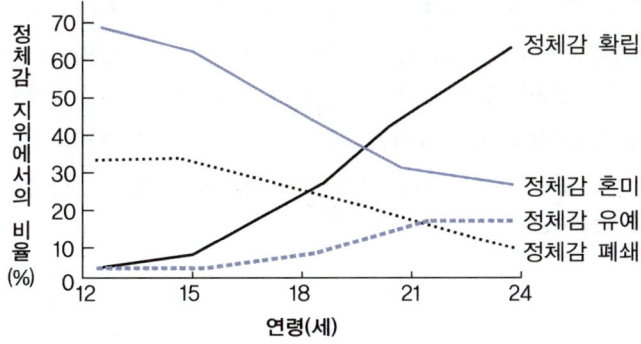

▲ 연령에 따른 자아정체감의 성취상태 [P. Meilman]

5 불안(anxiety)

1. 개념

(1) 편안하지 않으며, 불길한 예감이 들고, 긴장을 느끼게 되는 상태

(2) 내적·외적으로 감당하기 힘든 자극에 의해 마음속에서 일어나는 초조, 긴장, 두려움, 걱정 등으로 특징지어지는 정서 반응의 하나

(3) 위협의 대상이 모호한 것으로 구체적인 위협에 대한 반응인 공포(fear)와 구분된다.

2. 유형

(1) **특성불안과 상태불안**
  ① 특성불안(trait anxiety): 일반불안(general anxiety), 성격불안
    ㉠ 개인에게 내재되어 있는 불안
    ㉡ 보다 넓은 범위에서 강하게 불안을 느끼며, 불안을 느끼는 상황에서 손에 땀이 배며, 심장박동이 빨라지거나, 불길한 예감을 갖는 등의 신체적·정서적 특징을 보인다.
  ② 상태불안(state anxiety): 특수불안(specific anxiety), 상황불안 ⇨ 특수상황에서 느끼는 불안
    예 시험불안, 대인불안, 고소(高所)불안

(2) **현실적 불안과 신경증적 불안, 도덕적 불안**(Freud)
  ① 현실적 불안(객관적 불안, objective anxiety): 자아(Ego)가 외부에 존재하는 위험을 인지했을 때 느끼는 불안, 현실적이고 외적인 위험에 대한 반응으로 나타나는 불안
    예 사나운 개, 어두운 골목길
  ② 신경증적 불안(neurotic anxiety): 본능(id)으로부터 오는 위험을 자아(ego)가 인지했을 때 느끼는 불안
    예 낯선 남자에게서 성적 충동을 경험하는 여자, 사람들이 보는 자리에서 원초적인 욕구를 노출할지도 모른다고 걱정하는 남자
  ③ 도덕적 불안(moral anxiety): 자아(ego)와 초자아(super-ego)의 갈등에서 비롯되는 불안
    예 높은 표준에 맞추어 살지 못하는 데에서 비롯되는 죄책감, 수치심으로 고통을 겪고 있는 남자

(3) **촉진적 불안과 방해적 불안**(Alpert & Haber, 1960): 불안이 반드시 해로운 것은 아니다. 적응적 행동으로 나타나기도 하고 부적응 행동을 유발하기도 한다.
  ① 촉진적 불안(facilitating anxiety): 적응적 기능을 하는 불안
    예 높은 수준의 불안이 쉽고 자동화된 과제의 수행을 향상시키는 것 ⇨ 학습동기 및 학업성취도 증가
  ② 방해적 불안(debilitating anxiety): 부적응 기능을 하는 불안
    예 높은 수준의 불안이 어려운 과제의 수행을 방해하는 것 ⇨ 지나친 긴장 유발, 부정적 사고 및 자신감 감소, 회피적 행동의 증가

3. 시험불안

(1) **개념**: 시험이라는 특수한 상황에서 발생하는 상태불안

(2) **시험불안과 학업성취의 관계**: 역U자형의 형태로 나타남. ⇨ 너무 낮거나 너무 높은 것보다는 적정수준으로 유지될 때 가장 효과적인 학업성취를 할 수 있다.

> **더 알아보기**
>
> **예크스 – 도슨 법칙**(Yekes-Dodson law): 시험불안과 학업성취도와의 관계
> 1. 과제수행이 불안수준과 과제곤란도의 상호작용에 의해 결정된다는 법칙이다.
> 2. 대부분의 과제에서는 불안수준이 중간 수준일 때 과제수행이 높다.
> 3. 어려운 과제에서는 불안수준이 낮을 때 과제수행이 높고, 쉬운 과제에서는 불안수준이 높을 때 과제수행이 높다. 그러므로 어려운 시험의 경우 불안수준이 높은 학생이 불안이 낮은 학생보다 성적이 낮다.

(3) **시험불안이 높은 학생을 위한 조력 방안**

① 시험을 치르는 요령을 가르친다.
   > 예. 적당하게 시간 분배하기, 한 문제에 너무 많은 시간 끌지 않기, 시험시간 동안 부정적인 생각 갖지 말고 시험문제에 집중하기

② 시험문항을 쉬운 것에서 어려운 것으로 배열한다.

③ 특성불안이 높은 학생에게는 시험문항에 대해 강평할 기회를 제공한다.

④ 시험 때 기억보조자료를 제공한다.
   > 예. 책을 펴 놓고 시험치르기(open book test)

제6절 학습이론

학습이론의 비교 21. 지방직

구분	행동주의 학습이론 14. 국가직	인지주의 학습이론	인본주의 학습이론
인간관	자극(환경)에 반응하는 수동적 존재	인지구조를 재구성하는 능동적 존재	전인적 존재
학습목표	인간행동의 계획적 변화	사고 과정의 비연속적 변화(통찰)	전인적 발달, 자아실현
학습관	자극과 반응의 연합을 통한 관찰 가능한 행동의 변화 cf. 발달: 점진적·누가적인 행동 변화의 결과	인지구조(인지지도, 장)의 변화(구조화, 재체계화) cf. 발달: 불연속적·비약적 과정	지(知)·정(情)·의(意)가 결합된 유의미한 실존적·인간적 경험
학습원리	학습목표의 구체적 설정, 출발점 행동 진단, 외적 동기 유발, 반복적 학습, 적절한 강화, 프로그램 학습, 동일요소설	내적 동기 유발, 학습자 수준에 맞게 지식의 구조 제시, 발견학습, 형태이조설	인간성과 자아실현, 교육의 적합성, 정의적 측면 중시(잠재적 교육과정)

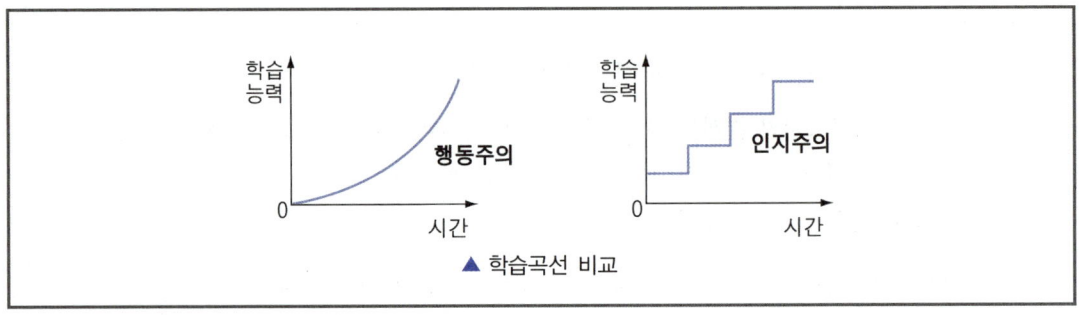

▲ 학습곡선 비교

1 행동주의 학습이론 23·19. 지방직

1. **인간은 동물의 연장**: 인간과 동물의 존재론적 연결(양적인 차이만 있을 뿐 질적인 차이는 없다.)
   ⇨ 동물심리학, 실험심리학
2. **인간은 수동적 학습자**: 환경에 반응하는 수동적 존재 ⇨ 탄생 시는 백지상태(경험론)
3. **기계론적 세계관**: 전체(B)는 부분(S)과 부분(R)의 합이다. ⇨ 요소주의(부분주의), 기계주의, 환원론, 미시이론, 원자론, 감환론(reductionism)
4. **학습은 인간의 외적 행동의 변화**: 학습 = 조건화, 결합, 연합, 시행착오
5. **학습원리**
   ① 학습의 결과는 행동의 변화이다.
   ② 연구 대상은 관찰 가능한 사건이나 현상(예 인간행동의 외현적 행동)에 한정되어야 한다.
   ③ 인간행동은 환경의 통제에 의해서 예측과 통제가 가능하다.
   ④ 학습은 환경적 자극(S)에 대한 유기체의 반응(R)에 의해 일어난다.

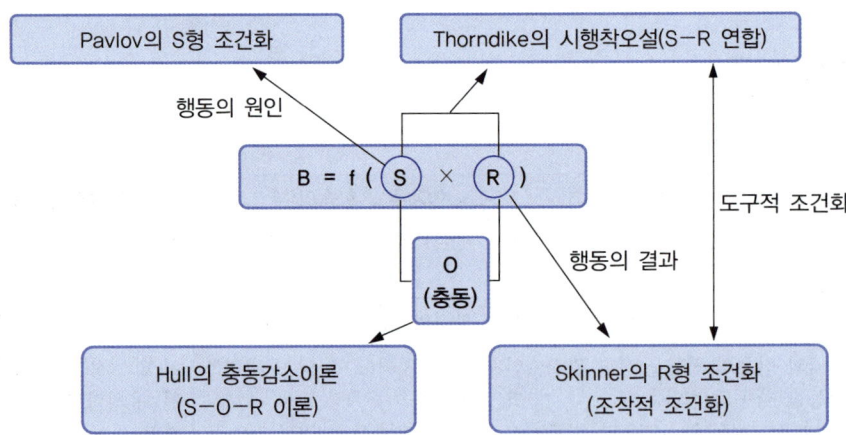

▲ 행동주의 학습이론의 비교

1. **파블로프(Pavlov)의 고전적 조건화설(classical conditioning theory)** 10. 울산

    (1) **개요**: 조건반사설(conditioned reflexes theory)

    ① 무조건반사(선천적으로 타고난 반응): 다양한 자극들 중에서 주로 특정 유기체에 일정한 자극(UCS)을 가하면 어떤 동일한 반응(UCR)이 틀림없이 일어난다.

    예 개나 사람에게 음식물을 보이거나 식초를 혀에 바르면 타액(唾液)이 분비된다. ⇨ 학습 ×

    ▲ Pavlov

    ② 조건자극(CS)을 무조건자극(UCS)과 결합시켜 어떤 유기체에게 제공함으로써 조건자극에 특정한 조건반응(CR)을 일으키게 하는 과정(반사)을 말한다.

    예 고기(UCS)를 주지 않아도 종소리(CS)를 들으면 개는 침을 흘린다(CR). ⇨ 학습 ○

    > **더 알아보기**
    >
    > **용어 설명**
    >
    > 1. **조건화**(conditioning, 조건 형성): '학습'(= 연합)과 같은 의미 ⇨ 조건자극에 의해 조건반응이 나타나는 현상
    > 2. **무조건자극**(UCS, un-conditioned stimulus): 1차적(선천적) 자극
    >   ① 특정 유기체에게 동일한 반응을 선천적으로 유발시키는 자극
    >   예 (굶주린 개를 침 흘리게 하는) 고기
    >   ② 유기체가 자동적으로 정서적·생리적 반응을 일으키게 하는 자극 ⇨ 행동 촉발의 근원
    > 3. **무조건반응**(UCR, un-conditioned response): 1차적 반응, 무조건자극이 제시되었을 때 유기체가 나타내는 반응
    >   예 (굶주린 개에게 고기가 주어졌을 때) 개는 침을 흘린다(타액 분비).
    > 4. **조건자극**(CS, conditioned stimulus): 2차적(학습된) 자극, 조건 형성 후 유기체의 정서적·생리적 반응을 일으키는 자극
    >   예 (조건 형성 이후의, 즉 굶주린 개에게 고기가 제시되지 않아도 침 흘리게 하는) 종소리
    > 5. **조건반응**(CR, conditioned response): 2차적 반응, 조건자극이 제공되었을 때 나오는 유기체의 학습된 반응
    >   예 (고기를 주지 않고 종소리만을 들려주었을 때) 개는 침을 흘린다.
    > 6. **중립자극**(NS, neutral stimulus): 유기체의 생리적·자연발생적인 반응을 일으키지 못하는 자극
    >   예 (조건 형성 이전의) 종소리
    > 7. **반사**(反射): 신경계통의 작용으로 특정한 자극이 직접 특정한 반응을 자동적으로 유발하는 것

    (2) **유사 개념**: 수동적 조건화설, S형 조건화설, 자극대치이론, 감응학습 08. 국가직 7급

    ① 수동적 조건화설: 유기체는 환경(외부)자극에 의해 수동적으로 반응하는 존재이다.

    ② S형 조건화설(Type S conditioning): 환경(자극)을 적절히 조작함으로써 원하는 학습을 성취할 수 있다. ⇨ 행동을 유발하는 것은 자극이다.

    ③ 자극대치이론(stimulus substitution theory): 중립자극(NS)이었던 종소리를 무조건자극(UCS, 예 고기)의 위치로 대치함으로써 반응을 유발한다.

    ④ 감응학습(感應學習, respondent learning): 자율신경의 지배 아래 일어나는 타액분비 반응, 위경련 반응 등과 같은 반응의 학습

(3) **관련 연구**: 파블로프의 개의 타액분비 실험 ⇨ 고요의 탑(Tower of silence) 실험

(굶주린) 개에게 먹이를 주면서 종소리를 들려주는 연습을 되풀이해 보니 나중에 종소리만 들어도 침을 흘리게 되었다.

> 파블로프(Pavlov)는 개의 소화기관에 대한 연구를 하고 있었고, 그의 실험에는 타액(침)분비를 측정하기 위하여 개에게 고기를 주는 일이 포함되어 있었다. 그는 얼마 후에 개들이 고기를 보거나 냄새를 맡기 전에 침을 흘린다는 사실을 관찰했다. 실험실 조교의 발소리만 들어도 침을 흘리는 반응을 보이기도 했다. 이런 행동은 실험실에 있었던 개들에게만 일어났다.

(4) **조건형성 과정**

Before Conditioning

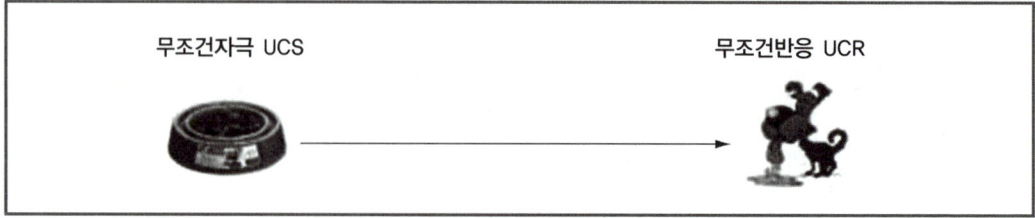

During Conditioning

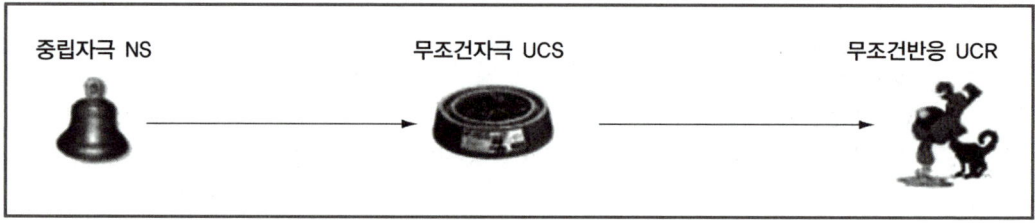

After Conditioning

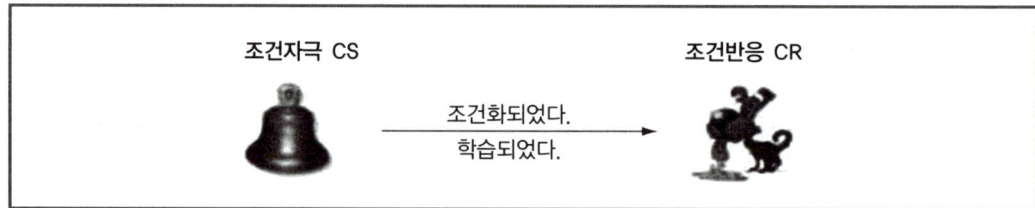

① 조건형성(학습) 이전 단계(Before Conditioning)
　㉠ (굶주린) 개는 종을 아무리 울려도 침을 흘리지 않는다. 단, 음식(고기)이 주어지면 침을 흘린다.
　㉡ 무조건자극(UCS, 음식) ⇨ 무조건반응(UCR, 타액분비)
　㉢ 중립자극(NS, 30초간 종소리) ⇨ 반응이 일어나지 않음. 종소리가 나는 쪽으로 방향을 돌리는 정향반사(orienting reflex)만 나타남.

② 조건형성 단계(During Conditioning)
　㉠ 먼저 종소리를 들려주고 음식을 제공하여 개가 침을 흘리도록 반복 연습한다.
　㉡ 중립자극(NS or CS, 30초간 종소리)+무조건자극(UCS, 음식) ⇨ 무조건반응(UCR, 타액분비)
　㉢ 개의 반응을 반드시 학습된 것이라고 할 수는 없다.
　㉣ 중립(조건)자극과 무조건자극을 결부시켜 자극을 주는 것을 강화(reinforce)라고 한다.

③ 조건형성(학습) 이후 단계(After Conditioning)
　㉠ 개는 종소리만 들려도(음식이 주어지지 않았는데도) 침을 흘린다. ⇨ 정신(精神)반사(psychic reflex)라고도 한다.
　　ⓐ 종소리만으로 타액분비를 일으키는 것, 즉 음식물과 관련된 어떤 경험을 한 후 음식물이 제시되지 않아도 타액이 분비되는 것을 말한다.
　　ⓑ 이는 종소리와 음식물이 짝지어지는 동안에 뇌 속에 두 자극 사이를 연합하는 간단한 신경연결(neural connection)이 형성되었기 때문에 나타나는 것이다.
　㉡ 조건자극(CS, 30초간 종소리) ⇨ 조건반응(CR, 타액분비)

(5) 조건형성 과정에서 나타나는 현상

① 자극일반화(stimulus generalization)
　㉠ 조건자극과 유사한 자극에 대해 동일한 반응이 계속 일어나는 현상 ⇨ 자극의 유사성에 대한 반응
　　예 개에게 '멍멍' 하도록 배운 어린이는 양을 보고도 '멍멍' 한다. "자라 보고 놀란 가슴 솥뚜껑 보고 놀란다." "더위 먹은 소가 달만 봐도 헐떡거린다."
　㉡ 유기체가 환경에 적응을 하는 데 도움을 주는 요소 : 자연상태에서 유기체는 완전히 동일한 자극을 거의 경험하지 못한다. 그럼에도 불구하고 유기체가 동일한 반응을 하게 함으로써 환경에의 적응을 도와준다.
　　예 친구의 얼굴은 매순간 다르지만 우리는 친구에 대해 같은 반응을 한다.

② 자극 변별(식별, stimulus discrimination) : 자극의 차이점에 대한 반응
　㉠ 원래의 조건자극에만 조건반응을 나타내고, 다른 자극에는 조건반응을 나타내지 않는 현상 **예** 아빠와 비슷한 외모를 지닌 삼촌을 구별한다. "호박에 줄 긋는다고 수박이 되는 것은 아니다."
　㉡ 변별 훈련을 시키려면 CS와 UCS를 짝지어 제시하되, CS와 비슷한 자극에는 UCS를 제시하지 않으면 된다.
　㉢ 미세한 자극 차이에 대해 자극 변별이 실패했을 때 실험신경증(experimental neurosis)이 나타난다.

③ 소거(소멸, extinction)
  ⊙ 조건반응이 점차 약화(감소)되는 현상
    예, 개가 종소리에 대해 타액을 분비하지 않는 원래 상태로 되돌아가려는 현상
  ⓒ 획득한 조건반응에 강화(음식)가 주어지지 않으면, 즉 무조건자극 없이 조건자극만 반복해서 제시되면 조건반응이 사라져 버리는 현상 ⇨ 내부 억제의 법칙
④ 자발적 회복(spontaneous recovery) : 조건반응이 소거된 후 일정한 휴식을 취한 다음 조건자극(CS)이 다시 제시되면 조건반응이 다시 회복되는 현상

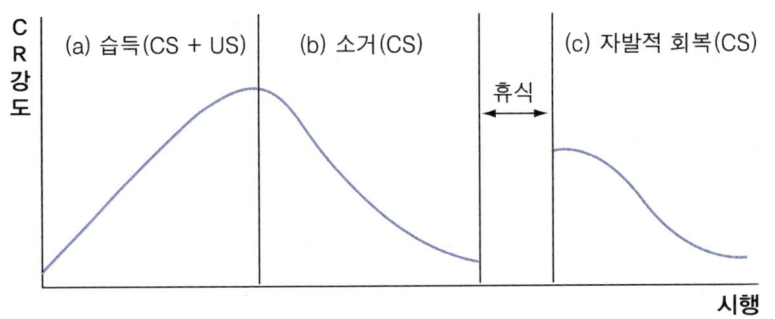

⑤ 재조건형성 : 조건자극과 무조건자극을 계속 짝지어 제시하면 조건반응은 곧 원래의 강도로 되돌아온다. 이때 재조건형성은 처음 조건형성 때보다 빨리 이루어진다.
⑥ 2차적(고차적) 조건형성(higher-order conditioning)
  ⊙ 조건화 형성 후 조건자극을 무조건자극으로, 조건반응을 무조건반응으로 하여 또 다른 조건반응을 형성할 수 있는 현상
  ⓒ 첫 번째 조건자극(CS_1)과 연합된 제2의 중립자극이 조건자극(CS_2)이 되어 조건반응을 유발하게 되는 현상 예, 북소리+(종소리, UCS) ⇨ 타액분비

(6) **고전적 조건형성의 원리**(학습의 원리)
① 시간의 원리 : 조건자극(CS)이 무조건자극(UCS)과 시간적으로 조금 앞서서(먼저 예, 0.5초) 또는 동시에 제시되어야 한다.
  ⇨ ⊙-ⓒ-ⓒ의 순으로 조건화가 잘 이루어지고, ⓔ은 조건화가 이루어지지 않는다.

⊙ 지연조건화 (delayed conditioning)	조건자극(CS)이 무조건자극(UCS)보다 먼저(약 0.5초) 제시되고, 조건자극이 제시되는 동안 무조건자극이 계속 주어진다.
ⓒ 동시조건화 (simultaneous conditioning)	조건자극과 무조건자극이 동시에 제시되고, 무조건자극이 주어지는 동안 조건자극이 계속 제시된다.
ⓒ 흔적조건화 (trace conditioning)	조건자극을 먼저 제시한다. 조건자극이 종료되고 나서 일정 시간이 지난 후에 무조건자극을 제시한다. ⇨ 조건자극의 흔적 때문에 조건화가 일어나는 경우
ⓔ 역행조건화 (backward conditioning)	무조건자극을 먼저 제시하고 조건자극을 나중에 제시한다.

조건형성의 유형과 방법

조건형성의 유형	조건형성 방법	조건화 강도(순서)
지연조건화	CS ●──────────────── UCS　●┄┄┄┄┄┄┄┄┄┄┄ 　　　(+0.5초)	1
동시조건화	CS ●──────────── UCS ●┄┄┄┄┄┄┄┄┄┄	2
흔적조건화	CS ●┈┈┈┈ (Stop) UCS　　　　　●┄┄┄┄ 　　　　　　(+0.5초)	3
역행조건화	CS　　　●──────── 　　(+0.5초) UCS ●┄┄┄┄	4(조건화 ×)

② **강도의 원리**: 먼저 준 무조건자극의 강도에 비해 후속 자극이 적어도 같거나 강해야만 한다.
　　예 개가 더욱 좋아하는 먹이를 무조건자극으로 사용하면 조건화가 훨씬 쉽게 이루어진다.
③ **일관성의 원리**: 조건반응이 일어날 때까지 질적으로 같은 조건자극을 제시해야 한다.
　　예 종소리의 음색, 음량, 음의 깊이 등이 일관성 있게 제시되어야 조건화가 잘 일어난다.
④ **계속성의 원리**: 자극과 반응의 결합횟수가 많을수록 조건화가 잘된다.
　　≒ 연습의 법칙(Thorndike), 빈도의 법칙(Sandiford)

(7) **고전적 조건화 이론의 교육적 적용**
　① 정서적 반응(혐오감, 불안, 공포감 등)의 학습　22. 국가직
　　㉠ 왓슨(Watson)의 고전적 조건형성이론
　　　ⓐ 파블로프의 고전적 조건형성이론을 심리학 분야에 최초로 도입: 모든 행동은 자극과 반응의 결합
　　　ⓑ 정서의 조건형성에 관한 실험: 11개월 된 알버트(Albert)를 대상으로 공포 조건형성 실험

> 흰쥐에 대한 공포가 없는 11개월 된 알버트에게 흰쥐를 제시하고, 알버트가 흰쥐에게 접근할 때마다 쇠망치를 두들겨 큰 소리를 내어 놀라게 하였다. 이런 실험을 계속하자 알버트는 흰쥐를 보면 공포 반응을 보이며 도망가게 되었다. 그 후 알버트는 점차 흰쥐뿐만 아니라 흰 토끼, 흰 수염을 가진 산타 할아버지조차 무서워하게 되었다.

　　　ⓒ **파블로프 이론의 수정**: 고전적 조건화가 일어나는 것은 무조건자극이 조건자극을 강화하기 때문이 아니라, 조건자극과 무조건자극이 서로 밀접하게 연속하여 따라오기 때문이다.

ⓒ 기타 정서적 반응 학습의 예
  ⓐ 초등학교 입학 첫날 담임교사가 '웃어 주거나 껴안아 주는 것(UCS)'은 어린이들에게 '교실(분위기, NS ⇨ CS)'에 대한 '즐거운 감정(CR)'을 이끌어낸다.
  ⓑ 키가 작고 삐쩍 마른 A는 '힘세고 키가 큰 친구들과 시합(UCS)'을 하도록 하는 '체육시간(NS ⇨ CS)'에 대한 '불안감(CR)'을 갖고 있다.
  ⓒ B는 '국어시간(NS)'에 책을 더듬더듬 읽어서 '다른 친구들 모두가 웃었다(UCS)'. 그 이후로 B는 '국어시간(CS)'에 '공포(CR)'를 갖게 되었다.
  ⓓ '마누라[긍정적 정서(UCR)를 유발하는 UCS]'가 고우면 '처갓집 말뚝(CS)'을 보고 절한다.
  ⓔ '병원(NS)'에서 '간호사(NS)'가 주사기를 들고 들어와서 아이에게 '주사(UCS)'를 주면 아이는 '울게 된다(UCR)'. 이후 아이는 병원에서 '간호사(CS)'를 보기만 해도 울고 심지어 '병원(CS)'이라는 말만 들어도 '운다(CR)'.
  ⓕ **시험 실패에 대한 불안 형성**: 실패(UCS), 실패로 인한 불안(UCR), 시험(처음엔 NS, 조건화 이후엔 CS), 시험 실패로 인한 불안(CR)

② 광고: 상업광고에서 거액을 들여 유명 연예인을 모델로 기용하는 경우 ⇨ 연합이환의 법칙(Thorndike)과 유사

- **광고 전**: 유명연예인(모델, UCS) ⇨ 호감(UCR) / 상품(NS) ⇨ 호감 ×
- **광고 중**: 상품(NS) + 유명연예인(UCS) ⇨ 호감(UCR)
- **광고 후**: 상품(CS) ⇨ 호감(CR)

(8) 고전적 조건화 이론을 통한 부적응행동의 교정 11. 광주

① 소거(extinction): 행동장애나 나쁜 습관[예 지나친 흡연이나 음주(CS)]이 유발하는 '생리적인 만족감(UCR)'을 제공하지 않고(소거) 조건자극을 반복적으로 제시한다. ⇨ 담배를 피우거나 술을 마셔도 생리적인 만족감이 수반되지 않도록(예 금연초, 알코올 도수 없는 물) 하면 된다.

② 역조건형성(counter conditioning)
  ㉠ 바람직하지 못한 조건반응(예 공포)을 바람직한 조건반응(예 행복감)으로 대치하려는 방법
  ㉡ 이미 어떤 반응을 야기하고 있는 (무)조건자극에 새로운 자극을 더 강하게 연합시켜서 이전 반응을 제거하고 새로운 반응을 조건화시키는 것
    예 즐거운 게임을 하는 동안 공포반응을 야기하는 귀신소리를 제시하면 귀신소리는 즐거운 게임과 조건화되어 공포반응을 억제하게 된다(귀신소리가 들려도 무서워하지 않게 된다).
  ㉢ 절차
    ⓐ 바람직하지 못한 조건반응(예 강아지에 대한 공포)과 양립할 수 없는 새로운 반응(예 행복감)을 선택한다.
    ⓑ 양립할 수 없는 새로운 반응을 유발하는 자극(예 친구, 사탕)을 확인한다.
    ⓒ 새로운 반응을 유발하는 자극을 제시한 다음 바람직하지 못한 반응을 유발하는 조건자극을 점차 제시한다. 이때 바람직한 반응을 유발하는 자극이 바람직하지 않은 반응을 유발하는 자극보다 반드시 더 강력해야 한다.

③ 체계적 둔감법(systematic desensitization): 월페(Wölpe)가 개발 09. 국가직 7급
  ㉠ 역조건 형성을 이용하여 공포를 일으키는 자극에 점진적으로 노출시켜 공포를 소거시키려는 방법: 불안이나 공포를 일으키는 조건자극에 (그와 양립할 수 없는) 이완(relaxation) 반응을 결합시켜 불안이나 공포를 소거시키는 방법
  ㉡ 절차

제1단계: 불안위계 목록의 작성	불안을 일으키는 자극을 불안을 일으키는 정도에 따라 순서대로 배열한다. 예 비행기를 타고 여행을 간다. 비행기 좌석에 앉아 있다. 비행기 가까이 다가간다. 멀리서 비행기를 바라본다.
제2단계: 이완훈련	이완훈련을 통해 이완의 느낌이 어떤지 경험하도록 한다. 즐거운 장면을 상상하면서 이완훈련을 한다. 예 명상, 근육이완, 선(禪) 명상
제3단계: 상상하면서 이완하기	환자가 완전히 이완된 상태에서 불안위계에서 가장 약한 불안을 일으키는 항목에서부터 상상하여 차츰 상위수준의 자극과 이완을 결합시킨다.

  cf. 제1단계와 제2단계의 순서는 변경 가능
  ㉢ 특징
    ⓐ 바람직하지 못한 반응을 유발하는 자극을 낮은 수준에서부터 점진적으로 자극의 강도를 높여 나감으로써 공포반응이 정반대의 이완반응으로 완전히 대치된다.
    ⓑ 역조건 형성을 이용하여 공포나 불안을 유발하는 조건자극을 중립자극으로 환원시킨다.
    ⓒ 불안이나 공포를 유발하는 자극을 직접 경험하는 것이 아니라 상상하도록 한다.
    ⓓ 마음속으로 상상을 할 때는 불안이나 공포가 극복되었지만 실제 상황에서는 여전히 불안이나 공포를 경험할 수 있다는 문제점이 있다.

2. **손다이크(Thorndike)의 시행착오설**: 연합설, 결합설, S-R 이론 23. 국가직 7급
  (1) 개요: 도구적 조건형성이론
    ① 도구적 조건형성이론(instrumental conditioning theory): 유기체의 행동(예 고양이가 문제상자를 탈출)이 결과 또는 목표(예 먹이 획득, 목적지 도달)에 도달하기 위한 수단 또는 도구가 되는 것으로, 도구적 행위를 조건화한다.
      ㉠ 어떤 행동을 한 결과가 어떻게 그 행동을 증가시키는가를 설명하는 이론: 유기체가 어떤 자극에 대해 어떤 반응을 보이는 것은 강화(보상)를 받기 위한 도구적·수단적 행위이다.

▲ Thorndike

      ㉡ 동물의 행동에 관한 보상(reward)의 효과를 연구: 효과의 법칙(law of effect, 반응 후에 수반되는 결과가 바람직하면 그 반응이 나타날 확률이 증가되고, 결과가 바람직하지 않으면 그 확률이 감소된다.) ⇨ 강화설의 기초
      ㉢ 스키너(Skinner)의 조작적 조건화 이론의 기초를 마련
    ② 결합설(connectionism) 또는 S-R 이론: 행동을 자극(S)과 반응(R)의 결합으로 설명하는 이론 ⇨ 학습은 감각경험(자극의 지각)과 신경충동(반응) 간의 연합 또는 결합을 형성하는 과정
    ③ 시행착오설(trial and error theory): 시행횟수가 증가함에 따라 목표에 도달하는 시간이 짧아지는 학습 ⇨ 시행(trials)이 반응위계[response hierachy 또는 습관 가족위계(habit family hierachy)]상의 최상위 수준으로 올라가는 학습

㉠ 학습이란 새로운 환경에 적응하는 행동의 변화이다(지식의 습득 ×).
㉡ 학습은 동물이 특정 자극(S, 예, 먹이)에 대하여 시행착오(trial and error)의 반응(R, 예, 미로탈출)을 반복한 결과, 그 S와 R이 연합됨으로써 일어난다.

시행(trials)	목표(예, 미로탈출)에 도달하기 위한 여러 가지 반응들(예, 줄을 당기기, 지렛대 누르기) ⇨ 만족스런 행동＋보상(rewards)
착오(errors)	목표 도달에 부적절한 반응들(예, 할퀴기, 야옹야옹 울기, 배회하기) ⇨ 불만족스럽거나 실패한 행동

㉢ 시행착오의 과정에서 우연적으로 성공(우연적 학습)하여, '착오(errors)적인 반응'은 약화되는 대신에 '시행(trials)적인 반응'이 강화됨으로써 학습이 이루어진다.

(2) **실험**
① 고양이의 문제상자(problem box) 실험
닫힌 상자 안(굶주린 고양이, 발판), 상자 밖(음식물 - 목표)

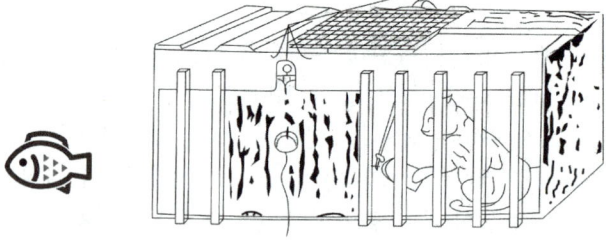

㉠ 특정목표(예, 먹이 획득)에 달성하려고 노력하는 과정에 관한 실험 ⇨ 고양이가 어떻게 하면 자신을 가둔 상자(S)에서 탈출할 수 있는가를 구명(究明)하려는 실험
㉡ 상자 밖의 음식을 먹으려고 여러 가지 행위(예, 배회하기, 할퀴기, 껑충뛰기)를 거듭하다 우연히 발판을 누르게 되어 상자문이 열리고 탈출(우연적 성공)하였다. ⇨ 우연적 학습(incidental learning or accidental learning)
㉢ 시행착오를 거듭하던 고양이가 시행이 반복됨에 따라 탈출 소요시간이 점점 단축되어 나중에는 상자 안에 넣자마자 탈출하는 것을 학습하였다.
㉣ 이처럼 시행횟수가 증가함에 따라 탈출시간이 짧아지는 것을 '시행착오학습'이라고 한다.

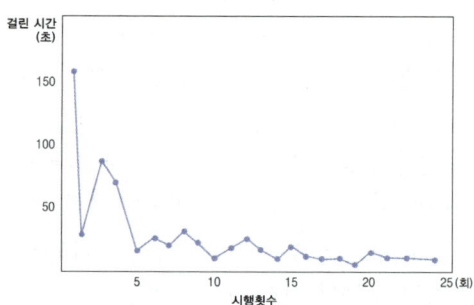

▲ Thorndike가 관찰한 문제상자 안의 고양이가 보인 수행상의 점진적 향상

② 쥐의 미로실험: 복잡한 미로, 출구에 먹이(목표)

(3) **학습원리** – 효과의 법칙을 가장 중시
  ① **연습(빈도, 사용)의 법칙**(law of exercise) : 반복연습이 반응의 학습을 촉진한다. ⇨ 후속연구 뒤에 폐기
    ㉠ 연습횟수 혹은 사용빈도가 증가할수록 자극-반응 결합이 강해지고(사용의 법칙, law of use), 연습횟수 혹은 사용빈도가 감소할수록 자극-반응 결합이 약화된다(불사용의 법칙, law of disuse)는 법칙이다.
    ㉡ 결합이 강해진다는 것은 그 자극이 존재하는 상황에서 반응의 빈도 혹은 확률이 증가한다는 것을 의미한다.
    ㉢ 에빙하우스(Ebbinghaus)의 파지-망각곡선은 연습곡선에 관한 설명이다.
  ② **효과(만족, 동기)의 법칙**(law of effect) ⇨ 행동의 결과를 강조
    ㉠ 만족스러운 결과(보상)가 수반된 반응이 나타날 확률을 증가시키고, 불만족스러운 결과(처벌)가 수반된 반응은 나타날 확률을 감소시킨다.
    ㉡ 학습 과정에서 만족감이 크면 학습(결합)이 강화된다 : 보상이 처벌보다 강력한 영향
    ㉢ 학습이 자극(S)과 반응(R) 간의 단순한 결합이라기보다는 반응의 결과에 따라 달라진다는 것을 의미한다.
  ③ **준비성의 법칙**(law of readiness) : 학습이 일어나려면 학습자가 학습할 태세가 되어 있어야 한다. ≒ 출발점행동 예 굶주린 고양이, 대입수학능력시험
    ㉠ 준비가 갖추어진 반응은 그렇지 않은 반응에 비해 쉽게 학습할 수 있다.
    ㉡ 준비성은 만족스러운 상태 또는 불만족스러운 상태를 결정하는 요인이다.
    ㉢ 준비성이란 신경생리학적 충동(예, 배고픔)을 의미하므로, 어떤 학습과제를 학습하기 위한 학습자의 성숙 수준을 뜻하는 통상적 의미의 준비성과는 다른 의미이다.
    ㉣ '효과의 법칙'의 보조 법칙이다.

3. **스키너(Skinner)의 조작적 조건화설**(operant conditioning theory) 10. 부산·국가직 7급, 07. 국가직
  (1) **개요** : 조작적(작동적, 능동적) 조건화설
    ✎ 「월든 투(Walden Two, 1948)」 : 행동주의에 기초한 이상사회 건설
    ① 조작반응(operant behavior)을 조건형성시키기 위한 절차 : 손다이크(Thorndike)의 '효과의 법칙'을 수정, 보완, 발전
      ㉠ 조작반응(operant behavior, 조작적 행동)은 유기체가 환경에 어떤 효과를 나타내기 위해 스스로 방출하는 능동적 행동 ⇨ 수의적(隨意的) 반응 예 휘파람 불기, 걷기, 노래 부르기
      ㉡ 조작적 행동은 행동에 수반되는 결과(강화와 벌)에 의해 통제된다.
      ㉢ 파블로프(Pavlov)의 실험에서 사용하는 반응적 행동(respondent behavior)은 특정 자극에 의해 유발(인출)되는 행동이다.
    ② 유기체의 우연적·능동적인 반응(operant behavior, R)이 간접적 자극(S)의 역할을 하게 되어, 강화(R)를 가져오게 되는 것
      예 Skinner box 안에 갇힌 비둘기가 우연히 노랑단추를 쪼면 콩이 나온다.
    ③ 효과(만족)의 법칙으로 특정한 행동 학습 : 결과(보상)를 통한 행동변용의 과정

▲ Skinner

고전적 조건화설과 작동적 조건화설의 비교

특징	고전적 조건화설	작동적 조건화설
목적	중립자극에 대한 새로운 반응 형성	반응확률의 증가 또는 감소
절차	조건자극(CS, 종소리)과 무조건자극(UCS, 먹이)의 결합: S-S형 연합	반응(R, 지렛대 누르기)과 강화(R, 먹이)의 결합: R-S형 연합
조건화 유형	S형 조건화(수동적 조건화)	R형 조건화(능동적 조건화)
자극 - 반응 순서	자극(S)이 반응(R) 앞에 온다. ⇨ 강화(무조건자극)가 반응에 선행한다.	반응(R)이 강화(보상, S) 앞에 온다. ⇨ 강화가 반응 뒤에 수반된다.
자극의 역할	반응이 인출(추출, eliciting)된다. 즉, 외부에서 오는 자극에 의하여 반응이 나온다. ⇨ 반응적 행동	반응이 방출(emitting)된다. 즉, 어떤 행동이 외부에서가 아니라 자발적 또는 의식적으로 일어난다. ⇨ 작동적 행동
자극의 적용성	특수한 자극은 특수한 반응을 일으킨다.	특수한 반응을 일으키는 특수한 자극이 없다.
조건화 과정	한 자극(NS)이 다른 자극(UCS)을 대치한다(자극대체).	자극의 대치는 일어나지 않는다(반응변용).
내용	정서적 반응행동이 학습된다. • 불수의적 반응(반응적 행동) • 유도된 반응(elicited response)	목적 지향적·의도적 행동이 학습된다. • 수의적 반응(조작적 행동) • 방출된 반응(emitted response)

(2) **유사 개념**

① R형 조건화설(Type R conditioning): 조작적 행동을 조건화시키는 절차는 유기체의 자발적 반응(R)이 중요한 역할을 한다.

② 반응변용이론(response modification theory): 강화와 벌에 의해 반응행동(반응률)을 변화시키려는 방법이다. ⇨ 모든 인간의 행동학습에 적용

(3) **관련 실험**: 스키너 상자(Skinner Box)의 실험  쥐와 비둘기

▲ 스키너 상자

> 스키너 상자에는 지렛대와 먹이접시 그리고 빨간불과 녹색불이 있고 바닥에는 전기배선이 깔려 있다. 지렛대를 누르면 먹이접시에 먹이가 떨어지도록 고안되어 있는 상자 안에 쥐를 넣어 둔다(비둘기용 상자는 상자 벽에 있는 표적을 쪼게 될 때 먹이가 떨어지도록 고안되었다). 처음에 쥐는 이리저리 돌아다니기 시작하는데, 왼쪽으로 돌기도 하고 오른쪽으로 돌기도 하고 벽에 부딪치기도 한다. 그러다가 우연히 지렛대를 누르게 되면 먹이가 먹이접시 위로 떨어진다. 반복적인 과정을 거쳐 쥐는 지렛대를 누르면 먹이가 떨어지는 것을 알게 되었다.

(4) **조작적 조건형성의 원리**

① 강화의 원리: 인간의 모든 행동은 강화자극에 의해 통제될 수 있다.

② 즉시강화(강화의 즉각성)의 원리: 반응에 대하여 즉시 강화해 줄 때 그 반응률(response rate, 스키너 실험의 종속변인)이 높아진다.

③ 행동조성(behavior shaping)의 원리
  ㉠ 단순한 반응의 학습에 적용된다.
  ㉡ 조작적 행동은 조금씩 점진적으로 학습된다. ⇨ 점진적 접근법(연속적 접근법, successive approximation) + 차별강화
④ 소거(extinction)의 원리: 학습자가 반응을 하였을 때 강화를 생략함으로써 반응률이 기초선으로 떨어지는 현상

(5) **강화**(Reinforcement) 11. 인천, 05. 경기

특정 행동반응의 빈도(강도)를 촉진(증가)시키는 절차

① 강화의 조건
  ㉠ 강화는 자주 주어야 한다.
  ㉡ 강화는 반드시 반응을 한 후에 주어야 한다.
  ㉢ 강화는 반응 후 즉시 제시해야 한다.
  ㉣ 강화는 반응에 수반되어야(contingent on) 한다. 즉, 바람직한 반응을 할 때만 강화를 주어야 한다.

유관강화 (contingent reinforcement)	어떤 구체적인 반응이 일어날 때만 강화를 주어야 한다.
비유관강화 (우연적 강화)	바람직하지 않은 반응에 강화를 주면 바람직하지 않은 반응을 학습하게 되고, 특정 행동과 관계없이 강화를 주면 바람직하지 않은 행동이 증가될 수 있는데, 이를 '우연적 강화'라고 한다. 이런 방식으로 형성된 행동을 '미신적 행동'이라고 한다. 예. Golden shower, 시험 보는 날 세수 안 하기

② 강화의 종류 21. 지방직, 13. 지방직, 07. 인천

구분		강화자(reinforcer)	
		쾌(快)자극	불쾌(不快)자극
제시방식	반응 후 제시 (수여)	정적 강화 예. 프리맥의 원리, 칭찬, 토큰강화	제1유형의 벌(수여성 벌) 예. 처벌, 꾸중하기
	반응 후 제거 (박탈)	제2유형의 벌(제거성 벌) 예. Time-out, 반응대가, 벌금	부적 강화 예. 회피학습

📖 **강화, 벌, 소거의 개념적 구분**

구분	목표	목표행동	자극의 성질	자극제시 방법
정적 강화	행동의 증가	바람직한 행동	유쾌자극	행동 후 제시
부적 강화	행동의 증가	바람직한 행동	불쾌자극	행동 후 제거
정적 벌	행동의 감소	바람직하지 못한 행동	불쾌자극	행동 후 제시
부적 벌	행동의 감소	바람직하지 못한 행동	유쾌자극	행동 후 제거
소거	행동의 감소	바람직하지 못한 행동	유쾌자극	행동 후 유보

㉠ 정적(正的, 적극적) 강화(positive reinforcement): 쾌 자극물(예 상, 칭찬)을 제시 ⇨ 반응 후 반응확률을 증가시키는 기능을 하는 자극(정적 강화물)을 제시하는 절차 21. 국가직
예 프리맥의 원리, 착한 행동 칭찬하기, 열심히 일한 직원에게 보너스 주기

㉡ 부적(負的, 소극적) 강화(negative reinforcement): 불쾌 자극물(예 꾸중, 벌 청소, 잔소리, 질책, 전기충격)을 제거 20. 지방직, 10. 인천, 08. 국가직, 07. 국가직 7급

ⓐ 반응확률을 증가시키기 위해 반응 후 싫어하는 자극이나 대상(부적 강화물)을 제거해 주는 절차
예 공부를 열심히 할 때 잔소리하지 않기, 자동차에 탄 후 안전벨트를 맬 때까지 귀에 거슬리는 경보음을 계속 울리게 하기

ⓑ 행동 후에 싫어하는 혐오자극을 제거해 줌으로써 행동의 확률을 증가시키는 절차
예 화장실 청소 면제, 싫어하는 파티에 불참 ⇨ 혐오자극으로부터 회피하는 방법을 학습하는 '회피학습(도피학습)'의 계기

③ 강화물의 종류

㉠ 정적(正的, 적극적) 강화물(positive reinforcer): 반응을 한 후 제시했을 때 그 반응의 확률을 증가시키는 기능을 하는 자극 예 과자, 칭찬, 상, 보너스 ⇨ 보상(reward)

㉡ 부적(負的, 소극적) 강화물(negative reinforcer): 반응을 한 후 제거했을 때 그 반응의 확률을 증가시키는 기능을 하는 자극 예 꾸중, 벌 청소, 잔소리, 질책, 전기충격

㉢ 1차적 강화물(primary reinforcer): 선천적으로 반응확률을 증가시켜 주는 자극. 학습되지 않은 강화물, 무조건적 강화물 예 음식, 물, 따뜻함, 성(性), 수면, 전기충격

㉣ 2차적 강화물(secondary reinforcer): 학습된 강화물(learned reinforcer) 20. 지방직

ⓐ 중립자극이었던 것이 1차적 강화물과 연결되어 반응확률을 증가시키는 기능을 획득한 강화물

ⓑ 처음에는 강화의 기능이 없었던 물건이나 대상이 인간의 본능적 욕구를 충족시켜 주는 1차적 강화물과 연결되어 강화의 기능을 지니게 되는 것 ⇨ 학습의 범위를 확대시키는 역할 예 격려, 칭찬, 돈, 사회적 인정, 쿠폰, 지위, 휴식, 자격증, 비난, 실격
⇨ 돈은 처음에는 종이에 지나지 않았으나 1차적 강화물(예 음식, 옷)과의 결합을 통하여 강력한 보상이 된다.

㉤ 일반화된 강화물(generalized reinforcer): 2차적 강화물 중에서 여러 개의 1차적 강화물과 결합된 강화물 예 돈, 지위, 권력, 명성 ⇨ 박탈조건이 아니더라도 효과를 발휘한다. 즉, 음식물은 박탈된 상태에서만 강화의 기능을 하지만, 돈은 박탈 여부에 관계없이 강화물의 기능을 발휘한다(돈은 백만장자에게도 강화의 기능을 발휘).

㉥ 자극의 성질에 따른 강화물

ⓐ 사회적 강화물(social reinforcer): 다른 사람들과의 관계를 통해 제시되는 사상(事象) 예 칭찬, 인정, 미소, 표정, 신체접촉, 언어표현, 등 두드리기

ⓑ 물질강화물(material reinforcer): 과자, 음식, 장난감과 같은 실제 대상 ⇨ 다른 강화물이 없을 때 최후의 수단으로 사용하는 것이 좋다.

ⓒ 상징적 강화물(symbolic reinforcer): 반응을 촉진하는 상징물 예 점수, 상표, 토큰, 별표

ⓓ 교환 강화물(exchangeable reinforcer) : 다른 강화물과 교환할 수 있는 강화물
예 토큰, 포인트, 쿠폰, 별표, 스티커, 스탬프 ⇨ 사용하기 쉽고 만족을 지연시킬 수 있는 효과, 토큰 경제(token economy)
ⓔ 활동 강화물(activity reinforcer) : 좋아하는 활동을 강화물로 사용하는 것
예 프리맥의 원리
ⓕ 긍정적 피드백(positive feedback) : 행동이 적절했다는 정보(긍정적 피드백)를 제공
ⓖ 내재적 강화물(intrinsic reinforcer) : 문제를 해결했을 때 경험하는 성취감, 만족감, 유능감, 자부심 ⇨ 내적 보상

(6) **강화계획**(schedule of reinforcement) : 강화조건의 패턴화 13. 지방직

학습자의 반응에 대해 언제 어떻게 강화를 줄 것인가를 정한 규칙이나 프로그램

① 계속적 강화(연속강화, 전체강화, continuous reinforcement) : 정확한 반응을 할 때마다 강화물을 제공하는 강화계획. 매 행동마다 강화물을 주는 것
 ⇨ 학습의 초기단계(특정 행동의 학습)에서 효과적

② 간헐적 강화(부분강화, intermittent reinforcement) : 정확한 반응 중에서 일부 반응에만 강화를 주는 방법. 반응을 보일 때마다 강화물을 제시하지 않고 가끔씩 주는 것
 ⇨ 학습의 후기단계(학습된 행동의 유지)에 효과적
 ㉠ 간격강화(interval reinforcement) : 일정한 시간(간격)을 기준으로 강화
  ⓐ 고정간격강화(FI, fixed-interval reinforcement) : 정해진 시간마다 한 번씩 강화 25. 지방직
   • 일정한 시간(예 30분, 1시간 등)이 경과한 다음 나타나는 첫 번째 반응에 강화를 주는 강화계획 예 정기고사, 월급
   • 강화를 받을 수 있는 시점이 가까울수록 반응확률이 높아지지만(목표구배현상), 강화물을 받은 후에는 반응확률이 급격히 떨어진다(강화 후 휴지). 예 벼락치기 공부
  ⓑ 변동간격강화(VI, variable-interval reinforcement) : 시간의 평균마다 한 번씩 강화
   • 강화를 주는 시간간격을 변화시키는 강화계획
    예 수시고사, 버스정류장에서 버스 기다리기, 낚시, 불시에 시험 보기, 축구장에서 골을 기다리는 관중의 모습, 녹음된 전화메시지를 확인하거나 E-mail을 확인하는 것
   • 평균 시간간격(예 평균 7분 간격)으로 강화를 주는 계획(예 12분, 6분, 8분, 2분 후)
   • 강화물을 받을 수 있는 시점을 예측할 수 없기 때문에 반응확률을 일정하게 유지할 수 있다. ⇨ 강화 후 휴지는 VR처럼 나타나지 않으나 VR보다는 낮은 반응비율을 보인다.
 ㉡ 비율강화(ratio reinforcement) : 일정한 반응빈도(횟수)를 기준으로 강화
  ⓐ 고정비율강화(FR, fixed-ratio reinforcement, 정률강화) : 일정한 횟수의 반응을 할 때마다 강화를 주는 계획 20. 지방직
   예 성과급, 수학문제 3문제 풀 때마다 사탕 주기

ⓑ 변동비율강화(VR, variable-ratio reinforcement, 부정률강화)
- 평균적으로 일정 횟수의 반응을 보일 때마다 강화를 주는 계획(단, 강화를 받을 수 있는 반응횟수가 수시로 변동)
  > 예. 도박, 낚시, 무작위로 출석 점검하기, 야구선수의 평균타율, 새로운 것을 발명하기 위한 과학자의 실험, 애인에게 데이트 신청하기
- 평균 반응 횟수(예. 평균 7번째 간격)로 강화를 주는 계획(예. 12번째, 6번째, 8번째, 2번째 후)

강화계획 정리

강화계획			학습단계	강화 절차	적용 사례
계속적 강화 (연속강화, 전체강화)			학습의 초기단계 (특정행동의 학습)	매 행동마다 강화 예. 매 행위마다 강화한다.	
간헐적 강화 (부분 강화)	간격강화 (시간기준)	고정 간격강화 (FI)	학습의 후기단계 (학습된 행동의 유지)	정해진 시간마다 한 번씩 강화 예. 30초가 지난 후 첫 번째 정반응에 강화를 준다.	정기고사, 월급
		변동 간격강화 (VI)		평균 시간마다 한 번씩 강화 예. 평균 30초 간격으로 정반응을 강화하되, 무작위로 강화를 준다.	버스정류장에서 버스 기다리기, 수시고사
	비율강화 (빈도기준)	고정 비율강화 (FR)		정해진 횟수(빈도)의 반응을 할 때마다 한 번씩 강화 예. 3번째 정반응에 강화를 준다.	성과급
		변동 비율강화 (VR)		평균 횟수의 반응을 할 때마다 한 번씩 강화 예. 평균 3번째 정반응에 강화하되, 무작위로 강화를 준다.	도박

③ 강화계획의 효과
  ㉠ 가장 이상적인 강화계획은 학습의 초기 단계에서는 계속적 강화를, 후기 단계에서는 간헐적 강화를 사용하는 것이다.
  ㉡ 간헐강화 중에서 반응 확률이 높게 나타나는 순서는 '변동비율강화 > 고정비율강화 > 변동간격강화 > 고정간격강화' 순이다.
  ㉢ 일단 학습 후 소거가 가장 늦게 나타나는 것은 변동비율강화이다.
  ㉣ 학습시간(반응 확률)을 계속 유지할 수 있는 것은 변동간격강화이다.
  ㉤ 고정간격강화와 고정비율강화는 '강화 후 휴지(post-reinforcement pause)'가 나타난다.

(7) **벌**(Punishment): 특정 행동반응의 빈도(강도)를 감소(약화)시키는 절차 ⇨ 반응 후 불쾌한 자극을 제시하거나 좋아하는 것을 박탈하는 절차 11. 경기
  ✐ 부적 강화는 행동의 빈도를 증가시키는 것으로, 강화이지 벌이 아니다.

① 벌(罰)의 종류
  ㉠ 제1유형의 벌(수여성 벌, 정적 벌, presentation punishment) : 행동 후 싫어하는 결과(불쾌자극, 혐오자극)를 제시하여 행동을 감소시키는 방법
    예. 체벌(physical punishment), 상징적 처벌(꾸중, 질책)
  ㉡ 제2유형의 벌(제거성 벌, 부적 벌, removal punishment) : 행동 후 좋아하는 결과(쾌자극)를 제거(박탈)하여 행동을 감소시키는 방법
    예. 격리(Time-Out)

② 벌의 효과
  ㉠ 벌은 지속적인 효과가 없다(일시적인 억압적 기능).
  ㉡ 벌은 의도하지 않았던 부작용을 초래할 가능성이 높다 : 정서적 부작용과 회피 반응 유발, 타인에게 고통을 주는 행위를 정당화함, 바람직한 행동에 대한 정보를 제공하지 못함, 처벌자에 대한 적대감과 공격성 유발, 바람직하지 못한 행동을 또 다른 바람직하지 못한 행동으로 대치, 처벌하는 사람이 바람직하지 못한 모델이 될 가능성이 있음.
  ㉢ 바람직하지 못한 행동을 신속하게 중단시켜야 할 상황에서는 효과적이다 : 어린이가 다리미를 만지려 할 때 즉시 처벌하기
  ㉣ 벌은 지체아들의 자해행동을 중단시키는 효과가 있다.
  ㉤ 관대한 처벌은 특정 장면에서 어떤 행동이 바람직하고 어떤 행동이 바람직하지 않은가에 관한 정보를 제공하기도 한다.

③ 벌의 대안
  ㉠ 부정적인 행동을 유발할 수 있는 변별자극을 바꾼다(자극통제) : 교실 뒷자리에 앉아 있는 학생을 앞자리로 옮긴다.
  ㉡ 포만법(피로법)을 이용하여 원하지 않는 행동을 지칠 때까지 반복하도록 한다.
  ㉢ 바람직하지 못한 반응에 강화를 주지 않는다. 바람직하지 못한 행동을 하면 철저하게 무시한다(소거).
  ㉣ 바람직하지 않은 행동과 반대되는 행동에 강화를 준다(상반행동의 강화).

④ 벌의 지침
  ㉠ 벌은 처벌적이어야 한다. 즉 벌은 반응을 약화시키는 기능이 있어야 한다.
  ㉡ 행동이 끝난 즉시 처벌해야 한다.
  ㉢ 처벌을 하기 전에 미리 경고를 하는 것이 좋다.
  ㉣ 처벌을 하는 행동을 분명하고 구체적으로 정의해야 한다.
  ㉤ 처벌을 하는 이유를 분명하게 설명해야 한다.
  ㉥ 벌의 강도는 적당해야 한다.
  ㉦ 처벌 후 보상을 주지 말아야 한다.
  ㉧ 대안적인 행동(바람직한 행동)을 분명하게 제시해야 한다.
  ㉨ 일관성이 있게 처벌해야 한다.
  ㉩ 처벌받는 사람이 아니라 잘못된 행동에 대해 처벌해야 한다.
  ㉪ 처벌할 때 개인적 감정을 개입시키지 말아야 한다.

(8) **행동수정기법**(behavior modification theory, 응용행동분석) 11. 대전, 09. 국가직, 07. 경남, 06. 강원

> **응용행동분석**(applied behavioral analysis)
> 1. **개념**: 개인의 특정 행동을 변화시키기 위해 체계적으로 행동주의 원리를 적용하는 과정
> 2. **적용 절차**: 목표행동을 결정하기 ⇨ 목표행동의 기저선을 만들기 ⇨ 강화인을 선택하기(필요 시 처벌인 도 선택) ⇨ 목표행동의 변화 측정하기 ⇨ 행동이 향상되면 강화인의 빈도를 점점 줄이기

① 개념: 조작적 조건 형성의 기법을 이용해서 행동을 변화시키려는 절차
② 기본전제
  ㉠ 모든 행동은 학습된다. 따라서 특정 행동 A를 다른 행동 B로 대치시킬 수 있다.
  ㉡ 강화 또는 벌을 효과적으로 활용하면 모든 행동을 수정할 수 있다.
③ 바람직한 행동을 위한 행동수정기법
  ㉠ 프리맥(Premack)의 원리: 정적 강화방법 ⇨ 할머니의 법칙(Grandma's law) 22. 국가직 7급
    ⓐ 보다 선호하는 행동을 강화물로 활용: 빈도가 높은 행동(보다 더 선호되는 활동)은 빈도가 낮은 행동(보다 덜 선호되는 활동)에 대해서 강화력을 갖는다는 원리
      예 숙제를 다 하면 나가 놀게 한다. 싫어하는 시금치 반찬을 먹으면 아이스크림을 주거나 옛날 얘기를 해 준다. 심부름을 하면 만화책이나 TV를 보게 한다.
    ⓑ 강한 자극을 이용하여 약한 반응을 촉진하는 강화방법: ~하면 … 해 줄게.
    ⓒ 강화의 상대성 원리: 강화물이 될 수 있는 것들은 개인마다 다르며, 또 개인 내에서도 언제든지 바뀔 수가 있다.
    ⓓ 어떤 대가가 따라야 한다는 식의 교육은 장기적으로 '노예근성' 혹은 '뇌물근성'을 기르게 할 우려가 있다. 07. 서울
    ⓔ 불쾌자극을 먼저 제시하고, 쾌자극을 나중에 제시해야 한다.
  ㉡ 토큰강화(token reinforcement): 상표(token, 예 포인트, 쿠폰, 별표, 스티커)를 모아 더 큰 강화자극으로 대체, 상징적 강화 ⇨ 한 가지 강화물만을 주었을 때 생길 수 있는 포화현상을 방지, 강화의 시간적 지연을 예방 08. 국가직 7급
  ㉢ 행동조성(shaping, 조형) 20. 지방직
    ⓐ 강화를 이용해서 목표행동을 점진적으로 형성하는 기법
    ⓑ 학생이 한 번도 해본 적이 없거나 거의 하지 않는 행동을 여러 단계로 나누어 강화시킴으로써 점진적으로 바람직한 행동을 학습할 수 있게 하는 방법
    ⓒ 원리: 차별강화(differential reinforcement, 어떤 반응에는 강화를 주고 어떤 반응에는 강화를 주지 않는 것)+점진적 접근(계기적 근사법, 연속적 접근법, successive approximation, 목표행동에 근접하는 행동에만 강화)
      ✎ 차별강화(선택적 강화), 계속적 강화, 정적 강화를 적용하여 특정 행동을 습득하게 함.
    ⓓ 절차: 바람직한 목표행동 선정 ⇨ 목표행동이 나타나는 빈도(baseline, rate, 기초선 비율) 설정 ⇨ 강화물 선택 ⇨ 목표행동을 소단위 행동으로 구분한 다음 순서대로 배열 ⇨ 계속적 강화에 따라 목표행동에 접근하는 행동을 할 때마다 강화 제공 ⇨ 목표행동을 할 때마다 강화 제공 ⇨ 간헐적 강화에 따라 목표행동에 강화 제공

✎ **행동조성의 예** 철수는 글씨를 잘 못 쓴다. 연필 잡기를 싫어하고, 연필도 잘 못 잡고, 선을 바르게 긋지 못하며, 글씨를 쓰는 일에 집중을 하지 못하기 때문이다. 김 교사는 글씨를 잘 쓰는 데 필요한 단계적 행동들을 구분한 다음, 철수가 이러한 행동 하나하나를 수행할 때마다 철수가 좋아하는 사탕을 주어서 글씨를 잘 쓰게 하였다.

ㄹ) 용암법(fading, 단서 철회) : 특정한 행동을 학습시키기 위해 특정한 행동에 대한 도움을 주고, 도움을 점차 줄여감으로써 스스로 행동을 학습시키는 방법
　　예 골프 연습시키기, 정신지체아를 교육할 때 사용

④ 문제행동의 교정을 위한 행동수정기법
ㄱ) 타임아웃(TO, Time-Out, 격리) : 바람직하지 못한 행동을 감소시키기 위해 정적 강화를 받을 수 있는 기회를 박탈하거나 강화를 받을 수 있는 장면에서 추방하는 방법 ⇨ 제2유형의 벌
　　예 경기 중에 난폭한 행동을 한 선수를 퇴장이나 출장 정지시키는 것

ㄴ) 벌 : 아동이 싫어하는 자극물을 주거나(제1유형의 벌), 좋아하는 것을 박탈(제2유형의 벌)하여 문제행동을 제거하는 방법

ㄷ) 상반행동강화 : 문제가 되는 행동과 반대되는 바람직한 행동을 찾아 강화하는 방법
　　예 수업시간에 조용히 책상에 앉아 있을 때 강화하면 수업시간에 돌아다니는 행동을 감소시킬 수 있다.

ㄹ) 소거(extinction) : 문제행동에 주어지던 강화를 중단하여 그 행동의 발생을 감소시키는 방법 ⇨ 강화가 주어지기 전의 기초선 비율(baseline rate), 즉 조작적 수준으로 되돌아가는 현상
　　예 수업시간에 발표를 하기 위해 열심히 손을 들어도 선생님이 지명하지 않는 것, 울고 보채는 아이를 무시하는 것

> **더 알아보기**
>
> **소거에 대한 저항**(resistance to extinction)**과 소거폭발**(extinction burst)
> 1. **소거에 대한 저항** : 강화물을 철회한 뒤에도 조작반응을 계속하려는 경향
> 2. **소거폭발** : 강화물의 제거 이후에 나타나는 일시적인 행동의 증가 현상
>   예 수업 중에 질문을 하기 위해 "선생님!"하며 큰 소리로 외치는 학생이 있다고 하자. 교사는 질문을 하기 위해 조용히 손을 드는 행동을 가르치려고 일단 학생이 "선생님!" 하고 외치는 소리를 무시하기로 했다. 하지만 교사의 기대와는 달리 학생은 "선생님! 선생님! …"하며 더 큰 소리로, 그리고 더 자주 외치는 경우가 있다.

ㅁ) 심적 포화(포만, satiation) : 문제행동을 지칠 때까지 반복하도록 하여 문제행동을 감소시키는 방법 ⇨ 한계효용의 법칙 이용

ㅂ) 반응대가(response cost) : 바람직하지 않은 행동을 할 때마다 정적 강화물을 회수하는 절차
　　예 과제 미제출 시 감점하기, 수업시간에 소란하면 자유시간 박탈하기, 교통법규 위반 시에 부과되는 벌금
　　✎ 타임아웃은 일시적이지만 쾌자극을 모두 박탈하나, 반응대가는 쾌자극의 일부만을 박탈하는 것이다.

ㅅ) 과잉교정(overcorrection) : 학습자가 바람직하지 못한 행동을 했을 때 싫어하는 행동을 하도록 하는 처벌기법
　　예 책상에 낙서했을 때 원래보다 더 깨끗하게 지우도록 하기, 철자법이 틀린 학생에게 정확한 철자를 반복해서 쓰도록 하기

(9) **조작적 조건화의 교육적 적용**: 프로그램 학습(PI), 완전학습, 개별화교수체제(PSI), 컴퓨터보조학습(CAI), 수업목표의 명세적 진술, 목표지향평가, 행동수정이론
  ① **행동수정 프로그램**: 학습원리를 응용하여 부적응행동을 감소시키고 적응행동을 증진시켜 바람직한 방향으로 행동변화를 추구하는 방법
  ② **행동목표(behavioral objectives) 사용**: 수업을 통해 달성하고자 하는 학습성과를 관찰 및 측정이 가능하도록 구체적으로 진술 ⇨ 수업지침과 평가의 준거로 활용
  ③ **프로그램 학습(PI, programmed instruction)**: 행동조성 원리를 수업에 적용 04. 국가직
    ㉠ 학습과제를 여러 개의 작은 단위로 세분한 다음 순서대로 배열하여 학습자가 자기 속도에 맞추어 단계별로 학습하도록 하는 방법
    ㉡ 계열성의 원리(점진적 학습의 원리)와 강화의 원리(즉시 확인의 원리)를 이용
  ④ **컴퓨터보조수업(CAI)**: 프로그램 학습(PI)을 컴퓨터를 활용하여 전개하는 수업
  ⑤ **완전학습(mastery learning)**: 충분한 시간과 적절한 수업방법을 제공하면 대부분의 학생들이 교과를 완전히 학습할 수 있다는 학습형태

4. **행동주의의 교육적 의의와 한계**
  (1) **교육적 의의**: 주의집중이나 급우들에게 잘 대하기 등과 같은 적절한 행동을 강화하는 것은 비행을 줄임.

  (2) **비판점(한계)**
    ① 교수에 대한 지침으로 활용하는데 있어 행동주의의 비효과성
    ② 고등정신기능을 설명하지 못함.
    ③ **강화인(强化因)이 내재적 동기에 미치는 영향**: 내재적 동기를 떨어뜨릴 수 있음. ⇨ 과잉 정당화 효과
    ④ **학습과 교수에 대한 철학적 입장**: 학교는 보상을 받기 위한 학습보다는 학습 그 자체를 위한 학습을 하도록 해야 한다는 입장과 행동주의는 학생들이 자신의 행동을 통제하도록 도와주는 방법이라기보다는 본질적으로 사람들을 통제하기 위한 수단이라고 보는 비판적 입장

❷ 인지주의 학습이론 Ⅰ - 형태주의 학습이론 24·21. 지방직, 22. 국가직 7급

1. **인간은 동물과 질적으로 다름**: 인간은 생각하는 존재
2. **인간은 능동적 학습자**: 환경에 적극적으로 반응 ⇨ 선험적 이성 소유(합리론)
3. **유기체론적 세계관**: 전체는 부분과 부분의 합 이상이다. ⇨ 전체주의, 거시이론
4. **학습은 사고의 변화**: 학습 = 장(場, Lewin), 인지구조(Piaget), 인지지도의 변화(Tolman), 통찰(Köhler)의 과정

행동주의 심리학과의 비교

구분	행동주의 심리학	인지주의 심리학
핵심개념	자극, 반응, 강화	사고, 인지, 문제해결, 기억, 지각
메타포	기계	정보처리자, 컴퓨터, 두뇌
연구대상	동물	인간
목적	자극과 반응의 관계분석	정신과정 이해
대표자	Pavlov, Watson, Guthrie, Thorndike, Skinner	형태심리학자, Bruner, Piaget, 정보처리이론, 신경망이론

> **Gestalt prayer**(게슈탈트 기도문)
> 나는 나이고 당신은 당신입니다.
> 내가 당신을 위해 이 세상에 태어난 것은 아니고
> 당신도 나를 위해 이 세상에 태어난 것은 아닙니다.
> 나는 나의 길을 가는 것이고
> 당신은 당신의 길을 가는 것입니다.
> 그러나 인생의 어느 한 시점에서
> 우리가 우연히 만나 서로 사랑할 수 있다면
> 그것은 참으로 아름다운 일이겠죠.

1. 베르트하이머(Wertheimer)의 형태이론(Gestalt theory) 11. 울산

(1) **개념**: 형태심리학의 창시자, 인지학습이론의 선구자

① 학습은 전체적인 파악 과정이다(요소 요소로 파악되는 것이 아니다.).
② 학습은 지각(perception), 학습, 기억 등의 인지활동의 기계적 연합이 아니라 부분들 간의 관계를 전체로 조직하는 것이다(Gestalt는 조직화된 전체를 의미한다.).

▲ Wertheimer

(2) **지각에 대한 가정**

① 파이현상(phi-phenomenon): 가현(假現)운동(apparent movement) ⇨ 운동착시현상

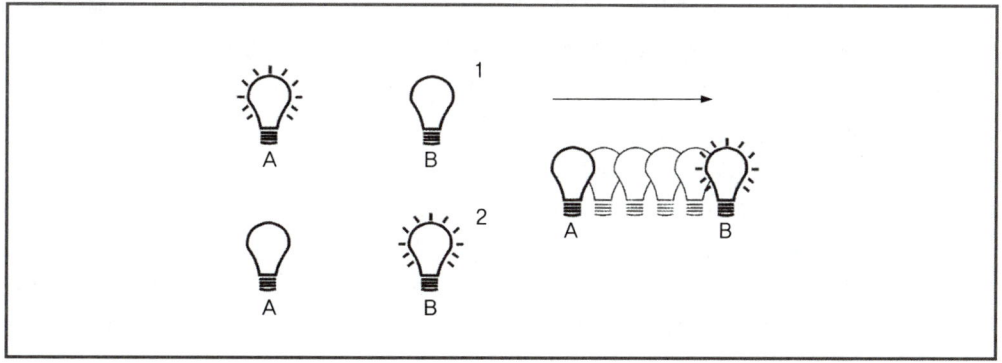

㉠ 두 개의 불빛이 일정한 시간간격을 두고 켜지고 꺼짐을 반복하면 관찰자에게 그것이 한 개의 불빛의 움직임으로 지각된다. ⇨ 운동은 두 불빛을 하나하나 분석함으로써 설명되는 것이 아니라, 요소의 조합에서 생겨나는 운동의 경험이다.
㉡ 인간이 지각하는 것은 정적(靜的)인 부분이 아니라 동적인 운동 그 자체에 의한 전체이다.
  예) 영화필름을 영사기에 돌리면 운동으로 지각되는 현상
㉢ "전체는 부분과 부분의 합보다 크다."는 형태이론의 기본견해를 정립: 원자론(atomism)의 입장에 반대, 전체론(holism)의 입장
㉣ 인간은 자극을 있는 그대로 지각하지 않고 유의미한 전체로 지각하고 경험한다 : 학습은 지각장면(perceptual field)의 재구성 과정이다. ⇨ 생산적 사고(유의미 학습)

② 전경－배경의 원리(figure-ground principle, 도형－배경 원리) : 지각의 제1법칙

▲ 루빈(Rubin)의 컵

㉠ 지각장(知覺場)에서 사물을 지각할 때 자동적으로 전경(前景, 혹은 도형)과 배경(背景)을 구분한다는 원리이다.
㉡ 전경은 지각장에서 주의를 기울이는 대상이고, 배경은 도형을 둘러싸고 있는 주위환경이다. 전경과 배경은 모양, 크기, 고저, 색상 등과 같이 지각장의 두드러진 특징에 따라 분리된다. 유기체가 도형과 배경을 어떻게 구분하느냐에 따라 동일한 도형(자극)이 여러 가지로 지각될 수 있음을 보여 주는 역전성(逆轉性, reversible) 도형(혹은 반전도형)에 이 원리는 잘 나타나 있다.
  ✎ '루빈(Rubin)의 컵' 그림은 '컵'으로도 지각되고, '두 사람이 마주보고 있는 얼굴'로도 지각된다.
㉢ 이 원리는 '중요한 학습내용(전경)'을 '중요하지 않은 내용(배경)'과 뚜렷하게 구분될 수 있도록 제시해야 함을 시사한다.
㉣ 지각장에서 두드러진 학습자료는 오래 파지되지만 동질성이 높은 학습자료는 파지가 잘 되지 않는다는 레스토프 효과(Restorff effect)도 이 원리와 긴밀하게 관련된다.

③ 프래그난츠의 법칙(principle of Pragnanz) : 지각의 보편적 경향성을 나타내는 법칙(지각의 제2법칙), "인간이 어떤 사물을 지각할 때 전체를 조화롭게 또는 의미 있게 지각하려 한다."
  ⇨ 착시현상(∵ 인간의 모든 정신현상은 의도를 가지고 있기 때문에 나타난다.)
  ✎ pragnanz의 의미 '간결한', '유의미한', '좋은'의 의미
    1. 인간은 사물을 분석적(원자론적)으로 지각하지 않고 조직화된 전체, 즉 좋은 형태로 지각하려고 한다.
    2. 학습은 아무 관련이 없는 사실을 기계적으로 학습하는 것이 아니라 유의미한 전체를 형성하는 과정이다.

㉠ 폐쇄성의 법칙(완결성의 법칙, law of closure) : 어떤 사물을 지각할 때 사물이 비교적 완전하지 않더라도 불완전한 것이 아니라 완전한 것으로 지각하려 한다.
  예) 불완전한 멜로디를 들을 때나 불완전한 철자(ph-los-py)를 지각할 때 적용된다.
㉡ 근접성의 법칙(law of proximity)
  ⓐ 멀리 떨어져 있는 것보다 가까이에 있는 것을 서로 묶어 의미 있게 지각하려고 한다.
    예) 책을 읽을 때 띄어쓰기가 되어 있지 않으면 내용을 정확히 이해할 수가 없다.
  ⓑ 시·공간적으로 가까이 있는 항목들을 군집화하여 유의미한 형태로 지각하려는 현상
㉢ 유사성의 법칙(law of similarity) : 그 사물의 속성(예) 크기, 모양, 색상 등)에 따라 유사한 것끼리 의미 있게 묶어서 지각하려고 한다.

② 계속성의 법칙(연속의 법칙, 공통방향의 법칙, law of continuity): 같은 방향으로 패턴이나 흐름을 형성하는 자극요소들을 서로 연결된 것처럼 연속적인 직선이나 도형으로 지각한다. 예 문자열 abdeghjk 다음에 오는 철자는 m이다.

⑩ 간결성의 법칙(단순의 법칙, law of simplicity): 복잡한 사물을 지각할 때 가급적 단순화시켜 조직하여 지각하려고 한다.

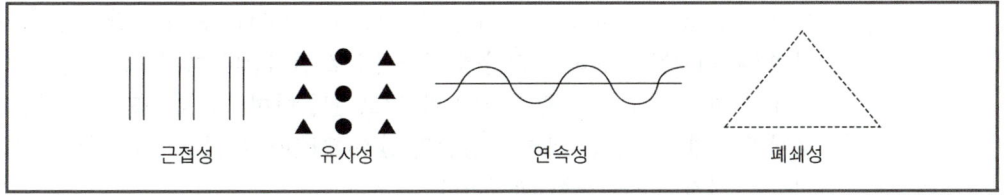

근접성　　유사성　　연속성　　폐쇄성

2. 쾰러(Köhler)의 통찰설 19. 국가직

(1) 개념

① 학습은 전체적인 관계를 파악하는 통찰에 의해 이루어지는 문제해결적 행동의 변용과정이다: 학습은 행동적 현상이 아니라 인지적 현상이다.

② 통찰(洞察, insight): 관계학습(relational learning)
  ㉠ 어느 순간에 문제상황에 대한 해결책, 즉 관계의 구조가 갑자기 떠올라 '아하(A-Ha)'라고 말하는 것 ⇨ 아하 현상(A-ha phenomenon)
  ㉡ 상황을 구성하는 다양한 요소들 간(또는 수단과 목적 간)의 관계 파악능력
  ㉢ 갑작스럽게 일어나는 비약적 사고 과정
  ㉣ 경험적 사실을 재구성하는 인지구조의 전환 과정

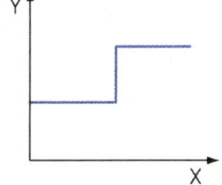

③ 침팬지(sultan)의 바나나 실험 18. 지방직
  ㉠ 실험내용 및 결과

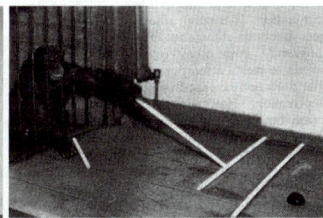

> 천장 위에 바나나(목표)를 매달아 놓고 방안 구석에 크기가 다른 나무 상자를 몇 개 넣어 두고 침팬지(sultan)를 넣었다. 처음에는 아무리 해도 바나나 잡기에 실패하지만, 한참 후 갑자기 해결책을 발견(통찰)하여 상자를 쌓아 놓고 올라가 바나나를 따먹었다.

  ⓐ 술탄이 갇힌 우리, 즉 술탄의 힘이 미치는 영역을 장(field), 또는 형태(gestalt)라고 하며, 우리 안에 있는 바나나, 상자, 막대기를 장을 구성하는 요소라고 한다.
  ⓑ 학습이란 처음에는 아무런 관련이 없던 장의 구성요소들 간의 관계를 목적(바나나)과 수단(상자, 막대기)이라는 관계로 재구성하는 원리를 발견하는 것을 말한다.

　　　　　ⓒ 침팬지가 문제장면에서 문제를 해결한 것은 인지적 학습의 결과이며, 이를 통찰학습 또는 관계학습이라고 한다.
　　　ⓒ 교육적 의의
　　　　　ⓐ 학습은 시행착오나 자극－반응의 연합(조건화)의 과정처럼 점진적으로 이루어지는 것이 아니라 순간적인 통찰(洞察)에 의해 이루어진다.
　　　　　ⓑ 통찰은 상황(장, field)을 구성하는 사물(요소, 수단과 목적)들 간의 관계의 구조, 즉 형태(Gestalt)를 발견하는 순간에 비약적으로 일어난다. ⇨ 통찰은 완전하고 다른 상황에 전이가 쉬우며, 수행상 오차가 없고 원활하며, 그 효과도 상당기간 유지된다.
　　　　　ⓒ 문제의 해결은 단순한 과거의 경험의 집적(集積)이 아니고 그의 경험적 사실을 재구성하는 인지구조의 변화 과정이다.
　(2) **통찰의 과정**: 전체의 파악 ⇨ 분석 ⇨ 종합(재구조화)
　　① **전체 파악**: 학습목표를 중심으로 하여 그를 둘러싸고 있는 사태를 전체적으로 파악한다.
　　② **분석**: 그러한 사태 안에서 목표 달성에 관련이 있는 요인을 분석한다.
　　③ **종합(재구조화)**: 이를 토대로 하여 목표를 달성할 수 있도록 환경구조를 개조한다.

3. **레빈(Lewin)의 장(場)이론(field theory of learning)** 03. 대전
　(1) **개요**
　　① 학습은 장(場, 심리적 인지구조, 유기체의 생활공간)의 변화이다.
　　　㉠ 학습은 개인이 지각하는 외부의 장과 개인의 내적·개인적 영역의 심리적 장의 관계에서 이루어지는 인지구조의 성립 또는 변화이다.
　　　㉡ 학습이란 장 또는 생활공간에 대한 인지구조의 변화이다: 학습은 낡은 심리학적 구조가 새로운 심리학적 구조로 변화되어 가는 과정(인지구조의 재구조화)이다.
　　　㉢ 장(場, field): 한 사람의 전체적인 생활공간(life space) ⇨ 물리적으로 표현되는 공간이 아니라, 유기체의 행동을 결정하는 모든 심리적·주관적 요인(예 태도, 욕구, 기대, 감정 등)의 복합적 상황
　　　　　ⓐ **생활공간**: 행동을 지배하는 그 순간의 시간적·공간적 조건
　　　　　ⓑ **위상심리학**: 어떤 순간에 처해 있는 생활공간의 구조에서 어떤 행동이 일어날 수 있으며, 어떤 행동이 일어날 수 없는가를 연구하는 심리학
　　　　　ⓒ **벡터심리학**: 현실에서 어떤 방향으로 얼마나 강한 행동이 일어나는가를 연구하는 심리학 ⇨ 벡터(vector)는 행동의 방향과 강도를 의미
　　② **행동방정식**: 개인의 행동(behavior)은 개체(person)와 심리적 환경(environment)과의 상호작용이다.

$$B = f(P \cdot E) \quad B: behavior \quad P: person \quad E: environment$$

(2) 이론의 특징
① 지각과 실재(reality)는 상대적인 것이다: 개인이 감각기관을 통해 받아들이는 실재는 자신의 요구와 목적에 의해 다시 만드는(재구성하는) 것이다.
② 유의성(valence)의 원리: 개인은 자신이 설정한 목표를 달성하는 데 유리한 쪽으로 지적인 사고를 한다.
③ 현시성(現時性, contemporaneity)의 원리: 장이란 현재의 순간적인 의미밖에(now & here) 없기 때문에, 과거의 경험마저도 현재의 의미로 변하여 현재의 장 영역이 되며, 미래의 희망도 현재의 심리적 장 안에 있기 때문에 현재의 장을 이룬다.
④ 학습이란 통찰 또는 인지구조의 변화이다: 개인은 유목적적으로 행동하고 목적을 추구하기 위해 자기에게 유리한 면으로 통찰하고 의미를 변화시킨다.

4. 톨만(Tolman)의 기호-형태설(Sign-Gestalt Theory)
  (1) 개념
    ① 목적적 행동주의(purposive behaviorism), 인지적 행동주의, 잠재학습설, 기호학습설, 기대이론(expectancy theory), 기호-의미체이론(S-S이론, sign-signification theory): 인지(cognition)가 학습의 중요한 조건
    ② 신행동주의자이나 원자론적 사고방식을 비판: 인간만이 아니라 쥐도 목적을 추구하거나 인지 등과 같은 정신기능을 소유하고 있다.
    ③ 레빈(Lewin)의 영향을 받음: 장(field)이라는 개념 대신 인지지도(cognitive map)라는 용어를 사용하였다.

  (2) 학습
    ① 학습은 자극-반응의 결합이 아니라, 기호(sign)-형태(Gestalt)-기대(expectation)의 형성이다.
    ② 학습이란 어떤 동작을 배우는 것이 아니라, 어떤 반응이 어떤 목표를 달성하게 하느냐 하는 목적과 수단의 관계를 의미하는 기호를 배우는 것이다.
    ③ 학습자가 수단과 목표의 의미 관계, 즉 인지구조를 알고, 인지지도(cognitive map)를 형성하는 과정이다.

(3) **실험**: 쥐의 미로찾기 실험
① 실험내용

> 세 집단의 쥐를 미로상자에 넣고 목적지에 도착하는 실험을 하였다.
> A집단(통제집단-매일 보상집단)의 쥐에게는 목적지에 도착할 때마다 먹이를 주어 강화를 하였고(실험이 종료될 무렵에는 1~2개 정도의 오류만을 범하고 목표에 도착하였다.), B집단(무보상집단)의 쥐에게는 목적지에 도착해도 먹이를 주지 않았다(B집단의 쥐는 실험이 끝날 때까지 계속해서 많은 오류를 범했다). C집단(실험집단-11일째 처음 보상집단)의 쥐에게도 목적지에 도착해도 강화를 하지 않았다. 이 조건하에서는 A집단의 쥐가 목적지에 도달하는 것이 우수하였다.
> 실험 시작 10일이 지난 후 실험 11일째, C집단의 쥐에게도 목적지에 도착할 때 강화를 하였다. 그랬더니 놀라운 사건이 발생하였다. 그 다음 날인 12일째에 C집단의 쥐는 거의 실수를 하지 않고 A집단의 쥐와 마찬가지로 정확하게 목적지에 도착하는 행동을 하였다. 11일째에 제시한 단 한 번의 강화가 그 다음날의 수행을 극적으로 변화시킨 것이다. C집단의 쥐는 강화되지 않은 10일간 행동으로 드러나지는 않았지만 분명히 학습을 하고 있었다. 이를 '**잠재적 학습**'이라고 하였다. 쥐는 자신의 환경에 대한 인지지도를 내면화하고 있었던 것이다.

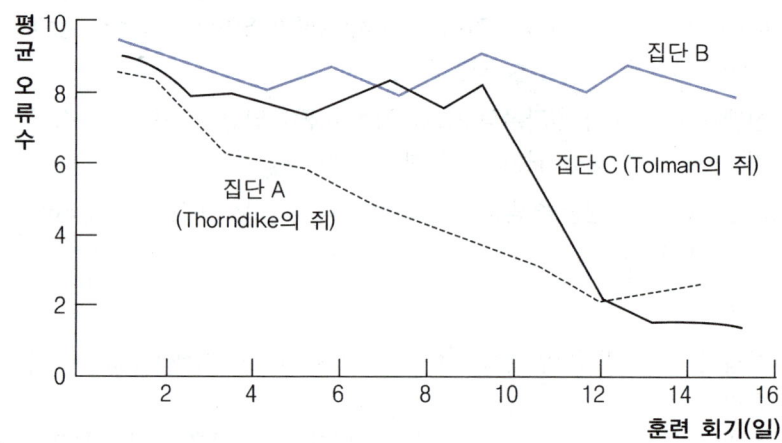

② 실험결과
  ㉠ 학습이란 자극-반응의 결합을 통한 행동의 학습이 아니라 인지지도, 즉 기호-형태-기대를 신경조직 속에 형성하는 것이다. ⇨ 학습은 어떤 행동의 결과로서 적절한 목표에 도달할 수 있다는 인식이며, 이렇게 하면 목표에 도달할 수 있다는 기대가 성립하는 것이다. 학습자가 수단과 목표의 의미관계를 파악하고 인지지도를 형성하는 것이 학습이다.
  ㉡ 학습은 어떤 동작을 배우는 것이 아니라 어떤 반응이 어떤 목표를 달성하게 하느냐 하는 수단과 목표의 관계를 의미하는 기호를 배우는 것이다.
  ㉢ 학습하는 것은 자극과 반응 간의 관계가 아니라 자극들 사이의 관계이다. 따라서 쥐의 미로학습 실험에서 쥐는 먹이를 찾아가는 길을 인지지도라는 기호-형태로 기억(잠재학습)하고 있다가 문제상황이 다시 주어지면 이를 이용하여 찾아가는 것이다.

(4) 학습이론

① 잠재학습(latent learning)
  ㉠ 어느 한순간에 유기체에 잠재되어 있지만 행동(수행)으로 나타나지 않는 학습
    ⇨ 우연적 학습(incidental learning)
  ㉡ 강화 없이도 학습이 일어난다. '보상'이란 수행변인이지 학습변인이 아니다.
    ⇨ 행동주의의 비판 근거 & Bandura와 같은 견해

② 보상기대(reward expectancy)
  ㉠ 동물은 행동할 때 특정목표에 대해 사전인지를 가지고 있어 '이렇게 하면 이런 결과가 나타날 것'이라는 기대를 가지며, '보상'이란 기대에 대한 확인을 말한다.
    예. 원숭이가 보는 앞에서 엎어 놓은 그릇 속에 바나나를 넣었다가 원숭이가 보지 않을 때 원숭이가 덜 좋아하는 야채로 바꾸어 놓자, 원숭이는 바나나만을 찾고 채소는 먹으려 하지 않았다. 평소에 먹던 야채지만 원숭이는 바나나라는 보상을 기대하고 있었기 때문에 실망을 하고 야채를 먹지 않는 것이라고 톨만은 보았다.
  ㉡ 기대에 못 미치는 보상은 수행을 감소시킨다.

③ 장소학습(place learning): 목표물이 어디에 있는가에 대한 장소를 학습하는 것으로, 유기체가 어떤 장소에 가면 어떤 강화를 받을 것이라는 기대가 경험을 통하여 검증되면서, 장소에 대한 인지지도를 형성하여 획득된 과정이다.
  예. 비둘기가 매일 먹이를 구하러 일정한 장소를 찾아 날아가고, 또 철새들이 겨울이 되면 우리나라의 일정한 지역을 찾아 수만 리를 날아서 찾아 날아온다.

③ 인지주의 학습이론 Ⅱ - 정보처리이론 10. 대전, 05. 국가직

1. 개념
(1) 인간이 외부세계로부터 획득하는 정보를 어떻게 지각하고 이해하고 기억하는가를 연구하는 이론
(2) 인간의 사고과정(인지)이 컴퓨터의 정보처리 과정과 같다고 보는 모형

2. 전통적인 정보처리모형
(1) **에빙하우스(Ebbinghaus)의 망각과정에 관한 연구**: 기억 연구의 선구자 ⇨ 무의미철자에 관한 연구

(2) **이중저장고모형(기억구조모형, 기억단계모형)**: 앳킨슨과 쉬프린(Atkinson & Shiffrin)
  ① 기억을 단기기억(핵심)과 장기기억으로 구분, 작동기억은 단기기억의 유사명칭으로 간주
  ② 인간의 기억이 단기기억과 장기기억으로 구별된다는 증거(Rundus의 가설): 계열(서열)위치효과(serial position effect) ⇨ 자유회상연구(free recall)에서 회상된 항목들을 분석해 보니(U자 형태의 곡선) 단어목록의 처음과 끝에 제시된 항목들의 회상이 잘 된 반면, 중간부분에 있던 항목들은 회상이 잘 되지 않았다.

초두효과 (primary effect)	목록의 첫 부분에 제시된 항목의 회상률이 높은 현상(∵ 처음에 제시되는 정보에 더 많은 주의를 기울이기 때문) ⇨ 장기기억의 존재 증거
신근성 효과(최신효과, recency effect)	목록의 끝부분에 제시된 항목의 회상률이 높은 현상(∵ 다른 정보의 간섭을 받지 않았기 때문) ⇨ 단기기억의 존재 증거

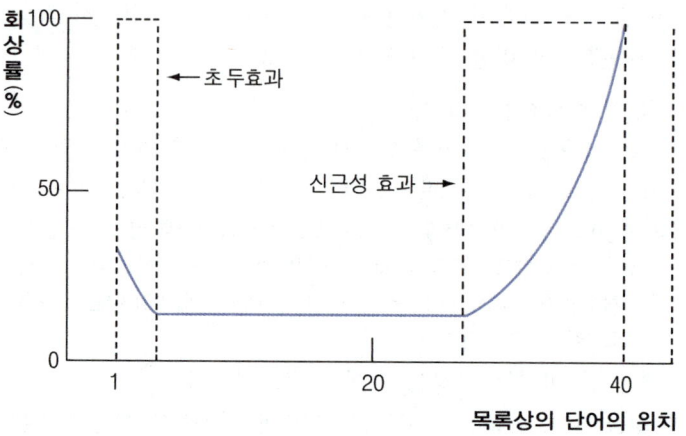

(3) **다중저장고모형**(multi-store model): 배들레이(Baddley)
① 기억은 감각기억, 작업기억, 장기기억으로 구성: 작업기억(working memory)이란 용어를 처음 사용
② 작업기억(작동기억)은 장기기억에서 가장 최근에 활성화된 일부분이며, 단기기억은 작동기억 내에 포함되어 있는 것으로 파악

3. 구성요소

정보저장소(정보저장고), 인지처리과정, 메타인지로 구성

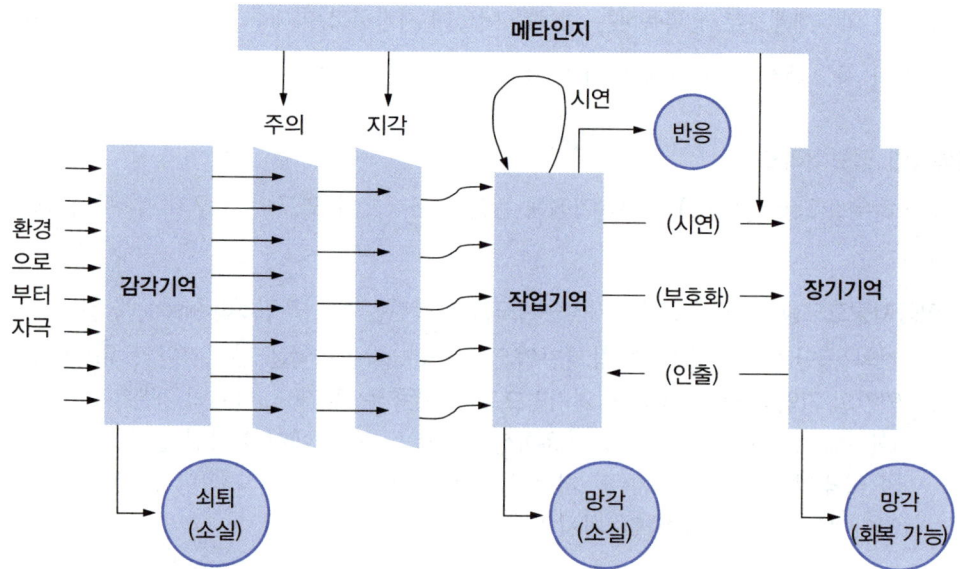

✎ 지각(perception)은 정보를 주관적으로 처리하는 과정이기에 정보의 왜곡이 일어날 수 있다.

(1) **정보저장소**: 정보가 저장되는 곳, 기억의 기본구조 예 감각등록기, 작동기억(단기기억), 장기기억
(2) **인지처리과정**: 정보의 이동과정 예 주의집중, 지각, 시연, 부호화, 인출, 망각 등
(3) **메타인지**(meta-cognition): 자신의 인지과정을 인식하고 통제하는 과정

4. 정보저장소 21. 지방직, 09. 대전

구분	감각등록기	단기기억	장기기억
유사 명칭	감각기억	작업(작동)기억, 1차적 기억	2차적 기억
정보의 투입	외부자극	주의집중, 지각	시연(반복, 정교화)
저장용량	무제한	제한(7±2 chunk)	무제한
정보원	외부환경	감각기억과 장기기억	단기기억에서의 전이
부호형태	원래의 물리적 형태	이중부호(언어적, 시각적)	일화적, 의미적
정보의 형태	감각 ⇨ 영상기억(시각정보), 잔향기억(청각정보)	현재 의식하고 있는 정보 (음운적)	학습된 혹은 약호화된 정보 (조직화 및 유의미성)
일반적 특징	일시적, 무의식적	의식적, 능동적	연합적, 수동적
기억 지속시간	순간적(1~4초 이내)	일시적(20~30초 이내)	규정할 수 없음(무제한).
정보 상실	소멸(쇠퇴)	치환 또는 소멸(쇠퇴)	인출 실패
컴퓨터/두뇌활동		RAM, CPU / 의식	HARD / 사고(思考)

(1) **감각등록기**(감각기억, Sensory register)
① 학습자가 환경으로부터 감각수용기관(눈, 귀 등)을 통해 정보를 최초로 저장하는 장소
  ㉠ **잔향(殘響)기억**(echoic memory, 반향기억): 청각적 정보에 대한 감각기억, 4초 정도 저장
  ㉡ **영상(映像)기억**(iconic memory, 영사기억): 시각적 정보에 대한 감각기억, 0.5~1초 정도 저장
② 기억용량은 무제한이나 투입된 정보가 즉시 처리되지 않으면 그 정보는 유실(망각)된다.
③ 두 가지 이상의 감각 정보가 동시에 제시되는 것은 정보처리에 도움을 주지 못한다(Broadbent의 청취 조건 실험).
  예 교사가 판서를 하면서 설명하는 경우 학생은 필기에 집중하여 설명을 잘 듣지 못한다.
④ 주의(attention)를 받은 자극과 정보만이 다음의 기억저장고인 단기기억으로 전이된다.
  예 칵테일파티 효과(Cocktail Party Effect) ⇨ 자신에게 의미 있는 정보에만 주의를 기울인다.

(2) **작동기억**(작업기억, Working memory): 단기기억(Short-term memory) 11. 국가직 7급
① 정보를 재연(再演)하거나 조작하는 실제적 정신활동(예 시연, 청킹)이 일어나는 기억
  ㉠ 의식(consciousness), 중앙연산처리(CPU)에 해당
  ㉡ 활성화(activation) 상태에 있는 기억 내용이나 그 기능 자체
② 정보의 일시저장소: 컴퓨터의 RAM 또는 '작업대'에 해당
  예 성인의 경우 약 10~20초 정도, 7±2개(5~9개) 정도 저장 ⇨ Miller는 7개(unit) 또는 의미단위(chunk), Simon은 5개를 magic number라고 주장

③ 정보의 양과 지속시간에 제한이 있다.
　　예 처음 들은 전화번호를 한 번 보고 암송한 뒤 버튼을 눌러 전화한 후 잊어버린다.
④ 작동기억 속의 정보를 유지(활성화)하는 방법
　㉠ 시연(rehearsal, 암송): 정보를 마음속으로 계속 되뇌이는 것(Shiffrin)

유지암송 (maintenance rehearsal)	• 정보를 마음속에서 반복하는 것(기계적 암송) • 한 번 사용하고 잊어버리려는 정보(**예** 전화번호)를 지속시키는 데 좋은 방법
정교화 암송 (elaborative rehearsal)	• 기억하고자 하는 정보를 이미 알고 있는 정보(장기기억 속의 정보)와 연결시키는 것 • 연합과 심상을 이용하여 새로운 정보를 기존 지식과 관련짓는 과정 • 작업기억 속에 정보를 유지할 뿐만 아니라 장기기억 속으로의 정보이동에도 도움

　㉡ 작업기억의 한계용량을 극복하는 방법: 인지부하이론(Cognitive Load Theory)

청킹(chunking) ⇨ 군단위화, 절편화, 결집, (의미)덩이짓기	의미	• 분리된 항목들을 보다 의미 있는 큰 묶음으로 조합하는 것 • 정보의 개별적 단위를 보다 크고 의미 있는 단위로 묶는 것 　**예** 김 교사는 10개의 수 '0, 4, 1, 3, 4, 5, 9, 9, 8, 7'을 칠판에 쓴 후 학생들이 쉽게 기억하도록 하기 위해 041, 345, 9987로 묶어 다시 제시하였다.
	관련 이론	파스칼 레온(Pascual-Leone)의 구성적 조작자 이론: 정보처리공간의 증가로 보는 절대적 증가모형(absolute capacity growth)
자동화 (automatization)	의미	• 자각이나 의식적인 노력 없이 (무의식적으로) 수행할 수 있는 정신적 조작의 사용 ⇨ 정보처리의 기능의 효율성을 증가시키는 방법 • 주의를 많이 요구하는 통제된 정보처리과정(controlled process)이 아닌 '자동화된 정보처리과정'을 의미 ⇨ '자동적 전이'와 유사 　**예** 걸음 걷기, 운전하기
	관련 이론	케이즈(Case)의 실행제어 구조이론: 정보처리의 효율성(processing efficiency)으로 보는 기능적 증가모형(functional capacity growth) ⇨ 조작공간은 감소하고 저장공간은 증가
이중처리 (dual processing)	의미	시각과 청각의 두 구성요소가 작동기억에서 함께 정보를 처리하는 방법
	관련 이론	파이비오(Paivio)의 이중부호화 이론

(3) 장기기억(Long-term memory) 　21. 국가직 7급

① 단기기억에서 적절히 처리된 정보를 영구적으로 저장하는 기억
② 작동기억 속의 정보가 적절한 조직화(**예** 암송, 부호화)에 의해 전이된 기억
③ 기억용량과 지속시간이 무제한

　🖉 **하드디스크**(HARD) 우리가 기억해 내지 못하는 것은 장기기억 속의 정보가 사라진 것이 아니라 인출에 필요한 단서가 부적절해서 기억해 내지 못하기 때문이다(인출실패설).

④ 장기기억의 유형: 유형이 서로 다른 정보는 몇 개의 독립된 기억체계 속에 저장

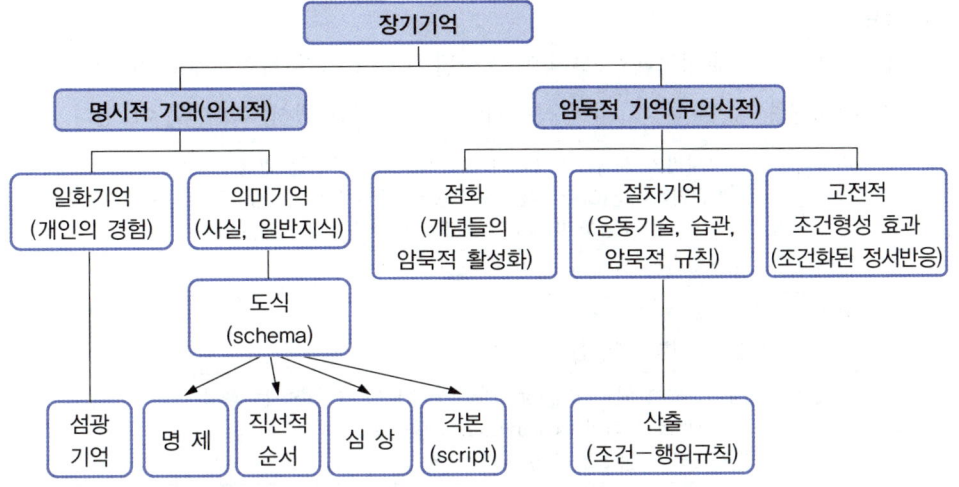

㉠ 일상기억(삽화적 기억)과 의미기억(의미적 기억): Tulving(1985)

일상(일화적)기억
(episodic memory)
	• 개인의 경험을 보유하는 저장소
	  ⇨ 자서전적 기억(autobiographical memory)
	• 개인적 경험이 일어난 연대기적 기억
	  예 초등학교 졸업식 때의 기억
	• 심상(心象, image) 형태로 부호화되며, 정보가 발생한 때와 장소를 기초로 조직

의미기억 (semantic memory)	• 정보를 학습했을 때의 맥락과 관련이 있는 일반적인 지식 예 고래는 포유류 동물이다. • 문제해결 전략과 사고기술 그리고 사실, 개념, 일반화, 규칙 등이 저장 • 학교에서 학습하는 대부분의 내용들이 저장, 각 정보들은 서로 연관을 맺으면서 체계적인 네트워크(network)를 구성

㉡ 암묵적 기억과 명시적 기억

암묵적 기억 (implicit memory)	• 의도적으로 기억하려고 하지 않은 것을 기억해 내는 것 예 갑자기 떠오른 기억 • 우연적이고도 의도하지 않은 기억 ⇨ 무의식적이고 간접적으로 접근할 수 있는 기억
명시적 기억 (explicit memory)	• 이전의 경험들을 의도적으로 회상해 내는 것 ⇨ 의식적이고 직접적으로 접근할 수 있으며 언어적으로 표현할 수 있는 기억 • 기억상실증, 나이, 알코올과 같은 약물의 투여, 파지 간격의 길이, 간섭 등과 같은 요인에 의해 크게 영향을 받는다.

5. 인지처리과정(cognitive process ≒ 인지방략, 인지전략, cognitive strategies) 13. 국가직, 10. 경남

(1) 개념
① 특정 기억체계(정보저장고) 속에 저장된 정보를 다른 기억체계로 전이시키기 위한 정신과정
② '주의집중 ⇨ 지각 ⇨ 시연(작동기억) ⇨ 부호화(핵심) ⇨ 인출'이 있다.

주의집중	정보처리의 시작 ⇨ 자극에 의식적으로 집중하는 과정 **예** 물리적 유형(OHP, 칠판, 교사 등과 같은 수업도구), 강조적 유형(중요함을 강조하기), 감정적 유형(학생을 호명하기), 흥미유발적 유형(지적 호기심을 유발하기)
지각	자극에 부여된 의미
시연	반복을 통한 정보 유지 **예** 유지형 시연, 정교화 시연
부호화	장기기억에 연결하기, 장기기억에 정보를 표상화하는 과정 ⇨ 정보를 유의미(meaningfulness)화 시키기 **예** 조직화, 정교화, 활동
인출	정보를 의식수준으로 떠올리기

(2) 구성요소 22. 지방직

① **주의집중(attention)**: 정보 자극에 대하여 선택적으로 반응하는 것
  ㉠ 학습 과정의 필수적 초기 단계에서 중요: "주의를 기울여라. 그렇지 않으면 아무것도 배우지 못할 것이다."
  ㉡ 특정 자극에만 선택적으로 주의를 집중하고 다른 측면은 무시하는 것이다(∵ 정보처리 능력의 한계로 인해 감각기관에 투입되는 정보를 모두 처리할 수는 없기 때문에).
    예 칵테일파티 효과(cocktail party effect), Broadbent의 청취 조건 실험 ⇨ 동시적인 정보보다 분리해서 제시되는 정보의 기억이 더 높다. 한 가지 정보만이 입력되고 나머지 정보들은 여과된다.
  ㉢ 수업 중 주의집중 유지 방안
    ⓐ 인쇄물을 제시할 때 밑줄, 진한 글씨, 별표 등을 이용해서 강조한다.
      ◇ **레스토프 효과(Restorff effect)**
        1. 우리의 두뇌가 특이한 요소를 잘 기억하는 현상
          예 낯선 곳을 처음 방문했을 때 그 지역 풍광이 오래 기억되는 것
        2. 노트를 정리할 때 중요한 내용에 밑줄을 긋거나 굵은 글씨, 색깔, 다른 서체 등을 활용하는 것과 관련된 현상
        3. 지각장에서 두드러진 학습자료는 오래 파지되지만 동질성이 높은 학습자료는 파지가 잘 되지 않는다는 것으로, 도형-배경 원리와 긴밀하게 연결된다.
    ⓑ 언어로 정보를 제시할 때 음성의 고저, 강약, 세기를 조절하고 특이한 발성으로 강조한다.
    ⓒ 다양한 자료와 시청각매체를 이용하고 흥미로운 자료를 제공한다.
    ⓓ 수업내용을 제대로 이해하고 있는지 수시로 질문한다.

학습자의 주의를 유도하는 전략

구분	예
시범	과학교사가 의자에 앉아 있는 학생을 교실을 가로 질러 끌고 가면서 힘과 일의 개념을 시연한다.
불일치 사건	평상시에 주로 정장을 입는 세계사교사가 고대 그리스에 대한 토론을 시작하기 위해 한 장의 천을 걸치고 샌들을 신고 왕관을 쓰고 교실로 들어온다.
도표	보건교사가 일부 대중적인 음식에 많은 지방이 함유되어 있음을 보여주는 도표를 게시한다.
그림	영어교사가 수염이 덥수룩한 헤밍웨이의 그림을 보여주면서 헤밍웨이의 영어 소설의 주요 내용을 영어로 소개한다.
문제	수학교사가 "철수는 토요일에 음악 공연장에 가고 싶지만 돈이 없어요. 공연표는 5만 원인데, 추가로 2만 원 정도 교통비와 저녁 식사비가 필요해요. 철수가 아르바이트를 해서 시간급으로 시간당 5천 원을 벌고 있는데, 공연장에 가기 위해 몇 시간을 일해야 할까요?"라고 질문을 던진다.
사고를 자극하는 질문	역사교사가 제2차 세계대전에 대한 토의를 질문으로 시작한다. "일본이 전쟁에서 이겼다고 해봅시다. 만약 그랬다면 지금의 아시아는 어떻게 달라졌을까요?"
강조	교사가 말한다. "여기 집중하세요. 다음 두 가지는 아주 중요해요."
호명하기	질문과 답변 시간에 교사가 질문을 하고 잠시 쉰 후 한 학생의 이름을 부르며 답변하게 한다.

② 지각(知覺, perception)
  ㉠ 주의집중한 자극(객관적 실재)에 대해 개인의 경험에 입각하여 주관적인 인식(예 의미와 해석)을 부여하는 과정
    예 같은 사물도 사람마다 다르게 보인다.
  ㉡ 감각(感覺, 자극에 대한 오감을 통한 신체적 반응)을 통해 수용된 외부자극에 개인이 의미를 부여하는 과정
    예 "남자다." (감각), "멋지다." (지각)

③ 시연(試演, rehearsal) : 작동기억 속에서 이루어지는 정보처리과정, '암송(暗誦)'과 유사 개념
  ⇨ 1차적으로 작동기억 속의 정보를 파지하는 기능(기계적 시연)을 하며, 2차적으로는 단기기억 속의 정보를 장기기억으로 전이시키는 기능(정교화된 시연)을 한다.
  ㉠ 기계적 시연(유지형 시연) : 반복 암기
    ⓐ 정보를 그 형태와 관계없이 계속적으로 반복하는 과정
      예 정보를 소리내어 읽는다. 정보를 속으로 되풀이한다. 전화를 걸 때까지 마음속으로 전화번호를 반복한다.
    ⓑ 의도한 목적을 달성할 때까지만 시연 ⇨ 달성 후에는 정보 손실(쉽게 망각)
  ㉡ 정교화된 시연
    ⓐ 연합과 심상(心象)을 이용하여 장기기억 속에 존재하고 있는 기존의 정보에 새로운 정보를 연결시키는 것 ⇨ 작동기억에서 장기기억으로 정보를 이동시키는 과정
    ⓑ 유의미화 과정 : 기계적인 암기(일시 저장)가 아니라, 장기기억 속에 있는 기존의 정보와 새로운 정보들이 연결되어 새로운 체제를 구축(영구 저장)하는 과정
    ⓒ 중요한 내용을 학습의 처음과 마지막 부분에 배치한다. ⇨ 계열위치효과

④ **부호화**(약호화, 기호화, encoding) 16. 국가직, 07. 경남 : 정보의 장기적인 파지전략 ⇨ 새로운 정보를 유의미하게 기억하기 위하여 장기기억 속에 저장되어 있는 정보와 관련짓는 인지전략

㉠ 정교화(elaboration) 19. 국가직
  ⓐ 의미 : 새로운 정보에 의미를 추가하거나 그 정보를 기존 지식과 연결하여 의미를 부여하는 전략 ⇨ 선행지식에 근거하여 새로운 정보에 아이디어를 추가하여 그 의미를 심화시키고 확장하는 전략
    예 새로운 정보의 의미를 해석하고, 사례를 들고, 구체적 특성을 분석하고, 추론을 하는 것
  ⓑ 정교화 방법 : 논리적 추론(사고의 법칙성 추구), 연결적 결합, 예시(구체적인 사례를 제시), 세부사항(부족한 부분을 채워서 완성하기, 구체화), 문답법(교사가 질문하고 학생이 답하기), 노트필기(장기기억의 인출실패를 보완하는 기능), 요약하기, 유추(analogy, 추상적인 정보를 구체적 정보로 전환 예 원자의 구조는 태양계와 같다.), 기억술 활용하기

㉡ 조직화(organization) 20. 국가직
  ⓐ 별개의 정보들에 질서를 부여하여 기억하는 것
    예 무의미한 철자 I, e, o, l, m, a를 "I am leo."라고 기억한다.
  ⓑ 군집화(clustering) : 기억하려는 정보들을 의미적으로 관련되고 일관성 있는 범주(유목)로 묶는 기법이다. 예 도표 작성, 개요 작성, 위계도 작성, 개념도, 청킹 등
    ⇨ 정보를 경제적으로 저장 가능, 범주가 항목들을 인출하는 단서 역할 제공
    예 강아지배추사과망치말귤삽고구마괭이양파고양이배 ⇨ 강아지 말 고양이/배추 고구마 양파/사과 귤 배/망치 삽 괭이

㉢ 맥락화(context) : 정보를 장소, 특정한 날에 느꼈던 감정, 함께 있었던 사람 등과 같은 물리적·정서적 맥락과 함께 학습하는 것
    예 • 어제 수학 시간에 배운 공식이 집에서 생각나지 않다가 학교에 오니 생각이 났다(장소적 맥락).
      • 슬플 때 암기한 것이 슬플 때 잘 기억난다(정서적 맥락).

㉣ 초과반복학습(over-learning) : 완전학습 수준 이상으로 학습을 계속하는 것 ⇨ 기초학습과제 학습에 유용
  ⓐ 친숙하지 않은 정보를 계속해서 학습을 할 때 단순한 반복이 아니라 재조직하여 변형시킴으로써 이해와 기억이 증진되는 것
  ⓑ 다음 학습에 아주 기초적인 역할을 하는 학습과제에서 매우 중요한 역할

㉤ 심상 형성(visual imagery) : 정보를 시각적인 형태로 변형하는 과정 ⇨ Paivio의 이중부호화 이론(dual-coding theory)
  ⌀ 피아노, 사과, 하마 등과 같은 구체적인 정보가 도덕, 정의와 같은 추상적인 정보보다 잘 기억된다. (∵ 시각적으로 표상화할 수 있는 정보는 두 가지로 부호화되지만 추상적인 정보는 한 가지로 부호화되기 때문)
  ⓐ 심상(image)이 또 다른 기억부호를 제공하는 것이며, 두 가지 부호가 한 가지 부호보다 회상률을 증가시키기 때문에 기억을 촉진한다.
  ⓑ 기억은 의미적 부호와 시각적 부호라는 각각 회상할 수 있는 두 가지 부호를 형성함으로써 향상된다는 것이다.
    예 '백문불여일견(百聞不如一見)', 시청각교육의 효과, 멀티미디어 교육의 효과

- ⓑ 자기참조적 부호화(self-referent encoding): 정보가 자신과 어떻게 관련이 있는지를 결정하는 것을 수반하는 부호화
- ⓼ 기억술(記憶術, mnemonics): 장소법, 핵심단어법, 두문자법, 문장작성법, 연결법, 운율법 등
- ⓞ 학습자의 적극적 활동: 학습자가 수동적으로 설명을 듣기보다 적극적으로 수업에 참여할 때 학습을 촉진시킨다.
- ⓩ 정보처리 수준(level of processing): 정보가 깊은 수준으로 처리(의미적 부호화)될수록 기억이 더 잘 된다.

⑤ 인출(retrieval): 장기기억에 저장되어 있는 여러 가지 정보 중에서 필요한 것을 의식수준에 떠올리는 능력 또는 기술 ⇨ 장기기억 속의 정보 탐색 및 재생 과정

㉠ 인출단서(retrieval clue): 기억 속에 저장되어 있는 정보에 접근하는 데 도움을 주는 실마리나 힌트 예 부호화를 하는 시점의 특별한 사건, 당시의 느낌이나 감정, 정보를 부호화하는 장면에 존재하고 있는 물리적 환경
  ⓐ 인출단서는 장기기억에 저장되어 있는 정보를 활성화하는 기능을 한다.
  ⓑ 정보가 장기기억에 저장되어 있어도 인출단서가 없으면 접근할 수 없다.
  ⓒ 설단현상(tip of the tongue phenomenon, 못난 엇니 현상): 장기기억에 존재하는 특정한 정보에 대해 정확하게 접근할 수 있는 인출단서가 없을 때, 장기기억에 저장된 정보가 체계적이지 못할 때 발생하는 인출실패 현상

㉡ 부호화 특수성(부호화 특정성, encoding specificity principle): 인출은 부호화와 밀접한 관련
  ⓐ 정보를 부호화할 때 사용된 단서(맥락과 정서)가 그 정보를 가장 효과적으로 인출할 수 있는 단서가 된다는 원리 예 '연습은 실전처럼'
  ⓑ 인출조건이 부호화조건과 일치할수록 인출이 촉진: 최초 부호화의 맥락과 인출맥락이 일치할 때 정보의 인출이 잘 된다.
    예 잠수부에게 6미터 아래의 바다 속에서 단어들을 기억하도록 한 다음 그 단어들을 어느 정도 기억하고 있는가를 자유회상을 통해 측정한 결과 같은 조건에서 더 많은 단어들을 회상하였다.
  ⓒ 상황학습(situation learning): 특정 상황에서 학습한 내용은 상황이 바뀌면 잘 인출이 되지 않는다. ⇨ 구성주의 학습방법
  ⓓ 다양한 맥락과 예시를 사용해서 수업해야 학습내용이 효과적인 인출단서와 함께 부호화되어 잘 인출될 수 있다.

㉢ 상태의존학습(state-dependent learning)
  ⓐ 특정 정서상태에서 학습한 내용은 동일한 상태에서 더 잘 회상되는 현상
    예 슬픈 상태에서 학습한 단어는 슬플 때 더 잘 회상된다.
  ⓑ 학습시점과 회상시점의 정서상태가 동일할 경우 학습내용의 회상이 촉진된다는 것이다.

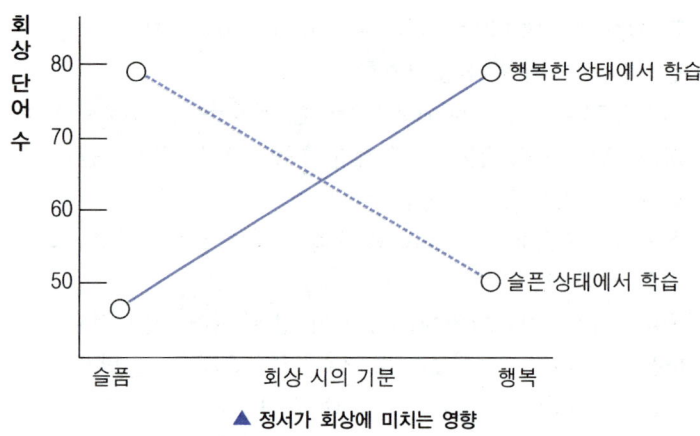

▲ 정서가 회상에 미치는 영향

6. 메타인지(상위인지, 초인지, meta-cognition)

(1) **개념**: 플라벨(Flavell)이 최초 사용 ⇨ 인지에 대한 인지(cognition about cognition)

① 자신의 인지(認知) 또는 사고(思考)에 관한 지식: "자신의 인지장치와 그 장치가 어떻게 작동하는지에 대하여 갖는 인식" ⇨ 인지 모니터링, 인지적 자기 조절

　예 "졸지 않게 교실의 앞자리에 앉아야겠어.", "오늘은 피곤해, 수업 전에 커피를 마셔야지."

② 사고하는 방법에 대한 사고활동(thinking about thinking)

③ 집행통제과정(executive control processes): 정보처리 체계 내에서 이루어지는 정보의 흐름을 관장하는 활동

④ 상위인지의 주요 기술은 계획(planning), 점검(감찰, monitoring), 평가(evaluation) 등이다: 자기 자신의 인지 과정을 인식·성찰하고 통제하는 정신활동 또는 능력을 말한다.

계획(planning)	과제해결에 필요한 전 과정을 어떻게 해야 할지 결정하는 것
점검(감찰, monitoring)	현재 자신이 제대로 과제를 하고 있는가에 대한 인식
평가(evaluation)	사고 및 학습의 과정과 결과에 대해 판단을 내리는 것

(2) **구성요소**

① 절차적 지식: 무엇을 어떻게 해야 할지를 아는 것
② 조건적 지식: 과제해결의 조건에 관한 지식, 언제 해야 할지를 아는 것
③ 인지적 지식: 절차적 지식이나 조건적 지식 등의 상위인지능력을 사용하는 것

7. 정보처리이론에 따른 학습전략(learning strategies)

(1) **개념**: 인지전략 + 메타인지전략

학습전략		내용
인지전략	기본적 시연전략	학습내용에 대한 단순반복
	복합적 시연전략	교재의 요점을 확인하기
	기본적 정교화 전략	정신적 심상형성, 연합형성
	복잡한 정교화 전략	유추, 의역, 요약, 관련짓기
	기본적 조직화 전략	군집화, 분류, 서열화
	복잡한 조직화 전략	요지확인, 개념을 요약하는 도표작성
메타인지전략	이해점검 전략	스스로 질문하기, 요점반복, 목표설정, 목표를 지향한 진전도 점검
	정의적 및 동기화 전략	성공적 결과 기대, 심호흡 및 이완활동, 긍정적 사고

(2) **SQ4R 모델**(PQ4R)

① Survey(개관하기, preview): 학습자료를 훑어보고 제목에 유의하기
② Question(질문하기): 학습자료에 대해 질문하기
③ Read(읽기): 질문에 답을 하기 위해 자료를 읽기
④ Reflect(숙고하기): 학습내용을 숙고하기, 아이디어를 기존 지식에 관련짓기
⑤ Recite(암송하기): 질문에 답하기, 정보를 제목과 관련짓기
⑥ Review(검토하기): 정보를 조직하기, 이해되지 않은 부분 다시 학습하기

8. 망각(忘却, forgetting)

(1) **개념**

① (장기)기억 속에 저장되어 있는 정보를 인출, 회상, 재인하지 못하는 현상
② 이전에 경험하였거나 학습한 것에 대한 기억을 일시적 또는 영속적으로 떠올리지 못하는 것으로 모든 기억 저장소에서 일어난다.
   > **예** 감각기억에서는 정보의 쇠퇴(decay), 작업기억에서는 쇠퇴와 치환(displacement), 장기기억에서는 간섭(interference)과 인출실패로 망각이 일어난다.

(2) **망각의 원인을 설명하는 학설**

① 흔적쇠퇴설(memory trace-decay theory, 불사용설, 기억흔적 쇠잔론, 소멸설)
   ⊙ 기억이란 학습내용이나 정보가 뇌(대뇌 피질의 기억중추) 속에 기억흔적(memory trace)으로 남는 것이며, 망각은 이 기억흔적을 연습 또는 재생하지 않고 그대로 두게 될 때 나타나는 소멸 현상(**예** 비석에 새겨진 문자가 시간이 지남에 따라 소멸)이다.
   ⊙ 망각의 주요 원인은 시간의 경과 **예** 최근 경험보다 과거 경험을 잘 기억하지 못함.
   ⊙ 망각 방지 방법: 충분한 반복 연습

② 간섭설(interference theory, 금지설, 제지설): 망각은 기억이 손실된 것이 아니고 학습 이전이나 이후의 정보에 의해 기억정보가 방해를 받았기 때문에 생기는 현상 ⇨ 기억 속에 저장된 정보들 사이의 혼동으로 인해 망각이 발생
  ㉠ 선행간섭(proactive interference, 순행간섭, 순행제지, 전진간섭): 선행학습내용이 후행학습내용의 기억을 방해 ⇨ 부정적(부적, 소극적) 전이와 유사, 선행학습과 후행학습이 유사할수록 많이 발생 예. 선생님이 비슷한 이름의 학생들을 잘 기억하지 못하는 경우
  ㉡ 후행간섭(retroactive interference, 역행간섭, 역행제지, 소급금지): 후행학습내용이 선행학습내용의 기억을 방해
    예. 새로 사귄 친구의 전화번호는 잘 기억되는데 예전 친구의 전화번호가 잘 기억되지 않는다.
      ⇨ Unlearning(새로운 것을 학습하는 과정에서 이미 학습한 것을 잊어버리는 것)으로 발생
  ㉢ 교육적 의의: 유의미하게 학습된 정보의 망각보다 기계적으로 학습된 정보의 망각을 더 적절하게 설명한다. ⇨ 혼동으로 인한 간섭이 일어나지 않도록 학습과제를 차별화하여 제시

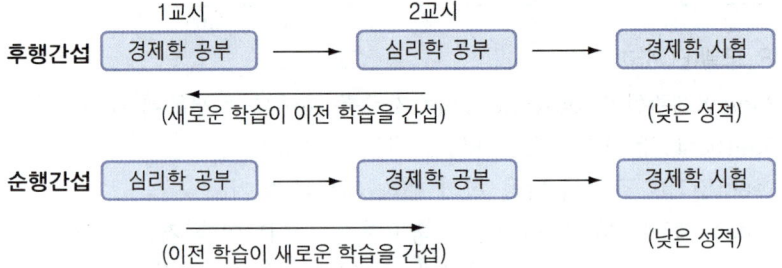

③ 인출실패설(retrieval failure)
  ㉠ 망각은 장기기억 속에 저장되어 있는 정보를 제대로 인출(retrieval, 장기기억 속에 저장된 정보를 탐색하여 그 정보에 접근하는 과정)할 수 없을 때 발생한다.
  ㉡ 망각 발생원인: 정보를 부호화시킬 때 조직적으로 하지 못한 경우나 저장된 정보를 인출할 때 적절한 단서가 존재하지 않는 경우에 발생 ⇨ 단서의존적 망각(clue-dependent forgetting)
  ㉢ 설단현상(tip of the tongue phenomenon): 찾아야 할 정보가 혀끝에서 맴돌면서 바로 회상되지 않는 현상 예. 분명히 아는 사람 이름이 잘 기억나지 않는 경우
  ㉣ 교육적 시사점: 적절한 단서[예. 학습환경이나 맥락, 냄새, 특정 생리적 상태나 정서적 상태(상태의 존학습)]가 존재하면 정보 인출이 촉진된다. ⇨ 다양한 맥락에서 정보를 부호화함으로써 망각 방지

④ 재체제화설: 코프카(Koffka)가 주장
  ㉠ 기억된 정보의 전체적인 윤곽이나 일반적인 의미만 기억에 남고 구체적이고 세부적인 부분이 점차 사라지는 현상 ⇨ 세부적인 부분의 기억이 전체적 구조나 일반적 의미와 결합되기 때문에 발생
    예. 미술시간에 본 모나리자 그림의 전체적인 윤곽은 기억에 남지만 세부적인 부분은 차츰 희미해졌다.
  ㉡ 기억흔적의 변용: 원래의 기억흔적이 점차로 잘못 변형되어질 때(예. 지각 내용이 과거 경험으로 형성된 인지구조에 전체적으로 재체제화가 이루어질 때) 망각이 발생 ⇨ 형태심리학자들의 주장

⑤ 정서에 의한 일시적 억압설: 프로이트(Freud)가 주장
  ㉠ 불쾌한 정서(예 두려움, 불쾌감, 공포, 불안 등)를 수반하는 내용을 회상하지 않으려는 무의식적 동기에 의해 억압(repression)됨으로써 망각이 발생한다(∵ 불쾌한 정보는 장기기억 속에 저장되어 있으면 불안을 유발하기 때문에 억압한다).
  ㉡ '동기화된 망각(motivated forgetting)'이라고도 한다.
    예 아주 싫어하는 사람의 이름을 잊어버리기, 잃어버린 것은 잊어버리고 딴 것만 기억하는 노름꾼
  ㉢ 정서와 관련된 경험이 어떻게 망각되는가를 설명한다. ⇨ 학교나 교사는 학생들에게 불쾌한 외상(外傷)적 경험을 제공하지 말아야 함을 시사한다.
⑥ 동기지움설: 망각은 동기와 관련된다. 예 자이가닉 효과
  ✎ **자이가닉 효과(Zeigarnik effect)** 완전히 해결된 문제보다 미해결된 문제가 보다 많이 기억되는 현상 ⇨ 미해결된 문제는 그것을 마저 완성하려고 하는 강한 성취동기가 작용하여 기억이 더 잘된다.

(3) 파지 - 망각곡선

① 에빙하우스(Ebbinghaus)의 망각곡선 11. 광주
  ㉠ 관련 연구: 사전 학습의 영향을 배제하기 위해 무의미 철자(nonsense syllable)의 학습을 통해 시간의 경과에 따른 파지량과 망각량의 변화에 관해 연구
  ㉡ 연구결과: 망각곡선(거꾸로 보면 파지곡선)을 제시

경과시간 (시간)	파지율(%)	망각률(%)
0.33	58.2	41.8
1	44.2	55.8
8.8	35.8	64.2
24	33.7	66.3
48	27.8	72.2
6×24	25.4	74.6
31×24	21.1	78.9

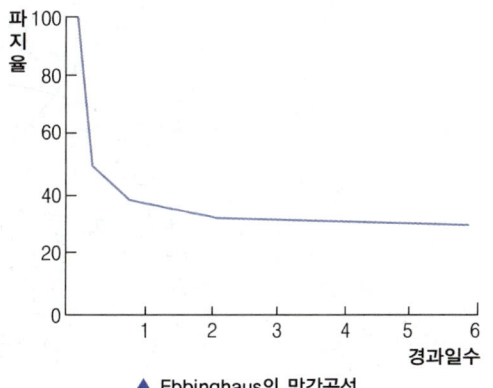
▲ Ebbinghaus의 망각곡선

✎ 에빙하우스의 망각곡선은 손다이크의 연습곡선과 관련이 있다.

  ⓐ 단시간 내에 망각률이 높고 그 후 일정한 수준의 파지량에 가까워지면서 안정된다.
  ⓑ 학습한 내용의 망각률이 가장 높은 때는 학습이 끝난 직후이다(약 41.8%).
  ⓒ 시간이 경과함에 따라 망각의 정도가 완만해진다.
  ⓓ 복습은 학습한 직후, 최초의 학습에 가까울수록 파지율이 높다.
  ⓔ 새로운 학습자료를 배우기 위해서는 전체를 학습하기보다는 일정한 간격을 두고 연습하는 것이 효과적이다.

② 리안(Ryan)의 학습자료 종류에 따른 망각곡선: 시간 경과에 따라 '무의미한 음절 > 산문 > 운문 > 개념과 논리적 원리'의 순으로 망각률이 높다.

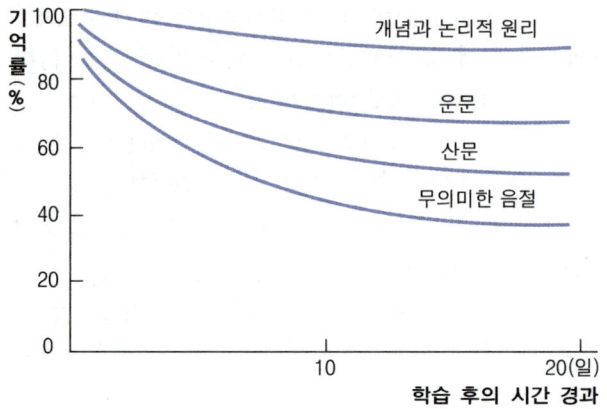

9. **정보처리모형에 대한 대안적 모형**: 신경망모형(연결망 또는 병렬처리모형)

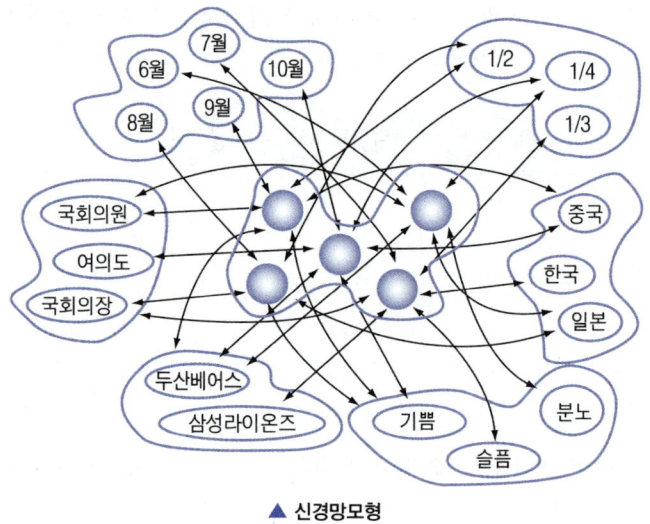

▲ 신경망모형

(1) **인지를 두뇌에 비유**(정보처리모형은 인지를 컴퓨터에 비유): 인간의 기억이 신경망으로 구성되어 있고, 기억 내용들이 노드(node) 사이의 연결강도로 저장된다는 이론
  ① 지식이 거대한 신경망(neural network)에 분산되어 저장된다. ⇨ 신경망은 뇌의 신경세포가 정보를 처리하는 기제로서, 정보처리요소와 연접경로로 구성된다.

정보처리요소	• 뇌의 뉴런(neuron)을 모형화한 것 • 정보전송로인 지향성 링크(link)에 의해 서로 병렬로 연결되어 있다.
연접경로	뇌의 시냅스(synapse)를 모형화한 것 ⇨ 뉴런 사이의 정보를 전달하는 경로로 두 개의 뉴런을 쌍으로 연결하고 있으며 각각의 연결강도가 다르다.

② 정보가 위계적으로 저장되는 것이 아니라 정보처리 마디(node) 간의 연결강도(connection strength)로 저장된다.

(2) **병렬처리모형**: 인지 과정이 거의 동시에 병렬적으로 처리
   cf. 정보처리모형은 계열적·단계적으로 처리

(3) **이론적 특성**
   ① 기본 정보단위(node)는 다양한 수준에서 활성화(의식)될 수 있다.
   ② 노드는 연결되어 있다.
   ③ 학습이란 노드 간의 연결을 형성하고 연결강도를 변화시키는 과정이다.

(4) **정보처리이론과의 차이점**

정보처리이론	컴퓨터에 비유, 순차처리(선형적), 논리연산에 의해 가부가 확실한 의사결정, 객관주의적 정보처리, 특정의 정보를 용이하게 검색할 수 있도록 정보가 저장
신경망이론	인간의 두뇌에 비유, 병렬처리(비선형적), 불완전한 자료에 근거하여 상황에 따라 최적의 의사결정, 주관주의적 정보처리, 정보의 일부를 검색하면 관련된 모든 정보가 자동적으로 함께 인출될 수 있도록 정보가 저장

4 사회학습이론(social learning theory, 사회적 인지이론)

1. **개관 – 반두라(Bandura)의 관찰학습** 21. 국가직 7급, 16. 국가직, 05. 강원

   (1) **사회학습 또는 모델링(modeling)**
      ① 인간행동의 학습은 실험적인 상황이 아니라 사회생활 속에서 타인(model)의 행동을 관찰하고 모방한 결과이다.
      ② 우리가 획득하는 정보가 다른 사람들과의 상호작용에서 온다는 점에서 사회학습이론이라고도 한다.
      ③ 모델을 직접 관찰함으로써 이루어지는 경우가 많으나 최근에는 대중매체의 발전으로 언어나 사진, 그림과 같은 상징적 모델을 모방하는 경우도 많다.

   (2) **인지적 행동주의 학습 또는 사회인지이론(social cognitive theory)** 12. 국가직 7급
      ① 조작적 조건형성의 원리를 이용해서 모방을 통한 인간의 사회학습을 설명하면서도 인간행동의 목적지향성과 상징화나 기대와 같은 인지 과정의 중요성을 인정하고 있다.
      ② 행동주의에서 인지이론으로 넘어가는 과도기 이론으로 평가받고 있다.

   (3) **관찰학습(observational learning theory, 또는 modeling)**: 사회인지이론의 핵심 ⇨ 모델에 대한 관찰을 통해 일어나는 행동적·인지적·정의적 변화
      ① 대부분의 인간학습은 실제 모델이나 상징적 모델(예 소설 속의 가상적 인물, TV 프로그램의 주인공)에 대한 관찰과 모방을 통해 이루어진다.
      ② 긍정적 결과가 기대되는 모방행동은 나타날 확률이 높아진다.

③ 행동이 변화되지 않아도 학습은 이루어진다.
④ 인지 과정은 학습에 중요한 역할을 한다.
　　◊ 행동을 하면 강화 또는 처벌을 받을 것이라는 기대(expectation)가 학습에 영향을 미친다. 주의(attention)나 파지(retention)와 같은 인지 과정이 학습에 영향을 미친다.
⑤ 모델링의 유형

인지적 모델링	모델의 시범을 모델의 생각과 행동에 대한 언어적 설명과 함께 보여 주는 과정 ⇨ 학습자가 전문가의 사고를 배울 수 있게 해 주는 모델링
직접 모델링	모델의 행동을 단순하게 모방하려는 시도이다. 예 현수는 시험공부를 할 때 수진이를 따라 한다. 1학년 아동은 교사와 똑같은 필체로 글자를 쓴다.
상징적 모델링	책, 연극, 영화 또는 TV에 등장하는 주인공들의 행동을 모방한다. 예 10대는 10대 취향의 인기 있는 TV쇼에 나오는 연예인처럼 옷을 입기 시작한다.
종합적 모델링	관찰한 행동의 부분들을 종합함으로써 행동을 발전시킨다. 예 형이 책을 꺼내기 위해 의자를 사용하는 것과 엄마가 찬장문을 여는 것을 보고, 의자를 사용해 혼자 서서 찬장문을 연다.
자기 모델링	자기 자신의 행동을 관찰하고 반성한 결과로 일어나는 모방이다. 예 자기장학

⑥ 모델링의 효과
　㉠ 새로운 행동의 학습 : 타인이 하는 행동을 관찰함으로써 새로운 반응을 학습할 수 있다.
　㉡ 억제를 변화시키기 : 타인의 행동을 관찰함으로써 어떤 특수한 행위를 억제하거나 피하게 되는 수가 있다. ⇨ 파급효과(ripple effect)
　㉢ 이미 학습한 행동의 촉진 : 모방은 또한 행동을 촉진하는 작용을 한다.
　㉣ 정서 유발(정서적 각성 효과) : 개인의 정서적 반응은 모델의 정서 표출을 관찰함으로써 바뀔 수 있다.
　　예 높은 다이빙대에서 다이빙 선수가 불안해하는 것을 보고 관객도 불안해한다.

(4) **대리적 강화**(vacarious reinforcement) : 간접적 강화
① 관찰자는 자신의 행동에 대해서 직접적인 강화를 받지 않더라도 모델이 보상이나 벌을 받는 것을 관찰함으로써 마치 자신이 강화를 받은 것처럼 행동한다.
　예 고속도로에서 100킬로미터로 달리고 있는데 한 스포츠카가 당신 차를 추월해 간다. 그 차는 제한속도 규정을 어기고 최소한 130킬로미터로 달렸을 것이다. 잠시 후에 그 차가 고속도로 순찰차에 붙잡힌 것을 보았다. 당신은 즉시 속도를 줄인다.
② 모델이 그 행동으로 강화를 받았으므로 관찰자도 같은 행동을 하면 역시 강화를 받을 것이라고 기대하기 때문이다.

(5) **학습은 자기조절의 과정**(자기통제, self-regulation)
① 모델의 행동이 관찰자의 행동을 통제하는 것이 아니라 관찰자 자신의 내적인 인지적 규제(자기 규제)에 의해 학습이 일어난다.

② 자기조절 과정에 영향을 미치는 요인에는 자기평가와 자아효능감이 있다.
  ⊙ **자기평가**(self-evaluation) : 자기가 스스로 설정한 수행기준에 따라 자신의 행동을 평가하는 것 ⇨ 만족할 만하다고 평가되면 내적 강화를 수반
  ⓒ **자아효능감**(self-efficacy) : 자기가 무엇을 할 수 있다는 능력에 대한 신념

2. 학습절차 19. 국가직

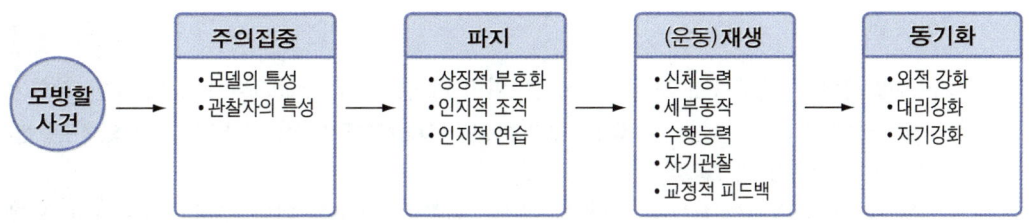

(1) **주의집중** : 모방하려는 모델의 행동에 주의를 집중한다. ⇨ 모델의 특성과 모방자(관찰자)의 특성에 영향을 받는다.

(2) **파지** : 흔히 모델을 관찰한 후 어느 정도 시간이 지난 다음에 모델을 모방하기 때문에 모델의 행동을 상징적으로 기억하는 단계이다. 22. 국가직

(3) **운동재생** : 모방하려는 것을 실제 행동으로 옮겨보는 단계이다.

(4) **동기화(강화)**
  ① 강화를 통해 행동의 동기를 높여 주는 단계이다. ⇨ 강화는 관찰자로 하여금 모델과 같이 행동하면 자기도 강화를 받는다는 기대를 갖게 하고, 학습의 수행으로 유인하는 구실을 한다.
  ② 강화는 학습(새로운 행동의 획득)을 유발하는 변인이 아니라 수행(학습의 결과)을 동기화한다.
  ③ 직접적 강화 외에 대리적 강화(모델에게 발생한 결과를 보는 것)와 자기강화(우리가 우리 자신의 행동에 대해 내리는 평가)에 의해 영향을 받는다.
  ④ 동기화가 다른 구성요소와 분리되어 있다 하더라도 그것은 각 과정에 필수불가결한 요소이다(Eggen).

3. 학습방법

(1) **직접모방 전형(모방학습, 배합의존형)** : 가장 간단한 학습모형, 관찰자는 모델의 행위를 관찰하고 모델이 하는 행동을 그대로 시행함으로써 보상을 받는다.
  ① 맹목적인 행동을 습득하기에 적합한 방법으로, 관찰자는 모델이 왜 그렇게 행동을 하는지 그 단서가 무엇인지 알지도 못할 뿐만 아니라 알 필요도 없이 그렇게 행동하는 것이 능률적이라고 지각한다.
  > 예 교사가 갑수에게 철수처럼 행동하라고 지시하고 갑수가 그대로 따라 하면 보상을 한다. 처음 외국 여행을 할 때 곁눈질로 남을 관찰하면서 남과 같은 행동을 하여 실수를 하지 않으려는 행동이다.
  ② 관찰자가 쉽게 모방할 수 있는 반응을 요구하거나 실제로 행동함에 있어서 연습을 필요로 하지 않을 때 가장 효과적이다.

(2) **동일시 전형**(모형학습, modeling): 관찰자가 모델의 비도구적인 독특한 행동유형을 습득하는 것 **예** 아들이 아버지의 행동을 흉내낸다. 집단의 구성원이 집단에 동조하는 행동이나 태도, 신념을 지닌다.
  ① 모델의 어떤 특수한 반응보다는 일반적인 행동스타일을 모방 ⇨ 모델의 행동, 모델의 정서적 반응, 광범위한 의미체계, 도덕적 가치 등이 내면화됨.
  ② Freud 이론 중 남근기 때 출현 ⇨ 모방연기(흉내내기)
  ③ 직접모방 전형은 행동(스타일) 그 자체를 보상하나, 동일시 전형에서는 그 스타일이 우연히 학습된다.

(3) **무시행학습 전형**: 관찰자가 모델의 행동을 미리 해 볼 기회가 없거나 모방에 대한 강화가 없음에도 불구하고 학습을 하는 것 **예** 현대의 청소년 문제는 그들이 성인이나 TV, 영화 및 신문, 잡지 등의 독서물에 따른 모방학습의 결과라고 볼 수 있다.
  ① 모방된 행동(**예** TV의 은행털이 장면)이 목적성취(**예** 돈벌기)를 위한 도구적 반응이며 모델 자신이 보상을 받는다.
  ② 로스(Ross) 실험연구: 실험상황에서 공격적 행동을 관찰한 집단이 전혀 관찰하지 않은 통제집단에 비해 공격성향이 더 강했다. **예** 우연적 학습(incidental learning)

(4) **동시학습 전형**: 모델과 관찰자가 동시학습을 진행하는 과정에서 관찰자가 모델 행동을 모방 **예** 학교에서 다른 학생이 하는 것을 보고 그대로 따라 하는 경우
  ① 관찰자로 하여금 모델의 행동에 주의를 기울이도록 제시한다는 점에서 무시행학습과 다르고, 관찰된 모델의 행동을 정확히 복사해도 보상을 받지 않는다는 점에서 직접모방학습과 다르다.
  ② 청중효과: 관찰자의 행동과 같은 행동을 하지 않거나 전혀 활동을 하지 않는 사람이 있는 곳에서 반응 빈도가 증가하는 현상 **예** 도서관에 들어가서 남들처럼 공부를 하는 척한다.
  ③ 사회적 촉진(social facilitation): 관찰자의 행동을 모델이 할 때 관찰자의 행동에 미치는 영향 **예** 음악회에서 청중들이 박수를 칠 때 같이 박수를 친다. 배가 불러도 남이 먹는 것을 보고 또 먹는다. TV의 주인공이 담배를 피울 때 같이 담배를 피운다. 모든 사람이 같은 방향을 보고 있을 때 자기도 그 방향을 본다.

(5) **고전적 대리조건형성 전형**: 모델이 정서적으로 경험하는 것을 관찰하고 그와 비슷한 정서적 반응을 학습하는 것 ⇨ 관찰자의 과거 경험이 모델의 행동과 공유될 때 보다 효과적으로 나타나고 전혀 경험이 상이할 때는 학습이 이루어지지 않는다. **예** 슬픈 영화를 보면서 눈물을 흘리는 경우

4. Skinner의 행동주의와 Bandura의 사회학습이론의 차이점 17. 국가직

구분	Skinner	Bandura
인간행동의 결정요인	기계론적 환경결정론: 환경이 인간행동을 결정하는 '일방적' 관계를 제시함.	상호작용적 결정론: 인간행동은 개체(person)의 인지특성과 행동(behavior), 환경(environment)이 상호작용한 결과
인간의 합리성에 대한 견해	논의 자체를 거부(연구 대상에서 제외)	인간은 합리적으로 행동을 계획하는 것이 가능

인간본성에 대한 견해	자극-반응의 객관적 관점에서 설명 가능	환경으로부터의 객관적 자극에 반응할 때 주관적 인지 요인이 관여 : 주관적 관점과 객관적 관점 모두 수용
기본가정	인간의 자기통제능력 부정	인간의 자기통제능력 긍정
강화와 학습	외적 강화가 수반되어야 학습 가능	외적 강화 없이 학습 가능
강화와 처벌에 대한 해석	강화인과 처벌인을 행동의 직접적인 원인으로 봄.	강화인과 처벌인은 기대를 갖게 한다고 봄(행동의 간접적 원인).
학습에 대한 관점	관찰 가능한 행동의 변화	이전과는 다른 행동을 나타내 보일 수 있도록 하는 정신구조의 변화
공통점	① 경험이 학습의 중요한 요인임에 동의함. ② 행동에 대한 설명에서 강화와 처벌의 개념을 포함함. ③ 학습을 촉진하기 위해 피드백이 중요함에 동의함.	

5. **교수·학습에의 적용**: 수업을 위한 주요 원리

   (1) **적당한 모델과의 동일시를 할 수 있는 기회를 제공할 것**: 실제적 모델(예, 교사, 동료친구, 지역사회 인사 등)과 상징적 모델(예, TV, 영화 등 대중매체 속의 인물)의 선택 ⇨ 실제 수업내용·활동을 고려하여 신중하게 선택

   (2) **모델 행동에 대한 긍정적·기능적 가치를 부여하여 학생의 주의를 집중시킬 것**

   (3) **학습자의 인지(인지능력)와 기능(운동기술)면을 함께 가르칠 것**: 관찰된 행동을 시각적 혹은 언어적 상징으로 부호화(encoding)하는 것과 모방한 행동을 직접적으로 시연(rehearsal)하는 것
   예, 비디오로 녹화된 모델을 제시하기, 개념적 표현이나 언어적으로 설명할 수 있는 기회를 제공하기, 학습한 행동을 모니터링을 통해 시각적 피드백 실행하기 등

   (4) **자기조절(self-control)과 자기효능감(self-efficacy) 향상을 위한 학급 환경을 조성할 것**

   (5) **높은 교사효능감(teacher efficacy)과 교수효능감(teaching efficacy)을 가질 것**

   (6) **질 높은 대중 매체를 활용할 것**(Teaching is to show.)

5 인본주의 학습이론

> **인본주의 심리학의 기본원칙**(Maslow)
> 1. 인간은 유일하면서도 통합된 전체(organized whole)이다.
> 2. 인간의 행동은 동물의 행동과 질적으로 다르다.
> 3. 인간은 선천적으로 선(善)한 존재이다.
> 4. 인간은 창조적인 존재이다.
> 5. 심리학적 건강을 강조한다.

1. 개관
   (1) 실존주의 철학과 인본주의 심리학에 이론적 토대를 둔 학습이론
   (2) **학습에 대한 현상학적 접근**: 학습은 지식과 정의(情意)가 결합된 유의미한 실존적(here and now) 경험 ⇨ 특정 사태에 대한 개인의 지각·해석·의미 등 주관적 경험을 강조
   (3) **대표자**: 올포트(Allport), 매슬로우(Maslow), 로저스(Rogers), 콤즈(Combs)
   (4) **인본주의의 인간에 대한 기본가정**(Bugental)
      ① 인간이란 부분의 합보다 크다. 이것은 인본주의의 전체적인 관점을 나타낸다.
      ② 인간은 인간관계의 상황에 존재한다. 인간의 실존은 다른 사람들과의 관계 속에서 나타난다.
      ③ 인간은 자기 자신과 자기의 존재를 의식한다.
      ④ 인간은 자신의 삶에서 수동적인 방관자가 아니라 스스로의 삶을 선택하는 존재이다.
      ⑤ 인간은 목적 지향적 존재이다.

2. **학습이론의 특징** 07. 인천
   (1) 인간의 내면 세계(내적 행동, 내적 동기)에 관심을 갖는다.
   (2) 학습자는 긍정적인 자기 지향성과 자유의지를 가지고 스스로 동기화되는 열정적인 존재이다.
   (3) 교육의 궁극적 목표는 성장과 자아실현에 있으며, 인간적인 환경 조성을 위해 노력한다.
   (4) 학습자 중심의 교육활동을 전개한다.
   (5) 교사의 역할은 학습자의 학습활동 안내자 또는 촉진자(facilitator), 조력자, 보조자, 동료이다(Combs).

3. **학습원리**
   자기주도적 학습, 학습방법에 대한 학습, 자기평가, 감성의 중요성, 인간적 환경
   (1) 감수성 집단(sensitivity group)과 만남집단(encounter group) 같은 집단과정을 교육방법으로 채택한다.
   (2) 정의적 학습과 인지적 학습을 통합하려는 융합교육(confluence education)을 중시한다.
   (3) 학습자중심교육과 심층적인 교사 − 학습자 관계를 지향하는 열린교육(open education)을 중시한다.
   (4) 수업방법, 교육과정, 시간계획 등을 학생의 학습양식(learning style)에 맞추는 교육을 지향한다.
   (5) 개별학습보다 협동학습(cooperative learning)을 선호한다.

4. 인본주의 학습이론에 대한 비판

(1) 인본주의 교육의 중심개념(예 자기실현, 충분히 기능하는 인간, 열린 교육)이 모호하고, 결론이 매우 사변적이다.

(2) 이론이 상식에 가깝고 과학이 아니다.

(3) 정의적 특성을 지나치게 강조한 나머지 표준교육과정과 지식획득이나 인지발달을 경시하는 결과를 초래했다.

(4) 교육의 효과가 개별교사의 개인적 자질과 기능에 따라 크게 영향을 받는다.

제7절 학습의 개인차

1 전이(轉移, transfer) 04. 서울

1. 개념

학교교육이 추구하는 가장 중요한 교육목표의 하나

(1) 선행학습이 후행학습에 미치는 영향(효과) ⇨ 파급효과, 일반화(Gagné), 적용력(Bloom)

(2) 특정 장면에서 학습한 내용이 새로운 장면의 학습이나 행동에 영향을 미치는 현상

(3) 선행학습장면과 후행학습장면이 상이(相異)하다는 것을 전제한다. ⇨ 선행학습장면과 후행학습장면이 동일할 때는 전이라고 하지 않고 '단순학습(mere learning)'이라고 한다.

2. 종류 14. 국가직 7급

(1) **긍정적 전이와 부정적 전이**

① 긍정적 전이(positive transfer, 적극적 전이, 정적 전이): 선행학습 ⇨ 후행학습 촉진, 기능의 유용화(functional availability)

예 한 가지를 배우면 열 가지를 안다. 한문학습이 일어학습을 촉진한다.

② 부정적 전이(negative transfer, 소극적 전이, 부적 전이): 선행학습 ⇨ 후행학습 방해 ≒ 순행간섭(선행간섭), 매우 비슷하지만 전혀 다른 반응을 요구하는 과제 사이에서 발생, 기능의 고착화(functional fixedness)

예 기성세대가 개정된 맞춤법에 제대로 적응하지 못하는 경우, 문제해결 과정에서 나타나는 기능적 고착(functional fixedness)의 경우

◇ 기능의 고착화(기능적 고착, functional fixedness)
1. 사물은 특정 용도로만 사용되어야 하고 다른 용도로 사용될 수 있다는 것을 인식하지 못하는 현상이다.
2. 선행 지식이 창의적 사고나 새로운 문제에 대한 융통성 있는 사고를 방해하는 것을 말한다.

③ 영(零) 전이(zero transfer): 선행학습이 후행학습에 아무런 영향을 주지 못하는 현상

예 학교교육은 일상생활과 아무런 관련이 없다. 대학을 졸업한 신입사원들이 아무런 쓸모가 없다.

(2) **수평적 전이와 수직적 전이**

① **수평적 전이(horizontal transfer)**: 선행학습 과제와 후행학습 과제의 수준이 비슷한 경우에 나타나는 전이 ⇨ 특정 교과의 학습이 다른 교과의 학습에 영향을 미칠 때 발생
  예. 역사시간에 학습한 3·1 운동에 대한 지식이 국어시간의 독립선언문 학습에 영향을 미치는 경우

② **수직적 전이(vertical transfer)**: 내용면이나 특성면에 있어서 위계 관계가 분명할 때의 전이 ⇨ 선행학습이 후행학습의 기초가 될 때 발생
  예. 구구단 학습이 분수학습에 영향을 주는 경우, 교육과정을 계열화할 때 사용

(3) **특수적 전이와 비특수적 전이**

① **특수적 전이(specific transfer)**: 선행장면에서 학습한 지식·기능·법칙 등을 매우 유사한 장면에 적용할 때 발생 ⇨ 학습과제의 구체적 특수성이 유사하기 때문에 발생
  예. 동일요소설, 불어 학습이 스페인어 학습에 영향을 미치는 경우

선행학습(구학습)	후행학습(신학습)	전이의 종류
S_1-R_1	S_1-R_1	정적 전이(최대)
	S_2-R_1	정적 전이(약간)
	S_1-R_2	부적 전이
	S_2-R_2	무전이(영전이)

② **비특수적 전이(general transfer, 일반적 전이)**: 선행장면에서 학습한 지식·기능·법칙을 완전히 새로운 장면에 적용할 때 발생 ⇨ 선행학습과제와 후행학습과제에 동일한 인지전략을 사용하기 때문에 발생 예. 형식도야설, 일반화설, 형태이조설

3. **전이이론** 08. 경기

(1) **전통적 전이이론**

전이 유형	주창자	내용	영향
형식도야설	Locke	교과(형식)를 통해 일반정신능력을 훈련시킬 때 자연적(자동적) 전이 발생	교과 중심 교육과정
동일요소설 23. 지방직	Thorndike	동일한 요소가 있을 때, 유사성이 클 때 전이 발생	경험 중심 교육과정
일반화설 (동일원리설)	Judd	• 일반원리나 법칙을 알 때, 일정한 학습장면에서 조직적으로 개괄화 또는 일반화해서 다른 장면에 적용할 때 전이 발생 • 수중표적 맞히기 실험(굴절의 원리)	학문 중심 교육과정
형태이조설 (구조적 전이설)	Koffka	• 일반화설의 확장 • 어떤 장면 또는 학습자료의 역학적 관계(수단과 목적의 관계)를 이해할 때 전이 발생 • 쾰러(Köhler)의 닭 모이 실험	• 학문 중심 교육과정 • 발견학습(Bruner)

(2) **메타인지(meta-cognition)이론**: 정보처리이론의 전이이론
   ① 메타인지는 인지 과정에 대한 지식으로, 인지 과정을 점검하고 조절하고 통제하는 과정이다.
   ② 문제해결자가 문제의 목표를 파악하고, 이미 학습한 구체적 및 일반적 기능 중에서 새로운 문제를 해결할 수 있는 적절한 기능을 선택하며 문제를 해결하는 데 그 기능이 제대로 적용되는지 점검할 수 있을 때 전이가 잘 일어난다.
   ③ 자신의 인지 과정을 인식하고 점검하고 조절할 수 있어야 하고, 다양한 인지전략을 언제 어떻게 활용할 수 있는가를 학습해야 전이가 촉진된다.

(3) **상황학습이론**: 구성주의 이론의 전이이론
   ① 상황학습이론에 따르면 대부분의 학습은 맥락의존적이어서 상황 속에 존재한다. 따라서 새로운 장면이 원래 학습장면과 다르면 전이가 잘 일어나지 않는다.
   ② 학교학습 활동이 실생활장면과 유사할수록 전이가 잘 일어난다.

2 부적응(不適應, maladjustment)

1. 개념
사회의 질서·규범에 적응하지 못하여 바람직하지 못한 상태에 놓임. ⇨ 부적응의 징후로 스트레스(stress)가 나타난다.

2. 스트레스의 유형 – 욕구불만, 갈등, 압박감, 불안

(1) **욕구불만(욕구좌절, frustration)**: 욕구의 결핍 상태나 불균형 상태에서 오는 정신적 긴장 상태
   ① 내적·외적 장애 때문에 목표로의 접근이 성취되지 않을 때 경험하는 정서적 긴장 상태이다.
      ㉠ 내적 장애의 주요 요인: 열등감, 죄책감, 수치심, 자존심, 불안감
      ㉡ 외적 장애의 주요 요인: 극복할 수 없는 장애, 금지, 방해, 법규·풍습·습관, 상황 변화 (외부 원조의 중단 또는 경제사정의 변화 등)
   ② 콜맨(Coleman)은 욕구좌절의 원인으로 행동과정의 지연, 자원의 결핍, 상실(喪失), 경쟁상황에서의 낙오, 인생에 대한 허무감이나 무의미감을 들고 있다.

(2) **갈등(conflict)**
   ① 개념
      ㉠ 상반되는 여러 욕구가 동시에 대립할 때 선택이 망설여지는 심리 상태
      ㉡ 두 개 이상의 장(場)의 힘이 대립된 상태
   ② 유형: 유인성에 따라 유형을 구분(Lewin)

㉠ 접근(+)・접근(+)의 갈등
  ⓐ 두 개의 긍정적 욕구가 동시에 나타나 선택이 곤란한 경우
  ⓑ 동일한 가치를 지닌 매력적인 목표 사이에서 선택할 때 나타나는 행복한 고민
    예 영화도 보고 싶고 여행도 가고 싶은 경우, 부르뎅의 나귀, "조건이 좋은 혼처(婚處)가 동시에 두 군데에서 나오면 둘 다 놓친다."
㉡ 회피(−)・회피(−)의 갈등
  ⓐ 두 개의 부정적 욕구가 동시에 생겨서 겪게 되는 심리적 갈등 ⇨ 딜레마(dilemma), 진퇴양난(進退兩難), 사면초가(四面楚歌)
  ⓑ 동일한 크기의 불쾌한 목표 사이에서 선택할 때 나타나는 고민 ⇨ 이것도 하고 싶지 않고 저것도 하고 싶지 않은 상태
    예 길거리에서 불량배를 만났는데 "돈 낼래 맞을래.", 학교는 가기 싫고 부모님께 혼나는 것도 싫은 경우
㉢ 접근(+)・회피(−)의 갈등
  ⓐ 어떤 자극이 긍정적이면서 동시에 부정적인 경우의 심리적 갈등 ⇨ 양극성(ambivalence)을 띤 갈등
  ⓑ 어떤 한 가지의 목표가 매력적인 것과 불쾌한 것을 동시에 갖추고 있을 때 나타나는 갈등
    예 백화점에서 산 음식이 집에 와 보니 먹을 것은 없고 버리기는 아까운 경우, 시험에는 합격하고 싶으나 공부는 하기가 싫은 경우, 청소년의 경우 친구는 경쟁자인 동시에 협력자이다. 또한 그들은 부모로부터 독립하고자 하면서도 의존하고자 한다.
㉣ 이중 접근(±)・회피(±)의 갈등
  ⓐ 긍정적・부정적 가치를 동시에 포함하고 있는 두 가지 욕구 간의 갈등
    예 심순애의 갈등
  ⓑ 가장 복잡하면서도 흔한 형태의 갈등으로 각각의 목표가 매력적인 것과 불쾌한 것을 동시에 갖고 있을 때 나타나는 갈등

(3) 압박감
① 어떤 행동기준이나 규범에 맞추려 하거나, 급속한 환경변화에 대처해 나갈 때 경험하는 긴장 상태이다.
② 내부 압력과 외부 압력으로 나눌 수 있다.
  ㉠ 내부 압력: 자존심 유지와 관련이 있다.
  ㉡ 외부 압력: 남들과의 경쟁, 사회조건의 급속한 변화, 가족 및 친구들로부터의 기대 등이 포함된다. ⇨ 사회조건의 급속한 변화를 토플러(Toffler)는 '미래의 충격'이라고 표현하고 있다.

(4) 불안(anxiety): 편안하지 않으며, 불길한 예감이 들고, 긴장을 느끼게 되는 상태

③ 적응기제 – 부적응의 대처방식

1. **적응기제**: 대처전략(coping strategies)
   (1) **개념**: 욕구불만이나 갈등을 해결해 긴장을 해소하려는 구체적인 대처전략
   (2) **문제 중심 대처전략**(problem-focused coping strategies): 문제를 정의하고 대안을 탐색하며 대안들을 평가한 다음 가장 적절한 대안을 선택하여 실천하는 전략
   ① **환경 지향적 전략**: 환경압력·장애물·자원·절차들을 바꾸기 위해 사용하는 전략
   ② **내부 지향적 전략**: 포부수준을 조정하거나 자기관여를 낮추어 대안적 만족을 모색하거나 새로운 행동기준을 개발하고 새로운 기술을 익히는 것과 같이 동기적·인지적 변화를 지향하는 전략
   (3) **정서 중심 대처전략**(emotion-focused coping strategies): 상황 자체를 변화시키기보다는 그 상황에서 경험하는 정서적 고통을 경감시키는 전략
   예 회피, 최소화, 거리 두기, 선택적 주의, 긍정적 비교, 사건의 긍정적 의미 탐색, 사건의 의미 재평가, 운동, 명상, 음주, 분노 발산

2. **방어기제**(defense mechanism) 14. 지방직, 13. 국가직 7급, 12. 국가직, 10. 충북, 08. 경기, 07. 경남, 06. 대구, 05. 경기·충북·강원·부산·제주

   (1) **개념**
   ① 1894년 프로이트의 「방어의 신경정신학」에서 처음으로 사용 ⇨ 원자아(id)의 충동과 이에 대립되는 초자아(super-ego)의 압력(불안)으로부터 자아(ego)를 보호하기 위해 사용하는 자아(ego)의 전략
   ② 자아(ego)가 자기기만을 통해 불안을 감소시키기 위해 사용하는 무의식적 전략 ⇨ 정서 중심 대처전략
   ③ 욕구충족이 어려운 현실에서 문제의 직접적인 해결을 시도하지 않고 현실을 왜곡시켜 자아를 보호함으로써 심리적 평형을 유지하려는 기제

   (2) **기능**: 자아를 보호하고 불안과 위협을 최소화한다.

   (3) **종류**

   방어기제의 유형 구분: 프로이트(A. Freud)

구분	의미	방어기제 예시
기만형 방어기제	자신에 대한 위협을 느끼지 않도록 자기의 실제 감정을 왜곡시키거나 변명하는 방어기제	투사, 억압, 합리화, 지능화
대체형 방어기제	처음의 욕구충족이 불가능할 때 문제 장면을 은폐시키지 않고 접근 가능한 다른 대상에서 욕구를 간접적으로 충족하는 방어기제	보상, 승화, 반동형성, 치환
도피형 방어기제	위협적인 사태로부터 자신을 도피시켜 안정을 찾으려는 방어기제	부정, 퇴행, 동일시

① **보상(compensation)**: 자신의 결함이나 무능, 약점을 장점으로 보충하여 본래의 열등감으로부터 자아를 보호하려는 기제
   예 성적이 낮은 아이가 운동을 열심히 한다. 외모에 열등감을 느낀 학생이 공부를 열심히 한다. 자기가 지니고 있는 약점이나 결함을 극복하기 위하여 반사회적인 행동을 한다.

② **합리화(rationalization)** 22. 국가직 7급 : 그럴듯한 구실이나 변명을 통해 난처한 입장이나 실패를 정당화하려는 자기기만 전략
   ㉠ **여우와 신포도형(sour grape)**: 목표부정 또는 과소평가 전략 ⇨ 원하는 것을 얻지 못했을 경우 처음부터 그것을 원하지 않았다고 자기변명을 하는 것
      예 A대학에 떨어진 학생이 그 대학은 가기 싫었다고 말한다.
   ㉡ **달콤한 레몬형(sweet lemon)**: 불만족한 현실을 긍정 또는 과대평가하는 전략 ⇨ 불만족한 현재 상태를 원래부터 바라던 것이었다고 정당화하는 것
      예 지방으로 좌천된 A는 지방은 공기가 좋아 살기가 더 좋다고 말한다. "오늘의 고난은 내일의 행복을 위한 시련이다.", "팔자소관이다." 등 자기 입장을 숙명적으로 합리화시키는 행위
   ㉢ **전가형(투사형, projection)**: 변명거리를 들어 자신이 한 행동을 정당화
      예 시험문제가 결석한 날 공부한 것에서 나왔다. 테니스 선수가 시합에 지고 나서 라켓을 집어 던진다.

③ **투사(projection)** 12. 경기 : 자신이 수용하기 어려운 충동·사고·감정을 자기 자신의 것으로 인정하지 않고 다른 사람의 탓으로 돌리는 것 ⇨ 주관의 객관화 현상
   ㉠ 남에게 뒤집어씌우기·책임전가·감정의 전이가 일어난다. ⇨ "잘되면 내 탓, 못되면 조상 탓", "못난 목수 연장 나무란다.", "선무당이 장고 탓한다.", "숯이 검정 나무란다."
   ㉡ 다른 사람들이 자기를 해치려고 한다고 믿는 편집증 환자들이 주로 사용한다.
      예 선생님을 싫어하는 학생이 선생님이 자기를 미워한다고 생각하는 경우, 시험에 실패한 학생이 실패의 원인을 담당교사에게 돌린다.

④ **동일시(identification)**: 무의식적으로 다른 사람의 특성을 내면화하는 과정, 타인이나 집단의 가치나 태도를 자랑하거나 따라하기 ⇨ 모방연기, 흉내내기
   ㉠ 자기의 것이 아님에도 불구하고 자기의 것으로 된 듯이 행동하거나 평소에 저렇게 되어 보았으면 하고 원하던 사람이 된 것처럼 행동하는 것 ⇨ "친구 따라 강남 간다.", "윗물이 맑아야 아랫물이 맑다."
   ㉡ 오이디푸스 콤플렉스(Oedipus complex)를 겪는 남근기(phallic stage, 3~5세)의 남아는 거세불안(castration anxiety)으로부터 자아를 보호하기 위해 아버지를 동일시함으로써 아버지에 대한 적대감을 해소하고 애정을 획득한다.
      예 자기 친구가 현직 국회의원이라고 자랑한다. 자기 아들이 외국 명문대학을 나왔다고 자랑한다. 연예인의 사진을 벽에 붙여 놓고 그의 행동을 흉내낸다.

⑤ **승화(sublimation)**: 가장 바람직한(건강한) 방어기제 유형 ⇨ 창의성(Creativity)의 원천이 되는 방어기제
   ㉠ 정신적인 역량의 전환을 의미: 성적 충동이나 공격적인 충동을 사회적으로 바람직한 방식으로 전환하는 과정 ⇨ 성적 사회화 과정
   ㉡ 사회적으로 가치 있고 윤리적인 행동을 통해 정신적 갈등이나 욕구 불만을 해소

ⓒ 위험하고 원시적인 성적인 충동이나 공격적 충동을 더욱 바람직한 방식으로 표출하게 함으로써 다른 사람들과 조화를 이루며 공동생활을 영위할 수 있도록 돕는다.
    예 성직자의 고행, 학자의 연구 몰두, 학생이 공부에 전념하기, 성적 충동을 예술이나 과학·종교·스포츠 등과 같이 사회적으로 승인된 활동으로 변형하여 충족하기

⑥ **치환(displacement, 전위, 대치, 전치, 전이)**: 본능적 충동을 충족시켜 줄 수 있는 대상이 존재하지 않을 경우 다른 대상(제3자)으로 바꿔 충동을 충족시키려는 과정 ⇨ 프로이트(Freud)는 공격적 및 성적 충동을 다루는 가장 만족스러운 방법의 기제라고 보았다.
   ㉠ 본능적 욕구 자체는 변화되지 않지만 그 욕구를 충족시킬 수 있는 대상은 바뀔 수 있다. (Freud) ⇨ "종로에서 뺨 맞고 한강에서 화풀이한다.", "꿩 대신 닭"
   ㉡ 문명발전과 존속에 필수적인 역할을 수행한다(∵ 위험하고 원시적인 충동을 보다 안전한 채널을 통해 전환시켜 주기 때문).
    예 어머니에 대한 애정욕구를 어머니를 닮은 여인에게서 충족시키려 한다. 선생님에게 꾸중을 들은 형이 만만한 동생을 때린다. 직장 상사에게 야단맞고 집에 와서 반찬 투정한다.

⑦ **반동형성(reaction formation)**: 자기 욕구와는 정반대로 감정을 표현하고 행동하는 것
   ㉠ 위협적인 충동을 정반대의 말이나 행동으로 표출하는 과정 19. 국가직
   ㉡ 자기의 욕구나 감정이 너무나 받아들일 수 없고 무거운 죄의식이 쌓일 때 나타난다.
   ㉢ 청소년기는 그 민감한 자존심이나 위신 때문에 허세와 가면을 좋아하게 되며, 모르는 것도 아는 척, 없는 것도 있는 척하게 된다. 이런 경향은 성격상으로 볼 때에 외향적인 청소년보다 내향적인 청소년에게서 더 강하게 나타난다.
    예 경쟁자를 지나치게 칭찬한다. 환경파괴자가 환경운동에 앞장선다. 미운 자식 떡 하나 더 준다. 지나친 겸손은 오만이다. 성적 욕구가 강한 사람이 성을 혐오한다. 음주 욕구가 강한 사람이 금주운동에 참여한다. 빈 수레가 요란하다. 빛 좋은 개살구

⑧ **지성화(intellectualization, 주지화)**: 감정이 아니라 이성이나 원칙을 따라 행함으로써 문제를 해결하거나 욕구를 해결하는 방법, 받아들이기 어려운 충동이나 욕구·감정을 경험하지 않기 위하여 지적으로만 문제를 정의하려는 방어기제
   ㉠ 위협적인 대상에 대해 정서적으로 관련되지 않기 위해 그 대상으로부터 분리되는 과정: 위협적인 경험을 다루기 위한 보편적인 방안이자 과학이 추구하는 이상 ⇨ 고립(isolation)과 유사
   ㉡ 어쩔 수 없이 불쾌한 경험을 할 수밖에 없는 전문가들이 많이 사용
   ㉢ 문제 장면이나 위협 조건에 대해 시간을 소비해 가며 문제의 원인이 무엇인가 지적인 토론과 분석(head-tripping)을 하거나 초연하게 대처한다.
   ㉣ 지나치게 우세하면 긍정적인 정서적 경험을 하거나 타인에 대해 애착할 수 있는 기회가 박탈된다. 그 결과 타인과의 친밀한 관계가 단절되며, 지나치게 냉철하고 비정한 사람으로 평가된다.
    예 불법주차 단속요원이 불법주차의 이유가 있지만 불법주차된 차에 스티커를 발부한다. 은행원은 돈을 돈으로 보지 않는다. 응급실의 간호사는 환자의 고통에 태연하게 반응함으로써 스트레스를 통제한다. 검시관들은 사체(死體)를 시신(屍身)으로 보지 않고 중립적인 탐구대상으로 간주하여 사인(死因)을 규명한다.

⑨ **취소(Withdrawal, 철수·철회)**: 복원(undoing), 허용될 수 없는 상상이나 행동을 반증하거나 물리는 것
    예 어린아이가 동생이 밉고 화가 나서 동생을 때리고 난 후 이러한 행동이 가져올 부정적 결과가 두려워 때렸던 동생에게 금방 입맞춤을 하는 경우

3. 도피기제

(1) **개념**: 적응이 어려운 상태에서 비현실적 세계로 도피함으로써 불안과 긴장을 해소시키려는 행동양식

(2) **유형**: 고립, 퇴행, 억압, 부정, 백일몽, 고착

① 고립(isolation): 자기 내부로 숨기
  ㉠ 주변 환경의 사람들과 잘 어울려 지내지 않으려 하고, 오히려 그들로부터 멀리하려는 것
  ㉡ 동시에 존재할 때 위협을 주는 두 개의 아이디어를 사고 속에서 분리시키는 과정
   예 사업에 실패한 사람이 두문불출하는 경우, 자신의 견해와 일치하지 않거나 사회적으로 성공하지 못했다고 느끼는 사람이 동창회에 참석하지 않는 경우

② 퇴행(regression): 불안을 해소하기 위해 이전 발달단계나 유치한 행동으로 되돌아가는 것
  ⇨ 안정적이고 즐거웠던 이전 발달단계로 후퇴함으로써 불안을 완화시키는 방법
   예 부모의 관심이 갓 태어난 동생에게 집중될 때 부모의 관심을 얻기 위해 어리광을 부리는 경우, 하찮은 일에 자주 우는 경우, 부부싸움을 한 후 친정으로 달려가는 신부의 행동, 동창회에 참석해서 학생처럼 행동하는 경우

③ 억압(repression): 불안에 대한 1차적 방어기제, 방어기제의 원형
  ㉠ 위협을 주는 욕구나 충동이 의식적으로 경험되거나 행동으로 표출되지 않도록 무의식적으로 차단하는 과정 ⇨ 동기적(의도된) 망각, 현실의 문제 상황을 수용
   예 성적 욕구나 다른 사람에 대한 공격적 충동을 느낄 경우, 기억상실증 환자의 경우
  ㉡ 억제(suppression)는 충동을 의식적으로 금지하는 과정이다.
   예 다른 사람이 눈치 채지 못하도록 분노를 겉으로 드러내지 않는 경우

④ 부정(denial, 부인, 거부)
  ㉠ 위협이 존재한다는 것을 무의식적으로 부정함으로써 위협을 극복하는 과정 ⇨ 현실의 문제 상황에 대한 수용을 거부
  ㉡ 실패했을 때 통제할 수 없는 요인으로 귀인하는 '기본적 귀인 오류(fundamental attribution error)'에 해당하는 방어기제이다.
   예 "나는 화가 나지 않았다.", "우리 애는 그럴 리가 없어.", 평가결과가 나쁠 때 책임을 인정하지 않고 평가 자체가 잘못되었다고 부인하는 경우, 골초가 담배는 폐암과 직접적인 관련이 있다는 증거를 부정하는 경우
  ㉢ 억압(repression)이 내부적 위협에 대한 부정이라면, 부정(denial)은 외부적 위협에 대한 방어라고 할 수 있다.

⑤ 고착(fixation)
  ㉠ 심리적인 성장에서 다음 단계로 발달하지 못하고 현행 단계에 그대로 머물러 있는 현상
  ㉡ 새로운 단계로 이행할 때 경험하는 불안이나 좌절이 극심할 때 정상적인 발달이 일시적으로 혹은 영구적으로 중단되는 현상
  ㉢ 독립적인 행동을 학습하는 것을 불안해하는 지나치게 의존적인 아동에게 주로 발생한다.

4. 공격기제

(1) **개념**: 욕구충족의 방해요인에 대한 공격으로 정서적 긴장을 해소하려는 능동적 기제

(2) **유형**

① 직접적 공격기제: 욕구불만에 대한 반항으로서 힘(외부로 나타나는 공격)에 의존해서 욕구불만을 해결하려는 유형

　예 폭행, 싸움, 기물파괴

② 간접적 공격기제: 욕구불만 시 간접적인 행동(내부로 전향되는 공격)으로 해소하려는 유형

　예 욕설, 비난, 조소, 중상모략, 폭언, 야유 행위

▣ 방어기제의 종류 및 내용

종류	내용	예
합리화 (rationalization)	자신의 행동을 그럴 듯한, 그러나 부정확한 핑계를 사용하여 받아들여질 수 있게 행동을 재해석하는 것	이솝우화에서 포도를 딸 수 없었던 여우가 포도가 실 것이라고 결론 내렸던 것
보상 (compensation)	자신의 결함이나 무능, 약점을 장점으로 보충하여 본래의 열등감으로부터 자아를 보호하려는 기제	성적이 낮은 아이가 자신 있는 운동을 열심히 하는 것
승화 (sublimation)	수용될 수 없는 충동이 사회적으로 받아들여 질 수 있는 충동으로 대체되는 것	타인에 대한 공격성이 권투선수가 되어 훌륭한 시합을 하는 것으로 대체되는 것
반동형성 (reaction-formation)	개인의 내면에서 수용할 수 없는 충동을 정반대로 적극적으로 표현하는 것	위협적인 성적 충동에 사로잡혀 있던 사람이 정반대로 포르노그래피를 맹렬하게 비판하는 것
투사 (projection)	자신이 갖고 있는 좋지 않은 충동을 다른 사람이 가지고 있다고 원인을 돌리는 것 ⇨ 주관의 객관화 현상	내가 그를 미워하는 것이 아니라 그가 나를 미워한다고 표현하는 것
동일시 (identification)	무의식적으로 다른 사람의 특성을 내면화하는 과정, 타인이나 집단의 가치나 태도를 자랑하거나 따라하기 ⇨ 객관의 주관화 현상	남아는 아버지의 생각과 행동을 따라함으로써 남성다움을 학습하는 것, 학생들이 연예인의 행동과 패션을 흉내 내는 것
전위(치환) (displacement)	어떤 대상에게 원초아의 충동을 표현하기 부적절하면 그러한 충동을 다른 대상으로 대체하는 것	아빠에게 꾸중을 들은 아이가 적대감을 아빠에게 표현하지 못하고 동생을 괴롭히는 것
퇴행 (regression)	위협적인 현실에 직면하여 덜 불안을 느꼈던, 그리고 책임감이 적었던 이전 발달단계의 행동을 하는 것	아이가 학교에 가야 한다는 위협에 직면하여 잠자리에서 오줌을 싸는 것
고착(fixation)	심리적인 성장에서 다음 단계로 발달하지 못하고 현행 단계에 그대로 머물러 있는 현상	5학년 때 부모의 이혼으로 심리적인 발달단계가 5학년 수준에 머물러 있는 것
억압 (repression)	자아가 심리적으로 위협적인 내용을 의식 밖으로 밀어내거나 혹은 그러한 자료를 의식하지 않으려는 적극적인 노력 ⇨ 우리에게 불편함이나 고통을 가져다주는 존재에 대한 무의식적 부정	자신을 학대하는 부모에 대한 뿌리 깊은 적대감을 알아차리지 못하는 것
부정 (denial)	현실에서 일어났던 위협적이거나 외상적인 사건을 받아들이지 않고 거절하는 것	부모가 사랑하는 자녀의 죽음을 계속해서 믿지 않으려 하는 것

오현준 정통교육학

핵심 체크 노트

1. 교수-학습이론의 기초
① 수업(teaching)과 학습(learning)의 비교
② 학습지도의 원리: 개별화의 원리, 자발성의 원리, 직관의 원리
③ 수업효과에 영향을 주는 변인: 피그말리온 효과

2. 수업설계
★ ① 수업설계의 3대 변인: 교수의 조건, 교수의 방법, 교수의 성과
② 수업목표 진술: 타일러(Tyler), 메이거(Mager)
★ ③ 교수설계모형
  • 절차모형(Glaser)
  • 체제모형(ADDIE, Dick & Carey)
  • 미시설계모형(Merrill)
  • 거시설계모형(Reigeluth)

3. 교수-학습의 방법
★ ① 토의법: 배심토의, 단상토의, 공개토의, 대담토의, 버즈토의
★ ② 협동학습: Jigsaw모형, 성취과제 분담모형(STAD), 팀경쟁학습(TGT)
③ 개별화 수업: 위네트카안, 달톤안, IPI, ATI(TTI), PI

4. 교수이론
① 완전학습모형: 캐롤(Carroll)의 학교학습모형, 블룸(Bloom)
★ ② 브루너(Bruner)의 발견학습모형
★ ③ 가네(Gagné)의 목표별 수업이론
★ ④ 오수벨(Ausubel)의 유의미 수용학습이론
★ ⑤ 구성주의 학습: 인지적 도제이론, 상황학습, 정황교수, 인지적 유연성 이론, 문제 중심 학습(PBL), 상보적 교수이론, 목표 기반 시나리오(GBS)

CHAPTER 07

교수-학습이론

01 교수—학습이론의 기초
02 수업설계
03 교수설계모형
04 교수—학습의 방법
05 교수이론

CHAPTER 07 교수 - 학습이론

학습 포인트

1. 수업과 학습의 개념 비교
2. 수업 효과에 영향을 주는 변인
3. 수업설계모형
4. 교수-학습의 방법
   - 토의법: 배심토의, 단상토의, 공개토의, 대담토의, 버즈토의
   - 협동학습: 직소모형, STAD, TGT
   - 개별화 교수법: 위네트카 플랜, 달톤 플랜, IPI, ATI(TTI), 프로그램 수업(PI)
5. 교수이론: 캐롤(Carroll)의 학교학습모형, 브루너(Bruner)의 발견학습모형, 가네(Gagné)의 목표별 수업이론, 오수벨(Ausubel)의 유의미 수용학습이론, 구성주의 학습모형

제1절 교수-학습이론의 기초

1 교수(instruction)와 수업(teaching), 학습(Learning)

1. 교수(敎授)와 수업(授業)

(1) **교수**: 수업에 비해 포괄적인 개념으로 교사가 수업을 하기 위한 준비, 계획, 실행(수업), 평가 등을 포함하는 모든 활동 ⇨ 학습에 도움을 주는 의도적이고 계획적인 활동

> "교수란 수업에 비해 포괄적인 것으로서 구체적으로는 설계, 개발, 적용, 관리, 평가를 포함하는 것이다."
> — Reigeluth

(2) **수업**: 교수의 영역 중에서 교사의 실행(적용)에 중점을 두는 활동, 교사가 수업시간에 가르치는 일(수업관리도 포함) ⇨ 포괄적인 교수활동의 일부

2. 학습(學習)

(1) **개념** 08. 경기

> "학습이란 ① 행동의 변화이며, ② 이러한 변화는 연습, 훈련 또는 경험에 의한 변화로서 성숙에 의한 변화는 학습으로 간주되지 않으며, ③ 이러한 변화는 비교적 영속적이어야 한다. 따라서 동기, 피로, 감각적 순응 또는 유기체의 감수성의 변화 등은 제외된다. ④ 순수 심리학의 학습에 대한 정의에 비하여 교육학적 견해로는 바람직한, 진보적인 행동의 변화만을 학습으로 간주한다."
> — 서울대학교 교육연구소(1994)

(2) 도식(김호권)

> **학습(Learning) = A − (B+C+D)**
> A: 개인에게 일어난 모든 변화 B: 생득적 반응 경향에 의한 변화
> C: 성숙에 의한 자연적인 변화 D: 일시적 변화

① A: 개인에게 일어난 모든 변화
② B: 생득적 반응 경향에 의한 행동
  예 어두운 극장에 들어갔을 때 처음에는 아무것도 볼 수 없다가 점차 사물을 볼 수 있게 되는 경우, 바빈스키 반사, 모로반사, 흡입반사, 갓난아기의 울음
③ C: 신체적 성숙으로 인한 자연적인 변화
  예 제2차 성징이 나타나거나, 아기가 자라서 걷는 경우
④ D: 피로, 약물, 질병 또는 사고 등에 의한 일시적인 변화
  예 체육시간 다음 수업시간에 주의력이 약화된 경우, 100m를 힘껏 달린 후 다시 달렸더니 속도가 줄어든 경우, 약물 복용 후 즐거워하는 경우, 벼락치기나 밤샘 시험공부로 잠깐 기억 속에 있다가 시험이 끝난 즉시 완전히 망각되어 버리는 경우

학습의 기준이 되는 세 가지 요소

학습의 기준	학습	학습이 아닌 예
변화의 결과 부위 (locus of change)	인지적, 정의적, 심동적 영역에서의 행동상의 변화	자연적인 성숙, 생득적인 반응경향
변화의 지속시간 (duration of change)	장기간 지속되는 변화	• 잠깐 기억되는 공부 **예** 벼락치기, 밤샘 시험공부 • 피로나 약물, 사고 등으로 인한 일시적인 변화
변화를 야기한 원인 (cause of change)	연습이나 훈련, 경험에 의한 변화	약물로 인한 변화

(3) 교수(수업)와 학습의 비교

교수(수업)	독립변인(원인)	일정한 목표 有	일의적(一意的)	처방적·규범적
학습	종속변인(결과)	목표 有 또는 목표 無	다의적(多意的)	기술적·진단적

① 수업은 독립변인이고 학습은 종속변인이다: 수업은 작용을 하고 영향을 주는 것이며, 학습은 작용 결과로 나타나고 영향을 받는 변인이다.
② 수업은 일정한 목표가 있으나 학습은 목표가 있을 수도 있고 없을 수도 있다: 수업은 의도적인 것이기에 반드시 목표를 지니나, 학습은 의도적인 경우도 있고 의도 없이 이루어지는 경우도 있다.
③ 수업은 일의적(一意的)이나 학습은 다의적(多意的)이다: 교사가 가르치는 것은 하나지만, 학습자는 준비성이나 출발점 행동이 각기 다르기 때문에 다양하게 학습한다.

④ 교수이론은 처방적·규범적이나 학습이론은 기술적·진단적이다(Bruner).
  ㉠ 교수이론은 학습과제를 어떻게 하면 학습자가 가장 잘 배울 수 있는가에 관심을 가지고 주어진 교육목표를 달성하기 위한 가장 효과적인 수업의 절차를 제시한다는 점에서 처방적(prescriptive)이다. 또한 학습자가 어느 정도까지 학습해야 하며(학습의 준거), 어떤 조건에서 학습해야 하는지(학습의 조건)를 제시해야 한다는 점에서 규범적(normative)이다.
  ㉡ 학습이론은 학습이 일어날 때의 현상을 있는 그대로 기술하는 이론으로 기술적·서술적(descriptive)이고 진단적(diagnostic)이다.
  ㉢ 교수이론은 학습이론과 발달이론을 바탕으로 구성된다.

더 알아보기

기술적 이론과 처방적 이론의 차이

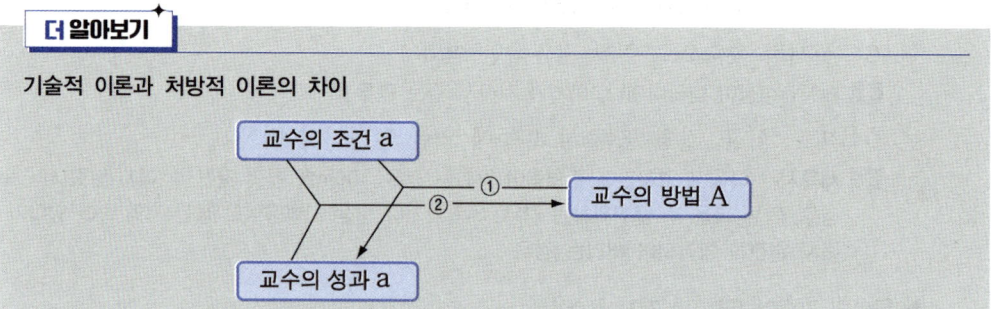

1. **기술적 이론**: 독립변인(교수의 조건과 방법) - 종속변인(교수의 성과) ⇨ a라는 조건하에서 A라는 교수방법을 실행하면 a라는 성과가 나타날 것이다.
2. **처방적 이론**: 독립변인(교수의 조건과 성과) - 종속변인(교수의 방법) ⇨ a라는 조건하에서 a라는 성과를 얻으려면 A라는 교수방법을 사용해야 한다.

■ 기술적 이론과 처방적 이론의 비교

구분	기술적(서술적) 이론	처방적(규범적) 이론
가치 추구	가치 중립	가치 지향
연구 의도	교수결과 기술	교수목표 성취
중점 변인	교수결과	교수방법
결과 기대	의도한 것 또는 의도되지 않은 것	의도한 결과

2 학습지도의 원리 10. 울산·서울, 06. 국가직 7급

교수원리	주창자	내용
개별화의 원리	Skinner(프로그램 학습, PI)	• 개인차를 존중하고 각 개인의 특성을 고려한 수업을 전개해 나가는 원리 ⇨ 학습지도의 출발점 • 버크 제도, 달톤 플랜, 위네트카 안, 세인트루이스 안, IPI, ATI(TTI), PI, CAI, 무학년제, 팀티칭
자발성의 원리	• Pestalozzi(자발성의 원리) • Fröbel(자기활동의 원리) • Dewey(문제해결학습) • Kilpatrick(구안법)	• 학습자 자신이 학습을 전개해 나가는 원리 • 흥미, 자기활동, 자기주도적 학습, 창조성의 원리 • 목마른 말을 물가로 끌어 올 수 있으나 물을 마시는 것은 말 자신이다.

사회화의 원리	Pestalozzi, Natorp, Dewey, Olsen	• 사회적 존재로서의 개인의 발달을 위한 원리: 교육의 사회적 기능을 중시, 협동적 경험 및 인간관계 중시 • 토의법, 문제해결학습, 구안법
직관의 원리	권근, Comenius, Rousseau, Pestalozzi, Dewey	• 구체적인 사물이나 경험 직접 제시(직접 경험의 원리) • 현장학습, 시청각 교수법
통합의 원리	Rogers	• 학습자의 종합적 특성을 조화로이 발전(동시학습의 원리) • 교과 간, 교육과정 간 통합 ⇨ 전인교육
목적의 원리		학습목표가 분명할 때 자발적이며 적극적인 학습 촉진
과학성의 원리		학습자의 논리적 사고력이 발달할 수 있도록 수업의 과학적 수준을 높여야 한다는 원리 예) 교재내용, 교수-학습방법의 과학화

3 수업효과(학업성취도)에 영향을 주는 변인

1. 교사변인

(1) **지적 변인**: 교사의 지능과 학업성취도는 상관이 낮다.

(2) **정의적 변인**: 학생에 대한 교사의 기대수준(교사의 학생관) ⇨ 로젠탈(Rosenthal)과 제이콥슨(Jacobson)의 피그말리온 효과 11. 광주

① 교사가 학생을 보는 관점(학생에 대한 기대)에 따라 학업성취도가 달라진다. ⇨ 기대특전현상(교사의 높은 기대를 받아서 높은 점수 증가를 보이는 현상)

② 오크(Oak)학교 실험결과: 실험집단일수록, (성적)중간집단일수록, 나이가 어릴수록, 사회경제적 지위가 낮을수록 기대효과가 크다.

③ "교사는 마음으로 아이를 조각하는 교실 안의 피그말리온이다."

▲ Pygmalion & Galateia

> **더 알아보기**
>
> **오크학교 실험 -「Pygmalion in the Classroom(1968)」**
>
> 1. **실험내용**: 하류층이 압도적으로 많이 거주하는 미국 샌프란시스코의 한 공립초등학교에서 실시되었다. 먼저 학생과 교사들을 속이기 위해 전교생(650명)에게 비언어적 지능검사를 실시하면서 성적이나 지능이 크게 향상될 사람을 찾아내기 위한 것이라고 광고하였다. 실제는 지능향상과는 아무 관계가 없는 시험이었다. 그 후 학생 20% 가량을 무작위로 뽑아 그 명단을 각 학급별로 교사에게 돌리면서 "앞으로 지적 발달이 크게 기대되는 아이들이다."라고 통보해 주었다. 그리고 8개월 후 똑같은 학생을 대상으로 전에 실시했던 것과 똑같은 내용을 테스트한 결과 교사가 기대를 품었던 아이들(실험집단)의 학업 성적이 크게 향상된 것으로 나타났다.
>
> 2. **실험결과**: 실험집단의 향상점수(평균+12.2점)가 통제집단의 향상점수(평균+8.4점)보다 3.8점이 더 높게 나타났다. 학년별로는 1학년(+15.4점)과 2학년(+9.5점)에서, 중간성적 집단에서, 그리고 하류계층의 학생들에게서 교사의 기대효과가 크게 나타났다.

> **더 알아보기**
>
> **피그말리온 효과와 유사 개념** 07. 인천, 05. 경기
>
> 1. **자성예언(self-fulfilling prophecy)**: Merton ⇨ 기대 실현에 대한 믿음으로 노력하면 기대가 실현된다.
>   예) 1932년 미국에 작지만 착실하게 잘 운영되는 한 은행이 있었다. 그런데 어느 날 갑자기 그 은행이 파산할 것이라는 소문이 떠돌았다. 수많은 예금주들은 은행창구에 몰려들어 각자의 예금을 찾느라 법석이었다. 물론 이 은행이 파산할 것이란 소문은 어디까지나 뜬소문이었으나 예금주들은 가만히 있다가는 예금을 모두 떼일 것으로 믿고 너 나 할 것 없이 모두 예금을 인출하기에 바빴다. 결과적으로 이들이 그 뜬소문을 진실한 것으로 믿고 행동을 개시했을 때 이들이 처음에 가진 틀린 확신은 틀림없는 현실이 되어 이 은행은 드디어 파산하게 되었다.
> 2. **호손 효과(Hawthorne effect)**: Mayo ⇨ 누군가가 관심을 가지고 지켜볼 때 생산성이 향상된다(심리적 요인이 생산성 향상에 긍정적 효과를 제공).
> 3. **플라시보 효과(Placebo effect)**: Shapiro ⇨ 위약(僞藥, 가짜약) 효과, 병이 나을 것이라는 긍정적 신념이 병을 낫게 한다.
>   cf) 노시보 효과(nocebo effect): 어떤 것이 해롭다는 암시(믿음)가 초래하는 나쁜 효과
> 4. **후광 효과(halo effect)**: Thorndike ⇨ 초두(初頭) 효과, 인상의 오류
>
> | 긍정적 기대가 긍정적 결과를 산출 | 부정적 기대가 부정적 결과를 산출 |
> |---|---|
> | 피그말리온(Pygmalion) 효과, 갈라테이아(Galateia, '잠자는 사랑') 효과, 로젠탈 효과, 실험자 효과, 교수자 효과, 자성예언 효과(긍정적), 호손 효과 | 골렘(Golem, 유대인의 신) 효과, 낙인 효과(labeling effect, 명명 효과), 자성예언 효과(부정적) |
> | 기대특전 현상 | 기대지속 효과 |
> | 플라시보(Placebo) 효과 | 노시보(Nocebo) 효과 |
> | 관대의 오류 | 엄격의 오류 |

2. **학생변인**

   (1) **지적 변인**: 지능($r = 0.5$), 언어능력, 선행학습정도, 학습양식

   (2) **정의적 변인**: 흥미, 태도, 가치관, 자아개념, 성격, 학습동기, 학습불안, 도덕성, 사회성 등 ⇨ 학습동기와 자아개념이 가장 큰 영향 요인, 학습습관($r = 0.45$)

제2절 수업설계(instruction design)

① 개관

1. 개념

(1) **광의의 의미**: 수업의 전 과정(예) 설계 ⇨ 개발 ⇨ 실행 ⇨ 관리 ⇨ 평가)을 체계적으로 계획하는 과정 ⇨ 수업 개발, 수업체제 개발

(2) **협의의 의미**: 최선의 수업방법을 선택하는 과정

2. 과정

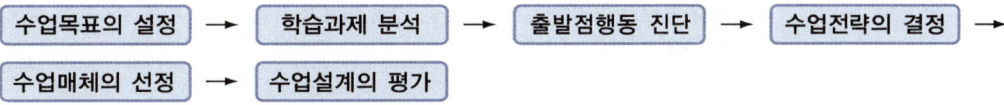

3. 수업설계의 3대 변인 – 교수의 조건, 교수의 방법, 교수의 성과 10. 경남·국가직 7급

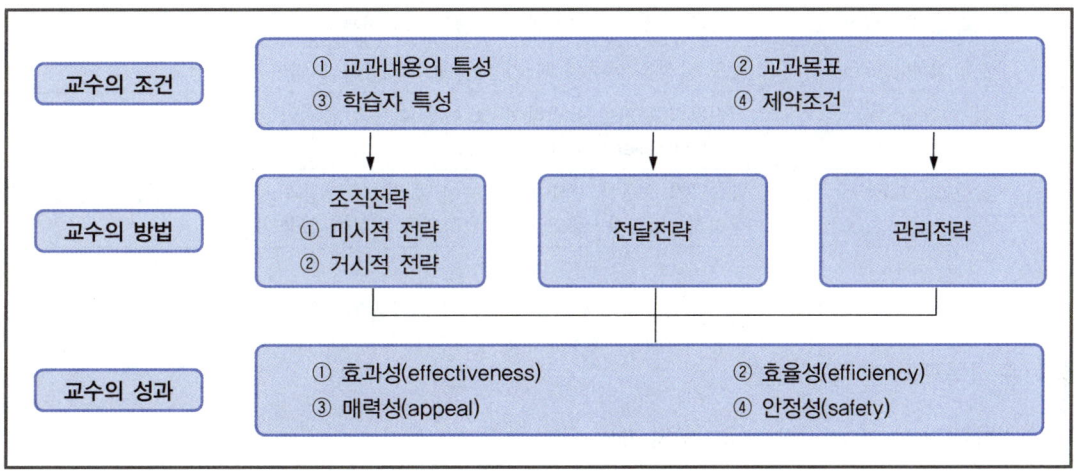

(1) **교수의 조건(conditions) 변인**

① 교수방법과 상호작용을 하지만 교수설계자나 교사에 의해 통제될 수 없는 제약조건
② 교사라면 누구나 이 요소들을 완벽하게 갖추어야 할 조건

교과내용의 특성	사실, 개념, 원리 등과 같은 명제적 지식과 절차적 지식
교과목표	인지적 영역, 정의적 영역, 심리운동기능적 영역
학습자 특성	학습자의 현재 상태(예 적성, 학습동기, 흥미와 태도, 학습 유형 및 성격, 선수학습정도, 선수지식의 구조화 정도 등) ⇨ 교사가 통제할 수 있는 변인이 아니라 있는 그대로 수용해야 하는 변인
제약조건	교수 상황의 여러 요인 예 기자재, 교수-학습자료, 재정, 자원, 인원 등

(2) **교수의 방법(methods) 변인** 21. 국가직 7급

① 서로 다른 조건하에서 다른 성과를 성취하기 위한 다양한 방안
② 교사가 필요에 따라 조정할 수 있으며, 교사 간의 역량차이를 드러나게 하는 요인

조직전략	교과의 내용을 그 구조와 학습자의 수준에 적합하게 조직하는 방법 • **미시적 전략**: 단 하나의 아이디어를 가르치는 경우에 고려해야 할 전략 　예 메릴(Merrill)의 구인전시이론 • **거시적 전략**: 복잡한 여러 아이디어를 가르치고자 할 때 고려해야 할 전략 　예 라이겔루스(Reigeluth)의 정교화 이론

전달전략	조직한 내용을 효과적이고 효율적으로 학생에게 전수하는 방법 예 강의법, 문답법
관리전략	조직전략과 전달전략의 많은 내용들을 언제 어떻게 활용할 것인지를 결정하는 데 필요한 체계적인 정보를 제시하는 전략

(3) **교수의 성과(outcomes) 변인**: 서로 다른 교수조건하에서 사용된 여러 가지 교수방법들이 어떤 면에서 어느 정도 효과가 있었는지를 나타내는 교수활동의 최종산물

효과성(effectiveness)	학습자가 소기의 목표를 달성했는지의 여부
효율성(efficiency)	목표 달성을 이루는 데 가능한 최소 비용과 노력이 드는 정도
매력성(appeal)	학습자의 동기를 유발하여 그 이후 학습을 촉진할 것 예 켈러(Keller)의 ARCS이론
안정성(safety)	학습자가 습득한 지식이나 기능이 물리적인 안정과 정서적인 안정은 물론, 도덕적·정치적·지역적·종교적·신체적으로 위험이 없을 것

2 수업목표의 설정과 진술

1. 수업목표(instructional objectives)의 개념

(1) 수업의 결과로서 학생들에게 나타날 행동의 변화 예 도착점행동, 학습결과(성과), 학습성취

(2) 한 단위의 수업이 성공적으로 끝났을 때 학생들에게 일어날 인지적, 정의적, 행동적 영역의 변화(예 생각, 느낌, 행동)를 규정한 것

2. 수업목표의 분류 12. 서울

타일러(Tyler) 이원목표 분류	블룸(Bloom) 교육목표 분류학		가네(Gagné)	메릴(Merrill)			
내용					사실	개념	절차	원리
행동(수행)	인지적 영역	(복잡성/복합성의 원리)	인지전략	발견				
		② 이해력 - ③ 적용력 - ④ 분석력 - ⑤ 종합력 - ⑥ 평가력	지적 기능	활용				
		① 지식	언어정보	기억				
	정의적 영역	(내면화의 원리) 감수 - 반응 - 가치화 - 조직화 - 인격화	태도	내용×수행 행렬표				
	심리운동 기능적 영역	반사적 운동 - 초보적 기초운동 - 운동지각능력 - 신체적 운동기능 - 숙련된 운동기능 - 동작적 의사 소통	운동기능					

3. 수업목표의 진술

(1) 진술원칙 08. 국가직, 05. 인천

① 학습자의 행동: 학습자 입장으로 진술한다.
② 도착점행동: 학습의 결과(도착점행동)로 진술한다.
③ 행위 동사: 관찰 가능한 행동으로 진술한다.
④ 명시적 동사(overt behavior): 구체적인 수업장면에서 나타내야 할 구체적이고 세분화된 동사로 진술한다. ⇨ 대안적 해석들을 배제하는, 잘못 해석될 여지가 없는 용어를 사용한다.
⑤ 객관적인 행위: 두 사람 이상이 보아서 동일한 해석을 내릴 수 있도록 진술한다.
⑥ 내용과 행동: 내용과 행동의 두 측면을 모두 포함해야 한다.
⑦ 한 개의 목표에는 한 가지의 학습 유형만을 포함한다.
⑧ 학습의 주제(예 한국 전쟁, 2차 방정식)를 수업목표로 대치하지 않는다.

(2) 진술방식 11. 서울

① 타일러(Tyler) 03. 전남 - 이원목표 분류: 내용(교육내용)과 행동(도착점행동)으로 진술 ⇨ 총괄평가, 절대평가에 활용
   예
   - 한국 전쟁의 발발 원인을 말할 수 있다.
   - 라디오를 수리할 수 있다.
   - 포유류의 특징(내용)을 열거할 수 있다(도착점행동).

② 메이거(Mager)
   ㉠ 행동목표 분류: 식별력(discrimination), 문제해결력(problem solving), 기억 재생력(recall), 조작력(manipulation), 실제로 할 수 있는 능력, 언어표현력(speech)
   ㉡ 진술방식: 조건(상황, conditions), 수락기준(준거, criterion, 성취기준), 도착점행동(성취행위, performance) 제시 ⇨ 형성평가, 절대평가, 실기교과에 주로 활용
   예
   - 운동장에서 100m를 18초 이내에 달릴 수 있다.
   - 목재와 공구가 주어졌을 때(조건), 5시간 이내에(수락 기준) 책꽂이를 만들 수 있다(도착점행동).
   - 2차 방정식의 문제 30개를 제시했을 때, 60분 이내에 20문제(수락 기준)를 풀 수 있다(도착점행동).

(3) 수업목표 진술 시 유의할 점

① 교사가 해야 할 활동을 수업목표로 진술하지 않는다.
   예 '소리의 원리를 설명해 준다.'
   ⇨ 교사의 활동은 수업절차나 수단에 해당하지 수업목표는 아니다.
② 학습 과정을 수업목표로 진술하지 않는다.
   예 '로마의 멸망에 관하여 토론한다.'
   ⇨ 학습결과인 행동 특성이 진술되어 있지 않다.
③ 학습내용이나 주요 제목을 수업목표로 열거하지 않는다.
   예 '루소와 자연주의 교육'
④ 한 수업목표 속에 둘 이상의 학습결과를 포함시키지 않는다.
   예 '낙하의 법칙을 이해하고 이를 효과적으로 적용한다.'
   ⇨ 이 경우는 '이해한다'와 '적용한다'의 두 가지 학습결과를 포함하고 있다.

3 학습과제의 분석(Gagné)

1. 개념

(1) 수업목표(단원의 최종목표)를 성공적으로 달성하기 위하여 학습자들이 습득해야 할 학습요소(언어적 정보, 지적 기능, 태도, 인지전략, 운동기능)에 관한 구체적인 내용이 무엇인가를 밝혀내는 일

(2) 학습요소의 상호 위계적 관계를 표시한 수업지도(instructional map) ⇨ 학습목표 영역 및 유형 분석과 하위기능 분석으로 구성
  ① 학습목표 유형 분석: 인지적 영역, 정의적 영역, 심리운동기능적 영역
  ② 하위기능 분석

학습목표 영역 (Bloom)	학습목표 유형 (Gagné)	학습과제 분석	학습과제 분석 방법
인지적 영역	언어정보	군집(집략)분석	• 상하의 위계적 관계가 없는 학습과제를 분석할 때 사용 • 어떻게 하면 학습자가 필요한 정보를 가장 잘 기억할 수 있느냐에 중점을 두어 정보의 내용을 효과적으로 묶는 방법 예 나라이름별로 묶기, 과일별로 묶기, 색깔별로 묶기
	지적 기능 (8가지)	위계분석	• 과제를 달성하기 위해 필요한 여러 기능들을 상위기능과 하위기능으로 분석 • 선수지식이나 기능의 학습이 전제된 학습과제에 적용 예 2차 방정식 문제 풀기, 두 자릿수 덧셈 계산하기
	인지전략		
정의적 영역	태도	통합분석	• 여러 가지의 분석기법을 동시에 활용하여 어떤 행위를 선택하는 학습과제 분석에 많이 사용 • 절차적·위계적·군집적 분석 방법을 통합적으로 적용하여 하위기능을 분석하는 것 예 국기에 대한 적극적인 태도 형성하기
심동적 영역	운동기능	절차(단계)분석	학습과제를 실행하기 위해 필요한 순서적 단계를 파악하는 것 예 맨손체조 익히기, 자동차 타이어 교체하기

(3) 최종목표를 달성하기 위해 학습자가 습득해야 할 지식, 기능, 태도, 인지전략 등을 위계적으로 분석하는 것(Gagné)

2. 필요성

(1) **학습요소의 확인**: 단원에서 가르칠 학습요소(학습내용)가 무엇인지를 명백히 한다.

(2) 학습요소 상호 간의 관련성을 밝힌다.

(3) **학습순서 결정**: 학습의 순서를 밝힌다.

(4) 학습요소의 중복이나 누락을 찾아낼 수 있다.

(5) 수업 중에 실시되는 형성평가의 기준을 설정한다.

(6) 본시학습에 필요한 선수학습요소가 무엇인지를 밝혀 준다.

4 출발점행동(entry behavior)의 진단 23. 국가직

1. 개념 05. 전남

(1) 새로운 학습과제를 배우기 위한 준비나 태세

(2) 특정 단위의 학습활동을 시작하는 데 필요한 이미 학습된 성취수준(Glaser)
   > **예.** 곱셈을 학습하기 전에 덧셈하기, 문자쓰기를 학습하기 전에 선 그리기, 시계를 보는 능력을 학습하기 전에 시침과 분침을 구별하기

2. 진단요소

> 인지적 특성(선행학습능력 = 선수학습능력＋사전학습능력), 정의적 특성, 신체적 기능 ⇨ 진단평가

(1) **인지적 특성**: 선행학습능력 ⇨ 어떤 학습과제를 성공적으로 학습하기 위해서 그보다 먼저 학습해야 할 이전 단계의 학습과제를 학습하는 것

   ① 선수학습능력: 학습과제를 성취하기 위해 학습자가 반드시 갖추고 있어야 할 기능이나 지적 능력
   > **예.** 영어 시간에 문장의 형식을 이해하기 위해서는 문장의 구성성분이 되는 주어, 동사, 목적어, 보어 등에 대해서 알고 있어야 한다. 수학 시간에 곱셈과 나눗셈을 학습하기 위해서는 사전에 덧셈과 뺄셈을 알고 있어야 한다.

   ② 사전학습능력: 이미 학습한 단원에서 학습자가 학습한 성취수준(**예.** 전시학습내용)과 학습 예정인 학습과제에 대하여 이미 알고 있는 수준

(2) **정의적 특성**: 학습자의 흥미, 성격, 자아개념, 자신감 등

3. 유사 개념 08. 경기

(1) **준비성**(Thorndike): 학습하려는 학습동기와 유전으로 인한 성숙 05. 경기, 00. 울산

(2) **적성**(Carroll): 최적의 학습조건에서 주어진 학습과제를 일정수준 성취하는 데 필요한 시간

(3) **학습경향성**(Bruner): 학습의욕, 아동의 인지발달단계

(4) **기타**: 투입행동(input behavior), 선행조직자(Ausubel), 발달과업(Havighurst)

⑤ 수업전략의 결정

1. 개념
수업목표를 달성하기 위해 학습자에게 제공되는 구체적인 활동계획

2. 구성요인
(1) **학습요소별 시간계획**: 학습과제 분석을 통해 밝혀진 학습요소들의 학습 순위를 바탕으로 시간계획을 세운다.

(2) **수업(교수-학습활동)계획**: 단원 전개의 단계, 교사 및 학생 활동, 집단의 조직, 시청각매체의 이용, 수업의 형태(수업방법)나 흐름, 시간에 대한 배려 등을 계획한다.

3. 수업단계별 주요 활동

수업단계	주요 활동
도입	학습자의 동기 유발, 학습목표 제시, 선수학습과 관련짓기
전개	학습내용의 제시, 학습자료의 제시, 학습자의 참여유도, 다양한 수업방법의 사용, 시간과 자원의 관리 ⇨ 가장 핵심적인 단계
정리(완결)	학습과제에 대한 요약과 정리, 연습과 피드백을 통한 강화, 일반화, 보충자료 제시 및 차시 예고
평가	학습결과에 대한 평가(학습목표 도달 여부를 평가)

⑥ 수업매체의 선정

1. 개념
학습내용과 수업형태(수업방법)에 알맞은 수업매체 선정

2. 수업매체의 선정기준
(1) 학습내용에의 적합성

(2) 학습자 발달수준에의 적합성

(3) 교사의 활용 가능성과 용이성

(4) 학습상황에의 적합성

(5) 기타 구입경비, A/S, 사용지침서 등

제3절 | 교수설계모형(instructional design model) 14. 국가직 7급, 04. 대구

> **수업설계모형의 유형**
> 1. **수업과정(절차)모형**: 글레이저(Glaser)의 수업과정모형, 한국교육개발원(KEDI)의 수업모형
> 2. **체제적 설계모형**: ADDIE 모형(일반모형), 딕과 캐리(Dick & Carey) 모형(심화모형)
> 3. **미시설계모형**: 메릴(Merrill)의 구인전시이론 ⇨ 단 하나의 아이디어를 가르치는 경우에 고려해야 할 전략, 하나의 개념이나 사례, 연습문제 등을 제시할 경우에 사용되는 전략
> 4. **거시설계모형**: 라이겔루스(Reigeluth)의 정교화이론 ⇨ 복잡한 여러 아이디어를 가르치고자 할 때 고려해야 할 전략, 여러 개의 아이디어를 선택하고, 계열지으며, 종합하고 요약하는 데 유용한 전략

1 수업과정모형: 글레이저(Glaser)의 수업과정모형 10. 울산 ⇨ 체계접근모형

1. 과정

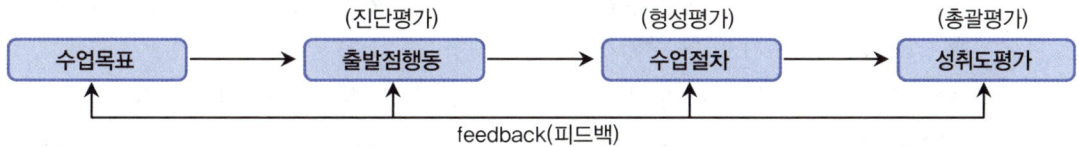

(1) **수업목표**(유능한 수행): 도착점행동(terminal behavior)
   ① 특정 단위 수업의 종료 시 학생들이 보여줄 수 있는 성취
   ② 구체적·행동적 용어로 기술: 관찰·측정이 가능할 것

(2) **출발점행동**(학습자 진단): 투입행동(input behavior)
   ① 수업 시작 전 학생이 지니고 있는 지적·정의적 상태: 수업목표와 관련되어 학생들이 이미 학습된 수준
   ② 진단평가(diagnostic evaluation)를 통해 출발점행동의 진단 및 확인

(3) **수업절차**(상태의 변환 과정): 수업의 가장 핵심적 단계 ⇨ 가네(Gagné)의 수업사태(수업사상)에 해당
   ① 교사가 학습자에게 내용을 가르치는 것
   ② 교사의 학습지도의 장면
   ③ 형성평가(formative evaluation)를 통한 교정학습 및 교수-학습방법 개선

(4) **성취도평가**(교육평가)
   ① 수업목표에 비추어 학생의 학업성취도를 평가
   ② 총괄평가(summative evaluation)를 통한 교수목표(도착점행동) 달성 여부 판단
   ③ 평가결과로 얻어진 정보는 다음 단위의 수업 과정 설계의 기초자료로 활용

2. 데세코(DeCecco)의 수정모형: 환류(feedback) 추가 ⇨ 각 단계의 수정·보완

❷ 체제적 교수설계모형(ISD ; Instructional Systems Design) : 체제접근적 모형

1. 모렌다(Molenda)의 ADDIE 모형 ⇨ 일반모형 23·20·15. 지방직, 12. 서울·경기, 09. 국가직

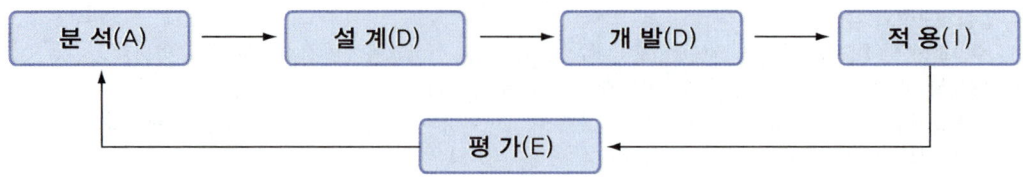

(1) **분석(Analyze) 단계**: 요구분석, (학습)과제 분석, 학습자 분석, 환경분석 24. 국가직 7급
   ① 요구분석(need analysis): 문제를 확인하는 과정, 수업설계의 선행 단계 ⇨ 현재의 상태(what is)와 원하는 상태(what should be) 간의 격차를 규명·확인하는 과정
      ㉠ 교육적인 요구는 학습자들이 도달해야 할 지식, 기술, 태도의 상태(기대되는 바람직한 상태)와 그러한 지식, 기술, 태도 등을 가지고 있지 않은 현재 상태(현재의 교육수준)의 차이로 규명된다.
      ㉡ 요구분석을 통해서 최종 수업목표(instructional goal)가 도출되며, 이는 효과적인 수업설계를 실행하기 위한 준거가 된다.
   ② 학습과제 분석(수업분석): 수업목표 분석, 하위기능 분석 ⇨ 수업지도 작성
   ③ 학습자 분석: 학습자의 특징(예 출발점행동, 지적 능력, 배경, 지능, 동기, 학습양식, 나이, 성별 등)을 파악하는 것, 학습자의 어떠한 특성이 효과적인 수업을 위해 고려되어야 하는지를 결정하는 것 ⇨ 수업설계를 위한 기초자료 확보
   ④ 환경분석: 수업설계 과정에서 고려되어야 할 제반환경과 학습환경에 대해 파악하는 것 ⇨ 교수설계 과정에 필요한 기자재 시설, 경비 등과 학습이 일어나는 학습장(교실, 실험실 등의 교수-학습 공간)의 매체, 시설 등을 분석하는 것

(2) **설계(Design) 단계** 21. 국가직
   ① 분석의 결과로 얻어진 정보들에 기초하여 효과적인 수업 프로그램의 설계명세서를 만들어 내는 것
   ② 행동적 수업목표의 진술(수행목표의 명세화 예 Mager의 진술방식), 평가도구(절대평가) 개발, 교수전략의 계열화, 교수전략과 매체선정의 활동을 통해 교수활동의 청사진 만들기

(3) **개발(Development) 단계**
   ① 설계명세서에 기초하여 수업 프로그램이나 교수자료를 개발·제작하고, 형성평가를 통해 완성된 자료를 제작해 내는 것
   ② 교수-학습자료 개발, 학습형태·방법·밀도·최적의 성취, 형성평가와 보충·심화

(4) **적용(Implement, 실행) 단계**
   ① 개발된 교수 프로그램이나 교수자료를 실제 교육현장에서 활용하고 관리하는 과정
   ② 교수-학습의 질 관리, 교사의 부단한 연수와 의지, 행정적·제도적 지원체제 강구

(5) **평가(Evaluation) 단계**
   ① 교수 프로그램이나 교수자료의 효과성이나 효율성을 측정하는 과정
   ② 총괄평가, 프로그램 만족도, 학습자의 지식·기능·태도 등의 변화정도 및 전이

2. **딕(Dick)과 캐리(Carey)의 교수설계모형** ⇨ 심화모형 24. 지방직, 11. 서울, 05. 국가직

   (1) **모형도**: 수업설계자 입장에서 구안 ⇨ 수업실천보다 사전설계에 초점

   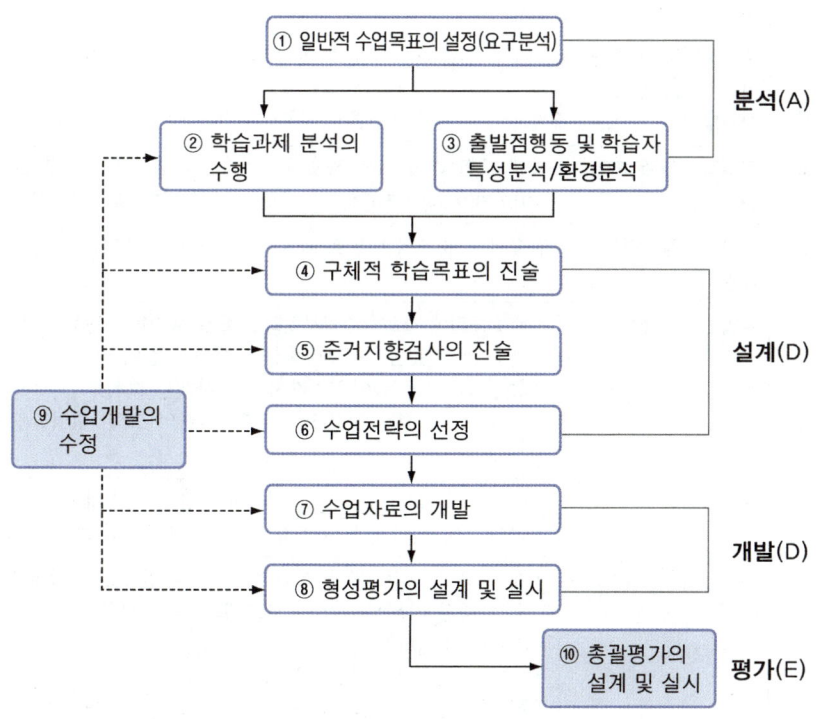

   (2) **일반모형(ADDIE)과의 비교**
   ① ADDIE 모형은 모든 교수설계 활동에서 요구되는 기본적인 핵심요소를 나타내 주는 반면, 딕과 캐리(Dick & Carey)의 모형은 보다 구체적으로 교수설계의 단계와 단계 간 관계, 즉 효과적인 교수 프로그램을 만들어내기 위해서 필요한 일련의 단계들과 그 단계들 간의 역동적인 관련성에 초점을 맞추고 있으며, 단계별 유의사항에 대한 처방을 제시하고 있다.
   ② ADDIE 모형은 일반모형인 반면에, 딕과 캐리(Dick & Carey)의 모형은 심화모형에 해당한다.
   ③ ADDIE 모형에 비해 딕과 캐리(Dick & Carey)의 모형은 수업설계자 입장에서 구안된 모형이어서, 수업실천보다 사전설계에 초점을 둔다. 딕과 캐리(Dick & Carey)의 모형에는 ADDIE 모형의 실행단계(I)가 생략되어 있다.
   ④ ADDIE 모형은 일반적으로 평가도구 개발이 교수설계의 마지막 단계에 이루어지는 데 비해, 딕과 캐리(Dick & Carey)의 모형에서는 수행목표 진술의 바로 다음 단계로 평가도구 개발을 제시하고 있다. 이는 교수목표 - 수행목표 - 평가도구에 이르는 세 단계의 일관성을 보다 철저히 보장하기 위한 처방이다.

⑤ 두 모형의 비교 25. 국가직

Dick & Carey 모형			일반모형 (ADDIE)
단계	제목	내용	
1	일반적 수업목표의 설정(요구 분석 포함)	• 수업 후에 길러질 학생의 성취행동이나 학습성과의 유목을 진술 • 각급 학교 각 학년 대상의 교과서가 이미 선정된 경우는 거의 생략	분석단계 (A)
2	학습과제 분석의 수행	목표의 세분화 및 학습요소의 위계적 분석 ⇨ 학습순서와 계열 결정	분석단계 (A)
3	출발점행동 확인 및 학습자 특성분석 / 환경분석	학생의 선행학습 정도의 확인 및 보충학습 ⇨ 진단평가	분석단계 (A)
4	구체적 행동목표의 진술	• 한 단위 수업 후에 학생이 보여 줄 수행목표(수업목표) 진술 • 메이거(Mager) 진술방식: 상황(조건), 수락기준, 도착점행동	설계단계 (D)
5	준거지향검사의 개발	진술된 목표와 일대일로 대응할 수 있는 절대평가 문항 개발	설계단계 (D)
6	수업전략의 선정	• 목표 도달에 필요한 수업자료와 요소 및 환경을 활용하는 절차 선정 : 수업 전 활동 – 정보 제시 – 학습자 참여 – 검사 – 추수활동으로 구성(Gagné의 9가지 수업사태를 요약) • 학습요소별 시간계획, 교수-학습집단의 조직, 수업환경 정비 등 포함	설계단계 (D)
7	수업자료의 개발	• 다양한 수업자료를 개발·제시하여 개별화 수업의 효과 증진 • 학습지침, 수업요강, 수업자료, 검사, 교사지침 개발	개발단계 (D)
8	형성평가의 설계 및 실시	• 개발 중인 교수설계에 대한 평가 ⇨ 수업 프로그램의 능률과 효과 증진을 위해 수업 프로그램의 질을 개선하는 데 필요한 자료를 수집하는 평가 • 여러 차례 반복적으로 실시한다. 예 일대일 평가(성취도나 배경, 특성이 다른 3~5명 정도의 학습자 대상), 소집단평가(8~20명 정도의 학습자 대상), 현장평가(대집단 평가), 전문가 평가	개발단계 (D)
9	수업개발의 수정	• 형성평가의 결과를 토대로 수업 프로그램이 지닌 결점을 수정·보완 • 학습과제 분석의 타당성, 학습자의 출발점행동 및 특성분석의 정확성, 구체적 행동목표 진술의 적절성, 검사문항의 타당성 등을 검토	개발단계 (D)
10	총괄평가의 설계 및 실시	수업 프로그램의 절대적 또는 상대적 가치를 평가 ⇨ 외부에 평가 의뢰	평가단계 (E)

❸ 메릴(Merrill)의 구인전시이론(CDT ; Component Display Theory, 내용요소 제시이론)

1. 개관

(1) **미시적 교수설계이론**: 수행-내용 분류체계(components matrix)와 자료제시형태(display)를 결합시켜서 효과적인 교수처방을 해보려는 미시적 수준의 교수설계이론(전략)

(2) **인지적 영역의 학습목표를 가르치는 방법에 주안점**: 특히 하나의 개념, 원리, 단일 아이디어 등 수업하는 방법을 효과적으로 처방

(3) **처방적 수업설계모형**: 제시된 목표를 달성하기 위하여 학습자가 수행하게 될 학습활동을 개발하는 데 있어서 길잡이가 될 수 있는 구체적인 교수처방 제시

2. 내용

(1) 복잡한 학습내용을 낱개의 구인들(components, 내용-요소)로 나누고 그 학습의 수행수준을 결정한 다음, 각각에 적절한 수업방법을 모델로서 제시(display)하는 이론이다.

(2) 구인전시이론에서는 학습자가 낱개의 구인들을 획득하게 하기 위한 전시모델이 구체적으로 제시형(presentation form)이라는 형태로 주어진다.

3. 특징

(1) 가네(Gagné)가 제시한 수행수준 중심의 일차원적 분류체계의 문제점을 보완

(2) 내용유형과 수행수준을 축으로 한 이차원적 분류체계를 제시

4. 구성요소

(1) **수행 – 내용 행렬표**: 학습수행의 수준을 세 가지로 나누고 학습내용을 네 가지로 나누어 그들의 관계를 매트릭스(matrix, 행렬표)로 나타낸 것 ⇨ 12개이나 '사실에 대한 활용'과 '사실에 대한 발견'은 이론적으로 존재하지 않으므로 10개가 된다(즉, E, I는 존재하지 않는다).

① 학습내용: 사실, 개념, 절차, 원리
  ㉠ 사실: 이름, 역사적인 사건들, 장소 혹은 특정한 사물과 사건을 지칭하기 위하여 사용한 기호들처럼 임의적으로 사물이나 사건과 연관을 지어 명명한 정보
  ㉡ 개념: 공통적인 속성을 지니고 있고 동일한 명칭으로 불리는 사물, 사건, 기호들의 집합
  ㉢ 절차: 어떤 목적을 달성하거나, 특정한 문제를 해결하거나, 산출물을 만드는 데 필요한 단계들을 순서화한 계열
  ㉣ 원리: 어떤 현상이나 사건을 이해하고 설명하기 위하여 사용한 인과관계나 상호관련성을 나타내는 것
    예 현상이 어떤 이유로 발생하는지를 설명하거나 앞으로 발생하게 될 사태에 대해 예측하는 것

② 학습수행 수준: 기억, 활용, 발견
  ㉠ 기억: 언어정보의 습득 수준 ⇨ 이미 저장되어 있는 언어적 정보(**예** 사실, 개념, 절차, 원리)를 그대로 재생하는 것, 기억된 정보를 탐색하는 수행 수준
  ㉡ 활용: 지적 기능의 수준 ⇨ 학습된 개념, 절차, 원리를 실제 상황에 적용해 보는 것
  ㉢ 발견: 인지전략의 수준 ⇨ 새로운 추상성, 즉 개념이나 절차, 원리를 찾아내는 것, 학생들이 새로운 추상성을 도출해 내는 창조적인 수행

③ 수행 수준과 내용의 형태가 만나는 칸(수행-내용의 2차원적 매트릭스)은 학습결과의 범주를 나타낸다.

④ 학습결과를 이차원적으로 분류함으로써 학습결과로서의 목표를 보다 정확하게 규정하고, 그 각각에 대해 보다 정확한 교수처방을 가능하게 한다.

수행차원					
	발견	I	포유류의 특성을 고려하여 동물을 나누는 방법을 고안할 수 있다.	피험자들이 실험실에 들어설 때 실험처치 그룹에 무선적으로 배치하는 기법을 고안할 수 있다.	• 담배연기가 식물의 성장에 미치는 효과를 측정하기 위한 실험을 설계하고 결과를 보고할 수 있다. • 지하수의 생성원리를 설명할 수 있는 모형을 만들어 제시할 수 있다.
	활용	E	수질오염이 주는 피해를 생활 속에서 찾을 수 있다.	• 현미경을 조작하여 양파를 관찰할 수 있다. • 인터넷을 사용하여 과제 수행에 필요한 자료를 찾을 수 있다. • 논설문 작성 방법을 사용하여 자신의 의견을 주장하는 글을 쓸 수 있다.	피타고라스의 정리를 이용하여 건물의 길이를 잴 수 있다.
	기억	• 대한민국은 민주주의 공화국임을 말할 수 있다. • 원주율 π값을 말할 수 있다.	포유류의 특성을 말할 수 있다.	현미경을 조작하는 단계를 말할 수 있다.	세계지도를 만드는 데 이용되는 세 가지 투사 기술을 말할 수 있다.
		사실	개념	절차	원리

내용차원

(2) **교수방법**: 제시형 ⇨ 교사에 의한 전달이나 인쇄매체, 전자매체 등을 통하여 학습자들에게 제시되는 수업의 형태 예 1차 제시형, 2차 제시형, 과정 제시형, 절차 제시형

① **1차 제시형**: 목표성취에 필요한 가장 최소한의 기본적인 자료를 제시하는 방식 ⇨ 어떤 내용을 학습하기 위하여 반드시 제시되어야만 하는 수업의 형태

구분	설명 : Expository(E)	질문(탐구) : Inquisitory(I)
일반성 : Generality(G)	EG(법칙)	IG(회상)
사례 : Instance(eg)	Eeg(예)	Ieg(연습)

㉠ **일반성 차원**: 개념(정의), 절차, 원리를 추상적으로 진술한 것 ⇨ 사실은 특수한 사례이므로 '사실의 일반성'은 없음.

㉡ **사례 차원**: 개념, 절차, 원리를 특정한 예를 들어 구체적 상황으로 진술한 것

ⓒ 설명식: 단순히 진술하는 것, 보여 주는 것, 해설하는 것
  예) EG(법칙) ⇨ 일반적인 내용(법칙)을 교사가 설명하는 것
ⓔ 질문식(탐구식): 질문을 완성형으로 하거나, 일반성을 특정한 사례에 적용하는 문제를 낸다거나 하는 활동
  예) Ieg(연습) ⇨ 학습자가 특정한 사례를 제시하도록 교사가 요구(질문)하는 것
② 2차 제시형: 반드시 제시될 필요는 없지만 1차 제시형과 함께 제시된다면 학습의 효과성과 효율성을 증진시켜 주는 수업의 형태 ⇨ 정교화의 형태로 제시(부가적 자료제시 방식)
  예) 맥락(context), 선수학습(prerequisite), 암기법(mnemonic), 도움말(help), 표현법(representation), 피드백(feedback)

4 라이겔루스(Reigeluth)의 정교화이론(Elaboration Theory)

1. 개념 14. 지방직

효과적·효율적인 학습을 위해 교과내용의 조직방법과 제시에 대한 원리와 기법을 인지심리학적 관점에서 설명하고 있는 거시적 교수설계이론

(1) 교수내용의 조직전략에 초점을 두고, 수업내용을 선택(selecting), 계열화(sequencing), 종합(synthesizing), 요약(summarizing)하기 위한 효율적 교수방법을 제공

(2) **단순 – 복잡의 계열**: 교과내용의 계열화를 위한 기본원리로 중시

(3) **줌렌즈의 방법**
  ① 개요 제시: 수업의 정수(epitome)라고 불리는 수업의 전체적 '개요'를 먼저 제시한다. '개요'는 교과내용 중 가장 단순하고 기본적인 사상들로 구성된 내용을 발췌한 것으로 내용 전체를 정리한 '요약'과는 다르다.
  ② 학습내용 학습: '개요'를 부분별로 세분화한 좀 더 상세한 학습내용을 점진적으로 정교화하여 제시하고, 이전의 선행학습과 연관되어 설명한다.
  ③ 요약과 종합: 학습내용의 요약과 종합을 통해 전체 개요를 정교화시킨다.

2. 정교화이론의 일곱 가지 교수전략

(1) **정교화된 계열화**: 단순·복잡의 계열화 – 수업내용을 단순 또는 간단한 것(정수)에서 복잡하고 세부적인 것으로 조직(계열화)하는 원리 ⇨ 줌렌즈의 방법
  ① 개념적 정교화: 가르쳐야 할 개념을 인지구조에 유의미하게 동화시키는 방법
  ② 절차적 정교화: 특정의 학습목표 또는 학습내용을 습득하기 위해 거쳐야 할 과정이나 절차를 최적으로 계열화하는 방법
  ③ 이론적 정교화: 가르쳐야 할 원리들의 폭과 깊이를 명세화하고, 이들 원리 중에서 가장 먼저 가르쳐야 할 원리와 다음에 제시하게 될 원리들을 확인하여 순차적으로 계열화하는 방법

(2) **선수학습요소의 계열화**: 새로운 지식을 학습하기 전에 필요한 선행학습능력이 구비될 수 있도록 수업을 순서화
  ① 개념학습의 선수학습요소: 개념을 구성하는 속성들과 그 속성들 사이의 상관관계를 파악
  ② 절차학습의 선수학습요소: 각 절차 단계에 해당하는 행동들의 구체적 서술과 그 행동들과 관련된 개념들이나 다른 요인들 또는 규칙들
  ③ 원리학습의 선수학습요소: 각종 개념들과 그 개념들의 변화를 나타내주는 이론

(3) **요약자(summarizer)의 사용**: 이미 학습한 것을 복습하는 데 사용되는 전략 ⇨ 교수에서 다룬 각 아이디어나 사실에 대한 간결한 설명, 사례, 연습문제로 구성
  예 학습단원 요약자, 교과전체 요약자

(4) **종합자(synthesis)의 사용**: 개개의 아이디어들을 서로 연결시키고 통합시키기 위하여 사용하는 전략
  ① 일반성 제시, 통합적 사례 제시, 자기평가적인 연습문제를 활용
  ② 장점: 학습자에게 필수적이고 가치 있는 지식 제공, 이미 학습한 개개의 아이디어들에 대한 깊이 있는 이해를 제공, 개개의 아이디어들을 수업의 전체적 윤곽 속에서 상호 연관성 있게 제시함으로써 학습의 의미와 동기를 제고

(5) **비유(analogy)의 활용**: 새로운 정보를 학습자에게 친숙한 아이디어로 연결시켜 이해할 수 있도록 도와주는 전략(**예** 인간의 두뇌는 컴퓨터이다.) ⇨ 비유는 학습자의 경험 속에 존재하는 어떤 구체적인 것과 수업을 통하여 가르치고자 하는 보다 추상적이고 복잡한 아이디어들을 연결시킬 수 있도록 도움을 제공

(6) **인지전략 촉진자(cognitive-strategy activator)**: 학습자의 인지전략과 그 전략을 활용하는 과정을 자극하고 도와주는 촉진자 ⇨ 학습 과정에서 학습자가 자신의 인지전략이나 과정에 대하여 인식하고 그것을 적절히 조절할 수 있을 때 보다 능동적으로 참여하게 되고 학습효과도 커진다는 점을 활용
  ① 내재된(포함된) 전략촉진자: 수업에서 학습자가 어떤 특정한 인지전략을 거의 무의식적으로 사용할 수 있도록 고안된 자극
  ② 분리된 전략촉진자: 학습자 스스로 가지고 있는 기존의 인지전략을 내용에 맞게 사용할 수 있도록 안내해 주는 역할

(7) **학습자 통제(learner control)**: 학습자가 자신이 학습할 내용과 다양한 학습전략들을 선택하고 계열화하여 어떻게 공부할 것인가를 스스로 결정할 수 있는 것 ⇨ 메타인지 전략
  ① 학습자 통제의 유형: 학습할 내용의 통제, 학습속도의 통제, 학습자가 선택한 특정의 교수전략요소와 그 전략요소가 사용되는 순서의 통제, 학습자가 수업을 받을 때 사용하는 특정의 인지전략 선택
  ② 정교화 교수이론의 학습자 통제: 통제유형 중 '학습속도의 통제'는 제외

제4절 교수-학습의 방법(수업의 유형)

1 강의법 18. 지방직, 10. 충북, 06. 강원, 05. 서울

1. 개념

(1) 가장 오래된 전통적 교수방법, 교사 중심 수업방식

(2) 교사의 설명과 해설, 즉 언어를 통한 교사와 학생의 상호작용을 위주로 수업을 진행해 나가는 방법 [예] 오수벨(Ausubel)의 유의미 수용학습이론

(3) 새로운 단원의 소개, 지식이나 정보의 체계적인 전달을 주목적으로 하는 수업

(4) **헤르바르트(Herbart)의 교수 4단계 적용**: 명료 ⇨ 연합 ⇨ 계통 ⇨ 방법

2. 강의법이 적절한 상황과 적절하지 못한 수업 상황

(1) **적절한 상황**: 지식의 전수가 주목적, 교과서에 없는 사실이나 이해하기 어려운 내용의 전달, 수업시작 전 학습과제에 대한 전반적인 방향이나 정보 제시, 단기적 파지가 우선 필요한 학습과제, 특정한 성격의 학습자들[예] 내성적인 학습자, 모호함을 참지 못하는 학습자, 심리적으로 경직되어 있고 근심·걱정이 많은 학습자)에게 효과적

(2) **적절하지 못한 상황**: 장기적인 파지를 요구하는 학습과제인 경우, 지식 습득 이외의 다른 수업목표[예] 사회성)가 강조될 때, 고차적인 학습과제일 때, 수업목표 달성에 학생의 참여가 필수적일 때, 학생의 지적 능력이 평균 또는 그 이하인 경우

3. 장단점

(1) **장점**
① 지식의 체계적·논리적인 전달
② 수업의 경제성(다양한 지식을 많은 학생들에게 동시에 전달)
③ 학생들의 학습동기 유발(∵ 교사의 열정·논리·유머·온화함.)

(2) **단점**
① 학생들의 개인차 무시
② 고등정신능력 함양에 부적합
③ 학습내용에 대한 장기적 파지의 곤란
④ 학생의 수동성 초래

2 토의법

1. **개념** – 파커(Parker)가 명명 22. 지방직

   (1) **공동학습의 한 형태**: 비형식적 토의집단 구성, 가장 사회화된 학습형태

   (2) 학습자들 간 그리고 학습자와 교사 간의 상호작용, 즉 자유로운 토론을 통해 새로운 정보를 획득하거나 문제해결에 협력하며 집단사고를 통해 결론을 이끌어내는 방법

   (3) 비판적 사고력 등 고차적인 인지 과정을 요구하는 학습과제인 경우, 태도 학습의 경우, 도덕적 판단력 함양을 위한 수업의 경우, 민주적인 태도와 가치관 함양을 요하는 수업의 경우에 적합

2. **유형**

   (1) **자유토의**(free discussion): 자유로운 분위기에서 토의하고 해결책을 마련

   (2) **원탁토의**(round table discussion): 자유토의의 한 형태
   ① 참가자 전원(5~10명)이 상호 대등한 관계 속에서 정해진 주제에 따라 자유롭게 서로의 의견을 교환하는 방법
   ② 사회자는 참가자 모두가 발언할 수 있도록 기회를 적절히 제공해야 한다.

   (3) **배심토의**(panel discussion, 판결식 토의)
   ① 특정 주제에 대해 상반(相反)되는 견해를 대표하는 소수(3~6명)의 선정된 배심원(panel)들이 사회자의 진행에 따라 다수의 청중들 앞에서 유목적적인 대화의 형태로 토의하는 방식
   ⇨ 배심원들은 자원인사로 구성된 참가자들
   ② 배심원들이 주제와 관련하여 자신의 입장이나 의견을 간략하게 표명하고 사회자가 미리 준비한 질문에 따라 각자의 견해를 밝히는 형식으로 진행 ⇨ 청중들에게는 의견 개진이나 토의 참여가 허용되지 않는다. 단, 경우에 따라 사회자의 재량으로 청중에게도 질문과 발언권을 제공
   ③ 문제나 쟁점에 대한 관심 제고(提高), 문제나 쟁점에 대한 확인 및 명료화, 문제나 쟁점에 대한 다양한 관점에서의 이해와 문제해결력 증진에 적합

   (4) **단상토의**(symposium, 강연식 토의): 하나의 토의주제에 상이(相異)한 의견을 지닌 권위 있는 전문가 약간 명(3~4명)이 사회자의 진행으로 부여된 시간 동안 자신의 의견을 개진하는 방식
   ⇨ 발표자 간 또는 발표자와 청중 간의 의견 교환이나 토의는 원칙적으로 허용되지 않지만, 경우에 따라서는 짧은 시간이 제공되기도 한다. 11. 광주
   ① 장점
      ㉠ 특정 주제와 관련된 체계적이고 전문적인 정보와 지식을 비교적 짧은 시간에 깊이 있게 학습
      ㉡ 주제에 대한 다양한 관점의 제시를 통해 총체적인 안목 형성
      ㉢ 자신의 지식·견해·신념 등을 비판적으로 검토·수정할 수 있는 기회 제공
      ㉣ 간접적인 참여(예 청중)를 통해 학습효과 증대

② 단점
ⓐ 짧은 발표시간으로 인해 심도 있는 논의 전개가 어려움.
ⓑ 준비된 자료의 연속적인 발표 형식으로 인해 발표 내용이 중복될 가능성이 있음.
ⓒ 의견 교환이나 논평 기회가 거의 없어 상호작용에 의한 의견수렴과 판단의 여지가 없음.

(5) **공개토의**(forum discussion, 공론식 토의) : 1~3명의 전문가나 자원인사가 10~20분간 공개 연설을 한 후, 이를 중심으로 청중과 질의응답으로 토의를 진행하는 방법 13. 지방직, 11. 대전
① 다른 교수-학습방법(예 강의법, 단상토의, 패널토의)에 의해 제기된 문제나 주제에 대한 후속 논의가 요구되는 경우에 활용
② 효과
ⓐ 학습자(청중)들이 직접 토의에 참여함으로써 주제에 대한 적극적이고 능동적인 탐구를 통해 효과적인 학습이 가능
ⓑ 학습자들의 욕구와 필요를 반영
ⓒ 학습자들의 다양한 의견 수렴을 통해 집단적 지혜 획득
ⓓ 전문가의 의견 개진과 학습자들의 질의응답을 통해 체계적이고 깊이 있는 학습 가능

(6) **대담토의**(colloquy) : 청중 대표(3~4명)와 전문가나 자원인사 대표(3~4명)가 청중 앞에서 사회자의 진행으로 특정 주제에 대하여 토의를 진행
① 청중들도 사회자의 진행에 따라 질문하거나 의견을 개진할 수 있다.
② 청중 대표와 전문가가 대등한 수로 구성되고, 청중 대표(청중 전체)가 직접 토의에 참여하여 쌍무적 의사교환을 한다는 점에서 배심토의와 다르다.

(7) **세미나**(seminar, 질의식 토의) : 어원적 의미는 동물의 축사(畜舍), 사육장(飼育場)
① 참가자 모두(5~30명 정도)가 해당 토의주제 분야에서 권위 있는 전문가나 연구가들로 구성된 소수집단 토의 ⇨ 해당 주제 분야에 대한 전문적 연수나 훈련의 기회를 제공
② 토의를 주도해 나갈 사람이 주제발표를 한 후 참가자들이 사전에 준비된 의견을 개진하거나 상호 간 질의와 응답
③ 참가자 전원이 해당 주제에 관련된 사전 지식이나 준비가 철저해야 한다.

(8) **버즈학습**(buzz learning, 분반식 토의) 22. 국가직 7급
① 여러 개의 소집단을 구성하여 자유롭게 의견을 발표하는 공동학습의 한 방법
② 전체 집단을 몇 개의 소집단으로 나누어 소집단토의(분과토의)를 진행하고, 최종적으로 집단구성원 전체가 다시 모여(전체토의) 소집단토의 결과를 종합·정리하고 결론을 도출해 내는 집단토의 학습방법 ⇨ 필립스(J. D. Phillips)의 6·6법
③ 윙윙 학습, 와글와글 학습 : 버즈(buzz)는 벌이나 기계 등의 윙윙거리는 소리를 나타내는 말로, 벌이 윙윙거리는 것처럼 소집단토의를 진행할 때 학습자들이 와글와글 소란을 피우며 토의를 진행하는 방식을 말한다.

토의법의 여러 가지 유형 비교

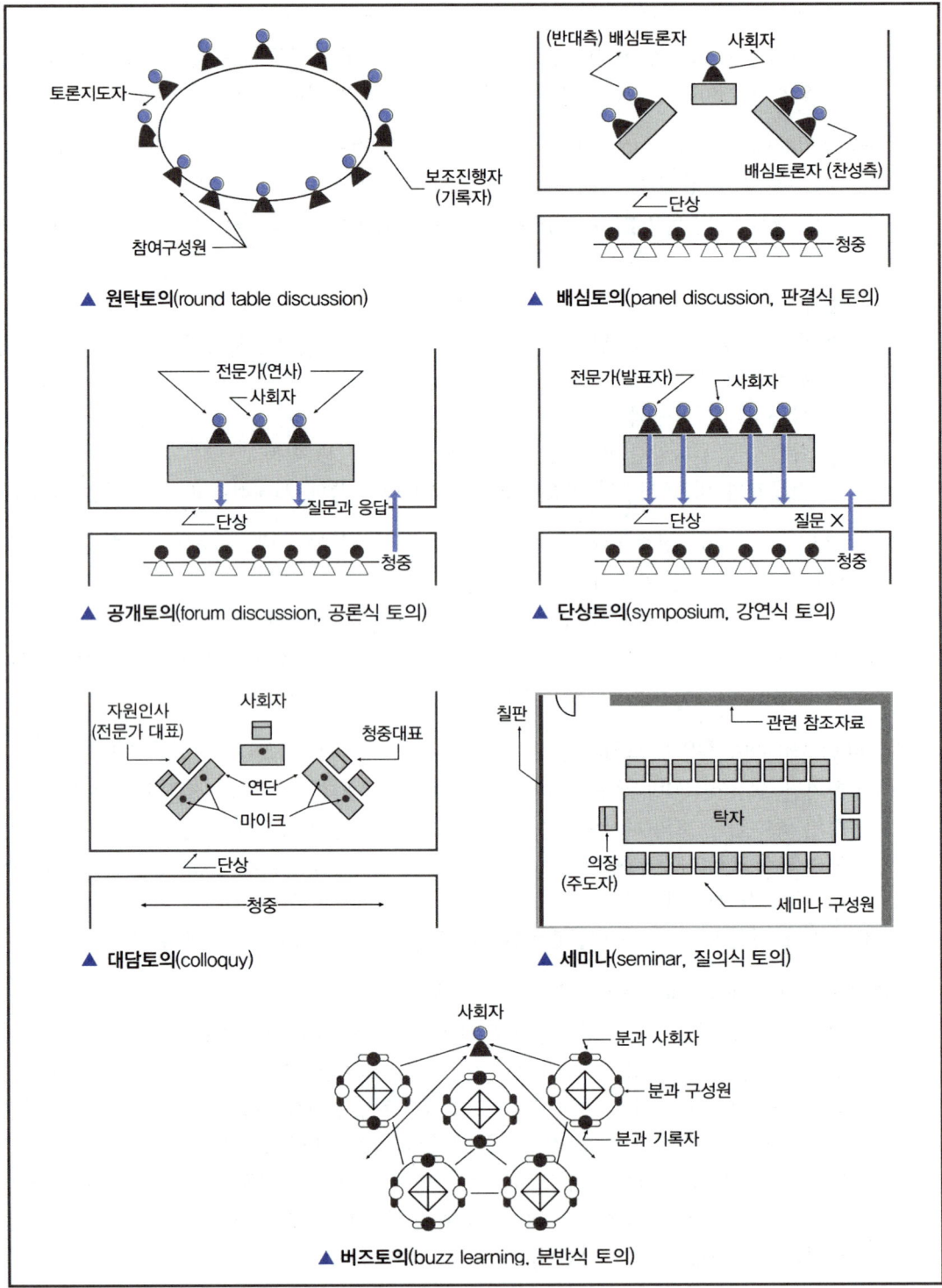

3. 하브루타 수업(Havruta Learning)

(1) 개념

① 친구(2~4명)와 짝을 지어 함께 대화를 나누고 질문하며 토론 및 논쟁하는 학습방법

> **예** 교사와 학생이 이야기를 나누는 것, 친구끼리 이야기를 나누는 것, 학교에서 교사가 학생들에게 질문하면서 수업하는 것, 학생들끼리 짝을 지어 서로 가르치면서 토론하는 것 등

② 하브루타(Havruta)는 토론하는 '친구, 동반자, 학습파트너'라는 뜻의 히브리어 '하베르'에서 파생된 아람어로, 토론하는 상대방 또는 짝을 지어 토론하는 행위를 일컫는 말임 ⇨ 현대에는 후자의 개념으로 주로 사용

③ 한국인 교육과 유대인 교육의 비교(전성수, 2014)

한국인 교육	유대인 교육
듣는 교육	묻는 교육
외우는 교육(암기)	생각하는 교육(이해와 적용)
양의 교육	질의 교육
하나의 정답 중심	다양한 해답 중심
단답형, 단편적 지식	문제해결능력, 사고력
성적	실력
시험 합격	생활 실천
강의와 전달	토론과 논쟁
교과서적 지식(삶과 유리)	실제 삶의 지식(지혜)
문자, 숫자 등 인지 우선	애착과 관계 우선
끌고 가는 교육(타율)	밀어주는 교육(자율)
혼자 책상에 앉아서 공부	친구와 토론하면서 함께 공부
조용한 도서관	시끄러운 도서관
개인 출세, 자아실현	티쿤 올람(세상을 더 아름답게)

④ 하브루타와 소집단 토의법의 차이점

  ㉠ 토의법은 여러 명으로 구성되어 토론이 시작되지만, 하브루타는 대부분 2명으로 토론이 시작된다.

  ㉡ 토의법은 규칙과 순서가 있는 반면, 하브루타에는 규칙과 순서가 있지 않다.

  ㉢ 토의법은 대부분 다른 모둠에게 방해가 되지 않도록 조용히 진행하나, 하브루타는 표현 방식과 행동에 제한을 두지 않는다.

  ㉣ 토의법은 알고자 하는 내용이나 목표가 정해져 있지만, 하브루타는 상대가 정답 같은 말을 해도 다른 의견을 내는 방식으로 다양한 의견과 관점을 추구한다.

(2) 하브루타의 원리

① REACH 대화법 ⇨ Reflect(반영), Encourage(격려), Accept(인정), Choices & Changes(선택과 변화), Hold & Hug(수용과 포용) 등으로 아이와의 신뢰를 형성하는 유대인의 대화법

㉠ Reflect(반영): 학습자의 감정에 공감하기 예 "네 기분을 충분히 알 것 같아."
㉡ Encourage(격려): 학습자의 감정을 조금 더 설명해 달라고 부탁하거나 학습자의 이야기가 가치가 있다는 것을 인식시키면서 학습자의 생각을 존중하기 예 "무슨 일이 있었는지 좀 더 말해 줄 수 있어?", "그래서 어떻게 됐는데?"
㉢ Accept(인정): 학습자의 감정을 인정해 주면서 잘잘못을 따지거나 비난하지 않기
 예 "나도 너와 같은 기분이 들어. 나도 그런 경험이 많았거든."
㉣ Choices & Changes(선택과 변화): 학습자가 직면한 문제에 대하여 스스로 해결책을 찾을 수 있도록 지켜보기 예 "어떻게 해결할 수 있는 방법이 없을까?"
㉤ Hold & Hug(수용과 포용): 함께 대화를 나눈 학습자를 긍정적으로 평가하고 고마움을 표현하기 예 "털어놓고 이야기해줘서 고마워."

② 하브루타의 학습의 원리(Kent, 2010)

단계	원리	내용
1단계	경청하기(listening)	관심 갖기
	재확인하기(articulating)	자신의 생각을 반복하여 명확하게 표현하기
2단계	반문하기(wondering)	결론을 도출하기 위해 주의 집중하고 대안 탐색하기
	집중공략하기(focusing)	방향을 잃지 않게 초점화하여 상대의 이야기를 심층적으로 이해하기
3단계	지지하기(supporting)	결론이 정해지지 않았을 때 지속적으로 생각할 수 있도록 격려하기 ⇨ 자기 생각의 명료화, 강화 및 확장
	도전하기(challenging)	모순이나 대립되는 아이디어 탐색

㉠ 생각의 힘, 즉 사고력을 기르는 것이 목적이다.
㉡ 질문이 핵심이다. 하브루타는 질문에서 시작하여 질문으로 끝난다.
㉢ 하브루타를 실행하기 전에 충분히 내용에 대해 알게 한다.
㉣ 학생이 직접 한 것만 학생 것이 된다.
㉤ 학생의 어떤 대답도 막지 않고 수용한다.
㉥ 구체적인 근거를 들어 칭찬한다.
㉦ 남과 다르게 생각하도록 격려한다.
㉧ 학생이 모르는 것은 스스로 찾아보게 한다.
㉨ 어떤 내용이든 쟁점을 만들어 토론과 논쟁으로 이끈다.

(3) **하브루타 수업의 과정**: 문장을 소리 내서 읽는다. → 서로 입장을 정한다. → 자신의 의견을 다른 사람에게 설명한다. → 서로 질문, 답변, 반박을 하면서 토론하고 논쟁한다. → 입장을 바꾸어서 토론하고 논쟁한다.

(4) **하브루타 수업 모형**(학습방법): ① 질문 중심, ② 논쟁 중심, ③ 비교 중심, ④ 친구 가르치기, ⑤ 문제 만들기 등 5가지 모형으로 구분되며, ①~③의 모형은 짝 토론, 모둠 토론, 발표, 전체 토론(쉬우르; 교사가 학생 전체와 질문, 토론 하는 전체 토론 시간) 과정을 공통적으로 거친다.

모형	과정	
질문 중심	질문 만들기	→ 짝 토론 → 모둠 토론 → 발표 → 전체 토론(쉬우르)
논쟁 중심	논제 조사하기	
비교 중심	비교 대상 정하기 → 조사하고 질문 만들기	
친구 가르치기	내용 공부하기 → 친구 가르치기 → 배우면서 질문하기 → 입장 바꿔 가르치기 → 이해 못한 내용 질문하기 → 전체 토론(쉬우르)	
문제 만들기	문제 만들기 → 짝과 문제 다듬기 → 모둠과 문제 다듬기 → 문제 발표 → 전체 토론(쉬우르)	

① 질문 중심 하브루타

1	교재 읽고 질문 만들기	질문 만들기
2	만들어 온 질문을 유형별로 구분하기	
3	만들어 온 질문으로 둘씩 짝지어 먼저 토론하기	짝 토론
4	짝과의 질문 중에서 최고의 질문 뽑기	
5	최고의 질문으로 모둠별로 토론하기	모둠 토론
6	최고의 질문 뽑기	
7	그 질문으로 토론하기	
8	토론 내용 정리하기	
9	각 모둠 발표하기	발표
10	교사와의 쉬우르	쉬우르

② 논쟁 중심 하브루타

1	논쟁 정하기	논제 조사하기
2	논제에 대해 찬성 반대 정하기	
3	각 입장에 따라 철저하게 조사하기	
4	각 입장에 따라 둘씩 짝지어 논쟁하기	짝 토론
5	짝과의 논쟁을 통해 짝 입장 정하기	
6	각 입장 내놓고 모둠별로 토론하기	모둠 토론
7	모둠별로 입장 정하기	
8	그 입장에 근거 정리하기	
9	각 모둠의 입장과 근거 발표하기	발표
10	교사와의 쉬우르	쉬우르

③ 비교 중심 하브루타

1	비교 대상 정하기	비교 대상 정하기
2	비교 대상에 대해 철저하게 조사하기	조사하고 질문만들기
3	질문 만들기	
4	질문을 내용, 심화, 적용, 메타로 구분하여 질문 순서 정하기	
5	일대일로 짝을 지어 토론하기	짝 토론
6	짝별로 좋은 질문 1~3개 고르기	
7	고른 질문을 가지고 4~6명이 모둠으로 토론하기	모둠 토론
8	최고의 질문을 뽑아 집중 토론하기	
9	좋은 질문과 토론 내용 발표하기	발표
10	교사가 학생들이 뽑은 질문을 중심으로 개념과 주제에 맞게 쉬우르	쉬우르

④ 친구 가르치기 하브루타

1	교재 범위 둘로 나누기	내용 공부하기
2	각자 맡은 부분 철저하게 공부하기	
3	한 친구가 먼저 가르치기	친구 가르치기
4	배우는 친구는 배우면서 치열하게 질문하기	배우면서 질문하기
5	입장을 바꿔 다른 친구가 가르치기	입장 바꿔 가르치기
6	배우는 친구는 배우면서 치열하게 질문하기	
7	서로 토론하면서 이해 못한 내용 정리하기	이해 못한 내용 질문
8	이해 못한 내용 질문하기	
9	교사와의 쉬우르	쉬우르

⑤ 문제 만들기 하브루타

1	교재 범위 철저하게 공부하기	문제 만들기
2	문제 만들기 - 객관식, 주관식, 서술식 등	
3	둘씩 토론하여 문제 다듬기	짝과 문제 다듬기
4	짝과 좋은 문제 골라내기	
5	모둠별로 토론하여 문제 다듬기	모둠과 문제 다듬기
6	모둠에서 좋은 문제 골라내기	
7	골라낸 문제를 출제한 의도 정리하기	
8	문제와 의도 발표하기	문제 발표
9	교사와의 쉬우르	쉬우르

(5) 장점 및 교육적 효과
① 학습자의 의사소통능력(말하기와 경청)과 설득능력을 신장할 수 있다.
② 학습자의 사고력, 메타인지능력, 자기주도적 학습능력, 창의적 문제해결력 등 고등정신능력을 기를 수 있다.
③ 학습자의 학습동기, 자존감, 책임감 및 인성 함양을 돕는다.
④ 친구와의 우정과 사회성을 기를 수 있다.

3 구안법(project method, 프로젝트 기반 수업) 11. 인천, 06. 부산

1. 개념

(1) 진보주의 교육사상가인 킬패트릭(Kilpatrick)이 창안

(2) 학생이 마음속에 생각하고 있는 것(具案)을 외부에 구체적으로 실현하기 위해 학습자 스스로가 계획을 세워서 수행하는 교수-학습방법 ⇨ '만들어 가는 교육과정'의 성격이 나타나는 학습
    cf. project는 사회적 장면에서 온 힘을 쏟을 만한 목적을 가지고 하는 일련의 활동을 말한다. 이러한 유목적적 활동(purposeful activity)은 삶을 가치롭게 만드는 데 기여한다.

(3) 실제 생활과 직결될 수 있는 학습주제를 수행하면서 구체적인 결과물을 만들어 내는 교수방법
    ① 현실적·실천적 문제해결, 구체적인 결과물 산출에 중점
    ② 학습방법 측면의 '자기 주도성', 수업실행 측면의 '삶의 맥락과의 통합', 학습결과 측면의 '최종 산출물'이라는 세 가지의 속성을 지닌 수업

> **구안법의 예**
> 1. **구성·창조력 프로젝트**: 비행기 만들기, 편지 쓰기, 연극 등 ⇨ 이상(理想)이나 계획의 구체화가 목적
> 2. **감상·음미적 프로젝트**: 옛이야기 듣기, 교향곡 감상, 그림 감상 등 ⇨ 심미적 경험이 목적
> 3. **연습·특수훈련 프로젝트**: 글씨 고르게 쓰기, 덧셈 정확히 하기, 자전거 타기 등 ⇨ 특정 분야의 기술·지식 획득이 목적
> 4. **문제해결적 프로젝트**: 왜 비가 오나, 왜 겨울에 눈이 오나 등 ⇨ 원인에 대한 지적 탐구가 목적

2. 학습 과정

목표 설정 → 계획 → 실행 → 평가

(1) **목표 설정**(project): 학습문제 선택과 학습목적 설정 ⇨ 학습자 스스로 프로젝트를 선택하도록 유도

(2) **계획**: 목표 달성을 위한 방법 설계 ⇨ 가장 어려운 단계

(3) **실행**: 수행 ⇨ 교사는 학습자의 창의성을 존중, 원활한 학습환경 조성에 조력

(4) **평가**(비판): 아동 자신의 자기평가, 상호 간의 평가, 교사평가 등 실시

3. 장단점

(1) 장점

① 학교생활과 실제 생활을 통합(예, 학교 '기술' 시간에 배운 감자 재배법을 집에서 실행한 후 보고서 제출) ⇨ 실제적인 지식(생활 속으로 전이되는 활성화된 지식) 형성에 효과적
② 실천적인 면을 중시함으로써 창조적·구성적 태도 육성
③ 자발적이고 능동적인 학습활동 촉구 ⇨ 자기 주도적 학습능력 신장에 효과적
④ 동기 유발 효과 및 사회적 기술(social skills 예, 협력, 책임감, 의사소통 능력, 관계 형성 능력, 의사결정 능력 등)을 향상시키는 데 효과적
⑤ 부대학습(collateral learning, 교육과정 설계에서 의도되지 않았던 습관, 성격, 태도 등이 학습의 결과로 습득되는 것)의 효과 발생
⑥ 문제해결력, 비판적 사고력, 창의력 등과 같은 고차원적 사고능력 향상에 효과적

(2) 단점

① 자기 구성 및 실천력이 부족한 학생에게는 비경제적(시간과 노력의 낭비)
② 수업의 무질서 초래 가능
③ 교재의 논리적 체계 무시

4 협동학습(협력학습, cooperative learning)

1. 개념

(1) 학습능력이 다른 학습자들이 소집단(이질집단)을 구성하여 동일한 학습목표 달성을 위해 활동하는 수업방법이다. 능력별로 집단을 편성하지 않고 다양한 능력의 학생들을 같은 집단에 편성하여 모든 집단이 이길 가능성을 동등하게 하면, 개인의 경쟁구조에서는 이길 희망을 전혀 갖지 못하던 낮은 능력의 학생들도 쉽게 동기화되기 때문이다.

(2) 집단구성원들이 공동의 학습목표를 달성하기 위해 역할을 분담하고, 다른 구성원들과의 도움을 주고받아 집단구성원 모두에게 유익한 결과를 얻고자 하는 수업방법

(3) **협동을 통해 교육에서의 경쟁이 지닌 역기능 극복**
① "전체는 개인을 위하여, 개인은 전체를 위하여(All for one, One for all)"
② 구성원 사이의 긍정적 상호의존성(positive inter-dependence)과 개인적 책무성(individual accountability) 모두 강조

> **더 알아보기**
>
> **협동학습의 원리**(Johnson & Johnson) 22. 국가직
>
> 1. **긍정적 상호의존성**(positive inter-dependence) : '우리들이 성공하기 위해서는 너와 나 모두 성공해야 한다.'는 관점으로, 학생들 개개인이 집단의 성공을 위해 자신뿐만 아니라 동료들도 성취해야 하기 때문에 서로 도움을 주는 관계를 의미한다.
> 2. **대면적 상호작용**(face-to-face interaction) : 집단구성원 각자가 집단의 목표를 성취하기 위해 다른 구성원들의 노력을 직접 격려하고 촉진시켜 주는 것을 의미한다.

3. **개별 책무성**(individual accountability): 과제를 숙달해야 하는 책임이 각 학생들에게 있다는 것을 의미한다. '무임승객효과'와 '봉효과'를 방지할 수 있다.
4. **사회적 기술**(social skills): 협동적 노력이 성공하기 위해 필요한 집단 내의 갈등관리, 의사결정, 효과적 리더십, 능동적 청취 등을 의미한다.
5. **집단 과정**(group processing): 특정한 집단이 의도한 목표를 성취하기 위해서는 집단구성원의 노력과 행위에 대한 토론과 평가가 필요하다.

2. 전통적 소집단학습과 협동학습의 비교

(1) **전통적 소집단학습의 의미**: 집단의 구성원들이 모두 동일한 과제를 부여받고 집단 내에서 각자 개별적으로 활동하는 수업방식

(2) **전통적 소집단학습과 협동학습의 차이점** 13. 국가직

전통적 소집단학습	협동학습
• 구성원의 동질성	• 구성원의 이질성(이질집단)
• 책무성이 없음.	• 개별 책무성 중시
• 구성원 간의 긍정적인 상호의존성이 없음.	• 구성원 간의 긍정적인 상호의존성
• 자기 자신에 대해서만 책임을 짐.	• 상호 간의 책임 공유
• 한 사람이 지도력을 지님.	• 구성원 간 지도력 공유
• 과제만 강조	• 과제와 구성원과의 관계 지속성
• 교사는 집단의 기능을 무시	• 교사의 관찰과 개입
• 집단 과정이 없음.	• 집단 과정의 구조화
• 사회적 기능의 학습이 이루어지지 않음.	• 사회적 기능(리더십, 의사소통기술)의 학습

(3) **전통적 소집단학습 및 협동학습의 문제점과 극복방안**

① 부익부 현상(rich-get-richer effect): 학습능력이 높은 학습자가 더 많은 활동을 통해 학업성취가 더 향상되고 소집단을 장악하는 현상
   예 우수한 학생의 능력만 신장되는 현상 ⇨ 각본을 통한 역할분담이나 집단보상을 통해 극복

② 무임승객 효과(free-rider effect): 학습능력이 낮은 학습자가 적극적으로 학습에 참여하지 않고도 높은 학습성과를 공유하는 현상
   예 집단 내 우수한 학생의 결과로써 나머지 학생들이 이익을 얻는 현상 ⇨ 집단보상과 개별보상을 함께함으로써 극복

> **더 알아보기**
>
> **링겔만 효과**(Ringelmann effect)
> 1. 참가하는 사람이 늘수록 1인당 공헌도가 오히려 떨어지는 집단적 심리현상을 말한다.
> 2. 불특정 다수 가운데 한 사람일 때는 전력투구하지 않는다. 익명성(匿名性)이라는 환경에서 개인은 숨을 수 있기 때문이다. 예 줄다리기 게임
> 3. 협동학습을 할 때 집단과 과제가 적절하게 조직되지 못하면 책임을 다하지 못하는 학생이 집단 속에 가려져 눈에 띄지 않는 경우를 말한다.

③ **봉 효과(sucker effect)** : 학습능력이 높은 학습자가 자기의 노력이 다른 학습자에게 돌아갈까봐 소극적으로 학습에 참여하려는 현상
   예 우수한 학생이 손해를 보는 듯한 느낌을 갖는 현상 ⇨ 집단보상과 개별보상을 함께 함으로써 극복
④ **집단 간 편파 현상** : 외집단의 차별과 내집단의 편애 현상으로 외집단의 구성원에게는 적대감을, 내집단의 구성원에게는 호감(好感)을 가지는 현상이다. ⇨ 주기적으로 소집단을 재편성하거나 과목별로 소집단을 다르게 편성함으로써 극복
⑤ **사회적 태만** : 사회적 빈둥거림 현상 ⇨ 개별 책무성을 인식시키고 협동학습 기술을 습득함으로써 극복
⑥ **자아존중감 손상** ⇨ 협동학습 기술을 습득함으로써 극복

3. 협동학습의 접근방법 : 이론적 근거 09. 서울

(1) **동기론적 관점** : 협력적인 상호작용을 촉진하는 집단보상에 초점을 두는 형태
   ① 집단보상, 개별 책무성, 학습참여의 균등한 기회 등의 요소를 중시한다.
   ② 성취과제 분담모형(STAD), 팀경쟁학습(TGT), 팀보조 개별학습(TAI) 등이 있다.
   ③ 무임승객 효과, 봉 효과 등 사회적 태만(빈둥거림)의 문제가 발생할 수 있다.

(2) **사회응집성 관점** : 팀의 응집성을 강조함으로써 협동기술에 초점을 두는 형태
   ① 협동기술은 대인관계 기술, 사회적 기술, 의사소통 기술 등을 의미하는 것으로, 청취기술, 번갈아 하기, 도움 주고받기, 칭찬하기, 정중하게 기다리기 등이 있다.
   ② 과제분담학습(Jigsaw), 집단조사(GI), 함께 학습하기(어깨동무학습, LT), 자율적 협동학습(Co-op, Co-op) 등이 있다.
   ③ 사회적 태만, 자아존중감 손상 등의 문제가 발생할 수 있다.

4. 협동학습의 절차 11. 서울

(1) **수업목표의 명세화 및 평가준거의 제시** : 협동학습의 결과로 기대될 수 있는 행동 결과들을 명세화한다. ⇨ 연구결과에 의하면 협동학습은 인지적 영역, 정의적 영역 모두에 효과적이다.

(2) **협동학습 모형의 선택** : 학습자의 특성과 수업목표를 고려하여 최적의 모형을 선택한다.

(3) **소집단의 구성** : 소집단의 크기는 2~6명이 적당하고, 일반적으로 학업성취의 면에서 상·중·하와 같이 협동학습의 구성원은 이질집단으로 구성한다.

(4) **협동학습의 방법 및 절차에 대한 지도** : 선택한 협동학습 모형에 따른 수업지도안을 작성하고, 협동학습의 절차와 방법에 대해 학습자들에게 충분히 숙지시킨다.

(5) **협동기술 지도** : 협동학습의 효과를 높이기 위해 협동의지(**예** 팀 이름, 팀 주제가 등 설정하기)와 협동기술(**예** 청취 기술, 번갈아 가기, 도움 주기, 칭찬하기)을 직접적으로 교수한다.

(6) **협동학습 실시** : 협동학습이 실시되는 동안 교사는 안내자 역할을 한다.

(7) **협동학습의 결과 평가** : 전통적인 평가와 수행평가, 개인보상과 집단보상을 병행 실시한다.

(8) **협동학습의 전체 프로그램 평가 및 수정**: 협동학습의 전체 프로그램, 즉 계획, 실행, 평가단계 등에 관한 평가를 실시하고 필요한 경우 수정한다.

5. **협동학습의 유형** – 직소(Jigsaw)모형, 성취과제 분담모형(STAD), 팀 경쟁학습(TGT), 도우미학습, 집단조사, 팀 보조 개별학습(TAI), 각본학습 09. 국가직, 08. 국가직 7급 · 경기

> • 과제분담방식에 따른 분류: Jigsaw 모형 ⇨ 전문가 집단활동
> • 보상방식에 따른 분류: STAD 모형, TGT 모형 ⇨ 과제를 분담하지 않는다(공동학습).

(1) **직소(Jigsaw)모형**: 집단 내의 동료로부터 배우고 동료를 가르치는 모형 22. 지방직, 20. 국가직 7급

① **직소Ⅰ모형**: 미국 텍사스 대학교의 애론슨(Aronson)과 그의 동료들이 학교의 인종차별문제해결방안으로 개발(1978) ⇨ 학업성취도 향상은 물론 정의적 태도(상이한 인종과 문화에 대한 긍정적 태도) 형성에 기여

㉠ **집단 내의 동료로부터 배우고 동료를 가르치는 모형**: 모집단(Home Team)이 전문가 집단(Expert Team)으로 갈라졌다가 다시 모집단으로 돌아오는 모습이 마치 직소 퍼즐(Jigsaw puzzle)과 같다고 하여 '직소수업'으로 명명(命名)

㉡ **수업 절차**: 모집단 활동(Home Team) ⇨ 전문가 활동(Expert Team) ⇨ 모집단의 재소집(Home Team Reconvene) ⇨ 개별 시험(Quiz)

ⓐ **소집단(모집단) 편성**: 5~6개의 이질집단으로 구성, 한 집단은 5~6명으로 구성
ⓑ **학습과제의 개별 분담**: 학습과제를 집단 구성원의 수에 맞게 세분화하여 집단 구성원들에게 한 부분씩 할당
ⓒ **전문가 집단 토의**: 각 집단에서 같은 과제를 맡은 학생들끼리 전문가 집단을 형성한 후 분담된 내용을 토의
ⓓ **모집단 재소집**: 모집단으로 돌아와 학습한 내용을 구성원들에게 설명
ⓔ **개별 시험(퀴즈)**: 개별 성적 처리(개별 보상), 팀 점수는 합산하지 않음.

㉢ **특징**: 과제해결력의 상호의존성은 높으나 보상(평가)의 상호의존성은 낮다.

> **직소수업의 예**
>
> 초등학교 고학년 사회과에서 아시아 6개국의 문화, 언어, 역사, 경제, 정치에 관해 주간 4시간 수업을 다음과 같이 진행하였다.
> 1. 30명의 학생을 6명씩 5개의 기본 조로 나눈다.
> 2. 기본 조의 각 조원은 한 국가씩 책임을 맡아 조사를 한다.
> 3. 맡은 국가가 같은 학생끼리 연구 조로 모여 조사해 온 것을 비교·검토·숙지한다.
> 4. 기본 조로 돌아가 책임 맡은 국가에 관해 조원들에게 설명한다.

② **직소Ⅱ모형**: 슬래빈(Slavin)이 개발(1983) ⇨ 개념 중심의 학습에 적용 10. 전북

㉠ **개별 보상(개별 시험)에 집단 보상(팀 점수)을 추가**: 보상에 있어 집단 구성원들의 상호의존성을 높일 수 있는 방법
㉡ 교사의 역할은 세분화될 수 있는 학습과제를 선정하는 것

ⓒ 학습절차 : 학습단원을 집단 구성원 수만큼의 세부 주제(질문형식) 선정 ⇨ 각 소집단에 주제가 적힌 전문가 용지(Expert Sheet) 배부 ⇨ 주제를 개인에게 할당(소집단 구성원들이 각자의 흥미나 관심에 따라 주제 선정) ⇨ 모든 학생에게 단원 전체의 내용을 읽히기 ⇨ 전문가 집단 활동 ⇨ 모집단 활동 ⇨ 단원 전체에 대한 개인별 시험 ⇨ 개인 및 소집단(Team) 점수 공고 ⇨ 소집단 순위(개인의 향상점수에 기초하여 산출) 게시

📚 **직소 Ⅰ 모형과 직소 Ⅱ 모형의 비교**

구분	직소 Ⅰ 모형	직소 Ⅱ 모형
학습내용의 제시	분할된 세부내용을 각각 구분하여 개별적으로 제시한다.	학습내용 전체를 모든 학습자에게 제시한다.
세부주제의 선택	교사가 제시한다.	학생이 스스로 선택한다.
보상	개인점수만 산출한다.	개인향상점수와 팀 점수를 산출, 그 결과에 따라 집단보상을 한다.

(2) **STAD**(Student Team Achievement Division) **모형**(성취과제 분담모형, 학생팀 성취보상모형) : 미국 존스 홉킨스 대학의 슬래빈(Slavin)이 기본기능의 습득과 지식의 이해(**예** 수학교과)를 촉진시킬 목적으로 개발(1986)

① 과제제시, 소집단학습, 퀴즈, 개인향상점수, 소집단점수 게시와 보상의 다섯 가지 요소로 구성
② 집단 구성원들의 역할이 분담되지 않은 공동학습구조이면서 동시에 개인의 성취에 대해 개별적인 보상구조이다(팀 점수가 가장 높은 팀에게도 보상한다).
③ '개별 책무성, 집단 보상, 성취 결과의 균등분배'라는 협동 전략 사용
④ 수업절차

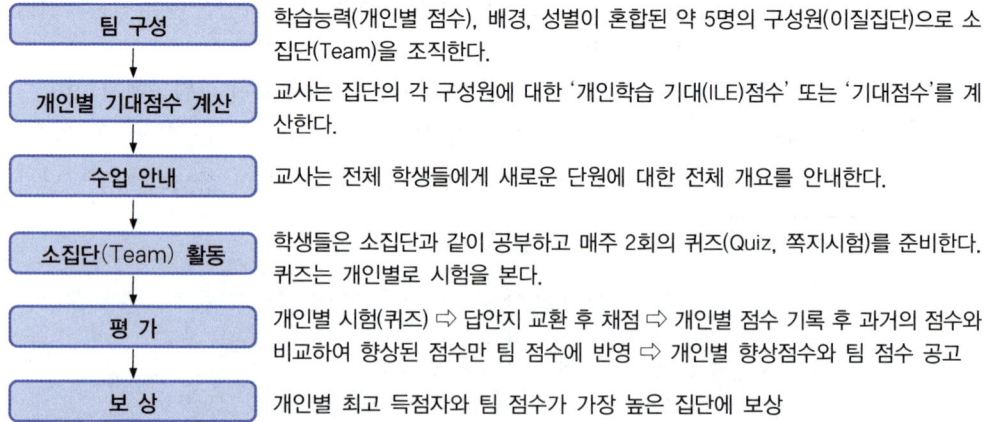

✏️ **팀보조 개별학습**(TAI) STAD 모형 + 개별학습

(3) **TGT**(Team Games Tournament) **모형**(팀 경쟁학습) : 드바이스와 에드워드(Devices & Edward)가 개발(1973)

① 집단 내 협력학습, 집단 간 경쟁 유도 ⇨ STAD와 유사하나 개인별 시험(퀴즈)을 실시하지 않고 토너먼트식 퀴즈게임을 이용하여 각 팀 간의 경쟁을 유도
② 팀 구성, 수업방법, 연습문제지 등을 이용한 학습, 우수팀 인정 등으로 구성

③ **과정**: 각 점수를 기초로 이질집단 구성 ⇨ 학습자들은 학습지를 개별적으로 학습한 후 팀원끼리 협력하여 학습을 마무리 ⇨ 주단위로 각 팀별로 비슷한 수준의 학생들을 모아 토너먼트 퀴즈게임 ⇨ 매주 최우수팀 선정 보상
④ 공동작업구조이면서 동시에 보상구조는 집단 내 협동-집단 외 경쟁구조

(4) **자율적인 협동학습**(Co-op, Co-op): 도우미 학습 ⇨ 카건(Kagan)이 개발
① 학생들로 하여금 자신이 학습과제를 선택하고 팀 활동을 한 후 팀 동료와 교사에 의한 다면적인 평가를 실시하는 모형
② 절차: 교사와 학생 간 토의 후 학습과제 선정 ⇨ 팀(이질집단) 구성 ⇨ 팀 활동(팀 주제 선정, 하위주제 분담, 하위주제에 대한 개별적 정보수집, 개별활동 종합, 팀 보고서 작성, 팀 보고서 제출) ⇨ 다면적 평가(팀 동료에 의한 팀 기여도 평가, 교사에 의한 소주제 학습기여도 평가, 전체 학급동료들에 의한 팀 보고서 평가)

5 개별화 수업(individualized instruction) 16. 국가직, 06. 대구, 04. 경기

1. 개념
(1) 수업절차나 형태, 수업기술이나 전략, 수업매체, 평가방법 등 수업에 관한 모든 변인들이 학습자의 선행지식이나 성장, 발달의 특성에 맞도록 처방된 수업
(2) 학습자의 특성과 개인차를 최대한 고려한 수업방법

2. 개별화 수업의 목적
모든 학습자에게 최적의 학습조건을 마련하여 각자가 지닌 잠재력과 개성을 최대한 신장시켜 주는 것

3. 개별화 수업의 유형

(1) **버크의 개별제도**(Burk's individual system, 1913)
① 학급단위 수업 폐지
② 학생들에게 교과서와 참고서를 주어 개별적 능력에 따른 학습과 평가 후 과목별 진급

(2) **위네트카 안**(Winnetka Plan 또는 Winnetka System) 06. 대구
① 미국 시카고 교외의 위네트카지방 교육장인 워시번(Washburne)이 창안하였다(1919).
② 교수의 개별화와 사회화를 시도하여 무학년제에 영향을 주었다.
③ 모든 교과를 공통기본과목(개별수업)과 집단적·창의적 활동(분단학습)으로 구분·실시하고 진급은 공통기본과목 숙달 정도에 따라 개별적으로 결정하였다.
　㉠ **공통기본과목**: 특별히 고안된 교과서를 가지고 개별학생의 능력에 따라 자율학습을 실시, 대화법과 소크라테스법 등 구문구답(口問口答)을 통해 개별적으로 진도를 평가하여 새로운 과제를 부여
　㉡ **집단적·창의적 활동**: 자기표현활동으로 학급 전체의 자유롭고 협동적인 활동을 전개, 평가는 실시하지 않음.

(3) **산타바바라 안**(Santa Babara Plan) : 버크(Burk)가 개발
① 학생들의 개인차에 따라 능력별 학급편성
② 우수집단·보통집단·학습부진집단으로 분류하여 수업 진행

(4) **달톤 플랜**(Dalton Plan)
① 파커스트(Parkhurst)가 창안한 학습지도 방법(1920), 매사추세츠주 달톤시에서 실시
② 몬테소리(Montessori) 교수방법을 고등학교 상급학년에 적용
③ 일제 교수를 지양하고 자유와 협동의 원리에 입각하여 교과 담당교사가 개별적 지도
④ 특징 : 교과별 실험실 설치, 과제계약(1개월간 단위제 계약), 진도표

(5) **개별처방식 수업**(IPI ; Individually Prescribed Instruction)
① 개요
  ㉠ 피츠버그 대학의 쿨리(Cooly)와 글레이저(Glaser)가 창안(1964)
  ㉡ 학생들의 개인차에 적합한 학습 프로그램을 제시함으로써 학습의 개별화를 통해 학습효과를 극대화시키려는 것이다.
  ㉢ 스키너의 작동적 조건 형성 이론과 프로그램 수업(PI)에 기초한 교수법 : 학년구분 폐지, 60~70명으로 학급편성, 2~3명의 교수와 2~4명의 조수(채점과 기록)로 구성
② 수업방법
  ㉠ 교사는 학생의 성취도 수준에 따라 적합한 수업을 처방
  ㉡ 계속적인 진단 ⇨ 처방 ⇨ 평가를 통한 완전학습 지향 : 학습목표 제시 ⇨ 정치진단검사(학습자 수준 파악, 적절한 학습자료 제시) ⇨ 개별화 학습(PI) ⇨ 교육과정 정착검사(목표 도달 여부 확인, 새로운 과제의 출발점행동 확인) ⇨ 사후검사(성취수준 파악, 85% 이상이면 다음 수준으로 진급)
③ 특징 : CAI보다 CMI체제를 많이 활용

(6) **적성처치 상호작용모형**[ATI, TTI ; Aptitude(Trait) Treatment Interaction]
① 개요
  ㉠ 크론바흐(Cronbach)와 스노우(Snow)가 창안
  ㉡ 학습자의 학습능력(적성, 특성)의 유형에 따라 학습지도(처치)를 달리하여 학습지도의 최적화를 도모하려는 방법 : 학습자의 적성에 따라 수업의 효과를 낼 수 있는 수업방법이 다르다.
  ㉢ 학습의 결과는 학습자의 적성 또는 특성과 교사가 행하는 처치 또는 수업방법의 상호결과이다.

② 기본개념

적성 (Aptitude)	• 학생 개인이 가지고 있는 모든 능력을 말한다. • 학습효과를 증대시키는 데 작용하는 학생 개개인이 가지고 있는 개인적 특징 　예　일반지능, 특수지능, 성적, 포부수준, 인지양식, 성격유형, 자아개념, 학습유형, 성취동기, 학습불안, 자신감, 사회계층, 인종, 성별 등
처치 (Treatment)	• 학생들 각자에게 어떠한 조치를 취하는 것으로 교수방법이 대표적이다. • 학생들에게 투입되는 교수 프로그램이나 교수방법, 교수절차 　예　수용학습 – 발견학습, 프로그램 수업 – 전통적 수업, 학생 중심 – 교사 중심, 개별적 수업 – 협동적 수업, 연역적 교수 – 귀납적 교수, 구조화된 학습 – 비구조화된 학습
상호작용 (Interaction)	• 통계학의 변인분석에 나오는 용어를 차용한 것: 적성과 처치가 나타내는 상승적 효과 또는 상쇄적 효과 • 학습자의 적성에 따라 최적의 수업방법이 적용될 때, 학습자의 적성과 수업방법(처치) 간에 상호작용 효과가 있다.

③ 적용방법

㉠ 학습자의 적성에 따라 그에 알맞은 수업방법이 있다.

㉡ 이상적인 형태(교차적 상호작용모형): 교수방법 A는 학습적성이 높은 학생에게 유리한 방법이고, 교수방법 B는 학습적성이 낮은 학생에게 유리한 방법이다. 따라서 학습적성이 높은 학생과 낮은 학생에게 똑같은 교수방법을 적용시킬 수 없으므로 각 개인이 지닌 특성에 따라 그에 알맞은 교수방법을 이용하는 것이 효과적이다.

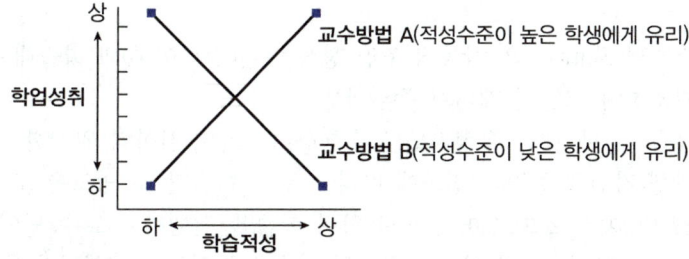

㉢ 현실적인 형태(비교차적 상호작용모형): 학습적성이 낮은 학생에게 효과가 있는 교수방법이 학습적성이 높은 학생에게 효과가 없다는 것은 현실적으로는 존재하기 어렵다. 따라서 교수방법 A처럼 다양한 교수변인을 투입하여 학생들 간의 개인차를 줄인 교수방법이 보다 현실적이다. ⇨ 적성과 수업처치 간 상호작용이 없다. 교수방법 A가 적성수준과 상관없이 언제나 교수방법 B보다 더 효과적이다.

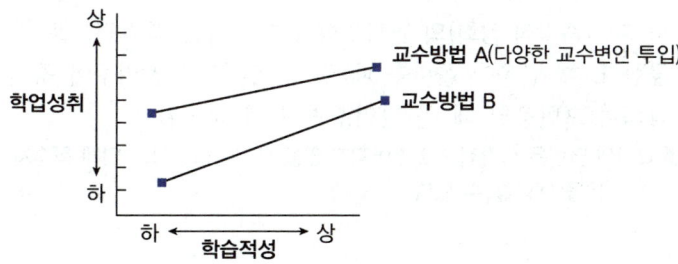

(7) **무학년제**(Non-Graded System)
   ① 개요
      ㉠ 굿래드(J. I. Goodlad)와 앤더슨(H. H. Anderson)이 창안
      ㉡ 개인차를 무시하고 동일한 학습자료를 사용해서 누구에게나 동일한 수준의 학습을 요구하는 학년제에 대한 개선책으로 등장
      ㉢ 학년이나 계열의 구별 없이 개별 학생들의 흥미와 능력, 학업성취도를 기초로 학습집단을 편성하여 학습목표 달성을 극대화하고자 하는 방법
   ② 특징
      ㉠ 학생의 능력에 맞는 과정을 학생들이 자유롭게 선택하여 학습함으로써 교육효과를 극대화시킨다.
      ㉡ 학생집단의 수준은 학년이 아니라 교육과정으로 표시된다.
      ㉢ 개별학습방법을 많이 활용하며, 집단의 운영은 팀티칭으로 실시한다.
   ③ 학습집단의 편성: 능력별 집단 편성(지능검사 및 언어 발달 정도를 기초로 편성), 성적 수준별 집단 편성(표준화된 학업성취 검사의 결과를 기초로 편성), 인성 및 학습경향별 집단 편성(학생의 독립성, 의존성, 학습지능, 학습습관, 흥미 등을 기초로 편성)

(8) **프로그램 학습**(PI ; Programmed Instruction): 스키너(Skinner)의 작동적 조건 형성 이론(행동조형, shaping)에 기초, 강화이론＋학습의 계열성 중시 ⇨ 완전학습 지향 05. 강원
   ① 개념
      ㉠ 스키너(Skinner)의 작동적 조건 형성 이론(강화이론)과 학습내용 조직의 계열성 원리에 기초하여 고안된 개별화 수업방법
      ㉡ 학습결손에 대한 교정지도를 수행하여 학습부진아의 완전학습을 도모
      ㉢ 학생 자신의 능력과 진도에 따라 스스로 학습할 수 있도록 고안된 프로그램(교수기계, **예** 인쇄자료, 소프트웨어)을 이용하여 학습을 진행하는 교수 방안
      ㉣ 학습자가 학습해야 할 학습목표와 내용을 분석하여 계열성과 통합성을 유지하면서 수개의 스텝(step)으로 주도면밀하게 꾸미는 과정을 프로그래밍(programming)이라고 한다.
   ② 학습원리
      ㉠ 적극적(능동적) 반응의 원리: 학습단계마다 학습자의 수준에 맞게 문제를 제시하여 학습자의 적극적인 참여와 활동을 유도한다.
      ㉡ 자기(학습자) 구성의 원리: 학습자 자신이 답을 작성한다.
      ㉢ 즉시 확인(즉각적 강화)의 원리: 학습한 결과를 즉각적으로 알려주어 즉각적인 강화를 제공한다. ⇨ 반응이 올바를 때 정반응임을 곧 알려주어 즉시 강화하면 그 반응은 잘 정착되며 오반응일 때 곧 알려주면 쉽게 교정된다.
         예 교사의 답변은 즉각적으로 주어지지 않을 때가 많고, 그로 인해 학습자가 학습에 대한 흥미를 상실할 수 있음을 예방할 수 있다.

ⓔ small step(점진적 접근)의 원리 : 학습내용을 세분화하여, 쉬운 것에서 어려운 것으로 점진적으로 진행되며 진도의 단계가 작을수록 학습효과는 크다. ⇨ 계열성의 원리
예 과제에 대한 스텝이 너무나도 커서 학습자가 교과의 학습을 단념해 버리는 것을 방지한다.
ⓜ 자기 속도(pace)의 원리 : 학습자의 능력에 맞는 속도로 학습을 진행한다.
ⓗ 자기 검증의 원리 : 학습자 자신이 학습결과를 확인할 수 있고 그 결과에 따라 프로그램을 수정할 수 있다.

(9) **팀티칭**(Team teaching) : 협동 교수
① 개념 : 2명 이상의 교사들이 동일한 학습집단의 지도를 위해 협동적으로 계획·지도·평가하는 교수 형태 ⇨ 교사 인원의 재조직을 통해 교수효과를 극대화
② 목적 : 교사의 전문성을 살려 학생들의 개인차를 존중하는 교육 실시, 우수한 교사의 혜택을 많은 학생들에게 제공, 우수교사에게 가장 적합한 근무조건 마련
③ 조직
㉠ 학생들의 수업집단은 일반적인 학급정원을 초과하는 수의 학생으로 편성 ⇨ 능력별 소집단학습, 무학년제(학년의 한계를 초월한 집단편성) 촉진
㉡ 교사조직은 교사(leader)와 보조교사, 행정요원 등으로 조직 ⇨ 수업활동 및 수업전략에 대한 역할분담, 학습자에 대한 지도책임에 대한 역할분담
㉢ 일반적으로 3~7명의 교사가 한 팀이 되어 75~225명의 학생집단에 대한 교수책임을 진다.
㉣ 팀 책임자는 팀 활동 전반을 지도·감독하며, 보조교사는 팀 책임자를 지원하고, 직접적 교수활동과 관련 없는 영역은 행정요원이 담당한다.
㉤ 팀티칭 시 시청각매체의 최대 활용을 원칙으로 삼는다.

제5절 교수이론 10. 전북, 07. 국가직

1 완전학습모형 08. 충남·충북

1. **캐롤(Carroll)의 학교학습모형**(A model of school learning) - 완전학습을 위한 학교학습모형
   (1) **개념**: 「언어의 연구」(1963)
      ① 완전학습모형: 인지적 학습에 작용하는 주요 변인들(예 학습기회, 학습지속력, 교수의 질, 적성, 교수이해력 등 5가지 변인)을 추출 후 변인들 간의 상호관계를 토대로 체계화한 학교학습의 완전학습모형
      ② 인지적·운동기능적 학습모형: 정의적 학습에는 적용 곤란
      ③ 학업성취를 위한 학습의 경제성에 관심 ⇨ '학교학습의 계량경제학'
   (2) **학교학습의 모형도**: 학습시간 중시 ⇨ 학습의 경제성 중시 23. 국가직, 12. 국가직 7급, 11. 인천
      ① 학습의 정도: 수업목표에 비춰 본 실제 학업성취도(학업성적)
      ② 산출공식

구분		교사(교수) 변인	학습자(개인차) 변인
학습의 정도 (학업성취도)	= 학습에 사용한 시간 / 학습에 필요한 시간	학습기회	학습지속력(지구력, 동기)
		교수의 질	적성, 교수이해력

      ③ 학습에 필요한 시간: 주어진 학습과제를 완전히 학습하는 데 필요한 총 소요시간
      ④ 학습에 사용한 시간: 학습자가 실제 학습에 투입한 시간
      ⑤ 학교학습의 5대 변인

적성 (Aptitude)	학습자가 최적의 학습조건에서 주어진 학습과제를 일정 수준으로 성취하는 데 필요한 시간 ⇨ 학생 각자가 학습과제를 해결하는 데 소요하는 시간의 차이 예 적성이 높으면 주어진 학습과제를 좀 더 빨리 학습해 내고, 적성이 낮으면 주어진 학습과제를 학습하는 소요시간이 길어진다.
교수이해력(Ability to understand instruction)	학습자가 학습과제의 성질과 학습절차를 이해하는 능력, 학습자가 수업내용이나 교사의 설명을 이해하는 능력 ⇨ 학습자의 일반지능과 언어능력에 의해 결정
지구력 (Perseverance, 학습지속력)	학습자가 실제로 노력한 시간 ⇨ 동기
교수의 질(Quality of instruction)	교사가 학습자에게 학습과제(학습내용)를 제시하는 정도나 수업방법의 적절성 ⇨ '교수이해력'을 보완할 수 있는 변인 예 교수방법, 교구, 보조교재의 사용
학습기회 (Opportunity)	교사가 학습과제 학습을 위해 학습자에게 주어진 실제 시간

   학습자의 적성은 특수능력(예 수학 적성, 과학 적성)이고, 수업이해력은 일반능력(예 IQ, 어휘력)에 해당한다.

(3) **의의**

① **완전학습의 이론적 토대를 제공**: 정상분포 하단에 있는 5%의 학생(학습지진아)을 제외한 95%의 학생들이 완전학습을 이룰 수 있다.

② **교육관의 변화**: 선발적 교육관(Education for Elite)에서 발달적 교육관(Education for All)으로의 변화

③ **학습자관의 변화에 기여**: 학업성취도에 영향을 주는 변인이 지능지수(IQ)에서 학습시간으로 변화 ⇨ '공부 잘하는 아이 또는 못하는 아이'에서 '빨리 학습하는 아이 또는 느리게 학습하는 아이'로 변화

④ **평가관의 변화**: 상대평가를 절대평가로 전환시키는 계기 마련

2. **블룸(Bloom)의 완전학습모형(learning for mastery)**

    (1) **개념**: 학급의 95% 학생들이 학습과제의 90% 이상 학습하는 것 ⇨ 캐롤(Carroll)의 학교학습모형에 기초

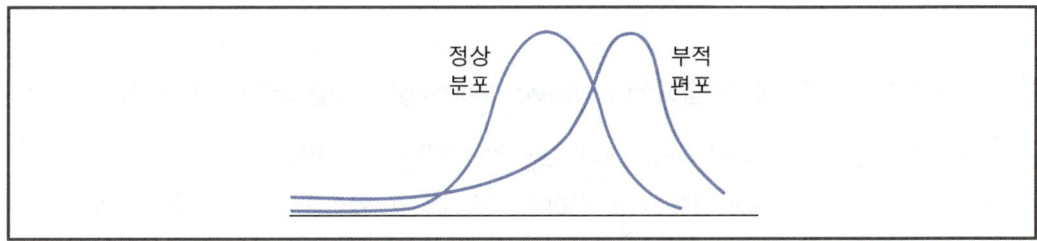

① 학급은 이질집단으로 편성되며, 신체적·능력적 결함을 가진 5%의 학생(학습지진아)을 제외하고 각 개인에게 최적의 교수조건(교수방법)이 마련되면 완전학습에 도달 가능하다.

② 학교 교육과정 속에 규정되어 있는 대부분의 교육목표들은 최저수준에서 결정되기 때문에 거의 모든 학생들에 의하여 달성될 수 있다.

③ 교육목표를 성취하기 위해서는 학습자료가 적절하게 계열화되고 학생 개개인의 능력과 학습속도에 맞게 학습기회(학습시간)가 충분히 제공된다면 완전학습이 가능하다.

(2) **특징**

① 학습시간(학습기회)을 가장 중시, 부적(負的) 편포(좌경 분포) 지향

② 캐롤(Carroll)은 완전학습에 필요한 5개 변인만 제시하였으나, 블룸(Bloom)은 완전학습에 필요한 교수·학습전략을 제시하고 있다.

(3) **완전학습 전략**: 교정학습(보충학습) ⇨ 학습단계마다 소화해 내지 못한 학습자에게 철저한 개별화수업(프로그램 학습)을 통해 보충학습의 기회 제공

(4) 수업전개 절차

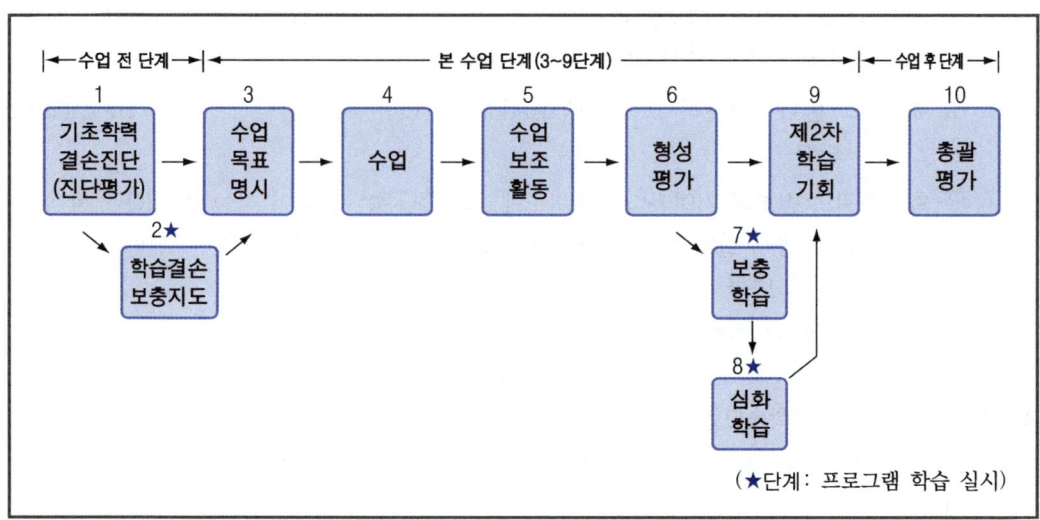

② 브루너(Bruner)의 발견학습모형(discovery learning) – 학습과정의 학습모형 16. 국가직, 15. 지방직

1. **개념** – '안내된 발견(guided discovery)' 중시 23. 국가직 7급, 22. 지방직

    (1) 교사의 지시(scaffolding)를 최소화하여 학습자들이 학습해야 할 '학습과제의 최종적 형태' (structure of knowledge)를 '학습자 스스로 찾아내는'(discovery) 방법

    (2) 발견이란 대상 간에 존재하는 유사점과 차이점을 찾아 관계 짓는 것 ⇨ 유목(類目)의 형성, 분류체계의 형성

    (3) 인지적 교수이론의 대표적 모형 ⇨ 학문 중심 교육과정에서 강조

2. **수업의 목적**

    지적 수월성(intellectual excellence) ⇨ 새로운 정보를 통합하여 사용하는 유목화 능력(類目化, categorization)의 신장

    (1) 유목화는 개념을 짓는 능력(개념화)으로, 사물의 공통점과 차이점을 찾아 분류하고 통합하는 능력, 비슷한 속성을 지닌 일군(一群)의 대상이나 사태를 표현하기 위한 추상화(抽象化) 능력을 말한다.

    (2) 유목화를 통해 학습자는 복잡하고 많은 정보를 분류·통합·단순화하여 사용한다.

3. **수업의 구성요소**

    (1) **학습경향성**(predisposition to learn, 학습의욕): 학습하고자 하는 의욕이나 경향, 여러 가지 가능성을 탐색하려는 내적 경향(학습태세) ⇨ 준비성(Thorndike), 출발점행동(Glaser), 적성(Carroll)과 유사

(2) **지식의 구조**(structure of knowledge): 특정 학문이나 교과에 포함되어 있는 핵심적 아이디어, 사실, 개념, 명제, 원리, 법칙 ⇨ 교육의 내용적 측면의 목표
  ① **표현방식**(mode of representation): 작동적 표현방식 ⇨ 영상적 표현방식 ⇨ 상징적 표현방식(상징적 표현방식이 가장 경제적) 20. 지방직
  ② **경제성**(economy): 문제해결을 위해 학습자가 소유해야 할 정보의 양이 적은 것
  ③ **생성력**(power): 전이가(**轉移價**)가 높은 것 ⇨ 일반화(Gagné), 적용력(Bloom)
(3) **학습계열**(sequence): 학습과제를 조직하는 원칙 ⇨ 나선형 교육과정(spiral curriculum)
(4) **강화**(reinforcement): 내적 보상(예 만족)을 중시

4. 특징

(1) **문제해결의 학습과 학습방법의 학습 중시**: 학습의 과정(the process of education) 강조
(2) **학습효과의 전이(轉移)를 중시**: 형태이조설(구조적 전이설) ⇨ 요소와 요소의 관련성을 파악할 때 전이가 잘 일어난다.
(3) **학습자의 능동적 활동(발견)을 중시**: 교사는 안내자·조력자(scaffolding)
(4) **귀납적 사고를 중시**
  ✐ 오수벨(Ausubel)의 '유의미 수용학습' ⇨ 연역적 사고 중시

5. 장점

(1) 유의미한 학습 촉진
(2) 교과조직의 구조화를 통해 교과내용의 전달이 용이
(3) **학습의 전이효과 증가**: 지식의 파지력과 전이력 증진
(4) 학습방법의 학습력(meta-cognition) 증가
(5) **학습자의 내적 동기 유발**(내적 강화) **촉진**: 발견의 기쁨 예 아르키메데스의 유레카
(6) 문제해결능력과 고등정신능력(예 분석력, 종합력, 유추능력) 함양
(7) 자아실현 기회 제공

3 오수벨(Ausubel)의 유의미 수용학습이론(meaningful reception learning)

15. 국가직, 11. 경북, 07. 서울, 06. 대구·강원

1. 개념

교사가 학습내용을 조직화해서 제시함으로써 학습자들이 지식과 정보를 의미 있게 학습하도록 하는 수업 ⇨ 설명적 학습원리, 유의미 학습(↔기계적 학습), 연역적 사고과정 중시(↔발견학습)

✐ **유의미** 장기기억 속에 있는 하나의 아이디어와 다른 아이디어 사이를 연결하는 고리의 수(Eggen)

> **수용학습과 발견학습의 차이점**
> 1. **수용학습**: 학습내용이 완성된 최종 형태로 학습자에게 제시되면, 학습자는 그것을 내면화한다.
> 2. **발견학습**: 학습내용이 주어지지 않고, 학습자가 그것을 스스로 발견함으로써 그 다음에 내면화를 형성한다.

(1) **발견학습에 대한 비판**: 발견학습은 초등학교에서는 好, 중·고등학교에서는 不好

(2) **기계적 학습에 대한 비판**
 ① 학습과제의 논리적 유의미(실사성·구속성)가 결핍
 ② 학습자 자신의 인지구조 내의 관련정착의미가 결핍
 ③ 학습자가 유의미 학습태세를 결핍한 경우

(3) **유의미 학습을 위한 3가지 조건**

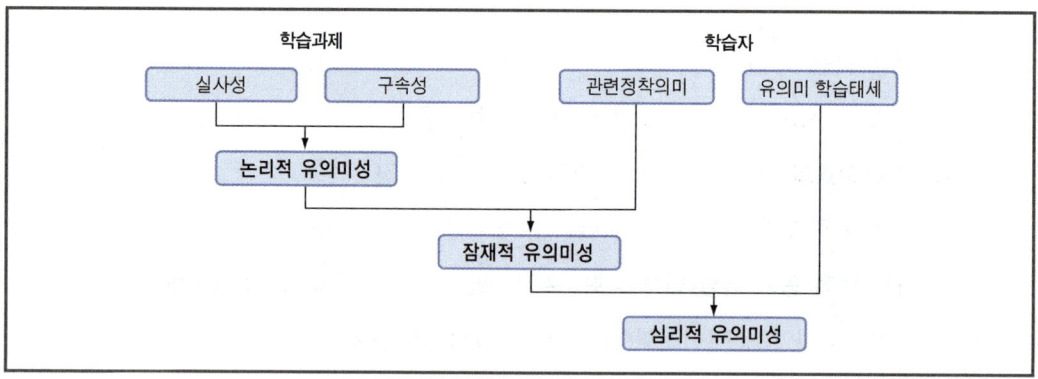

① **논리적 유의미성(logical meaningfulness)**: 학습과제가 논리적 유의미, 즉 실사성과 구속성을 지녀야 한다.
② **잠재적 유의미성(potential meaningfulness)**: 논리적 유의미를 지닌 학습과제가, 학습자의 인지구조와 관계를 맺을 수 있도록 근거를 제공해 주는 관련정착의미(relevant anchoring idea 예 선행학습, IQ, 학습자의 사회문화적 배경)를 학습자가 가지고 있어야 한다.
③ **심리적 유의미성(psychological meaningfulness)**: 학습자가 유의미 학습태세(meaningful learning set 예 학습자의 의도와 성향)를 가져야 한다. 학습자가 논리적 유의미가와 관련정착의미를 지니고 있다 하더라도 학습자의 자세나 성향이 갖추어져 있지 않으면 기계적 반복학습이 될 수도 있다.

(4) 학습에 대한 가정 09. 서울

① 학습자가 새로운 정보를 획득·보유하는 정도는 학습자의 인지구조 내에 개념적 근거가 될 만한 개념이나 원리(관련정착의미)가 어느 정도 있느냐에 따라 달라진다.
② 새로운 과제가 기존의 인지구조와 너무 상충하거나 무관할 때 새로운 지식의 학습은 불가능하다.

2. 선행조직자(advanced organizer)

수업의 도입단계에서 새로운 학습과제 이전에 교사가 제시하는 개론적 내용 ⇨ 학습과제보다 추상적·포괄적·일반적인 특징을 지닌다.

> cf) 요약이나 개괄은 학습자료와 같은 수준의 일반성, 포괄성, 추상성을 갖고 있으므로 선행조직자가 아니며, 수업목표도 학습내용에 해당하는 선행조직자와는 다른 개념이다.

(1) **기능**: 학습자의 논리적 조직화 촉진, 새로운 정보나 지식을 포섭

(2) **예**: "오늘은 고래에 대하여 학습해 봅시다. 고래는 우선 생물체에 속하고, 생물체 중에도 동물, 그리고 물속에서 살고 있지만 사람과 같은 포유류에 속합니다."

- 수학과목에서 정삼각형의 개념을 소개하기 전에 정삼각형, 직각삼각형, 이등변삼각형의 사례를 그림으로 제시한다.
- 국어과목에서 은유와 직유의 개념을 소개하기 전에 비유적인 표현이 의미하는 것을 설명한다.
- 생물과목에서 동물의 형태 중 뼈대의 관련성을 설명하기 전에 사람 뼈대의 진화를 보여 주는 차트를 제시한다.

(3) **종류**
① 비교조직자: 관련정착의미와 학습과제가 유사할 때
   예) 시골풍경과 도시풍경이 어떻게 다른가를 설명
② 설명조직자: 관련정착의미와 학습과제가 유사하지 않을 때
   예) 풍경이란 무엇인가를 설명

(4) **제시방법**
① 짧은 문장이거나 시각 및 영상자료로 제시한다.
② 학습하기 직전에 학습할 내용의 상위개념을 제시한다.
③ 학습할 내용에 관한 세부 내용을 포함하여 제시하지 않는다.
④ 학습할 내용의 구성요소들 사이의 논리적 관계를 생성하는 수단으로 제공한다.
⑤ 학습자의 부호화 과정에 영향을 주어야 한다.

3. 학습 과정

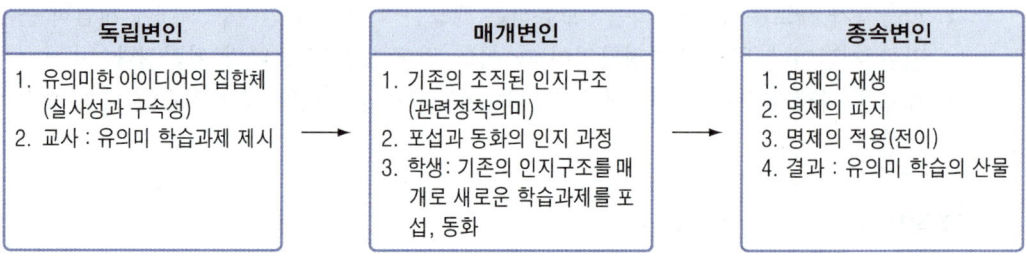

(1) **독립변인**: 유의미한 아이디어의 집합체 ⇨ 논리적인 유의미가를 지닌 과제
   ① 실사성: 의미의 불변성 **예** "삼각형의 세 내각의 합은 180°이다."라는 명제는 "세 내각의 합이 180°면 삼각형이다."라고 표현해도 그 근본적인 의미가 변하지 않는다.
   ② 구속성: 관계의 불변성 **예** 정삼각형의 세 내각의 합은 180°이다. 개·소·돼지 같은 사물의 이름은 처음에는 임의적으로 개·소·돼지의 실물과 맺어져 붙였지만, 일단 연결이 되면 임의적으로 바꾸기가 어렵다.

(2) **매개변인**: 기존의 조직된 인지구조, 포섭과 동화의 인지 과정
   ① 기존의 조직된 인지구조: 관련정착의미(관련정착지식) ⇨ 포섭자 또는 거점(anchors)의 역할
   ② 포섭: 새로운 명제나 아이디어가 학습자 내부의 기존의 인지구조 속으로 동화(일체화)되는 과정 **예** 종속포섭(상관포섭, 파생포섭 등), 상위포섭, 병렬포섭, 소멸포섭

(3) **종속변인**: 명제의 재생, 파지, 적용(전이)

4. 오수벨(Ausubel)이 제시한 포섭(subsumption)의 종류

(1) **포섭(subsumption)의 의미**
   ① 새로운 명제나 아이디어가 학습자의 머릿속에 이미 조직되어 존재하고 있는 보다 포괄적인 인지구조(기존의 인지구조, 포섭자) 속으로 동화 또는 일체화되는 과정
   ② 포섭은 곧 학습을 의미한다.

(2) **포섭의 종류(수준)**
   ① 종속포섭(subordinate subsumption, 하위적 포섭): 포괄성이 낮은 학습과제가 포괄성이 높은 인지구조에 포섭되는 것으로, 파생적 포섭과 상관적 포섭이 있다.
      ㉠ 파생적 포섭(derivative subsumption): 새로운 학습내용이 기존 인지구조(관련정착의미)의 특수 사례이거나 파생적인 내용일 때 일어나는 포섭으로 피아제(Piaget)의 '동화'에 해당한다. **예** 삼각형의 내각의 합이 180°라는 것을 학습한 학생이 이등변삼각형의 내각의 합도 180°라는 것을 알게 되었다.
      ㉡ 상관적 포섭(correlative subsumption): 새로운 학습자료의 포섭을 통해 기존 인지구조를 수정하고, 확장하며 정교화하는 포섭으로 피아제(Piaget)의 '조절'에 해당한다.
         예 무나 배추와 같이 뿌리나 줄기를 먹을 수 있는 식물을 채소라고 알고 있는 학생이 오이도 채소에 속한다는 것을 학습한 결과 채소는 뿌리, 줄기, 열매를 먹을 수 있는 식물이라는 것을 알게 되었다.

② **상위적 포섭**(super-ordinate subsumption): 새로운 학습내용이 기존 인지구조에 있는 내용보다 더 포괄적이고 일반적일 때(상위 수준일 경우) 일어나는 포섭으로, 귀납적 추론 과정을 통해 보다 일반명제를 학습하게 된다. ⇨ 종속포섭이 불가능한 경우에 해당하며, 발견학습을 통해 개념을 터득하는 것과 유사하다.

> **예** · 어류·양서류·파충류·조류·포유류에 대해 알고 있는 학생이 동물의 특징을 학습할 경우 다양한 동물의 특징으로부터 일반적인 동물의 특징을 학습하게 되었다.
> · 직사각형과 정사각형의 내각의 합에 관하여 알고 있는 학습자가 모든 사각형의 내각의 합은 360°라는 것을 알게 되었다.

③ **병렬포섭**(combinational subsumption): 새로운 학습내용과 기존 인지구조의 내용이 동일한 수준의 포괄성과 일반성을 갖고 있을 때 일어나는 포섭이다. ⇨ 종속포섭이 불가능한 경우에 해당한다.

> **예** '그림자'의 속성을 이미 알고 있는 학생이 '인생은 그림자이다.'라는 문장이 주어졌을 때, '인생'을 '그림자'에 비교함으로써 '인생'의 의미를 알게 되었다.

④ **소멸적 포섭**(obliterative subsumption, 망각적 포섭): 기존의 인지구조와 그에 포섭된 새로운 개념이 분리되어 영(zero)에 가까워진 것을 말하며, 이는 망각현상에 해당한다. ⇨ 새로운 개념이 관련정착의미에 동화되어 더 이상 재생되지 않는 것

5. 학습원리 22. 지방직, 06. 대구

(1) **선행조직자(advanced organizer)의 원리**: 도입단계에서 제시하는 개론적 설명은 새로운 과제 학습에 있어 점진적 증진효과를 최대화

(2) **점진적 분화(progressive differentiation)의 원리**: 포괄적, 일반적인 의미 먼저 제시하고 점차 구체적·세분화하여 제시 ⇨ 설명조직자를 사용할 때, 연역적 계열에 의한 설명

(3) **통합적 조정(integrative reconciliation)의 원리**: 새로운 개념과 의미는 이미 학습된 내용과 일치되고 통합되어야 한다. ⇨ 선행학습 내용과 후행학습 내용이 서로 관련되도록 조직, 비교조직자를 사용할 때 적절

(4) **선행학습의 요약·정리**: 새 학습에 임할 때 이미 학습한 내용을 요약·정리하여 제시함으로써 학습 촉진

(5) **내용의 체계적 조직**: 학습내용을 계열적·체계적으로 조직할 때 학습효과를 극대화 ⇨ 계열성의 원리

(6) **학습자 준비도의 원리**: 학습자의 인지구조와 선행학습 등 발달수준에 맞게 학습경험을 제공

6. 수업 과정

(1) **선행조직자 제시**: 수업목표를 명확히 하고 선행조직자를 제시한다.

(2) **학습과제와 자료의 제시**: 학습과제 및 자료를 제시한다.

(3) **인지적 조직의 강화**: 학습내용의 요점을 정리해 주어 학습자의 인지구조를 굳힌다.

📖 **선행조직자 모형의 수업 과정**

단계	내용
1단계: 선행조직자의 제시	• 수업의 목적을 명료화시킨다. • 선행조직자를 제시한다. • 학습과제와 학습자의 경험과 지식을 연관시킨다.
2단계: 학습과제와 자료의 제시	• 자료를 제시한다. • 관심을 유지시킨다. • 조직화를 분명히 한다. • 학습과제를 논리적 순서로 제시한다.
3단계: 인지적 조직의 강화 (strengthening)	• 통합원리를 사용한다. • 능동적인 수용학습을 고무한다. • 주제에 대한 비판적인 접근을 취한다. • 명료화시킨다.

7. 교육적 의의

(1) 구체적인 학습과제의 제시에 앞서 그 과제보다 포괄적인 수준의 설명(선행조직자)을 제시하는 것이 학습에 효과적이다.

(2) 선행조직자는 학습과제와 직접적으로 관련된 의미들을 집합시켜 포섭자를 만들고, 이 포섭자는 주어진 과제들을 보다 친숙하게 해주며 학습과 파지를 촉진한다.

(3) 선행학습의 중요성에 대한 이론적 근거를 제공하였다. ⇨ 새로운 학습과제가 기존의 인지구조와 너무 상충하거나 무관할 때 학습은 불가능

4 가네(Gagné)의 목표별 수업이론(= 학습조건적 수업이론): 정보처리적 학습이론

11. 인천, 08. 서울, 03. 경북, 04. 부산·제주

1. 개관 23. 국가직 7급

(1) 개념

① 수업목표(수업의 결과, 5가지 능력)에 따라 수업방법(학습조건, 학습유형, 학습수준)을 다르게 설계해야 한다. ⇨ 인지적(언어정보, 지적 기능, 인지전략), 정의적(태도), 심리운동기능적(운동기능) 영역의 목표 영역을 모두 포괄하여 수업목표로 제시

② 처방적 수업이론: 수업을 위한 구체적인 처방을 제시하고 있어 그 적용범위가 광범위하여 현재 교육·훈련의 실제 현장에서 많이 활용되고 있다.

③ 정보처리 학습이론: 실제 수업의 절차(수업사태)를 학습자의 내부에서 일어나는 정보처리 과정으로 설명

(2) **기본 전제**
① 인간의 학습능력은 낮은 차원에서 높은 차원의 단계로 이루어진다.
  ㉠ 학습은 위계적으로 진행 ⇨ 높은 수준의 지식이나 기술을 학습하기 위해서는 반드시 낮은 단계의 지식이나 기술을 습득해야 한다.
  ㉡ 선행학습의 중시
② 주어진 학습과제는 그 복잡성의 정도에 따라 다른 수준의 학습능력을 요구한다.
③ 위계적으로 다른 학습능력을 필요로 하는 학습과제를 학습하기 위해서는 거기에 알맞은 학습 유형을 적용하여야 한다.

2. **내용** 25. 국가직

(1) **학교학습에 관계하는 3요소**: 학습의 조건, 학습의 사태(수업사태), 학습의 성과

독립변인		종속변인
외적 조건(교사가 수업하는 절차)	내적 조건(학습자 내부에서 일어나는 정보처리 과정)	학습
• 강화: 보상, 만족 • 접근: 시간적 접근 • 연습: 반복	• 선행학습: 이전에 학습한 내적 능력 • 학습동기: 학습하려는 능동적 자세 • 자아개념: 학습에 대한 자신감 • 주의력: 집중력	• 정보의 획득 • 정보의 파지 • 정보의 전이

① 학습의 조건(독립변인)
  ㉠ 내적 조건: 현행학습에 필수적이거나 보조적인 것으로, 학습자가 이전에 습득한 선수능력들의 회상이나 획득
    예 선행학습, 학습동기(내재적 동기), 자아개념(긍정적 자아개념), 주의력
  ㉡ 외적 조건: 학습자의 내적 인지 과정을 활성화시켜 주는 교사의 다양한 수업방법
    예 강화(보상), 접근(자극과 반응의 시간적 근접성), 연습(반복)
② 학습의 사태(수업사태, Event of Instruction): 실제 수업의 절차 ⇨ 학습자 내부에서 정보가 처리되는 과정, 글레이저(Glaser)의 수업절차에 해당
③ 학습의 성과(종속변인): 학교학습의 결과 학생들에게 길러지는 능력
    예 정보의 획득, 파지, 전이 ⇨ 학습의 5대 영역(언어정보, 지적 기능, 인지전략, 태도, 운동기능)

(2) 학습의 인지처리과정 9단계 : 학습의 사태(수업사태) 25. 지방직, 12. 국가직, 09. 국가직 7급

구분	학습단계	수업사태	기능
학습을 위한 준비	1. 주의집중	주의집중 시키기	학습자로 하여금 자극에 경계하도록 한다.
	2. 기대	학습자에게 목표 알리기	학습자로 하여금 학습목표의 방향을 설정하도록 한다.
	3. (장기기억 정보) 작동기억을 통해 재생	선행학습의 재생 자극하기	• 선행학습능력의 재생을 자극한다. • 학습자가 새로운 정보를 학습하는 데 필요한 기능을 숙달하는 단계이다.
정보(기술)의 획득과 수행	4. 선택적 지각	학습과제에 내재한 자극 제시	• 중요한 자극특징을 작동기억 속에 일시 저장하도록 한다. 예. 학습내용과 관련된 개념의 예를 들어 설명하기, 운동기능의 시범, 영상자료 보여주기 • 학습자에게 학습할 내용, 즉 새로운 내용을 제시하는 단계이다.
	5. 의미론적 부호화	학습 안내(학습 정보 제공)하기	• 자극특징과 관련된 정보를 장기기억으로 전이시킨다. • 학습할 과제의 모든 요소들을 통합시키는 데 필요한 방법을 제시하는 단계이다. • 이전 정보와 새로운 정보를 적절히 통합시키고 그 결과를 장기기억에 저장할 수 있도록 학생들은 도움이나 지도를 받아야 하는데, 이를 통합교수라고 한다.
	6. 재생(인출)과 반응	성취행동 유도하기 (연습문제 풀기)	• 개인의 반응 발생기로 저장된 정보를 재현시켜 반응행위를 하도록 한다. • 통합된 학습의 요소들이 실제로 학습자에 의해 실행되는 단계로, 이 단계에서 학습자가 실제로 새로운 학습을 했는지를 증명하는 기회를 준다.
	7. 강화(피드백)	피드백 제공하기	• 학습목표에 대해 학습자가 가졌던 기대를 확인시켜 준다. ⇨ 정보적 피드백, 즉 반응에 대한 정오판단보다는 오답인 경우 이를 수정할 수 있는 보충설명을 제공 • 수행이 얼마나 성공적이었고 정확했는지에 대한 결과를 알려주는 단계이다.
재생과 전이	8. 재생을 위한 암시 (단서에 의한 인출)	성취행동 평가하기 (형성평가)	• 이후의 학습력 재생을 위하여 부가적 암시를 제공한다. • 다음 단계의 학습이 가능한지를 알기 위한 평가를 실시한다.
	9. 일반화	파지 및 전이 높이기	• 새로운 상황으로의 학습전이력을 높인다. • 새로운 학습이 다른 상황으로 일반화되거나 적용할 수 있는 경험을 제공해야 하며, 반복과 적용을 특징으로 한다.

(3) 학습의 5대 영역: 학습의 성과 20. 국가직, 09. 대전

> • **인지적 영역**: 언어정보(명제적 지식), 지적 기능(방법적 지식), 인지전략(예. 학습방법, 사고방법 등) ⇨ 지적 기능이 학교학습의 목표 영역
> • **정의적 영역**: 태도 ⇨ 어떤 대상에 대한 찬반 또는 호오(好惡)를 선택하게 하는 어떤 사람의 내적인 정신적 경향
>   예 강화, 대리적 강화, 동일시 등을 통해 학습
> • **심동적 영역**: 운동기능 ⇨ 어떤 일을 수행하기 위한 몸의 움직임
>   예 반복적 연습을 통해 학습

① **언어정보(verbal information)**: 인지적 영역 11. 국가직 7급
  ㉠ 명제적(사실적, 선언적) 지식: '~임을 안다.'로 진술 ⇨ Ausubel의 선행조직자의 제공
  ㉡ 학교학습의 가장 기본적인 영역: 사물의 이름, 사실, 원리, 일반화, 조직화된 정보 등

② **지적 기능(intellectual skills)**: 인지적 영역 18. 지방직
  ㉠ 방법적(절차적) 지식: '~을 할 줄 안다.'로 진술 ⇨ 구어·읽기·수의 사용 등과 같이 기호나 상징을 사용하여 환경과 상호작용할 수 있는 능력
  ㉡ 가네는 지적 기능을 8가지 학습 유형으로 위계화하였다.
  ㉢ 학교학습에서 가장 강조되는 학습 영역이다.

③ **인지전략(cognitive strategies), 집행통제과정**: 인지적 영역
  ㉠ 학습자가 이전에 경험하지 않았던 문제 상황에 대하여 자신이 가지고 있는 지식과 기능을 활용, 독자적으로 개발하는 내적 사고 과정이다. ⇨ 자신의 머리를 활용하는 방법
  ㉡ 언어 정보와 지적 기능의 학습에서는 그 대상으로서 직접적으로 관련된 내용이 있는 데 반해, 인지 전략의 학습에서는 학습자 자신의 사고 과정이 인지 전략의 대상이 된다. 그리고 매 수업시간마다 달라지는 언어 정보와 지적 기능에 비해, 비교적 장기간에 걸친 연습을 통해 발달한다.
  ㉢ 학교학습의 가장 큰 목표 영역

④ **태도(attitude)**: 정의적 영역
  ㉠ 여러 종류의 활동·대상·사람들 중 어느 것을 선택하는 학습자의 내적·정신적 경향성
  ㉡ 시범, 강화, 대리적 강화(관찰학습), 동일시 등을 통해 학습

⑤ **운동기능(motor skills)**: 심리운동기능적 영역 ⇨ 어떤 일(작업)을 수행하기 위한 몸의 움직임

학습의 5대 영역 09. 국가직 7급

학습 영역	학습된 능력	성취행동	예
언어정보	저장된 정보의 재생(사실, 명칭, 강연)	어떤 식으로 정보를 진술하거나 전달하기	• 애국심의 정의를 기억하기 • 사물의 이름 기억하기
지적 기능	개인이 환경을 개념화하는 데 반응하도록 하는 정신적 조작	상징을 사용하여 환경과 상호작용하기	• 빨간색과 파란색을 구별하기 • 수동태를 능동태로 바꾸기
인지전략	학습자의 사고와 학습을 지배하는 통제 과정	기억, 사고, 학습을 효율적으로 관리하기	• 기말과제를 작성하기 위해 목록카드를 개발하기 • 학습방법, 독서방법
태도	어떤 사람, 대상, 사건에 관해 긍정적이거나 부정적인 행위를 하려는 내적 경향	어떤 사람, 대상, 사건에 대하여 가까이 하거나 멀리 하는 개인적 행위 선택하기	미술관에 가지 않고 대신 록콘서트에 가는 것을 선택하기
운동기능	일련의 신체적 움직임을 수행하기 위한 능력 및 실행 계획	신체적 계열이나 행위 시범해 보이기	• 구두끈을 묶기 • 배영을 시범해 보이기

(4) 지적 기능 학습을 위한 8가지 학습위계 11. 서울·부산

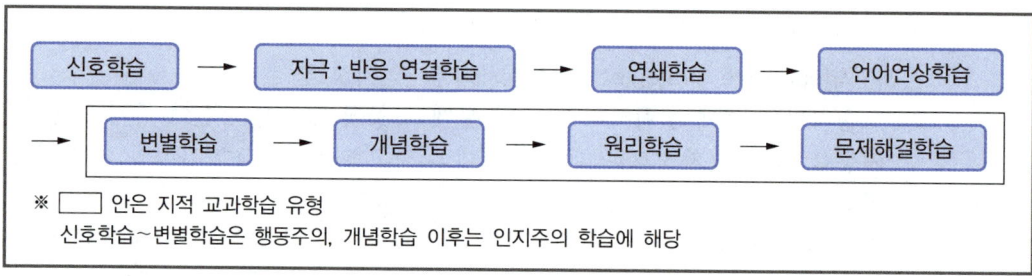

① **신호학습(signal learning)**: 가장 단순한 형태 ⇨ 고전적 조건 형성 과정을 통해 무의지적으로 행동 획득, 정서적 반응의 학습 형태
　예 교사가 매를 들면 학생들은 조용히 한다. 구석진 방을 보면 무섭다.

② **자극·반응 연결학습(stimulus-response learning)**: 자극과 반응의 단순한 결합, 조작적 조건 형성(예 행동조형)에 의한 의지적·능동적인 학습
　예 학생이 착한 행동을 하면 칭찬해 준다. 어린 학생에게 시험 후 즉각적으로 채점하여 결과를 알려준다.

③ **연쇄학습(chain learning)**: 자극과 반응을 통한 운동기능의 연결, 기억작용을 바탕
　예 영어 낱말 쓰기, 현미경 조정하기, 바스켓에 농구공 던져 넣기, 자동차 시동 걸기, 글씨 쓰기

④ **언어연상학습(verbal association learning)**: 언어를 사용하는 능력에서의 연결학습, ③과 유사하나 언어를 사용한다는 점이 다르다.
　예 화학에서 사용하는 기호의 암기, 영어의 낱말 뜻을 우리말로 외우기

⑤ **변별(식별)학습(multiple discriminating learning, 중다변별학습)**: 비슷한 여러 대상이나 자극 간의 차이를 구별할 수 있는 능력, 자극 간 차이점에 대한 반응
　예 여러 가지 다각형 중에서 삼각형 구별하기, 음악의 악보를 보고 음계나 음표 구별하기

⑥ 개념학습(concept learning) : 자극 간의 공통성·유사성을 이해하고 그를 기준으로 사물을 분류 ⇨ 유목화 능력으로, 관찰에 의한 '구체적 개념'과 정의에 의한 '추상적 개념'이 있다.
   예 개와 고양이의 공통점을 알고 포유류라는 개념 알기, 도형 그림을 보고 사각형 개념 알기

⑦ 원리학습(rule learning) : 두 개 이상의 개념을 연결, 개념 간 의미 있는 관계 파악
   예 구두점에 관한 성질이나 법칙을 설명해 주면 그것을 이용하여 문장을 읽고 구두점이 잘못된 곳을 찾아 바로잡아 주기, 그림자가 생기는 현상을 통해 빛의 직진 원리를 이해하기

⑧ 문제해결학습[problem solving learning, 복합적 원리학습(중다원리학습)] : 원리를 조합하여 문제해결의 아이디어를 생각해 내는 것 ⇨ 적용력, 전이력, 일반화
   예 삼각형과 사각형의 넓이를 구하는 방법을 통해 사다리꼴의 넓이 계산하기

✎ 가네(Gagné)는 개념학습, 원리학습, 문제해결학습을 학교교육 수준에서 가장 중요한 학습유형으로 보았다.

(5) 학습성과(학습목표)에 따른 학습방법

학습목표 영역	학습목표 유형	학습과제 분석방법	학습방법 유형
인지적 영역	언어정보	군집(집략) 분석	유의미 수용학습
	지적 기능	위계분석	• 위계적 학습 • 신호학습 ⇨ 자극·반응 연결학습 ⇨ 연쇄학습 ⇨ 언어연상학습 ⇨ 변별학습 ⇨ 개념학습 ⇨ 원리학습 ⇨ 문제해결학습
	인지전략	—	연습
정의적 영역	태도	종합(통합)분석	강화, 대리적 강화, 동일시
심동적 영역	운동기능	절차(단계)분석	반복적 연습

5 구성주의(constructivism) 학습모형 20·13. 지방직, 12. 국가직, 11. 국가직 7급·부산·울산, 05. 경기·인천

1. 개관 23. 국가직 7급

(1) 지식은 주관적이고 학습자가 스스로 구성해 나간다는 심리학 및 철학적 관점을 말한다.

① 지식이란 개체와 별개로 존재하는 객관적이고 외적인 실재가 아니라 능동적인 구성의 산물이다.
② 구성주의는 개체와 상황의 상호작용을 강조한다.
   ㉠ 환경이 개체에 미치는 영향을 중시하는 행동주의와 대비된다.
   ㉡ 학습의 맥락을 고려하지 않고 학습이 개체의 정신 내에서 일어난다고 주장하는 정보처리이론과도 대비된다.
   ㉢ 구성주의는 개체, 환경, 행동이 상호작용을 한다고 가정하는 반두라(Bandura)의 사회인지이론과 견해를 같이한다.

(2) **학습자의 능동적인 문제해결과 새로운 아이디어의 적극적인 창안을 강조, 상대주의적 인식론에 근거**
⇨ 객관주의(지식전수에 주력, 학습자는 수동적 입장에서 지식수용)와 대립
① 지식은 개인의 인지활동과 사회적 상호작용을 통해 구성된다.
② 지식은 고정된 것이 아니라 끊임없이 수정되고 변화한다.

(3) **주관주의적 학습관**: 학습이란 객관적으로 존재하는 지식이 전달되는 것이 아니라 개인의 경험에 의해 구성되는 과정
① 학습의 주체는 학습자 ⇨ 학습자는 '의미를 추구하는 능동적 유기체', 교사는 학습의 안내자·촉진자
② 개인의 역사적·문화적·사회적 상황(맥락, context)을 바탕으로 지식을 구성

2. 객관주의와 구성주의의 비교

구분	객관주의		구성주의	
실재(지식)	인식 주체와 독립, 외부에 존재 ⇨ 지식의 객관성, 절대성, 고정성		인식 주체에 의해 결정, 마음의 산물 ⇨ 지식의 주관성, 상대성, 상황성(가변성)	
특징	교수모형 ⇨ 교사 주도		학습모형 ⇨ 학습자 주도	
가치지향	가치 중립		가치 추구	
최종목표	보편타당한 절대 진리와 지식 추구		맥락에 적합한 의미 구성	
교육과정	교과서 중심의 기본기능 강조		다양한 자료에 근거한 구성활동 강조	
평가	양적 평가, 총괄평가 강조		질적 평가, 형성평가 강조	
대표 유형	행동주의	인지주의	개인적 구성주의	사회문화적 구성주의
학습	외현적 행동 변화	인지구조의 변화	주관적 경험에 근거한 의미 구성	사회적 상호작용을 통한 의미 구성
교사 역할	관리자, 감독자	정보처리 활성자, 안내자	촉진자, 안내자	촉진자, 안내자, 공동 참여자(scaffolding)
학습자 역할	수동적 수용자, 청취자, 추종자	정보의 능동적 처리자	능동적 구성자, 산출자, 설명자, 해석자	능동적 공동 구성자, 산출자, 설명자, 해석자
핵심개념	자극, 반응, 강화	정보처리, 정교화	개인 내적 의미 구성적 과정	사회문화적 동화(개인 간 의미 구성 과정)
주요 수업전략	연습과 피드백	정보처리 전략	유의미한 아이디어, 풍부한 학습기회 제공	풍부한 학습기회를 학습자와 공동구성
주요 이론가	Skinner, Thorndike	Bruner(초기), Ausubel	Piaget	Vygotsky, Bruner(후기)

3. 구성주의의 특징 10. 대전·전북, 09. 대전

(1) 유의미 학습이란 개인적 경험을 기반으로 해서 지식구조를 능동적으로 생성하고 구성하는 것이다. ⇨ 학습자는 보고 들은 것을 기억 속에 그대로 복사해서 저장하는 기계가 아니다.

(2) 개인이 갖고 있는 지식의 정수(精髓)는 결코 다른 사람에게 완전한 형태로 전수할 수 없다. 왜냐하면 지식이란 연령·성별·인종·지식기반과 같이 다양한 요인들의 영향을 받아 경험을 개인적으로 해석한 것이기 때문이다.

(3) 모든 사람이 각자 개인 특유의 지식과 세계관을 갖고 있다 하더라도 사람들 간의 합의(의견일치)는 가능하다.

(4) **지식구조의 형성 및 변화는 주로 중다관점(multiple perspectives)을 검토하고, 그에 대한 사회적 협상을 통해 이루어진다.**
① 대부분의 일상적인 문제는 다면적인 성질을 갖고 있으므로 학습자로 하여금 다양한 관점에서 조망하도록 해야 하며, 이러한 다양한 관점에 대한 개방적인 토론은 개인적 견해를 형성하는 데 도움을 준다.
② 지식이란 보편적 실체가 아니라 특정 맥락 내에서 구성원들이 합의한 잠정적인 결론이다.

(5) **지식이란 맥락의존적이다.**
① 지식은 인식주체가 구성하지만 그러한 행위는 항상 상황 안에서 이루어지기 때문에 지식은 상황과 필연적으로 관련되어 있다. 따라서 학습은 복잡하고 실제적이고 적절한 맥락에서 이루어져야 한다.
② 상황인지 혹은 상황학습이란 학습과제를 현실적인 맥락에서 제시하는 것을 강조한다. 현실적인 맥락이란 다양한 지식과 기능을 이용해서 실제적인 문제를 해결해야 할 상황을 가리킨다.

(6) 모든 지식은 잠정적이고 유동적이다. 현재 우리가 갖고 있는 지식은 우리의 인지적 한계를 반영한다. 따라서 구성주의의 목적은 단순히 정보를 전달하는 데 있는 것이 아니라 메타인지 과정을 기르는 데 있다.

(7) 학습자는 학습 과정에서 주인의식(ownership) 혹은 주도권을 가져야 한다. 교사는 단순한 정보원이 아니라 코치·촉진자·조력자·조언자·동료 학습자(co-learner)의 역할을 수행해야 한다.

(8) 학습자의 적극적인 자기성찰(self-reflection)을 강조한다. 자기성찰이란 일상적인 경험이나 사건에 대해 질문을 제기하고, 분석하고, 대안을 강구하는 습관을 일컫는다.

(9) 지식이 개인의 인지적 활동은 물론 사회적 상호작용을 통해 구성된다는 것을 전제하고 있으므로 협동학습을 중시한다.

(10) 구성주의적 수업은 수업자료(학습자들이 조작할 수 있는 자료), 활동(관찰, 자료수집, 견학), 수업 과정(협동학습, 토론) 등의 측면에서 다양한 방식으로 나타날 수 있다.

4. **구성주의의 교육적 적용** - 구성주의 학습을 촉진하는 일반적인 조건

   (1) **실제적 과제**(authentic task) : 복잡하고 실제적인 상황에서 현실적인 학습과제를 제시해야 한다.

   (2) **협동학습**(collaborative learning) 12. 서울 : 문제를 해결할 때 사회적 협동과 상호작용을 강조해야 한다.

   (3) **자기성찰**(self-reflection) : 모든 경험, 사건, 현상의 의미와 중요성에 대해 질문하고, 분석하고, 대안을 강구해 보아야 한다.

   (4) **주인의식**(ownership) : 학습자는 학습의 주체로 학습활동에서 주도권을 가져야 한다.

   (5) **중다관점**(multiple perspectives) : 학습자료를 다양한 관점에서 다양한 방식으로 표현해야 한다.

5. **구성주의 교수 - 학습의 원리** 13·06. 국가직 7급

   (1) **지식의 상황성 강조** : "지식은 사회적 산물"
   ① 지식이란 개인의 역사적·문화적·사회적 상황을 바탕으로 재구성한 것
   ② 교수설계는 학습이 일어날 수 있는 상황(context)이나 환경을 설계하는 것

> **더 알아보기**
>
> **조나센(Jonassen)의 구성주의 학습환경 설계 모형(CLEs)**
>
> 1. 구성주의에서는 '교수설계'보다는 학습자 중심의 학습지원 환경의 설계가 중시되기 때문에 '학습설계'라는 용어를 주로 사용한다.
> 2. 조나센(Jonassen)은 구성주의 학습환경(CLEs ; Constructive Learning Environments)을 통해 학습환경에서 고려되어야 할 요소들과 학습환경을 정교화하는 방안을 포괄적으로 제시하였다.
> 3. **구성주의 학습환경 설계 시 고려 요소**

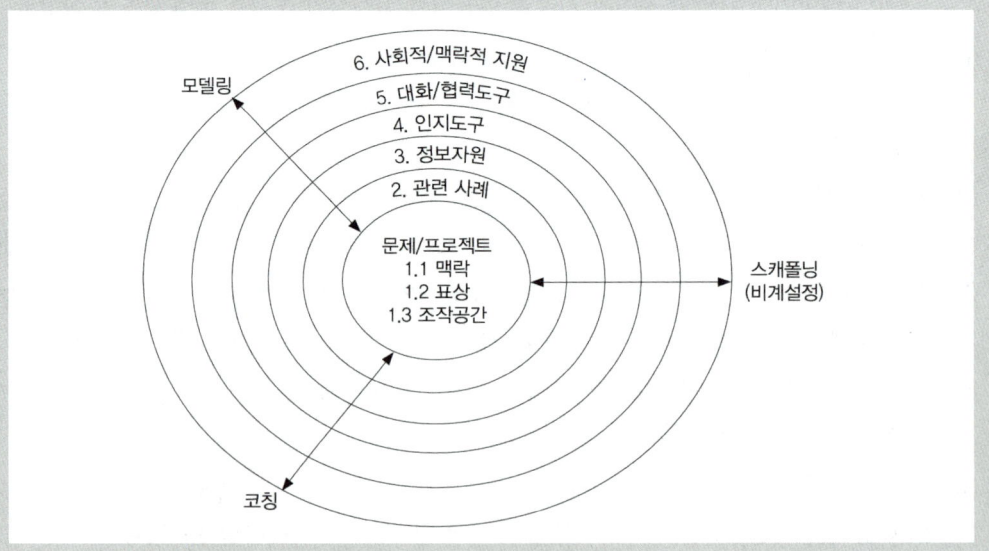

① **문제/프로젝트(problem/project)** : 구성주의 학습은 문제가 학습을 주도한다. 문제는 실제적이고 비구조적인 문제이어야 한다. 학습자는 제시된 문제상황에서 주어진 자원을 바탕으로 문제를 설정하고, 문제를 해결해 나가는 과정에서 통합적이고 맥락적인 지식을 구성하게 된다. 문제 상황은 문제의 상황 및 맥락(context), 문제의 표상(representation, 제시방법), 문제해결을 위한 조작공간(manipulation space)을 포함하여야 한다.

② **관련 사례(related cases)** : 제시된 문제와 직·간접적으로 관련된 다양한 사례(예 성공과 실패사례, 인터뷰, 외국사례 등)를 제공함으로써 학습자의 기억을 촉진하고 인지적 융통성을 지원한다. 이를 통해 학습자가 능동적으로 지식구조를 점진적으로 확장하는 것을 돕고 문제에 대한 이해를 돕는다.

③ **정보자원(information resources)** : 학습자가 문제를 해결하는 데 필요한 정보(예 텍스트 문서, 그래픽, 음성 자원, 영상, 애니메이션, 온라인사이트 등)를 충분히 제공한다. 학습자는 정보를 활용하여 문제해결을 위한 가설을 설정하고 검증하며 아울러 자신의 지식구조를 보다 정교화해 나간다.

④ **인지도구(cognitive tool, 지식구성 도구)** : 인지도구는 컴퓨터 도구를 활용하여 학습자가 주어진 문제해결을 할 수 있도록 인지활동을 지원하는 역할을 수행한다. 인지도구에는 시각화 도구, 지식 모델링 도구[예 의미망(semantic networks), 전문가 시스템, 하이퍼미디어 구성 등], 수행지원 도구(예 멀티미디어 저작도구, 프레젠테이션 프로그램), 정보수집 도구(예 정보검색도구) 등이 있다.

⑤ **대화/협력도구(conversation/collaboration tool)** : 구성주의 학습은 학습자 상호간 대화와 협력을 통한 학습을 강조한다. 따라서 동료 학습자나 교수자로부터 모델링(modeling), 코칭(coaching), 발판(scaffolding)을 제공받을 수 있도록 자유게시판, 커뮤니티, 이메일, SNS, 대화방 등 대화/협력도구를 제공해야 한다. 대화/협력도구는 학습자 공동체를 중심으로 문제에 대한 의미에 대해 협상하게 하고 구성하게 한다.

⑥ **사회적/맥락적 지원(social/contextual support)** : 구성주의 학습에서 강조되는 것은 사회적/맥락적/환경적 요소이다. 특정 문제가 발생하는 맥락을 제시할 수 있도록 실제적 환경(예 커뮤니티-멘토링, 그룹 스터디, 워크숍이나 회의 지원체제)을 제시할 필요가 있다.

4. 구성주의 학습환경의 정교화 방안
① 교수활동 : 모델링(modeling), 코칭(coaching), 비계설정(scaffolding)
② 학습자의 활동 : 의미의 명료화(articulation), 성찰(reflection), 탐구(exploration)

(2) **복잡한 현실 제시** : 실제적 과제와 맥락 강조 17. 국가직
① 학습이 일어날 수 있는 상황은 실제와 같이 복잡하고 비구조적인 상황과 맥락일 것
② 학습과제가 실제적일 때, 실제 문제 상황이 생겼을 때 그 지식의 적용이나 전이 가능성이 높다.

(3) **학습자 중심의 자율적인 학습환경의 조성**
① 학습의 주체는 학습자이고 지식은 학습자 스스로가 능동적으로 구성
② 학습 과정에 있어 학습자의 자율성과 권위 부여

6. 구성주의 학습방법 06. 서울

(1) **인지적 도제이론**(cognitive apprenticeship theory): Collins, Brown & Holum 21. 지방직, 20. 국가직

① 개념: 전문가-초보자 이론
  ㉠ 초보적인 학습자가 전문가인 교사의 학습과제를 해결하는 과정을 관찰하고 모방함으로써 학습과제 해결능력이나 사고 과정을 습득하는 것 ⇨ 예체능 분야에서 기능을 연마하는 과정이나 대학원에서 논문작성을 배우는 과정에 활용
  ㉡ 고전적 의미의 도제학습의 원칙 활용, 메타인지적 기술을 습득
  ㉢ 학교에서 가르치는 지식과 기술이 너무 추상적이어서 실생활에 활용할 수 없다는 근거에서 개발

② 특징
  ㉠ 전문가들이 복잡한 문제를 해결하는 과정을 가르치는 데 주력한다.
  ㉡ 신체적인 기능과 과정에 주안을 둔 전통적 도제와 달리 인지 및 메타인지 기능을 가르치는 데 주력한다.
  ㉢ 전통적 도제는 작업장면에서 수행되므로 교육적인 관점보다는 작업장면의 요구를 반영하나, 인지적 도제에서 문제와 과제는 교육적인 관심사를 반영한다.
  ㉣ 전통적 도제는 기능을 특정 맥락에서 가르치는 데 주안을 두지만, 인지적 도제는 다양한 맥락에서 활용할 수 있는 탈맥락적 지식을 강조한다.

③ 수업의 절차(MCSARE): 콜린스(Collins)가 제시 ⇨ 시연(modeling), 교수적 도움(scaffolding), 도움중지(fading) 등 3단계로 진행
  ㉠ 시범보이기(Modeling): 전문가인 교수자가 시범을 보이면 학습자는 그 사고와 행동을 관찰한다. ⇨ 가장 쉬운 교수전략으로 전문가의 수행행동에 초점을 맞춘다. 외현적 행동을 시연하거나 내재적 인지 과정에 대한 명료화를 한다.
  ㉡ 코칭(Coaching): 학습자는 실습을 하고, 교수자는 학습자에게 도움말을 주고 잘못된 것을 수정, 격려해 주며 환류(feedback)를 시켜 준다. ⇨ 학습자가 어떻게 수행할 것인가에 초점을 맞춘다. 학습동기를 부여하고, 수행을 분석하여 피드백을 제공함으로써 학습방법을 조언해 주며, 배운 내용에 대해 반성적 사고와 명료화를 유도한다.
  ㉢ 발판 제공(Scaffolding, 비계설정) 22. 국가직 7급, 14. 지방직: 학습자가 스스로 일어설 수 있는 발판을 마련해 준다. ⇨ 학습자가 수행하는 과제에 초점을 두고 체계적으로 지원한다. 학습과 학습자의 능력을 넘어서는 학습자들의 수행을 지원하기 위한 임시적인 틀을 제공한다.
  ㉣ 명료화(Articulation, 연계): 학습자는 자신이 습득한 지식, 기능, 태도, 사고 등을 종합적으로 연계하여 설명한다.
  ㉤ 반성(Reflection): 학습자는 자신이 수행하고 있는 문제해결 과정을 전문가인 교수자의 방법과 비교하여 성찰한다.
  ㉥ 탐색(Exploration): 학습자는 자기 나름의 문제해결전략을 사용하여 전문가다운 자율성을 획득한다. ⇨ 전이(일반화)의 단계

(2) 상황적 학습(situated learning theory, 참여학습, 상황인지): Lave 22. 국가직 7급, 19. 국가직

① 전통적인 학교학습(교실학습)이 효과적이지 못한 이유는 학교에서 배운 지식이 실제 사용되는 맥락(context)과 분리되어 제시된 결과에서 비롯

② 실제 상황에의 참여를 통한 문제해결 과정 및 경험과 학습을 중시: 학습은 실제 상황 속에서 전개될 때 효과적

③ 학습 원리
  ㉠ 지식이나 기능은 그것이 사용되는 상황이나 맥락을 함께 제시한다.
  ㉡ 현실 세계에서 사용되는 실제적인 과제를 제시한다.
  ㉢ 구체적이고 다양한 사례를 사용한다.
  ㉣ 교사는 지식 전수자가 아니라 학습 촉진자의 역할을 담당해야 한다.

④ 특징: 맥락(context) 중심적 학습 강조, '실행공동체'와 '정당한 주변참여' 중시

> Lave는 일반적으로 일어나는 학습은 하나의 활동, 생활의 맥락 및 문화의 기능이라고 주장한다. 즉 '참여적'이라는 것이다. 이는 추상적이거나 실생활과 동떨어진 지식을 다루는 대부분의 전통적인 교실의 학습활동과는 대조를 이룬다. 여기서는 사회적인 교류가 학습의 중요한 요소를 이룬다. 학습자들은 특정한 신념과 행동이 습득될 수 있도록 하는 '실천 사회(실행공동체, community of practice)'에 참여하게 된다. 겉으로 맴돌던 초심자나 낯선 학습자가 이러한 사회에 옮겨옴으로써, 이들은 새로운 문화에 점점 활동적으로 참여하게 된다. 그리하여 전문가가 되거나 고참이 된다. 이러한 것을 Lave와 Wenger(1991)는 '정당한 주변적 참여(legitimate peripheral participation)'의 과정이라고 불렀다.

🖉 **정당한 주변적 참여**(legitimate peripheral participation) 능력이 많이 발달되지 않았고 기여하는 것이 적더라도 집단의 일에 진정으로 참여할 수 있도록 하는 것

(3) 정황교수(anchored instruction theory, 앵커드 교수, 정착교수) 11. 경기

① 다양한 교수매체(예 Jasper Series – 수학 프로그램, Young Sherlock project – 국어와 사회과목 프로그램)를 활용하여 실제와 유사한 학습환경을 제공해 주고 이를 통해 문제를 해결하도록 하여 현실 상황에 활용 가능한 유용한 지식을 학습하도록 하는 것

② 상황학습을 구현시키는 구체적인 방법: 학생들에게 관심의 대상이 되는 문제나 쟁점이 들어 있는 이야기, 모험담, 상황 등과 같은 정황(anchor)을 중심으로 학습이 전개

③ 교육과정 자료는 문자보다 실제를 더욱 생동감 있게 전달해 주는 시각적 자료(예 비디오 디스크)를 활용하여 제시

> **정황교수의 예**
>
> '피라미드의 공포(Young Sherlock Holmes)'라는 영화를 활용한 비디오디스크 프로그램에서 학생들은 빅토리아 시대의 생활을 이해하기 위해서 영화에 나오는 내용들의 인과관계, 인물들의 동기, 배경의 실제성 등을 점검하도록 되어 있다. 이 영화는 역사적인 이야기, 특히 역사적인 시대를 이해하기 위한 하나의 상황 배경으로 주어진다.

🖉 상황적 학습은 '맥락(context)' 중심적이고, 정황교수는 '테크놀로지' 중심적이다. 즉, 상황적 학습은 구체적이고 실제적인 맥락 속의 문제를 중심으로 학습이 전개되지만, 정황교수는 실제 상황을 모사한 영상매체의 이야기를 통해 학습이 전개된다.

(4) **인지적 유연성(융통성) 이론**(cognitive flexibility theory, 전환학습): Spiro, Coulson
  ① 가정: 복잡하고 다차원적인 개념으로 형성된 지식을 제대로 재현하기 위해서는 '상황의존적인 스키마의 연합체(situation-dependent schema assembly)'를 형성해야 한다.
  ② 인지적 유연성의 의미: 즉흥적으로 자신의 지식을 재구성할 수 있는 능력 ⇨ 급변하는 상황적 요구에 따라 학습자가 지닌 기존 지식과 기능, 관점을 전환하여 적절하게 대처하는 능력
  ③ 교수원칙: 주제 중심의 학습(theme-based search), 학생들이 충분히 다룰 수 있는 정도의 복잡성을 지닌 과제를 세분화하여 제시(bite-sized chunk), 다양한 소규모의 예를 제시(mini-cases)
  ④ 교수-학습방법: 임의적 접근 학습방법(십자형 접근, random access instruction)
    ㉠ 비구조적인 지식에 내재해 있는 복잡한 여러 의미를 비순차적이고 다차원적인 학습전략에 의해 습득함으로써 지식의 전이성을 효과적으로 증진시키는 방법이다.
    ㉡ 컴퓨터를 통한 다차원적이고 비선형적인 하이퍼텍스트 시스템을 활용한다.
      ✎ **십자형 접근** 어떤 특정 과제가 주어졌을 때 그것을 다양한 맥락과 관점에서 접근해 보며, 가르치는 순서도 재배치해 보고, 특정 과제와 연결하여 가능한 한 많은 예들을 다루어 보는 방법을 말한다.
  ⑤ 교육적 의의
    ㉠ 복잡하고 다원적이며 비구조적인 특성을 지닌 고차적인 지식 형성에 유용하다.
    ㉡ 교사는 지식의 지나친 단순화를 피하고, 주제에 대한 다양한 사고를 할 수 있도록 해 주어야 한다.
    ㉢ 교수-학습 환경의 설계에 있어서 지식을 다양하게 표현할 수 있는 환경을 마련해 주어야 한다.
  ⑥ 문제점과 한계
    ㉠ 인간 두뇌의 인지적 작용과 과정에만 초점을 두기 때문에, 지식 구성의 사회적 측면이 무시될 수 있다.
    ㉡ 비구조적인 지식이나 특정 학문의 고급단계에만 적용될 수 있다고 보기 때문에 구조적인 지식이나 초보단계의 지식을 포함하는 다양한 학습상황에 적용될 수 없다.
    ㉢ CFH(인지적 유연성 하이퍼미디어) 프로그램은 주로 개별적 학습을 위해 사용되어진다는 한계를 지닌다.

(5) **문제 중심 학습**(문제 기반 학습, problem-based learning, PBL): Barrows
  23. 국가직 7급, 22. 지방직, 15. 국가직, 10. 전북, 09. 국가직 7급
  ① 개념
    ㉠ 학습자로 하여금 실제 생활과 관련된 복잡하고 비구조화된 문제를 통해 문제해결력 및 그와 관련된 지식(예 개념, 원리, 법칙 등)을 학습하도록 하는 것이다.
    ㉡ 문제 중심 학습이란 '문제로 시작하는 수업'이라고 할 수 있다. 여기서 문제란 정답이 분명하고, 지식 간의 관련성이 적고 단편적이며 학습자의 맥락과 무관한 것이 아니다. 문제 중심 학습에서는 현실 속에서 지식이 학습자와 서로 복잡하게 얽혀 존재하는 비구조화된 문제(ill-structured), 즉 우리 인간이 경험하는 실제 문제를 다룬다. 바로 이러한 문제를 학습자 스스로 해결하도록 할 때 학습자 스스로가 학습을 의미 있게 느끼며, 학습의 효과를 기대할 수 있기 때문이다.

구조적 문제와 비구조적 문제

구조적 문제	비구조적(non-structured) 문제
• 문제의 정의가 쉽게 규명된다. • 문제해결에 필요한 모든 정보가 제공된다. • 문제해결에 초점을 둔다. • 단 하나의 정답만이 확인될 수 있다. • 문제해결에 대한 동기가 낮다(비인지적). • 재생적 사고가 요구된다.	• 문제가 정의되어야 하고, 가능하면 재정의되어야 한다. • 문제해결에 필요한 부가적인 정보가 필요하다. • 문제의 본질에 초점을 둔다. • 여러 개의 서로 다른 해결안이 가능하다. • 문제해결에 대한 동기가 높다(인지적). • 전략적 사고가 요구된다.

② 특징
  ㉠ 전략적 사고를 신장시켜 준다: 문제가 명확하게 구분되지 않을 경우 학습자는 우선 문제를 찾아내고 문제 상황을 분석, 바람직한 상태로 해결되도록 전략을 규명해야 한다.
  ㉡ 실제성(authenticity), 즉 실제생활과 긴밀하게 관련된 문제가 제기된다: 세부적이고 구체적이며 복잡한 실제적인 맥락 속에서의 문제가 주어지면, 학생들은 정의를 내리고 가설을 설정하고 자료를 찾고 경험하고 해결안을 개발하고 문제해결 과정의 효과성을 평가한다.
  ㉢ 문제상황에 직면하게 된 학생들에게는 추론 기능(reasoning process skill)과 자기주도적 학습 기능(self-directed learning skill) 등 두 가지 중요한 기능이 요구된다.

(가설 – 연역적) 추론 기능	실제 상황과 관련된 복잡한 문제에 직면하여 대안적 가설을 설정하고, 가설 검토를 위한 자료를 수집하며, 자료를 분석하고 종합하여, 최종 진단과 처방을 제시한다. 이때 추론 기능은 지식 기반과 연계되어야 한다. 추론 기능과 지식 기반은 문제해결에 모두 필수적이다. 추론 기능만 있고 지식 기반이 없는 경우에는 효과적으로 문제를 진단하고 처방을 제시할 수 없다.
자기주도적 학습 기능	학습자는 자신들이 경험하지 못한 독특한 문제에 적응해야 하며, 문제해결에 필요한 새로운 지식들을 이해해야 한다. 이러한 요구는 끊임없는 학습과정을 통해서 해소될 수 있으며, 따라서 스스로 학습할 수 있는 자기주도적 학습 기능은 매우 중요하다.

③ 의학교육과 경영교육 분야에 근원을 둔 독창적 교육방법이었으나 구성주의에 접목되어 학교교육에 활발하게 도입·적용되고 있다.
④ 문제해결력은 물론 문제에 대한 자기 견해나 입장을 전개(develop)·제시(present)·설명(explain)·옹호(defense)해 봄으로써 지식 구성력을 신장시킨다.
⑤ 자기주도적 학습(self-directed learning)과 협동학습(cooperative learning)으로 진행
  ㉠ 학습자는 학습 과정에서 주인의식(주도권)을 갖고 학습활동(예 학습목표 설정, 학습속도 조절, 학습상황 점검 등)을 자발적이고 능동적으로 주도해야 한다.
  ㉡ 학습자는 다른 사람과 함께 문제를 해결할 수 있는 방안을 수립하고 실행해야 한다. 협동학습을 통한 문제해결 과정에서 학습자들은 아이디어를 공유하고, 다양한 견해를 경험하며, 자신의 사고를 명료화하고, 자신의 사고를 수정할 수 있다.
  ㉢ 교사는 지식을 일방적으로 전달하는 역할이 아니라 학생을 지원하고 조력하는 안내자·지원자·촉진자의 역할을 수행한다.
⑥ 학습 과정: 문제사례의 제시 ⇨ 자기주도적 학습 ⇨ 소집단학습 ⇨ 일반화 ⇨ 반성

⑦ 학습결과에 대한 평가는 물론 학습 과정에 대한 평가도 중시한다. 또 교사 평가는 물론 학생 자신의 평가와 동료 학생들의 평가도 포함한다.

(6) **상보적 교수이론**(상호적 교수, Reciprocal Teaching Theory) : Palincsar & Brown
① 교사와 학생 간 또는 학생 상호 간 대화형태로 학습 과정이 전개되는 수업형태 ⇨ 주어진 교재의 의미를 보다 정확히 이해하려는 독해(읽기 이해) 능력 향상이 목적
② 비고츠키(Vygotsky) 이론에 근거하여 상호작용과 발판화를 강조한다. 교사가 먼저 시범을 보인 다음 교사와 학생이 교사역할을 교대로 수행하는 상호작용적이고 구조화된 대화를 포함하고 있다.
③ 수업전략
   ㉠ 요약하기(summarizing) : 내용을 학생들이 이해한 대로 자신들만의 용어로 표현하기
   ㉡ 질문 만들기(questioning) : 단순 사실의 확인부터 이해, 적용, 분석, 종합, 평가에 이르기까지 다양한 수준의 질문을 직접 만들어 보기
   ㉢ 명료화하기(clarifying) : 어휘의 뜻을 사전이나 질문을 통해 명확히 파악하기
   ㉣ 예측하기(predicting) : 교재 내용 다음에 이어질 내용을 예측하기

   | 상보적 교수방법의 예시 |

   교사는 교재를 읽으면서 자신이 읽은 내용을 요약하고, 의문을 제기하고, 이해가 어려운 부분을 명료화하고, 뒤에 어떤 내용이 나올 것인지를 예측한다. 점차 교사는 학생에게 교사역할을 수행하도록 유도한다. 학생은 교사의 시범을 관찰해서 학습한 기능을 다른 학생들에게 시범을 보이고 설명한다.

(7) **목표기반 시나리오**(GBS ; Goal-Based Scenarios) : 섕크(R. Schank)
① 개념
   ㉠ 실제적인 과제(authentic task)를 해결하는 과정에서 다양하고 복잡한 학습환경에 내재되어 있는 지식과 기능을 획득할 수 있도록 하고, 학습자의 능동적인 참여활동(자기주도적 학습)과 협동학습을 강조하는 학습자 중심의 교육모형
   ㉡ 구체적인 행위를 통해 학습 목표를 성취하도록 적절한 교육적 상황을 제공하고 이를 통해 핵심적 기술을 연습시키고 관련지식을 사용하여 주도적으로 학습목표를 이루도록 하는 구성주의적 학습방식
   ㉢ 다양한 도구와 정보를 제공받으며, 주어진 실제적 과제를 수행하는 과정에서 사전에 설정된 목표를 달성해가는(Learning by Doing) 시뮬레이션 학습(R. Schank)
② 목적 : 학습자의 내재적인 생각과 관찰로 인해 문제를 해결하는 것이 아닌 경험적 사례를 기반으로 문제의식을 추리하고 앞으로 다가올 사건을 해결할 수 있는 능력을 제공
③ GBS의 이론적 토대 : 역동적 기억 이론, 사례기반 추론학습
   ㉠ 섕크(Schank)의 역동적 기억 이론(dynamic memory theory) : 기억된 경험의 구조와 그 경험들의 추출, 사용, 변형의 역동적 과정에 대한 이론 ⇨ 기억, 이해, 경험, 학습이 서로 분리될 수 없다는 것을 전제
      ✎ 역동적은 항상 변하는(changing) 상태를 의미

ⓒ **사례기반 추론학습**: 새로운 문제에 직면한 경우, 과거의 유사한 경험으로부터 관련된 사례를 회상하고 현재의 과제와 연관지어 답을 찾으려는 문제해결 기법

④ 수업 구성요소: GBS 모형의 설계 절차

수업 구성요소	주요 활동
학습목표(goals) 설정	학습자가 발견하기를 원하는, 갖추어야 할 핵심기술(Target Skill) ⇨ 과정 지식(방법적 지식)과 내용 지식(명제적 지식)
미션(Mission, 임무)의 설정	• 학습자가 설정된 학습 목표를 성취하기 위해 수행해야 할 과제 • 학습자들이 처하게 되는 실제 상황과 유사한 형태의 과제 ⇨ 미션을 수행하는 과정에서 설정된 목표가 달성되도록 설정
커버스토리(CoverStory, 배경이야기) 개발	• 목표달성을 위해 학습자들이 수행할 미션을 이야기 형식으로 설명한 것 • 학습목표를 성취하기 위한 임무의 배경이야기 • 학습자의 특성 및 관심 분야 다각적 고려하여 실제적으로 설정 ⇨ 학습동기 유발
역할(Role) 개발	• 학습자들이 커버스토리 내에서 맡게 되는 인물(역할)
시나리오 운영(Scenario Operation) 설계	• 학습자들이 미션을 수행하는 모든 구체적인 활동 **예** 컴퓨터에서 필요한 강좌 듣기, 팀활동하기, 교실 외 학습자원 활용하기, 전문가 이견 듣기, 선행연구자료 읽기 등 • 학습목표 달성을 위해 학습자가 행하는 모든 활동
학습자원(Resources)의 개발	학습자가 미션을 수행하는 데 필요한 각종 정보 **예** 교재, 인터넷 사이트, 논문, 비디오클립, 전문가 등
피드백(Feedback) 제공	학습자들이 학습을 진행해 가는 과정에서 겪는 어려움 해결 및 학습수행 지원

⑤ 특징
　　㉠ **목적지향성**: 학습자들은 일상에서의 실제 상황들이 그들에게 부여하는 목적 지향성으로 인해 이 상황에 주목하게 되고, 추론하고 결국 학습한다.
　　㉡ **기대실패(expectation failure)**: 기대실패는 현재 가지고 있는 지식이 부정확하거나 부족하다는 사실의 반증이며, 효과적인 학습은 현재 가지고 있는 지식의 부족을 채워보려는 시도의 실패를 겪으면서 이루어진다. 이 기대실패는 부정적 방향의 실패와 긍정적 방향의 실패를 모두 포함한다.
　　㉢ **사례기반의 문제해결과정**: 학습은 재사용이 가능한 새로운 문제해결 사례의 축적 과정으로 파악된다. 기대실패에 의해 촉발된 문제상황은 학습자로 하여금 그 문제의 답을 찾기 위해 과거의 경험을 활용하게 되고 당면문제가 해결된 이후에 그 해결 사례는 기억 속에 축적되어 유사한 문제가 생겼을 때 보다 효과적인 답을 찾는 데 기여하게 된다.

⑥ 문제해결학습, 정황교수와의 비교
　　㉠ **공통점**: 구성주의에 기반을 둔 학습자중심 학습전략, 이야기중심 기반 학습전략, 실제적 과제 제시
　　㉡ **차이점**: 구조화된 학습목표, 실제상황을 빗댄 시나리오를 바탕으로 한 구조화된 학습환경 제공

6 자기주도적 학습(Self-Directed Learning ; SDL)

1. 개요

(1) 노울즈(Knowles)가 성인학습의 한 형태로 주장 ⇨ 평생학습 추진의 중심 개념으로 인정

(2) 주요 개념은 학습의 자기주도성(self-directedness) ⇨ 학습자의 주도적 역할, 학습자 스스로 학습하는 능력이 핵심

(3) 근원이 되는 철학적 배경은 인간의 본성에 관한 인본주의적 관점이라고 할 수 있다.

(4) 학습의 전 과정(학습 project 설정 ⇨ 학습목표 설정 ⇨ 학습전략 수립 ⇨ 학습 진행 ⇨ 성취평가 등)을 학습자가 스스로 진행

2. 학습목표

(1) **학습할 수 있는 힘**: 학습방법, 기초·기본기능

(2) **학습하고자 하는 의지**: 학습의욕

(3) **스스로 학습을 계속하려는 힘**(평생학습력): 인내력, 판단력, 감수성

3. 학습원리

(1) 학습욕구와 동기의 계속적인 자기 확인(self-confirmation)

(2) 학습계획의 자율적 수립(self-planning)

(3) 학습 과정에서 능동적이고 적극적인 자기주도권(self-initiation)

(4) 학습기회·방법·자료의 자율적 선택의 원리(self-selection)

(5) 학습속도의 자율적 단계 조절(self-pacing)

(6) 학습에서 학습자이면서 자율적인 교수자의 역할(self-tuition)

(7) 학습결과의 자기평가력(self-evaluation)

7 자기조절학습(Self-Regulated Learning)

1. 개념

학습자가 스스로 학습 요구를 규명하여 학습상황을 통제하고 책임감을 감당하며, 학습목표에 도달하기 위하여 적합한 학습전략들을 적용함으로써 자신에게 고유하고 의미 있는 학습 과정과 결과를 산출해내는 과정이다. 학습자의 주도성과 적극성을 전제로 한 학습모형이다.

2. 자기조절학습 전략의 구성요소

자기조절학습 전략의 구성요소		의미
초인지 (메타인지) 전략	계획활동(planning)	학습을 효율적으로 하기 위해 필요한 전략을 계획적으로 선택하는 것 ⇨ 학습자로 하여금 주어진 문제를 해결하거나 학습목표에 성공적으로 도달하기 위한 학습 절차와 단계들을 효과적으로 선정하고 배열하는 것
	모니터링 (자기점검 / self-monitoring)	과제를 수행하는 동안 자신의 이해 정도 및 상태를 스스로 점검하는 활동 ⇨ 인지 과정에 대한 계속적인 통제 과정으로, 학습 과정 및 자신이 선택한 문제해결 절차에 대한 일련의 재확인 및 검토 과정
	조절전략(교정 / revising)	학습진행상에 문제가 발생할 때 현재 사용하고 있는 전략들 또는 인지 과정을 수정하는 것 ⇨ 자신의 학습행동을 교정하고, 잘못 이해된 부분을 고침으로써 학습을 향상시키기 위한 것
인지전략	시연(rehearsal, 암송)	작업기억 속에서 정보가 망각되지 않게 학습내용을 외우거나 소리내어 읽는 것 예. 수업 후 중요한 내용 상기하기
	정교화(elaboration)	학습자료의 유의미성을 높이기 위해 새로운 정보를 이전 정보와 관련을 맺는 것 예. 적극적인 노트 필기 강조하기
	조직화(organization)	학습내용을 쉽게 이해할 수 있도록 내용 요소들 간의 관계를 논리적으로 구성하고 위계화시키는 것 예. 개념지도 작성 및 개념지도 예시안을 제공하기
동기전략	자기효능감(self-efficacy)	학습자가 주어진 학습상황에 대처하여 성공적인 학업성취를 가져올 수 있다는 믿음 예. 자기조절학습 능력 검사 결과와 동시에 긍정적인 피드백을 제공하기
	숙달목표 지향성	학습의 결과보다는 새로운 지식과 기능을 습득한다는 것에 대한 내재적 가치를 우선시하는 것
	자기가치	학습자가 자신의 학습과제가 가치있다고 생각하는 것 ⇨ 중요성 가치, 활용성 가치, 내재적 가치 예. 내외적 가치를 고취시키기 위해 매주 전공 관련 선배 1인과 인터뷰 제공하기
	통제인식 (perception of control)	학업성취의 성공이나 실패의 결과가 학습자 자신에게 책임이 있다고 이해하는 것
	시험 불안	예. 시험 전에 시험 불안을 극복할 수 있는 tip 제공하기

행동전략	행동통제	포기하지 않고 계속 나아가는 능력
	도움구하기	자신의 힘으로 해결하기 힘든 학습장애에 직면했을 때 동료나 선생님에게 도움을 구하는 것
	(학습) 시간관리	학습시간을 효과적으로 관리하기
	정보 탐색하기	학습에 필요한 정보를 효과적으로 탐색하기

MEMO

Index

ㄱ

가네(Gagné)	472
가네의 목표별 수업이론	512
가드너(Gardner)	370, 377
가설·연역적 사고	342
가속화(acceleration)	63
가역적 사고(reversibility)	340
가치론	191
가치요인	399
가치지향성	27
가치화(Valuing)	264
가현(假現)운동	429
각촉부시	99
간격강화	423
간섭설	446
간헐적 강화	423
갈등(conflict)	457
갈등론적 교육관	273
감각교육	166
감각등록기	437
감각운동기	338
감각적 실학주의	168
감수(感受)	264
강독(講讀)	101
강학소(講學所)	104
강화(Reinforcement)	421
개념학습	517
개발 단계	478
개별처방식 수업	500
개별화 수업	499
개별화의 원리	468
개인적 인문주의	159
개화	178
객관주의	518
거시체계	332
검증의 원리	219
겔피(Gelpi)	43
겟젤스(Getzels)	386
격몽요결	114
결과차원(product)	368
결정성 지능(gc)	369
결핍동기	394
결합설	417
경(敬)사상	112
경당	86, 88
경신학교	131
경외학교절목	111
경험적 요소	376
경험중심 교육과정	267
계명	23
계몽주의	146
계발주의 교육	150
계발주의	179
계속교육	36
계속성(continuity)	248
계속적 강화	423
계열성(sequence)	248, 250
계절적 주기	333
계통	183
계획성	27
고급문답학교	155
고르기아스(Gorgias)	149
고립(isolation)	462
고전적 대리조건형성전형	452
고전적 조건화설	411
고정간격강화	423
고정비율강화	423
고착(fixation)	462
고타 교육령	164
공개토의	487
공거제	119
공격기제	463
공관	101
공교육체제	230
공동체주의	231
공식적 교육과정	265
공자	239
공재	101
과잉교정	427
과정적 준거	23
과학성의 원리	469
과학적 실리주의	185
관념론	191
관점전환학습	60
관찰학습	449
관학	100
광역 교육과정	266
광의의 교권	81
광혜원	127
교과	277
교과중심 교육과정	266
교과중심 중핵 교육과정	268
교관	103
교궁·제관	103
교권	81
교부철학	155
교생	103
교수설계모형	479
교수요목기	284
교원의 권위	82
교육가능설	26, 237
교육과정의 유형	265
교육론(Education)	185
교육만능설	19, 177
교육목적(aims)	29
교육목표(objectives)	29
교육목표의 분류	262
교육비지급 보증제	232
교육심의회(敎育審議會)	141
교육이념(ideology)	29, 120
교육입국조서	126
교육학(Pedagogy)	182
교화	177
구강기	353
구성주의 학습	230
구성주의 학습모형	517
구성주의	518
구임법	103
구재지법	101
구재학규	102
구조(structure)	218
구조주의(Structuralism)	218
구체적 조작기	340
국가주의(Nationalism)	184
국자감(國子監)	86, 94
국학(國學)	86, 91
국학향사	94
군집성(crowd)	278
군집요인설	367
굿래드(J. I. Goodlad)	502
궁리	100, 237
궁정학교	156
권근	110, 111
권당	101
권력관계(power)	278
권학관	93
권학사목	110
귀인(歸因)이론	396
규범적 준거	23
규범적 지식	195

규범철학	191		ㄷ		듀이(Dewey)	27, 198, 200, 201, 203
균형	199	다베(R. H. Dave)	37, 44	드 보노(de Bono)	389
근속법	103	다요인설	367	드레이크(Drake)	275
근접발달영역(ZPD)	345	다중저장고 모형	436	들뢰즈(Deleuze)	227
글레이저(Glaser)	477	다중지능이론	370	딕(Dick)	479
글레이저의 수업과정모형	477	단기기억	437	딜타이(Dilthey)	26, 187
긍정적 전이	455	단상토의	486		
기대×가치이론	399	단선형 학제	75, 76	ㄹ	
기대구인	399	단위학교 책임경영제(SBM)	232		
기대특전현상	469	단층제	97	라블레(Rabelais)	166
기독교(선교계) 사학	131	달톤 플랜(Dalton Plan)	500	라살(La Salle)	165
기사도	90	대담토의	487	라이겔루스의 정교화이론	483
기사도 교육	157	대리적 강화	450	랭그랑(Lengrand)	34, 44
기술적 이론	468	대상영속성	338	러그	210
기초교육	36	대승기신론소	90	레반즈	60
기호-형태설	433	데미아쉬케비치	205	레빈(Lewin)	432
기회균등	31	데시(Deci)	398	레빈슨(D. Levinson)	332
긴급조치기	284	데카르트	196	렌줄리(Renzulli)	61
길리건(Gilligan)	362, 363	도구적 이성	222	로마클럽 6차 보고서	61
길포드(Guilford)	367	도구주의(instrumentalism)	204	로스켈리무스(Roscellimus)	157
김종서	46, 279	도당유학	86, 89	로욜라(Royola)	165
김호권	244, 467	도덕성 발달단계	359	로젠탈(Rosenthal)	469
		도덕성 발달이론	358	로크(Locke)	19, 167
ㄴ		도덕성(morality)	26, 357	루두스(ludus)	153
		도덕화	178	루소(Rousseau)	20, 26, 173, 180, 198
나선형 교육과정	270	도야	19		
나토르프(Natorp)	27, 196	도우미학습	497	루터(Luther)	163
남궁억	138	도제(徒弟) 교육	157	르네상스(Renaissance)	159
남근기	353	도피기제	462	리안(Ryan)	448
남반(南班)	98	독립 연구	62	링겔만 효과	495
낭가사상	91	독립변인	510		
낭만주의, 실증주의	146	독서삼품과	92, 93	ㅁ	
내법좌평	86, 88	독창성(originality)	384		
내용차원(contents)	368	독학학위제	58	마리땡	147, 207, 208
내재적 동기	395	돈오	99	만남(encounter)의 교육	216
내재적 목적	29	동규(童規)	122	망각(忘却)	445
내향성(introversion)	351	동기유발전략(ARCS 모델)	401	망각곡선	447
노동직관	80	동당감시	98	매개변인	510
노울즈	60, 528, 529	동몽선습	107	매력성(appeal)	472
노작교육의 원리	180	동문학	127	매사추세츠 교육령	164
노작이론	186	동시조건화	414	매사추세츠 우즈호울 회의	269
논리실증주의	219	동시학습전형	452	매슬로우(Maslow)	394
논리적 사고	342	동일시(identification)	460	맥락적 요소	376
논리적 지식	195	동일시전형	452	맥킨타이어(MacIntyre)	231
논리학	191	동작성 보편지능검사	381	머레이(Murray)	395, 403
능력심리학	19	동재·서재	102	메를로 퐁티(Merleau-Ponty)	216
닐(Neill)	68, 187, 198	뒤르껭(Durkheim)	27	메릴(Merrill)	472

메릴의 구인전시이론	480
메이거(Mager)	473
메지로우	60
메타인지	437, 444
메타인지전략	445
메타인지 이론	457
멜란히톤(Melanchton)	163
명료	183
명료화	522
명륜당	102
명시적 기억	439
명제적 사고	342
명제적 지식	194
모더니즘 교육	230
모라토리움(Moratorium)	409
모렌다(Molenda)	478
목적의 원리	469
목표별 수업이론	512
목표이론(목표지향이론)	400
몬테소리(Montessori)	186, 198
몽테뉴(Montaigne)	167
무시행학습	452
무애(無碍)사상	90
무애가	91
무의도적 교육	26
무임승객 효과	495
무조건반사	411
무조건반응	411
무조건자극	411
무학년제(Non-Graded System)	502
무형식적 교육	37
문답학교	155
문무7재	94
문법학교	153
문예부흥	162
문제 중심 학습	524
문제제기식 교육	223
문제해결학습	517
문하생 학력인정제	59
문화성	26
문화전계	26
물활론적 사고	338
미시체계	331
민족사학	130
민족주의 사학	137
민주성	45
밀턴(Milton)	166

ㅂ

바이너(Weiner)	396
바제도우(Basedow)	176
박사	86
박사제도	88
박세무	107
박은식	137
박지원	118, 124
박학심문	99
반동형성(reaction formation)	461
반두라(Bandura)	398, 449
반사(反射)	411
반성	522
반어법(反語法)	150
반응(反應)	264
반응대가(response cost)	427
반응변용이론	420
발견학습	270, 508
발견학습모형	506
발달과업	365
발달과업이론	365
발도르프 학교	67
발판제공(Scaffolding)	522
발판화	345
방법	183
방법적 지식	194
방법조건	194
방어기제	459
방정환	140
방편설(方便說)	91
배글리	205
배들레이(Baddley)	436
배심토의	486
배재학당	131
백운동 서원	105
백지(tabula rasa)	19
버즈학습(buzz learning)	487
버크(Burk)	500
버클리	196
번쇄(煩瑣)철학	156
벌(Punishment)	424
범애(汎愛)주의	175
범애학교	176
베르트하이머(Wertheimer)	429
베이컨(Bacon)	168
변동간격강화	423
변동비율강화	424

변별학습	516
변화	22
변환적 추리	339
병렬포섭	511
보비트(Bobbitt)	243
보상(compensation)	460
보상기대	435
보존성 개념	341
보통 학제	76
보통학교령	132
보편성	45
보편적 사회화	27
복선형 학제	75, 133
복지모형	46
본산학교	155
본질주의	205
볼노브(Bollnow)	215
볼테르	146
봉 효과	496
부버(M. Buber)	216
부익부 현상	495
부적 강화	422
부정(denial)	462
부정적 전이	455
부호화(encoding)	442
부화 효과(incubation effect)	385
분과 교육과정	266
분기형 학제	75
분석 단계	478
분석력(Analysis)	263
분석적 기능	192
분석철학	219, 220
불가독설	123
브라멜드(Brameld)	27, 210
브레인스토밍(Brainstorming)	387
브루너	218
브루너의 발견학습모형	506
브리그스	147, 205
브리드	147, 205
블룸(Bloom)	262, 472
블룸(Bloom)의 완전학습모형	505
비계설정	345
비고츠키(Vygotsky)	344, 348, 349
비교조직자	509
비네-시몬검사	377
비베스(Vives)	166
비유관강화(우연적 강화)	421
비율강화	423

비율지능지수	382	생애주기이론	332	손다이크(Thorndike)	367, 417
비토리노(Vitorino)	160	생활연령(CA)	382	수기 위천하인	27, 123
비판이론(Critical theory)	222	생활영역 교육과정	268	수도원학교	88, 155
비형식적 교육	36	생활준비설	26	수동적 방임자	186
		샤벨슨(Schavelson)	405	수동적 백지설	19, 168

ㅅ

		서당(書堂)	86, 96, 106	수렴적(집중적) 사고력	368
사도부	86, 89	서머힐(Summerhill)	68, 187	수령칠사	103
사립학교령	132	서스톤(Thurstone)	367	수사학교	153
사묘(祠廟)	104	서원	86	수서원	93
사변철학	190	서재(書齋)	97	수업(teaching)	466
사부학당	86	선견형 학습	61	수업목표	472, 477
사사 프로그램(mentor program)	62	선행간섭	446	수업목표의 분류	472
사실적 지식	195	선행조직자	509	수업사태	514
사액서원	105	설계	256	수업의 절차	522
사이버대학	52	설계 단계	478	수업절차	477
사학(四學)	102	설단현상	443	수업지도	474
사학(私學)	104	설명조직자	509	수용학습	508
사학합제	103	설총	91	수직적 사고	389
사회교육	36	섬머힐 학교	198	수직적 원리	248
사회성	27	성(誠)사상	113	수평적 사고	389
사회적 교육학	27	성격발달이론	355	수평적 원리	248
사회적 실학주의	167	성격이론	350	숙고형(熟考型)	391, 392
사회적 인문주의	160, 161, 162	성균관	86, 100	숙의	256
사회적 자아실현	27	성균관의 명칭	100	숙의(熟議)모형	255
사회적 태만	496	성분적 요소	376	순환교육	36
사회주의 모형	46	성장(growth)	204	쉘던(Sheldon)	351
사회학습이론	327	성장동기	394	슈타이너	67
사회화의 원리	469	성중애마(成衆愛馬)	98	슐라이마허	146
산타바바라 안(Santa Babara Plan)	500	성직관	79	슐리히(Schulich)	219
산파법(産婆法)	150	성취경향 강도	403	스노우(Snow)	500
삼국사기	89	성취과제분담모형	498	스캐거(Skager)	44
삼원지능이론	374	성취동기	395	스코프(scope)	249
삼장연권법(三場連卷法)	98	성학집요	114	스콜라 철학	155, 156
상관 교육과정	266	세계도회	169	스키너(Skinner)	419, 502
상관적 포섭	510	세뇌	23	스키너 상자(Skinner Box)	420
상대론	191	세미나	487	스턴버그(Sternberg)	374, 377
상반행동강화	427	소거(extinction)	414, 416, 427	스텐포드-비네검사	378
상보적 교수이론	526	소거에 대한 저항	427	스파르타	148
상찬(praise)	278	소거폭발	427	스펙트럼 교실	372
상태불안(state anxiety)	408	소멸적 포섭	511	스펜서(Spencer)	185, 198
상호작용	501	소쉬르	218	스폴딩	37, 38
상황적 학습	523	소크라테스	150	스프랑거(Spranger)	26, 187
상황학습이론	457	소피스트(Sophist)	149	스피어만(Spearman)	366
생성 교육과정	268	소학	102	슬래빈(Slavin)	497
생식기	354	소학교	129	승보시	103
생애교육	36	소학교령	129	승화(sublimation)	460
		속성열거법(Attributing listing)	390	시간체계(연대체계)	332
		속응형(速應型)	391	시넥틱스 교수법(Gordon법)	388

시넥틱스(Synectics)	388
시범보이기(Modeling)	522
시연(試演)	441
시장모형	46
시행착오설	417
시험불안	409
식년시	109
식목도감	95
신간회	135
신경망모형	448
신경망이론	449
신교육운동(New Education Movement)	186
신근성효과	436
신념조건	194
신인문주의(Neo-humanism)	178
신자유주의(Neo-Liberalism) 교육	231
신채호	137
신호학습(signal learning)	516
실재론	191
실존(實存)	213
실존주의	212
실천학습	59, 60
실학	117
실학주의(Realism)	165
심리운동적 영역	264
심적 포화	427
십학	95

ㅇ

아규	107
아동 중심 교육	173
아동의 세기	26
아동의 집	186, 198
아들러	147, 207, 208
아리스토텔레스(Aristoteles)	151
아우구스티누스	155
아지리스와 쉔	61
아테네	148
아학편	106, 123
아희원람(兒戱原覽)	107
안드라고지	48
안면타당도	31
안셀무스(Anselmus)	157
안정복	118
안정성(safety)	472
안창호	139
안향	99
알기 위한 학습	40
암묵적 기억	439
압박감	458
애론슨(Aronson)	497
앤더슨(H. H. Anderson)	502
앳킨슨(Atkinson)	403
앵커드 교수	523
양노례(養老禮)	103
양산(量産)	387
양육	177
양향설	351
양현고	94, 102
억압(repression)	462
언어연상학습	516
에라스무스(Erasmus)	160
에릭슨(Erikson)	355, 357
에밀(Emile)	174
에버를(Eberle)	388
에빙하우스(Ebbinghaus)	435, 447
엘렌 케이(Ellen Key)	26, 186, 198
여사(女師)제도	93
여섯 가지 사고모자	389
역조건형성	416
역행조건화	414
연계(연관)	199
연속성(continuity)	250
연쇄학습	516
연습의 법칙	419
연합	183
열린 자아인	222
영(零) 전이	455
영교육과정	245
영재	61
영재교육진흥법	62
예술적 접근모형	257, 259
오산학교	131
오수벨(Ausubel)	510
오수벨의 '유의미 수용학습'	507
오스웨고 운동	181
오이디푸스 콤플렉스	354
오이리트미(Eurhythmie)	68
오즈번(Osborn)	387, 388
오코너	28
오크(Oak)학교	469
올센	147, 203
올포트(Allport)	350
완전학습	428
왈라스(Wallas)	385
왓슨	19, 415
외재적 동기	395
외재적 목적	30
외체계	332
외향성(extraversion)	351
요약자(summarizer)	484
욕구불만	457
용암법(fading)	427
우즈호울(Woods Hole) 회의	269
워시번(Washburne)	499
원리	426
원리학습	517
원산학사	130
원시적 자연주의	173
원점절목	102
원탁토의	486
원효	90
월반제도	63
웩슬러(Wechsler) 지능검사	378
웰페	417
위기지학(爲己之學)	112
위네트카 안(Winnetka Plan)	499
위인지학(爲人之學)	113
위트킨	390
유경습업	93
유관 불심	93
유관강화	421
유교(儒教)	87
유덕선정	91
유동성 지능(gf)	369
유목화	506
유심연기	90
유의미 수용학습이론	508
유의미학습	519
유창성(fluency)	383, 385
유치원(Kindergarten)	183
유형원	117, 119
육영공원	129
육예	236
융(Jung)	351
융통성(flexibility)	45, 383
융합 교육과정	266
은물(恩物)	184
은행저금식 교육	223
음서제	110
음서제도(蔭敍制度)	98, 109

의도성	27
의무교육	31
의미기억	439
의사소통 장애	66
이규호	28
이덕무	121
이색	99
이소크라테스	149
이승훈	140
이원론	191
이이	110, 113
이익	118, 120
이중고리학습	61
이중처리	438
이해력(Comprehension)	262
이화학당	131
이황	112
인간중심 교육과정	273
인간행동	22
인격화(Characterization)	264
인그람(Ingram)	275
인문적 실학주의	166
인문주의(Humanism)	159
인본주의 심리학	328
인식론	191
인지구조	337
인지기능	336
인지발달이론	344
인지적 도제이론	522
인지적 사고력	368
인지적 영역	262
인지적 유연성 이론	524
인지적 준거	23
인지전략 촉진자	484
인지전략	445, 515
인지주의	328
인출(retrieval)	443
인출실패설	446
일렉트라콤플렉스	354
일리치(Illich)	42, 43
일상기억	439
일상언어 분석주의	219
일심(一心) 사상	90
일원론	191
임하경륜(林下經綸)	122
입문(入門, initiation)	24
입학도설	111

ㅈ

자극 변별	413
자극·반응 연결학습	516
자극일반화	413
자기 검증의 원리	503
자기 구성의 원리	502
자기 속도의 원리	503
자기가치이론	401
자기결정이론	398
자기조절학습	529
자기주도적 학습	59, 60, 528, 529
자기중심적 사고	339
자동화	438
자발성의 원리	468
자발적 회복	414
자석학교(Magnet school)	232
자성예언	470
자신감(self-confidence)	405
자아정체감 유예	407
자아정체감 폐쇄	407
자아정체감 혼미	407
자아존중감(self-esteem)	405
자아효능감(self-efficacy beliefs)	398
자연성	26
자연인(noble savage)	174
자연주의(Naturalism)	172
자유교육(liberal education)	147
자유등록제	232
자유인(free man)	29
자유토의	486
자율적 도덕성	358
자율적인 협동학습(Co-op, Co-op)	499
자율학교	70
작동기억	437
잘쯔만(Saltzman)	146, 176
잠복기	354
잠재영역	345, 346
잠재적 교육과정	245, 278, 280
잠재학습	435
잡로(雜路)	98
잡학	86, 104
장(場)이론	432
장(場, field)	432
장기기억	437, 438
장독립형	391

장의존형	391
재건주의	27, 209
재체제화설	446
재택교육(Home schooling)	79
재택학습(home schooling)	52
재회	101
잭슨(Jackson)	278, 386
적극적 반응의 원리	502
적성	475, 501, 506
적성처치 상호작용모형	500
적용 단계	478
적용력(Application)	263
적응기제	459
전개념기	338
전고국조례	126
전도추리	339
전문인력 정보은행제	52, 53
전문직관	80
전인성	27
전조작기	338
전체성	45
전통적 지능	370
전학후묘	104
절대론	191
점성원리	355
점수	99
점진학교	131
접장제도	106
정교성(elaboration)	384
정교화이론	483
정몽주	99
정범모	28
정보처리이론	449
정보처리 학습이론	512
정상화이론	186
정서 및 행동장애	65
정신분석학	326
정신연령(MA)	382
정신지체	64
정약용	118, 123
정의적 영역	264
정적 강화	422
정착교수	523
정혜쌍수	99
정황교수	523
제1차 교육과정	284
제1차 조선교육령	134
제2차 교육과정	284

제2차 조선교육령	134	
제3차 교육과정	284	
제3차 조선교육령	134	
제4차 교육과정	285	
제4차 조선교육령	134	
제5차 교육과정	285	
제6차 교육과정	285	
제강절목	102	
제술(製述)	101	
제이콥슨(Jacobson)	469	
제임스(James)	200	
조건반응	411	
조건자극	411	
조건화	23, 411	
조교제도	99	
조기이수제도	63	
조기입학제도	63	
조망 수용능력	339, 340	
조선교육령	133	
조선민립대학	136	
조선어학회	135	
조작적 조건화설	419	
조작차원(operation)	368	
조직성(organization)	384	
조직화(Organizing)	264	
조합적 사고	342	
존심양성	100	
존재론	190	
존재하기 위한 학습	40	
종교개혁	162	
종교성	26	
종속변인	510	
종속포섭	510	
종학(宗學)	86, 104	
종합력(Synthesis)	263	
종합자(synthesis)	484	
좌주문생제도	98, 110	
주관적·심리적 자연주의	173	
주요 저서	114	
주의집중(attention)	440	
주입	19	
주자감(冑子監)	93	
준비성	475, 506	
준비성의 법칙	419	
줌렌즈의 방법	483	
중간언어(middle language)	269	
중간체계	331	
중다관점(multiple perspectives)	520	
중다분류(classification)	341	
중다서열(seriation)	341	
중도인	90, 91	
중립자극	411	
중앙집권형	282	
중핵 교육과정	268	
쥐의 미로찾기 실험	434	
즉시 확인의 원리	502	
즉시강화	420	
증거조건	194	
지각(知覺)	441	
지각적 중심화	339	
지눌	99	
지능구조모형(SOI)	367	
지능지수(IQ)	382	
지방분권형	282	
지성화(intellectualization)	461	
지식(Knowledge)	262, 517, 520	
지식구조	519	
지식론	227, 228	
지식의 구조	270	
지식의 형식	23	
지연조건화	414	
지적 수월성	506	
지행병진(知行並進)	112	
직관의 3요소	179	
직관의 원리	180, 469	
직관적 사고기	338	
직소(Jigsaw)모형	496, 497	
직소Ⅰ모형	497	
직소Ⅱ모형	497	
직접모방전형	451	
진단학회	137	
진리대응설	197	
진리정합설	196	
진리조건	194	
진보주의(Progressivism)	20, 203	
집단조사	497	
집단지능검사	380	

ㅊ

참여학습	523
참평가(authentic assessment)	258
처방적 수업이론	512
처방적 이론	468
처치	501
천국준비설	26
천도교	135
천자문	106
청킹(chunking)	438
체계적 둔감법	417
체계적 사고	342
체제적 교수설계모형	478
체형기질설	351
초두효과	436
최충	96, 99
최치원	91
최한기	124
추가교육	36
추상적 사고	342
출발점행동	475, 477, 506
취소(Withdrawal)	461
취재	110
취재제도	109
치환(displacement)	461

ㅋ

카(E. H. Carr)	86
카건	391
카네기 고등교육위원회	39
카알 대제	156
카운츠	210
카텔(Cattell)	351, 369
칸트(Kant)	26, 146, 177, 196
칼뱅(Calvin)	163
캐롤(Carroll)	504
캐롤의 학교학습모형	504
캐리(Carey)	479
커닝햄	147, 207, 208
컴퓨터 보조 수업(CAI)	428
켈러	401
코메니우스(Comenius)	26, 169, 198
코칭(Coaching)	522
코프카(Koffka)	446
콜린스(Collins)	522
콜버그(Kohlberg)	358, 363
콜브	60
쾰러(Köhler)	431
쿠레레(Currere)	242
퀸시 운동	181
퀸틸리아누스(Quintilianus)	154
크로플리	38

크론바흐(Cronbach)	500	
크롱라라 학교	69	
크리크	146	
키 스쿨	372	
키케로(Cicero)	153, 161	
키케로주의	161	
킬패트릭(Kilpatrick)	147, 200, 493	

ㅌ

타율적 도덕성	358
타일러(Tyler)	253, 472, 473
타임아웃	427
탈레스	198
탈중심화(decentration)	340
탐색	522
태학	86, 87
테일러(Taylor)	243
토대 다지기	256
토랜스(Torrance)	386
토마스 아퀴나스	155, 157
토요프로그램	62
토큰강화	426
톨만(Tolman)	433
통일학교 운동	75
통제모형	46
통찰(洞察)	431
통찰설	431
통합교육	66
통합성(integration)	45, 248, 249
통합의 원리	469
퇴행(regression)	462
투사(projection)	460
특별 학제	77
특별시	109
특성불안(trait anxiety)	408
특수적 사회화	27
특수학급	66
팀티칭(Team teaching)	503

ㅍ

파블로프(Pavlov)	411
파생적 포섭	510
파울젠(Paulsen)	26
파이현상	429
파지	451
파지−망각곡선	447

파커(Parker)	203, 486
파커스트(Parkhurst)	500
파킨	38
퍼어스(Peirce)	200
페다고지	49
페미니즘적 윤리관	362
페스탈로치(Pestalozzi)	27, 179, 180, 198
편차 지능지수(DIQ)	382
평가 단계	479
평가력(Evaluation)	263
평생교육	32
평생교육법	35, 51
평생교육법 시행령	51
평생교육사	54
평생학습	59
평생학습도시(lifelong learning city)	39
포괄	199
포르(Faure)	39
포르멘(Formen)	68
포섭(subsumption)	510
포스트모더니즘 교육	230
포스트모더니즘(Postmodernism)	225
표면적 교육과정	245, 280
표상심리학	26
푸코(Michel Foucault)	228
풍부화	62
프래그난츠의 법칙	430
프래그머티즘	147, 191
프레이리(Freire)	43, 223
프로그램 학습(PI)	428, 502
프로이트(Freud)	357
프로이트의 성격발달이론	351
프로타고라스(Protagoras)	149
프뢰벨(Fröbel)	26, 146, 183, 196
프리맥(Premack)	426
플라시보효과	470
플라톤(Platon)	151, 196
플린 효과(Flynn Effect)	383
피그말리온 효과	469, 470
피아제(Piaget)	335, 348, 349, 358
피아제의 인지발달이론	335
피터스(Peters)	22, 26, 28
피히테(Fichte)	184, 196
필립스(J. D. Phillips)	487

ㅎ

하과	99
하버마스(Habermas)	220, 223
하시디즘(Hasidism)	216
하이데거	220
하인즈의 딜레마	359
학교모범	110, 114
학교사목	110
학당(學堂)	86, 95
학령	101
학무아문고시	125, 126
학문	269
학문중심 교육과정	269
학사병용	99, 236
학사절목	130
학생변인	470
학습(Learning)	466
학습경향성	475, 506
학습경험(learning experience)	247
학습경험의 선정	247
학습경험의 조직	248
학습계좌	58
학습계좌제	53
학습권	82
학습동기	404
학습망	43
학습자	277, 518
학습자 통제(learner control)	484
학습장애	64
학습지도의 원리	468
학원	93
학전	103
학점은행제	58
학회령	132
한국교육개발원(KEDI)	477
한성사범학교	129
함께 살기 위한 학습	40
합리주의(Rationalism)	177
합리화	460
항문기	353
항존주의(Perennialism)	207
해비거스트(Havighurst)	365
해석학(Hermeneutics)	220
해석학적 교육학	28
행동수정기법	426
행동조성(shaping)	426
행동주의	328

행동주의 심리학	327	후행간섭	446	NCLB법	206	
행동하기 위한 학습	40	훈련	23	OECD(경제협력개발기구)	41	
행운(Kairos)	523, 526	훈습(薰習)	90	paidagogos(敎奴, 敎僕)	148	
향교(鄕校)	86, 95, 103	훈유	177	Palincsar & Brown	526	
향도자	186	훈육론	228	PASS이론	369	
향사례(鄕射禮)	103	훔볼트(Humbolt)	185	Phenix	190	
향선생	96	흔적조건화	414	PIFS	372	
향음례(鄕飮禮)	103	흥학양현	99	R형 조건화설	420	
향학사목	110	흥화학교	131	SCAMPER 기법	388	
향학지규	107			Schleiermacher	220	
허스트	28	**기타**		small step의 원리	503	
허친스(Hutchins)	39			SOMPA	380	
헌법 제31조	31	12공도	86, 95	Spiro	524	
헌장학교(Charter school)	232	12동판법	153	SQ4R 모델	445	
헤겔	196	2요인설(G요인설)	366	STAD(Student Team Achievement Division) 모형	498	
헤르메스(Hermes)	222	3R's	153	super-ego(초자아)	351	
헤르바르트(Herbart)	26, 146, 182	3층제	97	TGT(Team Games Tournament) 모형	498	
혁신학습	61	4대 우상론	168	U-learning	45	
현상학(phenomenology)	214, 220	5단계 교수법	99	Wittgenstein	219	
현장교육(field trips)	62	7자유과	153			
협동학습의 원리	494, 495	9재학당	96			
협의의 교권	82	A-ha 현상	90			
형식도야설	19	ADDIE 모형	478			
형식도야이론	19	Art Propel	372			
형식적 교육	37, 38	Axiology	191			
형식적 조작기	341	Barrows	524			
형이상학	190	Basedow	176			
형태이론	429	Broudy	190			
형태이조설	270	Check list법	388			
형태주의 심리학	327	Collins, Brown & Holum	522			
호레이스만	185	Coulson	524			
혼(Horn)	196, 369	Dewey	23			
홀리스틱 교육	199	Dilthey	220			
홍대용	118, 122	E-learning	45			
홍범14조	126	ego(자아)	351			
홍익인간(弘益人間)	32	Ego	352			
홍패(紅牌)와 백패(白牌)	108	enrichment	62			
화랑도	86, 89	Epistemology	191			
화왕계(花王戒)	91	Gagné	474			
화쟁(和諍)사상	90	Habermas	220			
확산적(발산적) 사고력	368	Heidegger	220			
활동중심 교육과정	268	id(원초아)	351			
회의론	191	K-ABC	380			
효과성(effectiveness)	472	Kneller	200			
효과의 법칙	419	K-WISC Ⅴ 지능검사	378			
효율성(efficiency)	472	Lave	523			
후광효과	470	Lechse(렉제)	148			
후조운동	90	Metaphysics	190			

MEMO

MEMO

오현준

주요 약력

서울대학교 사범대학 교육학과 졸업
現) • 서울교육청, 강원교육청 핵심인재 특강 전임강사
- 박문각 임용고시학원 교육학 및 5급 교육사무관 승진 전임강사
- 박문각 공무원 교육학 온라인·오프라인 전임강사
- 창원중앙고시학원, 대구한국공무원학원, 유성제일고시학원, 청주행정고시학원 교육학 전임강사
- 서울교육청, 인천교육청, 강원교육청 5급 교육사무관 전임 출제위원

前) • 교육부 의뢰, 제7차 교육과정 「특별활동 교사용 지침서」 발간
- 22년간 중등교사로 서울에서 재직 활동(교육부총리, 교육감상 수상 / 교재연구 우수교원 교육부 장관상 수상 / 연구학교 우수교사 수상 / 교육복지투자 우선지역 사업 선도 교사)
- 매년 1급 정교사 자격연수 대상자들을 대상으로 교수법 특강
- 통일부 위촉, 통일 전문 강사 활동
- 광주교육청 주관, 학교교육복지 정책 관련 특강
- 중앙대 교원임용고시 대비 특강
- 5급 교육사무관 대비 교육학 및 역량평가, 심층면접 강의-전국 최대 사무관 배출
- 티처빌 교육전문직 대상 교육학 전임강사

주요 저서

- 오현준 정통교육학 (박문각, 2007~2026 刊)
- 오현준 교육학 끝짱노트 (박문각, 2023~2025 刊)
- 오현준 교육학 단원별 기출문제 1344제 (박문각, 2016~2025 刊)
- No.1 오현준 교육관계법령 (박문각, 2025 刊)
- 오현준 교육학 실전동형 모의고사 (박문각, 2016~2025 刊)
- 오현준 핵심교육학 (박문각, 2016~2024 刊)
- 오현준 명작교육학 (박문각, 2016~2022 刊)
- 오현준 교육학 논술 핵심 229제 (박문각, 2019~2022 刊)
- 오현준 끝짱교육학 (고시동네, 2020~2022 刊)
- 오현준 교육학 기출문제 종결자 (고시동네, 2014~2016 刊)
- TOPIC 교육학 (고시동네, 2013 刊)

인터넷 강의

박문각 www.pmg.co.kr

오현준 정통교육학 #1

초판인쇄 | 2025. 7. 21. **초판발행** | 2025. 7. 25. **편저자** | 오현준 **발행인** | 박 용 **발행처** | (주)박문각출판
등록 | 2015년 4월 29일 제2019-000137호 **주소** | 06654 서울시 서초구 효령로 283 서경 B/D 4층
팩스 | (02)584-2927 **전화** | 교재 주문·내용 문의 (02)6466-7202

저자와의 협의하에 인지생략

이 책의 무단 전재 또는 복제 행위를 금합니다.

정가 49,000원   ISBN 979-11-7262-996-0
                ISBN 979-11-7262-995-3(Set)

교재관련 문의 02-6466-7202   홈페이지 www.pmg.co.kr   편지 서울시 서초구 효령로 283 서경B/D 4층   E-mail team1@pmg.co.kr
동영상강의 문의 www.pmg.co.kr(Tel. 02-6466-7201)

* 본 교재의 정오표는 박문각출판 홈페이지에서 확인하실 수 있습니다.